元代卷

中国文学编年史

主编◇陈文新

本卷主编◇余来明

蠹中南

# 总　序

　　纪传体、编年体是中国传统史书的两种主要体裁，而编年体的写作远较纪传体薄弱。《四库全书总目》卷四七史部编年类小序已明确指出这一事实："司马迁改编年为纪传，荀悦又改纪传为编年。刘知幾深通史法，而《史通》分叙六家，统归二体，则编年、纪传均正史也。其不列为正史者，以班、马旧裁，历朝继作。编年一体，则或有或无，不能使时代相续。故姑置焉，无他义也。"① 与古代历史著作的这种体裁格局相似，在 20 世纪的中国文学史写作中，也是纪传体一枝独秀，不仅在数量上已多到难以屈指，各大专院校所用的教材也通常是纪传体，这类著作的核心部分是作家传记（包括作家的创作经历和创作成就）。编年类的著作，则虽有陆侃如、傅璇琮、曹道衡、刘跃进等学者做了卓有成效的工作，但就总体而言，仍有大量空白，尤其是宋、元、明、清、现、当代部分，历时一千余年，文献浩繁，而相关成果甚少。这样一种状况，自然是不能令人满意的。这套十八卷的《中国文学编年史》的编纂出版，即旨在一定程度地改变这种状况。

　　文学史是在一定的空间和时间中展开的。纪传体的空间意识和时间意识以若干个焦点（作家）为坐标，对文学史流程的把握注重大体判断。其优势在于，常能略其玄黄而取其隽逸，对时代风会的描述言简意赅，达到以少许胜多许的境界。若干重要的文学史术语如"建安风骨"、"盛唐气象"、"大历诗风"等，就是这种学术智慧的凝

---

　　①　永瑢等撰：《四库全书总目》，第 418 页，北京，中华书局，1965。

结。但是，由于风会之说仅能言其大概，"个别"和"例外"（即使是非常重要的"个别"和"例外"）往往被忽略，不免留下遗憾。一些跨时代的作家，如李煜、刘基、张岱等人，在文学史中的时代归属与其代表作的实际创作年代也常有不吻合的情形。例如，李煜被视为南唐作家，而他最好的词写在宋初；刘基被视为明代作家，而他最好的诗、文写在元末；张岱被视为明代作家，而其代表作多写于清初。比上述情形更具普遍性的，还有下述事实：我们讲罗贯中的《三国志通俗演义》，往往以毛宗岗修订本为例；我们讲施耐庵的《水浒传》，往往以百回繁本为例；我们讲兰陵笑笑生的《金瓶梅》，往往以崇祯本为例。这就出现了两方面的问题：第一，我们讲的并不是作家的原著；第二，我们忽略了读者的接受情形。这类涉及风会与例外、作家时代归属与作品实际创作、传播与接受两方面的问题，以纪传体来解决，由于受到体例的限制，往往力不从心，采用编年体，解决起来就方便多了：不难依次排列，以展开具体而丰富多彩的历史流程。

与纪传体相比，编年史在展现文学历程的复杂性、多元性方面获得了极大的自由，但在时代风会的描述和大局的判断上，则远不如纪传体来得明快和简洁。作为尝试，我们在体例的设计、史料的确认和选择方面采用了若干与一般编年史不同的做法，以期在充分发挥编年史长处的同时，又能尽量弥补其短处。我们的尝试主要在三个方面：其一，关于时间段的设计。编年史通常以年为基本单位，年下辖月，月下辖日。这种向下的时间序列，可以有效发挥编年史的长处。我们在采用这一时间序列的同时，另外设计了一个向上的时间序列，即：以年为基本单位，年上设阶段，阶段上设时代。这种向上的时间序列，旨在克服一般编年史的不足。具体做法是：阶段与章相对应，时代与卷相对应，分别设立引言和绪论，以重点揭示文学发展的阶段性特征和时代特征（现当代文学因时间周期较短，拟省略阶段，不设引言）。其二，历史人物的活动包括"言"和"行"两个方面，"行"（人物活动、生平）往往得到足够重视，"言"则通常被忽略。而我们认为，在文学史进程中，"言"的重要性可以与"行"相提并论，特殊情况下，其重要性甚至超过"行"。比如，我们考察初唐的文学，不读陈子昂的诗论，对初唐的文学史进程就不可能有真正的了解；我们考察嘉靖年间的文学，不读唐宋派、后七子的文论，对这一时期的文学景观就不可能有准确的把握。鉴于这一事实，若干作品序跋、友朋信函等，由于透露了重要的文学流变信息，我们也酌情收入。其三，较之政治、经济、军事史料，思想文化活动是我们更加关注的对象。中国文学进程是在中国历史的背景下展开的，与政治、经济、军事、思想文化等均有显著联系，而与思想文化的联系往往更为内在，更具有全局性。考虑到这一点，我们有意加强了下述三方面材料的收录：重要文化政策；对知识阶层有显著影响的文化生活（如结社、讲学、重大文化工程的进展、相关艺术活动等）；思想文化经典的撰写、出版和评论。这样处理，目的是用编年的方式将中国文学进程及与之密切相关的中国思想文化变迁一并展现在读者面前。

《中国文学编年史》是一个基础性的重大学术工程，文献的广泛调查和准确使用是做好编纂工作的首要前提。《四库全书》、《续修四库全书》、《四库存目丛书》、《四库禁毁书丛刊》、《丛书集成》、《笔记小说大观》等是我们经常使用的典籍，近人和今人整理出版的别集、总集，大量年谱（如徐朔方《晚明曲家年谱》），以及文、史、哲方面的编年史，均在参考范围之内，限于体例，未能一一注明，谨此一并致谢。在使用上述文献的过程中，我们采取的是一种如履薄冰、如临深渊的谨慎态度。这是因为，相当一部分典籍是由我们第一次标点，这一工作的难度是不言而喻的。即使是前人已经整理的典籍，我们也并不直接采用，而是根据自己的理解再整理一次。这样做当然增加了工作量，但确有许多好处，若干错误就是在这一过程中得到纠正的，有些错误的纠正涉及基本事实的澄清。比如，张大复《皇明昆山人物传》卷八记梁辰鱼晚年情形，有云："（梁氏）当除夕遇大雪，既寝不寐。忽令侍者遍邀诸年少，载酒放歌，绕城一匝而后就睡。曰：'天为我辈雨玉，可令俗人蹴踏之耶？'时年已七十矣。亡何，中恶，语不甚了。有老奴李用者，颇省其说，尚有注记。得岁七十有三。"一位学者将"中恶，语不甚了"标点为"中恶语，不甚了"，并就此推论说："梁辰鱼七十岁时遭遇暧昧不明的事件。""《皇明昆山人物传》的上述记载本意是为贤者讳，事实上倒很可能为统治者隐盖了迫害异己文人的一件罪行。"这就不免弄错了事实。"中恶"即突然患急病，正所谓"老健春寒秋后热"，老年人得急病是常见的情形。而"中恶语"的表述，明显不符合古人的语言习惯。再如，陈田《明诗纪事》将正德时期的傅汝舟与明末的傅汝舟混为一人，将两人的生平搅在一起，其按语云："丁戊山人诗初矜独造，晚遁荒诞，择其入格者录之，亦是幽弦孤调。山人享大年，具异才，谈佛谈仙，亦作北里中艳语。初与郑少谷游，晚乃与茅止生、卓去病、张文寺、文太青倡和，支离怪诞，无所不有。少谷集中无是也。论者乃专谓山人刻意学少谷，何哉?"《明诗纪事》近三百万言，卓有建树，是研究明诗的必备案头书。但关于傅汝舟，陈田的确弄错了。郑善夫（1485—1523）号少谷，以学杜著称，学郑少谷的是正德年间的傅汝舟；文翔凤号太青，万历三十八年（1610）进士，与文太青等唱和的是明末的傅汝舟。两个傅汝舟之间相距约百年，陈田想当然地将二者合为一人，说他"享大年"，又说他前期学郑少谷，后期学竟陵派，曲意弥缝，令人哑然失笑。其他种种，如部分文学家辞典对作家生卒年的误注，若干点校本的断句错误等，我们都在力所能及的范围内做了纠正。提到这些情况，不是想证明我们的水平有多高，而意在告诉读者：我们的工作态度是认真的，有志于为读者提供一部值得信赖的编年史著述。

《中国文学编年史》的编纂得到了北京大学、武汉大学、南京大学、中国人民大学、中国社会科学院、中国艺术研究院、中华书局、陕西师范大学、西北师范大学、华中师范大学、山东师范大学、山东曲阜师范大学、中南民族大学、中南财经政法大学等单位专家和领导，尤其是武汉大学领导的支持；湖南省新闻出版局、湖南出版投资控股集团及湖南人民出版社鼎力支持编年史的编纂出版，所有这些，我们将永远铭记在心。

陈文新
2006 年 7 月 23 日于武汉大学

# 凡　例

一、《中国文学编年史》以编年形式演述中国文学发展历程，凡十八卷：第一卷周秦、第二卷汉魏、第三卷两晋南北朝、第四卷隋唐五代（上）、第五卷隋唐五代（中）、第六卷隋唐五代（下）、第七卷宋辽金（上）、第八卷宋辽金（中）、第九卷宋辽金（下）、第十卷元代、第十一卷明前期、第十二卷明中期、第十三卷明末清初、第十四卷清前中期（上）、第十五卷清前中期（下）、第十六卷晚清、第十七卷现代、第十八卷当代。

二、编年史各卷据文学发展的不同阶段划分为若干章（如无必要，或不分章）。章的标目方式是："××章　××年至××年，共××年"。关于某一阶段文学的总体评论放在该章的首年之前，如明前期卷"第一章　洪武元年至建文四年，共 35 年"，在章目下，"洪武元年"之前，单列明前期卷"引言"一目。关于某一时代文学的综合论述，放在卷首。如元代卷，在第一章前，单列元代文学"绪论"。

三、编年史各卷所收录内容的构架大体统一，重点包括七个方面：1. 重要文化政策；2. 对文学发展有显著影响的文化生活（如结社、讲学、重大文化工程的进展、相关艺术活动等）；3. 作家交往（唱和、社团活动等）；4. 作家生平事迹；5. 重要作品的创作、出版和评论；6. 争鸣（团体之间、个人之间在重要问题上的论辩等）；7. 其他。

四、叙事以纲带目，即在征引相关文献之前有一句或数句概述。如，先总叙一句"俞宪编《盛明百家诗》成书"，再征引相关序跋、著录、评议。前者为纲，后者为目，纲、目配合，旨在完整地呈现文学史事实。少量见于常用工具书的重要史实，或不必展开的文学史事实，则列纲而略目，以省篇幅。

五、公历纪年年初与中国传统纪年年末不属同一年份，如公元 1899 年元月 1 日至 12 月 31 日对应于光绪二十四年戊戌十一月二十七日至光绪二十五年己亥十一月二十九日，而不对应于光绪二十五年己亥正月初一至十二月三十日。我们采用变通的处理方法，以公历纪年，而以农历纪月，比如，凡光绪二十五年己亥正月至十二月之内的内容均置于公元 1899 年下。作家生卒年，仍据公历标注，其他以此类推。现、当代文学部分，纪年、纪月均据公历。

六、同一年内之文学史实，按月份先后顺序排列。月份不详而仅知季度的，春季置于三月之后，夏季置于六月之后，其他以此类推。季度、月份均不详者，另设"本年"目统之。

七、一部分重要文学史实，年月不详而仅知大体时段者，在年号之末另设"××年间"目统之，如嘉靖四十五年之后另设"嘉靖年间"一目。

八、引用序跋，一般采用"作者＋篇名"的方式，如"臧懋循《唐诗所序》"。引用序跋之外的诗文等作品，一般采用"集名＋卷次＋篇名"的方式，如"《有学集》卷三一《隐湖毛君墓志铭》"，采用"作者＋篇名"的方式，如"钱谦益《隐湖毛君墓志铭》"。无篇名者则省略，如"《艺苑卮言》卷三"。某作者集中所收为他人别集所作的序跋，亦采用这一方式，如"《太函集》卷二二《弇州山人四部稿序》"。引用正史，一般采用"正史名＋本传或××传"的方式，"如《明史》本传"或"《明史》李攀龙传"，不标卷次。引用《四库全书总目提要》，或用全称，或简称"四库提要"，只标明卷次。如"四库提要卷一五三"。引用地方志，标明纂修年代，如"光绪《乌程县志》卷三一"。据类书转引时，注明原出处，如"《太平广记》卷二〇《阴隐客》（出《博异志》）"。引用报刊，注明年月日或卷次。

九、作者小传一般置于生年。有些作家，虽生年在上一卷，但在上一卷无文学活动，其小传酌情移入本卷首次出现时。如杨士奇，元亡时才4岁，其小传置于明前期卷，出生时只交代："杨士奇（1365—1444）生"，不列小传。现、当代作者，因传记资料常见，相关作家小传酌情收录。

十、对于某一作家的总体评论和重要著录一般置于卒年。某作者卒年在下一卷，但在下一卷无重要文学活动，主要评论材料酌情置于本卷。如易顺鼎（1858—1920），其评论材料集中于晚清卷，不入现代卷。

十一、作家代表作一般不录原文，但收录重要评论材料，并酌情说明相关选本收录情形。

十二、需要补充交待而占用篇幅较大的文学史事实，设少量"附录"。对若干需要辨证的史实，设按语加以说明。以提供文献线索为主，不详加征引。

# 目 录

# 绪　论

余阙《杨君显民诗集序》：我国初有金、宋，天下之人，惟才是用之，无所专主，然用儒者为居多也。自至元以下，始浸用吏，虽执政大臣，亦以吏为之。由是中州小民，粗识字、能治文书者，得入台阁，共笔札，累日积月，皆可以致通显，而中州之士见用者遂浸寡。况南方之地远，士多不能自至于京师，其抱材蕴者，又往往不屑为吏，故其见用者尤寡也。及其久也，则南北之士，亦自町畦以相訾，甚若晋之与秦，不可与同中国，故夫南方之士微矣。延祐中，仁皇初设科目，亦有所不屑，而甘自没溺于山林之间者，不可胜道，是可惜也。夫士惟不得用于世，则多致力于文字之间以为不朽，而文辞者有幸有不幸者，不幸者至于老而无所用矣，而其文又遂泯不显，是可哀也。比年大江之南，山林之士有挟其文艺游上国，而遇知于当世。士之弹冠而起者，相踵京师。大官之家，皆有其客，而遇知于当世者，亦比比有之。（《青阳集》卷二）

戴良《求我斋文集序》：昔人谓文章与世相高下，然亦恒发于山川之秀，本诸文献之传。以鄞一郡观之，其地环以大海，而四明、骠骑诸山，往往趋海而尽。士生其间者，率伟茂博洽，有古作者之遗风。由宋而上，固不必论。国朝以来，践扬清华，出入禁近，所以邕宣皇仁、黼黻休光于无穷，则文清袁公其人也。托迹丘园，淑艾来学，而指画口授，使疑者冰开、虚心者满怀，则敬叔程公其人也。于是以道郑先生之出，实与二公相先后。朝讲夕辩，学日以肆，自经史传记诸子以及天文、地理、历算、兵刑、食货、医卜、释老之书，罔不悉究。其所为文章，虽不尽守近世师儒绳尺，而规模论议，要不随人之后，至其佳处，自可追配古人。（《九灵山房集》卷二十一）

王祎《赠陈伯柔序》：有元以来，大江之西有二大儒焉，曰吴文正公、虞文靖公。文正之学主于为经，其于群经，悉厘正其错简，折衷其疑义，以发前儒所未发而集其成，讨论该洽，封殖深固，视汉儒之颛门名家者有间矣。文靖之学主于修辞，其于文辞，养气以培其本，知言以极其用，凡以载斯道而传之世，故其羽翼圣教，黼黻人文，卓然为一代之所宗，而自成一家之言者也。二公之学，虽其径庭有若异向，然要皆圣贤之为道，其趋一而已矣。后学之士，乌可妄议乎哉！（《王忠文集》卷五）

徐一夔《嘉兴路新建儒学记》：学校之设，国家风化之机在焉，非细故也。尝窃闻之，初国家起自朔漠，以威武立国，未遑学校之事。中统、至元之际，天下大定，许文正公衡用儒术为辅相，凡其谋谟，皆经国大计，至于学校一事，尤切切言之。其言自国都以及州县皆设学校，使皇子以至庶人之子，皆从事日明君臣父子之道，自洒扫应对以至治国平天下，迟以十年，则上知所以御下，下知所以事上，而上下亲睦。此诚不可拔之论。然当是时，国学肇建，而州县尚多苟且。延祐更化，上深厌吏蠹，赫然欲刬去之，顾学校难须成于月日，断以科目取士，盖将朝用其人而夕收其效也。大抵天下之势，此急则彼缓，矧夫上之人以是求之哉！由是学校之设，始若冠之有旒，履之有绚，姑具人文而已。当国者以提调则付之守令，以勉励则付之风宪，曰有任之者矣。而受其任者，既不皆出于儒术，而钱谷词讼又从而夺之，几何不视为迂阔之务。月更朔望，相率入谒庙廷，退坐论堂，引师弟子剿取儒先成说，敷陈一过，已则掉臂而去。如是以为故事，而欲学校有成如文正所云，其可得乎？循习之久，卒至人纪废坏，寇贼奸宄，以迄于今弗振者，职此由也。（《始丰稿》卷二）

　　王彝《顺理斋记》：吴郡自昔衣冠之所萃，入国朝，其郡人若宋节幹颜公，若汤师言、龚子敬两先生，及礼部于公；其寓止若所南郑先生，若虞文靖公、黄文献公、太常柳公，皆卓然师表一世。故其学者知务经术，为文章必要诸理。其后湘东李一初先生，亦寓于是，学者又出其门焉。尹君伯章，吴人者，盖尝接闻诸君子之流风，而又及亲炙黄公，且尝与李先生游，其所学概可知矣。（《王常宗集》卷一）

　　释妙声《友桂轩记》：若夫秦汉则去古未远，王泽未熄，故其文非后世可及。自尔以来，代有作者，而莫盛于唐宋，然视秦汉则有间矣。自训诂之学行，而古文遂微。近世文运中兴，制作尤盛，其间卓然振古豪杰之才，无让于昔。而牵于时尚，不得不靡而从之，此其文终有愧于古也与？抑又闻之，古人论立言者，谓汉不如秦，秦不如周，世愈降而愈下，时势则然也。今之论者，往往守其师说，好是今非古，而吹求其失，不亦过乎？古语有之：家有敝帚，享之千金。斯不自见之患也。因诵所闻，而遂及此，非论文也。（《东皋录》卷中）

　　陈相《白云集序》：吾婺道学之传，自宋东莱吕成公以身任其道，倡鸣于南渡之后，卓乎不可及已。元有仁山金文安公，以其传于北山何文定公、鲁斋王文宪公者，而传之白云许文懿公。盖北山得于勉斋黄氏，而勉斋实出考亭朱子之门，故传得其正，粹然以道名家。他如待制浦阳柳公、侍讲乌伤黄公、礼部兰溪吴公、翰林东阳张公，以及国朝学士景濂宋公、待制子充王公，皆以斯文羽翼其道者也。海内论乡学渊源之懿，师友继承之笃，盖莫如吾婺。（《白云集》卷首）

　　《草木子》卷四下：古之圣贤立心，至公无我。其官人之道，必曰禄罔及私，官惟其能；爵罔及恶，德惟其贤。此其所以能为天地立心，为生民立命也。元朝天下，长官皆其国人是用。至于风纪之司，又杜绝不用汉人、南人，宥密之机，又绝不预闻矣。其海宇虽在混一之天，而肝胆实有胡越之间。不过视官爵为己私物，其视古圣立贤无方之道，果如何哉？不知天位天禄，天以命有德，宁能屯膏吝赏，久蔽于汉人、南人哉？是以不及百年，大乱继踵，而爵禄皆归中原之人。盖祸福乘除，其数然也。由是观之，人谋岂能夺天造哉？孰若均平天施，无有南北之分，惟才是任，惟贤是使。譬之水泽，使百川分流，则大有所潴，小有所泄，滔滔汨汨，庶为悠久。若使壅并防遏，蓄而不泄，及其溃决，小则为灾，大则致败，必然之理也。

虞集《傅与砺使诗集序》：国初，中州袭赵礼部、元裕之之遗风，宗尚眉山之体。至涿郡卢公稍变其法，始以诗名东南，宋季衰陋之气，亦已销尽。大德中，文章辈出，赫然鸣其治平。集所与游者亦众，而贫寒相望，发明斯事者，则浦城杨仲弘、江右范德机其人也。杨之合作，吴兴赵公最先知之，而德机之高古神妙，诸君子未有不许之者也。其后马伯庸中丞用意深刻，思致高远，亦自成一家，观者无间言。而进士萨天锡者，最长于情，流丽清婉，作者皆爱之。而与前之诸公先后沦逝，识者然后知其不可复得也。（《傅与砺诗文集》卷首）

虞集《庐陵刘桂隐存稿序》：国朝广大，旷古未有，起而乘其雄浑之气以为文者，则有姚文公其人。其为言不尽同于古人，而伉健雄伟，何可及也。继而作者，岂不瞠然其后矣乎？当是时，南方新附，江乡之间，逢掖缙绅之士，以其抱负之非常幽远而未见知，则折其奇杰之气，以为高深危险之语，视彼靡靡混混，则有间矣。然不平之鸣，能不感愤于学者乎？而一二十年，向之闻风而仿效亦渐休息。延祐科举之兴，表表应时而出者，岂乏其人。然亦循习成弊，至于骤废骤复者，则亦有以致之者然与？于是执笔者肤浅则无所明于理，蹇涩则无所昌其辞，徇流俗者不知去其陈腐，强自高者惟傍窃于异端。斯文斯道，所以可为长太息者，常在于此也。（《桂隐文集》卷首）

欧阳玄《潜溪集序》：三代而下，文章唯西京为盛。逮及东都，其气浸衰。至李唐复盛，盛极又衰。宋有天下百年，始渐复于古。南渡以还，为士者以泛焉无根之学而荒思于科试，间有稍自振拔者，亦多诞幻卑冗，不足以名家，其衰又甚矣。我元龙兴，以浑厚之气变之，而至文生焉。中统、至元之文庞以蔚，元贞、大德之文畅而腴，至大、延祐之文丽而贞，泰定、天历之文赡以雄。涵育既久，日富月繁，上而日星之昭晰，下而山川之流峙，皆归诸粲然之文，文意将超宋唐而至西京矣。（《宋濂全集》附录）

苏天爵《书吴子高诗稿后》：我国家平定中国，士踵金宋馀习，文辞率粗豪衰苶。涿郡卢公，始以清新飘逸为之倡。延祐以来，则有蜀郡虞公、浚仪马公，以雅正之音鸣于时，士皆转相效慕，而文章之习，今独为盛焉。（《滋溪文稿》卷二十九）

杨维桢《王希赐文集再序》：我朝文章，肇变为刘、杨，再变为姚、元，三变为虞、欧、揭、宋，而后文为全盛。以气运言，则全盛之时也。盛极则亦衰之始。自天历来，文章渐趋委靡，不失于搜猎破碎，则沦于剽盗灭裂，能卓然自信不流于俗者几希矣。吾尝以近代律今之文，仅得与曾巩、苏辙、王安石、李清臣、陈无己之流相追逐，相亡而中衰也，已不得步武于陆游、刘克庄、三洪，矧叶适、陈传良、戴溪乎？不得步武于叶适、戴溪、陈传良，矧晁、张、秦、黄乎？不得步武于晁、张、秦、黄，矧二苏、欧阳乎？时则举子之伎兴矣，不惟代无作者，而鉴识衡定为之先者，无其人也亦久矣。（《东维子集》卷六）

杨维桢《剡（郯）韶诗序》：我元之诗，虞为宗，赵、范、杨、马、陈、揭副之，继者迭出而未止。吾求之东南，永嘉李孝光、钱塘张天雨、天台丁复、项炯，毗陵吴恭、倪瓒，盖亦有本者也。近复得永嘉张天英、郑东、姑苏陈谦、郭翼，而吴兴得郯韶也。韶诗清丽而温重，无穷愁险苦之态，盖其强力于学未止。探其本之所出，极其作之所诣，盖得《骚》之声，得《雅》之情，则《雅》之声矣，又岂直在元诗一人之

数，追逐李、张、丁、项辈而止乎？（《东维子集》卷七）

杨维桢《两浙作者序》：曩余在京师，时与同年黄子肃、俞原明、张志道论闽浙新诗。子肃数闽诗人凡若干辈，而深诋余两浙无诗，余愤曰："言何诞也，诗出情性，岂闽有情性，浙皆木石肺肝乎？"余后归浙，思雪子肃之言之冤，闻一名能诗者，未尝不躬候其门，采其精工，往往未能深起人意。阅十有馀年，仅仅得七家，其一永嘉李孝光季和，其一天台项炯可立，其一东阳陈樵君采，其一元镇，其二老释氏，曰句曲张伯雨、云门思断江也。昔王、刘二子能重河朔，矧七家者不足以重两浙乎？惜不令子肃见之。尝论：诗与文一技，而诗之工为尤难。不专其业，不造其家，冀传于世，妄也。盖仲容、季和放乎六朝而归准老杜，可立有李骑鲸之气，而君采得元和鬼仙之变，元镇轩轾二陈而造乎晋汉，断江衣钵乎老谷，句曲风格夙宗大历，而痛厘去纤艳不逞之习。七人作备见诸体，凡若干什，目曰《两浙作者集》，非徒务厌子肃之言，实以见大雅在浙，方作而未已也。若其作者继起而未已也，又岂仅仅七人而止哉！（《东维子集》卷七）

张翥《圭塘小稿序》：昔人论文章，贵有馆阁之气。所谓馆阁，非必掞藻于青琐石渠之上，挥翰于高文大册之间，在于尔雅深厚，金浑玉润，俨若声色之不动，而薰然以和，油然以长，视夫滞涩怪僻、枯寒褊迫，至于刻画而细、放逸而豪以为能事者，径庭殊矣。故识者往往以是概观其人之所到，有足征焉。本朝自至元、大德以迄于今，诸公辈出，文体一变，扫除俪偶迂腐之语，不复置舌端，作者非简古不措笔，学者非简古不取法，读者非简古不属目，此其风声气习，岂特起前代之衰，而国纪世教，维持悠久，以化成天下者，实有系乎此也。（《中州名贤文表》卷二十二）

郑玉《胡孟成文集序》：皇元混一，五星聚斗，文运向明，文体为之一变，然起衰救弊如韩、欧公者，卒未见其人焉。于是学者各以其见之所及，力之所能，家自为学，人自为师，以鸣于世，以俟夫后之韩、欧而是正之。如吾友胡君孟成，亦其一也。（《师山遗文》卷一）

张以宁《瓯山存稿序》：儒学莫盛于前代之宋氏，大要尚道义而下词章，而始以学古倡者，则已崇理致。黜崛奇而主平易，忌艰深而贵敷畅，蕲以复古之作者，又恐沿袭而少变焉，是以其词纡馀而曲折。及其后也，融之以训诂，发之以论说，专务明乎理，是以其词详尽而周密。其于诗也亦然。盖不为秦汉以来之杰然者，而隐然为宋氏一代之文矣。婺为郡，儒先东莱吕成公之里也，近何、王、金、许氏得勉斋黄公之传于徽国朱文公者，以经学教于乡。及学士黄公、待制柳公诸贤辈出，又以词章仕于朝，而故太常博士古愚胡君，实同一时，后先倡和，其源流之所自，盖可睹矣。（《翠屏集》卷三）

张以宁《桐华新稿序》：昔者王道盛而雅颂兴，帝功成而乐章作。世隆，诗道固从而隆也。我元德迈于周汉，覆载之内，血气之伦，仁涵义浃，百有廿年于兹矣。士之沐浴膏泽，咏歌泰和，若蛰之于雷，奋不可遏，则诗焉而复古之道也宜哉！温陵故文献邦，今尤为乐国，缙绅之所庐，冠带之所途，地又多名山水，能言之彦，颖然于决科外致力为诗，曶舒襟灵，蜕去尘坌。暇日，辄会于城西南之隅清果寺，寓公游士，俊异咸集，僧之名者亦预焉。余读之而三叹曰：大夫士幸得生盛时，目不睹金革事，

能声于诗以自著，不自菲薄，亦犹古之道乎，治世之音乎？（《翠屏集》卷三）

陈基《孟待制文集序》：国朝之文凡三变。中统、至元以来，风气开辟，车书混同，名家作者，与时更始，其文如云行雨施，雾需万物，充然有馀也。延祐初，继禅之君虚己右文，学士大夫涵煦乎承平，歌舞乎雍熙，出其所长，与世驰骋，黼黻皇猷，铺张人文，号极古今之盛。然厉金石以激和平之音，肆雕琢以泄忠厚之朴，而峭刻森严，殆未易以浅近窥也。天历之际，作者中兴，上探诗书礼乐之源，下泳秦汉唐宋之澜，摆落凡近，宪章往哲，缉熙《典》、《坟》，照熠日月，登歌清庙，气凌《骚》、《雅》，由是和平之音大振，忠厚之朴复还。其用力也，如蔺相如抗身秦庭，全璧归赵。呜呼，亦不易矣。（《夷白斋稿》卷二十二）

戴良《丁鹤年诗集序》：昔者成周之兴，肇自西北。西北之诗，见之于《国风》者，仅自邠、秦而止。邠、秦之外，王化之所不及，民俗之所不通，固不得系之列国矣。我元受命，亦由西北而兴，西北诸国，若回回、吐蕃、喀和尔、伊啰、勒昆、唐古尔辉之属，往往率先臣顺，奉职称藩。其沐浴休光，沾被宠泽，与京国内臣无少异。积之既久，文轨日同，而子若孙遂皆舍弓马而事诗书。至其以诗名世，则贯公云石、马公伯庸、萨公天锡、余公廷心其人也。论者以马公之诗似商隐，贯公、萨公之诗似长吉，而余公之诗则与阴铿、何逊齐驱而并驾。他如高公彦敬、嵘公子山、达公兼善、雅公正卿、聂公古柏、斡公克庄、鲁公至道、王公廷圭辈，亦皆清新俊拔，成一家言。此数公者，皆居西北之远国，其去邠、秦盖不知其几千万里，而其为诗，乃有中国古作者之遗风，亦足以见我朝王化之大行、民俗之丕变，虽成周之盛莫及也。（《鹤年诗集》卷首）

戴良《夷白斋稿序》：我朝舆地之广，旷古所未有，学士大夫乘其雄浑之气以为文者，固未易以一二数。然自天历以来，擅名于海内，惟蜀郡虞公、豫章揭公、金华柳公、黄公而已。方是时，祖宗以深仁厚泽涵养天下，垂五六十年，而戴白之老、童儿幼稚，相与鼓舞于里巷之间，晏然无以异于汉唐宋之盛时。故一时作者，率皆涵淳茹和，以鸣太平之鸿休，其摛辞则拟诸汉唐，说理则本诸宋儒，而学问则优游于周之未衰，学者咸宗尚之，并称之曰虞、揭、柳、黄，而本朝之盛极矣。继是而起，以文名家者，犹不下数人，如莆田陈公之俊迈，则有得于虞公；新安程公之古洁，则有得于揭公；而临川危公之浩博，则又兼得夫四公之长者。郁郁彬彬，何可及哉！近年以来，独危公立帜词坛，自馀数公，常想见其丰采，习闻其謦欬，邈然其不可接者久矣。于是沦没殆尽，而得先生以绍其声光。……夫自周衰以来，至于今几二千载，其阅世非不远也，历年非不久也，能言之士非不多也，斯文能自振拔以追于古者，惟汉唐宋及我朝此四世而已。而四世之中，士之卓卓可称述者，又不过数人焉，何才之不数出，而人之难得若是哉！（《九灵山房集》补编下）

戴良《皇元风雅序》：唐诗主性情，故于风雅为犹近；宋诗主议论，则其去风雅远矣。然能得夫风雅之正声，以一扫宋人之积弊，其惟我朝乎！我朝舆地之广，旷古所未有。学士大夫乘其雄浑之气以为诗者，固未易一二数。然自姚、卢、刘、赵诸先达以来，若范公德机、虞公伯生、揭公曼硕、杨公仲弘，以及马公伯庸、萨公天锡、余公廷心，皆其卓卓然者也。至于岩穴之隐人，江湖之羁客，殆又不可以数计。盖方是时，祖宗以深仁厚德涵养天下，垂五六十年之久，而戴白之老、垂髫之童，相与欢呼鼓舞于闾巷间，熙熙然有非汉唐宋之所可及。故一时作者，悉皆餐淳茹和，以鸣太平之盛治。其格调固拟诸汉唐，理趣固资诸宋氏，至于陈政之大、施教之远，则能优入乎周德之未衰。盖至是而本朝之盛极矣。继此而后，以诗名世者犹累累焉。语其为体，固有山林、馆阁之不同，然皆本之性情之正，基之德泽之深。流风遗俗，班班而在。刘禹锡谓八音与政通，文章与时高下，岂不信然欤！（《九灵山房集》卷二十九）

王祎《宣城贡公文集序》：国朝统一海宇，气运混合，鸿生硕儒，先后辈出，文章之作，实有以昭一代之治化。盖自两汉以下，莫于斯为盛矣。当至元、大德间，有若陵川郝文忠公、柳城姚文公、东平阎文康公、豫章程文宪公、吴兴赵文敏公，皆以前代遗老，值国家之兴运，其文庞蔚质奥，最为近古。延祐以后，则有临川吴文正公、巴西邓文肃公、清河元文敏公、四明袁文清公、浚仪马文贞公、侍讲蜀郡虞公、尚书襄阴王公，其文典雅富润，益肆以宏，而其时则承平浸久，丰亨豫大，极盛之际也。今天子元统以来，致治为尤盛，而文学之士，至于今则遂以日继沦谢，而几于寥寥矣。如广阳宋正献公、豫章揭文安公、待制东阳柳公、承旨济南张公、参政赵郡苏公，皆不可复作，而承旨庐陵欧阳公、谕德东明李公、侍讲金华黄公，虽岿然犹存，而亦既老矣。其方向任用而擅文章之名者，唯吾宣城贡公乎！（《王忠文集》卷六）

王祎《浦阳戴先生诗序》：昔日浦阳之言诗者二家焉，曰仙华先生方公韶卿、乌蜀先生柳公道传。方公之诗，幽雅而圆洁；柳公之诗，宏丽而典则。大抵皆取法盛唐，而各成一家言，用能俱有重名于当世。然方公隐者，其诗传之者鲜；而柳公尝待制翰林，天下莫不脍炙其言辞。于是二公不可作矣。继其学而昌于诗者，又得吾戴叔能先生焉。叔能之诗，质而敷，简而密，优柔而不迫，冲澹而不携，庶几上追汉魏之遗音，其复自成一家者欤！盖柳公学于方公，而叔能师事柳公为最久，渊源之懿，信不可诬。（《王忠文集》卷七）

王祎《文评》：於乎！以余观乎有元一代之文，其亦可谓盛矣。当至元、大德之间，时则抑（柳）城姚文公之文振其始；及至正以后，时则庐陵欧阳文公之文尝其终。即两文公之文而观之，则一代文章之盛概可见矣。盖尝评之，姚公之文如泰山之云，触石而起，层出叠见，翁郁馥馞，而震雷掣电助其威声，曾不崇朝，雨及天下万物，被其润泽者，莫不昭苏而发育焉。欧阳之文，如沧溟之涛，浩瀚无际，长风四至，而汹涌山立，天吴罔象，蛟龙之属，因舞其间，及乎风止浪息，百怪沉冥，则巨艘大舶一夕千里矣。嗟乎！二公之文若是，岂非一代之雄于文者乎？宜其节惠易名，皆特谥为文，千载公议，孰得而诬之。是故唐三百年得谥为文者，惟韩子为合理，若李翱、权德舆则不足言矣。宋三百年得谥为文者，惟王荆公、朱徽公为称情，若杨亿、苏洵则有可议者矣。独有元百年之间，姚、欧相望，而两文之谥，始终有作，吾无间然矣。谓之为盛，岂非然哉？（《王忠文集》卷二十）

刘基《苏平仲文集序》：文以理为主，而气以摅之，理不明为虚文，气不足则理无所驾。文之盛衰，实关时之泰否。……故以宋之威武，较之汉唐弗侔也，而七帝相承，治化不减汉唐者，抑亦天运之使然与？是故气昌而国昌，由文以见之也。元承宋统，子孙相传，仅逾百载，而有刘、许、姚、吴、虞、黄、范、揭之俦，有诗有文，皆可

垂后者，由其土宇之最广也。(《诚意伯文集》卷十五)

胡翰《华川集序》：吾乡以学术称者，在至元中则金公吉甫、胡公汲仲为之倡。汲仲之后，则许公益之、柳公道传、黄公晋卿、吴公正传、胡公古愚，卓立并起，而张公子长、陈公君采、王公叔善，又皆彬彬和附于下。当南北混一，方地数万里，(原阙)物非可亿计，而言文献之绪者，以婺为称首，则是数君子实表砺焉。逮至正以后，黄公犹秉笔中朝。于是沦谢始尽，而得吾子充绍其声光。(《胡仲子集》卷五)

朱右《泊川文集序》：予尝观近代僧家者流，以文鸣者固多，要其不失轨范，充然有余，在元贞则天隐至公，天历则广智诉公也。天隐之文雅正舒畅，广智之文雄健超迈，然皆无林下习气。(《白云稿》卷五)

朱右《元朝文颖序》：气化流行之谓道，道之显著之谓文。道有升降，故文有盛衰，而国家之气化系焉。有元启运，肇造朔漠，著作之家，名世之士，所以神治化、代王言、垂世范者，固已产于金宋未亡之前。风云类从，万物咸睹，混一雄厚之气，见诸言辞，岂偶然哉！……方南北未通，江汉赵氏默记朱子《四书集注》及各经传，身载以北。许文正公私淑有闻，以身任道，大阐其秘，上启君心，下餍人望，天下后世知所向方，无或有间，兴文开化之功，岂小补哉？此编自江汉而下，成一家言者，得六十余人，传诵之盛，有足以神三代而轶汉唐，讵不盛欤？试尝读而评之。文者英华之外见者也，文采外见，莫花木若也。国初之文，犹花木之蓓蕾，蕤鄂未分，蔼然硕楙之气，殆窥见其精华。至大、延祐间，则葩敷荄閟，芬芳殊妍，风日滋荣，犹未露其夭巧。天历以来，春气毕达，百卉竞冶，奇态媚姿，光焰发越，则极其著见矣。夫物生而滋，滋而盛，盛而极，固亦气化之使然，尤于是可以观世变也。嗟夫，人物圅形气化，亦岂得容心于其间耶？(《白云稿》卷五)

胡行简《方壶诗序》：海宇混合，声教大同，光岳之气，冲融磅礴，而人材生焉。西北贵族，联英挺华，咸诵诗读书，佩服仁义。入则谋谟帷幄，出则与韦布周旋，交相磨砻，以刻厉问学，蔚为邦家之光。至元、大德间，硕儒巨卿，前后相望。自近世言之，书法之美如康里氏子山、扎剌尔氏惟中，诗文雄混清丽如马公伯庸、泰公兼善、余公廷心，皆卓然自成一家。其馀卿大夫士，以才谞擅名于时，不可屡数。若方壶常君，河右之伟人也。才总角，飘飘然有凌云气，下笔惊人，如不食烟火之语。暨长，遨游四方，充之以学问，广之以见闻。于是其所著述，大篇短章，咸中矩度，铿锵韶濩，翕辟宫商。惜其流落江南，遭回州县，不得与诸贤颉颃，颂歌清庙，以鸣太平之盛尔。(《樗隐集》卷五)

释来复《蜕庵集序》：呜呼，诗岂易言也哉！大雅希声，宫徵相应，与三光五岳之气并行天地间，一歌一咏，陶冶性灵，而感召休征，其有关于治教，功亦大矣。然自删后，至于两汉，正音犹完。建安以来，浸尚绮丽，而诗道微矣。魏晋作者虽优，不能兼备诸体。其铿锵轩昂，上追风雅，所谓集大成者，惟唐而后有之，降是无足采焉。逮及于元，静修刘公复倡古作，一变浮靡之习；子昂赵公起而和之，格律高深，视唐无愧。至若德机范公之清淳，仲弘杨公之雅赡，伯生虞公之雄逸，曼硕揭公之森严，更唱迭和于延祐、天历间，足以鼓舞学者而风厉天下，其亦盛矣哉！(《蜕庵集》卷首)

《至正直记》卷二：虞翰林邵庵尝论一代之兴，必有一代之绝艺足称于后世者，汉之文章，唐之律诗，宋之道学，国朝之今乐府，亦开于气数音律之盛。其所谓杂剧者，虽曰本于梨园之戏，中间多以古史编成，包含讽谏，无中生有，有深意焉，是亦不失为美刺之一端也。

贝琼《乾坤清气序》：有元混合天下，一时鸿生硕士若刘、杨、虞、范，出而鸣国家之盛，而五峰、铁崖二公继作，瑰诡奇绝，视有唐为无愧。或曰：刘、杨而下，善诗矣，岂皆李杜乎？则应之曰：韶、濩息而《鼓吹》作，衮冕弃而南冠出，固有非李杜而李杜者也。（《清江文集》卷一）

贝琼《陇上白云诗稿序》：余在钱塘时，与二三子录中州诗总若干首成编，题曰《乾坤清气》。盖元初文治方兴，而吴兴赵公子昂、浦城杨公仲弘、清江范公德机，务铲宋之陈腐，以复于唐。其相继起于朝者，有蜀虞公伯生、西域马公伯庸、江右揭公曼硕、莆田陈公众仲；在外则永加（嘉）李公五峰、会稽杨公铁崖、钱塘张公句曲，而河东张公仲峰（举）亦留三吴，以乐府唱酬。金春玉应，骎骎然有李杜之气骨，而熙宁、元丰诸家为不足法矣。下至四明黄公伯成、曲江钱公思复，亦皆卓然可观者。（《清江文集》卷二十九）

谢肃《长林先生文集序》：先生每谓，夫六经而下，左丘明传《春秋》，而千万世文章实祖于此。继丘明者司马子长，子长为《史记》，而力量过之，在汉为文中之雄。继子长者韩子，深醇正大，在唐为文中之主。继韩子者欧阳公，渊永和平，在宋为文中之宗。他若班孟坚之详赡，柳州之精核，曾南丰之峻洁，王临川之简淡，苏长公之痛快，亦宜谛观熟考以自成一家，斯吾有志而未遂焉者也。能遂其志而自成一家，其在国朝群公之文乎？夫赵江汉如星斗著天，行列森罗而光气焕发；刘静修如御车广路，轮辕坚壮而驰骋自得；姚牧庵如豫章拔地，深根而巨干，故枝叶挺茂；程雪楼如王侯第宅，门庑堂室，内外莫不完壮；元清河如项籍将兵，人人足用；冯海粟如苻坚总师，以多而败；虞邵庵如长江大河，清畅浑浩，会归于海而后止；黄金华如洪波巨泽，风浪不惊，湛然一碧；揭豫章如明珠在渊，光辉不露，而自然人知其为至宝；马石田如彝器陈于宗庙，无甚华饰而质雅可观；柳待制如礼家之备节文，秾缛重复；李五峰如秦汉间人，语言崭绝而顿挫。至如袁清容博奥敏捷，长于应制；如欧阳圭斋庞硕铺舒，未离赋体。俊迈如陈莆田，雅驯如程黔南，平顺而气益盛如贡宣城，洁净而力稍弱如危太朴。是十数公，虽时有后先，皆以文而知名者也。夫我则措辞欲似班、马，字字经思欲似柳州，序述不苟欲似临川、豫章，第恨才弗逮志耳。嗟乎！先生之文行既如彼，而论议又如此，此其所以涵古茹今，荟萃精粹，内实外华，发之于辞，简而备，严而温，奇劲而顺适，含蓄而明润，工于纪事而持论不浮，在十数公间，自成一家，不可以弗传，传之使世之君子知。先生之为文，动关世教，若祀箕子、仲舒两疏者，其亦可以考信焉。（《密庵集》卷六）

郏经《题澄江旧稿》：半山昔拜少陵像，谓公诗与元气侔。后五百岁无继者，元气茫茫散不收。我朝诗派因中州，气节首推刘静修。宋季陋习兹一洒，天运亦复诗家流。杨赵马范虞揭欧，金华莆田谁与俦。乱来风雅久衰落，喜向澄江闻棹讴。（《梧溪集》卷五《谢郏仲义进士寄题澄江旧稿》附）

王行《柔立斋集序》：朱子教人为诗，须先学韦、柳。韦、柳固不足以尽诗之妙，然由是而往，虽求至于三百十一篇，亦犹洒扫应对，求造夫圣贤之域，虽地位有高卑，道里有远近，往之则至，终无他歧之惑矣。元人为诗，独尚七言近体，迹其所由，盖元裕之倡之于先，赵子昂和之于后，转相染习，遂成一代之风焉。初，裕之生北方，不闻大贤之训，信其所好，自以为然，常哀萃唐人此体为《鼓吹集》十卷，以教后学。其徒又为之注释，以广其传。其间抡择之不精，去取之无据，其人乖乱，其世混淆，予每见之，未尝不笑其陋也。盖此体虽始于唐，唐盛时为者亦鲜，至刘文房、许用晦、李义山之徒好为之，世亦浸衰歇矣，是犹足贵也耶？且裕之之作，其竭力者仅欲瞻望苏长公之垣墉，岂为深于诗者？以当时无能过之，故为人所宗耳。及子昂夤于新遇，追嫌宗国旧风，力趋时好，杭人杨载以其业见之，实皆此体，大获奖与，载遂有声。人益以为能攻于此，足以致誉，靡然争赴之。至于虞伯生、揭曼硕诸人，以文自名，亦务于此矣。夫朱子之教人一定不可易之法也，虞、揭宁不知之？知之而不行，何也？溺于所习而不能自振，亦安于谬者矣。予每思之，未尝不为之叹息也。今复之此编，绝无此体。予试问之，则曰：以其非古也。（《半轩集》卷五）

刘尚宾《书孟左司文集后》：元有天下，文章大概三变。如刘秉忠，长江大河，规摹阔略；静修变化蝉蜕；许平仲圣贤心胸，谆谆王道；卢疏斋、姚牧庵奇核纠紧。此国初文气也。马伯庸、宋诚夫、袁伯长诸人，铺张盛大，援据端确，此中朝文气也。若夫恣意驰骋，发散在外，汗漫浸淫，无壮激之势者，则虞雍公、揭文贞（安），近代之文气也。文章与国家同其盛衰之运，文气既索然，而天下国家之气亦复萧条不振，日趋于苕之华、何草不黄之暮景矣。然孟左司《己亥文集》，乃又出虞、揭之后，囿于气中而不与一气俱变化而渐微者，其故何也？今天命我邦家，弃旧俗不用，绍复古先，哲王之大业是致。左司辙还而南，如楚有材而晋用之，俾援韶、濩之音，以鸣文物之盛。宫商相宣，金石交作，动荡乎中土列郡，悠扬乎江右诸州，以究雄文之象之实。惟学至于知天者，然吾此言而不谓之妄也。当时转而还于南方者二人，犹有一人为谁？舒守余廷心也。廷心文古，而纯用清气，清气易以漓，故溢先陨越，命也夫。（《明文海》卷二三六）

《草木子》卷四上：传世之盛，汉以文，晋以字，唐以诗，宋以理学，元之可传，独北乐府耳。宋朝文不如汉，字不如晋，诗不如唐，独理学之明，上接三代。元朝文法汉，欧阳玄（原功）、虞集（伯生）是也；字学晋，赵孟頫（子昂）、鲜于枢（伯机）是也；诗学唐，杨载（仲弘）、虞集是也；道学之行，则许衡（平仲鲁斋先生）、刘因（静斋先生梦吉）是也，亦皆有所不逮。

《麓堂诗话》：宋诗深，却去唐远；元诗浅，去唐却近。顾元不可为法，所谓"取法乎中，仅得其下"耳。极元之选，惟刘静修、虞伯生二人，皆能名家，莫可轩轾。世恒为刘左祖，虽陆静逸鼎仪亦然。予独谓高牙大纛，堂堂正正，攻坚而折锐，则刘有一日之长。若藏锋敛锷，出奇制胜，如珠之走盘，马之行空，始若不见其妙，而探之愈深，引之愈长，则于虞有取焉。然此非谓道学名节论，乃为诗论也。

王洪《胡祭酒诗集序》：《诗》三百篇，盛矣。五言之作，出于苏、李、唐山夫人之歌，则骎骎乎雅颂之遗意。至于建安，悲壮而激烈，君子不能无世变之感。及乎齐、

《宴秦公子》、《寄寿阳师》，张仲举《登吞海亭》、《赋小瀛洲》、《题石门院》，贡泰父《送刘彦明》，甘允从《和宋学生》，张雄飞《岳阳楼》，张伯雨《隐真馆》，杨廉夫《无题》，郑明德《游仙》，皆全篇整丽，首尾匀和，第深造难言，大观未极耳。

《诗薮》外编卷六：宋五言律胜元，元七言律胜宋。歌行绝句，皆元人胜。至五言古，俱不足言矣。

《诗薮》外编卷六：唐人诗如初发芙蓉，自然可爱。宋人诗如披沙拣金，力多功少。元人诗如缕金错采，雕缋满眼。三语本六朝评颜、谢诗，以分隶唐宋元人，亦不甚诬枉也。

《太平清话》卷四：元文称虞集、杨载、范梈、揭傒斯、马祖常、欧阳玄、黄晋卿、柳贯、元好问、袁桷、姚燧。

《林泉随笔》：元人虽变宋习，而又过于工巧，所谓气运使然，非偶尔也。其间虽有追尚古作、不随俗而迁变者，又在学者善择焉而已。

《玉芝堂谈荟》卷八：诗以咏物为难工，余独喜贯酸斋《芦花被》，诗云："采得芦花不浣尘，翠蓑聊复藉为茵。西风刮梦秋无际，夜月生香雪满身。毛骨已随天地老，身名不让古今贫。青绫莫为鸳鸯妒，欸乃声中别有春。"郭矮梅《走马灯》诗："飙轮拥骑出炎精，飞绕人间不夜城。风鬣追星低有影，霜蹄逐电去无声。秦军夜溃咸阳火，吴炬宵驰赤壁兵。恰忆雕鞍年少日，章台踏碎月华明。"《咏炭》诗："樵青黎面学昆仑，斫月挠云树欲髡。万灶黑烟灰出劫，一星红焰火还魂。污身若有仙翁幻，报国今无义士吞。曾似茅斋风雪夜，地炉榾柮暖温温。"又张伯雨《水灯》诗："共泛兰舟灯火闹，不知风露湿青冥。如今池底休铺锦，此夕槎头直挂星。烂若金莲分夜炬，空于云母隔秋屏。却怜牛渚清狂甚，若欲燃犀走百灵。"黄敤《梅花纸帐》诗："谁捣霜藤换绛纱，更将冻墨洒寒花。剡溪人去芳魂断，庾岭春归别梦赊。欹枕醉疑云荡漾，拥吟偏爱日横斜。清风不逐豪华尽，流落山林处士家。"吉雅谟《楮帐》诗："谁捣霜藤万杵匀，制成鹤帐隔尘氛。香生芦絮秋将老，梦熟梅花夜未分。枕上不迷巫峡雨，床头常对剡溪云。竹炉松火茶烟暖，一段清贞属使君。"冯海粟《鹤骨笛》诗："胎仙脱骨字飞琼，换羽移宫学凤鸣。喷月未醒千载梦，彻云犹带九皋声。管含芝露吹香远，调引松风入髓清。莫向岭头吹暮雪，笼中媒鸟正关情。"僧一初《石蟹泉》诗："神鳌驱石到仙家，清出龙泓味更佳。晴带浦云穿晓篠，暗随山雨走寒沙。玉脐圆映波心月，琼沫香浮水面花。拟待春风招社客，焚香来试九溪茶。"……谢宗可《睡燕》诗："补巢衔罢落花泥，困倚东风倦翼低。金屋昼闲随蝶化，雕梁春尽怕莺啼。魂飞汉殿人应老，梦入乌衣路欲迷。却怪卷帘人唤醒，小桥深巷夕阳西。"……又如杨廉夫《香奁八咏·香颊啼痕》云："收干通德言难尽，点湿明妃画莫加。聚得班班在何处，软绡题寄薄情家。"《黛眉颦色》云："索画未成京兆谱，将啼先学寿阳妆。萧郎忽有归期报，喜色添长一点黄。"《金盆浴发》云："铜仙盘满添香露，玉女盆倾拾翠钿。拢得云鬟高一尺，紫冠新上玉台前。"《月奁匀面》云："翠点柳尖春未透，红生樱颗落初干。好风与我开罗幌，一朵芙蓉正面看。"……皆浓丽工致，诵之齿颊俱香矣。

《静居绪言》：元诗似多蕴藉，实少伟奇，矜藻思而乏气骨，工铺排而失烹炼。宋诗有初视可憎，徐观不厌；元作有入眼可喜，复看平庸之别。

《静居绪言》：元诗具得唐人辞致，然拉杂拖沓，乏剪裁之工，其合度处，殊近中晚唐。

《静居绪言》：李长吉一派，至元人而极盛，大家小户，无勿沿习，乐府歌行，时时流露。读者每不经意，独以抱遗老人为嫌，然此老气横语辨、平淡老成处，是不可及。即其铁门下，大有非常之才，玉笥生实具嵚崎之概，未可一例抹倒。

何乔新《重刊黄杨集序》：有元一代，俗漓政庞，无足言者。而其诗矫宋季之委靡，追盛唐之雅丽，则有可取者。盖自郝伯常、姚公茂鸣于北方，而马伯庸、萨天锡诸公继作；杨仲弘、范德机倡于江南，而虞伯生、揭曼硕诸公从而和之。及其久也，上自台阁名公，下至山林逸士，外至徼塞部长，往往以诗名家。虽其间不能无粗豪之讥，纤巧之病，要之不失为能言之士也。（《椒邱文集》卷九）

《池北偶谈》卷七：元名臣文士，如耶律楚材，东丹王突欲孙也；廉希宪、贯云石，辉和尔人也；赵世延、马祖常，雍古部人也；学术鲁翀，女真人也；酒贤，葛啰罗人也；萨都剌，色目人也；郝天挺，多啰别族也；余阙，唐兀氏也；颜宗道，哈喇娄氏也；瞻思，大食国人也；辛文房，西域人也。事功、节义、文章，彬彬极盛，虽齐、鲁、吴、越衣冠士胄，何以过之。

宋荦《漫堂说诗》：唐以后诗派，历宋元明至今，略可指数。……金初以蔡松年、吴激为首，世称蔡吴体。后则赵秉文、党怀英为巨擘，元好问集其成。其后诸家，俱学大苏。元初袭金源派，以好问为大宗，其后则称虞（集）、杨（载）、范（梈）、揭（奚斯）。元末杨维桢、李孝光、吴莱为之冠，前如赵孟頫、郝经，后如萨都剌、倪瓒，皆有可观。

朱彝尊《南湖居士诗序》：今之诗家，大半厌唐人而趋于宋元矣。或谓文不如宋，诗不如元。赤城许廷慎非之，以为宋诗非元人所及，要亦一偏之见也。大都宋人务离唐人以为高，而元人求合唐人以为法。究之，离者不能终离，而合者岂能悉合乎？武陵胡子，好学博闻，其为诗不专师一家，用己法神明之，兼综乎天宝、元和、长庆诸体，下及苏、梅、黄、陈、范、陆、虞、杨，离之而愈合，可谓能得师者也。（《曝书亭集》卷三十九）

《元诗选》初集丙集《袁学士桷》：元兴，承金、宋之季，遗山元裕之以鸿朗高华之作，振起于中州，而郝伯常、刘梦吉之徒继之。故北方之学，至中统、至元而大盛。赵子昂以宋王孙入仕，风流儒雅，冠绝一时，邓善之、袁伯长辈从而和之，而诗学又为之一变。于是虞、杨、范、揭，一时并起，至治、天历之盛，实开于大德、延祐之间。

《元诗选》初集戊集《萨经历都剌》：要而论之，有元之兴，西北子弟，尽为横经。涵养既深，异才并出。云石海涯、马伯庸以绮丽清新之派振起于前，而天锡继之。清而不佻，丽而不缛，真能于袁、赵、虞、杨之外，别开生面者也。于是雅正卿、达兼善、酒易之、余廷心诸人，各逞才华，标奇竞秀，亦可谓极一时之盛者欤！

顾嗣立《寒厅诗话》：元诗承宋、金之季，西北倡自元遗山（好问），而郝陵川（经）、刘静修（因）之徒继之，至中统、至元而大盛。然粗豪之习，时所不免。东南倡自赵松雪（孟頫），而袁清容（桷）、邓善之（文原）、贡云林（奎）辈从而和之。

时际承平，尽洗宋、金馀习，而诗学为之一变。延祐、天历之间，风气日开，赫然鸣其治平者，有虞、杨、范、揭（虞集，字伯生，号道园，蜀郡人。杨载，字仲弘，浦城人。范梈，字亨父，一字德机，清江人。揭傒斯，字曼硕，富州人。时称虞、杨、范、揭。又称范、虞、赵、杨、揭，赵谓孟𫖯），一以唐为宗，而趋于雅，推一代之极盛。时又称虞、揭、马（祖常）、宋（本、褧）。继而起者，世惟称陈（旅）、李（孝光）、二张（翥、宪），而新喻傅汝砺（若金）、宛陵贡泰甫（师泰）、庐陵张光弼（昱），皆其流派也。若夫揣炼六朝以入唐律，化寻常之言为警策，则有晋陵宋子虚（无）、广陵成原常（廷珪）、东阳陈（编者注：当作君）居采（樵），标奇竞秀，各自名家。间有奇才天授，开阖变怪，骇人视听，莫可测度者，则有贯酸斋（小云石海涯）、冯海粟（子振）、陈刚中（孚），继则萨天锡（都剌），而后杨廉夫（维桢）。廉夫当元末兵戈扰攘，与吾家玉山主人（瑛）领袖文坛，振兴风雅于东南。柯敬仲（九思）、倪元镇（瓒）、郭羲仲（翼）、郯九成（韶）辈，更倡迭和，淞、泖之间，流风馀韵，至今未坠。廉夫古乐府上法汉魏，而出入于少陵、二李。门下数百人，入其室者，惟张思廉（宪）一人而已。明初，袁海叟（凯）、杨眉庵（基）为开国词臣领袖，亦俱出自铁崖门。而议者谓"铁体靡靡"，妄肆讥弹，未可与论元诗也。

田雯《论七言古诗》：金元之间，元好问七言，妙处不减东坡、放翁。又虞集、杨仲弘、范梈、揭傒斯四家，各擅其长。他如刘因、吴渊颖、萨都剌辈，亦有数家可采者。

田雯《论七言绝句》：金元人绝句，如元好问、萨都剌、马臻、宋无诸家，多有可观。（《古欢堂集》卷十七）

沈钧德《元诗别裁集序》：元诗选本，自苏天爵《文类》诗以下，不及数家，或传或微。迨我朝顾太史广搜博采，秀野草堂所刻，号为极富。然意主于备一代之文献，虽稍已汰繁芜而存雅正，若乃别裁去取，精之又精，俾学者由是而之焉，循元诗盛轨，弗坠唐音，而溯源于《风》、《骚》、汉、魏，则犹有待也。人谓元诗纤弱逊宋，此未究元人大全，遽为一方之论也。遗山未尝仕元，而巨手开先，冠绝于时，故不必言。至如赵、虞、杨、范，皆卓然成家为正宗；晋卿、道传，代兴无愧。其馀骋奇斗丽，不一而足，掇锦囊之逸藻，嗣玉溪之芳韵，又非独雁门、铁崖已也。盖宋诗末流之弊也，为粗率，为生硬，元诗则反是。欲救宋诗流弊，舍元曷以哉！读《百一钞》，沨沨乎，洋洋乎，气格声调，进乎古矣。正变以揽诸公之长，故不隘；出入略以三唐为准，故不滥。殆韦相序《又元集》所云"金盘餐沉滢，花界食醍醐"者耶！学者由是而之焉，循元诗盛轨，弗坠唐音，而溯源于《风》、《骚》、汉、魏，则是钞岂惟足以供咏吟、资拮扯而已。

《石洲诗话》卷五：王子宣《宫词》云："南风吹断采莲歌，夜雨新添太液波。水殿云廊三十六，不知何处月明多？"王龙标、杜樊川之流亚也。然昔人论此篇，却谓不及萨天锡之作。天锡云："清夜宫车出建章，紫衣小队两三行。石阑干外银灯过，照见芙蓉叶上霜。"此则才人之极笔矣。愚谓即此二诗，而元、明两代与唐人离合远近之故，已自判然，不待拈诸大篇而后知也。

《石洲诗话》卷五：宋子虚诗题中称唐玄宗为李三郎，此小说口角，乌可以入诗哉？元人文字，所以渐流于曲子也。

《石洲诗话》卷五：李长吉词调藻韵，故自艳发。然至元人，不拘何题，不拘何人，千篇一律，千手一律，真是可厌。其一二体气稍弱者，亦复效之，实无谓也。

《石洲诗话》卷五：元人之绮丽，恨其但以浅直出之耳，此所以气格不逮前人也。

《石洲诗话》卷五：元人专于风调擅场，而句每相犯，如"银河倒挂青芙蓉"等类之句，殆几于人人集中有之。其所谓枕藉膏腴者，不出太白，则出长吉。此唱彼和，摇鞭拊铎，至于千篇一律，曾神气之不辨，径路之不分，其亦可厌也已。

《古今文派述略》：自戴表元以清深和雅振起斯文，姚燧继之，袁桷、马祖常又继之，四杰起而元文一振。四杰者，虞集、杨载、范梈、揭傒斯四人也。四人之中，自以虞道园所诣为最深。然核其所得，亦遗山、牧庵之流耳，不能上继韩、欧也。

《词坛丛话》：余雅不喜元词，以为倚声衰于元也。所爱者惟赵松雪、虞伯生、张仲举三家。然子昂原属宋人，道园老子，所作无多。元代作者，惟仲举一人耳。

《词苑萃编》卷六：元有浚仪可温氏名马雍古祖常者，制词云："金炉宝熏流篆云，花间百舌啼早春。五方戏马赛争道，传宣催赐十流银。"又云："日边宝书开紫泥，内人珠帽步辇齐。君王视朝天未旦，铜龙漏转金鸡啼。"《词统》列于竹枝，而余辨为宫词也。元人小说中称其乐府纤艳胜人，惜乎未见。有阿鲁温掌机沙者，《竹枝》云："南北峰头春色多，湖山堂下来棹歌。美人荡桨过湖去，小雨细生寒绿波。"其张掖人燕不花者，《竹枝》云："湖头水满藕花香，夜深何处有鸣榔。郎来打鱼三更里，零乱波光与月光。"与回回别里沙者《竹枝》云："凤凰岭下月色凉，无数竹枝官道旁。东家为爱青青竹，截作参差吹凤凰。"俱极轻丽。

虞集《中原音韵序》：辛幼安自北而南，元裕之在金末国初，虽词多慷慨，而音节则为中州之正，学者取之。我朝混一以来，朔南暨，声教士大夫歌咏，必求正声，凡所制作，皆足以鸣国家气化之盛。自是北乐府出，一洗东南习俗之陋。大抵雅乐之不作，声音之学不传也久矣。五方言语，又复不类。吴楚伤于轻浮，燕冀失于重浊，秦陇去声为人，梁益平声似去，河北、河东取韵尤远，吴人呼饶为尧、读武为姥、说如近鱼、切珍为丁心之类，正音岂不误哉！

周德清《中原音韵起例》：泰定甲子，存存托其友张汉英以其说问作词之法于予。予曰：言语一科，欲作乐府，必正言语，必宗中原之音。乐府之盛、之备、之难，莫如今时。其盛则自搢绅及闾阎，歌咏者众。其备则自关、郑、白、马，一新制作，韵共守自然之音，字能通天下之语，字畅语俊，韵促音调。观其所述，曰忠曰孝，有补于世。其难则有六字三韵，"忽听一声猛惊"是也。诸公已矣，后学莫及。

杨维桢《周月湖今乐府序》：士大夫以今乐府鸣者，奇巧莫如关汉卿、庾吉甫、杨淡斋、卢疏斋，豪爽则有如冯海粟、滕玉霄，蕴藉则有如贯酸斋、马昂父。其体裁各异，而宫商相宜，皆可被于弦竹者也。继起者不可枚举，往往泥文采者失音节，谐音节者亏文采，兼之者实难也。夫词曲本古诗之流，既以乐府名编，则宜有风雅馀韵在焉。苟专逐时变，竞俗趋，不自知其流于街谈市谚之陋，而不见夫锦脏绣腑之为懿也，则亦何取于今之乐府可被于弦竹者哉！（《东维子集》卷十一）

杨维桢《沈氏今乐府序》：乐府出于汉，可以言古，六朝而下，皆今矣，又况今之今乎？吁！乐府曰今，则乐府之去汉也远矣。士之操觚于是者，文墨之游耳。其以声文缀于君臣、夫妇、仙释氏之典故，以警人视听，使痴儿女知有古今美恶成败之劝惩，则出于关、庾氏传奇之变。或者以为治世之音，则辱国甚矣。吁！《关雎》、《麟趾》之化，渐渍于声乐者，固若是其班乎？故曰：今乐府者，文墨之士之游也。然而媒雅邪正，豪俊鄙野，则亦随其人品而得之。杨、卢、滕、李、冯、贯、马、白皆一代词伯，而不能不游于是，虽依比声调，而其格力雄浑正大，有足传者。迩年以来，小叶俳辈类以今乐府自鸣，往往流于街谈市谚之陋，有渔樵欸乃之不如者，吾不知又十年二十年后，其变为何如也？吴兴沈子厚氏，通文史，善为古歌诗，间亦游于乐府。记余数年前客太湖上，赋《铁龙引》一章，子厚连和余四章，皆效铁龙体，飘飘然有凌云气，心已异之。今年余以海漕事住吴兴者阅月，子厚时时持酒肴与今乐府至，至必命吴姓度腔引酒为吾寿。论其格力，有杨、卢、滕、李、冯、贯、马、白诸词伯之风，而其句字无小叶俳辈街谈市谚之陋，关、庾氏而有传子厚氏，其无传吾不信也已。（《东维子集》卷十一）

杨维桢《沈生乐府序》：我朝乐府，辞益简，调益严，而句益流媚不陋。自疏斋、酸斋以后，小山局于方，黑刘纵于圆。局于方，拘才之过也；纵于圆，恣情之过也。二者胥失之。松江沈氏嵩，尝从余朔南士间，听于音，往能吹余大小铁龙，作《龙吟曲》十二章，遂游笔乐府，积以成帙，求余一言重篇端。披其帙，见其情发于成于才者，亦似矣。生益造其诣，以小山之拘者自通，黑刘之恣者自搏，生之乐府不美于贺才子者，吾不信已。（《东维子集》卷十一）

朱权《太和正音谱》卷上"古今群英乐府格势"：元一百八十七人。马东篱之词如朝阳鸣凤。其词典雅清丽，可与《灵光》、《景福》而相颉颃，有振鬣长鸣、万马皆瘖之意；又若神凤飞鸣于九霄，岂可与凡鸟共语哉？宜列群英之上。张小山之词如瑶天笙鹤。其词清而且丽，华而不艳，有不吃烟火食气，真可谓不羁之材，若被太华之仙风，招蓬莱之海月，诚词林之宗匠也，当以九方皋之眼相之。白仁甫之词如鹏搏九霄。风骨磊魁，词源滂沛，若大鹏之起北溟，奋翼涛乎九霄，有一举万里之志，宜冠于首。李寿卿之词如洞天春晓。其词雍容典雅，变化幽玄，造语不凡，非神仙中人，孰能致此？乔梦符之词如神鳌鼓浪。若天吴跨神鳌，嚏沫于大洋，波涛汹涌，截断众流之势。费唐臣之词如三峡波涛。神风耸秀，气势纵横，放则惊涛拍天，敛则山河倒影，自是一般气象，前列何疑？宫大用之词如西风雕鹗。其词锋颖犀利，神彩烨然，若搏翻摩空，下视林薮，使狐兔缩颈于蓬棘之势。王实甫之词如花间美人。铺叙委婉，深得骚人之趣，极有佳句，若玉环之出浴华清，绿珠之采莲洛浦。张鸣善之词如彩凤刷羽。藻思富赡，烂若春葩，郁郁焰焰，光彩万丈，可以为羽仪词林者也。诚一代之作手，宜为前列。关汉卿之词如琼筵醉客。观其词语，乃可上可下之才，盖所以取者，初为杂剧之始，故卓以前列。郑德辉之词如九天珠玉。其词出语不凡，若咳唾落乎九天，临风而生珠玉，诚杰作也。白无咎之词如太华孤峰。孑然独立，峭然挺出，若孤峰之插晴昊，使人莫不仰视也。宜乎高荐。贯酸斋之词如天马脱羁。邓玉宾之词如幽谷芳兰。滕玉霄之词如碧汉闲云。鲜于去矜之词如奎璧腾辉。商政叔之词如朝霞散彩。范子安之词如竹里鸣泉。徐甜斋之词如桂林秋月。杨澹斋之词如碧海珊瑚。李致远之词如玉匣昆吾。郑庭玉之词如佩玉鸣銮。刘庭信之词如摩云老鹘。吴西逸之词如空谷流泉。秦竹村之词如孤云野鹤。马九皋之词如松阴鸣鹤。石子章之词如蓬莱瑶草。盍西村之词如清风爽籁。朱庭玉之词如百卉争芳。庾吉甫之词如奇峰散绮。杨立斋之词如风烟花柳。杨西庵之词如花柳芳妍。胡紫山之词如秋潭孤月。张云庄之词如玉树临风。元遗山之词如穷崖孤松。高文秀之词如金瓶牡丹。阿鲁威之词如鹤唳青霄。吕止庵之词如晴霞结绮。荆幹臣之词如珠帘鹦鹉。萨天锡之词如天风环佩。薛昂夫之词如雪窗翠竹。顾均泽之词如雪中乔木。周德清之词如玉笛横秋。不忽麻之词如闲云出岫。杜善夫之词如凤池春色。钟继先之词如腾空宝气。王仲文之词如剑气腾空。李文蔚之词如雪压苍松。杨显之之词如瑶台夜月。顾仲清之词如雕鹗冲霄。赵文宝之词如蓝田美玉。赵明远之词如太华晴云。李子中之词如清庙朱瑟。李取进之词如壮士舞剑。吴昌龄之词如庭草交翠。武汉臣之词如远山叠翠。李直夫之词如梅边月影。马昂夫之词如秋兰独茂。梁进之之词如花里啼莺。纪君祥之词如雪里梅花。于伯渊之词如翠柳黄鹂。王庭秀之词如月印寒潭。姚守中之词如秋月扬辉。金志甫之词如西山爽气。沈和甫之词如翠屏孔雀。睢景臣之词如凤管秋声。周仲彬之词如平原孤隼。吴仁卿之词如山间明月。秦简夫之词如峭壁孤松。石君宝之词如罗浮梅雪。赵公辅之词如空山清啸。孙仲章之词如秋风铁笛。岳伯川之词如云林樵响。赵子祥之词如马嘶芳草。李好古之词如孤松挂月。陈存甫之词如湘江雪竹。鲍吉甫之词如老蛟泣珠。戴善甫之词如荷花映水。张时起之词如雁阵惊寒。赵天锡之词如秋水芙蕖。尚仲贤之词如山花献笑。王伯成之词如红鸳戏波。已下一百五十人。俱是杰作,尤有胜于前列者。其词势非笔舌可能拟,真词林之英杰也。董解元(仕于金,始制北曲)、卢疏斋、鲜于伯机、冯海粟、赵子昂、李溉之、曾褐夫、班彦功、童学士、孛罗御史、郝新斋、陈叔宝、刘时中、徐子方、马彦良、阙志学、孙子羽、曹以斋、王继学、康进之、张子益、陈子原、孙叔顺、吕元礼、李茂之、亢文苑、曹子贞、左山、孟汉卿、徐容斋、严忠济、董君瑞、任则明、吕济民、查德卿、武林隐、王元鼎、里西瑛、卫立中、李伯瞻、赵显宏、刘逋斋、呆元启、唐毅夫、孙周卿、高拭、李爱山、宋方壶、姚牧庵、景元启、曾瑞卿、李伯瑜、吴克斋、李德载、王和卿、杜遵礼、程景初、赵彦晖、王敬甫、邓学可、沙正卿、赵明道、王仲诚、梦简、李邦基、吕天用、睢玄明、王仲元、高安道、张子友、侯正卿、史九敬先、李宽甫、彭伯成、李行道、赵君祥、汪泽民、陆显之、孔文卿、狄君厚、张寿卿、费君祥、陈定甫、刘唐卿、阿里耀卿、王爱山、奥敦周卿、渚察善长、范冰壶、施均美、黄德润、沈珙之、刘聪、张九、廖弘道、陈彦实、吴中立、钱子云、高敬臣、曹明善、张子坚、王日华、王举之、陈德和、丘士元。

曹安《谰言长语》:予家有《阳春白雪》小本,元人如刘时中、关汉卿诸公之作尤多。大抵元之词曲最擅名。予尝私论之曰:汉之文,唐之诗,宋之性理,元之词曲。试以汉之文言之,果有出于董、贾之策乎!以唐之诗言之,果有出于李、杜之什乎!以宋之性理言之,果有出于濂、洛、关、闽之论乎!以元之词曲言之,果有出于《阳春白雪》之所载者乎!况四代人物,又不止于此乎!

《四友斋丛说》卷三十七:元人乐府,称马东篱、郑德辉、关汉卿、白仁甫为四大家。马之辞老健而乏滋媚,关之辞激厉而少蕴藉,白颇简淡,所欠者俊语,当以郑为第一。

《艺苑卮言》附录一：元有曲而无词，如虞、赵诸公辈，不免以才情属曲，而以气概属词，词所以亡也。

《艺苑卮言》附录一：曲者词之变。自金元入中国，所用北乐，嘈杂凄紧缓急之间，词不能按，乃更为新声以媚之。而诸君如贯酸斋、马东篱、王实甫、关汉卿、张可久、乔梦符、郑德辉、宫大用、白仁甫辈，咸富有才情，兼喜声律，以故遂擅一代之长。所谓宋词、元曲，殆不虚也。但大江以北，渐染北语，时时采入，而沈约四声，遂阙其一。东南之士，未尽顾曲之周郎；逢掖之间，又稀辨挝之王应，稍稍复变新体，号为南曲。高拭则成，遂掩前后。大抵北主劲切雄丽，南主清峭柔远，虽本才情，务谐俚俗，譬之同一师承而顿渐分教，俱为国臣而文武异科。今谈曲者，往往合而举之，良可笑也。

《艺苑卮言》附录一：凡曲北字多而调促，促处见筋；南字少而调缓，缓处见眼。北则辞情多而声情少，南则辞情少而声情多。北力在弦，南力在板；北宜和歌，南宜独奏；北气易粗，南气易弱。此吾论曲三昧语。

《艺苑卮言》附录一：今世所演习者，北《西厢记》出王实甫，《马丹阳度任风子》出马致远，《范张鸡黍》出宫大用，《拜月亭》、《单刀会》出关汉卿，《两世姻缘》出乔德（梦）符，《谇范雎》出高文秀，《㑳梅香》、《王粲登楼》、《倩女离魂》出郑德辉，《风雪酷寒亭》出杨显之，《伍员吹箫》、《庄子叹骷髅》出李寿卿，《东坡梦辰钩月》出吴昌龄，《陈琳抱妆盒》、《王允连环记》、《敬德不伏老》、《黄鹤楼》、《千里独行》不著姓氏，皆元人词也。

《顾曲杂言》：涵虚子所记杂剧名家，凡五百馀本，通行人间者不及百种，然更不止此。今教坊杂剧约有千本，然率多俚浅，其可阅者十之三耳。元人未灭南宋时，以此定士子优劣，每出一题，任人填曲，如宋宣和画学，出唐诗一句，恣其渲染，选其能得画外趣者登高第，以故宋画、元曲，千古无匹。元曲有一题而传至四五本者，予皆见之，总只四折。盖才情有限，北调又无多，且登场虽数人，而唱曲只一人，作者与扮者力量俱尽现矣。自北有《西厢》，南有《拜月》，杂剧变为戏文，以至《琵琶》遂演为四十馀折，几十倍杂剧。然《西厢》到底不过描写情感，予观北剧，尽有高出其上者。世人未曾遍观，逐队吠声，咤为绝唱，真井蛙之见耳。

《顾曲杂言》：元人如乔梦符、郑德辉辈，但以四折杂剧擅名，其馀技则工小令为多。若散套，虽诸人皆有之，惟马东篱《百岁光阴》、张小山《长天落彩霞》为一时绝唱。元词多佳，俱不及也。元人俱娴北调，而不及南音。今南曲如《四时欢》、《窥青眼》、《人别后》诸套最古，或以为元人笔，亦未必然。

《真珠船》卷四：元曲如《中原音韵》、《阳春白雪》、《太平乐府》、《天机馀锦》等集，《范张鸡黍》、《王粲登楼》、《三气张飞》、《赵礼让肥》、《单刀会》、《敬德不伏老》、《苏子瞻贬黄州》等传奇，率音调悠圆，气魄宏壮，后虽有作，鲜之与勃矣。盖当时台省元臣，郡邑正官，及雄要之职，尽其国人为之，中州人每每沉抑下僚，志不获展。如关汉卿入太医院尹，马致远江浙行省务官，宫大用钓台山长，郑德辉杭州路吏，张小山首领官，其他屈在簿书、老于布素者，尚多有之。于是以其有用之才，而一寓之乎声歌之末，以舒其怫郁感慨之怀，所谓不得其平而鸣焉者也。

刘楫《词林摘艳序》：至元、金、辽之世，则变而为今乐府。其间擅场者，如关汉卿、庾吉甫、贯酸斋、马昂夫诸作，体虽异而宫商相宣，此可被于弦竹者也。（《词林摘艳》卷首）

李开先《乔梦符小令序》：元以词名代，而乔梦符其翘楚也。梦符名吉，号笙鹤翁，又号惺惺道人。以词擅场于至正间，然以字行，无问远近，识不识，皆知有太原乔梦符云。梦符不但长于小令，而八杂剧、数十散套，可高出一世。予特取其小令刻之，与小山为偶。元之张、乔，其犹唐之李、杜乎？（《闲居集》卷五）

《庄岳委谈》卷下：涵虚子记元词手百八十馀，中能旁及诗文者，贯酸斋、高则诚二三子耳。自馀马东篱辈，乐府外他伎俩不展一筹，信天授有定也。滕玉霄、元好问、萨天锡、赵子昂、冯海粟、卢疏斋、姚牧庵辈皆文，差及词耳。

《庄岳委谈》卷下：高则诚在胜国中，似能以诗文见者，徒以传奇故，并没之。同时卢挚处道，亦东瓯人，乐府声价，政与高埒，而制作弗传。世遂以卢为文士，而高为词人，信有幸有不幸也。元文士以词名者，赵子昂、贯云石、杨廉夫皆浙东西人。元词手与中原抗衡，惟越而已。

徐渭《南词叙录》：南易制，罕妙曲；北难制，乃有传者。何也？宋时名家，未肯留心。入元又尚北，如马、贯、王、白、虞、宋诸公，皆北词手。国朝虽尚南，而学者方陋，是以南不逮北。

于若瀛《阳春奏序》：盖金、元以外夷据我中华，所用胡乐，嘈嘈杂杂，凄紧缓急，词不能按，乃复更为新声，其抑扬高下，足媚人耳。一时名士如马东篱辈，咸富有才情，兼善音律，以故遂擅一代之长。要而言之，实所以宣其牢骚不平之气也者。彼腥膻当国，凡秉枢要，悉任丑虏。而中原怀才抱艺之夫，仅仅辱在僚佐，此其所以慷慨悲歌于仙吕诸宫、南吕诸调，悉谒其至极也。

《太平清话》卷三：元士大夫以乐府鸣者，奇巧莫如关汉卿、庾吉甫、杨淡斋、卢疏斋，豪爽则有如冯海粟、滕玉霄，蕴藉则有贯酸斋、马昂夫。

王骥德《曲律》卷一：曲，乐之支也。自《康衢》、《击壤》、《黄泽》、《白云》以降，于是《越人》、《易水》、《大风》、《瓠子》之歌继作，声渐靡矣。乐府之名，昉于西汉。……入元而益漫衍其制，栉调比声，北曲遂擅盛一代。顾未免滞于弦索，且多染胡语，其声近嗷以杀，南人不习也。迨季世入我明，又变而为南曲，婉丽妩媚，一唱三叹，于是美善兼至，极声调之致。

《曲律》卷三：胜国诸贤，盖气数一时之盛。王、关、马、白，皆大都人也，今求其乡，不能措一语矣。

《曲律》卷三：胡鸿胪言："元时台省元臣、郡邑正官，皆其国人为之，中州人每沉抑下僚，志不获展，如关汉卿乃太医院尹，马致远江浙行省务官，宫大用钓台山长，郑德辉杭州路吏，张小山首领官。于是多以有用之才，寓于声歌，以纾其怫郁感慨之怀，所谓不得其平而鸣也。"然其时如贯酸斋、白无咎、杨西庵、胡紫山、卢疏斋、赵松雪、虞邵庵辈，皆昔之宰执贵人也，而未尝不工于词。以今之宰执贵人与酸斋诸公角而不胜，以今之文人墨士与汉卿诸君角而又不胜也。盖胜国时，上下成风，皆以词为尚，于是业有专门。今吾辈操管为时文，既无暇染指，迨起家为大官，则不胜功名之念，致仕居乡，又不胜田宅子孙之念，何怪其不能角而胜之也。

《曲律》卷三：元人诸剧，为曲皆佳，而白则猥鄙俚亵，不似文人口吻。盖由当时皆教坊乐工先撰成间架说白，却命供奉词臣作曲，谓之填词。凡乐工所撰，士流耻为更改，故事款多悖理，辞句多不通，不似今作南曲者尽出一手。要不得为诸君子疵也。

《曲律》卷三：世称曲手，必曰关、郑、白、马，顾不及王，要非定论。称戏曲曰《荆》、《刘》、《拜》、《杀》，益不可晓，殆优人戏单语耳。

《曲律》卷四：李中麓序刻元乔梦符、张小山二家小令，以方唐之李、杜。夫李则实甫，杜则东篱，始当。乔、张盖长吉、义山之流，然乔多凡语，似又不如小山更胜也。

臧懋循《元曲选自序》：世称宋词、元曲。夫词在唐，李白、陈后主皆已优为之，何必称宋？惟曲自元始有，南北各十七宫调，而北《西厢》诸杂剧，亡虑数百种，南则《幽闺》、《琵琶》二记已耳。或谓元取士有填词科，若今括帖，然取给风檐寸晷之下，故一时名士，虽马致远、乔孟符辈，至第四折，往往强弩之末矣。或又谓主司所定题目外，止曲名及韵耳，其宾白则演剧时伶人自为之，故多鄙俚蹈袭之语。或又谓《西厢》亦五杂剧，皆出词人手裁，不可增减一字，故为诸曲之冠。此皆予所不辩。独怪今之为曲者，南与北声调虽异，而过宫下韵一也。自高则诚《琵琶》，首为不寻宫数调之说，以掩覆其短，今遂借口谓曲严于北而疏于南，岂不谬乎？大抵元曲妙在不工而工，其精者采之乐府，而粗者杂以方言。……曲白不欲多，唯杂剧以四折写传奇故事，其白有累千言者。观《西厢》二十一折，则白少可见。尤不欲多骈偶，如《琵琶》、《黄门》诸篇，业且厌之。

《闲情偶寄》卷一：曲文之词采，与诗文之词采，非但不同，且要判然相反，何也？诗文之词采，贵典雅而贱粗俗，宜蕴藉而忌分明。词曲不然，话则本之街谈巷议，事则取其直说明言。凡读传奇而有令人费解，或初阅不见其佳，深思而后得其意之所在者，便非绝妙好词，不问而知为今曲，非元曲也。元人非不读书，而所制之曲，绝无一毫书本气，以其有书而不用，非当用而无书也。后人之曲，则满纸皆书矣。元人非不深心，而所填之词，皆觉过于浅近，以其深而出之以浅，非借深以文其不深也。后人之词，则心口皆深矣。

黄正位《阳春奏凡例》：盖元时善曲藻者，不下数百家，而所称绝伦，独马东篱、白仁甫、关汉卿、乔梦符、李寿卿、罗贯中诸臣而已。

《易畲馀录》卷十五：词之体尽于南宋，而金、元乃变为曲，关汉卿、乔梦符、马东篱、张小山等，为一代巨手。乃谈者不取其曲，仍论其诗，失之矣。

四库提要卷二〇〇：《张小山小令》二卷，元张可久撰。……自五代至宋，诗降而为词。自宋至元，词降而为曲。文人学士，往往以是擅长，如关汉卿、马致远、郑德辉、宫大用之类，皆借以知名于世，可谓敝精神于无用。然其抒情写景，亦时能得乐府之遗。小道可观，遂亦不能尽废。

《雨村曲话》卷上：贯酸夫（斋）、张可久、宫大用只工小令，不及马、王、关、乔、郑、白远甚，未可同年语也。

**20**

《艺概》卷四：北曲名家，不可胜举，如白仁甫、贯酸斋、马东篱、王和卿、关汉卿、张小山、乔梦符、郑德辉、宫大用，其尤著也。诸家虽未开南曲之体，然南曲正当得其神味。观彼所制，圆溜潇洒，缠绵蕴藉，于此事固若有别材也。

《艺概》卷四：《太和正音谱》诸评，约之只清深、豪旷、婉丽三品。清深如吴仁卿之"山间明月"也，豪旷如贯酸斋之"天马脱羁"也，婉丽如汤舜民之"锦屏春风"也。

《白雨斋词话》卷三：元代尚曲，曲愈工而词愈晦。周、秦、姜、史之风，不可复见矣。

王国维《宋元戏曲考自序》：凡一代有一代之文学，楚之骚，汉之赋，六代之骈语，唐之诗，宋之词，元之曲，皆所谓一代之文学，而后世莫能继焉者也。独元人之曲，为时既近，托体稍卑，故两朝史志与《四库》集部，均不著于录。后世儒硕，皆鄙弃不复道，而为此学者，大率不学之徒。即有一二学子，以馀力及此，亦未有能观其会通，窥其奥窔者。遂使一代文献，郁埋沉晦者且数百年，愚甚惑焉。往者读元人杂剧而善之，以为能道人情、状物态，词采俊拔而出乎自然，盖古所未有，而后人所不能仿佛也。辄思究其渊源，明其变化之迹，以为非求诸唐、宋、辽、金之文学，弗能得也。

祝允明《跋元末国初人帖》：元至国初，善书者甚多。此册数人，华光禄藏。今试因所聚，取其尤者为评曰：虞集如卤簿礼官，赞导应节，结束弄姿，稍远大雅；鲜于枢如三河壮侠，长袖善舞，豪鸷自擅，时落俗体；邓文原如叠甓层城，不胜沉实；饶介如时花沐雨，枝叶都新；张雨如道士醮祠，虽礼而野；倪瓒如金钱野菊，略存别韵；杨维桢如吴歌楚些，时露方言；陈璧如有若据坐，尚有典刑；宋克如初筵卤彝，忽见三代；解缙如盾郎执戟，列侍明光。（《怀星堂集》卷二十六）

王世贞《跋宋元人墨迹》：此率皆尺牍，宋人得三纸，元人得九纸。而中间最知名者，宋人如吕龙图嘉问、钱参政端礼，然皆不成字。元人如邓学士文原、张方外天雨外，其间不知名人翰墨，颇有绝佳者，以此知赵魏公之所倡率于胜国八法，功不浅浅也。（《弇州续稿》卷一六一）

《遵生八笺》卷十五：余自唐人画中，赏其神具画前，故画成神足。而宋则工于求似，故画足神微。宋人物趣迥迈于唐，而唐之天趣则远过于宋也。今之评画者，以宋人为院画，不以为重，独尚元画，以宋巧太过而神不足也。然而宋人之画，亦非后人可造堂室，而元人之画，敢为并驾驰驱。且元之黄大痴，岂非夏、李源流？而王叔明，亦用董、范家法；钱舜举，黄筌之变色；盛子昭，乃刘松年之遗派。赵松雪则天分高朗，心胸不凡，摘取马和之、李公麟之描法，而得刘松年、李营丘之结构，其设色则祖赵伯驹、李嵩之浓淡得宜，而生意则法夏珪、马远之高旷宏远。及其成功，而全不类此数辈，自出一种温润清雅之态，见之如见美人，无不动色。此故迥绝一代，为士林名画，然皆法古，绝无邪笔。元画如王、黄、二赵（子昂、仲穆）、倪瓒之士气，陈仲仁、曹知白、王若水、高克恭、顾正之、柯九思、钱逸、吴仲圭、李息斋、僧雪窗、王元章、萧月潭、高士安、张叔厚、丁野夫之雅致；而画之精工，如王振朋、陈仲美、颜秋月、沈秋涧、刘耀卿、孙君泽、胡廷辉、臧祥卿、边鲁生、张可观；而闲逸如张

子政、苏大年、顾定之、姚雪心辈，皆元之名家，足以擅名当代则可，谓之能过于宋则不可也。其松雪、大痴、叔明，宋人见之，亦能甘心服其天趣。今之论画必曰士气，所谓士气者，乃士林中能作隶家画品，全用神气生动为法，不求物趣，以得天趣为高。观其曰写而不曰描者，欲脱画工院气故耳。此等谓之寄兴，取玩一世则可，若云善画，何以比方前代而为后世宝藏？若赵松雪、王叔明、黄子久、钱舜举辈，此真士气画也。而四君可能浅近效否，是果无宋人家法，而泛然为一代之雄哉？例此，可以知画矣。

《画禅室随笔》卷二：元季诸君子画惟两派，一为董源，一为李成。成画有郭河阳为之佐，亦犹源画有僧巨然副之也。然黄、倪、吴、王四大家，皆以董、巨起家成名，至今只行海内。至如学李、郭者，朱泽民、唐子华、姚彦卿辈，俱为前人蹊径所压，不能自立堂户。此如南宗子孙，临济独盛，当亦绍隆祖法者，有精灵男子耶！

《画禅室随笔》卷二：元时画道最盛，惟董、巨独行，此外皆宗郭熙。其有名者，曹云西、唐子华、姚彦卿、朱泽民辈，出其十，不能当黄、倪一。盖风尚使然，亦由赵文敏提醒，品格眼目皆正耳。余非不好元季四家画者，直沂其源委，归之董、巨，亦颇为时人换眼。丁南羽以为画道一变。

# 第一章

## 世祖至元十六年至成宗大德十一年共29年

## ·引 言·

王旭《上许鲁斋先生书》：国家自有天下六十馀年，文风不振，士气卑陋，学者不过踵雕虫之旧尔。间有一二留心于伊、洛之学，立志于高远之地者，众且群咻而聚笑之，以为狂、为怪、为妄，而且以为背时枯槁无能之人也。呜呼，儒学岂真无用其耶！正道不明，士习诳僻以至于斯，可喟叹已。（《元文类》卷三十七）

舒岳祥《宁海县学记》：皇帝既一南北，郡百蛮，乃尊孔氏，隆儒术，阐文治也。京师立太学，郡置学教授，县设学教谕，凡有籍于学者，皆得免徭役，士无科举之累，而务问学之实。郡岁贡一士，庶几乡举里选之意，天下之士幸矣。台郡士尤幸也。比年诸路县长佐，多值好文敦学之彦，加意作成，又幸上置肃政廉访一司，分命马公训监临于台，首以学校为重。既新郡学，又欲新五邑学，此非台之士尤幸者欤？人谓台学固幸矣，宁海学尤幸也。（《阆风集》卷十一）

袁桷《送朱君美序》：许文正公定学制，悉取资朱文公。至仁宗皇帝集群儒定贡举法，五经皆本建安书。蔡氏为文公门人，而《春秋传》则正字胡公之从父文定公。师友授受，宗于一门，会于一郡。至若训蒙士，正史绒，庋积笔录，悉师于文公，何其盛也。……今之为议者则曰：南士浅薄不足取。又曰：其文学论议，与中原大异。夫行事必本于经，考成均之法，惟文公是师，而南士独有背，何耶？余尝入议者之室，其服食器用由南以来者，颇若惬所好，其无乃贵物而贱士，与识患于不弘，党患于过偏。……今六合一家，文公之学行于天下矣。士能通其学者，其宁有固执之弊。桷官京师逾二十年，见昔时诸老津津于南士者甚众。考其异同，其亦南士之不如昔耶？其亦异者之不如于群公邪？（《清容居士集》卷二十四）

程钜夫《送黄济川序》：数十年来，士大夫以标致自高，以文雅相尚，无意乎事功之实。文儒轻介胄，高科厌，州县清流耻钱谷，滔滔晋清谈之风，颓靡坏烂，至于宋之季极矣。穷则变，敝则新，固然之理也。国朝合众智群力壹宇内，自笼库达于宰辅，莫不以实才能立实事功，而清谈无所用于时。若吾盱江黄君济川，以殷之士而用于周，其通才修能，有今之实，无昔之虚，所谓应时而特起者也。（《雪楼集》卷十四）

虞集《送李彦方闽宪诗序》：先正鲁国许文正公，实表章程、朱之学以佐至元之治，天下人心风俗之所系，不可诬也。近日晚学小子，不肯细心读书穷理，妄引陆子静之说以自欺自弃，至欲移易《论语章句》，直斥程、朱之说为非，此亦非有见于陆氏者也，特以文其猖狂不学以欺人而已。此在王制之必不容者也。（《道园学古录》卷一）

刘岳申《与吴草庐书》：伏闻圣朝开经筵，明公正讲席，此千载一时也。在宋大儒，惟程、朱二夫子得以所学进讲，尝有启沃之功，而一时遭逢，终身禄位，何敢仰望明公。则所以大启今日之殊遇者，固将大明五经、四书之用，大慰普天率土之望，岂徒富贵荣名明公之一身而已？昔我先正许文正公，以道格君，一由正与，自宗亲近属子弟皆尝受业。至今为国名臣者，皆正之徒也；今天下复知高尚程、朱之学以上溯孔、孟遗经者，皆文正之赐也。虽明公今日得致身清峻为帝者师，震动一时，光耀四方，亦何莫非文正之馀光绪业？（《申斋集》卷四）

欧阳玄《国朝名臣事略序》：壮哉元之有国也，无竞由人乎！若太师鲁国、淮安、河南、楚诸王公之勋伐，中书令丞相耶律、杨、史之器业，宋、商、姚、张之谋猷，保定、藁城、东平、巩昌之方略，二王、杨、徐之词章，刘、李、贾、赵之政事，兴元、顺德之有古良相风，廉恒山、康军国之有士君子操。其他台府忠荩之臣，帷幄文武之士，内之枢机，外之藩翰，班班可纪也。太保、少师、三太史天人之学，陵川、容城名节之特，异代岂多见哉！至于司徒文正公尊主庇民之术，所谓九京可作，我则随武子乎！（《圭斋文集》卷七）

陈旅《王平章文集序》：昔者许文正公以尧舜孔子之道佐世祖皇帝，基大化于天下。上虑其道之载于其躬而止也，俾国人子弟之贵近者，学焉而嗣用之。又虑人才之不尽出于贵近也，俾士之峻茂者，得共学而并用之。至元、大德间，庞臣硕彦之能以其德业著见于世者，往往许氏之门人。（《安雅堂集》卷六）

赵汸《滋溪文稿序》：初，国家既收中原，许文正公首得宋大儒子朱子之书而尊信之。及事世祖皇帝，遂以其说教胄子，而后王降德之道复明。容城刘公又得以上求周、邵、程、张所尝论著，始超然有见于义理之当然，发于人心而不容已者。故其辨异端，辟邪说，皆真有所据，而非掇拾于前闻。出处进退之间，高风振于天下，而未尝决意于长往，则得之朱子者深矣。当是时，海内儒者，各以所学教授乡里，而临川吴公、雍郡虞公、大名齐公，相继人教成均，然后六经圣贤下学上达之旨，缕析毫分之义，礼仪乐节名物之数，修辞游艺之方，本末精粗，粲然大备。盖一代文献，莫盛于斯，而俊选并兴，殆无以异于先王之世矣。若夫得之有宗，操之有要，行乎家乡邦国而无间言，发于政事文章而无异本者，抑亦存诸其人乎？（《滋溪文稿》卷首）

刘辰翁《程楚翁诗序》：科举废，士无 人不为诗。丁是废科举十二年矣，而诗愈昌。前之亡，后之昌也。士无不为诗矣，所以为诗，亦有同者乎？（《须溪集》卷六）

张之翰《跋王吉甫直溪诗稿》：近时东南诗学，问其所宗，不曰晚唐，必曰四灵，不曰四灵，必曰江湖。盖不知诗法之弊，始于晚唐，中于四灵，又终江湖。观直溪所作，至其得意处，可以平步晚唐，矧江湖、四灵乎？悠悠风尘，作者日少，我辈更当向上着眼。（《西岩集》卷十八）

吴澄《送曾巽初序》：世家胄子，仕于朝，博记览，尤谙于典故，能文章，尤工于制诰者，吾于今见翰林侍讲学士袁伯长、应奉翰林文字曾巽初二人焉。（《吴文正集》

卷三十三)

张之翰《书吴帝弼饯行诗册后》：江南士人，曩尝谓淮以北便不识字，间有一诗一文自中州来者，又多为之雌黄。盖南北分裂，耳目褊狭故也。盱江吴帝弼，近由建学提举得主安仁簿，以燕都诸公饯行诗见示。由鹿庵、左山二大老而下，如宋秘监之浑厚，王礼部之圆熟，阎侍讲之典雅，李谕德之警戒，徐参省之情实，魏侍御之雄拔，马刑部之精切，夹谷郎官之感慨，杨修撰之古秀，王仪曹之巧丽，皆余所素知，南来所未见也。(《西岩集》卷十八)

张之翰《跋俞娱心小稿》：余尝谓：北诗气有馀而料不足，南诗气不足而料有馀。如娱心所作，其欲兼之者欤？(《西岩集》卷十八)

程钜夫《严元德诗序》：自刘会孟尽发古今诗人之秘，江西诗为之一变，今三十年矣，而师昌谷、简斋最盛，馀习时有存者。无他，李变眩，观者莫敢议；陈清俊，览者无不悦。此学者急于人知之弊也。变眩、清俊，固非二子之本，亦非会孟教人之意也。因其所长，各有取焉耳。(《雪楼集》卷十五)

刘将孙《送彭元鼎采诗序》：近年不独诗盛，采诗者亦项背相望，宁非世道之复古，而斯文之兴运哉！(《养吾斋集》卷九)

龚璛《静春堂诗集序》：予读今文诗，不知其为今人者，唯于吾通甫为然。通甫没十馀年矣，意者亦古矣，而犹今也。今斯人岂易得哉？世之为诗者，学古人欲其似，出己意欲其新，两端而已。然似者多蹈袭，新者常崖异，唯其似而非似也，新而非新也，得之浑然，又未知古人己意孰先孰后也，始可言诗耳。一自士去科举之业，例无不为诗，北音伤于壮，南音失之浮，诗文不同，宜极于古。故今人于宋诗少所许可，仅取王半山，以其逼唐也。然半山岂肯及唐而止，三司与宋次道选诗，尽在目中矣。至于中夜禅悟集句，趁胡筘拍，则不啻自其口出，一大家数，造诣迥别，殆未可以浅窥。若唐人近接六朝，凌鲍、谢，何必多远挹西汉，师苏、李，更不疑实致如此。使如今人悬拟《风》、《雅》，不过踽踽四言，如韦、孟自陈束皙补亡，曾何系于删后重轻哉？声闻以时浸异，感发在人则同。每况愈下，固不可；心远而力不逮，亦不可。(《静春堂诗集》卷首)

任士林《书蒋定叔诗卷后》：金虎呼泉，科举事废，耳目明达之士，往往以诗自畅。然有诗法，有句法，有字法，森严玄邃，未易入也。定叔白首呻吟，发情止义，其有得于诗法、句法、字法者乎？不然，则山之选何居？(《松乡集》卷七)

袁桷《书黄彦章诗编后》：元祐之学鸣绍兴，豫章太史诗行于天下。方是时，纷立角进，漫不知统绪，谨悫者循音节，宕跌者择险固，独东莱吕舍人悯而忧之，定其派系，限截数百，辈无以议，而宗豫章为江西焉。豫章之诗，夫岂惟江西哉？解之者曰：诗至于是，蔑有能继者矣。数十年来，诗益废。为江西者，尝慷慨自许，掉鞅出门，卒遇虎象，空拳恣睢，复却立遁避不敢近，使解者之言迄幸而中。噫，然则其果不可以复古与？(《清容居士集》卷四十八)

柳贯《跋鲜于伯机与仇彦中小帖》：异时论至元间中州人物极盛，由去金亡未远，而宋之故老遗民，往往多在。方车书大同，弓旌四出，蔽遮江淮，无复限制，风流文献，盖交相景慕，惟恐不得一日睹也。故游仕于南而最爱钱塘山水者，予及识其五人

焉，曰李仲芳、高彦敬、梁贡父、鲜于伯机、郭佑之。仲芳、敬彦，兴至时作竹石林
峦。伯机行草书入能品。贡父、佑之与三君俱嗜吟，喜鉴定法书、名画、古器物，而
吴越之士因之引重亦数人。彦中廉访公还自南闽，尝为伯机留连旬月，时赵子昂解齐
州归吴兴，颇亦来从诸君燕集。予虽不及接廉访公，而闻其鼓琴自度曲，时时变声作
古调，能使诸君满饮径醉，亦燕蓟间一奇哉！又数年，仲芳以行御史台照磨官先死，
而佑之出为宣府判官，伯机得太常寺典簿，亦死。廉访公居高邮，疾病，昇医扬州死。
彦敬晚登朝至刑部尚书，守大名。贡父以集贤为学士，子昂自翰林承旨乞身归，皆得
年后死。离合存亡，其不可复计者如是，而钱塘人至今传诧诸君，以为是于吾土有缘。
然则文士相从之乐，殆亦造物者之所深靳，虽欲累取迭致，得乎？予官京师，特克绅
公之子监察御史公哲出伯机此帖，而子昂实题其后。企音徽之遂远，怅文会之寂寥，
志其盛以悲其衰。邻笛有声，予时掩耳而避之矣。（《待制集》卷十八）

吴师道《吴礼部诗话》：钱塘李道坦坦之，早岁入道洞霄宫，学文于隐者邓牧牧
心，盛为所称许。有叶林玄文者，亦隐山中。二人既没，坦之遂出山。大德中，留兰
溪，与予极相得，时时诵叶、邓诗。邓有《奇友》诗云："我在越，君在吴，驰书邀我
游西湖。我还吴，君适越，遥隔三江共明月。明月可望，佳人参差。笑言何时，写我
相思。知君去扫严陵墓，只把清尊酹黄土。浮云茫茫江水深，感慨空劳吊古今。孤山
山下约陈实，联骑须来踏春色。西湖千树花正繁，莫待东风吹雪积。有酒如渑，有肉
如陵。鼓赵瑟，弹秦筝，与君沉醉不用醒。人生行乐耳，何必千秋万岁名。"叶公诗，
如："金粟花前风细细，宝阶地上月辉辉。梦回不属红尘境，凉露满衣人醉归。"他警
句如："芙蓉摇风柳挂月，醉来健倒梨花堆。千百春钮一株树，野田吹下雪花风。"皆
佳。戴锡祖禹能诗，因牧心推奖，遂知名。《送白湛渊教授宣城》云："乘闲为我吊李
白，醉卧江连不复醒。当时锦袍照绿水，今日孤坟秋草生。"人呼戴绿水。又《赋白马
图》云："当时超逸真绝伦，皎如玉龙上天门。朝驰峻坂飞匹练，暮浴深渊浮素云。四
蹄饱踏咸阳月，满身犹带燕山云。只愁玄雾阁雄姿，未许清尘污汗血。"人呼戴白马。
《送牧心》云："去年别尔雁南征，今年迎尔春水生。我心思尔如江水，回波相续无穷
已。君如鸿雁早惊霜，方逐长风度千里。"《次韵王理得往昔行》云："美人昔爱唱
《伊州》，少年未解人间愁。五侯系马春日暮，白云绕梁花满楼。同游星散乐难得，重
逢却怪旁人识。花随尘土暗芳菲，凤闭樊笼摧羽翼。不须感旧为凄然，梦境悲欢能几
年。君看古来歌舞地，梁园金谷成荒田。"读此可信。牧心尝客会稽王修竹监簿所，有
陈观国用宾送其《出陶山》诗，亦佳："青山无送迎，幽人自来去。落叶若相送，卷卷
及行屦。檐端有孤云，仍为守其处。落叶惜人不在山，孤云尚期人再还。斯人可期复
可惜，我处落叶孤云间。"谢翱皋羽善古诗文，牧心与之善，其卒也，为作传云："初
与之论文不合，后乃相推敬。牧薄游山水间，君病笃，望牧不至，怀以诗云：谢豹花
开桑叶齐，戴胜芋生药草肥，九锁山人归未归。盖绝笔之作。"前辈风致如此。

黄溍《书王申伯诗卷后》：始予弱冠时，学为诗，同郡柳道传、王申伯、陈茂卿、
方子践、子发，皆以能诗称者也。柳初效粤谢皋羽，后自成一家。方受学尊父存雅先
生，而杂出于谢、陈，与谢不相识，乃酷似之。独申伯别出机杼。十数年间，星离云
散，凡予所与游与居而以文字相娱乐者，又一时之人物矣。延祐庚申秋，予忝预校文

乡闾，会申伯由闽阃白事中书行署，相与握手道旧故。出所为诗如干篇，清粹圆美，庶几霜降水涸而涯涘见者。于是茂卿死已久，道传方人为国子学官，子践兄弟亦遁迹仙华山中，不复与世接。顾予乃得从申伯相倾倒，于邂逅之顷，聆其诗，岂非所谓跫然之音者耶？申伯之子馀庆，尤善为古章句，且将小屈蟠以求合有司之绳尺。而子发之婿吴莱，竟以言《春秋》取乡荐，抑又一时之人物矣。（《文献集》卷四）

黄溍《送吴良贵诗序》：异时浦阳方先生馆同里吴氏，括吴先生善父、粤谢先生皋父咸在焉。三先生隐者，以风节行谊为人所尊师，后进之士，争亲炙之，而良贵有闻于私淑为多。方是时，学者未有场屋之累，得以古道相切磋，论文析理，穷极根柢，间出其绪馀，更唱迭和，于风月寂寥之乡，亦足以陶写其性灵。三先生杖屦所临，一言一笑，无非教也。（《文献集》卷五）

李孝光《桧亭集序》：论诗至于宋南，几于无诗。迨其末年，士之避世居永嘉、临海二州，乃始复为诗，力追古人。其闾里子弟狎熟长老先生谣咏呻唫之遗躅，皆善属和。国初以来，临海为诗数十家，其什曰阆风、樗园、山南、天逸、素心、圣泉，其后又有张子先、陈刚中、杨景羲，皆自树一家，足以名世。阆风诗最夥，至满千什，然皆以位卑莫传。

苏天爵《西林李先生诗集序》：我国家肇定河朔，有若金进士元公好问，独以文名，歌诗最其所长。及严侯兴学东方，元公为之师，齐鲁缀文之士，云起风生，以词章相雄长，而阎、徐、李、孟之徒，世所谓杰然者也。诸公进用于朝，遂掌帝制，专文衡，一时新进小生，争趋慕之矣。（《滋溪文稿》卷五）

苏天爵《靳先生诗稿序》：昔者国家兴隆之初，合乎南北，疆宇之大，网罗人才，布列官守，其政术之廉平，文词之雅正，接武宋金遗老，沛然有以周用于世，是岂中则欿然不足，外则轩轩以艺能自负者所可拟乎？甚矣，祖宗德泽之深厚，仁贤之众多，治化之隆，为不可及矣。（《滋溪文稿》卷六）

苏天爵《书林彦栗文稿后》：昔宋季年文气萎苶不振，国家既一四海，文治日兴，柳城姚公、清河元公相继以古文倡海内之士，盖有闻风而作兴者，彦栗亦其人哉！（《滋溪文稿》卷二十八）

张冲《勤斋集序》：文章固天下公器，然有体裁之文，有萧散之文，大率以理胜为贵，雅健次之。上焉吐词为经、经天纬地者，所不待言；下焉雕虫篆刻、夸多斗靡者，所不必论。理胜由于经明，雅健由于学纯，气雄而与时上下者，有不能逃也。以近代言之，宋末金前，理昏而气衰，或病乎繁文而委靡不振，或溺于骈俪而破碎支离，体裁既失，萧散不存，古意无馀矣。我元以宽仁英武混一天下，气因国雄，理缘气胜。许文正公以理学绍伊洛诸贤，潜斋杨文康公为鲁斋流亚，其倡古文，接正宗，得雅健之尤，而体自成一家者，又盛有其人。继许、杨出而从事践履，为士林楷范、后学蓍龟者，保定则有静修先生刘文靖公，临川则有草庐先生吴文正公，关辅则有勤斋先生萧贞敏公、榘庵先生同文贞侯为称首。（《勤斋集》卷首）

《浦阳人物记》卷下：〔方〕凤尝与闽人谢翱、括人吴思齐为友，思齐则陈亮外曾孙，翱则文天祥客也，皆工诗，皆客浦阳，浦阳之诗为之一变。思齐以父任入官为嘉兴丞，宋亡，麻衣绳屦，退隐深山中。翱虽布衣，尤忠愤郁郁，或被发佯狂行啸于野，或登钓台恸哭以酹天祥，酹已，复作楚歌以招其魂。皆可谓气节不群之士。而独与凤善，岂《易》所谓"同声相应"者耶？

《南濠诗话》：刘静修《书事》诗云："卧榻而今又属谁？江南回首见旌旗。路人遥指降王道，好似周家七岁儿。"周公谨《杂识》载《北客》诗云："忆昔陈桥兵变时，欺他寡妇与孤儿。谁知二百馀年后，寡妇孤儿又被欺。"二诗皆为宋太祖作，若出一机杼，而辞意严正，道人所不能道，真可谓诗之斧钺矣。

《升庵诗话》卷十一：刘文靖公因《书事》绝句云："当年一线魏瓠穿，直到横流破国年。草满金陵谁种下，天津桥上听啼鹃。"宋子虚《咏王安石》亦云："投老归耕白下田，青苗犹未罢民钱。半山春色多桃李，无奈花飞怨杜鹃。"二诗皆言宋祚之亡由于安石，而含蓄不露，可谓诗史矣。

《柳亭诗话》卷十一：宋、元之交，辽、金二氏诗不多见，元代名手奄有二朝，如静修之雄，松雪之雅，道园之旷，铁崖之豪，皆卓然成家、诸体具备者矣。他若《清容》、《石田》、《秋宜》、《渊颖》诸集，人自为宗，亦足表一时之风气。间有散见于篇什者，因汇摘其警句……律以唐音，自是中晚境界。至五七言古，则吊诡矜奇，每每荡越于绳尺之外已。

《诗薮》外编卷六：宋末盛传谢皋羽歌行，虽奇邃精工，备极人力，大概李长吉锦囊中物耳。林德旸七言古不多见，而合处劲逸雄迈，视谢不啻过之。如《读文山集》云："黑风夜撼天柱折，万里飞尘九冥竭。谁欲扶之两腕绝，英泪浪浪满襟血。龙庭戈铤耀如雪，孤臣生死早已决。纲常万古悬日月，百年身世轻一发。苦寒尚握苏武节，垂尽犹存呆卿舌。膝不可下头可截，〔白日不照吾忠切〕。哀鸿上诉天欲裂，一编千载虹光发。书生倚剑歌激烈，万壑松声助幽咽。世间泪洒儿女别，大丈夫心一寸铁。"可谓元初绝唱。

《农田馀话》卷上：宋南渡后，文体破碎，诗体卑弱，惟范石湖、陆放翁为平正。至晦庵诸子，始欲一变时习，模仿古作，故有神头鬼面之论。时人渐染既久，莫之或改。及文天祥留意杜诗，所作顿去当时之凡陋，观《指南》前、后录可见，不独忠义冠于一时，亦斯文间气之发见也。至元间，戴帅初、赵子昂诸公始出，作诗文皆从李、杜、韩、柳中乘，顿扫旧时之气习，非惟遗山、刘静修诸公系中原文脉，而南人文格亦变。

钱谦益《胡致果诗序》：唐之诗，入宋而衰。宋之亡也，其诗称盛。皋羽之恸西台，玉泉之悲竺园，水云之茗歌，《谷音》之越吟，如穷冬冱寒，风高气慄，悲噫怒号，万籁杂作，古今之诗莫变于此时，亦莫盛于此时。（《牧斋有学集》卷十八）

贺贻孙《诗筏》：诗人佳处，多是忠孝至性之语。即如宋、元之间有史蒙卿者，为《感时》诗云："宫花攒晓日，仙鹤下云端。尽是伤心事，那能着眼看。风沙两宫恨，烟草八陵寒。一掬孤臣泪，秋霖对不干。"又元初吾郡刘诜，别号桂隐，有诗文集。其《采薇歌》云："春采薇，婴儿拳。卖与豪门破肥鲜，年年得米不费钱。冬采薇，潜虬根。白石荦确劚掘难，俯身榛莽如兽蹲。山寒雪高衣裂破，堑藤束缚筥篮荷。瘦妻弱子暮候门，地碓夜春松节火。沸浆浮浮翻小杓，湿雾腾腾升土铫。熬烹成器比甘饴，一饱聊偿数日饿。冬采薇，犹可为。春采薇，今年根尽春苗稀。豪门有米无可卖，垅麦短短难接饥。采薇采薇，我闻夷齐尝食之，饿死首阳天下悲。呜呼！天高荡荡万物微，我死安得天下知。"二诗沉痛悲壮，安得以时代压之。

《石洲诗话》卷四：元初之诗，亦宋一二遗民开之。况其诗半在人元后所作，似乎入元亦是。若另为数卷以别于元人，其庶几可乎？

《石洲诗话》卷五：仇、白宋末齐名，皆有小致耳。论者乃等诸元初之欧、虞，过矣。

《石洲诗话》卷五：元初中州文献，推诗专家，必以刘静修与卢疏斋挚为首。虞文靖为李仲渊源道作诗序，亦言："五言之道，近世几绝，数十年来，人称涿郡卢公。"故仲渊自序，亦属意卢公也。然疏斋五古，虽近质雅，而不能深造古人。

吴澄《张仲美乐府序》：《风》者民俗之谣，《雅》者士大夫之作，故《风》葩而《雅》正。后世诗人之诗，往往《雅》体在而《风》体亡。道人情思，使听者悠然而感发，犹有风人遗意者，其惟乐府乎？宋诸人所工尚矣。国初太原元裕之以此擅名，近时涿郡卢处道亦有可取。河南张仲美年与卢相若，而尝同游，韵度酷似之，盖能文能诗而乐府为尤长。然仲美正人也，其辞丽以则，而岂丽以淫者之所可同也哉？（《吴文正集》卷十八）

《词品》卷六：沈休文《八咏》诗，语丽而思深，后人遂以名楼，照映千古。近时赵子昂、鲜于伯机诗词颇胜。赵诗云："山城秋色静朝晖，极目登临未拟归。羽士曾闻辽鹤语，征人又见塞鸿飞。西流二水玻璃合，南去千峰紫翠围。如此溪山良不恶，休文何事不胜衣。"鲜于《百字令》云："长溪西注，似延平双剑，千年初合。溪上千峰明紫翠，放出群龙头角。潇洒云林，微茫烟草，极目春洲阔。城高楼迥，恍然身在寥廓。我来阴雨兼旬，滩声怒起，日日东风恶。须待青天明月夜，一试严维佳作。风景不殊，溪山信美，处处堪行乐。休文何事，多病年年如削。"二作结句略同，稍含微意，不专为咏景发。

《古今词话·词话》卷上：《松筠录》曰：宋季高节，盖推庐陵、吉水、涂川，亦同一派，如邓剡字光荐，刘会孟号须溪，蒋捷号竹山，俱以词鸣一时者。更如危复之于至元中，累征不仕，隐紫霞山，卒谥贞白。赵文自号青山，连辟不起，与刘将孙为友，结青山社。王学文号竹涧，与汪水云为友，不知所之。至若彭巽吾名元逊，罗壶秋名志仁，颜吟竹名子俞，吴山庭名元可，萧竹屋名允之，曾鸥江名允元，王山樵名从叔，萧吟所名汉杰，尹碉民名济翁，刘云闲名天迪，周晴川名玉晨，皆忠节自苦、没齿无怨者。必欲屈抑之为元人，不过以词章阐扬之，则亦不幸甚矣。

《中原音韵》卷下"中原音韵正语作词起例"：惟我圣朝兴，兴自北方，五十馀年，言语之间，必以中原之音为正。鼓舞歌颂，治世之音，始自太保刘公、牧庵姚公、疏斋卢公辈，自成一家。

郝经《青楼集序》：我皇元初并海宇，而金之遗民，若杜散人、白兰谷、关己斋辈，皆不屑仕进，乃嘲风弄月，流连光景。庸俗易之，用世者嗤之，三君之心，固难识也。（《青楼集》卷首）

《雨村曲话》卷上：《啸馀谱》有新定乐府十五体名目……按此十五体，不过综其大概而言，其实视撰词人之手笔，各自成家。如马致远之"朝阳鸣凤"则豪爽一路，王实甫之"花园美人"则细腻一路，各自成体，不必拘也。

《西圃词说》：元时，中原人士往往沉于散僚，关汉卿为太医院尹，郑德辉杭州小吏，宫大用钓台山长，沉困簿书，老不得志，而杂剧乃独绝于时。自元迄明，词与曲分，无复以诗馀入乐府歌唱者，皆可为叹息也。

## 公元 1279 年 （世祖至元十六年　己卯）

### 正月

**十二日，文天祥赋《过零丁洋》。** 文天祥诗后跋语云："上巳日，张元帅令李元帅过船，请作书招谕张少保投拜。遂与之言：'我自救父母不得，乃教人背父母，可乎？'书此诗遗之。李不能强，持诗以达张，但称好人好诗，竟不能逼。"文天祥所作《指南后录》，始于此诗。《指南后录》卷三题下小序云："予《指南后录》第一卷，起正月十二日赋《零丁洋》；第二卷，起八月二十四日《发建康》；今第三卷，盖自庚辰元日为始。文山履善甫序。"《文山集》卷二十一《纪年录》引邓剡所作文天祥传则云："正月十三日至崖山，张元帅索公书谕张世杰降。公曰：'我不能救父母，乃教人背父母，可乎？'强之急，乃书《过零丁洋》诗与之，弘范笑而置之。"宜以文山自记为是，"十三日"或为"十二日"之误。

**十七日，郑思肖自序所撰《心史》。** 序见本集卷首。或以为其书乃晚明人姚士粦伪托。《心史》二卷，今存明崇祯十二年张国维刻本，崇祯十三年汪骏声、林古度刻本。又有七卷本，存北京图书馆。张国维《宋郑所南先生心史序》："宋郑所南《心史》，先获我心也……余受而读之，见其《正统》一论，斤斤乎正名辨分，于夷夏之防独三致意，作而言曰：'夫非先圣史法耶？'序跋传记以及诗赋，拳拳反正，恋恋故君，热血时抛，忠肝欲碎，靡不足泣鬼神而动天地！所著终于至元二十年，每篇仍冠德祐之号……综而论之，《春秋》为衰周之心史，故笔削定而万年之伦纪不淆；《心史》为故宋之《春秋》，故予夺严而九世之雠仇终复。洵足为生民立心，宁第自完忠孝尔尔耶？"四库提要卷一七四："《心史》七卷，旧本题宋郑思肖撰……此书至明季始出，吴县陆坦、休宁汪骏声皆为刊行。称崇祯戊寅冬，苏州承天寺狼山中房浚井，得一铁函，发之有书缄封，上题'大宋孤臣郑思肖百拜封'十字，因传于时。凡《咸淳集》一卷，《大义集》一卷，《中兴集》二卷，皆各体诗歌。《久久书》一卷，杂文一卷，略叙一卷，皆记宋亡时杂事，后附自序、自跋、盟言及疗病咒一则。文词皆蹇涩难通，纪事亦多与史不合。如杂文卷中于魏徵避仁宗讳作证，而李觏则不避高宗讳。又记蒲寿庚作'蒲受耕'。原本果思肖亲书，不应错漏至此。其载二王海上事，谓'少保张世杰奉祥兴皇帝奔遁，或传令驻军离里'。卫王溺海，当时国史野乘所记皆同，思肖尤不宜为此无稽之谈。此必明末好异之徒，作此以欺世，而故为眩乱其词者。徐乾学《通鉴后编考异》以为海盐姚士粦所伪托，其言必有所据也。"

### 二月

张弘范率兵败宋军于崖山，左丞相陆秀夫负宋幼帝广王赵昺投海死，宋亡。仇远

《挽陆右丞秀夫》："乾坤那可问，至痛老臣心。甘抱白日来，不知沧海深。忠魂随上下，义骨肯浮沉。草木长淮泪，秋风起暮阴。"（《元诗选》二集甲集）刘埙等亦有诗咏其死节。《文山集》卷二十一《纪年录》引邓剡所作文天祥传云："二月六日，崖山溃，公不胜悲愤，作长歌哀之，南北传诵。"《宋史》卷四十七《瀛国公（二王附）本纪》："十六年正月壬戌，张弘范兵至崖山。庚午，李恒兵亦来会。〔张〕世杰以舟师碇海中，棋结巨舰千馀艘，中舻外舳，贯以大索，四周起楼棚如城堞，居昺其中。大军攻之，舰坚不动。又以舟载茅，沃以膏脂，乘风纵火焚之。舰皆涂泥，缚长木以拒火舟，火不能爇。二月戊寅朔，世杰部将陈宝降。己卯，都统张达以夜袭大军营，亡失甚众。癸未，有黑气出山西。李恒乘早潮退攻其北，世杰以淮兵殊死战。至午潮上，张弘范攻其南，南北受敌，兵士皆疲不能战。俄有一舟樯旗仆，诸舟之樯旗遂皆仆。世杰知事去，乃抽精兵入中军。诸军溃，翟国秀及团练使刘俊等解甲降。大军至中军，会暮且风雨，昏雾四塞，咫尺不相辨。世杰乃与苏刘义断维，以十馀舟夺港而去，陆秀夫走卫王舟，王舟大，且诸舟环结，度不得出走，乃负昺投海中，后宫及诸臣多从死者，七日，浮尸出于海十馀万人。杨太后闻昺死，抚膺大恸曰：'我忍死艰关至此者，正为赵氏一块肉尔，今无望矣！'遂赴海死，世杰葬之海滨，已而世杰亦自溺死。宋遂亡。"《元史》卷十《世祖本纪》：至元十六年正月"甲戌，张弘范将兵追宋二王至崖山寨，张世杰来拒战，败之。世杰遁去，广王昺偕其官属俱赴海死，获其金宝以献"。

## 六月

文天祥被解往京师，途经江西，王炎午作《生祭文丞相》文，促其死节。揭傒斯《书王鼎翁文集序》："余旧闻宋太学生庐陵王鼎翁作《生祭文丞相》文，每叹曰：士生于世，不幸当国家破亡之时，欲为一死而无可死之地，又作为文章以望其友为万世立纲常，其志亦可悲矣。然当是时，文丞相兴师勤王，非不知大命已去，天下已不可为，废数十万生灵为无益，诚不忍坐视君父之灭亡而不救，其死国之志固已素定，必不待王鼎翁之文而后死。使文丞相不死，虽百王鼎翁未如之何，况一王鼎翁耶！且其文见不见未可知，而大丈夫从容就义之念，亦有众人所不能识者。近从其邑人刘省吾得王鼎翁集，始见所谓《生祭文丞相》文。既历陈其可死之义，又反复古今所以死节之道，激昂奋发，累千五百馀言，大意在速文丞相死国。使文丞相志不素定，一读其文，稍无苟活之心，不即伏剑，必自经于沟渎，岂能间关颠沛至于见执，又坐燕狱数年，百计屈之而不可，然后就刑都市，使天下之人共睹于青天白日之下，曰杀宋忠臣文丞相。何其从容若此哉！故文丞相必死国，必不系王鼎翁之文。其文见不见又不可知，而鼎翁之志则甚可悲矣。即鼎翁居文丞相之地，亦岂肯低首下心，含垢忍耻，立他人之朝廷乎？鼎翁德之粹，学之正，才之雄，诗文之奇古，则刘会孟先生言之备矣，兹不复论，独论文丞相之心与鼎翁之志云尔。"（《揭傒斯全集·文集》卷三）佚名《书王梅边先生生祭、望祭文丞相文后》："予尝读王梅边先生所为生祭、死祭信国公文二篇，其忠烈之气，直可与天地间风霆日月星辰相永久，伟哉言也。使当时非母老去

**9**

幕下，则发谋出虑，为信国左右手者，岂在杜架阁诸君子之后哉？今诸君子皆以信国牵连挂名于《宋史》，则先生之志，知者鲜矣，岂不良可慨耶？然先生见义明，信道笃，固不以史书为轻重，二祭文足以不朽也。恨生晚，无由亲炙，故再拜而识以斯语。庶百代之下，有能睹先生风神者，亦足以感发而兴起云。"（《吾汶稿》卷四）

**程钜夫授应奉翰林文字、朝列大夫，时年三十一。**程钜夫（1249—1318），名文海，字钜夫，避武宗讳，以字行，人称雪楼先生、远斋先生。其先自徽州徙郢州京山，后家建昌。叔父程飞卿降元，钜夫入为质子，授宣武将军、银牌管军千户。至元十五年，世祖召问贾似道何如人，以敷奏称旨，特命改直翰林。明年六月，授应奉翰林文字、朝列大夫。明年十一月，进翰林修撰。十八年正月，升中顺大夫、秘书少监。十二月，迁集贤直学士、中议大夫，兼秘书少监。二十年，加翰林集贤直学士，同领会同馆事。二十三年正月，改集贤直学士，进阶少中大夫。三月，拜嘉议大夫、侍御史，往江南搜访遗逸。二十四年，以荐赵孟𫖯等二十馀人，特拜集贤学士，仍还行台。二十六年，以疏劾桑哥羁京师。二十九年，与胡祗遹、姚燧等十人，以召赴阙赐对。三十年，拜正议大夫，出为福建闽海道肃政廉访使，明年冬代归。大德四年，授江南湖北道肃政廉访使。八年，召拜翰林学士、知制诰、同修国史。十一年，拜山南江北道肃政廉访使。武宗即位，复留为翰林学士，加正奉大夫。至大元年，与修《成宗实录》。三年，授山南江北道肃政廉访使。四年，仁宗即位，与李谦、尚文等十六人同赴阙，赐对便殿。拜浙东海右道肃政廉访使，寻授翰林学士承旨。皇庆元年，与修《武宗实录》。三年，以病乞骸骨南还。延祐五年卒，年七十。泰定二年，赠光禄大夫、大司徒、柱国，追封楚国公，谥文宪。著有《雪楼集》三十卷。《元诗选》初集乙集选其诗58首。生平据危素《大元敕赐故翰林学士承旨赠光禄大夫大司徒柱国追封楚国公谥文宪程公神道碑铭》、程世京《楚国文宪公雪楼程先生年谱》、《元史》卷一七二本传。

## 七月

诏遣牙纳术、崔彧至江南访求艺术之人。见《元史》卷十《世祖本纪》。

二十七日，文天祥序邓光荐所撰《东海集》。序见《指南后录》卷一。时文天祥被执北行，寓于建康驿所。

## 十月

一日，文天祥被解至大都。《文山集》卷二十一《纪年录》："己卯，宋祥兴元年。正月二日，张元帅下海，置予舟中。初六日，发潮阳。初八日，过官富场。十三日，至崖山。二月六日，崖山行朝溃。三月十三日，北舟还至广州，张元帅遣都镇抚石嵩护予北去，以四月二十二日行。五月二十五日，至南安军。明日，东下，钥予于船。二十八日，至赣州。六月一日，至吉州。初五日，过隆兴。十二日，至建康，囚邸中。八月二十四日，北行渡江，颇有事，会不济。二十六日，至扬州。九月七日，哭母小祥于邳州。初九日，至徐州。十五日，至东平府。二十日，至河间。二十一日，至保定府。十月一日，至燕。"文天祥被执，在上年十二月。其一路行程，大略如斯。《至正直记》卷一："国初，宋丞相文文山被执至燕京，闻军中之歌《阿剌来》者，惊而问曰：'此何声也?'众曰：'起于朔方，乃我朝之歌也。'文山曰：'此正黄钟之音也，南人不复兴矣。'盖音雄伟壮丽，浑然若出于瓮。至正以后，此音凄然，出于唇舌之末，宛如悲泣之音。又尚南曲《斋郎》、《大元强》之类，皆宋衰之音也。"

## 十一月

二十五日，并教坊司入拱卫司。见《元史》卷十《世祖本纪》。

## 本年

**李治卒，年八十八。**见苏天爵《元名臣事略》卷十三。李治（1192—1279），或作李冶，李遹子。著有《敬斋文集》四十卷、《壁书丛削》十二卷、《泛说》四十卷、《古今黈》四十卷、《测圆海镜》十二卷、《益古衍疑》三十卷。（按，缪钺《李冶李治释疑》一文以为，"李治"为初名，"李冶"为改名，应以从"李冶"为是。见缪钺《冰茧庵丛稿》，上海古籍出版社 1985 年版。王恽《度曲说》："敬斋李先生，晚年以歌酒自娱，既耄虽不复，而情犹独至。每兴来，辄持空杯，令门人郦生放声长歌，以导欢畅。或不如指，先生以己之所得教之，遂载其手而高下之，使视焉以谐其节奏，云起雪飞，穷眇眇而后已，公亦醺然也。丁亥冬十月八日，饮李氏新筜，偶及分刊歌节，信主士达，仍为发此，冲冲然殊有所适。昔孔宣父与人歌，善必使反之而后和焉。又汉人例蓄声乐，唐之士夫皆有音乐。由是而观，歌之为艺，亦未可少也。先生以材德主盟斯文六十馀年，予才得一拜履綦，及过元氏，先生墓草已宿。何先贤风流蕴藉，不容多得也如是，可胜叹哉！吾特书此，异时会与茼之郦君相值于光风霁月之前，拊掌谈笑，中郎之文采风流，不无仿佛于眉睫之间也，士达其志之。又从而为之辞曰：我观夏礼，杞固不足征兮；吾道线如，贤献日以零兮；斯文未丧，其将孰为兴兮。嘻！"（《秋涧集》卷四十六）王沂《题李敬斋乐府后》："余尝观敬斋赋《雁丘》、《双蕖怨》乐府数章于元遗山集中，经纬绵密，词旨清楚，似胜元作意者。如黄鲁直、陈无己和东坡诗，前辈所谓极力以压此老者。今观全集，其语意浑厚，绝类晏元献父子，乃知遗山附入之意有在也。"（《伊滨集》卷二十二）四库提要卷一二二："《敬斋古今黈》八卷，元李冶撰……此书原目凡四十卷，其以黈名者，案《汉书·东方朔传》：'黈纩充耳，所以塞聪。'颜师古注曰：'示不外听。'冶殆以专精覃思，穿穴古今，以成是书，故有取于不外听之义欤?《元史》本传、邵经邦《弘简录》、黄虞稷《千顷堂书目》俱作《古今难》，当因字形相似，传写致讹。《文渊阁书目》题作宋人，则并其时代亦误矣。其书皆订正旧文，以考证佐其议论。词锋骏利，博辨不穷。其说《毛诗》'草虫阜螽'一条云：'师说相承，五经大抵如此。学者止可以意求之，胶者不卓，不胶则卓矣。'是其著书之大旨也。其中如谓蚩尤之名，取义于蚩蚩之尤；谓《内则》一篇，卑鄙烦猥，大类世所传食纂；谓《中庸》'素隐行怪'，乃'素餐'之素；谓《孟子》'兄戴盖'为一句，'禄万钟'为一句，戴盖即乘轩之义。或不免于好为僻论，横生别解。又如《淳化阁帖》、汉章帝《书千字文》、米芾《书史》、黄伯思《法帖刊误》、秦观《淮海集》，俱以为伪帖，而冶据以驳《千字文》非周兴嗣作。《太平广记》载徐浦盐官李伯禽戏侮庙神，其事在贞元中，具有年月，而冶即以为李白之子伯禽，亦偶或失考。然如辨《史记》'微子面缚，左牵羊，右把茅'，乃其从者牵之、把之，司马迁所记不谬，孔颖达《书正义》所驳为非；辨《郑语》'收经入行姤极'，谓经即京，姤即垓，韦昭不当注'经'为常；辨《论》'五十以学《易》'，谓《论语》为未学《易》时语，《史记》所载，则作十翼后语，不必改'五十'字作卒；辨《孟子》'龙断'即《列子》所谓冀之南、汉之北无陇断焉；辨《史记》自叙瓯骆相攻，谓当为闽越相攻；辨张耒书《邹阳传》后，谓韩安国实两见长公主，《汉书》不误而耒误；辨《卫青传》'三千一十七级'，谓级字蒙上斩字，颜师古误蒙上捕字，遂以生获为级；辨《魏志》穿方负土，谓即算经之立方定率；辨《吴志》孙权告天文，谓不当呼上帝为尔；辨《通鉴》握槊不辍，谓胡三省误以长行局为长矛。以及辨古者私家及官衙皆可称朝，引《后汉书》刘宠、成瑨及《左传》伯有事为证；辨佝偻丈人承蜩所以供食，引《内则》郑玄注、《荀子》杨倞注为证；辨《吴都赋》'猩子长啸'当是常笑，引《山海经》为证。皆具有根据，要异乎虚骋浮词，徒凭臆断者矣。至于所引《战国策》蔡圣侯因是已君王之事，'因是已'二已字今本并作以，而证以李善注阮籍《咏怀诗》所引，实作已字。足以考订古本。又《大学》'絜矩'，今本章句作'絜度'也，冶所见本则作'絜围束'也。苏轼《赤壁赋》，今本作'而吾与子之所共适'，冶所见本则作'共食'，而驳一本作'共乐'之非。亦足以广异闻。有元一代之说部，固未有过之者也。虽原本久佚，今采掇于《永乐大典》者不及十之四五，然菁华具在，犹可见其崖略。谨以经、史、子、集，依类分辑，各为二卷，以备考证之资焉。"《四库全书总目提要补正》卷三十八："《敬斋古今黈》八卷。陆氏《藏书志》有旧钞本十二卷，其案语云：'《四库》著录本，从《永乐大典》录出，此则旧本也，后有万历庚子春三月之吉，武林书室蒋德盛梓行两行。凡四百七十馀条，首尾完具，似无缺佚，所谓旧本四十卷者，恐传写之误。'玉缙案：蒋本，缪氏《藕香零拾》已重刊，详余所著《未收书目续编》。李慈铭《孟学斋日记》乙集下一二云：'《提要》极称是书，谓宋人自王观国、洪迈、王楙、王应麟外，莫能抗衡。今观其书，议论虽多平实，而不脱学究气，说经亦时堕宋人云雾，论诗文尤迂拙，惟考订诸史讹误处间有可取耳，以视容斋、厚斋，殆相悬绝。'玉缙案：《提要》并未尝以比王观国诸人，但谓有元一代之说部未有过之，李氏误。"

马祖常生。马祖常（1279—1338），字伯庸，世雍古部，居静州天山，以父同知漳州路总管府事，家河南光州。延祐二年，登进士第二，授应奉翰林文字、承事郎、同知制诰兼国史院编修官。三年，擢拜监察御史，以劾铁木迭儿罢政事。五年，改宣政院经历，月馀辞归。起为社稷署令，被命罢杂事于泉南。铁木迭儿复相位，左迁开平县尹，寻退居光州。铁木迭儿卒，召为翰林待制。泰定元年，拜典宝少监，阶奉直大夫。明年，拜太子左赞善，寻迁翰林直学士。四年秋，拜礼部尚书，寻辞归。起为右赞善。又明年，复入礼部，阶朝散大夫，旋又辞归。天历二年，两召方起。至顺元年，改燕王内尉，又拜礼部，阶大中大夫。二年，拜治书侍御史，迁侍御史，进中奉大夫。三年，转徽政院副使。明年，拜江南行台御史中丞。顺帝即位，召赴上都，迁同知徽政院事。冬，进拜御史中丞，阶资政大夫。二年，拜枢密副使。顷之，辞归光州。复拜南台中丞，阶资德大夫，又迁西台，以疾辞不赴。后至元四年卒，年六十。赠摅忠宣宪协正功臣、河南行省右丞、上护军、魏郡公，谥文贞。著有《石田文集》十五卷。《元诗选》初集丙集选其诗 267 首。生平据苏天爵《元故资德大夫御史中丞赠摅忠宣宪协正功臣魏郡马文贞公墓志铭》（《滋溪文稿》卷九）、许有壬《敕赐故资德大夫御史中丞赠摅忠宣宪协正功臣河南行省右丞上护军魏郡马文贞公神道碑铭并序》（《至正集》卷四十六）、《元史》卷一四三本传。

**汪梦斗有北方之游，成《北游集》一卷。**方回《桐江续集》卷九有《送汪以南教授》诗三首。据此，则汪梦斗亦尝仕元为郡学教授。程敏政《新安文献志·先贤事略上》言汪梦斗元初用尚书谢昌言等荐，授徽州路学教授。其为不诬云。《北游集》卷下附录《杏山撺稿》有其至元二十一年（1284）五月于紫阳书院讲学之《天理人欲》篇，此为今存汪梦斗作品中纪年较晚者，则其卒或在至元末年。程敏政《新安文献志·先贤事略上》误汪梦斗为汪晫子。据梦斗自序，集为本年正月戊辰如京，冬十月丙申归里，沿途往返所作。《北游集》二卷，《千顷堂书目》卷二十九著录，《四库全书总目》作一卷，《四库全书》所收分上、下两卷，上卷为所作诗词，下卷附录梦斗讲学之篇，题作《杏山撺稿》。汪梦斗裔孙明人汪茂槐，以《北游集》与汪晫《康范诗集》合刻，成《西园遗稿》一编，《四库全书总目》卷一九三有著录。汪梦斗另著有《云间集》。舒顿《跋汪杏山北游诗集》："诗岂易言哉！古人于诗，凡忧思愉逸，悲伤愁叹，怨愤郁悒，怀感恐惧，不平于中，必形诸歌咏，所以宣其和、泄其思、成其音者也。暇日，仁斋汪君携其三世叔祖杏山先生《北游集》出示，由大江之东渡淮、济，入黄河，历青、兖，达于燕、冀。其城郭之华侈，江山之壮丽，宫阙之雄奇，人物之都会，遍观历览，士君子一出伟矣哉。然予味其诗，皆郁悒不平爽。嗟乎！先生林泉丘壑之意深，而风云湖海之志澹如也。授郡文学归，以将仕终。仅存此集，惜其无传焉。仁斋志之示诸云，仍于以见一代之文物也。"（《贞素斋集》卷三）四库提要卷一六五："《北游集》一卷，宋汪梦斗撰……是集乃其北游纪行之作。中有《见谢尚书》诗云：'正须自爱不贷身。'盖不特律己甚严，即其以道义规昌言，亦可谓婉而严矣。惟是《上故相留公》诗，注谓'公入朝不屈'，称前正奉大夫。考梦炎以德祐二年降元，特为世祖所鄙，又曾劝杀文天祥，安得有入朝不屈之事……又《杏山撺稿》数条，乃后人所集梦斗讲学之语，原附集末，今亦仍之焉。"

**本年或稍前，王镃与尹绿坡等人结社赋诗。**《两宋名贤小集》卷三七二："王镃，字介翁，括苍人，曾为县尉。元兵陷临安，弃印绶，归隐湖山，与尹绿坡、虞君集、叶招（柘）山诸人结社赋诗，题所居曰月洞，孤迥绝尘，有桃源栗里之致焉。遗诗一卷，曰《月洞吟》。"王养端《月洞吟序》："端族自宋祥符婺州牧隆天圣括苍府属谭迄今，传世二十，为年六百。中间虽无奇名大烈班照史册，然类能清修，不辱故家文献之传。几叶有介翁镃者，文章尔雅，造履峻洁，仕宋官县尉。当帝昺播迁，势入夷元，即幡然弃印绶，归隐湖山，与尹绿坡、虞君集、叶柘山诸人结社赋诗。"考任士林《松乡集》卷一有《重建文公书院记》一篇，其文云："至元十八年，改扁文公书院，山长李之皓、王镃主之，既亦废弛。"文公书院，在浙江奉化，然则介翁亦尝仕元为山长。

王镃所著，后人据《宋史·艺文志七》，以为有集二十三卷。然宋陈思编、元陈世隆补《两宋名贤小集》，仅言其著《月洞吟》一卷，不言他作。检《宋史·艺文志》，亦仅言"王镃集二十三卷"，并入诸知名者之列，而不详其字号爵里。考《宋史·秦桧传》，绍兴年间，亦有名王镃者，为中书舍人、监察御史，史言其著有《紫薇集》，或即《宋史·艺文志》所言之王镃亦未可知。其集嘉靖间族孙王养端尝为重刻，今存《四库全书》本有王养端所作序。万历二十九年（1601），汤显祖又为其集作序。《徐氏笔精》卷四："括苍王镃，字介翁，宋室播迁，义不仕元。《宋史·艺文志》谓镃文集三十卷，世鲜传矣。近其裔孙之栋丞瓯宁掇拾家乘，得《月洞集》一帙，特片鳞只羽耳。如《塞上曲》云：'马嘶经战地，雕认打围山。'《秋深》云：'子黑石莲老，柿红霜叶疏。'《山居》云：'香老蒲花春洞影，凉生槲叶午窗风。''落叶石阑霜信早，败荷池屋雨声凉。'《杭州怀古》云：'云寒飞殿排班石，草卧前朝记事碑。'《时事》云：'云生杀气雕旗暗，风肃军声虎帐寒。'绝句《渔父》云：'竹丝篮里白鱼肥，日落江头换酒归。只恐明朝江雪冻，老妻连夜补蓑衣。'置之晚唐刘、许之间，谁辨其为宋人作也。"四库提要卷一六五："《月洞吟》一卷，宋王镃撰……今观其诗，七言律诗，格力稍弱，不及七言绝句。其七言绝句如'春风无力晴丝软，绊住杨花不肯飞'，'绣帘不隔荼蘼月，香影无人自入楼'，'凉风敲落梧桐叶，片片飞来尽是秋'，又多近于小词，不为高调。惟五言律诗如'蝉声秋岸树，雁影夕阳楼'，'马嘶经战地，雕认打围山'，'橹声荷叶浦，萤火豆花田'，'斜阳晒鱼网，疏竹露人家'，'晴雪添崖瀑，春云杂晓烟'，皆绰有九僧之意。盖宋末诗人，有江湖一派，有晚唐一派，镃盖沿晚唐派者。故往往有佳句而乏高韵，亦绝无一篇作古体，然较之江湖末流寒酸纤琐，则固胜之矣。"

**本年或稍后**，林景熙与平阳遗民日以诗文悼宋亡之痛。陈冈《陈则翁传》："〔陈则翁〕历仕至广东副使，因崖山之变，弃官归里，迁居伯桥逮集善院，奉宋主龙牌，朝夕哭奠。日与林德旸、裴季昌、林旻渊、曹许山辈，以诗文往来，私相痛悼。"（《清颖一源集》卷一）崖山之变，在本年二月。姑系于此。

**本年或稍后**，谢翱、林景熙、王英孙等人结汐社于会稽。何梦桂有《汐社诗集序》，见《潜斋集》卷六。〔按，邵廷采言杨琏真伽发宋陵在至元二十二年，当是据周密《癸辛杂识》。（徐沁《金华游录注》言宋濂《书穆陵遗骸事》及丘濬《续资治通鉴》皆以发陵在至正二十二年。）徐乾学《资治通鉴后编》卷一百五十二已辨其误。杨琏真伽发宋陵，当在至元十五年，即宋帝昺祥兴元年。考邵廷采所作诸人传，谢翱等人结汐社在杨琏真伽发宋陵之后。姑系于此。〕邵廷采《宋遗民所知传》："谢翱……其诗直溯盛唐而上，不作近代语。文尤靳拔峭勒，雷电恍惚出入风雨中。当其执笔时，瞑目遐思，身与天地俱忘……初抵会稽，与故将作监簿王英孙交，望哭宋诸陵。及唐珏、林景熙等收遗蜕，翱为之画策，故有《冬青引》赠珏曰……英孙、景熙等和而歌之，遂结社稽山，名其会所云汐社，取晚而信也。"又："王英孙，字才翁，号秀竹，山阴人。德祐二年春，知时事去，与弟主管官诰院茂孙同月解官归。会郡大饥，倾困全赈，为衣冠避乱者所宗。闽人谢翱、东瓯林景熙、郑宗仁皆主其家，共结汐社，同里唐珏与焉。及杨琏真伽发宋诸陵，英孙痛愤，出白金属珏等结少年入山收遗蜕，造石函六，刻纪年一字为号，使景熙收高孝二陵，珏及诸人收馀四陵……遇寒食，私祭之，故翱诗曰'白衣人拜树下起'（按，即谢翱赠唐珏之《冬青引》诗），指寒食之祭也……卒于仁宗皇庆壬子元年，年七十五。"又："唐珏，字玉潜，号雷门，会稽人……至元二十二年，杨琏真伽，利宋攒宫金玉，上言宋陵王气盛，请发之……珏时年三十二。……初，谢翱入会稽，契珏定交。既葬陵，作《冬青引》赠珏，珏亦自作《冬青引》诗纪岁月。《续纲》系于帝昺祥兴元年。"又："林景熙，字德旸，号霁山，温州平阳人……至大三年庚戌卒于家，年六十九。所居白石巷，诗六卷，曰《白石樵唱》，大抵凄怆故国，与谢翱相表里。翱诗奇崛，景熙幽宛，并为宋季名家。遂昌郑元祐述景熙事，载《辍耕录》。"又："郑宗仁，字朴翁，平阳人……宋陵被发，与林景熙同入山。景熙故为丐者，而宗仁采药以草囊拾散骨，各有所得。既而归芗山瀑中。王英孙延致，教授家塾二十馀年。成宗大德六年壬寅五月卒于家，年六十三。"（《思复堂文集》卷三）

本年或稍后，周密、王沂孙等结吟社于越中。据夏承焘《唐宋词人年谱·周草窗年谱》附录二《乐府补题考》，乃隐指上年杨琏真伽发宋诸陵事。姑系于此。与社者凡十四人，周、王而外，尚有李彭老、张炎、仇远、吕同老、陈恕可、王易简、冯应瑞、唐艺孙、唐珏、赵汝钠、李居仁，另一人则失其名（据夏承焘考证，其人为王英孙）。分别题咏龙涎香、白莲、莼、蝉、蟹诸题。诸人所作词，汇为《乐府补题》一卷，据陈旅《陈如心墓志铭》（《安雅堂集》卷十二），为陈恕可所编；或有作仇远编者。集有朱彝尊、陈维崧序，今存《四库全书》本、《知不足斋丛书》本、《彊村丛书》本。凡诗三十七首：于宛委山房赋龙涎香，调寄《天香》，与赋者王沂孙、周密、王易简、冯应瑞、唐艺孙、吕同老、李彭老、无名氏八人，凡词八首；于浮翠山房赋白莲，调寄《水龙吟》，与赋者周密、王易简、陈恕可、唐珏、吕同老、赵汝钠、王沂孙、李居仁、张炎九人，凡词十首，其中王沂孙一题两首；于紫云山房赋莼，调寄《摸鱼儿》，与赋者王易简、无名氏、唐珏、王沂孙、李彭老五人，凡词五首；于馀闲书院赋蝉，调寄《齐天乐》，与赋者吕同老、王易简、王沂孙、周密、陈恕可、唐珏、唐艺孙、仇远八人，凡词十首，其中王沂孙、陈恕可均一题两首；于天柱山房赋蟹，调寄《桂枝香》，与赋者陈恕可、唐艺孙、唐珏、吕同老四人，凡词四首。周密字公谨，号草窗、蘋洲，又号四水潜夫、弁阳老人，本年四十八岁。王沂孙，字圣与，号碧山，本年三十左右。张炎，字叔夏，号玉田，本年三十二岁。仇远，字仁近，号山村，本年三十二岁。陈恕可，字行之，一字如心，本年二十二岁。陈维崧《乐府补题序》："《乐府补题》，倡和作者，为玉笥王沂孙圣与、蘋洲周密公谨、天柱王易简理得、友竹冯应瑞祥父、瑶翠唐艺孙英发、紫云吕同老和甫、筼房李彭老商隐、宛委陈恕可行之、菊山唐珏玉潜、月洲赵汝钠真卿、五松李居仁师吕、玉田张炎叔夏、山村仇远仁近，共十三人，又无名氏二人。题为宛委山房赋龙涎香、浮翠山房赋白莲、紫云山房赋莼、馀闲书院赋蝉、天柱山房赋蟹，调则为《天香》，为《水龙吟》，为《摸鱼儿》、《齐天乐》、《桂枝香》，凡五，共词三十七首，为一卷。嗟乎，此皆赵宋遗民作也。粤自云迷五国，桥谶啼鹃，潮歇三江，营荒夹马，寿皇大去。已无南内之笙箫，贾相难归；不见西湖之灯火，三声石鼓。汪水云之《关塞含愁》一卷，金陀王昭仪之琵琶写怨。皋亭雨黑，旗摇犀弩之城；葛岭烟青，箭满锦衣之巷。则有临平故老、天水王孙，无聊而别署漫郎，有谓而竟成逋客。飘零执恤，自放于酒旗歌扇之间；惆怅畴依，相逢于僧寺倡楼之际。盘中烛爬，间有狂言；帐底香焦，时而谰语。援微词而通志，倚小令以成声。此则飞卿丽句，不过开元宫女之闲谈。至于崇祚新编，大都才老梦华之轶事也。"（《乐府补题》卷首）四库提要卷一九九："《乐府补题》一卷，不著编辑者名氏。皆宋末遗民倡和之作。凡赋龙涎香八首，其调为《天香》；赋白莲十首，其调为《水龙吟》；赋莼五首，其调为《摸鱼儿》；赋蝉十首，其调为《齐天乐》；赋蟹四首，其调为《桂枝香》。作者为王沂孙、周密、王易简、冯应瑞、唐艺孙、吕同老、李彭老、陈恕可、唐珏、赵汝钠、李居仁、张炎、仇远等十三人，又无名氏二人。其书诸家皆不著录。前有朱彝尊序，称为常熟吴氏钞本，休宁汪晋贤购之长兴藏书家，而蒋景祁镂版以传云云。则康熙中始传于世也。彝尊序又称当日倡和之篇，必不止此，亦必有序以志岁月，惜今皆逸云云。其说亦是。然疑或墨迹流传，后人录之成帙，未必当时即编次为集，故无序目，亦未可知也。"

## 公元1280年 （世祖至元十七年 庚辰）

### 一月

十日，张弘范卒，年四十三。虞集《淮阳献武王庙堂之碑》："出南征时赐剑与甲以畀嗣子珪，曰：汝父以是立功，其佩服毋忘。语竟，遂端坐而薨，十七年正月十日也，得年四十三。上闻之震悼。诏京尹给丧事，所过郡县以礼迎送，归葬其乡之定兴县河内里，祔葬祖墓。"（《道园学古录》卷十四）张弘范所著有《淮阳集》一卷，邓光荐为之序。四库提要卷一六六："《淮阳集》一卷、附录诗馀一卷，元张弘范撰……其遗诗一百二十篇，词三十馀篇，燕山王氏尝刻之敬义堂，庐陵邓光荐为之序。……后其曾孙监察御史旭重刊。明正德中，公安知县周钺又重刊之。此本即从钺刻传录，盖犹旧帙。弘范尝从学于郝经，颇留心儒术。其诗皆五七言近体，虽颇沿南宋末派，然大抵爽朗可诵，其中如'中酒未醒过似病，搜诗不得胜如愁'，置之《江湖集》中不辨也。以元勋世胄，宣力疆场，用馀力从事于吟咏，亦无愧于曹景宗之赋竞病矣。"《元诗选》二集乙集《寄枢密院郭良弼》诗后按语："淮阳王佳句可摘者，五言如《月夜独酌》云：'山风吹雨去，海月上天来。'七言如《晚凉楼饮》云：'龙驾金乌归海北，鲸吹璧月上天东。'《初夏》云：'香盈脾蜜蜂衔歇，泥足梁巢燕寝便。'《遇雨未发》云：'绝岫黑云笼古殿，虚檐玉柱碎空阶。'《述怀》云：'中酒未醒过似病，搜诗不得胜如愁。'亦复雄健新警，耐人吟咏也。"

### 二月

二十四日，诏谕真人祁志诚等焚毁《道藏》伪妄经文及刊板。见《元史》卷十一《世祖本纪》。

文天祥于狱中集杜甫诗为五言绝句二百首。集有天祥自序，末署"岁上章执徐（庚辰），月祝犁单阏（己卯），日上章协洽（庚未）"。月己卯为本年二月，然"庚未"

于干支纪次不合，或系传写之误。《集杜诗》四卷，今存《四库全书》等本。刘定之《文信国集杜诗序》："予少时得宋丞相信国文公《指南集》读之，然闻公在幽囚中有集杜句诗，未见也。及官词林，始见而录得之。诗皆古体五言四句，凡二百首，分为四卷。首述其国，次述其身，次述其友，次述其家，而终以写本心叹世道者。莫如何于人胜天、夷猾夏，而有待于天胜人、夏变夷之必有日也。……序跋中有缺文者，指元之君臣、宋之叛逆，缺而不书，使知者以意属读。今皆补之而为白字者，不没公初意也。不书纪年者，陶靖节削永初之意也。姓某履善甫者，《指南集》中所谓范雎变张禄、越蠡改陶朱之意也。而其事之难，有甚于指南之时焉者矣。小序之末多曰哀哉者，公所以伤其国之亡，悯其忠臣义士之同尽，恸其家族之殉国，而自处其身于死，岂待南向再拜引颈受刃之际，而后有决志哉？……兼微、箕、比干之心而为心者，其在公乎？若乃是诗之作，而岂徒哉？《麦秀》、《黍离》之歌，作于其国已亡之后，而其身可以不死也。《怀沙》、《抱石》之辞，作于其身临绝之际，而其国犹未至于亡也。身且死矣，国已亡矣，于是乎有首阳《采薇》之歌，燕狱《集杜》之作，所谓求仁得仁而奚怨者也，合伯夷、叔齐之言而为之言者，不在是诗乎？以是心也，为是诗也，公其可谓仁矣。仁者天地之元气，古今之人极。其在上为日月之明，风霆之壮；其在下为江湖之所以长流，山岳之所以常镇；其混然在中，为君臣民物之所赖以长治久安；而在宋之末世，为公之本心，在公之死也，为是诗。有读是诗而不尽伤者，是岂仁人也哉！"四库提要卷一六四："《文信公集杜诗》四卷，一名《文山诗史》，宋文天祥撰。盖被执赴燕后，于狱中所作。前有自序，题'岁上章执徐，月祝犁单阏，日上章协洽'。案上章执徐为庚辰岁，当元世祖至元十七年，乃其赴燕之次年。祝犁单阏当为己卯之月，上章协洽为庚未之日，于干支纪次不合。考是年正月癸卯朔，二月内当有三庚日、二未日，必传写者有所错互。至以岁阳岁名纪日，本于《吴国山碑》中'日惟重光大渊献'语，而并以纪月，则独见于此序。又序后有跋，称壬午元日，则天祥授命之岁也。诗凡二百篇，皆五言二韵，专集杜句而成。每篇之首，悉有标目次第，而题下叙次时事，于国家沦丧之由，生平阅历之境，及忠臣义士之周旋患难者，一一详志其实。颠末粲然，不愧诗史之目。吴之振《宋诗选》徒以裁割巧合评之，其所见抑亦末矣。……又定之称分为四卷，而今本止一卷，殊失原第。今仍析为四卷，以存其旧焉。"

## 八月

十五日，汪元量慰文天祥于囚所，按琴作胡笳十八拍。十月复来，文天祥为作《胡笳曲》十八拍。见《文山集》卷二十《胡笳曲序》。

## 十一月

二十六日，诏颁《授时历》。见《元史》卷十一《世祖本纪》。《授时历》，郭守敬、王恂、许衡等共同编定。《草木子》卷三下："定历名曰《授时》，取《尧典》'敬授人时'之义。"王恂（1235—1281），字敬甫，中山唐县人。至元十六年，授太史令。

十八年卒，年四十七。谥文肃。

## 本年

至元十五年至本年间，奥屯周卿官建康道按察副使。朱橚编《普济方》卷四二一引《卫生宝鉴》所录药方云："昔按察副使奥屯周卿子，年二十三岁，至元戊寅三月间病发，热肌肉，瘦四肢，困倦嗜卧，盗汗，大便溏多，肠鸣，不思饮食，舌无味，懒于语言。时来时去，约半载馀，请予治之。……数月，气得平复。迨二年，肥盛倍常。"又江瓘编《名医类案》卷五："罗谦甫治。建康道按察副使奥屯周卿子，年二十有三，至元戊寅春间病发，热肌肉，消瘦四肢。……数月，气得平复。逮二年，肥甚倍常。"至元戊寅，当为元世祖至元十五年（1278）。又汪梦斗《北游集》卷上有《奥屯周卿提刑去年巡历绩溪，回日有诗留别，今依韵和呈》诗，诗云："皇华曾为歙山留，笑杀扬人泛泛舟。偶话后天非定位，悬知此辈固清流。一灯雪屋虫声细，匹马晴川草色秋。倚杖儒宫桥下水，梦魂须忆旧来游。"《北游集》，乃梦斗至元十六年北游所作，则诗中所谓"去年"者，当为至元十五年。又方回《饶州路治中汪公墓志铭》云："〔至元〕十五年，江东道提刑按察副使奥屯行部兴学，公大喜，延名进士九江文天佑主文衡，拔儒彦，出税帑，立赏格，免徭给廪，士荄复振。"（《新安文献志》卷八十五）据此，则至元十五年至十七年间，奥屯周卿尝为江东建康道按察副使。时奥屯周卿子年二十三，以常情论，周卿年当在四十五岁左右。奥屯周卿，又作奥敦周卿。至元六年，尝为怀孟路总管府判官。《全元散曲》录其小令2首，套数1套。俞德邻《奥屯提刑乐府序》："乐府，古诗之流也。丽者易失之淫，雅者易邻于拙，求其丽以则者鲜矣。自《花间集》后，迄宋之世，作者殆数百家，雕镂组织，牢笼万态，恩怨尔汝，於於喁喁，佳趣政自不乏，然才有馀，德不足，识者病之。独东坡大老以命世之才，游戏乐府，其所作者，皆雄浑奇伟，不专为目珠睫钩之泥，以故昌大嚣庶，如协八音，听者忘疲。渡江以来，稼轩辛公其殆庶几者。下是折杨皇荂，诲淫荡志，不过使人嗑然一笑而已。疆土既同，乃得见遗山元氏之作，为之起敬。至元丙戌，余留山阳，宪使奥屯公以乐府数十阕示。豪宕清婉，律吕谐和，似足以追配数公者。尝试观之，如取骅骝饰以金镳玉勒，所谓驰骤于白帝城水云之外，江村野堂争入吾目，已而垂鞭弹鞚、恣睢凌厉于紫陌间，一何奇也。然则舍坡老、稼轩、遗山外，如公者其讵肯兄视馀子哉？虽然，是特公之馀事也。余尝与张君达善读公之诗，铿铿幽眇，发金石而感鬼神。及造公之庐，几案间阒无长物，惟羲文孔子之易，熏炉静坐，世虑泊如，超然若欲立乎万物之表者。是余之于公，知之浅矣，不知深矣，即区区乐府，视公不几于管窥而蠡测者乎？余故表而出之，使后之从公游者，当求之于未始出吾宗之趣，而杜德衡气，殆未足以尽壶子也。"（《佩韦斋集》卷十）

柴望卒，年六十九。苏幼安《宋国史秋堂柴公墓志铭》："公生于宋嘉定五年壬申，卒于至元十七年庚辰，年六十有九，葬高斋之奇气楼下，即公所居也。"（《秋堂集》附录）柴望（1212—1280），字仲山，号秋堂。著有《秋堂集》二卷，为后人辑录，《皕宋楼藏书志》卷九十二、《善本书室藏书志》卷三十二、《铁琴铜剑楼藏书志》卷二十一均有著录，今存《四库全书》本（诗文各一卷，附录一卷）。杨仲弘《宋国史柴望诗集序》："余读宋纪柴国史诗集，而知诗道之有在也。公诗秉于忠义而撼于危迫，摛词琢句，动谐音律。雄豪超逸，如天马之腾空；潇洒清扬，如春花之映日。就其所造之深，直能卑视近代，而与唐之诸名家相上下矣。至其诗之所以至者，则又上抒李、杜之精英，而性情法度，不啻自其胸中流出。盖虽声气所钟，各自为家，而其志之所之，则皆出于时事之所激，而伦理之所关，固有旷世而相感者也。诚以宋之季，视唐之天宝为逾危，而公之所遭遇，于鳌纬黍离之思为尤恫焉，宜其发之愤且激也。然则公之诗，岂可以浅浅观哉？知公之诗者，要当知公之心，则太白、少陵不足问矣。予过江郎，访公遗迹，公从侄季武出公集若干卷，祈予叙。余素慕公高义，又嘉季武之请，因遂书之。公诗有《道州台衣集》、《咏史诗》、《凉州鼓吹》，在公生时已盛传于世。兵燹日久，散逸不次，兹录其遗存者若此云。至正四年七月既望，襄阳杨仲弘叙。"（《柴氏四隐集》卷首）四库提要卷一六五："《秋堂集》三卷，宋柴望撰。……望以淳祐丙午上《丙丁龟鉴》得名，然应诏上书，但当指陈人事，论朝政之是非，乃牵引谶纬，以值岁干支推衍祸福，穿凿附会，迂诞支离，其心虽出于忠诚，其言则涉于妖妄。乃出狱归里，士大夫至祖道涌金门外，赋诗感慨，倾动一时。王应麟《困学纪闻》尚载其表中之语，以为佳话。宋末士气之浮嚣，于是为极。已别存其目，纠正于本条之下。至其人，则宋亡以后，遁迹深山，至元十七年乃卒，翛然高节，追步东篱。其诗虽格近晚唐，未为高迈，而《黍离》、《麦秀》，寓痛至深，骚屑哀音，特为凄动，亦可与谢翱诸人并传不朽。故残章断简，犹能流播至今也。"

柴望与从弟柴随亨、柴元亨、柴元彪，人称柴氏四隐。四人所作，万历间十一世孙柴复贞集为《柴氏四隐集》，张斗为之序。《柴氏四隐集》，《善本书室藏书志》卷三十八著录三卷，《北京图书馆古籍善本书目》著录五卷，今存《四库全书》本、知不足斋钞本。柴复贞《柴氏四隐集序》："四隐公者，宋国史秋堂公、建昌大夫瞻屺公、制参吉甫公、察推泽臞公也。四公仕当革命之际，鹥鸠悲鸣，众芳萎歇，各抱杞国之忧，流涕陈列，而为权奸所摈逐。乃相与遁迹林莽，叹时事之已去，悲故宫之寂寞，《黍离》悠悠之怀，每形于伯仲赓咏，人以是称为柴氏四隐云。已而旧社既非，新朝聿起，物色旧臣，抱琵琶过别船者殆纷如焉。公等自以宋室遗黎，耻事二姓，并不应征辟，益深潜远引于择林九礐之巅，论者以为得仲连义不帝秦之心。……夫以四公之内美修能，不售于世，而侘傺无聊，似屈大夫；虽遭摈逐，而爱君忧国，念念不忘，似杜少陵；却元氏物色，而避地守贞，似陶彭泽。故其发之诗歌，感愤激烈，大都足以凄泪千古，真所谓节义文章，宜与三公并传矣。"四库提要卷一八七："《柴氏四隐集》三卷，宋柴望及其从弟随亨、元亨、元彪之诗文也。……宋亡以后，兄弟俱遁迹不仕，时称柴氏四隐。望所著有《道州台衣集》、《咏史诗》、《凉州鼓吹》，元彪所著有《袜线集》，随亨、元亨著作散佚，其集名皆不可考。……世所行者，仅望《秋堂》一集，而实非足本。钱塘吴允嘉始得刻本钞传之，又据《江山志》及《吴氏诗永》益以集外诗五首，遂为完书。其诗格颇近晚唐，无宋人权柙之习。随亨、元彪所作，差逊其兄。然谅节高风，萃于一门，虽遗编零落，而幽忧悲感之意托诸歌吟者，往往犹可考见。存之足以励风教，正非徒以文章重矣。"

**邓文原与张伯淳本年始有交往。**张伯淳本年三十八岁，邓文原二十二岁。邓文原《养蒙文集序》："至元庚辰间，文原侍先人侧，获识携李张公师道。时江南达宦者，多中州文献故老，而南士裸将之馀，屏居林谷者往往而在。交游中雅器重公，荐牍交驰，为杭郡文学掾。遇事不然，不可撼以私，与上官不合去，荐者益知公可授以政。居浙东闽海宪幕，征入，遂直词林，陪讲席。而文原以供奉秦司撰著，仪义益款洽，不以僚属遇我也。"（《养蒙文集》卷首）张伯淳（1243—1303），字师道，杭州崇德人。少举童子科，以父任铨受迪功郎、淮阴尉，改扬州司户参军，寻举进士，监临安府都税院，升观察推官，除太学录，旋归家居。至元二十三年，授杭州路儒学教授，迁浙东道按察司知事。在官二年，五祈闲不遂。二十八年，擢为福建廉访司知事。岁馀，有荐伯淳于帝前者，遣使召问。明年，以入见所对悉称旨，授翰林直学士。成宗即位，诏命多出其手，进阶奉训大夫，仍知制诰、同修国史。史成，谒告以归。明年，进奉议大夫，授庆元路总管府治中。大德四年，即家拜翰林侍讲学士。明年造朝，扈从上都。大德七年，卒于大都，年六十一。谥文穆。著有《养蒙文集》十卷。《元诗选》二集丙集选其诗 54 首。生平据程钜夫《翰林侍讲学士张公墓志铭》（《雪楼集》卷十七）、《元史》卷一七八本传。邓文原（1259—1328），字善之，一字匪石，先世徙绵州，后避兵寓居杭州，为杭州人。文原六岁入小学，九岁从三山杨先生受《春秋》，十五岁以流寓取漕荐。暨科举事废，遂一意务为圣贤之学。至元二十七年，行中书省辟为杭州路儒学正。大德二年，调崇德州教授。五年，擢应奉翰林文字。九年，升修撰，谒告还江南。至大元年，复为修撰，预修《成宗实录》。三年，出为江浙儒学提举。皇庆元年，召为国子司业。以建白学校之论不合于当路，移病去。科举制行，文原校文江浙，虑士守旧习，大书朱熹《贡举私议》，揭于门。延祐四年，升翰林待制。五年，出佥江南浙西道肃政廉访司事。六年，改江东道。至治二年，召为集贤直学士。明年，进阶奉政大夫，兼国子祭酒。江浙省臣赵简请开经筵，泰定元年，文原兼经筵官，以疾乞致仕归。二年，召拜翰林侍讲学士、中奉大夫、知制诰、同修国史，以疾辞。三年，除岭北湖南道肃政廉访使，以疾不赴。致和元年，终于杭，年七十。至顺五年，赠江浙行省参知政事，谥文肃。著有《内制稿》、《巴西文集》、《素履斋集》等。《元诗选》二集丙集录其诗 115 首，题作《素履斋稿》。生平据吴澄《元故中奉大夫岭北湖南道肃政廉访使邓公神道碑》（《吴文正集》卷六十四）、黄溍《邓公神道碑》（《文献集》卷十下）、《元史》卷一七二本传。

**曹伯启以征日本事佐暨阳幕府，二十三年解去。**陆文圭《送曹士开序》："江南以儒试吏，名不登礼部者，不在吏部选。其弊也，士不能执弓矢，而国以弱亡。天朝神武，混一区宇，尽矫前弊，以法制从事。自中州而之官南土者，大率皆资性纯朴、材力猛健之士，故所至俱以吏能显，而精其能者亦自谓毛锥子无复用也。岁在庚辰，济阴曹君士开佐暨阳幕府。始至，观其议论，州人相与惊曰：'曹公儒者，今儒者亦为吏耶？'已而观其政事，则又相与惊曰：'北方儒者，不徒以其名闻，顾有实用如此耶？'……丙戌春，东征事解，始获释印。其秋北归，祖帐于江城之隅，士若民泣别者以千数，拥马首几不能行。或曰：'异日绾州绂乘使者车，公其复来乎？'或曰：'公不来矣。兰台鸾坡，横飞直上，岂再落南乎？'郡士陆某从旁解之曰：'留暨阳，惠止一州，在朝廷，惠及天下，一州不若天下之广也。'则皆应曰：'诺。'君遂策马径去。是日也，歌诗以饯者甚众，众属某为之序。故书。"（《墙东类稿》卷五）曹伯启（1255—1333），字士开，济宁砀山人。弱冠，从东平李谦游，笃于问学。至元中，历仕为兰溪主簿。大德五年，累迁承务郎、常州路总管府推官。十一年，迁奉训大夫、河南行省左右司都事。至大三年，制授朝列大夫、台州路治中，未赴，以御史潘昂霄、廉访使王俣交荐，擢拜西台御史，进朝奉大夫，改本台都事。延祐元年，转中顺大夫，升内台都事。三年，进中宪大夫，迁刑部侍郎。五年，迁司农丞，奉旨至江浙议盐法。归报，著为令。寻拜南台治书侍御史，俄去位。英宗即位，召为集贤学士，俄拜御史台侍御史，同刊定《大元通制》。未几，出为浙西廉访使。泰定初，引年北归，优游乡社。天历中，起为淮东廉访使、陕西诸道行御史台中丞，终不起。元统元年卒，年七十九。赠体忠守宪功臣、资政大夫、河南江北等处行中书左丞、上护军，追封鲁郡公，谥文贞。著有《汉泉漫稿》十卷、《续集》三卷。《元诗选》初集丙集选其诗57首。生平据曹鉴《大元故资善大夫陕西行御史台中丞赠体忠守宪功臣资政大夫河南江北等处行中书左丞上护军追封鲁郡公谥文贞曹公神道碑铭并序》（《曹文贞诗集后录》）、苏天爵《元故御史中丞曹文贞公祠堂碑铭有序》（《滋溪文稿》卷十）、《元史》卷一七六本传。

**白朴卜居建康，时年五十五。**《天籁集》卷上《夺锦标》（霜水明秋）词前小序云："庚辰，卜居建康。暇日访古，采陈后主、张贵妃事，以成素志。"居金陵后，白朴与李文蔚尝有书信往来。《天籁集》卷上《夺锦标》（孤影长嗟）词，题作《得友人王仲常、李文蔚书》，此李文蔚，或以为即曲家李文蔚。李文蔚，真定人。尝官江州路瑞昌县尹。著有杂剧《汉武帝死哭李夫人》、《蔡道遥醉写石州慢》、《卢亭亭担水浇花旦》、《张子房圮桥进履》、《报冤台燕青扑鱼》、《濯锦江鱼雁传情》、《谢安东山高卧》、《谢玄破苻坚》、《金水题红怨》、《秋夜芭蕉雨》、《风雪推车记》、《燕青射雁》等12种，今存《同乐院燕青博鱼》、《张子房圮桥进履》、《破苻坚蒋神灵应》等3种或以为即其所作。贾仲明〔双调〕《凌波仙·吊李文蔚》："《石州情》，醉写蔡萧间。《芭蕉雨》，秋宵周素兰。《浇花旦》，才并《推车旦》。《破苻坚》，淝水间，晋谢得安，高卧东山。瑞昌县，为新令；真定府，是故关：月落花残。"

**荆幹臣为征东都元帅府参议。**据孙楷第《元曲家考略》。《录鬼簿》卷上录其人于"前辈名公乐章传于世者"之列，称"荆幹臣参军"。《全元散曲》录其套数2套。李庭有《送荆幹臣诗序》（《寓庵集》卷四），王恽有《送荆书记幹臣北还诗》（《秋涧先生大全集》卷二十三）。

**张可久生于本年前后。**贯云石序张可久所作《今乐府》，称可久"四十犹未遇"。四十之称，或为概数。孙楷第《元曲家考略》据李祁《跋贺元忠遗墨卷后》及黄溍《杭州路儒学兴造记》等文，考定张可久至正初年七十余。张可久，字小山，庆元人。或以为其人名伯远，字可久，号小山（蒋一葵《尧山堂外纪》）；或以为名可久，字伯远，号小山（《词综》、《御选历代诗馀》）；或以为名可久，字仲远，号小山。以路吏转首领官，又曾为桐庐典史。卒于至正八年以后。著有《北曲联乐府》三卷、《小山乐府》。《全元散曲》录其小令855首，套数9套。

## 公元 1281 年 （世祖至元十八年 辛巳）

### 三月

初三，许衡卒，年七十三。《元史》卷十一《世祖本纪》："〔至元十八年三月〕戊戌，许衡卒。"欧阳玄《元中书左丞集贤大学士国子祭酒赠正学垂宪佐理功臣太傅开府仪同三司上柱国追封魏国公谥文正许先生神道碑》："臣谨按先生家乘及尝私淑父师者，序而铭之。以金泰和九年己巳九月丙寅，生于新郑邑中。……〔至元〕十八年三月戊戌，薨于私第之正寝，易箦不变，年七十三。是日，大雷电，风拔木，城中无贵贱少长，哭于门，商唁于途，农吊于野，天下识与不识，闻讣慨叹。四月乙酉，葬李封村先茔之南。"（《圭斋文集》卷九）虞集《送李扩序》："国学之置，肇自许文正公。文正以笃实之资，得朱子数书于南北未通之日，读而领会，起敬起畏。及被遇世祖皇帝，纯乎儒者之道，诸公所不及也。世祖皇帝圣明天纵，深知儒术之大，思有以变化其人而用之，以为学成于下而后进于上，或疏远未即自达，莫若先取侍御贵近之特异者使受教焉，则效用立见，故文正自中书罢政为之师。是时风气浑厚，人材朴茂，文正故表章朱子《小学》一书以先之，勤之以洒扫应对以折其外，严之以出入游息而养其中，掇忠孝之大纲以立其本，发礼法之微权以通其用。于是数十年，彬彬然号称名卿才大夫者，皆其门人矣。呜呼！使国人知有圣贤之学，而朱子之书得行于斯世者，文正之功甚大也。文正没，国子监始立，官府刻印章如典故，其为之者，大抵蹈袭文正之成迹而已。然余尝观其遗书，文正之于圣贤之道、五经之学，盖所志甚重远焉。其门人之得于文正者，犹未足以尽文正之心也。……故使文正复生于今日，必有以发理义道德之蕴，而大启夫人心之精微、天理之极致，未必止如前日之法也。而后之随声附影者，谓修词申义为玩物，而从事于文章，谓辩疑答问为躐等，而始困其师长，谓无猷为涵养德性，谓深中厚貌为变化气质，是皆假美言以深护其短，外以聋瞽天下之耳目，内以蛊晦学者之心思。此上负国家，下负天下之大者也，而谓文正之学果出于此乎？"（《道园学古录》卷五）顾清《校刻鲁斋先生遗书序》："孔、孟没而后有周、程诸儒，其说盛矣，犹未遍于东南也，得朱子而集其大成。朱子没而国事日非，其传固未及于中州也，得鲁斋而其道始行。自元至今，儒者之推尊如出一口，咸以为朱子之后一人，而其书之存止此。然惟其书之简也，故为说精；惟其说之精也，故于事切。如论学则欲阙经书之疑义，而体其经夫妇成孝敬者，以求益于身心；论治则谓防人之欺，不若养人之善，而归其本于农桑学校。其他论说，往往若是，皆明乎物理，当乎人心。譬则菽粟布帛，真可以疗人之饥寒；南车烛龙，真可以破人之迷暗。学者从之，又如从昆仑者之溯于洪河，虽未即至，而他适焉者寡矣。"（《东江家藏集》卷三十七）《元诗选》初集乙集："先生开国大儒，不藉以文章名世，然其古诗亦自成一家。近体时有秀句，如《登东城》云：'乱云随日下，荒草过堤平。'《秋寒》云：'云影水边去，雁行天际来。'《用吴行甫韵》云：'五亩桑麻舍前后，两行花竹路西东。'《谢梁安抚》云：'太行西对千峰玉，淇水东窥万斛珠。'《秋霖初霁》云：'两旬秋雨馀三丈，一日人心抵十年。忽睹浓云卷空际，便添喜色上眉颠。'讽咏之馀，恍然如在吟风弄月间也。"

四库提要卷一六六:"《鲁斋遗书》八卷、附录二卷,元许衡撰。……盖此本为应良所重编,而鸣凤更名者也。首二卷为语录。第三卷为《小学大义直说》、《大学要略》、《大学直解》。第四卷分上、下,上为《中庸直解》,下为《读易私言》、《读文献公撰蓍说》及《阴阳消长》一篇。第五卷为奏疏。第六卷亦分上、下,上为杂著,下为书状。第七、第八卷为诗、乐府。附录二卷则像赞、诰敕之类,及后人题识之文。其书为后人所裒辑,无所别择。如《大学》、《中庸》直解,皆课蒙之书,词求通俗,无所发明。其《编年歌括》,尤不宜列之集内。一概刊行,非衡本意。然衡平生议论宗旨,亦颇赖此编以存。弃其芜杂,取其精英,在读者别择之耳。其文章无意修词,而自然明白醇正,诸体诗亦具有风格,尤讲学家所难得也。"袁枚《牍外馀言》卷一:"元儒刘因云:'近世士大夫,好以愚拙鲁钝人所不足之词以自号。彼其之非真有是也,亦非谦也。彼盖持老氏之说,以为天下古今,必如是而后可以无营而近道,则择而取之,要亦归于自利而已。'此数语,刺许鲁斋而发,恰前人所未有。今士大夫多犯此癖,缘未读刘公文集故也。"

**初三,宋衜授大中大夫、秘书监丞。**据《秘书监志》卷一。宋衜(?—1286),字弘道,潞州长子人。至元二十三年卒。著有《秬山集》十卷,已佚。生平见《元史》卷一七八本传。王恽《相从行》(赠宋兄弘道):"宋君茂异谁其俦,事业当向前人求。群书磊落载其腹,人道聪明似邺侯。黄陂千顷不足泳,入海簸弄龙骧舟。十年雾豹栖岩幽,每恨南海北海风马牛。碧云望断西山陬,爱而不见心为忧。向来文采珊瑚钩,宁胡一曲不自休。(公尝作《宁胡阏氏曲》行于世)壮怀似欲写孤愤,笔力倒挽西江虬。古今乐府非不优,例以哀怨更相酬。蛾眉命薄黄金贵,青冢凝云紫塞秋。多君变体不师古,一扫万古琵琶愁。我忻得之三过读,如入武库森戈矛。乃知凤凰在岐世自瑞,春风百鸟空啁啾。乾坤吾道方悠悠,天公畀子鸣中州。唤回海岳三生梦,独倚元龙百尺楼。今年冠剑平津阁,积忧一见心为廖。识君恨晚愧仝志,正似羔羊之鞹缘饰青貂裘。古今为讳分清流,不用倒翻鹦鹉洲。期君有道兴东周,不然君为龙,我亦同云浮。自兹攀逐不相失,四方上下从之游。"(《秋涧集》卷六)王恽《宋宾客弘道挽辞》其一:"景玄绝学到纵横,此老犹能见典刑。相府才华推上客,少微光彩动前星。诚身初不离儒行,进学何妨杂贝经。正有莫教伤馁恨,并随神剑闵泉扃。(公旧有舒辟剑)"其二:"万有纷华入醉吟,都将诚静粹灵襟。云松卧壑存初志,望苑沾恩岂本心。谈并齐谐疑志怪,学空沧海别穿深。斗间纵有龙泉气,凄断春风绿绮琴。"(《秋涧集》卷十九)

## 四月

**李存生。**李存(1281—1354),初字明远,更字仲公。其先汴人,八世祖居饶州安仁县。幼颖敏庄重,博涉典籍,喜为文章。后从上饶陈立大传陆九渊之学,遂尽焚所著书。延祐开科,一试不第,即弃去。至正间,李孝光举以自代,不果。葺书室曰竹庄,题曰俟庵,人称鄱阳先生。虞集归老临川,相与唱酬。兵兴,门人何琛迎养于临川,居二年卒,年七十四。与祝蕃、舒衍、吴谦称江东四先生。著有《俟庵集》三十卷。《元诗选》初集已集选其诗 40 首。生平据危素《元故番易李先生墓志铭》（《鄱阳仲公李先生文集》卷首）。

## 五月

十七日，文天祥处囚室中，适逢大雨，流水没床，遂作《大雨歌》。其所作《正气歌》，当亦成于此时。七月二日，复作《大雨歌》。文天祥《正气歌序》："予囚北庭，坐一土室，室广八尺，深可四寻，单扉低小，白间短窄，污下而幽暗。当此夏日，诸气萃然。雨潦四集，浮动床几，时则为水气；涂泥半朝，蒸沤历澜，时则为土气；乍晴暴热，风道四塞，时则为日气；檐阴薪爨，助长炎虐，时则为火气；仓腐寄顿，陈陈逼人，时则为米气；骈肩杂沓，腥臊污垢，时则为人气；或圊溷，或毁尸，或腐鼠，恶气杂出，时则为秽气。叠是数气，当之者鲜不为厉，而予以孱弱，俯仰其间，于兹二年矣。幸而无恙，是殆有养致然，然尔亦安知所养何哉？孟子曰：吾善养吾浩然之气。彼气有七，吾气有一，以一敌七，吾何患焉。况浩然者，乃天地之正气也。作《正气歌》一首。"（《指南后录》卷三）邵宝《谒文信国祠》："春色无端满地莎，伤心燕市偶经过。清风又读忠臣传，白日如闻正气歌。社稷一身惟死是，纲常千古有功多。瓣香未了平生拜，回首荒祠独奈何。"（《容春堂前集》卷六）爱新觉罗·玄烨《正气歌序》："斯篇出于至性，慷慨凄恻，朕每于披读之际，不觉泪下数行，其忠君忧国之诚，洵足以弥宇宙而贯金石。"（《御制文第三集》卷四十三）谢士元《文天祥就义》："身与道义俱，浩气塞苍旻。戮力济艰危，何曾辞苦辛。南奔日穷蹙，北归思杀身。至今《正气歌》，歌罢伤吾神。"（《石仓历代诗选》三九〇）蔡世远《正气歌》评语："文山以年少对策，第状元，策以法天不息为主，一气呵成数千言，主司赏之曰：'古义若龟鉴，忠肝如铁石，敢以是为得人贺。'则公之正气，自幼学时已养之矣。结句曰：'风檐展书读，古道照颜色。'以此知养气者，不可不读书也，特不为章句之儒耳。歌中又曰：'皇路当清夷，含和吐明庭。'公岂乐以死节见哉？"

## 十一月

二日，禁杂剧扮演四天王。《元典章》卷五十七《刑部》十九"杂禁"条："至元十八年十一月初二日，御史台承奉中书省札付御史呈提点教坊司申：闰八月二十五日，有八哥奉御、秃烈奉御传奉圣旨：道与小李，今后不拣甚么人，十六天魔休唱者，杂剧里休做者，休吹弹者，四天王休妆扮者，骷髅头休穿戴者。如有违犯，要罪过者。仰钦此。"

## 本年

**宋本生。**宋本（1281—1334），字诚夫，初讳克信，大都人。至治元年进士第一，授翰林修撰。泰定元年，除监察御史，调国子监丞。天历元年，累迁吏部侍郎，寻改礼部，除艺文太监。至顺元年，拜奎章阁供奉学士。俄进礼部尚书，授奎章阁承制学士，转集贤直学士兼国子祭酒。元统二年卒，年五十四。谥正献。著有《至治集》四十卷，已佚。《元诗选》二集戊集选其诗 24 首。生平据宋褧《故集贤直学士大中大夫经筵官兼国子祭酒宋公行状》、《元史》卷一八二本传。

## 公元 1282 年 （世祖至元十九年 壬午）

### 四月

十八日，滕安上作《至元德音诗》。时滕安上为真定路中山府儒学教授。滕安上《至元德音诗序》："至元十九年四月十八日，中山府儒学教授臣某，从庶官之后，伏听德音，条凡十五。"（《东庵集》卷一）据王恽《听讲吕刑诸篇》诗小序云："至元十六年己卯岁冬十二月十七日，中山府明新堂雪夜，会府尹史子华、贰政朱信卿洎诸吏属，听教官滕仲礼讲《周书·吕刑》、《论》、《孟》诸篇。"（《秋涧集》卷三）则至元十六年，滕安上已为中山府儒学教授。滕安上（1242—1295），字仲礼，定州人，其先自洛徙居中山。以荐授中山府教授，历禹城主簿。至元二十四年，征为国子博士，即升监丞，旋转为太常丞。元贞元年，拜监察御史，寻起为国子司业，以疾卒于是年六月，年五十四。著有《易解》、《洗心管见》及《东庵类稿》十五卷（《国史经籍志》卷五、《千顷堂书目》卷二十九作《东庵稿》十六卷），今已佚。今存《东庵集》四卷，系四库馆臣从《永乐大典》中辑出，有《四库全书》本。生平据姚燧《国子司业滕君墓碣》（《牧庵集》卷二十六）。

二十日，李庭卒，年八十四。据王博文所撰墓碣铭。李庭（1199—1282），字显卿，号寓庵，华州奉先人。曾官安西府谘议。著有《寓庵集》八卷，今存《丛书集成续编》本。

### 十二月

初九，文天祥被杀于大都柴市，年四十七。《元史》卷十二《世祖本纪》："以中山薛保住上匿名书告变，杀宋丞相文天祥。"何梦桂《文山诗序》："宋丞相文公……真古今忠义士也。沙场青冢，千古南音，其所流落人间者，惟有流离中《吟啸诗史》与狴犴中《杜诗集句》耳。使人读之，至今凛凛有生气。呜呼！公真死矣，不自意其死后，犹能以诗写其平生之耿耿而未尽者乎？岂公果不死乎？一点烈烈者，无在不在故也。"（《潜斋集》卷五）《隐居通议》卷十二："文丞相天祥至公血诚，捐躯死国，忠义之节，照映古今，固不以文章为存亡也。然近日书市刊其《采薇歌》成帙，易其名曰《吟啸稿》，皆丞相战败后被执过北时诗，实多佳句。谩摘于此，亦可因其诗以知其心矣。'出岭同谁出，归乡如此归。'（《被执出南安军作》）'如此归'三字，最有深味，今缪者误刊作'如不归'，则意味索然矣。'云静龙归海，风清马渡江。'（《万安晚渡》）'长有归来梦，衣冠满故园。'（《寄里中友》）'风雨宣城路，重来白发新。长江还有险，中国讵无人。'（《安庆府》）'方夸金坞筑，岂料玉床摇。国体真三代，江流旧六朝。鞭投能几日，瓦解不崇朝。千古吴山恨，西风卷怒潮。'鲁港乃贾似道溃师

25

处，此结句绝妙。'健儿徙幽土，新鬼哭台城。一片清谿月，偏于客有情。'（《建康》）'蒲萄肥汗马，荆棘冷铜驼。巫峡朝云湿，洞庭秋水波。'（《江行有感》）'英雄遗算晚，天地暗愁新。'（《真州》）'庚子江南梦，苏郎海上贫。'（《呈中斋》）'禾黍西风梦，川原落日悲。斯文今已矣，来世以为期。'（同上）'一弯流水小，数亩故城荒。回首江南路，青山断夕阳。'（《过召伯》）'芳草中原路，斜阳故国情。'（《小情口》）'漠漠地千里，垂垂天四围。'（《桃源道中》）'野阔人声小，日斜驹影长。'（《崔镇驿》）'家国哀千古，男儿慨四方。'（《汶阳馆》）'欲鞭刘豫骨，烟草暗荒丘。'（《东平》）'土花开国旧，风絮渡江前。'（《过梁门》）'更和天堑失，回首惨啼鹃。'（同上）'芳草江头路，斜阳郭外村。'（《池州》）七言：'春事暗随流水去，潮声空逐莫天回。'（《越王台》）'巡远初无儿女态，夷齐肯作稻粱谋。'（《黄金市》）'丹心不改君臣义，清泪难禁父母邦。'（《泰和》）'半生几度此登临，流落而今雪满簪。南浦不知春已晚，西山但觉日初阴。'（《隆兴》）'满地芦花和我老，旧家燕子傍谁飞。从今别却江南路，化作啼鹃带血归。'（《金陵》）'眼里游从惊死别，梦中儿女慰生离。'（《早秋》）'江海无情游子倦，岁年如梦美人迟。'（《晚起》）'客情恰与秋俱半，人影何如月倍圆。'（《中秋》）'青牛过去关山动，白鹤归来城郭荒。'（《苍然亭》）古体：'北征垂半年，依依只南土。今晨渡淮河，始觉非故宇'云云。'我为纲常谋，妻子不得顾。'（《过淮河》）'衣暖露自干，须寒水欲凝。将军戴铁笠，壮士敲金镫。'（《发宿迁》）'自别张公子，婵媛不下楼。遂令楼上燕，百世称风流。我游彭祖门，来吊楚王阙。问楼在何处，城东草如雪。蛾眉代不乏，埋没安足论。因何张家妾，名与山川存。自古皆有死，忠孝长不没。但传美人心，不说美人色。'（《徐州燕子楼》）'长陵有神气，万岁光如虹。有时风云变，魂魄来沛宫。'（《沛县歌风台》）'轩冕委泥途，衮绣易毡毳。百年杂丑好，始酹四方志。'（《发潭口》）'唐家再造李郭力，若论牵制公威灵。'（《平原》）'当年幸脱安禄山，白首竟陷李希烈。希烈安能遽杀公，宰相卢杞欺日月。乱臣贼子归何处，茫茫烟草中原土。公死于今六百年，精忠赫赫雷行天。'（同前）'我过梁门城，楼桑在其北。元德已千年，青烟绕故宅。道傍为挥泪，襄回秋风客。天下卧龙人，多少空抱膝。'（《楼桑》）'世以成败论，操懿真英雄。'（《孔明》）'平生祖豫州，白首起大事。东门长啸儿，为避一头地。何哉戴若思，中道奋螳臂。豪杰事垂成，今古长短气。'（《祖逖》）'人世谁不死，公死千万年。'（《颜杲卿》）'睢阳水东流，双庙垂百世。当时令孤潮，乃为贼游说。'（《张巡》）予每读文丞相诗，味其情思，想其风景，令人悲不自胜，为之怅然废卷竟日。"又《道体堂刊文山集》："文丞相人品、科名、官爵，俱为宋朝第一，不必论，其诗文自有与天同寿者。然观道体堂所刊《文山集》诸诗中，惟《棋诗》四绝颇佳。其一为周子善，言萧耕山象弈能胜二刘，不觉败于子善，子善又败于我。诗曰：螳臂初来攫晚蝉，那知黄雀沫馋涎。王孙挟弹无人处，一笑雕盘属玳筵。'其二为耕山，言老夫又败与子善。诗曰：'射虎将军发欲枯，茫茫沙草正迷途。小儿谩取封侯去，还是平阳公主奴。'其三为刘渊伯，言所畏惟吾与子善耳。诗曰：'坐踞河南百战雄，少年飞槊健如龙。世间只畏两人在，上有高公下慕容。'其四为刘定伯，言与渊伯上下也。诗曰：'击柱论功不忍看，筑坛刑马誓河山。当年灌绛知何似，只在春秋鲁卫间。'此四绝虽是比体，亦自兼兴，可以讽咏，馀不及也。又庆罗母百岁，有一律曰：'丽日萱花照五云，升堂风采见乾淳。蓬莱会上逢王母，婺女光中见老人。雨露一门华发润，江山满坐彩衣新。只将千岁苓为寿，更住人间九百春。'词虽直致，意颇满足。犹记丁丑、戊寅年间传到一绝，云丞相扬州城下所赋，其词忼慨激壮，非他诗人所能言也。'黯云霏雾暗扶桑，半壁东南尽雪霜。壮气不随天地变，笑骑飞鹤入维扬'。"刘诜《跋文信公和东坡赤壁词后》："坡公此词，妙绝百代，然恨鲜得其所自书者。信国文公所和，雄词直气，不相上下，而真迹流落如新，尤可谓二美具矣。"（《桂隐文集》卷四）王洪《读文天祥诗》："炎光沦南服，朔风荡中土。受命在仓卒，惜此白日暮。杀身孰云难，图存乃所慕。田单奋即墨，临淄忽已举。鄢郢不为墟，实以包胥故。孔明营王业，偏蜀犹虎据。茂弘起江左，庶以存典午。哀哉吾何心，冀与数子遇。南望沧海云，北眺沙漠路。波涛浩无极，山川横氛雾。驰驱岩谷间，冒彼霜与露。并日饥不食，采薇以为铺。玄云为我阴，虎豹为我怒。时乎其奈何，昊天证其素。生为丈夫雄，死为烈士度。一身何足惜，鉴之以千古。"（《毅斋集》卷三）韩雍《文山先生文集序》："古今论文者，金曰观文可以知人。夫文者，言之精华，而言则心之声也。心之所存有邪正，则发言为文有纯驳，而人之忠否见焉。故读《出师》二表，而知诸葛孔明之忠；读《天门掉臂》一诗，而知丁谓之不忠。卒之皆如其言，信乎人可以言而观。然《校猎》、《长杨》等作，虽工且美，而其为人终不能无可议，又若难观以言。盖必心有定志，则言有定论，而后见诸行事有定守，观于宋丞相文山先生可征矣。先生负豪杰之才，蓄刚大之气，而充之以正心之学。自其少时，游黉宫，见乡先正忠节祠，慨然曰：'没不俎豆其间，非夫也。'及举进士，奉廷对，识者论其所对，古谊若龟鉴，忠肝如铁石。已而值时多难，诏诸路勤王，先生捧诏涕泣，且曰：'乐人之乐者，忧人之忧；食人之食者，死人之事。'其心盖已有定志矣。志发于言而为文，其诗辞序记等作，或论理叙事，或写怀咏物，或吊古而伤今，大篇短章，宏衍巨丽，严峻剀切，皆惓惓焉。爱君忧国之诚，匡济恢复之计，至其自誓尽忠死节之言，未尝辍诸口，读之使人流涕感奋，可以想见其为人。其言可谓有定论矣。"（《襄毅文集》卷十一）罗洪先《重刻文山集序》："余观其文辞，矫乎如云鸿之出风尘，泛乎如渚鸥之忘机械，凛乎如匣剑之蕴锋芒。至于陈告敷宣，肝胆毕露，旁引广喻，曲尽事情，则又沛乎如长江大河，百折东下，莫有当其腾迅者。此岂一朝一夕之故，偶得之者哉？"（《念庵文集》卷十一）四库提要卷一六四："《文山集》二十一卷，宋文天祥撰。……天祥平生大节，照耀今古，而著作亦极雄赡，如长江大河，浩瀚无际。其廷试对策及上理宗诸书，持论剀直，尤不愧肝胆如铁石之目。故长谷真逸《农田馀话》曰：宋南渡后，文体破碎，诗体卑弱，惟范石湖、陆放翁为平正。至晦庵诸子，始欲一变时习，模仿古作，故有神头面之论。时人渐染既久，莫之或改。及文天祥留意杜诗，所作顿去当时之凡陋，观《指南》前、后录可见。不独忠义贯于一时，亦斯文间气之发见也。"《艺概》卷四："文文山词，有'风雨如晦，鸡鸣不已'之意，不知者以为变声，其实乃变之正也。故词当合其人之境地以观之。"王国维《人间词话删稿》："文文山词，风骨甚高，亦有境界，远在圣与、叔夏、公谨诸公之上。"

## 本年

**梁进之本年前为大兴府判**。《录鬼簿》卷上："梁进之，大都人。警巡院判，除县尹，又除大兴府判，次除知州。与汉卿世交。"据《元史·地理志》，大兴府于至元二十一年改大都路总管府。以三年一任计之，则梁进之之除大兴府判，当在本年之前。梁进之，明写本《录鬼簿》卷上作梁退之。著有杂剧《赵光普进梅谏》、《东海郡于公高门》。贾仲明〔双调〕《凌波仙·吊梁退之》："警巡院职转知州，关叟相亲为故友。行文高古尊韩柳，诗宗李杜流，填词师苏柳秦周。翠袤红里，挏羊糯酒，肥马轻裘。"

**路府置儒学教授**。《元史》卷八十一《选举志》："至元十九年，定拟路府州设教授，以国字在诸字之右，府州教授一任，准从八品，再历路教授一任，准正八品，任回本等迁转。大德四年，添设学正一员。"

**诏征刘因于家。其至京师，在至元二十年（1283），授承德郎、右赞善大夫，教宫学近侍子弟。未几，以母疾辞归**。苏天爵《静修先生刘公墓表》："至元十有九年，朝政更新，有诏征起先生于家，擢拜承德郎、右赞善大夫。"（《滋溪文稿》卷八）《元名臣事略》卷十五："先生名因，字梦吉，雄州容城人。隐居不仕。至元二十年，召为右赞善大夫。未几，辞归。又召为集贤学士，以疾辞。三十年卒，年四十五。延祐中，赐谥文靖。"《南村辍耕录》卷二："中书左丞魏国文正公鲁斋许先生衡，中统元年应召赴都日，道谒文靖公静修刘先生因，谓曰：'公一聘而起，毋乃太速乎？'答曰：'不如此，则道不行。'至元二十年，征刘先生至，以为赞善大夫，未几辞去。又召为集贤学士，复以疾辞。或问之，乃曰：'不如此，则道不尊。'"刘因（1249—1293），初名骃，字梦骥，后改今名，字梦吉，号静修，又号雷溪真隐，学者称静修先生，保定容城人。砚弥坚教授真定，从之游。长，杜门授徒，深居简出，性不苟合，不妄接人。至元十九年，以不忽木荐，诏征起于家，擢拜承德郎、右赞善大夫。未几，以母感风疾辞归。二十八年，以集贤学士、嘉议大夫征，以疾辞不起。三十年四月，卒于家，年四十五。著有《静修集》二十八卷。《元诗选》初集甲集选其诗234首。生平据苏天爵《静修先生刘公墓表》、《元史》卷一七一本传。

**洪希文生**。洪希文（1282—1366），洪岩虎次子，字汝质，号去华山人，莆田人。郡庠聘为训导。至正二十六年卒，年八十五。著有《续轩渠集》十卷。《元诗选》初集己集选其诗60首。

**段成己卒，年八十四**。〔按，段成己生年，据所作《辛丑清明后三日》诗推定，诗云："从头悉读行年记，惭愧春风四十三。"辛丑为1241年，上推42年，为1199年。其卒年，据同恕所作《段思温先生墓志铭》推定，铭记段思温云："年十二，遁庵君卒。……至元十五年，丁樊夫人忧。……后四年，菊轩君卒。……二十五年春三月某日，疾终正寝，享年四十有九。"遁庵为段克己号，段思温为其子，思温年十二而克己卒，以其卒年推之，则当在1251年。据《墓志铭》，段成己卒于至元十九年（1282）。又1935年山西书局排印本《二妙集》卷首，王埔昌《重印〈二妙集〉及年谱叙》一文，引王磐撰《菊轩先生墓碑》，记段克己卒年云："菊轩于至元十九年六月中旬有二日终于家，享年八十四。"近人孙德谦《金稷山段氏二妙年谱》误考其卒年为至元十六年（1279）。今人赵琦《金末诗人"稷亭二段"的卒年及出仕问题》一文考之甚详，见《文史》2001 年第 3 辑。]《古今词话·词评》卷下："《柳塘词话》曰：河东段克己，字复之，著《遁斋乐府》。弟成己，字诚之，著《菊轩乐府》。两人登第，入元俱不仕。时人目为儒林标榜。"后人以段成己与其兄克己之诗合编，成《二妙集》。吴澄《二妙集序》："中州遗老，值元兴金亡之会，或身没而名存，或身隐而名显，其诗文传于今者，窃闻一二矣。有如河东二段先生者，则未之见也。心广而识超，气盛而才雄，其蕴诸中者参众德之妙，其发诸外者综群言之美，夫岂徒从事于枝叶以为诗为文者之所能及哉？……仲氏讳成己，字诚之，人称菊轩先生。在金登进士第，主宜阳簿。年过八裘，至元间乃卒。虽被提举学校官之命，亦不复仕。遁翁之孙辅，由应奉翰林扬历台阁，今以天官侍郎知选举，解后，于京师出其家藏《二妙集》以示，一览如睹清节，三复不置，已而叹曰：'斯人也而丁斯时也，斯时也而毓斯人也。昔之者彦尝评二翁，谓复之磊落不凡，诚之谨厚服化，摹写盖得其真，予亦云然。'"四库提要卷一八八："《二妙集》八卷，金段克己、段成己兄弟诗集也。克己字复之，号遁庵，成己字诚之，号菊轩，稷山人。克己，金末尝举进士，入元不仕。成己登正大间进士，授宜阳主簿，元初起为平阳府儒学提举，坚拒不赴。兄弟并以节终。初，克己、成己均早以文章擅名，金尚书赵秉文尝目之曰二妙，故其合编诗集即以为名。泰定间，克己之孙辅，官吏部侍郎，以示吴澄，始序而传之。朱彝尊《曝书亭书目》于《二妙集》下乃题作段镛、段铎撰。考虞集所作《段氏世德碑》，镛、铎实克己、成己之五世祖。铎官至防御使，未尝有集行世。彝尊盖偶误也。集凡诗六卷、乐府二卷。大抵骨力坚劲，意致苍凉，值故都倾覆之馀，怅怀今昔，流露于不自知。吴澄序言其有感于兴亡之会，故陶之达、杜之忧，其诗兼而有之。所评良允。房祺编《河汾诸老诗》八卷，皆金之遗民从元好问游者，克己兄弟与焉。而好问编《中州集》，金源一代作者毕备，乃独无二人之诗。盖好问编《中州集》时，为金哀宗天兴二年癸巳，方遭逢离乱，留滞聊城，自序称据商衡《百家诗略》及所记忆者录之，必偶未得二人之作，是以不载。故又称嗣有所得，当以甲乙次第之，非削而不录也。《河汾诸老诗集》所载，尚有克己《楸花》诗一首、成己《苏氏承颜堂》等诗七首，皆不在此集中。疑当时所自删削。又此集成己《冬夜无寐》一首、《中秋》二首、《云中暮雨》一首，《河汾诸老诗集》皆题为克己作。此集出自段氏家藏，编次必无舛错，当属房祺误收。今姑各仍其旧，而特识其同异于此焉。"《蕙风词话》卷三："段诚之菊轩乐府《江城子》云：'月边渔。水边锄。花底风来，吹乱读残书。'前调《东园牡丹花下酒酣即席赋之》云：'归去不妨簪一朵，人也道、春花来。'骚雅俊逸，令人想望风采。《月上海棠》云：'唤醒梦中身，鹁鸠数声春晓。'前调云：'颓然醉卧，印苍苔半袖。'于情中入深静，于疏处运追琢，尤能得词家三昧。"

## 公元 1283 年 （世祖至元二十年 癸未）

## 二月

**初七，吴师道生。**吴师道（1283—1344），字正传，婺州府兰溪人。年十九，因读真德秀遗书，幡然有志于为己之学，尝以持敬致知之说质于同郡许谦。至治元年，登进士第，授将仕郎、高邮县丞，明达文法，吏不敢欺。未几，丁外艰。服除，调宁国路录事，升从仕郎，居官五载。至顺元年，以疾予告，明年遂归。重纪至元元年，迁池州建德县尹，阶文林郎。至元末，以中书右丞吕思诚、侍御史孔思荤，擢国子助教，阶承务郎。明年春，升博士，转儒林郎。在馆三年，一遵朱子之训而守许衡之法，未尝以私意臆说参错其间。至正三年三月，丁母忧南还。至正四年，以奉议大夫、礼部郎中致仕，命下而师道已卒，年六十二。著有《易杂说》二卷、《书杂说》六卷、《诗杂说》二卷、《春秋胡氏传附正》十二卷、《战国策校注》十卷、《绛守居园池记校注》一卷、《敬乡录》二十三卷、《礼部集》二十卷、《吴礼部诗话》二卷。《元诗选》初集己集选其诗130首。生平据张枢《元故礼部郎中吴君墓表》、杜本《吴礼部墓志铭》、宋濂《吴先生碑》、《元史》卷一九〇《儒学传》。

## 五月

**欧阳玄生。**欧阳玄（1283—1357），字原功，号圭斋。其先家庐陵，后徙居浏阳。延祐二年，擢进士第，授承事郎、岳州路平江州同知。六年，调太平路芜湖县尹。泰定元年，改承直郎、武冈县尹。召为国子博士，四年，升国子监丞。致和元年，迁奉议大夫、翰林待制，兼国史院编修官。天历二年，初置奎章阁学士院，文宗亲署为艺文少监。至顺元年，与修《经世大典》，升太监，阶朝散大夫。元统元年，改中顺大夫，佥太常礼仪院事。元统二年，拜中宪大夫、翰林直学士、知制诰、同修国史。明年，兼国子祭酒，进阶中奉大夫，召赴中都议事。至元二年，得请还家。三年，升侍讲学士、中奉大夫、知制诰、同修国史。四年，复兼国子祭酒，进通奉大夫。至正元年，得请南归。至正三年，诏修辽、金、宋三史，召为总裁官。五年，进翰林学士承旨、荣禄大夫、知制诰，兼修国史。六年，御史台奏除福建廉访使，行次浙西，疾复作，乃上休致之请。十年秋，复拜翰林学士承旨，以老病力辞，不获命。十二年，以湖广等处行中书省左丞致仕。将行，帝复降旨不允，仍前翰林学士承旨，进阶光禄大夫。十七年卒，年七十五。赠崇仁昭德推忠守正功臣、大司徒、柱国，追封楚国公，谥曰文。著有《圭斋文集》十五卷。《元诗选》初集丁集选其诗59首。生平据危素《大元故翰林学士承旨光禄大夫知制诰兼修国史圭斋先生欧阳公行状》（《圭斋文集》附录）、《元史》卷一八二本传。

## 十月

**初一，方回自序所辑《瀛奎律髓》。**时年五十七岁。序见本集卷首，又见《桐江续集》卷三十二。《瀛奎律髓》四十九卷，《百川书志》卷十九、《万卷堂书目》卷四、《赵定宇书目》、《徐氏家藏书目》卷五、《藏园群书经眼录》卷十七等均有著录，今存明成化三年紫阳书院刻本、清康熙四十九年陈士泰刻本、康熙五十一年吴之振校刊本、《四库全书》本。清人纪昀撰《瀛奎律髓刊误》四十九卷，嘉庆间门人李光垣刻梓行世，书有纪昀所作序，今存嘉庆五年双桂堂刻本。《四溟诗话》卷二："《瀛奎律髓》

不可读，间有宋诗纯驳于心，发语或唐或宋，不成一家，终不可治。《谰言长语》曰：'若读《瀛奎律髓》，要人自择。'"《元诗选》初集甲集："尝选唐、宋以来近体诗评论之，名曰《瀛奎律髓》，于情景虚实之间，三致意焉，而尤以山谷、后山、简斋为标准。海虞冯定远曰：'方君所娓娓者，止在西江一派。观其议论，全是执己见以绳缚古人，以古人无碍之才、圆变之学，曲合于拘方板腐之辈。吾恐其说愈详，而愈多所戾耳。'此言可谓深中虚谷之病矣。"四库提要卷一八八："《瀛奎律髓》四十九卷，元方回撰。……是书兼选唐宋二代之诗，分四十九类，所录皆五七言近体，故名《律髓》。……大旨排西昆而主江西，倡为一祖三宗之说。一祖者，杜甫；三宗者，黄庭坚、陈师道、陈与义也。其说以生硬为健笔，以粗豪为老境，以炼字为句眼，颇不谐于中声。其去取之间，如杜甫《秋兴》惟选第四首之类，亦多不可解。然宋代诸集，不尽传于今者，颇赖以存。而当时遗闻旧事，亦往往多见于其注。故厉鹗作《宋诗纪事》，所采最多。其议论可取者亦不一而足，故亦未能竟废之。此书世有二本：一为石门吴之振所刊，注作夹行，而旁有圈点，前载龙遵叙，述传授源流至详；一为苏州陈士泰所刊，删其圈点，遂并注中所圈是句中眼等句删去，又以龙遵原序屡言圈点，亦并删之以灭迹。校雠舛驳，殊不胜乙，之振切讥之，殆未可谓之已甚焉。"

**中书左丞耶律铸坐事罢官。**耶律铸（1221—1285），字成仲，号双溪，耶律楚材子，义州弘政人。著有《双溪醉隐集》八卷。生平见《元史》卷一四六《耶律楚材传》附。

## 本年

**张雨生。**张雨（1283—1350），一作张天雨，旧名泽之，改今名，内名嗣真，字伯雨，号句曲外史、贞居子，浙江钱塘人。年二十，弃家入道，遍游天台、括苍诸名山。年三十，登茅山受大洞经箓，学道于吴人周大静。次年，从开元宫真人王寿衍入朝，一时胜流如赵孟頫、袁桷、马祖常、黄溍、揭傒斯等皆以为友，往还唱和。旋以亲老辞归钱塘，玺书赐号清容玄一文度法师，住持西湖福真观。父卒，庐于墓三年。丧毕，为道士如初。延祐七年，谢观居开元宫。明年，以杭灾宫毁，适华阳刘宗师，主领崇寿观。及刘卒，又奉玺书提举元符宫。重纪至元二年，以上冢告归。年六十，仍提点开元宫。后八年卒。著有《句曲外史集》七卷、《玄品录》五卷。《草堂雅集》卷五录其诗 238 首，《元诗选》初集壬集选其诗 197 首，《全元散曲》录其小令 4 首。生平据虞集《崇寿观碑》、刘基《句曲外史张伯雨墓志铭》。〔按，明成化间姚绶尝为张雨作传，然讹误颇多，时人朱存理已言之。朱存理《珊瑚木难》卷五云："右《伯雨墓铭》、《文明圹志》、《竹林宴集序》共三篇，乃陶南村杂钞中所录，考之《覆瓿》等集，皆不载，故录之于此。南村文钞，乃借李兵曹先生所藏者。近嘉兴姚公绶为外史著传，载事皆不详核，惜姚公不一见，而为作传，识者讥之。辛丑六月，雨窗。"又有石楼野生（即孔闻讲）考证其生平，附于《句曲外史集》附录刘基所作《句曲外史张伯雨墓志铭》后。其所据之刘基《句曲外史张伯雨墓志铭》，与今存于朱存理所编《珊瑚木难》卷五刘基所撰《句曲外史张伯雨墓志铭》颇多出入。今将有关伯雨卒年之重要文字分别节录如下。《句曲外史集》附录刘基《句曲外史张伯雨墓志铭》："至元丙子，以上冢告归，遂不复去，年已六十矣。先葬冠剑于南山，而辞宫事，但饮酒赋诗，或焚香终日坐密室，不以世事接耳目。后卒于宫之斋居，箧无遗物也。……至正乙酉，基以提举儒学备员江浙，始获与外史一见，即如平生欢。明年七月，而外史卒。"朱存理编《珊瑚木难》卷五所录刘基《句曲外史张伯雨墓志铭》："仍纪至元之丙子，以上冢告归，遂不复去。筑室北郭，著书于其间，命曰幽文玄史，又建紫虚阁于葛岭，会玄教吴宗师命外史为《道德经注》。注成，加教门修撰，西太乙宫高士，仍提点开元宫。时年已六十矣。乃先葬其冠剑于南山，而辞宫事，但饮酒赋诗，或焚香终日坐密室，不以世事接耳目。后八年，卒于宫之斋居，箧笥无遗物也。……至正乙丑，基以提举儒学备员江浙，始获识外史，一见即如平生欢。明年七月，而外史卒。"《四库全书》本《句曲外史集》，系崇祯间毛晋汲古阁刊本，与汲古阁刊《元人十种》本为同一版本。毛本《句曲外史集》前三卷并刘基所撰《句曲外史张伯雨墓志铭》，乃是翻刻自嘉靖甲午（1534）陈应符刊本。朱存理之年辈，尚稍早于陈应符。且朱氏《珊瑚木难》所录题跋墓碑，均其所亲见。又《珊瑚木难》所录刘基《墓志》，较《句曲外史集》附录之《墓志》为详。综此三点，则张雨生平，当以《珊瑚木难》所录之刘基《句曲外史张伯雨墓志铭》为准。考之《元史》，至正并无以"乙丑"纪年者，故《句曲外史集》附录刘基《墓志铭》在翻刻时径改作"乙酉"。据今人郝兆矩所作《增订刘伯温年谱》及周群《刘基评传》，刘基任江浙儒学副提举在至正八年戊子，则"乙丑"当系"己丑"而非"乙酉"之误。以常理论，"己丑"误作"乙丑"之可能性亦较"乙酉"大。故刘基《墓志铭》所言之"明年"，当系至正十年庚寅（1350）。张雨之生于至元二十年，除刘基所撰《墓志铭》外，虽无直接证据，却有旁证可作参考。黄溍《师友集序》云："伯雨之生，去宋季未久。"（《文献集》卷六）则伯雨之生，在宋亡以后，亦无疑矣。张雨卒于至正十年，另有一证。杨维桢《题张外史书杂诗卷》云："右句曲外史与袁子英所写诗，凡五十五篇，其首两章乃此老道人效余铁雅者也。如《道言》、《清斋》、《涧阿》诸诗，皆其道趣中流出者，若奔月厄，则又顽仙之横出者。吁，道人仙去已一纪矣。铁雅之友，属之何人，开卷怆然，不胜山阳之感云。至正二十有一年花朝日，抱遗叟杨维桢在清真之竹洲馆书。"（《赵氏铁网珊瑚》卷六）若将卒年一并计算在内，张雨之卒距杨维桢作跋适为一纪。今人肖燕翼《张雨生卒年考——兼谈三件元人作品的辨伪》一文考其生平甚详，见《故宫博物院院刊》1998年第1期。笔者考证之后方查得此文，因略有不同，故仍录于此。]

## 公元1284年　（世祖至元二十一年　甲申）

### 正月

**杜仁杰作《谷山寺碑》。** 见《泰山志》卷十《祠庙碑》。此为仁杰所存纪年较晚之作。又胡祗遹《紫山大全集》卷六《挽杜止轩》云："八十康强谈笑了，一襟收我泪沾巾。"王恽《秋涧集》卷十七《挽杜止轩》二首其二云："一代人文杜止轩，海翻鲸掣见诗仙。细吟风雅三千首，独擅才名四十年。"则杜仁杰之卒，或在此年后不久。其诗文今多不可见，近人辑有《善甫先生集》一卷。《全元散曲》录其小令 1 首，套数 3 套，残套 2 套。〔按，民国《长清县志》卷十云："元杜文穆君仁杰墓。……现存一石门，其上横书杜征君神道。石门之南，东偏有一碑破碎在地，字不可辨。细查之，其额上题曰'故金府京兆君杜公墓志'，系篆书。其文内有贞祐丙子公殁于泗上，并有高祖文、曾祖实、祖渊等字。石之正南，更有一碑，亦极破碎，查有'知建昌路总管府事男质立'等字。"（转引自《方志著录元明清曲家传略》）元无以贞祐纪年者，或为至元之误。李修生《杜仁杰行实系年》（《北京师范大学学报》2002 年专刊）考其生卒为 1198—约 1277 年。〕《山房随笔》："杜善甫，山东名士，工诗文，不屑仕进，游严相之门。严乃济南望族，善甫为所敬重。一日，谗者间之，情分浸乖，杜谢以诗云：'高卧东窗兴已成，帘钩无复挂冠声。十年恩爱沦肌髓，只说严家好弟兄。'严悟非其过，款密如初。时有掌兵官远戍于外，其妻宴客，笙歌终夕。善甫诗曰：'高烧银烛照云鬟，沸耳笙歌彻夜阑。不念征西人万里，玉关霜重铁衣寒。'闻者快之。有荐之于朝，遂召之。表谢不赴，中二联云：'俾献言于乞言之际，敢尽其忠；若求仕于致仕之年，恐无此理。不能为白居易，漫法香山居士之名；惟愿学陆龟蒙，拜赐江湖散人之号。'予分教溧阳，一候士过，求宿学舍。士游山东甚久，为余道其辞甚多，仅记此。"魏初《杜止轩词翰》："方朔才名语意新，牧之风调笔如神。庞眉苦节秋风客，未必如公出处真。"（《青崖集》卷二）王恽《挽杜征君止轩》："泰岱东蟠未了青，文章公独萃精英。赋方庾信才华壮，诗到樊川气格清。平日酒杯追散圣，一生高节见陈情。风流想在齐梁席，未让邹枚独擅名。"（《秋涧集》卷十六）又《挽杜止轩》二首其一："贫乐能安贵不淫，百年宦海寄浮沉。闲中今古资谈具，物外江山助醉吟。气义见来先急难，文章拈出更雄深。追攀逸驾嗟何及，时向逃空得苦心。"（《秋涧集》卷十七）王旭《祭止轩先生文》："呜呼！造化钟秀，江山孕奇。贤运五百，非公而谁。学际天人，声名四驰。雄章俊语，星日争辉。高文典册，元气淋漓。豁达飘逸，灵襟坦夷。鼓舞群才，妙无端倪。动风雷于唇吻，溢阳春于须眉。斯文不坠，学者知归。惟登夫岱宗之巍岩，而后知丘陵之为低；惟游夫沧海之汪洋，而后知坎井之为卑；惟观夫神龙之变化，而后知蛭蚓之玄微。大鹏不可笼，天马不可羁。伟先生之浩荡兮，信馀子之难为；佩青霞而服明月兮，陋蝉冠与锦衣。悠悠东山，白云紫芝。挹浮丘以劝酒，抚洪崖而诵诗。徒有勤于丹诏，终无梦于皇扉。意哲人之寿考，必神明之扶持。岂期微痾，缠绵岁时。膏肓成兮，恨医和之去早；招魂远兮，怨巫阳之来迟。亭孤芳而室则迩兮，竟一朝去此而何之。忆先生之超忽兮，游汗漫以奚疑；骑苍龙而谒帝兮，纷群圣之相随；饭玉屑而觞琼液兮，奏钧天与咸池。俯五岳于毫峰，视沧溟于一杯。死之乐，盖有甚于生也，顾尘世之何知。嗟予小子，久从吾师。开发成就，馀力不遗。恩深海岳，报未毫厘。忽讣音之南来，痛贯彻于肝脾。腰绖执绋，于礼则宜。恨山川之莫往，徒北向而歔欷。瞻落月于屋梁，悦音容其在兹。馨馀哀于一奠，魂归来其庶几。"（《兰轩集》卷十四）同恕《跋止轩先生辞翰》："恕年十六七时，先生来关中，寓几杖元都观。恕往拜之，先生以故人子，谕诲勤恳，至再至三。授以《清晖亭赋》，草《长安怀》乐府，书于方丈壁间，仍命读之，为说字音变例，恍然如对祥云丽日也。俯仰之间，六十年矣。今观此卷，赋及乐府皆在墨妙中。先生东归，道出覃怀时所书也。朱文公言半山老人词旨笔势，直有跨越古今、开阖宇宙之气。先生游艺洒落如此，见之者谓斯言当属之谁邪？……至顺改元冬至日，同恕书。"（《榘庵集》卷四）《元诗选》三集甲集："仁杰字仲梁，先称善夫，济南长清人。金正大中，尝偕麻革信之、张澄仲经隐内乡山中，以诗篇倡和，名声相埒。元至元中，屡征不起。子元素，仕元任福建闽海道廉访使，仁杰以子贵，赠翰林承旨、资善大夫，谥文穆。仲梁性善谑，才宏学博，气锐而笔健，业专而心精。平生与李献能钦叔、冀禹锡京父二人最为友善。遗山元好问《送仲梁出山》诗有云：'平生得意钦与京，青眼高歌望君久。'其相契之深可知也。"

## 五月

**禁毁天文图谶之书。**《元史》卷十三《世祖本纪》："括天下私藏天文图谶《太乙雷公式》、《七曜历》、《推背图》、《苗太监历》，有私习及收匿者罪之。"

## 本年

**释大訢生。**大訢（1284—1344），字笑隐，寓居杭州，俗姓陈氏。九岁为僧，年十七，至庐山谒僧了万，留掌内记。天历元年，文宗诏以为大龙翔集庆寺住持。至正四年卒，年六十一。著有《四会语录》、《蒲室集》十五卷。《元诗选》初集壬集选其诗56首。生平据黄溍《龙翔集庆寺笑隐禅师塔铭》。

**戴表元与赵孟頫相识，往还唱和，遂成莫逆之交。**戴表元《赵子昂诗文集序》："吴兴赵子昂，与余友十五年，凡五见，必有诗文相振激。"（《剡源先生文集》卷七）序作于大德二年（1298）。赵孟頫《缩轩记》："余与戴子遇于浙水之上，相向而笑曰：'胡然而来乎？'于是握手而语，促膝而坐，莫逆而相与为友。其游从之乐，大暑，金石焦，草木枯，大雨沾裳濡足，而不以为困。商论辨析，百反而不以为异己。"（《松雪斋集》卷七）戴表元（1244—1310），字帅初，一字曾伯，号剡源，自称质野翁、充安老人，庆元路奉化州人。《元诗选》初集甲集选其诗95首。生平见袁桷《戴先生墓志铭》（《清容居士集》卷二十八）、《元史》卷一九○《儒学传》。

**陆文圭与张楑始定交。**陆文圭《送张菊存序》："吾友张子仲实，与余交十馀年矣。岁在甲申，余适钱塘，君年甚少，新有诗名，风致清远，器宇高朗，翩翩佳公子也，于是始倾盖定交。暇日，命奚奴负诗囊并箑，游南北两山，穷泉源，坐石上联句，掘野笋而煮之，日晏忘归，时事一不挂口。余时随计上省，君敦谏甚苦，又作诗讽切之。余感其言，拂袖径归，杜门不复出。后数年，客自杭来者，谓仲实经明行修，诸生迎入学，师事之，省台贵人籍籍道仲实名字。余私念君人品甚高，志不轻就，殆家贫亲老，将为禄仕计耳。又数年，余再适钱塘，一见相与道旧，感慨久之。君学识超诣，世故精练，余遂不敢直以诗人命之。问为余言：'自子别去，得良友一人，曰邓子善之。善之性温亮，朝夕相勖以理义之学，有过必规，吾爱而敬之，子岂愿见之乎？'余旧游南北山时，已识善之，岁月于迈，余发尽白，落落与世寡合，如驽马下垂，放置于陇牧之间，无复驱驰千里之志。闻二子之高谊，深知会友讲学之益，未尝不自悔于离群索居之久，而不得日从之游，以求闻其所未闻者也。久之，余还故山，仲实调官暨阳学舍，乃得日从之游，相得欢甚。君又能落其骄荣，养之以冲和，敛其英华，趋之于平实，屏诗文久不复为，专覃思于六经。由是其学大进，余益畏之，而衰惰之馀，亦复赖以自警。……或谓仲实故王孙，宜践修厥猷，志在勋业。良亦至论，然处士无是言也。仲实西秦人，少余八岁云。"（《墙东类稿》卷六）陆文圭（1252—1336），字子方，江阴人。幼而颖悟，年十八，以《春秋》中乡选。宋亡，隐居城东，学者称之曰墙东先生。延祐设科，有司强之就试，凡一再中乡举。卒年八十五。著有《墙东类稿》二十卷。〔按，陆文圭生年，据所作《送张菊存序》："仲实西秦人，少余八岁云。"（《墙东类稿》卷六）张菊存，即张楧，字仲实，据王沂《张君仲实行述》，生于中统元年（1260），上推八年，则陆文圭当生于淳祐十二年（1252）。又《墙东类稿》卷二《戊辰回生日启四首》诗下原注七十七岁。戊辰为致和元年（1328），上推七十六年，亦为淳祐十二年（1252）。其卒年，据《元史》卷一九〇《儒学传》。唐圭璋《全金元词》小传以其生于宝祐四年（1256），卒于重纪至元六年（1340）。〕张楧（1260—1325），字仲实，号菊存，牟巘婿。其先秦州三阳川人，五世祖循忠烈王佐宋高宗南迁，因家钱塘。幼而警敏绝人，能刻意学问。甫冠，学艺大成。宋亡，从陈存、文及翁、邓光荐、刘辰翁等游，相与交好，誉望四出。至元末，用荐起家为杭州儒学录。大德初，江淮尚书省选正江阴儒学，寻迁宜兴州学教授，转教平江府儒学。其后转徙郡文学，更二十馀年。久之，调将仕郎，主广德县簿。丁母忧，服除，擢两浙都转运盐使司知事。泰定二年卒，年六十六。著有《学古斋稿》等集，已佚。生平据王沂《张君仲实行述》（《伊滨集》卷二十四）。

**张楧始识方回，回为跋其所作诗。** 方回《跋张仲实诗》："予丁未入杭，访南湖之孙，及其老宾客张居卿先生于梅桥。居卿先生教余作诗，相期甚远。今三十八年，前修零落，始识南湖从侄孙仲实。君年甫二十五，示余采菊吟卷，凡三十首。如：'岛僧多佛相，海兽或人形。''蜃气晴连雾，珠光夜杂星。''怀友书投越，思乡梦到秦。''呼猿来古洞，听水向空亭。''北药南州见，春雷冬夜闻。''采药逢秦女，耕山得汉钱。''乾坤犹战鼓，兄弟自儒衣。'前六联，置之张文昌集中，卒未易辨，后一联迫近老杜。又《铁如意》云：'寻常多在手，缓急可防身。'细润清密，淡而有味。予行天下多矣，未见有少俊英妙如仲实者。一卷之诗不为多，而佳句已如此，积之久，扩之远，所至岂可量哉！然则仲实立言已足以不朽必矣。若夫建功造事，又将有出于立言之上者，则予何足以测之。仲实之名曰楧，其书室曰菊存，家世喜与名人文士交，而仲实诗友数十人，皆湖海胜绝。"（《桐江集》卷四）方回之称仲实，虽不免言之过当，然仲实之名，于其时实已甚著。仲实与邓文原、陆文圭交，均在此时。

据《元史》卷六十二《地理志》，至元二十一年，江淮行省治所自扬州迁往杭州，改称江浙行省。后屡经变更，于至元二十八年复改为江浙行省。今所知元曲家中，尚仲贤、马致远、戴善夫均尝官江浙行省务官。姑系于此，以略见其人之岁月。贾仲明〔双调〕《凌波仙·吊尚仲贤》："弃官归去捻《渊明》，工巧《王魁负桂英》。四务提举江浙省，与戴善夫相辅行。较论功，诸葛闾成。《三夺槊》、《崔护谒浆》。《秉烛旦》，《越娘背灯》。洞庭湖，柳毅传情。"尚仲贤，真定人。或据其所撰《柳毅传书》引白经思，如长江大河，出入霄汉，不可测度也。"湛若水《先天集序》："余得南宋山屋许先生之诗文曰《先天集》者于其裔孙亮而观之，叹曰：嘻，其所谓善言者乎，其由中心出者乎，其发于性情者乎！可以知其人矣。故诵其诗，读其书，其人逝矣，远矣，于其沛然者可以见其自得焉，于其慨然者可以见其节义焉，于其惓惓然者可以见其忠爱焉。于其言屡而见摈，摈而复言，国之危亡，斩衰闭门，至死不变者，可以见其大节不可夺之志焉。"（《先天集》卷首）

## 本年

**黎崱从陈键降元。** 其本末详《安南志略》卷二十《叙事》。黎崱，字景高，号东山，安南人。九岁试童科，陈大王留左右，仕至侍郎，迁佐净海军节度使彰宪侯陈键幕。寓居汉阳，仕至奉议大夫，金归化路宣抚司事。性冲退，薄声利，嗜文章，晚自号静乐。卒于元统前后，年八十馀。著有《安南志略》二十卷。程文海《黎景高诗序》（安南人）："予尝读黎君景高《安南志》、《郎官湖记》等作，未始不击节惊叹，去之耿耿不能忘于心。今复览此编，其五七言诗森整丰暇，若不经意，而乃得于苦心。长短句秾丽婉至，字字欲与花月争妍，而决非儿女口中语。善夫景高，如斲轮手，圆规而方矩，靡不合乎度；如伶伦管，含宫而激商，靡不应乎节。惟其学之审，积之厚，故其发也无不中。然予不独爱其文，复敬其人也，介而不隘，通而不流，温温而春，澄澄而秋。至于怀恩感义，慷慨奋激，有古烈丈夫之风，观其始终彰宪侯一事可见已。故其为文，建辞起义，皆有感而作，非苟然者。呜呼，诚有德君子哉！"（《雪楼集》卷十五）《元诗选》三集壬集："诗多可传，仅存遗稿，诸作如《朝会》云：'祥开黄道乾坤阔，瑞拱红云日月光。'《应朝广省》云：'贪看百二关河阔，不顾八千途路赊。'其惓惓向慕中朝之心，亦可概见于此。"

**黄玠生。** 黄玠（1285—1364），字孟成（一作伯成），号弁山小隐，浙江慈溪人，黄震曾孙。与赵孟𫖯游，孟𫖯极称许之，目为生平第四友。钱塘学者请为西湖书院长，力辞不就，请者益勤，不得已，居数日而罢。与黄溍、陈旅相友善，乐嘉兴山水之胜，卜居弁山以终。著有《弁山小隐吟录》、《卞山集》、《知非稿》。今存《弁山小隐吟录》二卷，有《四库全书》本。生平据《万姓统谱》卷四十七、雍正《浙江通志》卷一九二。[按，黄玠生卒年，今无确载，《万姓统谱》言翰林学士邹缉等撰有玠之状铭，已不可见。考黄溍《文献集》卷九上，有《慈溪黄君墓志铭》一篇，言黄正孙卒于至正乙酉（1345），享年八十一，推其生年，当为咸淳元年（1265）。并记正孙生平曰："公年二十，出为赘婿，居十有七年乃归。"黄正孙为黄玠父，玠为其长子。检《弁山小隐吟录》卷二，有《立春日赠仲珍弟》一诗，云："阿父八十兄六十，弟亦今年五十五。"是黄玠生时，其父年方二十一，与黄溍《墓志铭》所言"年二十，出为赘婿"合。揆以正孙生年，可知黄玠生于至元二十二年（1285）。又据《万姓统谱》卷四十七载，黄玠卒时年八十。下推七十九年，知其卒于至正二十四年（1364）。又黄玠《弁山小隐吟录自序》作于至正乙酉（1345），叙其生平云："自余之西四十有馀载，教授诸生以资共养，发种种且白，来日其几馀哉。"时黄玠年六十一，言"发种种且白"，乃纪其实也。陈著《本堂集》卷三十五有《名外孙黄玠字孟成说》，亦即其人。]

**耶律铸卒，年六十五。**耶律铸所著甚富，《内阁书目》著录《双溪集》十九册，《千顷堂书目》著录《双溪醉隐乐府》十一册，今所存《四库全书》本《双溪醉隐集》凡八卷，系由《永乐大典》辑出，元好问、吕鲲、赵著、麻革等人均尝为之作序。赵序引其诗句尤多，盖甚许之意也。四库提要卷一六六："《双溪醉隐集》八卷，元耶律铸撰。……经济不愧其父，而文章亦具有父风。故元好问与李冶诸人，皆与款契。"

**陈孚以上《大一统赋》，得署上蔡书院山长。**陈孚（1259—1309），字刚中，号笏斋，台州临海人。至元二十二年，以上《大一统赋》，授上蔡书院山长，入为翰林编修。三十年，以礼部郎中从梁曾使安南。还，擢翰林待制。出为建德路治中。历迁衢州、台州两路。至大二年卒，年五十一。著有《观光稿》、《交州稿》、《玉堂稿》各一卷。《元诗选》二集丙集选其诗 208 首。生平见《元史》卷一九〇《儒学传》、徐一夔《陈氏世谱序》（《始丰稿》卷五）。[按，陈孚生年，据所作诗《交州使还感事二首》其一："少年偶此请长缨，命落南州一羽轻。万里上林无雁到，三更函谷有鸡鸣。金戈影里丹心苦，铜鼓声中白发生。（孚年三十五，已见二毛矣。）已幸归来身复在，梦回犹觉瘴魂惊。"（《陈刚中诗集》卷二）陈孚使安南还，在至元三十年（1293），上推三十四年，则其生当在宋开庆元年（1259）。陈孚卒年，王德毅等《元人传记资料索引》据其子陈遹墓志以为卒于至大二年（1309）。《元史》卷一九〇《儒学传》、《元诗选》二集丙集均以为陈孚年六十四方卒。]

**袁桷从赵孟頫游于钱塘，论文定交。**袁桷《祭赵子昂承旨》："乙酉之岁，定交论文。我赋孔深，公辞弥敦。"（《清容居士集》卷四十三）袁桷《书牟端明脱靴图黄鲁直返棹图赞后》（子昂画，时守当涂所赞）："念昔至元乙酉，尝从子昂承旨公于钱塘，于时年少气锐，各欲以文墨自见，此图之作，实在是岁。鳌头之兆，殆表于是。桷也学不加进，而志日益懦，肃容斯图，其亦有所感也夫。延祐四年九月袁桷书。"（《清容居士集》卷四十七）袁桷（1266—1327），字伯长，号清容居士，庆元路鄞县人。元贞元年，部使者举茂才异等，起为丽泽书院山长。大德初，以阎复、程钜夫、王构等荐，授翰林国史院检阅官。升应奉翰林文字、同知制诰，兼国史院编修官。迁待制，再任而拜集贤直学士。久之，移疾去官。复以集贤直学士召。未几，改翰林直学士、知制诰、同修国史。至治元年，迁侍讲学士。泰定初，辞归。泰定四年卒，年六十二。著有《清容居士集》五十卷。《元诗选》初集丙集选其诗 296 首。生平据苏天爵《元故翰林侍讲学士知制诰同修国史赠江浙行中书省参知政事袁文清公墓志铭》（《滋溪文稿》卷九）、《元史》卷一七二本传。

## 公元 1286 年 （世祖至元二十三年 丙戌）

### 三月

初五，周密、王沂孙、戴表元、仇远、白珽等人集于杨氏池堂，赋诗唱和。戴表元《杨氏池堂燕集诗序》："丙戌之春，山阴徐天祐斯万、王沂孙圣与、鄞戴表元帅初、台陈方申夫、番洪师中中行，皆客于杭。先是，雪周密公谨与杭杨承之大受有连，依之居杭。大受和武恭王诸孙，其居之苑御，多引外湖之泉以为池，泉流环回斗折，涓涓然紫穿径间，松篁覆之，禽鱼飞游，虽在城市，而具山溪之观。而流觞曲水者，诸泉之最著也，公谨乐而安之。久之，大受昆弟捐其馀地之西偏，使自营别第以居。公谨遂亦为杭人。杭人之有文者，仇远仁近、白珽廷玉、屠约存博、张模（楔）仲实、孙晋康侯、曹良史之才、朱菜文芳，日从之游。及是，公谨以三月五日，将修兰亭故事，合居游之士，凡十有四人，共燕于曲水。客皆诺如约，而大雷雨作，自朝达昼不止，官途水尺，行者病涉，十四人之中，其六不至。……酒半，有作而叹曰：兹游乐哉！其有思乎，抑亦知夫兹游之所起乎？……公谨遂取十四韵，析为之筹，使在者人探而赋之，不至者授之所探而征之，得某韵为古体诗若干言，得某韵为近体诗若干言。群篇鼎成，咸有伦理，是庶几托晋贤之达，而返郑风之变也已矣。因次第联为巨编，而命表元为之序。"（《剡源集》卷十）宋亡之初，周密、王沂孙、戴表元、仇远、白珽等人，常以诗酒唱酬。后戴表元、仇远、白珽均出为学官，而周密、王沂孙遂以遗民终身。

**程钜夫以集贤直学士、行台侍御史往江南搜罗遗逸，得赵孟頫、张伯淳等二十四人。** 程钜夫《故建昌路儒学教授蒋君墓志铭》："至元二十有三年，余以集贤学士、行台侍御史，将旨江南，搜罗遗逸，得二十四人焉。既复命，朝廷分其半掌宪诸道，馀悉授任有差。"（《雪楼集》卷十六）程世京《楚国文宪公雪楼程先生年谱》："二十三年丙戌。公年三十八岁。春正月，改集贤直学士，进阶少中大夫。三月，公入见，陈乞兴建国学，遣使江南搜访遗逸，御史台按察司并宜参用南士。上即命建国子监，诏公仍本官，拜嘉议大夫、侍御史，行御史台事，赍汉字诏书，乘驿求贤江南。夏四月，公至行台视事，承诏礼遣叶李、赵孟遹赴阙，公遂遍历诸郡，广求贤俊。"《元史》卷十四《世祖本纪》："〔至元二十三年〕三月己巳，御史台臣言：'近奉旨按察司参用南人，非臣等所知，宜令侍御史、行御史台事程文海与行台官，博采公洁知名之士，具以名闻。'帝命赍诏以往。"《元史》卷一七二程钜夫本传："二十三年，见帝，首陈：'兴建国学，乞遣使江南搜访遗逸，御史台、按察司并宜参用南北之人。'帝嘉纳之。二十四年，立尚书省，诏以为参知政事，钜夫固辞。又命为御史中丞，台臣言：'钜夫南人，且年少。'帝大怒曰：'汝未用南人，何以知南人不可用？自今省部台院，必参用南人。'遂以钜夫仍为集贤直学士，拜侍御史，行御史台事，奉诏求贤于江南。初，诏令皆用蒙古字，及是，帝特命以汉字书之。帝素闻赵孟遹、叶李名，钜夫当临行，帝密谕必致此二人。钜夫又荐赵孟頫、余恁、万一鹗、张伯淳、胡梦魁、曾晞颜、孔洙、曾冲子、凌时中、包铸等二十馀人，帝皆擢置台宪及文学之职。"

## 五月

**十二日，何梦桂序林景熙所作诗文。** 序见《潜斋集》卷五。林景熙所撰诗文，有《霁山先生文集》五卷，今存天顺七年吕洪刻本，《霁山先生诗集》五卷，今存康熙三十二年沈士尊、汪士铉刻本。《四库全书》本作《林霁山集》五卷。又有《白石樵唱》六卷，今存嘉靖十年冯彬刻本，章祖程曾为《白石樵唱》作注，存《知不足斋丛书》

本。

## 八月

**王义山自撰墓志铭，时年七十三。**铭云："余姓王氏，生于宋嘉定甲戌八月之戊午。先君名余曰义山，字余曰元高，世居隆兴府丰城县长丰乡之槎溪，今为龙兴路富州。……生平无他好，独于文字刻苦，扁一所曰稼村，读书其间。惟肖颇能继吾学，余意有得处，效横渠疾书法，俾录之。初宋乙卯，台谏奏科举后增试小词科，环海内亡应令者。余起而为之倡，所拟九百馀篇，左帑容斋先生刘公元刚、丞相文山先生文公天祥为之序，兵后散失亡几。又尝取宋一经撮其要，而书之曰《提纲》，析其目而编之曰《类纂》，几数十万言，质之焕学后村先生刘公克庄，先生以为某之书法中，间有与孟子意合者，陈平甫《备要》壁角里文字。嗟乎，后村岂轻许人者！拙稿诗、铭、记、序、赞、颂、跋、说、书、传、策问、讲义、笺、表、启、状、诔、志，凡三十卷；《读书管见》十卷。惟肖类成，又以质之杭山先生，先生宠之以序曰：'文者，贯道之器，非知道之君子，孰能与于斯？'嗟乎，杭山岂轻许人者！虽然，余何足以当之。……余最爱杜樊川诸君子自志其墓，彼直以死生为昼夜耳。斯人不作，而余窃慕之。如陶渊明、秦少游辈自为挽歌，往往悲凄愤惋，不脱儿女态，壮夫不为也。虽然，余之志，余之心也。志作于丙戌之八月，书志日并死葬日，余不得而书。"（《稼村类稿》卷二十九）于此可概见义山生平大略。王义山（1214—1287），字元高，号稼村，龙兴路富州人。著有《稼村类稿》三十卷，《徐氏家藏书目》、《千顷堂书目》卷二十九（别本十卷）、《补元史艺文志》卷四均有著录，今存明正德十一年王冠刻本、《四库全书》本。《元诗选》二集甲集选其诗 14 首。

## 十月

**十五日，吴渭于浦阳结月泉吟社。**吴渭，字清翁，号潜斋，浦江人，宋末曾官义乌县令。此次诗社，吴渭（一说为方凤代作）作有《社规》、《誓诗坛文》、《诗评》、《春日田园题意》、《送诗赏小札》等。《送诗赏小札》："月泉社吴清翁盟诗。预于丙戌小春望日，以《春日田园杂兴》为题，至丁亥正月望日收卷，月终结局。收二千七百三十五卷，选中二百八十名，三月三日揭榜。第一名，公服罗一缣七丈，笔五贴，墨五笏；第二名，公服罗一缣六丈，笔四贴，墨四笏；第三名，公服罗一缣五丈，笔三贴，墨三笏；第四名止第十名，各春衫罗一缣，笔二贴，墨二笏；第十一名止二十名，各深衣布一缣，笔一贴，墨一笏；第二十一名止三十名，各深衣布一缣，笔一贴；第三十一名止五十名，各笔一贴，墨一笏，吟笺二沓。以上所送，并就缣端笔贴墨铭，用月泉诗赏潜斋记号，通榜仍各送本社新诗一册。"此次诗社活动以《春日田园杂兴》为题，所征诗均为五、七言律诗，聘谢翱、方凤、吴思齐三人为考官。今存《月泉吟社诗》共一卷，有嘉靖刻本、汲古阁《谷音》合刻本、《四库全书》本、《丛书集成初编》本，吴渭所编，收录此次诗社活动中前 60 名之诗，并附摘句图，收起句 4、联句 25、结句 4。所录前 60 名之诗，有一人而两出者，实收 53 人诗 74 首。《麓堂诗话》：

"元季国初，东南人士重诗社，每一有力者为主，聘诗人为考官，隔岁封题于诸郡之能诗者，期以明春集卷。私试开榜次名，仍刻其优者，略如科举之法。今世所传，惟浦江吴氏月泉吟社，谢翱为考官，《春日田园杂兴》为题，取罗公福为首。其所刻诗，以和平温厚为主，无甚警拔，而卷中亦无能过之者，盖一时所尚如此。闻此等集尚有存者，然未及见也。"《池北偶谈》卷十九："宋末浦江吴渭倡月泉吟社，赋《田园杂兴》近体诗，名士谢翱辈第其高下。诗传者六十人，清新尖刻，别自一家。予幼于外祖邹平孙公家见古刊本，后始见琴川毛氏本，常遍和之。窃谓皋羽所品高下，未尽当意，因戏为易置次第如左。《春日田园杂兴》：第一名子进（本名魏新之，号石川），第二名魏子大（梁必大），第三名全泉翁（全璧，字君玉），第四名山南隐逸（刘应龟，字元益），第五名蹑云（翁合老，仲嘉），第六名仙村人，第七名方赏（方德麟，号藏六），第八名高宇（梁相，字必大），第九名俞自得，第十名槐窗居士（黄景昌），十一名东湖散人，十二名徐端甫，十三名仇近村（仇远，字仁近），十四名陈希邵（陈舜道），十五名子直（魏石川），十六名司马澄翁（冯澄，字澄翁），十七名陈纬孙（何教），十八名闻人仲伯（陈希声），十九名君瑞，二十名田起东（刘汝钧，号蒙山），二十一名罗公福（连文凤，号应山，原第一名）。"全祖望《跋月泉吟社后》："月泉吟社诸公，以东篱北窗之风，抗节季宋，一时相与抚荣木而观流泉者，大率皆义熙人相尔汝，可谓壮矣。"（《鲒埼亭集外编》卷三十四）四库提要卷一八七："《月泉吟社》一卷，宋吴渭编。……其人大抵宋之遗老，故多寓遁世之意，及听杜鹃、餐薇蕨语。王士祯《池北偶谈》称其……。然诸诗风格相近，无大优劣。士祯所移，与凤等所定，均各随一时之兴，未见此之必是，彼之必非也。李东阳《怀麓堂诗话》曰：……云云，则凤等所定，东阳固以为允矣。"

## 十一月

二十八日，方回寓居杭州。方回《丙戌十一月二十八日南至寓杭》："卧厌邻人聒，晨兴亦喜晴。心知云气好，眼眩日华明。吾事元无节，南方暂偃兵。新妆小儿女，谁识旧承平。"（《桐江续集》卷十二）〔按，方回《桐江续集》卷二十七又有《予丁亥生，壬寅年七十六，留杭十二年》诗。壬寅为大德六年（1302），则或本年寓杭后又有远行。〕

## 十二月

十五日，周达观序林坤所撰《诚斋杂记》。序见《津逮秘书》本卷首。《诚斋杂记》二卷，林坤撰，有《津逮秘书》本、《说库》本；又有《说郛》本、《古今说部丛书》本，题周达观撰，凡一卷。毛晋《诚斋杂记跋》："余初从书目见《诚斋杂记》，误谓《伊洛渊源》之类，贮之宋儒道学籯中，未曾寓目。偶批伊席夫《琅嬛记》，援引《凤凰台唱和》及《吴淑姬张子冶合簪》二则，注云出《诚斋杂记》，因后觅而阅之。凡一卷，所记百二十馀条，皆小碎杂事，新异可喜，绝无腐气，颇似《太平广记》，又不堕于淫亵迂诞，真小说家不多见者。急付梓人，以公同者。据周达夫序云，林载夫所著书并诗文凡十一种，恨未窥其全耳。"四库提要卷一三一："《诚斋杂记》二卷，旧本题元林坤撰。前有永嘉周达卿序，称：'坤字载卿，会稽人，曾官翰林。所著书凡十二种，此乃其一。诚斋，坤所自号也。'作序年月题丙戌嘉平，不署纪元。书中引聂碧窗诗，与古人并列。聂为元初道士，则是书在后矣。中皆剽掇各家小说，短钉割裂，而不著出典，如昆仑奴磨勒一事，分于五处载之，其舛陋可知也。"

## 本年

**贯云石生**。贯云石（1286—1324），畏吾儿人，原名小云石海涯，其父楚国忠惠公，名贯只哥，遂以贯为氏。名裕实，字浮岑，号酸斋、疏仙、芦花道人。年十二三，膂力绝人，善骑射，工马槊。初，袭父爵为两淮万户府达鲁花赤，镇永州。寻以爵位让其弟，退与文士徜徉山水，倡和终日。北从姚燧学，燧以其古文峭厉有法，及歌行古乐府慷慨激烈，奇其才。仁宗继位，特授拜翰林学士、中奉大夫、知制诰、同修国史。会议行科举，与程钜夫、元明善等定其条格。稍后，移疾辞归江南，隐于钱塘市肆。泰定元年卒，年三十九。赠集贤学士、中奉大夫、护军，追封京兆郡公，谥文靖。著有《直解孝经》、《贯酸斋集》。《元诗选》二集丙集选其诗 27 首。散曲见于《太平乐府》、《乐府群珠》等集，《全元散曲》辑录小令 79 首、套数 8 套。生平据欧阳玄《元故翰林学士中奉大夫知制诰同修国史贯公神道碑》（《圭斋文集》卷九）、《元史》卷一四三本传。

**岑安卿生**。岑安卿（1286—1355），字静能，号栲栳山人，余姚人。与李孝光、危素善，屡荐而不仕，以吟咏自适。年七十卒，私谥贞元先生。著有《栲栳山人集》三卷，今存康熙金侃抄本、乾隆五十四年岑振祖刻本、《四库全书》本。《元诗选》初集己集选其诗 49 首。〔按，岑安卿生卒年，据今人杨镰所著《元诗史》，乾隆四十七年宝墨斋张廷枚重辑本卷首有王至所撰《岑贞元先生行状》，笔者未见，姑据之录此。〕

**徐硕在嘉兴儒学教授任上**。《至元嘉禾志》之编撰，当是在其任教授期间。雍正《浙江通志》卷二十六："嘉兴府儒学，在府治西北。……弘治《嘉兴府志》：淳熙四年，知州吕正己建御书阁。……元至元丙戌，陈绍在、徐硕等改御书阁曰尊经阁。（徐硕为记）"据《浙江通志》卷一二九，咸淳四年戊辰陈文龙榜进士中有名徐硕者，为嘉兴人，当即其人。《至元嘉禾志》三十二卷，有郭晦、唐天麟序，朱彝尊亦为题跋（《曝书亭集》卷四十四），今存《四库全书》等本。《四库提要辨证》卷七："《至元嘉禾志》三十二卷。嘉锡案：本志卷七学校门，叙嘉兴路路学云：'圣朝至元丙戌，四明陈绍在分教是邦，里人徐硕副之，相与谋曰：学久废，盍撤而新之。于是有请于郡，郡侯嘉其志，闻于省，许以学廪葺其废，陈绍在、徐硕又撙浮费损薄俸以佐之。'又叙宣公书院云：'圣朝至元丙子，邦人士以堂毁，白于郡，遂以太初堂为书院。里人徐硕职教于此，毕力经营。'又卷十五宋登科题名，咸淳四年陈文龙榜有徐硕。（原注云：甲科）是硕即嘉兴人，宋末进士，入元为本路教授。本书具有明文，而《提要》云里贯未详，仕履亦无可考，何其疏忽不检欤！硕所谓圣朝至元丙子者，宋少帝之德祐二年，亦即端宗之景炎元年也。是岁正月，嘉兴守刘汉杰以城降元。（见《宋史·瀛国公纪》）二月，元师入临安。三月，两宫北狩，然端宗即以五月即位于福州。丧君有君，人心未去，一成一旅，庸讵不可以致中兴。而徐硕者，以文学取科第，释褐登朝，亦既八载。国都甫破，桑荫未移，遽尔望风投拜，稽首穹庐，求得一郡博士，呕呕焉为之修书院，葺学宫，以章新天子稽古右文之盛。及其秉笔作志，遂大书特书不一书，以自鸣得意，且并载其进士甲科以为荣，亦可谓有靦面目者矣。考《至顺镇江志》卷十七，教授题名内有徐硕，注云：'字德甫，嘉兴人，至元二十九年至。'是硕降元后将二十年，犹老于青毡，未能因为奴才以取富贵，则亦何乐而为夷狄之臣哉？其书虽尚可备考，其人实至不足道，以《提要》不知其始末，余故备论之，知人论世者可以观焉。"《四库全书总目提要补正》卷二十二："《至元嘉禾志》三十二卷。顾广圻《思适斋集·云间志跋》云：'元徐硕《至元嘉禾志》，每条下所系考证，以典核称，而华亭一县之考证，乃全取杨潜语，惜未有能为之表微者耳。'玉缙案：阮元《揅经室外集》，杨潜《云间志》下亦云：'《嘉禾志》华亭一县，全取是书中语。'钱泰吉《曝书杂记》云：'《至元嘉禾志》所采碑碣题咏，居全书之半，旧章藉以考证，而官师治绩、经籍目录俱阙焉，竹垞翁尝惜之。'……又《甘泉乡人稿》十《跋嘉定乙亥盐官县厅记》云：'宋时县令、丞、簿，多由科目，《至元嘉禾志》宋登科题名，鲁氏凡十有九人，而无宜宜与兴文名，殆有脱略欤？'"

**本年或稍后，戴表元序周密所撰诗集。**戴表元序见《剡源文集》卷八。又马廷鸾《题周公谨弁阳集后》（《碧梧玩芳集》卷十五），当亦作于本年前后。

**黄公绍卒于本年之后。**黄公绍，字直翁，昭武人，宋咸淳元年进士。四库提要卷一六五："《在轩集》一卷，宋黄公绍撰。……集中《樵川新驿记》称至元二十有三年，是岁丙戌，上距德祐乙亥已十年矣。记中自称曰民，盖入元未仕也。公绍尝取胡安国'心要在腔子里'语，名所居曰在轩，因以名集。然所载仅文三十九篇，诗馀二十八首。其文三十九篇之中，为儒言者六篇，而为佛氏疏榜之语者乃三十三篇。殆原本散逸，后人掇拾遗稿，以僧徒重其笔墨，藏弆为荣，故所收特多欤？考厉鹗《宋诗纪事》，搜采最博，而求公绍一诗不可得，仅以《西湖棹歌》十首介于诗词之间者当之，知鹗所见亦此本，别无全集矣。公绍尝作《古今韵会》，有名于世，然原本久已散佚，今所传者乃熊忠《举要》，已非复公绍之原本。真出公绍手者，惟此一卷耳。宋人遗集，不传者多，公绍在当时为耆宿，虽残编犹可宝也。《书在轩铭后》一篇，记词曰以下乃其友吴升之文。意当时手迹，必并载于末，故其文意相属。亦仍并录之，存其旧焉。"

## 公元1287年　（世祖至元二十四年　丁亥）

### 二月

**上休日，王博文序白朴所撰《天籁集》。**序见本集卷首。《天籁集》二卷，今存据洪武丁巳刊本之钞本、清康熙年间杨希洛刊本、《四库全书》本、四印斋本、九金人集本。今存《四库全书》本《天籁集》有署"至元辛卯"之作，知其非白朴自定之本。王博文序言存二百篇，《四库全书》本存词仅一百馀首，知后又有散佚。朱彝尊《天籁集序》："明宁献王权谱元人曲作者，凡一百八十有七人，白仁甫居第三，虽次东篱、小山之下，而喻之鹏抟九霄，其矜许也至矣。余少时避兵练浦，村舍无书，览金元院本，心赏仁甫《秋夜梧桐两（雨）》剧，以为出关、郑之上。及纂唐宋元乐章为《词综》一编，憾未得仁甫之作，意世无复有储藏者。康熙庚辰八月之望，六安杨秀才希洛千里造余，袖中出兰谷《天籁集》，则仁甫之词也。……希洛得之于其裔孙某，将锓木以行，属余正其误，乃析为二卷，序其端。"四库提要卷一九九："《天籁集》二卷，金白朴撰。……朴词清隽婉逸，意惬韵谐，可与张炎玉田词相匹。惟以制曲掩其词名，故沉晦者越数百年，词家选本，遂均不载其姓字。朱彝尊辑《词综》时，亦尚未见其本，书成之后乃得之。书虽晚出，而倚声家未有疑其伪者。盖其词采气韵，皆非后人之所能，固一望而知为宋元人语矣。"《蕙风词话》卷三："天籁词《永遇乐·同李景安游西湖》云：'青衫尽付，濛濛雨湿，更著小蛮针线。'用坡公《青玉案》句'春衫犹是，小蛮针线，曾湿西湖雨'。而太素语特伤心。其言外之意，虽形骸可土木，何有于小蛮针线之青衫。以坡公之'琼楼玉宇，高处不胜寒'比之，犹死别之与生离也。"《人间词话》："白仁甫《秋夜梧桐雨》剧，沉雄悲壮，为元曲冠冕。然所作《天籁词》，粗浅之甚，不足为稼轩奴隶。岂创者易工，而因者难巧欤？抑人各有能有不能也。读者观欧、秦之诗远不如词，足透此中消息。"《人间词话删稿》："言气质，言神韵，不如言境界。有境界，本也。气质、神韵，末也。有境界而二者随之矣。'西风吹渭水，落叶满长安'，美成以之入词，白仁甫以之入曲，此借古人之境界为我之境界者也。然非自有境界，古人亦不为我用。"

**春**

**戴表元与鲜于枢相识于杭。**戴表元《困学斋记》："丁亥之春，余识鲜于伯几于杭。方是时，伯几以材选为三司史掾，意气雄豪。每晨出，则载笔牍，与其长廷争是非，一语不合，辄飘飘然欲置章绶去渔猎山泽间而后为快。轩骑所过，父老环聚，指目曰：此我鲜于公也。及日晏归，焚香弄翰，取数千百年古鼎彝器陈诸阶除，搜抉断文废款，若明日急有所须而为之者。门无亵宾，至则相对吟讽松竹之间，或命觞径醉，醉极作放歌怪字，亦有足悦。余虽龌龊，骤见伯几如此，真以为世外奇崛不凡人也。别去五年复来，名字黯然无闻。问之，云：'伯几比来懒不耐事，闭门谢客，方营一室，名曰困学之斋，将收放心而求寡过焉。'余闻之叹曰：'嘻乎，世有如伯几之材而待困学者乎？然如其言，自不失为奇士。诸葛孔明高节不仕诸侯，一出成鼎足之业。其终身本志，乃云抱耒躬耕作南阳田舍翁耳。嵇康人中龙，不以三公易冶锻之乐，彼其雍容揖让，进退脩然，岂无学人所为哉？今吾伯几推而进诸嵇、葛之俦，固所未逊其屈折就此，殆似为世故所困耳。夫困道尚多，伯几不困于嗜欲，不困于荣辱得丧之故，逾于常人何止万万。就其所好，虽贤而未免于累者，而愈轻之，使如纪渻子之木鸡亢桑畏垒之说，岂不为学之愈成哉？'于是知伯几者皆曰：'子之言，于伯几为宜，盍以为困学之记。'是为记。"（《剡源文集》卷二）俞德邻亦尝为其室作记。鲜于枢所撰之《困学斋杂录》，即以其室名。鲜于枢（1246—1302），字伯机，号困学民，又号西溪子、寄直老人，渔阳人。至元间，以才选为浙东宣慰司经历，改江浙行省都事。大臣以词翰荐之馆阁，不报，迁太常典簿。晚年优游以终。大德六年卒，年五十七。著有《困学斋杂录》一卷。《元诗选》二集丙集选其诗 44 首。

## 六月

**赵孟頫授奉训大夫、兵部郎中。赵孟頫以程钜夫荐至京师，在本年春。**程世京《楚国文宪公雪楼程先生年谱》："二十四年丁亥。春，公率所荐赵孟頫、张伯淳等二十馀人赴阙复命。"杨载《大元故翰林学士承旨荣禄大夫知制诰兼修国史赵公行状》："至元丙戌十一月，行台治书侍御史程公钜夫奉诏搜访江南遗佚，得廿馀人，公居首选。又独引公入见。公神采秀异，珠明玉润，照耀殿庭。世祖皇帝一见称之，以为神仙中人，使坐于右丞叶公之上。耶律中丞言：'赵某乃故宋宗室子，不宜荐之使近之左右。'程公奏曰：'立贤无方，陛下盛德。今耶律乃以此劾臣，将陷臣于不测。'上曰：'彼竖子何知。'顾遣侍臣传旨：'立逐使出台，毋过今日。'立尚书省，命公草诏书，挥笔立成。上问知其大旨，喜曰：'卿得之矣，皆朕心所欲言者。'诏集百官于刑部议法，公适侍立左右，上命公往共议。众欲以至元钞二百贯赃满处死，公曰：'始造钞时，以银为本，虚实相权，今廿馀年间，轻重相去至数十倍。虽改中统为至元，历廿年后，则至元必复如中统，使民计钞抵法，疑于太重。古者以米、绢二物及民生所须，谓之二实。银、钱与二物相权，谓之二虚。四者为直，虽升降有时，终不大相远，以绢计赃，最为适中。况钞乃宋人所造，施于边徼，金人袭而用之，皆出于不得已。又欲以此断人死命，似不足深取。'或者以公为宋宗室少年，初自南方来，诋金法不便，意颇不平。刑部郎中杨某作色而起，让公曰：'今朝廷行至元钞，故犯法者以之计赃。公以为非是，岂欲沮至元钞耶？昔金人定法，亦与大儒共议，岂遽无如公者？'公曰：'法者人之命，议有重轻，则不得其死。某奉诏预议，心有所不可，不敢不言。中统钞虚，改至元钞，谓至元钞终无虚时，岂有是理哉！君言不揆于理，徒欲以势相陵，何也？'杨有愧色，既出，谢曰：'某之失在于不学，公之言是也。'上命时宰位置公，初拟尚书吏部侍郎，参议高明持不可。丁亥六月，授奉训大夫、兵部郎中。公总天下驿置，使客饮食之费，一岁之中，不过中统钞二千锭。"（《松雪斋集》附录）赵孟頫（1254—1322），秦王赵德芳裔孙，字子昂，号松雪道人、水精宫道人，吴兴人。年十一而孤，刻厉于学。未冠，中国子监试，注真州司户参军。至元二十三年，程钜夫搜访江南遗逸，得二十馀人，孟頫居其首。二十四年六月，授奉训大夫、兵部郎中。寻从尚书刘宣乘传往江南。二十九年，进朝列大夫、同知济南路总管府事。成宗即位，以修《世祖实录》召至京师，未几归里。大德元年，除太原路汾州知州，未上，召金书《藏经》。三年八月，改集贤直学士、行江浙等处儒学提举。秩满，至大二年七月，升中顺大夫、扬州路泰州尹兼劝农事，未上。仁宗在东宫，遣使召至。三年十月，拜翰林侍读学士、知制诰、同修国史。及即位，至大四年五月，升集贤侍讲学士、中奉大夫。以上冢告归，及半岁召还。皇庆二年六月，改翰林侍讲学士、知制诰、同修国史。十一月，转集贤侍读学士、正奉大夫。延祐元年十二月，升集贤学士、资德大夫。

三年七月，进翰林学士承旨、荣禄大夫、知制诰、兼修国史。仁宗以李太白、苏子瞻目之。六年，谒告归。至治二年卒，年六十九。赠江浙等处行中书省平章政事，追封魏国公，谥文敏。著有《松雪斋文集》十卷。《元诗选》初集丙集选其诗 200 首。生平据杨载《大元故翰林学士承旨荣禄大夫知制诰兼修国史赵公行状》、欧阳玄《元翰林学士承旨荣禄大夫知制诰兼修国史赠江浙等处行中书省平章政事魏国赵文敏公神道碑》（《圭斋文集》卷九）、《元史》卷一七二本传。

## 八月

元淮授溧阳路总管。元淮《苏民》诗引云："予丁亥秋，溧阳之任。盖金㘲乃金陵之上邑也。至元丙子岁，升为州，继改为溧阳府，又从而升为溧阳路。"又《戊子中秋》诗注曰："丁亥岁此日，问戍溧阳。"《金㘲吟》一卷，作于其任溧阳路总管期间，有清钞本，前有正统九年谢卓序。元淮，字国泉，别号水镜，临川人，徙于邵武。至元初，以军功显闻中，官至溧阳路总管。著有《金㘲吟》一卷。《元诗选》初集乙集选其诗 28 首。《元诗选》初集乙集："尝有诗云：'截发搓绳联断铠，攃旗作带系金创。卧薪尝胆经营了，更理毛锥治溧阳。'溧阳为金陵上邑，至元丙子，升为溧州，继改溧阳府，又升为路。水镜以丁亥秋之任，庚寅春，因公到省，乞改作孤州，少苏民力。作诗云：'此来为远客，归去作闲人。'又云：'问归行李轻如羽，沿路吟诗有一船。'其廉退之风可想也。"四库提要卷一七四："《水镜集》一卷，元元淮撰。……是编一名《金㘲集》。㘲古渊字，与仇远《金渊集》同名。盖远亦尝官溧阳教授，均取义于投金濑耳。其诗有《击壤集》之风，而理趣不逮，视远诗则不可同日语矣。"《四库全书总目提要补正》卷五十五："《水镜集》一卷。吴氏《绣谷亭薰习录》有《金㘲吟》一卷，云：'六世孙道泰编刻。'据此，则作吟不作集，《提要》殆误。"

## 九月

初七，王恽自序所撰《中堂事记》。序见《秋涧集》卷八十。《中堂事记》三卷，已收入《秋涧集》中。

## 本年

周密《癸辛杂识》成于本年之前。《癸辛杂识》后集之纪年，始于本年。《癸辛杂识》前集之作，始于至元十八年（1281）。《癸辛杂识》分前集、后集、续集、别集，凡六卷，于至元十八年之后陆续撰成。集有周密所作自序，今存《四库全书》本、中华书局校点本。四库提要卷一四一："《癸辛杂识》前集一卷、后集一卷、续集二卷、别集二卷，宋周密撰。……是编以作于杭州之癸辛街，因以为名。与所作《齐东野语》，大致相近。然《野语》兼考证旧文，此则辨订者无多，亦皆非要义。《野语》多记朝廷大政，此则琐事杂言居十之九。体例殊不相同，故退而列之小说家，从其类也。明商濬《稗海》所刻，以《齐东野语》之半误作《前集》，以《别集》误作《后集》，而《后集》、《续集》则全阙,又并其自序佚之。后乌程闵元衢于金阊小肆中购得钞本,毛晋为刻入《津逮秘书》,始还其原帙。书中杨凝式僧净端一条,与《野语》重出,盖删除未尽。弥陀入冥、刘朔斋再娶二条,并附注衢案云云,盖闵氏所加。海鳅兆火一条,附注不题名字,核其语意,殆亦闵语也。书中所记颇猥杂,如姨夫、眼眶诸条,皆不足以登记载。而遗文佚事可资考据者实多,究在《辍耕录》之上。所记罗椅、董敬庵、韩秋岩诸人,于宋末讲学之弊,言之最悉。其引沈仲固语一条,周平原语一条,尤言言炯戒,有关于世道人心,正未可以小说忽之矣。都穆《南濠诗话》曰:‘吴兴唐广尝手录《癸辛杂识》,见其中载方万里秽行之事,意颇不平。是夜梦方来曰:吾旧与周生有隙,故谤我至此,幸为我暴之’云云。夫是非之公,人心具在。使密果诬蔑方回,不应有元一代无一人为回讼冤,至明而其鬼忽灵者。其说荒唐,殆不足辨。且密为忠臣,回实叛贼,即使两人面质,人终信密不信回也,况恍惚梦语乎?”

**置国子监。**虞集《国子监学题名序》:“世祖皇帝至元二十四年,置国子监学,以孔子之道教近侍国人子弟、公卿大夫士之子、俊秀之士。其书《易》、《诗》、《春秋》、《礼记》、《论语》、《大学》、《中庸》、《孟子》,其说则周、程、张、朱氏之传也。监有祭酒一人,比立监,先置此官,许文正公衡首为之。司业二人,监丞一人,后又置典簿一人,治文书金谷学,有博士二人,助教二人,后增置六人。其下设正二人,录二人,司乐一人,典籍二人,管勾一人,以高第弟子充,秩满则官之。弟子员,今五百六十人。天历二年,始克追考祭酒至助教姓名岁月刻石,来者尚继之,俾后有所征。三月甲子序。”(《道园学古录》卷六)元时名臣,多有自国子监出者,其中显者如苏天爵、李祁等人,均尝就学于国子。

**方回删选仇远诗并撰序。**仇远本年四十一岁。据方回所作序(《桐江续集》卷三十二),仇远诗本二千余篇,方回为选四百篇,故序题《仇仁近百诗序》。仇远所著,今存《金渊集》六卷、《山村遗集》一卷、《无弦琴谱》二卷。方回《桐江集》卷四又有《跋仇仁近诗集》一篇,以其诗拟之韦应物、孟东野。四库提要卷一六六:“《山村遗集》一卷,元仇远撰。远所撰《金渊集》,皆官溧阳日所作,故取投金濑事以为名。所载皆溧阳之诗,而他作不预焉。其他作为方凤、牟巘、戴表元等所序者,仅散见诸家集中,而诗则久佚。世所传《兴观集》、《山村遗稿》,皆后人以墨迹哀刻,非其完本。此本为歙县项梦昶所编,后有梦昶跋,称留意披访,从《珊瑚木难》、《清河书画舫》、《成化杭州府志》、《嘉兴志补》、《上天竺寺志》、《绝妙好词》、《花草粹编》诸书中,复得诗词题跋如干首,编排成帙。虽其时《永乐大典》犹庋藏清秘,外间不得而窥,《金渊集》所载,梦昶皆不及录,不足以尽远之著作。然此集之诗,皆不作于溧阳,不可并入《金渊集》内。故仍存其书,各著于录,以不没远之佚篇焉。”

**史弼编撰《景行录》一卷。**史弼(1213—1297),字君佐,一名塔剌浑,自号微紫老人,蠡州博野人。大德元年卒,年八十六。生平见《元史》卷一六二本传。四库提要卷一三一:“《景行录》一卷,旧本题元史弼编。……是编成于至元丁亥。所录格言百余条,多剽缀《省心录》之语,前有弼自序,其词潦倒可笑,似出妄人所依托。复有明瞿佑序,称宣德戊申侍太师英国公坐,因问经史中警句可资观览而切于修省者,谨写一编拜献,以供清暇之一顾。末题门下士瞿佑手录,时年八十有二。词亦庸劣,佑似不应至此。考成化丙戌木讷作佑《归田诗话序》，虽有太师英国张公延为西宾之语。然佑自序作于洪熙乙巳，称老与农圃为徒，亦窃归田之号，又称辍耕陇上，箕踞桑阴。则洪熙时已返江南矣，安得宣德戊申尚作客张辅家哉？其为假名于佑，尤显然矣。后又有正德乙亥镇远侯顾士隆重刊序，嘉靖甲午衡王重刊序，盖皆因仍伪本，不及考核耳。"

**张翥生。**张翥（1287—1368），字仲举，晋宁人。翥少负才隽，豪放不羁，受业于江东大儒李存。未几，留杭，从仇远学诗，已而薄游维扬。元统初，以荐授金陵郡学博士。至正初，召为国子助教，分教上都生。寻退居淮东。会修三史，起为翰林国史院编修官。史成，历官翰林应奉、修撰，迁太常博士，升礼仪院判官，又迁翰林，历直学士、侍讲学士，乃以侍读兼祭酒。授集贤学士，俄以翰林学士承旨致仕，阶荣禄大夫。孛罗帖木儿入京师，命翥草诏，削夺扩廓帖木儿官爵，且发兵讨之，翥毅然不从。及孛罗帖木儿诛，诏乃以翥为河南行省平章政事，仍翰林学士承旨致仕。至正二十八年卒，年八十二。著有《蜕庵集》五卷。《元诗选》初集戊集选其诗 259 首。生平据《元史》卷一八六本传。

**许有壬生。**张翥有《寿许集贤可用》诗，题下注云："予同年，少七月。"许有壬（1287—1364），字可用，许熙载子，汤阴人。年二十，畅师文荐入翰林，不报，授开宁路学正，升教授。未上，辟山北廉访司书吏。登延祐二年进士第，授同知辽州事。六年，除山北廉访司经历。至治元年，迁吏部主事。二年，转江南行台监察御史，行部广东。召拜监察御史。泰定元年，初立詹事院，选为中议，改中书左司员外郎。三年六月，升右司郎中。明年，丁父忧。天历三年，擢两淮都转运盐司使。至顺二年，召参议中书省事，未几，以丁母忧去。元统元年，复以参议召。明年，拜治书侍御史，转奎章阁学士院侍书学士，仍治台事。九月，拜中书参知政事、知经筵事。重纪至元初，长芦韩公溥因家藏兵器，遂起大狱，株连台省，多以赃败，独无有壬名，由是忌者益甚。有壬度不可留，遂归彰德，已而南游湘、汉间。至元六年，召入中书，仍为参知政事。明年，改元至正，转中书左丞。四年，改江浙行省左丞，辞。六年，召为翰林学士，既上，又辞。俄拜浙西廉访使，未上，复以翰林学士承旨召，仍知经筵事。明年夏，授御史中丞。未几，复以病归。十三年，起拜河南行省左丞。十五年，迁集贤大学士，寻改枢密副使，复拜中书左丞。十七年，以老病致仕。二十四年卒，年七十八。谥文忠。著有《至正集》一百卷、《圭塘小稿》十三卷、别集二卷、续集一卷。《元诗选》初集丙集选其诗 75 首。生平据《元史》卷一八二本传。

**李齐贤生。**李齐贤（1287—1367），字仲思，号益斋，高丽人。年十五，试成均魁其首。试礼闱，中丙科。大德七年，权乌奉先库判官、延庆宫录事。至大元年，选入艺文春秋馆。冬，迁齐安府直讲。二年，擢司宪纠正。三年，迁选部散郎。四年，再转典校寺丞、三司判官。皇庆元年，选为西海道按廉使，升成均乐正。冬，提举丰仓事。二年，副令内府库丰储监斗斛。延祐元年正月，召至都。与姚牧庵、元复初、赵子昂等周旋于忠宣王府，为诸公称叹。二年，迁选部议郎，秋，拜成均祭酒，因兼议郎。三年，奉使西蜀，复判典校寺事。四年，拜选部典书。七年，知密事直司事，赐"端诚诩赞功臣"之号。旋授高丽王府断事官。至治二年冬，还至京师。泰定元年，加匡靖大夫、密直司事。二年，再转金议评理政堂文学。三年，移三司使。天历三年，忠惠王权国，复为政堂文学，未几罢。后至元二年，以三重太匡封金海君，领艺文馆事。至正四年冬，忠穆王即位，进府院君，领孝思观事。六年，与修《忠烈王实录》。八年，判三司事。十一年，玄陵即位，拜右政丞，权署征东省事。十三年，以府院君知贡举。十六年，封金海侯。十七年，致仕归。二十二年，复封为鸡林府院君。二十七年卒，年八十一。谥文忠。著有《益斋乱稿》十卷。生平据李穑《鸡林府院谥文忠公墓志铭》）。

**张伯淳以程钜夫荐至京师，晋居宪幕，授浙东道按察司知事。**程钜夫《翰林侍讲学士张公墓志铭》："至元二十三年，某以侍御史受诏选士南方，未行，闻绅有言公贤者。既至杭，公为博士，时犹未识公，而旧识识公者人人言公，与所闻同也。暨识而心察之，又同也，乃荐之。明年报命，有旨问所荐有可相者乎？对曰：'惟上所试，以观其材耳。'由是公晋居宪幕。……至元二十三年，授杭州路儒学教授，除浙东道按察司知事。在官二年，五祈闲不遂。"（《雪楼集》卷十七）

**王义山卒，年七十四。**《元诗选》二集甲集："至元己卯，行中书省俾路学以贽币礼聘于家，辞弗获，遂教授诸生。明年，使掌江西学事。辛巳，退老于东湖之上。环所居皆莲，名其堂曰君子。又于先庐之旁扁一所曰稼村，四方学者皆称为稼村先生。一日整衣冠端坐而逝，年七十四。"所著《稼村类稿》三十卷，有义山自序。四库提要卷一六六："《稼村类稿》三十卷，元王义山撰。……是集乃其子惟肖所编，以义山退老东湖之上，扁读书之室曰稼村，因以为名。凡各体诗三卷，杂文二十七卷。诗文皆沿宋季单弱之习，绝少警策，故王士禛《居易录》以为芜浅无足取，且诋为最下最传。然观义山在湖南时，湘潭县豪因争田不遂，讪之学，义山引《春秋》齐人来归汶阳之田断其非，颇合经义。故集中说经之作，亦往往自出新意。如解《周礼》师氏职中大夫、保氏职下大夫，而谓郑注称周公、召公兼摄之非；又解古者天子冕服备十二章，而谓郑注九章、五章之非。皆颇有根据，不同剿袭。至表启诸作，亦颇织组自然，实与刘克庄《后村集》蹊径相近。虽榛楛之勿翦，亦蒙茸于集翠，概加排斥，则又太过之论矣。"

**王冕生。**［按，王冕生年，《历代名人年谱》以为其寿年七十三，由卒于至正十九年（1359）推之，则当生于本年。《疑年录续》作永乐五年卒。姑系于此。］王冕（1287—1359），字孟端、元章、仲章、元肃，号竹斋、煮石山农、梅花屋主、会稽外史、饭牛翁，浙江诸暨人。七八岁时，父命牧牛陇上，窃入学舍，听诸生诵书，听已辄默记。暮归，忘其牛，或牵牛来责蹊田，父怒挞之，已而复如初。以母言，去依僧寺以居，夜潜出坐佛膝上，执策映长明灯读之，琅琅达旦。安阳韩性闻而异之，录为弟子，学遂为通儒。父卒，即迎母入越城就养。久之，母思还故里。李孝光欲荐之为府史，辞不起。每居小楼上，客至，僮入报，命之登乃登。屡应进士举不中，遂弃去。北游燕都，泰不华荐以馆职，亦不就。既归越，复大言天下将乱，乃携妻孥隐于九里山。未几兵起，冕亦以病卒。著有《竹斋集》三卷、《续集》一卷。《元诗选》二集庚集选其诗127首。生平据宋濂《王冕传》（《文宪集》卷十）、朱彝尊《王冕传》（《曝书亭集》卷六十四）。

释文珦卒于本年之后。四库提要卷一六四:"《潜山集》十二卷,宋释文珦撰。文珦,于潜人。其生平游历,略见于所作《旧游》一百十韵诗中。……集中有'又看景定新颁朔,百岁还惊五十过'句,知其生于宋宁宗嘉定三年辛未,宋亡时年六十六。又《杭州荐福寺记》,题至元乙酉二月,《遣兴》诗称'七十七岁潜山翁',则至元丁亥尚存。其行事则不少概见,惟《咸淳临安志》载咸淳三年九月二十四日,贾似道至小麦岭旌德显庆寺游山,题名中列衲子四人,文珦与焉,疑亦托迹朱门者。然集中《过似道葛岭旧居》诗,极词诋斥,若有馀愤。而《纪事》一诗,作于似道初贬时,其序言'似道位亢志骄,阴谋篡逆,言泄于夏金吾,金吾欲诛之,惧而宵通'云云。虽与《宋史》所载夏贵请死守淮南,似道奔还扬州之事不甚相符,而抉摘隐恶,至加以'曹瞒代汉'之罪,非似道之党可知。且集中独吟之作十之九,倡和之作不及十之一,所与倡和者,又不过褚师秀、周密、周璞、仇远数人,皆一时高人文士,亦足征非干谒之流。或似道重其名衲,游山邂逅,偶挚同游,遂题名宾从之末,亦未可定也。其诗多山林闲适之作,比兴未深,而即事讽谕,义存劝戒,持论率能中理。观其哀集诗稿一篇有云:'吾学本经论,由之契无为。书生习末忘,有时或吟诗。兴到即有言,长短信所施。尽忘工与拙,往往不修词。惟觉意颇真,亦复无邪思。'其宗旨品格,可以具见矣。厉鹗《宋诗纪事》所录释子凡二百四十人,顾嗣立《元百家诗选》所录释子集凡十五家,皆无其名。《禅藻》一集搜罗颇富,亦不登其一字,则是集之佚,其来已久。今从《永乐大典》哀辑,得诗尚近九百首。宋元以前僧诗之工且富者,莫或过之矣。"

## 公元 1288 年 (世祖至元二十五年 戊子)

### 二月

**胡长孺以征至京师,授扬州路儒学教授。**张伯淳《送胡石塘北上序》:"余友金华胡君,前进士也。力学工古文,盖将骎骎乎古之所谓士者。然而贫无以为家,饥驱出山,不得不仰升斗禄而挟其耿耿者。于是众方以掀髯抵掌为狂,谁为阶尺寸之进,世俗所以重可叹也。……至元二十五年仲春十八日,嘉兴张某书于越之寓舍。"(《养蒙文集》卷二)《南村辍耕录》卷二十:"胡石塘先生尝应聘入京,世皇召见于便殿,趋进张皇,不觉笠子欹侧。上问曰:'秀才何学?'对曰:'修身、齐家、治国、平天下之学。'上笑曰:'自家一笠尚不端正,又能平天下耶?'然怜其贫,特授扬州路儒学教授。吁,以先生之学行而不见遇于明君,是果命矣夫。"

### 四月

**初十,谢枋得作《送方伯载归三山序》。**序云:"景定二年,司历者曰:星有大尾,旅于奎娄与辰从,月后会四星,不相能也,乃季春月朔同轨。其占为文运不明,天下三十年无好文章。儒者望清台而诟曰:何物瞽叟,为此妖言。司历者闻而笑曰:岂特无好文章,经存而道废,儒存而道残,科举程文将无用矣。皆疾其为妖言也,后十六年而验。滑稽之雄以儒为戏者曰:我大元制典,人有十等:一官,二吏,先之者贵之

**51**

也，贵之者谓有益于国也。七匠，八娼，九儒，十丐，后之者贱之也，贱之者谓无益于国也。嗟乎，卑哉！介乎娼之下、丐之上者，今之儒也。皇帝哀怜之，令江南路县每置教谕二人，又用辅臣议，诸道各置提举、儒学二人。提举既曰大有司，设首领官、知事、令史尤繁，学帑有羡钞廪，有羡粟，岁磨时勘，月稽日察，有欺弊毫发，比去之。十年亦责偿无赦，饥雀羸鼠，馋涎吐吞，不敢啄啮。学官似尊贵，实卑贱，禄不足以救寒饿，甚者面削如，咽针如，肌骨柴如。曹类啁啾，相呼而谋曰：我国朝治赃，吏法最严，管僧食僧，管医食医，管匠食匠，御史、按察不敢问，岂不曰时使之然，法使之然。教之必不改，比而诛之，则不忍也。吾徒管儒，不食儒，将坐而待毙乎？椎肌剜肉于儒户，不足则括肉敲髓。及乡师滑稽之雄以儒为戏者又曰：管儒者益众，食儒者益繁，岂古之所谓兽相食欤？抑亦率兽而食人者欤？儒不胜其苦，逃而入僧、入道、入医、入匠者什九。建安科举士馀二万户，儒者六百，儒贵欤？贱欤？荣欤？辱欤？可以发一慨也。……戊子四月甲子序。"（《叠山集》卷二）"九儒十丐"之说，又见于郑思肖《心史》。郑思肖《大义略序》云："鞑法：一官，二吏，三僧，四道，五医，六工，七猎，八民，九儒，十丐，各有所统辖。"（《心史》下）然此类记载，并不见于正史及元人著述，或因元初废止科举，文士以学无所用，发一时之愤懑，亦未可知。故王士禛《居易录》卷三论宋褧《燕石集》云："此与《石田集》皆奉旨刊行。元时崇文如此，或谓九儒十丐，当是天历未行科举以前语。"元行科举在延祐元年，士禛误作天历。揆之《元史》，元朝于儒学及文学颇为重视，尤以仁宗一朝为甚。兹略而言之。至大四年闰七月丁卯，完泽、李孟等言："方今进用儒者，而老成日以凋谢，四方儒士成才者，请擢任国学、翰林、秘书、太常或儒学提举等职，俾学者有所激劝。"帝曰："卿言是也。自今勿限资级，果才而贤，虽白身亦用之。"皇庆元年正月壬戌，升翰林国史院秩从一品。并谕省臣曰："翰林、集贤儒臣，朕自选用，汝等毋辄拟进。人言御史台任重，朕谓国史院尤重；御史台是一时公论，国史院实万世公论。"皇庆元年六月，敕李孟博选中外才学之士任职翰林，皇庆二年四月，又诏遴选贤士纂修国史。皇庆二年正月，置辽阳行省儒学提举司，七月，又复立四川等处儒学提举司；延祐元年六月，置云南行省儒学提举司；延祐三年五月，置甘肃儒学提举司。皇庆二年十一月诏行科举，仁宗尝谓侍臣曰："朕所愿者，安百姓以图至治，然匪用儒士，何以致此。设科取士，庶几得真儒之用，而治道可兴也。"延祐元年正月庚子，"敕各省平章为首者及汉人省臣一员，专意访求遗逸，苟得其人，先以名闻，而后致之"。延祐三年，诏春秋释奠，以颜、曾、思、孟配享。延祐四年四月，刘赓等进《大学衍义》，仁宗命阿怜铁木儿译成蒙语。延祐五年七月，加封楚三闾大夫屈原为忠节清烈公。延祐五年，以江浙省所印《大学衍义》五十部赐朝臣。延祐六年，封宋儒周敦颐为道国公。致和元年四月，改封柳宗元为文惠昭灵公。至顺元年，以董仲舒从祀。后至元三年四月，谥杜甫为文贞。至正二十一年，以杨时、李侗等从祀。如此类者，《元史》中不一而足。可见元朝历代皇帝亦甚重儒术、文学。

## 九月

**建宁路总管撒的迷失拘谢枋得于崇真道院，迫其北往大都。**王奕有《谢叠山先生己丑九月被执北行，闽士以诗送之，倚歌以饯》诗（《玉斗山人集》卷二）。己丑当系戊子之误。佚名《叠山先生行实》："元至元戊子二十五年夏四月，召宋故臣谢枋得，力辞不至。时帝访求南人有才者甚急，御史程文海、承旨留梦炎交章荐之。寻有书上程雪楼。秋九月，参政魏天祐执枋得北去。先是，枋得由建阳唐石山转入苍山等处，朝迁暮徙，崎岖山谷间，竟得脱。至元甲申，黄华平，大赦，枋得乃出得还，自寓于茶坂，设卜肆于建阳驿桥，榜曰依斋易卦，小儿贱卒亦知其为谢侍郎也。至是，天祐朝京，将载枋得后车，遣建宁总管撒的迷失佯召枋得入城卜易，逼以北行。以死自誓，知不可免，即不食。有《上魏容斋书》。己丑二十六年夏四月，故宋江西招谕使知信州谢枋得至燕，死之。初，参政魏天祐逼枋得之北行也，与之言，坐而不对，或嫚言无礼。天祐初甚容忍，久不能堪，乃让曰：'封疆之臣当死封疆，安仁之败何不死？'枋得曰：'程婴、公孙杵臼二人，皆忠于赵，一存孤，一死节，一死于十五年之前，一死于十五年之后，万世之下，皆不失为忠臣。王莽篡汉已四年，龚胜乃饿死，亦不失为忠臣。司马子长云：死有重于泰山，轻于鸿毛。韩退之云：盖棺事始定。参政岂足知此？'天祐曰：'强辞。'枋得曰：'昔张仪语苏秦舍人云：当苏君时，仪何敢言？今日乃参政之时，枋得百口不能自辩，复何言？'枋得不食二十馀日，不死，乃复食。将行，士友饯诗盈几。张子惠诗云：'此去好凭三寸舌，再来不直一文钱。'枋得会其意，甚称之，遂卧数月，困殆。四月初一日至燕京，初五日死于驿。"（《叠山集》附录）李养吾《读叠山北行诗跋》："此诗与西山易水之歌当并行，余无暇详焉尔矣。顾公阖门死节皆甚伟，公绝口不一言，余不表而出之，何以示天下与来世。"谢枋得（1226—1289），字君直，号叠山，江西弋阳人。著有《叠山集》四卷。生平见李源道《文节先生谢公神道碑》（《叠山集》卷五附录）、《宋史》卷四二五本传。

## 十一月

**十八日，李思衍以礼部侍郎奉使安南。**见《元史》卷十五《世祖本纪》，又见《元史》卷二〇九《安南列传》、《安南志略》卷二。李思衍，字昌翁，一字克昌，号两山，馀干（一作鄱阳）人。至元间，伯颜下饶州，以其权乐平。寻授袁州治中，入为国子司业。二十五年，以礼部郎中与兵部郎中万奴奉使安南。还，授浙东宣慰。考满赴调，殁于京师，张伯淳、滕安上、袁桷、曹伯启均有诗挽之。著有《两山稿》。《元诗选》二集乙集选其诗 22 首。

**徐明善佐李思衍出使安南。**徐明善《天南行记》："至元二十五年十一月十二日，礼部侍郎李思衍呈都堂，以明善辅行。十六日，诣都堂，奉钧旨，相副使安南去者。二十六日，出顺城门。二十六年己丑二月二十八日，至其国。"（《说郛》卷五十六）徐明善（1250—?），字志友，号芳谷，德兴人。至元二十六年，从李思衍出使安南。还，调龙兴路儒学教授。后入湖北宪幕，迁江西儒学提举，致仕归。著有《芳谷集》二卷。

### 十二月

**商挺卒，年八十。**《元史》卷一五九商挺本传："二十五年，帝问中丞董文用曰：'商孟卿今年几何？'对曰：'八十。'帝甚惜其老，而叹其康强。是岁冬十有二月卒。"王恽《题左山所书春露堂后》："余构春露堂之明年夏，参政左山商公作三大字自燕见遗，因刻而榜之，吾庐为烂然也。公今岁寿登八秩，观其书端庄婀娜，略不见衰老之气，吾喜其所养至刚，非唯书之尽善也。公为人雅重深谋，其翰墨之工，在公为馀事，然嗜好之笃，营求之切，殆饥渴之于饮食，只以功业相逼，有不遑专事者。当急遽际，尝与予论及，津津然喜见颜间，不知老之将至，日之云夕也。"（《秋涧集》卷七十二）商挺（1209—1288），字孟卿，一作梦卿，号左山，曹州济阴人。卒赠太师、开府仪同三司、上柱国、鲁国公，谥文定。苏天爵编《元文类》，选其诗《水仙花》二首，后之选本或选二首或选一首，疑其集于元时或已不传。《全元散曲》录其小令19首。王恽《与左山商公论书序》："今吾左山商公，掇拾于二十载后，剔去纤妍而留精伟，复始终条理，俾金声玉振以集大成，是又智者之事，谅非禅中有眼者畴克辨此邪？第恨不得时时听教，以尽古今之变，会归其极耳。"（《秋涧集》卷四十二）王恽《商左山哀辞》："商孙肤敏矫游龙，千载留芳见此公。佐鲁谋猷原克壮，定秦功力更沉雄。城门被燕池鱼涸，臣罪当诛圣主聪。老泪不缘知己痛，麒麟台上又秋风。"（《秋涧集》卷十九）

### 冬

**王恽自序所撰《玉堂嘉话》。**序见本集卷首。书中所记之事，起于中统二年（1261），终于至元甲午（1294），或于成书之后，又有所增补。《玉堂嘉话》八卷，《秋涧集》中亦已收入，今存《四库全书》本、《丛书集成初编》本。《居易录》卷八颇摘其中讹舛。四库提要卷一二二："《玉堂嘉话》八卷，元王恽撰。……是编成于至元戊子。纪其中统二年初为翰林修撰、知制诰兼国史馆编修官，及调官晋府秩满，至元十四年复入为翰林待制时，一切掌故及词馆中考核讨论诸事。始于辛酉，终于甲午，凡三十四年之事。所记当时制诰特详，足以见一朝之制。如《船落至祭文》、《太常新乐祭文》之类，皆他书所未见。他如记唐张九龄、李林甫告身之式；记平宋所得法书古画名目；宋聘后六礼金、科举之法，以及论宣谕、制诰之别；据柳公权跋，知唐时已有《广韵》；辨米芾之称南宫，以赠官太常；记秦桧家庙之制；摘颜真卿书《出师表》之伪；谓《金史·天文志》出于太史张中顺；与张德辉述塞北之程，刘郁述西域之事。皆足以资考证。而宋、辽、金三史之议，尤侃侃中理。其中如论日月五星则不知推步之法，谓古妇人无谥则不知声子、文姜之例，论六帖则剿袭《演繁露》，论舜事则误信钱时，论野合则附会《博物志》，皆为疵累。《唐六典》女伯女叔一条，二卷、五卷再见，亦失检校。然大致该洽，不以瑕掩。全书已收入《秋涧集》中，此乃其别行之本也。"《四库全书总目提要补正》卷三十八："《玉堂嘉话》八卷。张氏《藏书志》有淡生堂钞本，云：'文澜阁传钞本，卷八颇有阙文，是本较为完善。'"

## 本年

**陈旅生**。陈旅（1288—1343），字众仲，兴化莆田人，与陈绎曾、程文齐名。幼孤，资禀颖异，笃志于学。稍长，负笈至温陵，从乡先生傅古直游，声名日著。以荐授闽海儒学官，为马祖常所称，因相勉游京师。既至，虞集见其所为文，既然叹曰："此所谓我老将休，付子斯文者矣。"即延至馆中，朝夕以道义学问相讲习。以中书平章政事赵世延荐，除国子助教。居三年，考满，诸生不忍其去，请于朝，遂再任。元统二年，出为江浙儒学副提举。至元四年，入为应奉翰林文字。至正元年，迁国子监丞，阶文林郎。又二年卒，年五十六。著有《安雅堂集》十三卷。《元诗选》初集戊集选其诗 131 首。生平据《元史》卷一九〇《儒学传》。

**方回自序所撰《桐江续集》**。据虚谷自序（《桐江续集》卷三十二），集中诗作于至元十九年至本年间，凡二十卷，卷百首。《桐江续集》，《补元史艺文志》卷四作三十七卷；《适园藏书志》卷十三作四十七卷，缺十卷；《千顷堂书目》卷二十五作五十卷；《善本书室藏书志》作三十七卷；《北京图书馆古籍善本书目》作四十八卷，缺十二卷。《四库全书总目》误作三十七卷。今存《四库全书》本，诗二十八卷，赋一卷，文七卷。

**汪元量以请得归钱塘**。汪元量《南归对客》："北行十三载，痴懒身羁孤。"《湖山类稿》附录《亡宋宫人诗》小序云："水云留金台一纪，琴书相与无虚日。秋风天际，束书告行，此怀怆然，空知夜梦先过黄河也。一时同人以'劝君更尽一杯酒，西出阳关无故人'分韵赋诗为赠。他时海上相逢，当各说神仙人语，又岂以此间声律为拘拘耶！"（《增订湖山类稿》附录）汪元量有《余将南归，燕赵诸公子携妓把酒饯别，醉中作把酒听歌行》诗（《增订湖山类稿》卷四）。或以为宋旧宫人所作送行诗为伪作。谢翱《续琴操·哀江南》："宋季有以善鼓琴见上者，出入宫掖间，汪姓，忘其名。临安不守，太后嫔御北，汪从之行。留蓟门数年，而文丞相被执在狱，汪上谒，且勉丞相必以忠孝白天下，予将归死江南。及归，旧宫人会者十八人，酾酒城隅与之别，援琴鼓再行，泪雨下，悲不自胜。后竟不知所在。噫，汪盖死矣。客有感之者，为续琴操曰《哀江南》，凡四章。"迺贤《读汪水云诗集》："水云汪元量，字大有，钱塘人，以善琴受知宋主。国亡，奉三宫留燕甚久，世祖皇帝尝命奏琴，因赐为黄冠师南归。时幼主瀛国公、福王平原郡公赵与芮、驸马右丞杨镇、故相吴坚、留梦炎、参政家铉翁、文及翁、提刑陈杰、青阳梦炎与宫人王昭仪清惠以下廿有九人，分韵赋诗，以饯其行。"

**史樟卒于本年前后**。王恽有《挽史九万户》诗（《秋涧先生大全集》卷十九）。据冯沅君《元曲家杂考三则》，王恽《秋涧先生大全集》之编定，大致以年代为序，前此之《清明花下独酌》作于本年。姑系于此，以概见其人之岁月。史樟，一作史章，号散仙，史天泽次子，族中兄弟排行第九，故称史九公子。尝官真定、顺天两路新军万户。著有杂剧《花间四友庄周梦》。今存脉望馆抄本杂剧《老庄周一枕蝴蝶梦》，或以为即其所作。滕安上《挽史宣慰章》："公将家子，风流蕴藉，不减前辈，威肃三军，而临民有惠爱。尝葺轩私第，名之友松，命予记之。从游齐鲁，登泰山，临日观，感念畴昔，情见乎辞。香凝燕寝笑谈清，不害胸中十万兵。襦袴竞歌廉叔度，鞬橐能世李西平。荒烟宿草悲仍在，白露长松泪亦倾。无复泰山山顶上，四更同看火轮生。"（《东庵集》卷四）贾仲明〔双调〕《凌波仙·吊史九散仙》："武昌万户散仙公，闾国元勋荫祖宗。双虎符，三颗明珠重。受金吾，元帅封。碧油幢，和气春风。编《胡蝶庄周梦》，上麒麟图画中，千古英雄。"

## 公元 1289 年 　（世祖至元二十六年　己丑）

正月

　　谢翱、方凤等人约游金华北山等地，与当地遗民往还唱和。其游始于本月十一日，终于二十五日。见方凤《存雅堂遗稿》卷四、卷五《金华洞天行纪》。吴士谔《金华洞天行纪后跋》："《右金华洞天行纪》一小帙，盖岩南方先生、晞发谢先生，与诸老并先伯父续古同游之所纪述也。当时距宋失国才十四岁，然观诸老情思，咸有《黍离》馀韵。而纪述巨细，详悉不遗，写出北山胜概，宛在目中，信非诸老不能作也。然要之，己丑实元世祖至元二十六年也。书岁而不书年者，亦犹靖节不书永初之例耳。后之观斯帙者，庶几识前人忠厚之风云。"郭霶《金华洞天行纪后跋》："方韶卿，浦江人，号岩南先生。元黄文献公溍、柳文肃公贯皆出其门。先生宋时未及仕而宋亡，遂抱其遗经隐仙华山。往往遇遗民故老于残山剩水间，握手歔欷低回而不忍去，缘情托物，发为歌诗，以寓《麦秀》之遗意。龚圣予尝诵其诗曰：'由本论之，在人伦不在人事；等而上之，在天地不在古今。'谢皋羽，建宁人，号晞发先生。宋相文天祥开府延平，先生长揖军门，署谘事参军，已复别去。及宋亡，天祥被执，遂流匿民间，之浙水东，日以吟咏为事。每遇谈宋事，辄悲咽泪下。宋景濂先生谓其诗直溯盛唐而上，卓卓有风人之馀，文尤崭拔峭劲。馀若陈帝臣、吴续古等，亦皆时之高士，文章巨家也，共为此卷，夫岂易得哉？然俱世远而莫之知，予故手录一过，而略述二先生之行概于后，馀亦不复考矣。北山泉石虽自若，而寺观消毁过半，欲究其遗踪，亦尚赖此卷之存云。"张燧《题金华洞天行纪后》："郭公霶称陈帝臣、吴续古皆时高士，文章巨公。燧按帝臣即正臣，名公举，府志贤达传虽载而未详。续古名似，则志竟缺载。府志曰：'公举善属文，与兄月泉山长公凯日与方凤、吴思齐为文字交。由本邑教谕累迁江浙副提举，与赵孟頫善，用荐者应奉翰林文字。'不知府志有未详者。帝臣以文字起家，一时所交，皆宗工硕士，若同邑方韶卿、柳道传、戴率（帅）初、吴兴赵魏公、永康胡穆仲，相交尤密。尝为楼所居侧，颜曰光风霁月。及提举来杭，西秦张橞、淮阴汤炳龙、莆田刘濩、永嘉林景熙辈，相率为诗歌以赋其事，穆仲为之序。时魏公以集贤直学士行提举江浙，与公举情谊深厚，凡六七年，公举秩满归，为书《洛神》一通，自题其末大德十年五月四日也。具见经世堂胡之纯序，及吴彦贞方伯跋。吴似亦名似孙，则谦之子。谦善谢翱，于其卒，为营葬志墓，辑士大夫哀诔为《哭谢编》，见府志吴谦传。似尝馆翱及凤、思齐，相与讨论《典》、《坟》，播诸著作，后教谕山阴，略见《吴溪集》，惜邑志不录。行事遗文，遂多湮没。此予《浦阳考志》所录也，并志于此，以示人知所考见云。"

## 四月

初五，谢枋得卒，年六十四。王奕有《闻叠山己丑四月七日死于燕》诗，盖以传闻所得，故误。佚名《叠山先生行实》："四月初一日至燕，初五日死于驿。"李源道《文节先生谢公神道碑》："至元二十二年，行御史台侍御史程钜夫，以宋遗士三十人荐于朝，于是江东谢枋得在举中，被征，丁内艰辞。亡何，连诏江浙行省左丞管如德召，皆不起。廿五年春正月，福建行省参政魏天祐复被旨，集守令戍将，迫促上道，乃行。夏四月，至京师，不食死，春秋六十有四。八月，子定之奉枢还广信。明年九月，葬其乡之玉亭龚原，其门人谏而题之曰：文节先生谢公墓。"（《叠山集》附录）《南村辍耕录》卷二："谢君直先生枋得，号叠山，信州弋阳人。宋景定甲子，江东漕闱校文，发策问，权奸误国，赵氏必亡。忤贾似道，贬兴国军。三年，遇赦得还。天兵南下，郡城溃，弃家入闽。至元二十三年，御史程文海、承旨留梦炎等交荐，累召不赴。二十六年春正月，福建行省参知政事魏天祐，复被诏旨，集守令戍将，迫麾上道。临行，以诗别常所往来者曰：'雪中松柏愈青青，扶植纲常在此行。天下岂无龚胜洁，人间不独伯夷清。义高便觉生堪舍，礼重方知死甚轻。南八男儿终不屈，皇天上帝眼分明。'夏四月，至京师，不食死，年六十有四。秋八月，子定之奉枢归葬，门人谏而题之曰：文节先生谢公墓。嗟乎，伯夷、叔齐，在周虽为顽民，而在商则为义士，孰谓数千载后，有商义士之风者，复见先生焉。"陈普《谢叠山文集序》："平居暇日，深思远虑，抚江河，入风云，随飞翼而形之纸笔者，概其忧人忧国之心。词场大笔，伤时抵讳，同列掩耳，而独以身任之。其他一句一章，一咏一挥，大率在此。"四库提要卷一六四："《叠山集》五卷，宋谢枋得撰。……枋得忠孝大节，炳著史册。却聘一书，流传不朽，虽乡塾童孺，皆能诵而习之。而其他文章，亦博大昌明，具有法度，不愧有本之言。观所辑《文章轨范》，多所阐发，可以知其非苟作矣。惟原本有《蔡氏宗谱》一首，末署至元二十五年，其词气不类枋得，确为伪托。又有《贺上帝生辰表》、《许旌阳飞升日贺表》，此类凡十馀篇，皆似道流青词，非枋得所宜有，亦决非枋得所肯作，其为赝本误收，亦无疑义。"《养一斋诗话》卷五："梅诗最难工。……谢叠山：'天地寂廖山雨歇，几生修得到梅花。'悲郁非即景。"

## 五月

二十一日，置回回国子监。见《元史》卷十五《世祖本纪》。

## 六月

刘埙序赵文所撰《青山初稿》。序见《水云村稿》卷五。赵文所撰，今存《青山文集》八卷，有《四库全书》本，系由《永乐大典》辑出。

## 八月

二十八日，蔡正孙自序所编《诗林广记》。序见本集卷首，末署"岁屠维赤奋若

（己丑），月昭阳作噩（癸酉），日阏逢阉茂（甲戌）"。蔡正孙，字粹然，号蒙斋野逸，从学于谢枋得。《诗林广记》前集十卷、后集十卷，有明弘治刊本、《四库全书》本、中华书局点校本。四库提要卷一九五："《诗林广记》前集十卷、后集十卷，宋蔡正孙撰。……前有自序，题'岁在屠维赤奋若'，盖己丑年作。考黄庭坚寄苏辙诗条引熊禾语，则当为元太祖至元二十六年，时宋亡十年矣。谢枋得集附录赠行诸篇中，有正孙诗一首，盖即其人也。其书前集载陶潜至元微之共二十四人，而九卷附录薛能等三人，十卷附录薛道衡等五人。后集载欧阳修至刘攽二十八人，止于北宋。其目录之末，称编选未尽者，见于续集刊行。今续集则未见焉。两集皆以诗隶人，而以诗话隶诗。各载其全篇于前，而所引诸说则下诗二格，条例于后。体例在总集、诗话之间。国朝厉鹗作《宋诗纪事》，实用其例。然此书凡无所评论考证者，即不空录其诗，较鹗书之兼用《唐诗纪事》例者，又小异尔。"

## 十月

**十五日，陈著序白珽所撰诗集。**序见《本堂集》卷三十七，末署"乙丑良十月望，嵩溪遗耄陈某"。嵩溪遗耄，陈著自号。白珽所撰诗集凡二十卷，元时曾锓梓以行。今所存仅《湛渊集》一卷，为钱塘沈崧町所辑，有《四库全书》本。陈著《题白珽诗》："诗难言也。今之人言之易，悉以诗自娱，曰晚唐体，而四灵为有名。钱塘白珽家西湖西，多佳趣。一日以吟稿示余，读之，其音清以和，是有意入四灵之门而登晚唐之堂者乎？然诗已于晚唐而已乎？珽其勉之。"（《本堂集》卷四十四）

## 秋

**王恽除福建闽海道提刑按察使，明年秋去官北归。**王恽《闽清汤池留题》诗小序："熙宁十年八月赴福唐，元丰元年九月被召还朝，往返皆经此。十五日，南丰曾巩题。仆以大元至元廿六年己丑秋，按部来闽，与令裔孙冲子同事。明年秋，以理去官，与先生往还时月略同，旷世相符，有似非偶然者。摩挲薛刻，留诗而去。重九前四日，小子恽序。"（《秋涧集》卷十三）

## 本年

**胡祗遹、王恽途径扬州，与白朴会，并以诗文赠珠帘秀。**白朴《天籁集》卷下《木兰花慢》（拥煌煌双节）词，题作《己丑，送胡绍闻、王仲谋两按察赴浙右闽中任。时浙宪置司于平江，故有向吴亭句》。考《元史》卷一六七王恽本传，其授福建闽海道提刑按察使在至元二十六年；《元史》卷一七〇胡祗遹本传言祗遹至元十九年为济宁路总管，升山东东西道提刑按察使，召拜翰林学士，不赴，改江南浙西道提刑按察使。胡祗遹《朱氏诗卷序》、王恽《赠珠帘秀序后》俱未署岁月，然考二人行止，其于本年作为最近。姑系于此。胡祗遹另作有《黄氏诗卷序》与《优伶赵文益诗序》，黄氏及赵文益，皆为当时之戏曲演员。胡祗遹《朱氏诗卷序》："学业专攻，积久而能，老于一艺，尚莫能精，以一女子，众艺兼并，危冠而道，圆颅而僧，褒衣而儒，武弁而兵，短袗则骏奔走，鱼笏则贵公卿。卜言祸福，医决死生，为母则慈贤，为妇则孝贞，媒妁则雍容巧辨，闺门则旖旎娉婷。九夷八蛮，百神万灵，五方之风俗，诸路之音声，往古之事迹，历代之典刑，下吏污浊，官长公清。谈百货则行商坐贾，勤四体则女织男耕，居家则父子慈孝，立朝则君臣圣明。离筵绮席，别院闲庭，鼓春风之瑟，弄明月之筝，寒素则荆钗裙布，富艳则金屋银屏。九流百伎，众美群英，外则曲尽其态，内则详悉其情。心得三昧，天然老成，见一时之教养，乐百年之升平。惜乎吐林莺露兰之馀韵，供终日之长鸣，虽可一唱而三叹，恐非所以惜芳年而保遐龄。老人言耄，醉墨欹倾。因冠群诗，以为写真之序，又庶几效欧阳文忠执史笔而传伶官也。"（《紫山大全集》卷八）王恽《赠珠帘秀序后》："七窍生香咏洛姝，风流不似紫山胡。半床梦冷珠帘月（原注：用烟中怨事），一序情钟乐籍图。锤破小山犁舌狱，倒翻卓氏拍沽垆。芳踪苦㰤同心赏，遏断行云唱鹧鸪。"（《秋涧集》卷二十一）"紫山胡"即胡祗遹。胡祗遹所言朱氏者，即当时著名戏曲演员珠帘秀，与时之名士多有交往，后辈多以朱娘娘称之。《全元散曲》录其小令 1 首，套数 1 套。夏庭芝《青楼集》："珠帘秀，姓朱氏，行第四。杂剧为当今独步，驾头、花旦、软末泥等，悉造其妙。胡紫山宣慰，尝以《沉醉春风》曲赠云：'锦织江边翠竹，绒穿海上明珠。月淡时，风清处，都隔断落红尘土。一片闲情任春舒，挂尽朝云暮雨。'冯海粟待制，亦赠以《鹧鸪天》云：'凭倚东风远映楼，流莺窥面燕低头。虾须瘦影纤纤织，龟背香纹细细浮。红雾敛，彩云收，海霞为带月为钩。夜来卷尽西山雨，不著人间半点愁。'盖朱背微偻，冯故以帘钩寓意。至今后辈以'朱娘娘'称之者。"《南村辍耕录》卷二十："歌儿珠帘秀，姓朱氏。姿容姝丽，杂剧当今独步。胡紫山宣慰极钟爱之，尝拟《沉醉东风》小曲以赠，云：……冯海粟先生亦有《鹧鸪天》云：……皆咏帘以寓意也。由是声誉益彰。"此外，关汉卿、卢挚等人亦有赠珠帘秀之曲词。

**卫宗武卒，年七十馀。**张之翰《秋声集序》："始余为行台御史，道松江，会九山卫公洎其子谦，才一杯而别。后十年，来牧是郡，访九山墓，宿草已六白矣。……公讳宗武，字淇父，官至朝请大夫，九山其自号云。至元甲午重九日序。"（《西岩集》卷十四）所撰《秋声集》六卷，有宗武自序。四库提要卷一六五："《秋声集》六卷，宋卫宗武撰。……华亭卫氏自礼部侍郎肤敏后，资政殿学士泾、直宝谟阁湜兄弟相继，以学术著。宗武世系虽无考，而张之翰序称为乔木世臣后，则当为泾、湜之裔。文采风流，不失故家遗范，有自来矣。其诗文根柢差薄，骨格亦未坚致。盖末造风会之所趋，其事与国运相随，非作者所能自主。至于咏荀或一诗，称其徒抱忠贞，遗恨千古，其学识亦有所未逮。然核其全集，大都气韵冲澹，有萧然自得之趣。盖胸襟既别，神致自殊，品究在江湖诸集上。且眷怀故国，匿迹穷居，其志节深有足取，而《宋遗民录》诸书乃竟脱漏其姓名。录存是集，以发潜德之光，亦足见圣朝表章幽隐、砥砺风教之义也。"

**马廷鸾卒，年六十八。**马廷鸾生年，据所作《题方景云课稿后》："余与景云同生于壬午，同荐于丙午，有二同之契焉。"壬午为嘉定十五年（1222）。以本年推之，则其寿年当为六十八。四库提要卷一六五："《碧梧玩芳集》二十四卷，宋马廷鸾撰。……

史称其罢相归后，又十七年而卒。考廷鸾之罢，在度宗咸淳八年壬申，其殁当在元世祖至元二十六年己丑。今集中《老学道院记》称'著雍困敦之岁，余年六十有七'，则作是文时，去其病殁已不远。似集为其子端临所编矣。其曰《碧梧玩芳》者，廷鸾家有碧梧精舍，晚年又自号玩芳病叟，因以为名也。自明以来，外间绝无传本，惟《永乐大典》所收，颇存梗概。大抵骈体最工。理宗末年，又居两制，朝廷大著作多出其手。其他诗文，亦皆典赡秀润，盎然有卷轴之味。端临承藉世业，撰为《文献通考》，至今为艺林宝重，即廷鸾所学可知也。"胡思敬《碧梧玩芳集跋》："其前十一卷骈文，典重矞皇，多系居两制时作。十二卷以后散文、诗歌，则暮年身际沧桑，感时抚事，文境渐变为苍凉。读《老学道院》一记，已觉其遇之穷而志之可哀。《四库总目》但称其骈体最工，非知言者矣。"

**本年或稍后，王奕出为玉山教谕。**四库提要卷一六六："《玉斗山人集》三卷，旧本题南宋王奕撰。考集中《奠大成至圣文宣王文》，称'至元二十六年，岁在己丑，江南儒生王奕等'。其《玉窗如庵记》则称'岁癸巳，前奉旨特补玉山教谕'。癸巳为至元三十年，然则奕食元禄久矣。迹其出处，与仇远、白珽相类，题南宋者，误也。奕字敬伯，玉山人。所著有《斗山文集》十二卷，《梅岩杂咏》七卷，今并不传。惟此集尚存，本名《东行斐稿》。明嘉靖壬寅，其乡人陈中州为刊版。佚其诗四首，而别附以遗文二篇，始改题今名。其诗稍失之粗，然磊落有气，胜宋季江湖一派。素与谢枋得相善，枋得北行以后，尚有唱和诗十首。又有《和元好问曲阜纪行》诗十首。《赠倪布山》诗一首，称为金遗。其《寄周月湖》绝句，亦有'起观疆宇皆周土，只有西山尚属商'句。皆尚以宋之遗民自居，则其出为学官，当在己丑之后。然其《祭文宣王文》称'天混图书，气通南北，九域甫一，可舆可舟'，《祖庭观丁歌》称'幸际天地还清宁'，于新朝无所怨尤。《祭曾子文》称'某等律以忠孝，实为罪人，愿保发肤，以遂终慕'，亦未敢高自位置。视首鼠两端，业已偷生隳节，而犹思倔强自异者，固尚有间矣。集中诗文杂篇，颇乖体例，然无关于宏旨，今亦姑仍原本录之焉。"

## 公元 1290 年 （世祖至元二十七年 庚寅）

### 正月

**诏立兴文署。署于此前曾有设立，后罢，本年方得复立。**署置令丞并校理四员，掌经籍版及江南学田钱谷，厚给禄廪，召集良工，剞劂诸经子史版本，使之流布天下。见《元史》卷十六《世祖本纪》。其所刻书，始于《资治通鉴》，书有王磐序。见《钦定天禄琳琅书目》卷五"元版史部"。

### 七月

**初六，刘鹗生。**刘鹗（1290—1364），字楚奇，学者称浮云先生，世为吉安永丰显亲里人。年弱冠，出游四方。皇庆元年，荐授扬州儒学录。泰定二年，受汴省檄，掌教齐安河南三书院。天历二年，改授泰州儒学教授，未赴。京师庶府交辟，初掾缮工司，继掾太医院，以才干称。重纪至元二年，授将仕佐郎、京畿漕运司照磨。至正元年，擢从仕郎、湖广儒学副提举。未几，擢秘书监秘书郎，与虞集、揭傒斯、欧阳玄、许有壬诸人往还唱和。四年，转承事郎、海门县尹，未赴。六年，迁承直郎、南雄路经历。十年，升翰林修撰、奉训大夫，丁内艰家居。十二年，超试江州路总管。十六年，改奉议大夫、瑞州路总管，未赴。十七年，升中顺大夫、广东廉访副使。二十年，授中宪大夫、广东阃帅。二十二年，拜嘉议大夫、江西参政。二十四年，以城陷被执，死节，年七十五。著有《惟实集》七卷。生平据刘玉汝《元故中顺大夫海北广东道肃政廉访副使刘公墓志铭》（《惟实集》附录）。

## 九月

二十七日，命江淮行省钩考行教坊司所总江南乐工租赋。见《元史》卷十六《世祖本纪》。

## 秋

王旭以砀山县宰崔某之招，为教其乡。上年，王旭寓居于郇城。考《兰轩集》，有《冥鸿亭记》、《砀山重修宣圣大成殿记》等篇，作于至元甲午（1294），则王旭处砀山亦颇有年。居砀山日，王旭尝与周景远相往还。王旭字景初，东平人，与同郡王构及永平王磐号为"三王"。然较之二人，旭之生平颇不甚显。其卒约在至大、延祐间。《文渊阁书目》著录《兰轩文集》一部十册，焦竑《国史经籍志》著录其集二十卷。今所存有《兰轩集》十六卷，有《四库全书》本，系由《永乐大典》辑出。

## 十二月

初七，方回作《上南行》诗十二首。其自序曰："何以谓之《上南行》，吾州城南有三路，右曰上南路，左曰下南路，中曰水南路。岁庚寅十二月初五日甲戌，予偕紫阳精舍王博士俊甫，出上南路，访吾友曹清父，故曰《上南行》也。……各章八句，或可相与赓和，以识一时乘兴之适云。清父名泾，年五十七；清叟名潇，年五十三；子文名演，年六十一；俊甫名国杰，年三十八；予为方回，字万里，年六十四。初七日丙子，书于家之孚舟亭。"（《桐江续集》卷十七）方回元亡后诗，多有岁月可考，盖为存史之意。《上南行》十二首，即与曹泾等人游处之作，如斯者集中尚多。陈栎有《和方虚谷上南行十二首》，序曰："虚翁《上南行》，实庚寅十二月诗也。辛卯六月，客有自曹君菊存所来者，始传而诵之。絜久要之义，聚星过从之胜，汉人不得专美于前矣。虽恨不获亲聆其一时谈麈之详，然闻风兴起，亦可于此诗具姟兆之一二焉。三先生中，某所识者，惟北山王先生。"（《定宇集》卷十六）

谢翱、吴思齐、冯桂芳、翁衡同登桐庐西台绝顶，凭吊文天祥，谢翱作《登西台恸哭记》。《记》曰："与友人甲、乙若丙约……登西台。"张丁注："友人甲、乙若丙者，意为吴思齐、冯桂芳、翁衡也。今虽不知其然，惟三人同登时诗可考见也。三人者，皆知公之心，故与之俱；而比其名者，隐之之辞。"其后黄宗羲亦尝为之作注，见于《南雷文定》，其说与孟兼所注颇有出入。《资治通鉴后编》卷一五七云："考异：《西台恸哭记》云：'与友人甲、乙若丙'。张丁注以甲为吴思齐，乙翁衡，丙冯桂芳，而黄宗羲据杨维桢《高节先生墓志》，谓乙乃严侣，非翁衡也。今从之。"揆之方凤《谢君皋羽行状》，不见严侣之名，述皋羽所善，惟及方幼学、吴思齐、冯桂芳、翁登、翁衡诸人，且言翁衡及其子方樗尝从翱受《春秋》。其文云："后避地浙水东，留永嘉、括苍四年，往来鄞、越复五年。戊子夏，至婺，遂西至睦及杭，慕屈原怀郢都，读《离骚》二十五，托兴远游，以晞发自命。……甲午，寓杭，遗人刘氏女（妻）以女，至是买屋西湖，日与能文字者往还。乙未，复来婺、睦，寻汐社旧盟。夏，由睦之杭，肺疾作，以秋八月壬子终。盖于是距生年己酉，四十有七矣。……忆君始至时，留金华山中，岁晚，为文祭信公，望天末共哭，复赋《短歌行》以寄馀悲。自是与余为异姓兄弟。"则张丁注所言，又似可据。方凤《跋谢皋羽登西台恸哭记》："子陵台荒寒压江水，过者恒览古赋诗，未闻于此野哭，而翱为之，盖不独异于今之人也。予读其所为文辞，窃以不及与于斯哭为恨。或者他日得携手相与大笑，胡卢绝倒于斯台之上。由百世之下观之，讵谓哭者之非笑，笑者之非哭也？"（《存雅堂遗稿》卷三）王祎《跋西台恸哭记》："文信公忠义之盛，近世罕比，其英声烈节，虽使亘万世不朽可也。谢翱先生，公门下士也。国既亡，而公亦死，伤悼激烈之情，每托于文辞以自见，于是《西台恸哭记》作焉。"（《王忠文集》卷十七）张丁《登西台恸哭记后跋》："箕子痛殷亡，过故墟而欲泣焉，以为近于妇人，乃作《麦秀》之诗以歌咏之，歌咏者忧宗社之音也。今翱之恸哭西台也，毋亦悼斯人之已非，悯亳社之既屋，义激乎中而情见乎辞，又岂异于箕子欤！且翱在胜国时，无禄位之寄，及运穷物改，而能恸夫知己以及于国，迹之异于箕子也。然则居箕子之位者，乃及不见其歌，而亦不见其恸也，其本心宜何如哉？百世之下，秉贞尚义，以能发乎中心之愤愤者，非翱其谁欤！予后翱之生，私心景慕，每诵其文，多微言。于是忘其愚陋，本诸遗意以详释其记，使后世知有箕子之歌于前，而有翱之恸于后。虽然若翱，固未可以喻于箕子也。吾独惜翱之时，有箕子之位者，而无翱之恸也。后之秉史笔者，尚庸考于斯。"（《白石山房逸稿》卷下）赵汸《跋谢翱西台恸哭记后》："三山谢翱皋羽，其起兵时谘事参军也。望夫差墓，过越王台，登子陵台，触物悲恸，不能自已，固宜然。既自归，晞发宋累，又作为歌诗，慷慨怀古，且匿名记其事以自讳，豫求葬地于子陵台侧，将自附于梁伯鸾，类若有意于警发愤愤乎？张子孟坚（孟兼）恐其事湮没，取其文稍释庾隐而传之，盖有见于此。虽然，先正有言，观大节必于平日。"（《东山存稿》卷五）

## 本年

邓文原以江浙行中书省辟，起为杭州路儒学正。时文原年三十二。见吴澄《元故中奉大夫岭北湖南道肃政廉访使邓公神道碑》，又见《元史》卷一七二本传。

江浙行省以故宋太学为西湖书院，起陈恕可为山长，辞不就。后以廉访使徐琰强起，遂任。元贞元年，转为崇德州儒学教授。陈恕可，字行之，一字如心，会稽人。后至元五年方卒，年八十二。生平见陈旅《陈如心墓志铭》（《安雅堂集》卷十二）。

**梁栋以《登大茅峰》诗致祸，后得释**。诗云："杖藜绝顶穷追寻，青山世路争崛嵚。碧云遮断天外眼，春风吹老人间心。大君上天宝剑化，小龙入海明珠沉。无人更守元帝鼎，有客欲问秦皇金。巅崖谁念受辛苦，古洞未易潜幽深。神光不破幽暗恼，山鬼空作离骚吟。我来俯仰一慷慨，山川良昔人民今。安得长松撑日月，华阳世界收层阴。长啸一声下山去，草木为我留清音。"《至大金陵新志》卷十四："梁隆吉名栋，其先相州人，祖琛，父定，皆仕金。金亡归宋，自鄂迁镇江。隆吉弱冠领漕荐，戊辰龙飞榜登第，除宝应簿。丁父忧，再调钱唐仁和尉，辟入帅幕，声名张甚。甲戌后，流离兵间。宋亡归临安，不复肯仕。弟中砥名柱，为茅山道士，隆吉依焉。至元庚寅，遭诗祸，台府诸达官共救解之。自是名益闻，江东人士从学甚众。卒年六十四（葬城南凤台西乡）。性嗜吟咏而不存稿，或问之，答曰：'吾诗堪传人，将有腹稿在焉。'用自彰白。为其子及门人裒集得若干首，世多传诵。观其诗，可以得其平生大节矣。"梁栋（1243—1305），字隆吉。其先湘洲人，后迁江苏镇江。淳祐四年进士，晚依弟柱于茅山。著有《隆吉诗抄》、《隆吉集补抄》各一卷。生平见《癸辛杂识》续集卷上、《宋遗民录》卷十二。《至正直记》卷二："宋末士人梁栋隆吉先生有诗名，以其弟中砥为黄冠，受业三茅山，尝往还，或终岁焉。一日，登大茅峰，题壁赋长句，有云：'大君上天宝剑化，小龙入海明珠沉。''安得长松撑日月，华阳世界收层阴。'隆吉先生每恃己才，藐忽众人。众人多憾之，且好多言。一黄冠者与隆吉有隙，诉此诗于句容县，以为谤讪朝廷，有思宋之心。县上于郡，郡达于行省，行省闻之都省，直毁壁屋，函致京师，拔梁公系于狱。不伏，但云：'吾自赋诗耳，非谤讪也。'久而不释。及礼部官拟云：'诗人吟咏情性，不可诬以谤讪。倘使是谤讪，亦非堂堂天朝所不能容者。'于是免罪放还江南。尝观其子才所编诗集一帙，散失之复存者，赋《雪中见山茶一株》云：'千株守红死，一点反魂归。'赋《暴雨》云：'痴儿娇勿啼，不久须晴霁。'赋蔬云：'家贫忽暴富，菜种二十七。痴儿不解事，问我何从得？于义苟有违，吾宁饥不食。'其诗中之意，亦足悲矣。惜乎见义不能勇为，以致托乎言辞，而招辱身之过，志有馀而才不足，非吾叠山公所出拚得做得之人也。然大事已去矣，力既不能挽回，所以郁郁于不得志，犹托之空言，亦厌见衣冠制度之改，有不容自已者耳。呜呼，若梁公者，其殷之顽民欤！于兹可见宋之维持人材也至矣。我朝八十馀年，深仁厚德，非不及于士民也。今天下扰攘十载，求之若梁公者，亦岂易得也哉！亦岂易得也哉！初本已失，其孙实子真为江西宪使时，重刻板于家。后金陵陷，子真辟地钱唐，此集又不知存亡也。后世之托于空言者，视此为戒。"《石洲诗话》卷四："梁隆吉尝以《登大茅峰》诗系狱，盖宋末诗人一志士也。此种当与《天地间集》诸诗，同作知人论世之慨，不必尽以格律律之。"

　　**何梦桂序谢翱诗**。序见《潜斋集》卷六。谢翱所著，今存《晞发集》十卷、《晞发遗集》二卷、《遗集补》一卷，有《四库全书》等本。

　　**黄清老生**。黄清老（1290—1348），字子肃，号樵水，其先光州固始人，徙居邵武。泰定三年，以《春秋》擢浙江乡试第一。明年，登李黼榜进士第，除翰林国史院典籍官。未几，升检阅官，又迁应奉翰林文字、同知制诰，兼国史院编修官，与修《英宗实录》、《明宗实录》。至正初，以复行科举，出为湖广行省儒学提举。至正八年卒，年五十九。著有《春秋经旨》、《四书一贯》、《樵水集》，均已佚。《元诗选》二集己集选其诗86首。生平据苏天爵《元故奉训大夫湖广等处儒学提举黄公墓碑铭并序》（《滋溪文稿》卷十三）。

**柯九思生。**柯九思（1290—1343），字敬仲，号丹丘生、五云阁史，台州仙居（一作临海）人。以父荫授华亭县尉，不赴，入图帖睦尔府。及图帖睦尔即皇帝位，授典瑞院都事。会开奎章阁，除鉴书博士。至顺二年，以御史台臣劾，去其职。晚年退居江南。至正三年卒，年五十四。著有《丹丘生集》。《元诗选》三集戊集录其诗262首。生平据徐显《稗史集传》、曹元忠《丹邱生传》、宗典《柯九思年谱》。[按，张养浩作柯九思父柯谦墓志云："君讳谦，字自牧，柯姓。……娶古汴张氏，子男三人：九令、九域、九思。以延祐六年十一月三十日卒于杭之僦居，享年六十有九。"（《归田类稿》卷十《浙江等处儒学提举柯君墓志铭》）据此，则柯谦（1251—1319）得九思时年已四十。]

**周密自撰墓志铭。**铭云："甲子且一周。"当是作于五十九岁之时。周密生于宋理宗绍定五年（1232）。牟𪩘《跋周公谨自铭后》："周君公谨，以世旧夙厚余，间不见且久，梅潦被道吾庐，无来迹，君忽披蓬藋相就谈。始予见太末时，如川方至之意气，视一世何如也？岁星四环天。余固早衰，君亦华皓，能不为兴慨者耶？君晚更号弁阳老人，刻石自铭。出其词似（示）予，顿挫洒落，大抵轻死生，等淹速。太史公不云乎：读之，使人爽然自失。顾予犹区区形骸之内、今昨之间，陋矣。……弁阳君抱崛奇而老忧患，据会通而观变化，反博趋约，落其华英，澄然一室，固已深玩至理而有得。观其所自铭，兢兢以百年之泽、一身之承为不易，力为其所当为，以求无愧于心，无坠于先训。盖有临深履薄、好学不羡久生之意，非徒示旷达而已。余以其能折衷于道，得所归宿，用援先好，书诸左方云。"（《陵阳集》卷十六）

**甘泳卒，年五十九。**甘泳（1232—1290），字泳之，一字中夫，号东溪子，崇仁人。年二十馀，浪迹东南，受知于徐霖、汤汉，与赵崇怿等友善。至元二十七年卒，年五十九。著有《东溪集》，已佚。《元诗选》三集甲集选其诗19首。吴澄《邬迪诗序》："甘泳中夫，一生无他学，精力萃于诗。盛年所作，缜密绚丽，甚精甚工。比其老也，有曰大醉颠倒扶归来，有曰醉倒太极虚空，颣人多好之，而无复道其盛年精工之语。中夫不误人，人自误尔。"（《吴文正集》卷十八）吴澄《故诗人吴伯秀墓志铭》："宋三百年间，抚之诗人，前有谢逸、谢薖，后有赵崇怿，而崇仁甘泳、金谿曾子良亦以诗自好。"（《吴文正集》卷七十六）虞集《故临川处士吴仲谷甫墓志铭》："崇仁甘泳中夫者，以俊迈而能隐，以其卓识高志，悉寓于诗，自以为人莫之及，而人亦信之。先生从之学诗，尤得其音节气岸，久而造于冲雅，则其自得也。"（《道园学古录》卷四十三）《元诗选》三集甲集："黄大山序其诗，谓不诞，深不晦，劲不粗，全体似李贺而不涉于怪怪奇奇。《出岭杂言》一首，凡一千四百字，随事起义，随义炼句，古今大篇，未或过之。所作甚富，鳌溪刻本止七百三十馀篇，今亦失传，可惜也。"

**公元1291年** （世祖至元二十八年　辛卯）

## 正月

**初三，方逢辰卒。**文及翁《故侍读尚书方公墓志铭》："考之年谱，公生于嘉定辛巳九月二十九日午时，卒于至元辛卯正月初三日申时。遗言以深衣殓，不尚异教。"（《蛟峰外集》卷三）方逢辰（1221—1291），初名梦魁，宋理宗改赐今名，字君锡，号蛟峰，淳安人。咸淳十年状元。著有《蛟峰文集》七卷。四库提要卷一六五："《蛟峰文集》八卷、《外集》四卷，宋方逢辰撰。……是集乃其五世从孙蒙城知县渊等所辑。正集八卷，前七卷为逢辰诗文，末一卷附以其弟逢振所作。逢振字君玉，景定中登进士，官至太府寺簿，亦国亡之后抗节不仕者也。外集四卷，则其七世从孙玉山知县中所续辑，凡逢辰历官诰敕及酬赠诗文皆在焉。逢辰当丁大全、贾似道柄国之时，皆能力抗其锋，持正不屈。其提点川东刑狱，及为江西转运副使，政绩亦俱有可观。惜其遗篇散佚，所录奏劄惟宝祐三年《请除内竖》一疏尚存，馀若论雷变、论边备、论吴潜去位、贾似道匿败诸劄子，皆平生建白之最著者，墓表略见大概，而悉不载于集中。其所掇拾，大抵案牍简札之文为多，而策问一首，至并考官评语载之。盖散佚之馀，区区搜辑而成，故不免识小而遗其大矣。"

**尚书省右丞相桑哥以罪罢。**尚书省之立，在至元二十四年。桑哥，或译作僧格。《南村辍耕录》卷二："至元二十四年，桑哥之为尚书丞相也，专权擅政，虐焰熏天，贿赂公行，略无畏避。中书平章武宁正献王彻理时为利用监，独奋然数其奸赃于上前。上怒，以为丑诋大臣，命左右批其颊。王辩不为止，且曰：'臣思之熟矣，国家置臣子，犹人家畜犬，譬有贼至而犬吠，主人初不见贼，乃箠犬，犬遂不吠，岂良犬哉！'上悟，收桑哥，籍其家。明日，王拜御史中丞。余按《北史·宋游道传》，毕义云奏劾游道，杨遵彦曰：'譬之畜狗，本取其吠，今以数吠杀之，恐将来无复吠犬。'诏除名。则王之以犬自况，为有所本矣。"

**戴表元序周密所撰《齐东野语》。**序见《剡源文集》卷七，又见本集卷首。又有周密自序及牟巘序（《陵阳集》卷十二）。《齐东野语》二十卷，有《四库全书》本、中华书局点校本。[按，夏承焘《唐宋词人年谱》以为《齐东野语》成于本年，理由有三：1. 戴表元序作于此年孟春；2. 书中纪年以卷十九至元丙戌陈用宾梦放翁诗一条最晚，乃在 1286 年；3. 卷四潘庭坚、王实之条云："庚子、辛丑，先君子佐闽漕幕。……转眼今五十年矣。"庚子为嘉熙四年（1240）。]胡应麟《读齐东野语》："宋末周密公谨所著《齐东野语》、《癸辛杂志》、《武林旧事》诸书尚传，《宋史》中颇采用其说。张魏公富平等败，及韩平原被祸始终，皆实录。"（《少室山房集》卷一〇四）四库提要卷一二一："《齐东野语》二十卷，宋周密撰。……此书以《齐东野语》名，本其父志也。中颇考正古义，皆极典核，而所记南宋旧事为多。如张浚三战本末、绍熙内禅、诛韩本末、端平入洛、端平襄州本末、胡明仲本末、李全本末、朱汉章本末、邓友龙开边、安丙矫诏、淳绍岁币、岳飞逸事、巴陵本末、曲壮闵本末、诗道否泰、景定公田、景定慧星、朱唐交奏、赵葵辞相、二张援襄、嘉定宝玺、庆元开禧六士、张仲孚反间诸条，皆足以补史传之阙。自序称其父尝出其曾祖及祖手泽数十大帙，又出其外祖日录及诸老杂书示之，曰：'世俗之言殊，传讹也。国史之论异，私意也。定、哀多微词，有所避也。牛、李有异议，有所党也。爱憎一衰，议论乃公。国史凡几修，是非凡几易，而吾家书不可删也'云云。今观所记张浚、赵汝愚、胡寅、唐仲友诸事，与讲学者之论颇殊。其父所言，殆指此数事欤？明正德十年，耒阳胡文璧重刻此书。其序称：'或谓符离、富平等役，颇涉南轩之父。若唐、陈之隙，生母之服，则晦庵、致堂有嫌焉。书似不必刻，刻则请去数事。'殊失密著书之旨。文璧不从，可谓能除门户之见矣。明商维（商濬）尝刻入《稗海》，删去此书之半，而与《癸辛杂识》混合为一，殊为乖谬。后毛晋得旧本重刻，其书乃完。故今所著录，一以毛本为据云。"

## 四月

**二十四日，诏禁唱词聚众。**《元典章》卷五十七《刑部》十九"禁聚众赛社集场"条："又照得至元二十八年四月二十四日，钦奉圣旨节该：在前县里村里唱词聚众的交当，有来前者，我蛮子天地里去。回来时分，见村里唱词剧中的人，每多有郍得每根底，交当了呵，怎生，么道。奏呵，交当了者。又阿速根底说者，交行者当了的，后头这般唱词的每根底拿者，么道。圣旨了也，钦此。"

## 五月

**何荣祖编《至元新格》成。**《元史》卷十六《世祖本纪》："〔至元二十八年五月〕，何荣祖以公规、治民、御盗、理财等十事缉为一书，名曰《至元新格》，命刻版颁行，使百司遵守。"《元史》记其事于本月丁巳、己未间。其时，何荣祖官尚书右丞。书有苏天爵序，见《滋溪文稿》卷六。

## 六月

**阎复以翰林学士出为浙西道肃政廉访使，时年五十六。**张之翰《送翰林学士阎公浙西道廉访使序》："更化后，制度一新，尤注意风宪，改提刑按察为肃政廉访使，责任愈重，选人益精，否者汰而能者举。静斋阎公以翰林学士除浙西道廉访使，命既下，每以任重辞。某义在同僚，敢告之曰：……是行也，又奚辞？诸公盍饯之以诗。至元辛卯夏六月望日，邯郸张某序。"（《西岩集》卷十四）赵孟頫《送阎子静廉访浙西》："翰林华盖逼青冥，宪节乘骢出帝城。海内文章归浑厚，浙西人物望澄清。姑苏落日荷花净，震泽秋风橘柚明。忆向玉阶承圣语，早归黄阁慰苍生。"（《松雪斋集》卷四）《山房随笔》："阎子静复，至元间翰林学士，后廉访浙西。有《梅杖》诗云：'冻尽西湖万玉柯，春风入手重摩挲。较量龙竹能香否，比并鸠藤奈白何。声破梦寒霜满户，影随诗瘦月横坡。只知功到调羹尽，不道扶颠力更多。'"阎复闻张楧名，致书为文字之交，亦在浙西道肃政廉访使任上。时张楧为江阴儒学正，年三十二。牟巘《题阎静斋与张仲实诗后》："静斋阎公曩使浙右，张楧仲实时为江阴学正。初，无畴昔雅，公望临一时，而谦勤下士，不惜馀论，奖成后辈。闻仲实之能，遂作诗寄之，诚出意望外。诗中称其门阀，喜其辞采，且有'黄金燕市须神骏，会见风雷起渥洼'之句，期待之者甚至。千里马常有，伯乐不常有。有之矣而或不值，值之矣而或不顾，虽权奇汗血，孰别其神骏哉？静斋之于仲实，独得之未识面之间，可谓不凡也矣。是时仲实年三十许，已能为文辞，致声誉。今年愈进，识愈定，刊落枝叶，以求本原，用力于义理之学，以远大自期，实由静斋奖激之。静斋已长翰林院，记忆不忘，得遂其禄养，而公之意未渠已也。'渥洼'、'风雷'之语不徒出，必能相共成之。"（《陵阳集》卷十六）

## 八月

十五日，朱晞颜自序所撰《鲸背吟》。序见《元诗选》初集戊集，其后有顾嗣立按语，云："《翠寒集》赵魏公序，谓子虚旧以晞颜字行，世居晋陵，家值兵难，迁吴，冒朱姓云。则知晞颜即子虚无疑也。曹石仓《十二代诗选》别载朱晞颜《鲸背吟》，正子虚从事征东幕府时所作，石仓盖未知晞颜、子虚之为一人耳。"《鲸背吟》，署"朱晞颜名世撰"。因宋无本名名世，字晞颜，后冒姓朱，故多以其书署之宋无。《元诗选》初集即以此断《鲸背吟》为宋无所作。然《四库全书总目》以为《鲸背吟》自序所言，与宋无代父入征东幕府事不合。今姑系《鲸背吟》于宋无名下。宋无（1260—1340 后），字子虚，本名宋名世，字晞颜，冒名为朱名世，宋亡，改名无，字子虚，苏州人。著有《翠寒集》、《啽呓集》、《鲸背吟》各一卷。《元诗选》初集戊集选其诗 175 首。生平据自撰《吴逸士宋无自志》、《吴中人物志》卷九、《新元史》卷二三七《宋无传》。《蟫精隽》卷五："元朱〔名〕世字希颜，以所历海洋山岛与夫风物所闻、舟航所见，各成一诗，诗尾缀以古句，滑稽有风味，名《鲸背吟》。"四库提要卷一六七："《鲸背吟集》一卷，旧本题元朱晞颜撰。前有自序，署其字曰名世，末又有自跋。序称至元辛卯，泛海至燕京，舟中成七言绝句三十馀首，诗尾各以古句足之。其末章云：'早知鲸背推敲险，悔不来时只跨牛。'因名《鲸背吟》。曹学佺编入《十二代诗选》中。长洲顾嗣立编《元百家诗》，据赵孟頫所作宋无《翠寒集》序，谓无旧以晞颜字行，先世自晋陵迁吴，冒朱姓，至元中，其父领征东万户案牍，当行，病瘐，无丐以身代，遂入海。经高丽诸山，未尝废吟咏，《鲸背吟》正其时作。然序称'偶托迹于曹科，未忘情于笔砚，缘木求鱼，乘桴浮海'，与代父入征东幕府情事渺不相涉，与孟頫序所称西溪王公以茂才举之，辞不就者亦不合。又不知其何故矣。疑以传疑可也。"

## 九月

十一日，方回作《送白廷玉如当涂诗序》。诗为白珽出为当涂学官，友人送其行所作。序曰："余友白廷玉为当涂学官，常所往来者，咸以诗祖其行。余读之，诗用意各不同。为廷玉屈者，非也；以其小伸喜之，亦非也。……今诸人之诗，讼廷玉之屈欤？虽终身布衣，非屈。赞廷玉之伸欤？虽骤为卿相，不足言伸。顾胸中所存如耳。廷玉过寓公陈威仲，亦今之处者也，试相与论之。至元辛卯九月十一日，紫阳后学方回序。"（《桐江集》卷一）

## 本年

周密《武林旧事》成于本年之前。《齐东野语》卷十五"玉照堂梅品"条"记张镃赏心乐事",言"已载之《武林旧事》矣"。四库提要卷七十:"《武林旧事》十卷,宋周密撰。……是书记宋南渡都城杂事。盖密虽居弁山,实流寓杭州之癸辛街。故目睹耳闻,最为真确。于乾道、淳熙间三朝授受,两宫奉养之故迹,叙述尤详。自序称欲如吕荥阳《杂记》而加详,如孟元老《梦华》而近雅。今考所载,体例虽仿孟书,而词华典赡,南宋人遗篇剩句,颇赖以存。近雅之言不谬。吕希哲《岁时杂记》今虽不传,然周必大《平园集》尚载其序,称其上元一门,多至五十馀条,不为不富,而密犹以为未详,则是书之赅备可知矣。明人所刻,往往随意刊除,或仅六卷,或不足六卷,惟存故都宫殿、教坊乐部诸门,殊失著书之本旨。此十卷之本,乃从毛氏汲古阁元版传钞,首尾完具。其间逸闻轶事,皆可以备考稽。而湖山歌舞,靡丽纷华,著其盛,正著其所以衰。遗老故臣,侧侧兴亡之隐,实曲寄于言外。不仅作风俗记、都邑簿也。第十卷末棋待诏以下,以是书体例推之,当在六卷之末。疑传写或乱其旧第,然无可考证,今亦姑仍之焉。"

王沂孙卒于此年之前。周密《志雅堂杂钞》卷下:"辛卯十二月初夜,天放降仙,江宁王大圭至,问王中仙今何在?云:在冥司,有滞未化。"中仙,王沂孙号。张炎《琐窗寒》(断碧分山)词下小序云:"王碧山,又号中仙,越人也。能文工词,琢语峭拔,有白石意度,今绝响矣。余悼之玉笥山,所谓长歌之哀,过于痛哭。"(《山中白云词》卷一)[按,王沂孙《碧山乐府》有《一萼红·丙午春赤城山中题花光卷》词,或以为"丙午"为大德十年丙午(1306)。]王昶《琴画楼词钞序》:"词至白石、碧山、玉田,与诗分茅设蕝,各极其工,非嗜古爱博、性情萧旷之士,孰能几于此?"《介存斋论词杂著》:"中仙最多故国之感,故著力不多,天分高绝,所谓意能尊体也。中仙最近叔夏一派,然玉田自逊其深远。"陈廷焯《白雨斋词话》中论其词颇夥,亦推之甚至。沂孙所著,有《碧山乐府》一集,今存《丛书集成初编》本。

扎玛里鼎、虞应龙等编《大一统志》成。许有壬《大一统志序》:"至元二十三年岁丙戌,江南平而四海一者十年矣。集贤大学士、中奉大夫、行秘书监事扎玛里鼎上言:今尺地一,民尽入版籍,宜为书以明一统。世皇嘉纳,命扎玛里鼎洎奉直大夫、秘书少监虞应龙等搜集为志。二十八年辛卯,书成,凡七百五十五卷,名曰《大一统志》,藏之秘府。应龙谓:'比前代地理书,益为详备,然得失是非,安敢自断,尚欲网罗遗逸,证其同异焉。'至正六年,岁又丙戌,十二月二十一日,中书右丞相伯勒齐尔布哈率省臣奏:是书因用尤切,恐久湮失,请刻印以永于世。制可。明年丁亥二月十七日,皇上御兴圣便殿,中书平章政事特穆尔达实传旨,命臣有壬序其首。……我元四极之远,载籍之所未闻,振古之所未属者,莫不涣其群而混于一。则是古之一统,皆名浮于实,而我则实协于名矣。……是书之行,非以资口耳博洽也。垂之万世,知祖宗创业之艰难;播之臣庶,知生长一统之世。"(《至正集》卷三十五)据《元史》卷十四《世祖本纪》,虞应龙以编地理书征,在至元二十三年二月丙寅。其时诏征者尚有陈俨、萧㪺,仅应龙一人至。

**张炎于本年北归居杭。**《山中白云词》卷一《疏影》(柳黄未结)词下小序云:"余于辛卯岁北归,与西湖诸友夜酌,因有感于旧游,寄周草窗。"然《山中白云词》卷一《甘州》(记玉关)词下小序云:"庚寅岁,沈尧道同余北归,各处杭越。"或以为庚寅乃辛卯之误。《山中白云词》卷一《台城路》(十年前事翻疑梦)词下小序云:"庚辰秋九月之北,遇汪菊坡,一见若惊,相对如梦。回忆旧游,已十八年矣,因赋此词。"各本均以"庚辰"为"庚寅"之误。今从其说,姑系于此,俟考。张炎北行所为何事,诸家之说各有不同。许迈孙云:"《台城路》题庚寅误刊庚辰。盖叔夏于庚寅九月偕曾心传、沈尧道诸人以写经之役,自杭起驿入京,甫得官,辄为入(人)所阻。辛卯春,即南旋。是留燕京首尾才一年,若谓在燕十年,则戊子冬不应客山阴也。集中庚寅北归凡两见,别本皆作辛卯,当遵别本为是。在海云寺观千叶杏,是辛卯春间事。《元史》至正(至元)二十七年六月缮写金字《藏经》,此可证也。"

**本年以后,梁进之除和州知州。**《录鬼簿》卷上:"梁进之,大都人。警巡院判,除县尹,又除大兴府判,次除知和州。与汉卿世交。"考《元史·地理志》,和州于至元二十八年由和州路降为州,隶庐州路。州官称知州,路则设同知。

## 公元 1292 年 (世祖至元二十九年 壬辰)

### 三月

初十,以御史大夫月儿鲁奏,召胡祗遹、姚燧、王恽、雷膺、陈天祥、杨恭懿、高道、程钜夫、陈俨、赵居信等十人。见《元史》卷十七《世祖本纪》。

### 五月

十六日,中书省劾冯子振尝以诗誉桑哥,世祖恕其罪。《元史》卷十七《世祖本纪》:"丁未,中书省臣言:'妄人冯子振尝为诗誉桑哥,且涉大言,及桑哥败,即告词臣撰碑引谕失当,国史院编修官陈孚发其奸状,乞免所坐遣还家。'帝曰:'词臣何罪!使以誉桑哥为罪,则在廷诸臣,谁不誉之!朕亦尝誉之矣。'"

### 闰六月

初六,郑元祐生。郑元祐(1292—1364),字明德,号尚左生。其先为处州遂昌人,元初徙家钱塘。年十五,弄笔墨作诗赋,往往出语惊人。其父遂树楼聚书,恣其批阅,不出户庭者十年。江浙行中书省郎中赵天锡延至家,与其子讲学。时芎林廉平章以朝廷宿望,退居钱塘,与元祐为忘年友。由是遍交当世之士,声名益著,时人称明德先生。父卒,元祐偕其兄介甫移居姑苏。行省交章以潜德荐于朝,以臂疾不就,优游吴中三、四十年。至正十七年,大府授将仕郎、平江路儒学教授,欣然就任。居一岁,即移疾去。后七年,升江浙儒学提举。居九月,感微疾而卒,年七十三。著有《侨吴集》十二卷、《遂昌杂录》一卷。《元诗选》初集庚集选其诗92首。生平据苏大年《遂昌先生郑君墓志铭》(《侨吴集》附录)。

## 九月

初三，诏命梁曾、陈孚出使安南。《元史》卷十七《世祖本纪》："〔至元二十九年〕九月己未朔，治书侍御史裴居安言：'月的迷失遇盗起不即加兵，盗去乃延诛平民。'诏台院遣官杂问之。辛酉，诏谕安南国陈日燇使亲入朝。选湖南道宣慰副使梁曾，授吏部尚书，佩三珠虎符，翰林国史院编修官陈孚，授礼部郎中，佩金符，同使安南。"《元史》卷一九○《儒学传》："二十九年，世祖命梁曾以吏部尚书再使安南，选南士为介，朝臣荐孚博学有气节，调翰林国史院编修官，摄礼部郎中，为曾副。陛辞，赐五品服，佩金符以行。"陈孚《题交州稿后》："至元壬辰秋九月朔，诏命吏部尚书臣梁曾、礼部郎中臣陈孚奉玺书问罪于交趾。越翼日，召至便殿，赐金符袭衣乘马弓矢器币，谕遣之。明年正月二十有四日，至其国。三月望日，世子陈日燇遣陪臣明宇陶子奇、奉旨梁文藻等奉表请命，以九月至京师。行李之往来及期，凡驻伪境五十有二日。其山川城邑风俗，为图一卷，谕以顺福逆祸，为书八篇，悉已上于史馆，兹不敢述。姑即道中所得诗一百馀首，目之曰《交州稿》，以示同志云。癸巳除夕，孚敬书。"(《陈刚中诗集》卷二)陈孚，字刚中。其使安南之日，尝撰《安南即事》一篇，尤为论者所推。据《四库全书总目》著录，后世曾有书贾钞缀孚使安南时所作诗为《安南即事诗》一卷。《石洲诗话》卷五："陈刚中孚《安南即事》五律长篇，可当《安南志略》。"梁曾(1242—1322)，字贡父，燕人。生平见《元史》卷一七八本传。

牟巘序释英所撰《白云集》。序见本集卷首，又有赵孟頫、赵孟若、胡长孺、林昉等人序，甚许之。释英，号实存，俗姓厉氏。著有《白云集》三卷，今存《四库全书》本。《元诗选》初集壬集选其诗23首。牟巘《跋厉白云诗》："东白厉氏，自唐殿中侍御史，与姚、贾同时，以诗名。至太师屏山公，尚世其家法，名章伟画，错落岷峨间。予从老人大父尝及见之。今白云，其季孙也，徙家于杭。年甫逾弱冠，藉藉有诗声，为诸公所称道，是家信多能耶！一日来雪，以《白云集》侣予。其辞隽，其思清，其兴寄远，读之，殊使人有凌云意。白云囊尝浮淮江，走粤闽，慨然有志于世，顾肯效山翁溪友，指白云为归趣，要未易与俗人言。陶隐居挂冠神虎，尝谓山中白云，只可自怡悦，不堪持赠。君盖落遗外观，自乐其乐，内足于己，不以己徇人者也。意者白云，患苦世俗，殆有意隐君之所乐乎？是将脱鞅掌，超尘埃，以与莽苍鸿濛游方之外矣。不然，何其莫逆于云乃如许？它日上下四方，从东野见之白云深处，当相视一笑。"(《陵阳集》卷十六)四库提要卷一六六："《白云集》三卷，元释英撰。……集中《夜坐读珣禅师潜山集》诗，有'远想人如玉，何时叩竹房'句。文珣与贾似道同时，则释英当亦宋末人。但其为僧在宋时元时，则无文可考。观赵孟頫序，盖亦厌弃世事，遁入空门，与遗民之有托而逃者，其事不同。诗中多闲适之作，而罕睹兴亡之感，是一证矣。其才地稍弱，未脱宋末江湖之派，而世情既淡，神思自清，固非如高九万辈口山水而心势利者，所可同日语也。其赠赵孟若七言律诗，亦见张羽《静居集》中。然附载孟若和诗，而卷端又有孟若序，则二人倡和，于事理为近，张集盖偶尔误收。集末跋语，亦牟巘作，而题曰《跋厉白云诗》。核跋中词意，犹其未为僧时所作，已称白云。然则并顾嗣立白云上人之称，亦以意为之者与？"

## 本年

**魏初卒**，年六十一。魏初生年，据所作《顺圣温泉留题》诗，其序云："戊申岁，初年十有七，从先大父玉峰靖肃公来拜祀先垄，曾浴于此。今初独来，父祖俱弃世，犬马亦已四十。嗟岁月之易得，怀先人而咏叹。丘山零落，堂构多惭，因留数字，以纪岁月。"（《青崖集》卷一）"戊申"为宋淳祐八年（1248），上推十六年，为宋理宗绍定五年（1232）。又张之翰《挽魏中丞太初》其二云："生值壬辰岁又辰，嗟嗟六十一年身。"（《西岩集》卷八）与《元史》卷一六四魏初本传所言年寿相符。生年之"壬辰"，即宋理宗绍定五年（1232），卒年之"壬辰"则为元世祖至元二十九年（1292）。魏初所著，存《青崖集》五卷，系四库馆臣辑自《永乐大典》。许有壬（《至正集》卷三十四）、苏天爵（《滋溪文稿》卷五）均为之作序。四库提要卷一六六："《青崖集》五卷，元魏初撰。……焦竑《经籍志》载魏初《青崖集》十卷，《文渊阁书目》亦载魏太初《青崖文集》一部七册。是明初原集尚存，其后乃渐就亡佚。今从《永乐大典》所载诗文搜辑裒缀，厘为五卷，犹可见其崖略。史称初好读书，尤长于《春秋》，为文简而有法。而集中所记，自称与姜彧同辱遗山先生教诲，又称先生入燕，初朝夕奉杖履。是其学本出元好问，具有渊源，故所作皆格律坚苍，不失先民轨范。又其在世祖时，始以经史进读，旋历谏职，遇事敢言，于开国规模多所裨益。集中奏议一门，皆详识岁月，分条胪列。中如请定法令，请肃朝仪，请免括大兴民兵，请令御史、按察司官岁举一人自代诸议，《元史》皆采入本传中。其他若请缓椿配盐货，请禁刁蹬客来，请优护儒户，请旌郑江死节，请修孟子庙，请和雇工匠，请罢河南签（金）军诸议，史所未载者，类皆当时要务，切中事情。今幸遗集仅存，尤足以补史阙，固不徒以文章贵矣。"

**吴景奎生**。吴景奎（1292—1355），字文可，婺州兰溪人。少力学，期所知名，见称佳子弟。年十三，即代其父理家务。年三十，浙东宪府掾辟典文书。明年，归伏田里。久之，用部使者荐，署兴化路儒学录，以母老辞不就。依隐玩世以终。至正十五年卒，年六十四。于书无所不读，天文、地理、星历、卜筮、医药之术，皆能贯通。尝摘诸子百氏精语为《诸家雅言》。著有《药房樵唱》三卷。《元诗选》二集庚集选其诗84首。生平据吴履《故处士吴公行述》、黄溍《故处士吴君墓志铭并序》、张顺祖《吴文可传》。

**周霆震生**。周霆震（1292—1379），字亨远，号石初，安福人。屡应乡试不利，遂居家授徒。为赵文、王炎午、刘诜、刘岳申等人所重。洪武十二年卒，年八十八，门人私谥清节先生。著有《石初集》十卷。《元诗选》初集辛集选其诗72首。生平据晏璧《故处士周石初先生行述》（《石初集》附录）。

**潘纯生**。郑元祐《寄潘子素文学》云："与子同庚命不同，悠悠江海异穷通。"（《侨吴集》卷四）潘纯（1292—1356 后），字子素，庐州合肥人。以文学游于京师，讽切当世，遂流寓吴中，以吟咏自适，与柯九思、张经、郑元祐、倪瓒等往还唱和。至正兵起，移家绍兴，后为行台御史大夫纳琳子安安所杀。《元诗选》三集庚集选其诗31首。《草堂雅集》卷六："潘纯字子素，淮西人。世儒业，博学通古今，善谈笑。作诗为文，迥出流辈。壮游京师，名公大人，无不与文。晚居淮、浙间，名重一时云。"《元诗选》三集庚集："子素喜为今乐府，与冷斋、疏斋相为左右。歌诗秀丽清郁，后生辈窃咏之，以谓义山、飞卿殆不能过也。其吊岳武穆一篇，尤为一时传诵。"《石洲诗话》卷五："潘子素诗，以才调胜，喜为今乐府，而绝句多佳，如《题宋高宗二刘妃图》，尤妙。"

徐琰拜江南浙西道肃政廉访使。徐琰《文正公祠记》："至元壬辰，予奉命廉访浙西，莅吴中，是为文正范公之乡。……至元三十一年正月廿日，中奉大夫、江南浙西道肃政廉访使徐琰撰。"（《吴都文粹续集》卷十四）又黄溍《西湖书院田记》云："至元二十有八年，故翰林学士承旨徐文贞公持部使者节，莅治于杭，始崇饰其礼殿，而奉西湖上所祠三贤于殿之西偏。"（《文献集》卷七上）则徐琰除浙西道肃政廉访使，或在上年，以本年到任。治所初在吴中。其时阎复亦为浙西道肃政廉访使。阎复《平江府报恩万岁贤首教寺碑》："至元壬辰，予客吴郡。正月望日，游报恩寺，南轩薰公大师迎憩丈室，导予登塔，周览殿庐。师体貌魁梧，俨若梵僧，问年，则与予同庚甲。他日肩舆来访，持报恩兴替之迹求为寺碑，予辞以未暇。居数月，触热复来，申命典记。往返再三，辞不获命，遂书其事，俾刻诸石。……通议大夫、翰林学士、江南西道肃政廉访使阎复撰并书，中奉大夫、江浙等处行中书省参知政事、新除江南西道肃政廉访使徐琰题盖。至元二十九年八月望日，住持传华严教观慈应大师处薰建。"（《吴都文粹续集》卷二十九）司置二使，见方回《江南浙西道肃政廉访司题名记》，其文云："至元二十八年春更化夏，诸道提刑按察司更名曰肃政廉访司。……司置使二人，副二人，佥事四人，以分司一员，监临各路。三十年春正月，中奉大夫大使东平徐公，尝任中司参大政，自吴门移治于杭，以总各路分司之政，书司官姓名于石。后之览者，将因名以求其实云。"（《桐江续集》卷三十五）《南村辍耕录》卷六"廉使长厚"条："徐文献公为浙西廉使时，治所尚在平江，有旨迁置于杭，岁云莫矣，择日启行。一书吏者，掌照制支郡诸司案牍，官吏合受稽违罪责。已皆取状，至是引决。公谓曰：'正旦在迩，此曹乃职官俸吏，礼宜陪位，望阙致贺。受刑而从事，无耻也，否则为不敬，盍别议之。'吏以白于幕官，因进曰：'相公长厚之道固如此，然将若之何？'公曰：'奚难，立案候明年分司施行可也。'庭下欢声如雷。此亦厚风化之一端，故记之。"又"私第延宾"条："公既迁司至杭，一日，有本路总管与一万户谒公私第，公以宾礼延之上坐。适书吏从外来，见而趋避。伺其退，入见曰：'总管、万户，皆属官耳，得无礼貌之过与？'公曰：'在公府，则有尊卑之辨，若私宅，须明主客之分。我辈能廉介，则百司自然知惧，何待恃威势以骄凌之然后为尊严乎？'吏赧甚。"《南村辍耕录》卷十八"廉察"条："徐文献公任西浙廉访使日，遇有诉讼者，必历问其郡邑官吏臧否，分为三等，载诸籍。第一等，纯臧者；第二等，臧否相半者；第三等，极否者。又用覆察相同，候分司按巡时，遂以畀之。曰第一等，褒举之；第二等，勿问；第三等，惩戒之使改过可也，慎勿罢其职役。分司遵奉，一道肃清。"徐琰，字子方，号容斋，一号养斋，又号汶叟，东平人。严实领东平行台，招诸生肄进士业，迎元好问试校其文，预选者四人，阎复为首，徐琰、李谦、孟祺次之，世号四杰。翰林承旨王磐荐其才。至元中，迁岭北湖南道提刑按察使。二十六年，拜通议大夫、南台御史中丞。建台扬州，日与苟宗道、程钜夫、胡长孺等唱和，极一时之盛。再迁江南浙西道肃政廉访使，召拜翰林学士承旨。大德五年卒，谥文献（一作文贞）。琰以文学重望，尝与侯克中、姚燧、王恽等游，东南人士翕然归之。著有《爱兰轩诗集》，已佚。《全元散曲》录其小令 12 首，套数 1 套。

**张之翰由翰林侍讲学士出为松江知府。**张之翰《爱菊堂记》："至元壬辰，余由翰林知松江，嘉议走书三百里，请为爱菊堂记。"（《西岩集》卷十五）张之翰《西湖书院记》："西湖在天下三，曰颍，曰许，曰杭，皆有之。名天下莫杭若，盖地灵人力交相胜也。余知松江之三年，登郡西南放生亭基。……始元贞元年四月，毕八月，莆士陈宏董其役，买地之赀一万八千，木瓦之费共二十万有奇，来者其勿坏。是年中秋日立。朝列大夫、松江府知府兼劝农事张之翰记并书篆。"（《西岩集》卷十六）

**洪焱祖为平江路儒学录。**危素《序洪杏庭集》："先生讳焱祖，字潜夫，年二十有六，为平江录儒学录，浮梁州长芗书院山长，绍兴路儒学正。"（《新安文献志》卷九十五下）李淦《平江路学祭器记》："平江路学大成殿祭器者，教授李淦、方文豹所造也。……初，至元二十有九年十有二月望，淦祗事，顾兹器非度。明年，考朱文公释奠菜礼，改为之。十有一月，方君来。明年，皆方君为之。元贞元年十月竣事，首尾凡三年鸠工。更学正凡五人：费伯华、林桂、龙白渊、唐天泽、朱鸣谦；录凡四人：杨如山、洪焱祖、文一觉、俞真卿。会计更直学凡五人：许志道、潘梅孙、魏垫、沈伯祥、齐国俊。"（《元文类》卷二十七）洪焱祖（1267—1329），字潜夫，号杏庭，歙县人。客杭，师同郡方回。年二十六，为平江路儒学录。历浮梁州长芗书院山长、绍兴路儒学正，调衢州路儒学教授，擢处州路遂昌县主簿。天历元年，以徽州路休宁县尹致仕归。明年卒于家，年六十三。著有《尔雅翼音释》三十二卷、《续新安志》十卷、《杏庭摘稿》一卷。

**刘唐卿本年后任大都皮货所提领。**据《元史·百官志》，中书省所辖有大都皮货所，至元二十九年置；通州皮货所，延祐六年置。以唐卿于至元三十一年前后与中书右司员外郎王约相往还，姑系于此。《录鬼簿》卷上以其为皮货所提举。明写本《录鬼簿》卷上："刘唐卿，太原人。皮货所提举。在王彦博左丞席上赋《博山铜》'细袅香风'。"刘唐卿，著有杂剧《蔡顺摘椹养母》、《李三娘麻地捧印》。今存脉望馆抄本杂剧《降桑椹蔡顺奉母》，或以为即其所作。贾仲明〔双调〕《凌波仙·吊刘唐卿》："刘卿唐老太原公，生在承平大德中。王左丞，席上相陪奉；有歌儿，舞女宗。咏博山，细袅香风。莺花队，罗绮丛，倚翠偎红。"

**关汉卿《窦娥冤》作于本年以后。**《窦娥冤》剧中述窦天章任"两淮提刑肃政廉访使"，至扬州审案。考《元史·百官志》，肃政廉访使一职，置于至元二十八年。又据《元史》卷一七三崔彧本传，至元二十九年二月，崔彧奏以江北淮东道肃政廉访司治所由淮安迁至扬州。有论者以为，剧中所言"亢旱三年"，系指大德元年至三年扬州、淮安一带之大旱。考《元史》卷二十《成宗本纪》，大德四年，扬州、南阳、东昌等地亦受旱灾。后此数年，各地亦多被旱灾。则剧中所言"亢旱三年"，未必实有所指。姑系于此，以略见关氏撰著之岁月。关汉卿，号己斋叟，大都（或作解州、祁州）人。《录鬼簿》列诸"前辈已死才人"，《太和正音谱》以为汉卿"初为杂剧之始"，《青楼集序》言"而金之遗民杜散人、白兰谷、关己斋辈皆不屑仕进"。其生平仕履，不甚能详。今人持说，亦颇多差异。所著杂剧凡六十馀种，今存者有《感天动地窦娥冤》、《包待制智斩鲁斋郎》、《赵盼儿风月救风尘》、《望江亭中秋切鲙旦》、《钱大尹智宠谢天香》、《杜蕊娘智赏金线池》、《关大王独赴单刀会》、《温太真玉镜台》、《钱大尹智勘绯衣梦》、《状元堂陈母教子》、《包待制三勘蝴蝶梦》、《邓夫人苦痛哭存孝》、《关张双赴西蜀梦》、《闺怨佳人拜月亭》、《诈妮子调风月》、《刘夫人庆赏五侯宴》、《尉迟恭单鞭夺槊》、《山神庙裴度还带》等，或以为后三种非汉卿所作。《全元散曲》录其小令57首，套数13套，残套数2套。

元初之曲家有名高文秀者，都下人号"小汉卿"，则其年辈当晚于关汉卿。姑附系于汉卿之后，以见汉卿时名之大，亦以略识文秀之岁月。高文秀，东平（今山东东平县）人。东平府学生员，早卒。著有杂剧三十馀种，今存《须贾谇范雎》、《刘玄德独赴襄阳会》、《好酒赵元遇上皇》、《黑旋风双献功》、《保成公径赴渑池会》等5种，《周瑜谒鲁肃》一剧仅存佚文。或以为《保成公径赴渑池会》非文秀所作。《全元散曲》录其套数2套。贾仲明〔双调〕《凌波仙·吊高文秀》："花营锦阵统干戈，谢管秦楼列舞歌，诗坛酒社闲谈嗑。编敷演，刘耍哾。早年卒，不得登科。除汉卿一个，将前贤疏驳，比诸公，么末极多。"

与关汉卿为莫逆者，有大都人杨显之。汉卿凡有文词，皆与之商较，故有杨补丁之号。姑附系于汉卿之后，以识其岁月。杨显之著有杂剧8种，今存《临江驿潇湘秋夜雨》、《郑孔目风雪酷寒亭》（疑曹刊本《录鬼簿》所录之《萧县君风雪酷寒亭》与此为同一种）2种。贾仲明〔双调〕《凌波仙·吊杨显之》："显之前辈老先生，莫逆之交关汉卿。公末（一作么末）中，补缺加新令，皆号为杨补丁。有传奇，乐府新声。王元鼎，师叔敬；顺时秀，伯父称：寰宇知名。"

与关汉卿善者，复有大名人王和卿，以滑稽佻达名于时，先汉卿而卒。亦附系于汉卿之后，以识其岁月。《全元散曲》录其小令21首，套数1套，残套数2套。《南村辍耕录》卷二十三："大名王和卿，滑稽挑（佻）达，传播四方。中统初，燕市有一蝴蝶，其大异常。王赋《醉中天》小令云：'挣破庄周梦，两翅驾东风。三百处名园，一采一个空。难道风流种，谑杀寻芳蜜蜂。轻轻的飞动，卖花人，搧过桥东。'由是其名益著。时有关汉卿者，亦高才风流人也，王常以讥谑加之，关虽极意还答，终不能胜。王忽坐逝，而鼻垂双涕尺馀，人皆叹骇。关来吊唁，询其由，或对云：'此释家所谓坐化也。'复问鼻悬何物。又对云：'此玉筋也。'关云：'我道你不识，不是玉筋，是嗓。'咸发一笑。或戏关云：'你被王和卿轻侮半世，死后方才还得一筹。'凡六畜劳伤，则鼻中常流脓水，谓之嗓病。又爱讦人之短者，亦谓之嗓，故云尔。"《徐氏笔精》卷五："元王和卿与关汉卿，俱以北调相高。偶见大蝴蝶飞过，和卿赋云：'弹破庄周梦，两翅架东风。三百座名园，一采一个空。谁道风流种，谑杀寻芳的蜜蜂。轻轻飞动，把卖花人，扇过桥东。'汉卿遂罢咏。和卿此词，妙处全在结语。然宋谢无逸《蝴蝶》诗云:'江天春暖晚风细,相逐卖花人过桥。'时有谢蝴蝶之称。和卿袭其意耳。"

## 公元1293年 (世祖至元三十年 癸巳)

### 二月

**杨梓从亦黑迷失等往招谕爪哇**。《元史》卷二一〇《外夷传》:"三十年正月,至构栏山议方略。二月,亦黑迷失、孙参政先领本省幕官,并招谕爪哇等处宣慰司官曲出海牙、杨梓、全忠祖,万户张塔剌赤等五百餘人,船十艘,先往招谕之。……招谕爪哇宣慰司官言:爪哇主婿土罕必阇耶举国纳降,土罕必阇耶不能离军,先令杨梓、甘州不花、全忠祖引其宰相昔剌难答吒耶等五十餘人来迎。"杨梓(?—1327),海盐澉川人。以嘉议大夫、杭州路总管致仕。卒赠两浙都转运盐使、上轻车都尉,追封弘农郡侯,谥康惠。著有杂剧《敬德不伏老》、《霍光鬼谏》、《豫让吞炭》三种,今皆存。

### 三月

**俞德邻卒,年六十二**。《宋百家诗存》卷三十八:"俞德邻,字宗太,丹徒人。性孝友,乐施与,博学多识。咸淳癸酉登进士,以文章负世重望。元兵入,劫质军中,不屈,卒全其身以归。行省交辟,皆不就。优游林园,能保晚节。至元癸巳三月卒。著有《辑闻》四卷。所为诗文,散落友朋间,不自留稿。《佩韦斋集》一十六卷,其子庸哀辑者。"《佩韦斋集》十六卷,今存《四库全书》本,有皇庆元年熊禾所作序。又著有《佩韦斋辑闻》四卷,乃德邻所著札记之书。四库提要卷一二一:"《佩韦斋辑闻》四卷,宋俞德邻撰。……是书多考论经史,间及于当代故实及典籍文艺。大抵皆详核可据,不同于稗(稗)贩之谈。惟第四卷专说《四书》,颇出新意,往往伤于穿凿。如论九合诸侯谓:'自庄十五年再会于鄄,齐桓始霸,至葵丘而九,故曰九合。其北杏及鄄之始会,霸业未成,皆不与焉。'是犹有一说之可通。至于谓'子在齐闻韶,三月不知肉味',为忧陈氏强而齐将乱。又谓'匏瓜系而不食',为系以济涉,引《卫风》及《庄子》为证。又谓'子击磬于卫',为磬以立辨,欲其辨上下之分。则务生别解,不顾其安矣。盖永嘉之学,自朱子时已自为一派,故至其末流,犹断断不合也。然其说实不足以相胜。原本所有,姑以赘疣存之可也。"四库提要卷一六五:"《佩韦斋文集》十六卷,宋俞德邻撰。……德邻诗恬澹夷犹,自然深远,在宋末诸人之中,特为高雅。文亦简洁有清气,体格皆在方回《桐江集》上。盖文章一道,关乎学术性情,诗品、文品之高下,往往多随其人品,此集亦其一征矣。"

### 四月

**十六日,刘因卒,年四十五**。苏天爵《静修先生刘公墓表》:"〔至元〕三十年夏四月十有六日,先生终于容城,春秋四十有五。海内闻之,无不嗟悼。"(《滋溪文稿》卷八)李谦《静修集序》误其寿年为四十二。滕安上、张养浩等均有诗文挽之。李谦

75

中国文学编年史·元代卷

《静修集序》:"刘君梦吉,天资卓轶,早岁读书属文,落笔惊人,既又涵浸义理,充广问学,故声名益大。……若夫君之辞章,闲婉冲澹,清壮顿挫,理融而旨远,备作者之体,自当传之不朽。"(《静修先生文集》卷首)袁桷《真定安敬仲墓表》:"金蹂宋逾南,两帝并立,废道德性命之说,以辩博长雄为词章,发扬称述,率皆诞漫丛杂,理偏而气豪,南北崇尚,几何所分别。当是时,伊洛之学传南剑,至乾道、淳熙,士知尊其说阐明之,朱文公统宗据会,纤巨毕备,正学始崇。又未几,伪学造谤,咸讳其说以售仕于时。金将亡,各流离自保,乌睹所谓经说哉?有明其说者,独江汉赵氏,私相笔录,尊闻传信,稍自异流俗。皇元平江南,其书捆载以来。保定刘先生因笃志独行,取文公书会粹而甄别之。其文精而深,其识专以正。盖隆平之兴,使夫道德同而风俗一,承熄续绝,不在于目接耳受而有嗣也。"(《清容居士集》卷三十)虞集《安敬仲文集序》:"予观于国朝混一之初,北方之学者,高明坚勇,孰有过于静修者哉!诚使天假之年,逊志以优人。不然,使得亲炙朱子,以极其变化充扩之妙,则所以发挥斯文者,当不止是哉!"(《道园学古录》卷六)崔铣《静修文集序》:"伯夷薄周,食首阳之薇而死;管宁盗视曹氏,迄不受爵;静修刘子,辞元人之召。夫三子者,笃念故国,义存华夏,岂曰山栖谷汲、尚冲乐退而已哉!刘子则又研精圣典,发挥大道,声之为诗,缀之成文,雄浑明切,不蹈陈言。其词如西山之歌,其谊祖《春秋》之旨。"(《洹词》卷十一)《诗薮》外编卷六:"刘梦吉古选学陶冲淡,有句无篇;歌行学杜,《龙兴寺》、《明远堂》等作,老笔纵横,虽间涉宋人,然不露儒生脚色。元七言苍劲,仅此一家。至律绝种种头巾,殊可厌也。"《太平清话》卷一:"刘静修先生,词胜诗,诗胜文。"《元诗选》初集甲集:"其论诗曰:'魏晋而降,诗学日盛,曹、刘、陶、谢其至者也。隋唐而降,诗学日变,变而得正,李、杜、韩其至者也。周宋而降,诗学日弱,弱而后强,欧、苏、黄其至者也。'静修诗才超卓,多豪迈不羁之气。流派师承,于斯言见之矣。"《石洲诗话》卷五:"静修全学遗山。遗山风力极大,而所受则小。若静修之《桃源行》云:'小国寡民君所怜,赋役多惭负天子。'则伤于小巧矣。"又:"静修诗,纯是遗山架局,而不及遗山之雅正。似觉加意酣放,而转有伧气处。即以调论,细按亦微有未合。以遗山之天骨开张,学之者自应别有化裁。如静修之诗,第以雄奇磊落之气赏之可耳,若以诗家上下源流之脉言之,殊未入于室也。"《龙性堂诗话初集》:"元人刘因梦吉,诗亦矫矫不凡。范箕生称其'苍深绝调,三百年来无人知者',未免过言。予细玩其佳句,如'崔嵬自可兄呼石,憔悴直须仆命骚','眼花不见羲之俗,口快争言杜甫村','蜀道青天休种杞,武陵流水漫寻花',语语拔出后前。至如'掌上三峰看太华,人间一发是中原','黄云古戍孤城晚,落日西风一雁秋',亦警异可称。此外寥寥耳。"四库提要卷一六六:"《静修集》三十卷,元刘因撰。……其早岁诗文,才情驰骋,既乃自订《丁亥诗集》五卷,尽取他文焚之。卒后,门人故友哀其轶稿,得《樵庵词集》一卷、《遗文》六卷、《拾遗》七卷,最后杨俊民又得《续集》二卷。捃拾残剩,一字不遗,其中当必有因所自焚者。一例编辑,未必因本意也。后房山贾彝复增入附录二卷,合成三十卷,至正中官为刊行,即今所传之本。其文遒健排奡,迥在许衡之上,而醇正乃不减于衡。张纶《林泉随笔》曰:'刘梦吉之诗,古选不减陶、柳;其歌行律诗,直溯盛唐,无一字作今人语。其为文章，动循法度，舂容有馀味。如《田孝子碑》、《桐（辋）川图记》等作，皆正大光明，较文士之笔，气象不侔。'今考其论诗有曰：'魏晋而降，诗学日盛，曹、刘、陶、谢其至者也。隋唐而降，诗学日变，变而得正，李、杜、韩其至者也。周宋而降，诗学日弱，弱而复强，欧、苏、黄其至者也'云云。所见深悉源流，故其诗风格高迈，而比兴深微，闯然升作者之堂，讲学诸儒未有能及之者。王士祯作《古诗选》，于诗家流别，品录颇严，而七言诗中，独录其歌行为一家。可云豪杰之士，非门户所能限制者矣。"刘因所作词，况周颐推为元人之最，以为乃性情之语，拟之于苏子瞻。（《蕙风词话》卷三）《艺概》卷四："东坡谓陶渊明诗'癯而实腴，质而实绮'，余谓元刘静修之词亦然。"又："苏、辛词似魏玄成之妩媚，刘静修词似邵康节之风流，倘泛泛然以横放瘦澹名之，过矣。"

## 本年

**颁乐人嫁女条例。**《元典章》卷十八《户部》四"乐人嫁女条例"第二款："至元三十年，行中书行准，中书省咨准：木八剌沙蒙古文字译该：中书省官人每根底，木八剌沙、帖木儿不花、阿里察吉儿等，教坊司官人每言语，乐人每的女孩儿，别个百姓根底休聘与者，么道，圣旨有来。如今上位奏了，他每根底省会，与呵，怎生，么道，奏呵，那般者。省官人每根底说了，别个人根底休聘与者，他每自己其间里聘者，生的号女孩儿者。上位现者，么道，钦此。"

**王磐卒，年九十二。**《元名臣事略》卷十二："至元元年，复召入翰林。寻兼太常卿，进拜翰林承旨。居翰林十一年，累乞致仕，不许。年八十二，始遂所请。又十年卒，年九十二。"姚燧《三贤堂记》："又举我先世父太子太师公、故翰林学士承旨王公、故中书左揆许公，语州人曰：……。燧于先公也、左揆也、承〔旨〕也，则为楷子，为弟子，为故人子，亲而尊之者也。……先公生以辛酉，承旨少一岁，左揆少八岁，齿固不大相绝。吾姚氏，营人，先公生于汾，承旨永年，左揆河内。……先公以十五年卒，年七十八；左揆十八年，年七十三；承旨三十年，年九十三。……先公讳枢，字公茂，号学斋。承旨讳磐，字文炳，号虎庵。左揆讳衡，字仲平，号鲁斋。"（《牧庵集》卷七）王磐寿年，《元史》卷一六〇王磐本传、冯从吾《元儒考略》卷一均作九十二。姚燧《牧庵集》卷七《三贤堂记》言其父姚枢生于辛酉，王磐少一岁，至元三十年卒，年九十三。辛酉即金泰和元年（1201），则王磐当生于金泰和二年壬戌（1202），至元三十年为1293年，则其寿实为九十二。《元诗选》二集乙集："三十年卒，年九十二。"王世贞《艺苑卮言》卷八则误其寿年作九十。王磐（1202—1293），字文炳，号鹿庵（亦作虎庵、麓庵、鹿茸），初名采龄，字萧客，广平永年人，徙汝州鲁山。卒谥文忠，追封洺（或作洛、潞）国公。《元诗选》二集乙集选其诗11首。程钜夫《跋商季显所藏王鹿庵先生诗》："至元丙子，余至京师，拜承旨鹿庵王公于玉堂之署，苍然而古雅，凝然而敦庞，望之肃如也。……晚岁雍容里闬，天佚寿齿，寄情赋咏，萧散闲适。盖风韵似香山，而忠义刚介之气则又过之。岁月荒寒，墓木已拱，每念游从之旧，未尝不以之兴怀。来闽四载，同寅东昌商公季显，一日示公居山东时古诗数首，束衽端诵，宛如侍几砚时也。惟公之趣与香山同，故其诗不期而同；惟商公之趣与公同，故所好亦不期而同。余虽不知诗，而知商公与公之所以同者，又有出于诗之外也。泛滥烟云，俛仰古今，不知同余心者又何人哉？大德丁酉畅月既望谨书。"（《雪楼集》卷二十四）《元名臣事略》卷十二："公自幼志趣不凡，为学即知自勉。金迁都汴，举家南渡河，居汝之鲁山。既冠，闻堰城府征君九畴为时名儒，裹粮往从之学，勤苦且至。擢正大四年经义进士第，授归德府录事判官，不赴。自是为学益力，涵泳经史，渐浸百氏，发为歌诗古文，波澜闳放，浩无津涯，邈乎其不可穷也。……公师道尊严，望之若莫可梯接。及即之，温然和怿，随问随答，亹亹忘倦。其辞约，其义明，学者于句读抑扬之间，已得之矣。受业者常数十百人，往往为名士。居数年，更游齐，乐青社风土，遂有定居之志。（野斋李公撰《墓志》）"又："公性刚方，凡议国政，必正言不讳，虽上前奏对，未始将顺苟容，上尝以古直称之。夙有重名，持文柄主盟吾道馀二十年，天下学士大夫想望风采，得被容接者，终身为荣。言论清简，义理精谐。世之号辨博者，方其辞语纵横，援引征据，众莫可屈。公徐开一言，即语塞不敢出声。为文冲粹典雅，得体裁之正，不取纤新以为奇，不取隐僻以为高。诗则人事遣情，闲逸豪迈，不拘一律。程、朱性理之书，日夕玩味，手不释卷，老而弥笃。燕居则瞑目端坐，以义理养其心，世俗纷华，略不寓目。惟喜作书，晚年益造精妙，笔意简远，神气超迈，自名一家。持缣索书者，继踵于门，应之不少拒，世得遗墨，争宝藏之。（《墓碑》）"《元儒考略》卷一："磐自幼笃志好学，超然异众，搜罗经史百氏，文词宏放。尝讲学苏门，东平严实兴学养士，迎磐为师，受业者尝数百人，当时称为名儒。文天祥死，磐哭以诗，有'大元不杀文丞相，君义臣忠两得之'之句，人争传诵之，或有流涕者。卒年九十二，封潞国公，谥文忠。出其门者，汲人王恽为最著。"《元诗选》二集乙集："文炳人品高迈，气概一世，尝曰：文章以自得不蹈袭前人一言为贵。又曰：为学务要精熟，当镕成汁，泻成锭，团成块，按成饼。故其文词波澜宏放，浩无津涯。李野斋称其为文冲粹典雅，得体裁之正，不取尖新以为奇，不尚隐僻以为高。诗则述事遣情，闲逸豪迈，不拘一律。其居翰林也，持文柄者馀二十年，天下学士大夫想闻风采，得从容晋接，终身为荣。元初开国诸公，未有出其右者。"

**张养浩游京师，始与姚燧识。**张养浩《牧庵姚文公文集序》："走年二十四，见公于京师，时公直学士院。"（《归田类稿》卷三）张养浩（1270—1329），字希孟，号云庄，自称齐东野人，济南人，与曹元用、元明善号为"三俊"。年二十馀，山东按察使焦遂荐为东平学正。游京师，以荐辟为礼部令史，入御史台。至大元年，仁宗在东宫，召为司经，未至，改文学，拜监察御史。寻除翰林待制，以得罪当国而罢。恐祸及其身，乃变姓名遁去。尚书省罢，始召为右司都事。迁翰林直学士，改秘书少监。延祐初，设进士科，遂以礼部侍郎知贡举。擢陕西行台治书侍御史，改右司郎中，拜礼部尚书。英宗即位，命参议中书省事。寻辞归家居。天历二年，关中大旱，饥民相食，特拜陕西行台中丞。到官四月，以疾卒，年六十。至顺二年，赠据诚宣惠功臣、荣禄大夫、陕西等处行中书省平章政事、柱国，追封滨国公，谥文忠。著有《归田类稿》二十二卷、《江湖长短句》、《云庄休居自适小乐府》。《元诗选》初集丙集选其诗94

首,《全元散曲》录其小令 161 首、套数 2 套。生平据《元史》卷一七五本传。

**吴龙翰卒,年六十一。**[按,吴龙翰生年,据方回《场圃处士吴公墓志铭》:"处士场圃公之,子曰古梅,郡博士。……回生后公十八年,长博士六年,而获与博士为诗友。……公讳豫,字正甫,宋嘉定二年己巳二月二十有二日,雷乃发声而生。"嘉定二年为 1209 年,方回生于宝庆三年(1227)。以年六十一推之,其卒则在本年。]吴龙翰(1233—1293),字式贤,号古梅,歙县人。咸淳元年,领乡荐,以荐授编校国史院实录院文字。至元十三年,以布衣征授徽州路儒学教授,十八年弃去。至元三十年卒,年六十一。著有《古梅吟稿》六卷。方回《跋吴古梅诗》:"吴君式贤,嗜奇学博,为诗有惊人语,如毛发不可算。自赵明府所喜之外,五言犹有'宝刀重如命,命轻如鸿毛','姜心江岸石,郎心江上水',及'亭柳拂棋局,瓶花落砚池','野烧经荒冢,斜阳照断碑'。七言犹有'月侵鹤背夜巢寒,琴声大胜俗人谈','病骨瘦于秋后叶,松子落敲山帽响',与夫'等客不来僮睡去,自摇修竹如新吟','胸次谁当有丘壑,便容携酒上楼来',尤予所深喜者。然私窃有取于观摩之义,欲其翁之瘦之而返于质,故书是说而归其编云。"(《桐江集》卷二)程元凤《古梅遗稿序》:"阅吴君式贤诗,句老而意新,咀之隽永,殊非苟作。"四库提要卷一六五:"《古梅吟稿》六卷,宋吴龙翰撰。……家有老梅,因以古梅为号,尝为之赋,并以名集。其《见刘后村》诗有云:'诗瓢行脚半天下,多谢先生棒喝功。'又卷末附方秋崖和百韵诗,龙翰书其后,自称门人,且言'以诗正法眼授记于仆'。是其渊源授受,犹及见前辈典型。故其诗清新有致,足耐咀吟,在宋末诸家,尚为近雅。程元凤序许其'句老意新',亦不诬也。集中有《内丹》诗、《外丹》诗,又《拜李谪仙墓》云:'经营紫河车,破费十载功。金鼎驯乌兔,炎炎丹光红。'又《楼居狂吟》云:'偃月炉深紫气浮,红铅黑汞六丹头。'是龙翰盖讲求神仙炉火之术者,殆亦俞琬之流亚欤?然诗则工于琬多矣。"

**本年或稍后,徐琰辟龚璛至幕下。**黄溍《江浙儒学副提举致仕龚先生墓志铭》:"东平徐公持浙右宪节,闻其名,辟置幕下。"徐琰为浙西道廉访使在上一年。龚璛(1266—1331),字子敬,镇江人,以宦游久留平江,遂家焉。宋亡,年甫十馀岁,即不胜其悲。从莫仑、俞德邻游,又与戴表元、仇远、胡长孺、盛彪为忘年友。声誉藉甚,人称其兄弟曰楚两龚,以比汉之两龚。徐琰持浙右宪节,闻其名,辟置幕下,寻举教官,历平江之和静、学道两书院山长。调宁国路儒学教授。秩满,迁信州上饶主簿,以母忧不赴。服除,授袁州宜春丞。在官岁馀,移疾上休致之请,以从仕郎、江浙等处儒学副提举致仕。命下已卒,年六十六。著有《存悔斋稿》一卷、补遗一卷。《元诗选》二集甲集选其诗 53 首。

## 公元 1294 年 (世祖至元三十一年 甲午)

正月

**二十二日,世祖崩。在位三十五年,年八十,谥圣德神功文武皇帝,庙号世祖,蒙语尊称薛禅皇帝。**王恽《大行皇帝挽辞八首》小序:"至元三十一年,岁次甲午,正月廿二日癸酉夜亥刻,帝崩于大内紫檀殿。既殓,殡于萧墙之帐殿,从国礼也。越三日乙亥寅刻，灵驾发引，由建德门出，次近郊北苑。有顷，祖奠毕，百官长号而退。臣悴职在词馆，追思不已，作挽辞八章，庶几鼎湖攀髯之意。"（《秋涧集》卷十三）《元史》卷十七《世祖本纪》："世祖度量弘广，知人善任使，信用儒术，用能以夏变夷，立经陈纪，所以为一代之制者，规模宏远矣。"《至正直记》卷三："世祖能大一统天下者，用真儒也。用真儒以得天下，而不用真儒以治天下，八十馀年，一旦祸起，皆由小吏用事。自京师至于遐方，大而省院台部，小而路府州县以及百司，莫不皆然。纵使一儒者为政，焉能格其弊乎？况无真儒之为治者乎？故吾谓坏天下国家者，吏人之罪也。"《草木子》卷三上："元朝自世祖混一之后，天下治平者六七十年。轻刑薄赋，兵革罕用，生者有养，死者有葬，行旅万里，宿泊如家，诚所谓盛也矣。"又："大抵北人性简直，类能倾心以听于人。故世祖既得天下，卒赖姚枢牧庵先生、许衡鲁斋先生诸贤启沃之力。及施治于天下，深仁累泽，浃于元元。惜乎王以道文统行吏道以杂之，以文案牵制，虽足以防北人恣肆之奸，而真儒之效，遂有所窒而不畅矣。"〔按，牧庵为姚燧号，姚枢号敬斋，又号雪斋。〕

## 三月

邓光荐序宋无所撰《啽呓集》。序见本集卷首。此序，《吴都文粹续集》卷五十五题作《翠寒集序》。内中文字仅数字有所出入，但序末所题岁月不同："岁在屠维赤奋若三月清明日"。当是一序而两属者。《啽呓集》一卷，今存汲古阁《元人集十种》本、《四库全书》本。《石洲诗话》卷五："宋子虚《啽呓集》咏古诸作，甚尘陋，《题龚翠岩中山出游图》七古亦劣。"四库提要卷一七四："《啽呓集》一卷，元宋无撰。……是集始于《禹鼎》，终于《留梦炎》，每事为七言绝句一章，凡一百一首，各叙其始末于诗后，如自注然。咏史诗肇于班固，厥后词人间作，往往一唱三叹，托意于语言之外。至周昙、胡曾，词旨浅近，古法遂微。无诗颇可观，而此集亦不免以论为诗之病，其中如《金明池》、《龟胡琴》、《婢胜儿》之类，旁摭小说，亦殊泛滥也。"

## 四月

十四日，铁穆耳即皇帝位，是为元成宗。张伯淳《成宗即位诏》："今春，宫车远驭，奄弃臣民。乃有宗藩昆弟之贤，戚畹官僚之旧，谓祖训不可以违，神器不可以旷。体承先皇帝夙昔付托之意，合辞推戴，诚切意坚。朕勉徇所请，于四月十四日即皇帝位，可大赦天下云云。"（《养蒙文集》卷一）铁穆耳，忽必烈孙，裕宗真金第三子。至元二年九月庚子生，三十年，受皇太子宝。

二十日，礼部侍郎李衎、兵部郎中萧泰登赍诏出使安南。见《元史》卷十八《成宗本纪》。《安南志略》卷二李衎误作李思衎。张伯淳《送李仲宾萧则平使安南序》："今天子六龙正御，大沛解泽，不以安南远服而外之，谋所以布宣德音者。于是以礼部侍郎李君仲宾使，而以兵部郎中萧君则平为辅行。於乎，才选也。……余客中，不堪听阳关，又不能效儿曹作加餐相忆语，姑叙以识别。至元三十一年六月二十八日，书于玉堂之署。"（《养蒙文集》卷二）李衎（1245—1320），字仲宾，号息斋道人，晚号醉车先生，蓟邱人。所画墨竹，颇知名，元人多题之。卒谥文简。著有《竹谱》十卷，今存《四库全书》本。生平见苏天爵《故集贤大学士光禄大夫李文简公神道碑》（《滋溪文稿》卷十）。萧泰登生平，见程钜夫《监察御史萧则平墓志铭》（《雪楼集》卷十六）、袁桷《萧御史家传》（《清容居士集》卷三十四）。

## 六月

家铉翁自河中府归江南，时年八十二。《元史》卷十八《成宗本纪》："〔至元三十一年六月〕，宋使家铉翁安置河间，年逾八十，赐衣服，遣还其家。"《元史》记其事于本月辛丑、癸卯间。林景熙《闻家则堂归自北寄呈》诗注云："丙子春，巴延（伯颜）兵至杭州，则堂家铉翁以参知政事与丞相吴坚等充祈请使诣燕，申祈请之议。国亡，守志不仕，贬河中府十九载。至元三十一年甲午，召还放自便，乃归江南，时年八十有二矣。"（《霁山文集》卷一）释英作有《家则堂大参南归》诗（《白云集》卷三）。家铉翁，号则堂，眉州人。著有《春秋集传详说》三十卷。生平见《宋史》卷四二一本传。吴师道《家则堂诗卷后题》："士大夫当废兴存亡之际，而能秉节守义，归洁其身，为清议所予，其言论风旨之存者，人固望而宝之。在宋之季，则文天祥、谢枋得之诗章，与家公之《春秋义说》是也。……予观家公，故宋大臣，遭履艰险，而制行卓然，固不可及。及张先生（即张观光）以太学诸生，从主北迁，例得拜官，或因以致通显。先生顾以母老，受乡郡教授归，年四十，既辞禄谢事，从容去就，亦无愧焉。君子之所予以其类，则家公之惓惓于先生也宜哉！读其诗，想其时，风羁雨继，饮泣相顾，《麦秀》之歌，其声凄然，使人悲而不禁也；钟仪之操，越石之吟，其志皎然，使人悚而起立也。吁，其可以有所感也夫。"（《礼部集》卷十七）四库提要卷一六五："《则堂集》六卷，宋家铉翁撰。铉翁喜谈《春秋》，尤喜谈《易》，其《河间假馆》诗曰：'拟从诸君豫乞石一方，他年埋之家前三四尺。上书宋使姓某其名某，下书人是西州之西老缝掖。'平生著书苦不多，可传者见之《春秋》与《周易》。然《春秋详说》，至今尚有刊本，已别著录。其说《易》之书与其文集二十卷，则已全佚。惟《永乐大典》收其诗文尚夥。谨裒合排比，以类相从，厘为文四卷，诗词二卷。核其所作，大半皆在河间，而明神宗时樊深撰《河间府志》，已不能采录，则其佚在万历前矣。铉翁隶籍眉山，与苏轼为里人，故集中如《文品堂记》、《养志堂记》、《志堂说》、《笃信斋说》、《跋太白赏月图》、《和归去来词》诸篇，及《豌豆菜》诗，自注间或称述轼事迹。广汉张拭，亦其乡人，故《敬室记》首亦慨然于南轩之学，渐昧其传。然其学问渊源，则实出金溪，观集中《心斋说》、《主静箴》诸篇，可以概见。故其持论浸淫于佛氏，其说《易》亦惟以先天太极研思于虚杳之中。而《尊教堂记》一篇，至援陆九渊之言，以三教归一立说，尤为乖舛。顾其立言大旨，皆归于敦厚风俗，崇奖名教，随事推阐，无非以礼义为训，原未尝浣漾恣肆，如明代姚江之末流。其词意真朴，文不掩质，亦异乎南宋末年纤诡繁碎之格，尚为多有可取耳。且迹厥生平，上虽不及文天祥，而下比留梦炎辈则嚼然其不侔。零篇断简，以其人重之可也。"

## 十一月

**诏改明年为元贞元年。**见《元史》卷十八《成宗本纪》。

## 十二月

**初七，赵必瓛卒，年五十。**陈纪《秋晓先生赵公行状》："公生于淳祐乙巳。……至元甲午冬，忽得痁疾，起居言笑无异平日，但日觉羸。友朋问疾，必衣冠对坐。每曰：'吾此疾决不起，自此诀矣。'至属纩不乱，盖十二月初七日也。"（《覆瓿集》附录）赵必瓛（1245—1294），字玉渊，号秋晓。广东东莞人。著有《覆瓿集》五卷，林永年为之引，郭应木为之序。陈纪《秋晓先生赵公行状》："公以英迈之气、俊逸之才，弱冠掇巍科，登显仕，而官止监一州，寿不逾五十，岂非命也。公待人无边幅，处朋友有义气，义苟当为，勇往不顾，祸之及、财之殚不计也。知官之不可以久居也，故隐居以求志；富不可以独专也，故行义以及人；名誉不可以太彰也，故浮沉以从俗。其好饮也，非取其昏酣，盖以消世虑；其吟诗也，非欲留连光景，盖以畅幽怀。其凭陵大叫也，非故玩愒光阴，盖以纾其卓厉不平之气。……晚岁所交，如梅水村、陈匦峰、赵竹涧、李梅南、张恕斋、小山诸人，年长则以父事之，年相若则以兄事之，皆得其欢心。……有《覆瓿集》六卷，永嘉林资山、资中郭颐堂为序引。公诗文清逸，乐府风流动荡，得秦、晏体，皆已板行。盖乾坤清气，钟为是人，号曰秋晓以况其清，宜也。"四库提要卷一六五："《覆瓿集》六卷，宋赵必瓛撰。……是集诗二卷，长短句一卷，杂文二卷，附录一卷。必瓛治邑有惠政，属宗邦沦丧，慷慨从军，其志可取。沧桑以后，肥遁终身，其节亦不可及。诗文篇帙无多，在宋末诸家中未为颖脱。然体格清劲，不屑为靡靡之音，如'一雨鸣蛙乱深夜，数声啼鸟怨斜阳'诸句，固未尝不绰有情韵也。"

**伯颜卒，年五十九。**刘敏中《忠武王庙碑》："王讳巴延（伯颜），朔方人，其族为巴琳氏。……王长于西域。……春秋五十有九，以疾薨于京师甘棠里第，实三十一年十二月也。大德八年正月，制赠宣忠佐命开济功臣、太师、开府仪同三司，追封淮安王，谥曰忠武王云。"（《中庵先生刘文简公文集》卷十五）。《草木子》卷四："伯颜丞相与张九元帅，席上各作一《喜春来》词。伯颜云：'金鱼玉带罗襕扣，皂盖朱幡列五侯。山河判断，在俺笔尖头。得意秋，分破帝王忧。'张九词：'金装宝剑藏龙口，玉带红绒挂虎头，绿杨影里骤骅骝。得志秋，名满凤凰楼。'帅才相量，各言其志。"〔按，《尧山堂外纪》卷六十九、《坚瓠丙集》卷四均引此条。伯颜小令，《太平乐府》、《乐府群珠》属之姚燧。张弘范小令，《梨园乐府》、《乐府群珠》则不著撰人，四印斋刻《宋元三十一家词》本《淮阳乐府》收入。〕

## 本年

**邓牧与谢翱遇于会稽，结为方外友，相与论文。**邓牧《谢皋父传》："岁甲午，与杭人邓牧相遇会稽，结为方外友。牧罕读古人著述，谓文章当出胸臆，自成一家；而君记问优赡，必欲中古人绳墨乃已。所见不合，日夜论辩，互相诋。及见牧所为文，乃起谢曰：'君不肯区区有所模拟，然法度高古，殆天才也。'牧因为言：杭大都会，文士辈出，余知若干人，盍往见之。旬日别去。逮牧归杭，君已挈家钱唐江上。问所从游，皆前所闻者，其笃信好学也。"（《伯牙琴》）

**宋褧生**。宋褧（1294—1346），字显夫，大都人。与兄宋本时称"二宋"。至元三十一年，其父主兴山簿，生邑中。稍长，流落江汉间，缀学勤苦。因父为小官禄薄，兄弟二人授徒以为养。皇庆初，贡举诏下，始习经义策问。延祐六年，挟其所作歌诗，从其兄至京师。元明善、张养浩、蔡文渊、王士熙惊以为异，争尉荐之。泰定元年，擢进士第，除秘书监校书郎。改翰林国史院编修官，詹事院立，选为照磨。寻辟御史台掾，辞，转太禧宗禋院照磨。元统初，迁翰林修撰，与修《天历实录》。重纪至元三年，拜监察御史。至正初，改陕西行台都事。月馀，召拜翰林待制，迁国子司业。敕修辽、金、宋史，分纂《宋高宗纪》及《选举志》，书成，超拜翰林直学士。寻又命兼经筵。至正六年卒，年五十三。赠大中大夫、国子祭酒、轻车都尉、范阳郡侯，谥文清。著有《燕石集》十五卷。又选本朝诗歌为《妙品上上》、《名家》、《赏音》、《情境超谊》、《才情》等集。《元诗选》二集戊集选其诗 165 首。生平据苏天爵《元故翰林直学士赠国子祭酒范阳郡侯谥文清宋公墓志铭》（《滋溪文稿》卷十三）。

**朱德润生**。朱德润（1294—1365），字泽民，号眉宇山人、睢阳山人。其先睢阳人，徙居吴中。延祐六年，以驸马太尉沇王荐，授应奉翰林文字、同知制诰兼国史院编修官。英宗即位，授征东行中书省儒学提举。至治二年，献《雪猎赋》累万馀言以闻。英宗晏驾，归居乡里，杜门屏处垂三十年。至正十二年，江浙行中书省平章三旦八统兵东征，起为江浙行中书省照磨官，参军事。既而以选摄守长兴，后以病免归。至正二十五年卒，年七十二。著有《存复斋集》十卷、《续集》不分卷。《元诗选》初集己集选其诗 97 首。生平据周伯琦《有元儒学提举朱府君墓志铭》。

**刘埙以荐授旴郡儒学正**。吴澄《故延平路儒学教授南丰刘君墓表》："郡庠缺官，当路交荐，年五十五，始署旴郡学正。年七十，受朝命为延平郡教授。"（《吴文正集》卷七十一）［按，刘埙以荐授旴郡学正，或以为在元贞元年。刘凝《水云村吟稿笺注序》："年五十六，州庠缺官，当道以明经秀才荐任本郡学正。……逾七十，受朝命，升延平儒学。"龚望曾《水村先生年谱》："元贞元年乙未。是年南丰州学缺官，当路交荐先生，摄本州学正。"］刘埙（1240—1319），字起潜，号水村（一作水云村），江西南丰人。卒，私谥文定。著有《水云村泯稿》、《水云村吟稿》、《经说讲义》、《哀鉴英华录》、《隐居通义》，凡一百二十五卷。《元诗选》二集甲集选其诗 18 首。生平见刘埙《自志》、吴澄《故延平路儒学教授南丰刘君墓表》（《吴文正集》卷七十一）、符遂《刘水村先生传》、龚望曾《水村先生年谱》。《四库全书总目提要补正》卷三十八："《隐居通议》三十一卷。陆氏《仪顾堂续跋》云：'埙聪敏好书，博览古今，宋末与同里谌祐以诗文鸣，年三十七而宋亡，又十八年，荐署州学正，年七十，受朝命教授延平，年七十八卒。见《江西人物志》。埙自云开庆元年年二十，则祥兴二年宋亡，年当四十。延祐己未《重题梅氏海棠诗》：周甲重开年八十。与卒年七十八不合。若宋亡之岁年三十七，则延祐己未当年七十七，与卒年七十八合，与开庆元年年二十，延祐己未年八十又不合矣。未知孰是?……'玉缙案：开庆元年为己未，祥兴二年为己卯，以开庆己未下推之，其年自是四十，至延祐己未则为八十，《江西人物志》之说非也。不解陆氏何以不据其自称及《重题梅氏海棠诗》直断其误。《提要》以为宋亡时年三十六，尤非。"

## 至元间

蒋正子《山房随笔》约成于至元末。蒋正子，四库提要作蒋子正，文渊阁《四库全书》本书前提要则作蒋正子，《千顷堂书目》及《玉芝堂谈荟荟》亦作蒋正子。《山房随笔》一卷，今存《知不足斋丛书》本、《四库全书》本、《历代诗话续编》本。四库提要卷一四一："《山房随笔》一卷，元蒋子正撰。子正不知何许人。惟书中杜善甫一条，内有余分教溧阳语，知尝为溧阳学官。又有穆陵在御语，知为宋人入元者也。所记多宋末元初之事，而于贾似道事，尤再三深著其罪。于郑虎臣木棉庵事，叙述始末，亦比他书为最详。惟所记陆秀夫挽张世杰诗，似出附会。崖山舟覆，鲸海沸腾，乌有吟咏之暇? 且诗中'曾闻海上铁斗胆'句，亦不似同时之语。朱国桢《涌幢小品》谓世杰溺死在秀夫赴海之后，亦以此诗为疑，所言良允。殆好事者欲褒忠义，故造斯言欤? 至于以夏贵之降，归咎似道，未为无理；而反复解释，反似于贵有恕词，未免有乖大义。观者不以词害意可矣。"《四库全书总目提要补正》卷四十一："《山房随笔》一卷。元蒋子正撰。瞿氏《目录》有明钞本，云：'元蒋正子撰。正子字平仲，旧题全愚或作子正者讹。较《稗海》本固胜，核鲍氏校刻本，大致相似。惟翟惠父《咏鬼门关》云："小昌休苦笑揶揄。"此本作"猖"。卷末记贾似道死事："汝也宜得一检"。此本"宜"作"直"。似鲍本讹。'玉缙案：缪氏《藕香零拾》本有补遗十一则。"

费君祥为至元间人。费君祥，字圣父，大都人。与关汉卿善。著有杂剧《才子佳人菊花会》，今存残句。又著有《爱女论》。贾仲明〔双调〕《凌波仙·吊费君祥》："君祥前辈效图南，关己相从看老耽，将楚云湘雨亲把勘。《爱女论》，语句严。《菊花会》，大石调监咸。珊瑚檐，翡翠监，风月轻担。"其子费唐臣，著有杂剧《汉丞相韦贤篡金》、《斩邓通》、《苏子瞻风雪贬黄州》，后一种今存。贾仲明〔双调〕《凌波仙·吊费唐臣》："霭歌莺韵配鸳鸯，一曲鸾箫品凤凰，醉鞭误入平康巷。在佳人，锦瑟傍。汉韦贤，关目辉光。《斩邓通》，文词亮。《贬黄州》，肥普香。父是君祥。"

王仲文为至元间人。据黄溍《集贤大学士荣禄大夫史公神道碑》（《金华黄先生集》卷二十六），史惟良尝从王仲文学。孙楷第《元曲家考略》以为其人即曲家王仲文。王仲文，大都人。著有杂剧《救孝子贤母不认尸》、《诸葛亮秋风五丈原》、《淮阴县韩信乞食》、《洛阳令董宣强项》、《感天地王祥卧冰》、《七星坛诸葛祭风》、《汉张良辞朝归山》、《齐贤母三教王孙贾》、《赵太祖夜斩石守信》、《孟月梅写恨锦江亭》。《救孝子贤母不认尸》一剧今存，《诸葛亮秋风五丈原》、《汉张良辞朝归山》今存残曲，馀皆不传。贾仲明〔双调〕《凌波仙·吊王仲文》："仲文踪迹住金华，才思相兼关、郑、马。出群是，《三教王孙贾》。《不认尸》，关目嘉。韩信遇漂母，曲调清滑。《五丈原》、《董宣强项》，《锦香亭》，王祥到家。伴夕阳，白草黄沙。"

**岳伯川于至元中前后在世。**据庄一拂《古典戏曲存目汇考》卷五。岳伯川，济南人，或作镇江人。《录鬼簿》列之于"前辈已死名公才人"。著有杂剧《罗公远梦断杨贵妃》、《吕洞宾度铁拐李岳》。前一种今存残曲，后一种今存元刊本。贾仲明〔双调〕《凌波仙·吊岳伯川》："老父共汝不相知，《鬼簿》钟公编上伊。《度铁拐李岳》新杂剧，更《梦断杨贵妃》。□玉京，燕、赵名驰。言词俊，曲调美，衰草烟迷。"

## 公元 1295 年 （成宗元贞元年 乙未）

### 春

**袁桷以茂异荐授丽泽书院山长，时赴其任，戴表元作序送之。**戴表元《送袁伯长赴丽泽序》："今袁君伯长，与余同郡、同业，怀丽泽之牒，当行已久，而不肯决，曰：为长于丽泽师儒也，其任异时与郡博士正等，而东莱公之阙里也，吾趑趄焉。余曰：固也。然吾伯长当学为其事，而求无愧者也，谦而非伪也。东莱公之学，又史、袁、沈诸公之所同者也，必不可已，则当且为，而又且学之者也。伯长持身有士行，居家有子道，天资高，文章妙，博闻广记，尤精于史学，近复贯穿经术。他如琴书、医药诸艺，深得其理，婺多君子，至必皆愿从之游者。余故人王及翁御史无恙，其介绍而请焉。元贞乙未春十日，剡源戴表元序。"（《剡源文集》卷十二）袁桷《龙兴路司狱潘君墓志铭》："元贞元年，桷掌吕成公丽泽祠。于时寿俊有数公，能言乾道、淳熙遗事，尝曰：丽泽选不轻，二潘君真名士，子继二潘，亦仅仅焉。"（《清容居士集》卷二十九）苏天爵撰桷墓志，以为不就，则误矣。又其时桷年实已三十，而墓志以为二十馀。

### 四月

**十六日，王应麟序舒岳祥所作诗文集。**序见《阆风集》卷首。《阆风集》，《千顷堂书目》著录为二十卷。雍正《浙江通志》卷二四八："《阆风集》二十卷。《内阁书目》：天台舒岳祥著。内《三史纂言》六卷、《篆畦集》九卷、《蝶轩稿》九卷、《避地稿》十卷、《逊野（苏墅）稿》三卷、《阆风家录》三卷。"今存《阆风集》十二卷，有《四库全书》本，系四库馆臣辑自《永乐大典》。

### 六月

**十一日，翰林承旨董文用等进《世祖实录》。**见《元史》卷十八《世祖本纪》。

**二十五日，滕安上卒，年五十四。**姚燧《国子司业滕君墓碣》："为文一本理义，辞旨畅达，不为险谲，非有裨世教者不言。"（《牧庵集》卷二十六）四库提要卷一六六："《东庵集》四卷，元滕安上撰。……其事实具见于姚燧所作墓碣铭，且称其敏修笃行，学积其躬，道行其家，化及其乡。而吴澄《文正集》亦谓安上为人，乃有学有行而有文者。盖亦束修自好之士也。燧又称所著有《东庵类稿》十五卷，江西廉访使赵秉政版之行世。又有《易解》、《洗心管见》，藏于家。而焦竑《国史经籍志》乃称安上《东庵稿》十六卷，与燧所纪卷数不合，当由未见原集而误。近时顾嗣立作《元诗选》，搜采至数百家，而安上之集阙焉，则其佚久矣。今从《永乐大典》中裒集编次，得诗二百馀篇，分为四卷。其诗格以朴劲为主，不免稍失之粗犷，而笔力健举。七言古诗尤有开阖排宕之致，视元末秾艳纤媚之格全类诗馀者，又不以彼易此矣。考苏天爵《文类》，载有安上《祭砚司业先生文》一篇，而姚燧亦谓其文'一本理义，辞旨畅达，不为险诐，非有裨世教者不言'。是原集当兼载诗文，惜《永乐大典》仅存其诗，其文已无可考也。"

## 八月

初十，谢翱卒，年四十七。方凤《谢君皋羽行状》："乙未，复来婺、睦，寻汐社旧盟。夏，由睦之杭，肺疾作，以秋八月壬子终，盖于是距生年己酉四十有七矣。垂殁时，语妻刘：'吾去乡远，交游惟婺、睦间方某、翁某数人最亲，死必以赴，慎收吾文及遗骨，候其至以授之。"（《存雅堂遗稿》卷三）邓牧《谢皋父传》："君生不得志，闲居常有忧色，语声甚微，郁积不平之气，壹宣于文，读之使人凄怆，知其弗寿也。"方凤《谢君皋羽行状》："为诗厌近代，一意溯盛唐而上，文规柳及韩。尝欲仿太史法著《季汉月表》，采独行全节事为之传。大率不务为一世人所好，而独求故老与同志，以证其所得。会友之所名汐社，期晚而信，盖取诸潮汐。……其从孙贵以门人虞而归婺，祠之月泉。君遗稿在时旧所为悉弃去，今在者手录诗六卷、杂文五卷、《唐补传》一卷、《南史赞》一卷、《楚辞等芳草图谱》一卷、《宋铙歌鼓吹曲》、《骑吹曲》各一卷、《睦州山水人物古迹记》一卷、《浦阳先民传》一卷、《东坡夜雨句图》一卷、《浙东西游录》九卷，《春秋左氏续辨》、《历代诗谱》未脱稿，选唐韦、柳诸家及东都五体，在集外。"任士林《谢翱传》："所为歌诗，其称小，其指大，其辞隐，其义显，有风人之馀，类唐人之卓卓者。尤善叙事，有良史材。"（《松乡集》卷四）吴莱《续琴操哀江南跋》："右续琴操《哀江南》者四章，章四解，或传粤人谢翱作。读其辞甚悲，因其辞以推其心，则其所悲又有甚于此辞者。谓非翱作不可也。……予谓《琴操》多出于忧愁穷苦之人而有所守者，翱之于辞适契焉，故录之。若曰南风不竞，则自古见之矣，尚何言哉！尚何言哉！"（《渊颖集》卷八）吴莱《宋铙歌骑吹曲序》："武夷谢皋羽，故庐陵文公客也。于是本其造基立极，亲征遣将，东讨西伐，作为《铙歌》、《骑吹》等曲，文句炫煌，音韵雄壮，如使人亲在短箫鼓吹间，斯亦足以尽孤臣孽子之心已。呜呼，尚何言哉！初，汉曲二十二篇，魏晋又更造新曲十二篇，但颂国家功德，不言别事。大乐氏失职，唐柳宗元崎岖龙城山谷之间，亦拟魏晋，未及肆乐府。今翱又拟夫宗元者也。《铙歌》自《日出》至《上之回》，凡十二篇，《骑吹曲》自《亲征》至《邸吏谒故主》，凡十篇云。"（《渊颖集》卷十一）《遂昌杂录》："谢皋羽先生讳翱，自号晞发处士。读书博学，宋季以古文知名。"宋濂《谢翱传》："其诗直溯盛唐而上，不作近代语，卓卓有风人之馀。文尤崭拔峭劲，雷电恍惚，出入风雨中。当其执笔时，瞑目遐思，身与天地俱忘。每语人曰：'用志不纷，鬼神将通之。'其苦索多类此。婺、睦人士，翕然从其学。……翱好修抱独，刻厉愤激，直欲起古人从之游，不务谐（谐）于流俗，意所不顾，万夫莫回也。每慕屈平托兴《远游》，自号晞发子。遇谈胜国事，辄悲鸣烦促，涕泗潸然下。士有苟合而气志得者，憎闻翱，翱自若也。……赞曰：翱一布衣尔，未尝有位于朝，徒以被天祥之知，麻衣绳屦，章皇山泽间，若无所庇其身。使其食重禄，受社稷民人之寄，其能死守封疆决矣。翱不负天祥，肯负国哉！翱盖天下之士也。昔田横不降汉，拔剑自刭，客之从死者五百人。若翱之志，其有类横之客者，非邪？吾闻诸任先生云。"（《文宪集》卷十）杨慎《丹铅总录》卷二十一："谢皋羽为宋末诗人之冠，其学李贺歌诗，入其室而不蹈其语，比之杨铁崖盖十倍矣。小绝句如：'牵牛秋正中，海白夜疑曙。野风吹空巢，波涛在孤树。'绝妙可传，郊、岛不能过也。"《升庵诗话》卷十四："谢皋羽《晞发集》诗，皆精致奇峭，有唐人风，未可例于宋视之也。予尤爱其《鸿门燕》一篇：'天云属地汗流宇，杯影龙蛇分汉楚。楚人起舞本为楚，中有楚人为汉舞。鹔鹴淬光雌不语，楚国孤臣泣俘虏。君看楚舞如楚何，楚舞未终闻楚歌。'此诗虽使李贺复生，亦当心服。李贺集中亦有《鸿门宴》一篇，不及此远甚，可谓青出于蓝矣。元杨廉夫乐府力追李贺，亦有此篇，愈不及皋羽矣。其他如《短歌行》：'秦淮没日如没鹘，白波漾空湿弦月。舟人倚棹商声发，洞庭脱木如脱发。'《建业水》云：'太白八月鱼脑减，武昌城头鼓纮纮。'《海上曲》云：'水花生云起如荠，神龙下宿藕丝孔。'《明河篇》云：'牵牛夜入明河道，泪滴相思作秋草。婺女城头玩月华，星君冢上无啼鸟。'《侠客歌》云：'潮动西风吹杜荆，离歌入夜斗西倾。饮飞庙下蛇含草，青拭吴钩入匣鸣。'《效孟郊体》云：'牵牛秋正中，海白夜疑曙。野风吹空巢，波涛在孤树。'律诗如'驿花残楚水，烽火到交州'，'夜气浮秋井，阴花冷碧田'，'山鬼下茅屋，野鸡啼苦萝'，'戍近风鸣柝，江空雨送船'，'邻通灯下索，乡梦戍边回'，'柴关当太白，药气近樵青'，'暗光珠母徙，秋影石花消'，'下方闻夕磬，南斗挂秋河'，虽未足望开元、天宝之萧墙，而可以据长庆、宝历之上座矣。"《艺苑卮言》卷四："谢皋羽微见翘楚，《鸿门行》诸篇，大有唐人之致。"《徐氏笔精》卷四："谢皋羽《鸿门宴》一篇，可泣鬼神，杨用修极称之。又有杨廉夫、韩仲村继作，稍不及也。"《居易录》卷四："《天地间集》一卷，宋谢翱皋父编。……附《晞发道人近集》一卷，诗四十八首，刻画晚唐，酸涩无足录，惟'山带去年雪，春来何处峰'一联差佳，岂才尽耶？抑删去之诗，而后人摭拾之者耶？"四库提要卷一六五："《晞发集》十卷、《晞发遗集》二卷、《遗集补》一卷，附《天地间集》一卷、《西台恸哭记注》一卷、《冬青引注》一卷，宋谢翱撰。……南宋之末，文体卑弱，独翱诗文桀骜有奇气，而节概亦卓然可观。"《筱园诗话》卷四："南宋遗民诗，以谢皋羽《晞发集》为最，笔力生峭，远非汪水云、郑所南辈比矣。"

## 本年

**巎巎生**。巎巎（1295—1345），字子山，号恕叟。不忽木子，回回弟，西域康里人。幼肄业国学，博通群书。长袭宿卫，风神凝远，制行峻洁。始授承直郎、集贤待制，迁兵部郎中，转秘书监丞。改同佥太常礼仪院事，拜监察御史，升河东廉访副使。未上，迁秘书太监，升侍仪使。寻擢中书右司郎中，迁集贤直学士，转江南行台治书侍御史。拜礼部尚书，监群玉内司。迁领会同馆事尚书，监群玉内司如故。寻兼经筵官，复除江南行台治书侍御史。未行，留为奎章阁学士院承制学士，仍兼经筵官。升侍书学士，复升奎章阁学士院大学士。除浙西廉访使，复留为大学士。寻拜翰林学士承旨、知制诰兼修国史，提调宣文阁崇文监。出拜江浙行省平章政事。明年，复以翰林学士承旨召还。至京七日，感热疾，至正五年卒，年五十一。嵘嵘善真行草书，识者谓得晋人笔意，单牍片纸，人争宝之，不翅金玉。谥文忠。生平据《元史》卷一四三本传。

**胡祇遹卒，年六十九。**程钜夫作《胡紫山挽词》三首，张之翰有《挽胡紫山绍开》二首。〔按，胡祇遹卒年，《元史》卷一七〇本传云："〔至元〕三十年，卒，年六十七。"刘赓《紫山大全集序》云："二十九年，制诏以耆儒硕德征，凡十人，公在第一，辞以疾不起，时年甫耳顺矣。卒年六十又七。……公薨二十年，赓以事道过彰德，其子太常博士持将锓梓以寿其传，恳以序引为请。"序作于延祐二年（1315），上推二十年，则祇遹之卒年当为元贞元年（1295），生年为绍定二年（1229）。然检今存之四库本《紫山大全集》，卷七有《丁亥元日门帖子》诗二首："白发萧萧覆领巾，今年六十一年人。日高坐受乡邻贺，随例门开万象春。""人道今年本命年，侧身修行合拳拳。吉凶悔吝生乎动，一静由人匪自天。"丁亥为至元二十四年（1287），则祇遹之生年又当在宝庆三年丁亥（1227）。宜以祇遹自记为是。今人孙楷第《关汉卿行年考》一文，据王恽《紫山先生易直解序》及《紫山胡公哀挽诗卷小序》，胡祇遹《丁亥元日门帖子》，陈俨《秋涧王公哀挽诗序》，考定祇遹卒于元贞元年（1295），享年六十九岁。见孙楷第《沧州集》下册。〕胡祇遹（1227—1295），字绍开（一作绍闻，又作少凯），号紫山，磁州武安人。卒赠礼部尚书，谥文靖。著有《易直解》三卷、《老子解》一卷、《紫山集》六十七卷（散佚，《四库全书》据《永乐大典》录出二十六卷）。《全元散曲》录小令11首。生平见王恽《故翰林学士紫山胡公祠堂记》、《元史》卷一七〇本传。刘赓《紫山大全集序》："文章以气为主，其为气也，至大至刚，以直养而无害，则塞乎天地之间。赓读紫山胡公文集见之矣。……书法妙一世，脱去翰墨蹊径，自成一家，唯鹿庵、紫山两公而已。"四库要提卷一六六："《紫山大全集》二十六卷，元胡祇遹撰。……是集为其子太常博士持所编。前有其门人翰林学士承旨刘赓序，称原本六十七卷。岁久散佚，今据《永乐大典》所载，裒合成编，厘为赋、诗馀七卷，文十二卷，杂著四卷，语录二卷。其间杂著一类，祇遹一生所学，具见于斯。然体例最为冗琐，有似随笔札记者，有似短章小品者，有似莅官条约者，有似公移案牍者，层见错出，殆不可名以一格。……今观其集，大抵学问出于宋儒，以笃实为宗，而务求明体达用，不屑为空虚之谈。诗文自抒胸臆，无所依仿，亦无所雕饰，惟以理明词达为主。元代词人，往往以风华相尚，得兹布帛菽粟之文，亦未始非中流一柱矣。惟编录之时，意取繁富，遂多收应俗之作，颇为冗杂。甚至如《黄氏诗卷序》、《优伶赵文益诗序》、《赠宋氏序》诸篇，以阐明道学之人，作媒狎倡优之语，其为白璧之瑕，有不止萧统之讥陶潜者。陶宗仪《辍耕录》载其钟爱歌儿珠帘秀，赠以《沉醉东风》小曲，殆非诬词矣。"

**吴全节特授冲素崇道法师、南岳提点。**吴全节（1269—1346），字季成，号闲闲、看云道人，饶州安仁人。年十三，学道信州龙虎山，师李宗老、雷思齐，复师张留孙。二十四年，从张留孙至京师。二十六年，奉诏祠南岳。二十八年，奉诏从张留孙遍祠岳渎诸山川。二十九年，赐崇真宫于浙西，奉诏宣谕江浙行省。三十一年，成宗即位，全节从张留孙率其属北迎召见。元贞元年，制授冲素崇道法师、南岳提点。二年，奉诏祠中岳、淮渎、南岳、南海。大德元年，奉诏祠后土、西岳、河渎、江渎。二年，制授冲素崇道玄德法师、大都崇真万寿宫提点。十年，制授为江淮荆襄等处道教都提点。十一年，制授玄教嗣师、总摄江淮荆襄等处道教都提点、崇文弘道玄德真人。至治二年，制授特进上卿、玄教大宗师、崇文弘道玄德广化真人、总摄江淮荆襄等处道教、知集贤院道教事。至顺二年，以世罕知陆九渊之学，遂进其语录。至正六年卒，年七十八。著有《看云录》，揭傒斯奉旨作序，已佚。《元诗选》二集壬集选其诗37首。生平据虞集《河图仙坛之碑》（《道园学古录》卷二十五）、《元史》卷二〇二《释老传》。

**本年后，顾仲清任两浙都转运司清泉盐场司令。** 明写本《录鬼簿》卷上："顾仲清，东平人。清泉场司令。"据《元史·百官志》，两浙都转运盐使司共设盐场三十四所，置司令一员，从七品。清泉场即其中之一，其地在定海县南十里崇丘乡（《至正四明续志》）。揆之《元史·成宗本纪》，各处盐使司盐场改设司令、司丞，在元贞元年闰四月己未。顾仲清，著有杂剧《知汉兴陵母伏剑》、《荥阳城火烧纪信》（一作《楚霸王火焚纪信》）。贾仲明〔双调〕《凌波仙·吊顾仲清》："唐虞之世庆元贞，高士东平顾仲清，泉场掌印为司令。见传奇，举世行，向雨窗，托兴怡情。撰《陵母伏剑》，编《纪信火蒸》，府州县按，按试流名。"

**本年前后，林景熙为曾瑞作《孤竹斋记》。** 文见《霁山先生集》卷四。孙楷第《元曲家考略》以为《记》作于至元末元贞初，此曾瑞即曲家曾瑞。姑系于此，以备一说。曾瑞，字瑞卿，自号褐夫，大兴人。自北来南，家于钱塘。神采卓异，衣冠整肃，优游于市井。志不屈物，故不愿仕。往来于江淮达者之门，岁时馈送不绝，遂得徜徉卒岁。钟嗣成尝从其游，接见音容，获闻言论，先嗣成而卒。善丹青，能隐语、小曲。著有杂剧《才子佳人误元宵》，或以为今存《元曲选》本《王月英元夜留鞋记》即其所作。另著有散曲《诗酒馀音》，已佚，近人有辑本一卷。《全元散曲》录其小令95首，套数17套。钟嗣成〔双调〕《凌波仙·吊曾瑞卿》："江湖儒士慕高名，市井儿童诵瑞卿，衣冠济楚人钦敬。更心无，宠辱惊。乐幽闲，不解趋承。身如在，死若生，想音容，犹见丹青。"

## 公元 1296 年　（成宗元贞二年　丙申）

### 四月

**十六日，唐良瑞序金履祥所编《濂洛风雅》。** 序见本集卷首，其时履祥馆于唐氏齐芳书舍。其书又有王崇炳序及雍正十年戴锜序。《濂洛风雅》，《百川书志》卷十九作七卷，《千顷堂书目》卷三十二作七卷，《北京图书馆古籍善本书目》（清钞本）作七卷，《四库全书总目》卷一九一作六卷，《徐氏家藏书目》卷五作二卷，今存雍正刻本、清钞本。四库提要卷一九一："《濂洛风雅》六卷，元金履祥编。……是编乃至元（编者按：当是元贞之误）丙申，履祥馆于韩良瑞（编者按：应为唐良瑞）家齐芳书舍所刻。原本选录周子、程子以至王柏、王侃等四十八人之诗，而冠以濂洛诗派图，但以师友渊源为统纪，初不分类例。……盖选录者履祥，排比条次者则良瑞也。昔朱子欲分古诗为两编而不果。朱子于诗学颇邃，殆深知文质之正变，裁取为难。自真德秀《文章正宗》出，始别为谈理之诗。然当时助成其稿者为刘克庄，德秀特因而删润之。故所黜者或稍过，而所录者尚未离乎诗。自履祥是编出，而道学之诗与诗人之诗千秋楚越矣。夫德行文章，孔门即分为二科；儒林、道学、文苑，《宋史》且别为三传。言岂一端，各有当也。以濂洛之理责李、杜，李、杜不能争，天下亦不敢代为李、杜争。然而天下学为诗者，终宗李、杜，不宗濂洛也。此其故可深长思矣。"

## 六月

**二十日，释梵琦生。** 梵琦（1296—1370），字楚石，小字昙曜，号西斋老人，明州象山人，姓朱氏。出家海盐天宁永祚寺，得法于径山元叟端和尚。元英宗诏令金书《大藏经》，以善书选至上都。泰定中，以行宣政院命，出世海盐之福臻。天历元年，迁州之天宁。重纪至元元年，迁杭之报国寺。至正四年，迁嘉兴郡之本觉寺。七年，赐号佛日普照慧辨禅师。十七年，迁郡之天宁寺。十九年，退隐天宁，筑西斋终老。二十三年，州大夫强起为主寺事。旋举景瓛为代，复归老于西斋。洪武元年，以诏于蒋山禅寺说法，明年再征。三年，复征，馆于天界寺。寻卒，世寿七十五，僧腊六十三。著有《六会语》、《净土诗》、《慈氏上生偈》、《北游集》、《凤山集》、《西斋集》，又有和天台三圣诗、永明寿禅师山居诗、陶潜诗、林逋诗若干卷行于世。生平据宋濂《佛日普照慧辨禅师塔铭》、释至仁《楚石和尚行状》、姚广孝《西斋和尚传》、《武林梵志》卷十。

**王应麟卒，年七十四。** 陈著有《祭礼部尚书王伯厚文》，文曰："柔兆涒滩（丙申）之岁，孟冬甲辰，契生前进士陈某谨以炙鸡絮酒之奠，祭于故内翰尚书厚斋王公之灵。……余八十三，公七十四。自谓予死，当居公先。公而先之，讣音忽传。季夏闻讣，老病惮暑。哭于寝外，而莫即路。今兹黢暄，始获造门。"（《本堂集》卷八十九）则应麟之卒，当在本年六月。王应麟（1223—1296），字伯厚，号厚斋、深宁叟、深宁居士，鄞县人。[按，袁桷《袁州知事孔君墓志铭》云："大德初元，孔君昭孙明远甫为庆元儒学正。于时礼部尚书王先生应麟师表后进，门无杂宾，明远以通家子执疑证讹，桷每连席请益。"（《清容居士集》卷三十）大德元年为1297年，其时应麟已卒，则袁桷所言当为概指。]著有《困学纪闻》，有泰定二年袁桷序（《清容居士集》卷二十一）。袁桷为元代史学之卓出者，其学即传自应麟。又著有《玉海》，凡二百卷，其书应麟积三十年之力方始成书，至元四年胡助尝为之作序（《纯白斋类稿》卷二十），时助为官翰林国史院。《至正直记》卷四："四明王厚斋尚书好博学，每以小册纳袖中入秘府，凡见书籍异闻则笔录之，复藏袖中而出。晚年成《困学纪闻》，可谓遗训后学者矣。国初袁伯长、孔明远、史果斋，尝登门请教者惟三人焉。明远讳昭孙，时为庆元儒学教授，时伯长方十二年，不过随众习句读已耳。"《七修类稿》卷四："宋王应麟厚斋，博学雄文，高出一时，所著有《玉海》、《困学纪闻》等书，可谓无书不读者也。然于天文，似不知者。"陈朝辅《王深宁文集跋》："王厚斋先生博学鸿才，伟论卓识，见诸立朝居官疏议，彪炳史册。少从师授，得吕成公、真文忠之传。所著书凡六百八十九卷，古今撰述之盛，前无如葛稚川，其次即先生称极富矣。通行天下者，只《玉海》、《困学纪闻》、《诗地理考》、《绀珠词学》等书，至手著序、记、表、诰、辞、命、志、铭之类，阙焉未传，诚为憾事。岁癸未，余屏迹家门，友人刘君让以钞书见售，阅之，乃《四明文献》也，采辑者乃荥阳外史郑公真也。曷胜狂喜，不惜重赀以应寒士之请。把读终卷，间有未经详明者，僭为补缀，有它处散见者，辄为增益，以成全集。庶使文献有征，不致瑰奇泯没。"（《四明文献集》卷末）胡应麟《题困学纪闻后》："《困学纪闻》二十卷中，尤多发明，读书得一义，如获一珍珠船。隽哉斯旨，非真有志学问，未易咀嚼其间也。"四库提要卷一一八："《困学纪闻》二十卷，宋王应麟撰。……是编乃其札记考证之文，凡说经八卷，天道、地理、诸子二卷，考史六卷，评诗文三卷，杂识一卷。卷首有自叙云：'幼承义方，晚遇艰屯，炳烛之明，用志不分'云云。盖亦成于入元之后也。应麟博洽多闻，在宋代罕其伦比。虽渊源亦出朱子，然书中辨正朱子语误数条，如《论语》注'不舍昼夜'舍字之音、《孟子》注曹交曹君之弟，及谓《大戴礼》为郑康成注之类，皆考证是非，不相阿附，不肯如元胡炳文诸人坚持门户，亦不至如明杨慎、陈耀文、国朝毛奇龄诸人肆相攻击。盖学问既深，意气自平。能知汉唐诸儒本本原原，具有根柢，未可妄诋以空言。又能知洛闽诸儒亦非全无心得，未可概视为孤陋。故能兼收并取，绝无党同伐异之私。所考率切实可据，良有由也。"四库提要卷一四五："《玉海》二百卷、附《辞学指南》四卷，宋王应麟撰。……宋自绍圣置宏词科，大观改词学兼茂科，至绍兴而定为博学宏词之名，重立试格。于是南宋一代，通儒硕学多由是出，最号得人，而应麟尤为博洽。其作此书，即为词科应用而设。故胪列条目，率巨典鸿章，其采录故实，亦皆吉祥善事，与他类书体例迥殊。然所引自经史子集、百家传记，无不赅具，而宋一代之掌故，率本诸实录、国史、日历，尤多后来史志所未详。其贯串奥博，唐宋诸大类书未有能过之者。何焯评点《困学纪闻》，动以词科诋应麟，特故为大言，不足信也。"四库提要卷一六五："《四明文献集》五卷，宋王应麟撰。……此本乃明鄞县郑真、陈朝辅所辑《四明文献》之一种，故一人之作，冒总集之名也。通一百七十馀篇，制诰居十之七。盖捃拾残剩，非其真矣。应麟以词科起家，其《玉海》、《词学指南》诸书，剩馥残膏，尚多所沾溉。故所自作，无不典雅温丽，有承平馆阁之遗。且所载事迹，多足与史传相证。"

## 本年

本年或上一年，李时中、马致远、花李郎、红字李二等人结"元贞书会"。据《录鬼簿》卷上。四人合撰之《邯郸道省悟黄粱梦》，今存脉望馆刊本、《元曲选》本。曹刊本《录鬼簿》卷上"李时中"条著录，总题作《开坛阐教黄粱梦》，注云："第一折马致远，第二折李时中，第三折花李郎学士，第四折红字李二。"贾仲明〔双调〕《凌波仙·吊李时中》："元贞书会李时中、马致远、花李郎、红字公，四高贤合捻《黄粱梦》。东篱翁，头折冤。第二折，商调相从。第三折，大石调。第四折，是正宫。都一般愁雾悲风。"马致远，号东篱，大都人，曾任江浙行省务官。著有杂剧 15 种，今存《破幽梦孤雁汉宫秋》、《江州司马青衫泪》、《西华山陈抟高卧》、《吕洞宾三醉岳阳楼》、《马丹阳三度任风子》、《半夜雷轰荐福碑》等 6 种，并与李时中、红字李二、花李郎等人合捻《邯郸道省悟黄粱梦》（马致远撰第一折）。《刘阮误入桃源洞》存有佚曲。存目而作品已佚者有：《酒德颂》、《三度马丹阳》、《戚夫人》、《斋后钟》、《岁寒亭》、《孟浩然》、《踏雪寻梅》。散曲今人任讷辑为《东篱乐府》一卷。《全元散曲》录其小令 115 首，套数 16 套，残套数 7 套。李时中，大都人，中书省掾，除工部主事。花李郎，刘耍和婿。著有杂剧《懒憝判官钉一钉》、《相府院曹公勘吉平》、《酷寒亭》、《莽张飞大闹相府院》。前二种今存残曲。红字李二，京兆人，刘耍和婿。著有杂剧《病杨雄》、《板踏儿黑旋风》、《折担儿武松打虎》、《全火儿张弘》、《窄袖儿武松》。

**本年或上一年，俞琰卒，年七十。**杨炳《石涧先生小传》："石涧先生俞琰者，吴处士也。先世自河南扈宋南渡，家洞庭之西山。……先生风宇清峻，性率机敏，略细节，好宾游，未尝以有无计。然不耐庸俗交，华官巨室，莫敢延请。乐为隐语，嘲谐玩世。享年七十。神闲心虚，不累形物，体气强逾中人。一日，命侍者具汤沐浴，更巾衣危坐。召仲温进卮酒，饮毕，曰：'吾与汝诀矣。诸书未备者成之。'言既，神采不移，然而逝。非达于幽明生死之故者耶！先生字玉吾，石涧其号云。"（《吴都文粹续集》卷四十五）四库提要卷三："《周易集说》四十卷。宋俞琰撰。琰字玉吾，吴县人。生宋宝祐初，入元隐居著书。征授温州学录，不赴，至延祐初始卒。"《四库提要辨证》卷一："《周易集说》四十卷。嘉锡案：明卢熊《苏州府志》云：'俞琰字玉吾，苏州吴县林屋山人。生宋宝祐间，以词赋称。宋亡，隐居著书，尤好鼓琴。卒于元贞间，年七十。'（卢志余未见，此据《宋史翼》卷三十五所引）考自宋理宗宝祐元年，至元成宗元贞元年（元贞只二年），裁四十四年，不得云年七十，卢志误矣。《万姓统谱》卷十二云：'俞琰，字玉吾，吴人，宝祐间以词赋称。'则非生于宝祐初也。《统谱》所据，必旧志也。《宋诗纪事》卷七十七云：'琰，长洲人。'"〔按，今存清钞本《林屋山人漫稿》一卷及附录一卷，集中有题至顺壬申甚至至正辛卯之诗作。或因其诗原本仅书甲子，后人误书年号所致。〕四库提要卷一二一："《书斋夜话》四卷，宋俞琰撰。……此书乃其平日读书论文，随所得而笔记者。卷一皆辨论经义，其斥孔安国称《洛书》锡禹之非，确为有见。于诸经字训，正讹考异，颇为该洽。如谓《论语》富与贵章当就'不以其道'为句。《孟子》'则慕少艾'为慕爱少衰之意，当读少字为上声。其说亦颇足资参正。二卷、三卷皆推阐先儒之说，多发明《河图洛书》及《先天太极》二图。盖陈抟所述，以《丹诀》通之于《易》，其原本出道家。琰所注《阴符经》、《参同契》，皆诠释黄老神仙之说。所著《席上腐谈》、《易外别传》，亦研究炉火修炼之术。故其注《易》，皆传邵学。是书反覆申明，亦不出是义也。末一卷皆论文之语，然颇乏精奥。盖琰词章之学不及其《易》学之深，观所作《林屋山人集》，亦可以概见云。"四库提要卷一七四："《林屋山人集》一卷，宋俞琰撰。……是集诗仅一册，附杂文数首，率浅俗不足观。其题《杨妃图》绝句一首，及《食鳗辨》一篇，尤为鄙俚。盖琬以数学著，不以文章著也。后人重其高名，搜录遗篇存之，转为疵累耳。"

**方回与仇远以作寿诗构隙。** 周密《癸辛杂识》别集上："时〔方回〕年登古希之岁，适牟献之与之同庚，其子成文与乃翁为庆，且征友朋之诗。仇仁近有句云：'姓名不入六臣传，容貌堪传九老碑。'且作方句云：'老尚留樊素，贫休比范丹。'（方尝有句云：今年穷似范丹。）于是方大怒褒牟而贬己。遂摭六臣之语，以此比今上为朱温，必欲告官杀之。诸友皆为谢过，不从，仇遂谋之北客侯正卿。正卿访之，徐扣曰：'闻仇仁近得罪于虚谷，何邪？'方曰：'此子无礼，遂比今上为朱温，即当告官杀之。'侯曰：'仇亦止言六臣，未尝云比上于朱温也。今比上为朱温者，执事也。告之官，则执事反得大罪矣。'方色变。侯遂索其诗之元本，手碎之乃已。"周密《癸辛杂识》记方回事，颇多小说家言，虽不甚可信，亦可见遗民看待贰臣之态度。

**黄溍前往仙华拜访方凤。** 黄溍《送吴良贵诗序》："元贞丙申，予幸获执弟子礼，见方先生仙华山之下，退又辱与良贵游。俯仰之间，垂四十年，先生已不可作。"（《文献集》卷五）

**张之翰卒，年五十四。** 《南村辍耕录》卷二十七："张之翰，字周卿，邯郸人。由翰林学士除授松江知府，自题桃符云：'云间太守过三载，天下元贞第二年。'是岁卒，亦谶也。"白珽《赠张知府周卿》："人品中原说此翁，雄文直气耿心胸。几年天上张公子，今日云间陆士龙。来暮已闻歌五袴，平反何翅禄千钟。相从愧落诸公后，拭目西岩第一峰。"（《湛渊集》）胡祗遹《寄张周卿》："社燕秋鸿十五年，只争青鬓与华颠。雄才宜作横秋鹗，老境惟便负郭田。千里关山空目断，何时风雨对床眠。年来夜夜还乡梦，接袂联裾溁水边。"（《紫山大全集》卷六）四库提要卷一六七："《西岩集》二十卷，元张之翰撰。……生平著述甚富，晚号西岩老人，故以西岩名集。其诗清新宕逸，有苏轼、黄庭坚之遗。文亦颇具唐宋旧格。其集据《松江府志》所载，本三十卷。今于《永乐大典》中搜采缀辑，分体编次，厘为二十卷。虽当时旧本篇页多寡不可知，而约略大数，计已得什之六七矣。《永乐大典》所载，有标题《张西岩集》，而核其诗文，实为张起岩作。起岩字梦臣，济南人，有《华峰漫稿》、《类稿》、《金陵集》，尚行于世，与之翰截然两人。殆当世缮录之人，以《张西岩集》与《张起岩集》声音略近，故随读而讹，致相淆乱。今并厘正，各存其真焉。"

**杨维桢生。** 杨维桢（1296—1370），字廉夫，号铁崖、铁笛道人、东维子，山阴人。幼读书铁崖山中，因以自号。登泰定四年进士第，署天台尹，改钱清场盐司令。狷直忤物，十年不调。会修辽、金、宋三史成，维桢著《正统辨》千馀言，甚为欧阳玄所赏，将荐之而不果。转建德路总管府推官。擢江西儒学提举，未上，会兵乱，避地富春山，徙钱塘。张士诚累招之，不赴。又忤丞相铁木儿达识，遂徙居松江之上。洪武二年，太祖召纂礼乐书。明年至都，留百馀日而还，抵家卒，年七十五。著有《春秋合题著说》三卷、《史义拾遗》二卷、《东维子集》三十卷、《复古诗集》、《铁崖古乐府》十六卷、《铁崖咏史注》十八卷、《铁崖赋稿》二卷，编有《西湖竹枝集》。《元诗选》初集辛集选其诗 367 首。生平据杨维桢《铁笛道人自传》、宋濂《元故奉训

大夫江西等处儒学提举杨君墓志铭》、贝琼《铁崖先生传》（《明文衡》卷六十）、《明史》卷二八五《文苑传》。

**李祁生。**李祁（1296—1368），字一初，号希蘧翁、危行翁、望八老人、不二心老人，茶陵州人。元统元年，登进士第，授应奉翰林文字。明年，丁父忧还乡。重纪至元六年，以母老乞外任，为徽州府婺源州同知。至正七年，调承务郎、江浙等处儒学副提举。秩满，退居吴中文正书院。壬辰乱起，隐迹归茶陵山中。至正二十年后，屏居永新上麓。洪武元年卒，年七十三。著有《云阳集》十卷。《元诗选》初集庚集选其诗 34 首。[按，李祁生平，史无详载。其生卒年，据《云阳集》卷九《书郝氏紫芝亭卷后》云："予既衰耄多病，而仲举年复过予八九岁，今当八十有二三矣。作此记时不书年月，不可考，不知近年食啖言笑比向时何似。此皆予之所常介然于怀者，恨不及一见思道而问之，故笔于此。"仲举，张翥字。考《元史》卷一八六张翥本传，翥生于至元二十四年（1287），卒于洪武元年（1368），李祁自言小其八、九岁，则其生年当在元贞元年（1295）、二年（1296）之间。雍正《江西通志》卷十七记宋以来永新县儒学兴修始末，云："元升为州学。至元十六年，知州完颜琦重修，冯翼翁记。至正六年，知州赵大讷重修，喻立记。元季兵毁。明洪武元年，知州田盛、千户俞茂修之，李祁记，寻改为县学。"检《云阳集》卷六，有《永新州新学记》一篇，言儒学为田盛、俞茂所修，与《通志》所言合。则祁之卒年，当不早于洪武元年。又据刘楚所作哀辞，知李祁寿年为七十三，是其生当在元贞二年（1296），卒于洪武元年（1368）。《四库全书总目》言洪武中征祁，则误矣。《元人传记资料索引》以为祁生于大德三年（1299）。刘崧《槎翁文集》卷十五有《故提举李公哀辞》一篇，其序言李祁卒于"戊申闰七月某日"，则《索引》亦误其生年。]

**谢应芳生。**谢应芳（1296—1392），字子兰，号龟巢，武进人。至正初，江浙行省举三衢清献书院山长。阻兵，居吴之韨门，转徙吴淞江上。洪武初，归隐横山。著有《怀古录》三卷、《思贤录》六卷、《龟巢稿》二十卷。《元诗选》二集辛集选其诗 193 首。生平见《明史》卷二八二《儒林传》及谢应芳自撰墓志铭（《龟巢稿》卷十九）。

**本年前后，尹廷高流徙辗转二十馀年，始得归其乡。**《元诗选》初集甲集："仲明遭乱转徙，宋亡二十年，始归故乡。"《元诗选》言宋亡为景炎元年（1276）。尹廷高，字仲明，号六峰，遂昌人。著有《玉井樵唱》三卷，程端学尝为之序。《元诗选》初集甲集选其诗 53 首。《元诗选》初集甲集："所著有《玉井樵唱》正续稿。自题其卷首云：'先君登癸丑奉常第，宦游湖海，作诗凡千馀首。丙子，家毁于寇，遗编散落，无一存者。仅忆《秋日寄僧》一联曰：白苹影蘸无痕水，黄菊香催未了诗。先业无传，雅道几废，不肖孤之罪也。'观此，则仲明诗学，有自来矣。"四库提要卷一六七："《玉井樵唱》三卷，元尹廷高撰。……是集首有廷高自记，载其父竹坡诗一联，盖即戴复古《石屏集》以其父遗诗冠首之意。竹坡名栋，宋宝祐间尝为绍兴府幕官，见《此君亭诗话》，而廷高行履不概见。惟《遂昌志》称其大德间任处州路儒学教授。顾嗣立《元诗选》小传，又谓其'尝掌教永嘉，秩满至京，谢病归'，与志不同。永嘉志乘亦不载其名。今案集中有《永嘉书所见》一首云：'此邦幸小稔，窃禄似有缘。'又有《永嘉任满代者未至》诗，又有《告病致仕谢掌尚书》诗，则廷高仕瓯及谢病实非无据，疑《遂昌志》失考也。其诗气格不高，而神思清隽，尚能不染俗氛。集中有题虞集邵、陶二庵诗，则集亦重其笔墨矣。"

## 元贞间

　　**赵明道为元贞间人。**赵明道，或作赵明远、赵名远，大都人。著有杂剧《韩湘子三赴牡丹亭》、《陶朱公范蠡归湖》。后一种今存残本。贾仲明〔双调〕《凌波仙·吊赵明道》："钟公《鬼簿》应清朝，《范蠡归湖》手段高。元贞年里，升平乐章歌汝曹。喜丰登，雨顺风调。茶坊中嗑，勾肆里嘲：明明德，道泰歌谣。"据此，明道盖亦为元贞、大德间人。

## 公元 1297 年　　（成宗大德元年　丁酉）

## 二月

　　**改元大德。**见《元史》卷十九《成宗本纪》。

## 三月

　　**张炎客宁海，舒岳祥为题其词。**舒岳祥《玉田词题词》："宋南渡勋王之裔子玉田张君，自社稷变置，凌烟废堕，落魄纵饮，北游燕、蓟，上公车，登承明有日矣。一日，思江南菰米莼丝，慨然襆被而归。不入古杭，扁舟浙水东西，为漫浪游。散囊中千金装，吴江楚岸，枫丹苇白，一奚童负锦囊自随。诗有姜尧章深婉之风，词有周清真雅丽之思，画有赵子固潇洒之意，未脱承平公子故态。笑语歌哭，骚姿雅骨，不以夷险变迁也。其楚狂与？其阮籍与？其贾生与？其苏门啸者与？岁丁酉三月，客我宁海，将登台峰，于其行也，举觞赠言。是月既望，阆风舒岳祥序。"

　　**王恽、阎复、雷膺等五人有清香诗会。**王恽《清香诗会序》："道不同谋，咫尺两间，渺隔千里；心有所会，上下八方，溥同一云。法性三藏弘教佛智大师江浙总统沙罗巴者，闻予名而喜之，不知于渠何所取也。一日，介应奉曹显祖来约，以清香闲适，与同一会。于是开禅室，敞宾席，蒲团乌几，列坐其次。佳酿数行，意甚怡悦。……愿此香云遍满空界，作为无量佛事，以奉五老香供，且合三百五十岁之寿祺（傅初庵七十五，雷苦斋七十三，阎静轩六十三（二），王秋涧七十一，贾评事七十），而为无尽藏说法，不亦可乎？于是众宾赞叹曰：昔远师以庐阜清胜，即于东林结社，绝尘清寂之士，不期而至者甚众。诸人于远游，止独渊明、范宁召而不赴，岂非有不屑者哉？以今论之，段杂一也，心有所局二也，香色执著似累乎中三也。何若师心境双清，宾主两忘，不知我之为香，香之为我也，而以心香为主也。师曰：有是哉。遂相与一胡卢而别。大德元年三月吉日谨序。"（《秋涧集》卷四十二）刘敏中有《江浙释总统雪岩，名沙喇卜，西番人。读儒书，喜与吾属游。尝以名香会王秋涧、傅初庵、雷苦斋、贾颐轩、阎靖轩五老，号清香会，四老赋诗，秋涧作序。大德辛丑，由杭来京师，将往秦、凉二州葺其师塔。临行，会诸公于君逵之家，予始识焉。求诗，为书二绝句》诗（《中庵先生刘文简公文集》卷五）。

## 七月

十五日，何南卿作《芮王庙记》。文云："门楼高敞，献有殿，舞有庭，戏有台，与夫左廊右庑，塑像焕然。"（《山右石刻丛编》卷二十八，转引自冯俊杰《山西戏曲碑刻辑考》）此为现存文献中较早记载戏台者。于祠堂中建筑戏台，知其非专为祭祀，当亦是闲时娱乐之场所。览此一端，可见一时之风尚。

## 九月

十九日，高克恭为仇远绘《山村图》，一时名士题咏几遍。仇远《题高房山写山村图卷序》："大德初元九月十九日，清河张渊甫贰车会高彦敬御史于泉月精舍。酒半，为余作《山村图》，顷刻而成。元气淋漓，天真烂熳，脱去画工笔墨畦町。余方栖迟尘土，无山可畦，展玩此图，为之怅然而已。"（《续书画题跋记》卷九）

## 十月

二十六日，陈著卒，年八十四。陈深《至德观记跋》："先子所作《至德观记》，大德丁酉十月二十五日甲寅日入时稿成。时未燃灯，不暇读过。明日，即寝疾。此手泽之绝笔也。呜呼，痛哉！痛念先子孝行贯坚质，幽年八十有四，未尝一日不梦见父母。每遇忌日，必涕洟终日，语及膝下，事必哀慕不已。故临终之言，发而为文，亦不离乎孝，然未经窜订，恐不能无误漏。如四明狂之下，尝得初稿，未竟片纸，自有客字，以先子平日作文，不尚艰深谲怪，亦或有客字，不敢妄益也。真迹别为宝藏，谨录副以对付请观者。呜呼，痛哉！男深泣血识。"（《本堂集》卷五十二）陈著（1214—1297），乳名必大，字谦之，一字子微，号本堂，自称嵩溪遗耄、四明遗耄、丹霞山人。著有《本堂集》九十四卷。四库提要卷一六四："《本堂集》九十四卷，宋陈著撰。……是集凡诗三十四卷，词五卷，杂文五十五卷。据其原目，尚有讲义二卷，此本有录无书，盖传写佚之矣。宋代著作获存于今者，自周必大、楼钥、朱子、陆游、杨万里外，卷帙浩博，无如斯集。惟其诗多沿《击壤集》派，文亦颇杂语录之体，不及周、楼、陆、杨之淹雅。又奖借二氏，往往过当，尤不及朱子之纯粹。然宋自元祐以后，讲学家已以说理之文自辟门径。南渡后辗转相沿，遂别为一格，不能竟废。且真德秀作《文章正宗》，甄别最严；胡寅作《崇正辨》，攻驳尤力。而德秀《西山集》、寅《斐然集》为二氏操觚者不一而足，亦未可独为著咎。披沙简金，时有可采。宋人旧帙，固不妨存备一家也。"陈著又尝著《历代纪统》，其书取历代史自三皇迄于祥兴，撰为四言，叶以声韵，著子泌尝介陈旅为序（《安雅堂集》卷六）。又泌子樫，亦以史学称。陈樫字子经，奉化人，流寓长洲。入明为翰林编修，以附杨宪，迁待制。著有《通鉴续编》二十四卷，有《四库全书》本。樫之所著，另有《尺牍筌蹄》，四库馆臣尝自《永乐大典》辑出三卷，列之于总集类存目。

## 闰十二月

刘辰翁卒于本月庚申（初二）之前，年六十六。刘辰翁（1232—1297），字会孟，号须溪，江西庐陵人。著有《须溪集》十卷、《须溪四景诗集》四卷。［按，刘辰翁生年，据《须溪集》卷九《百字令》词自注："仆生绍定之五年壬辰。"其卒年，据其子刘将孙所作《须溪先生集序》（《养吾斋集》卷十一），序作于皇庆壬子（1312），时刘辰翁弃世已十六年，则其卒当在大德元年（1297）。又《天下同文集》卷三十七有王梦应《哭须溪墓》，云："绍定壬辰后六十有六年丁酉闰月庚申，四方学者会葬须溪先生北郭外。"］刘将孙《须溪先生集序》："先生登第十五年，立朝不满月，外庸无一考。当晦明绝续之交，胸中之郁郁者，壹泄之于诗。其盘礴襞积而不得吐者，借文以自宣；脱于口者，曾不经意；其引而不发者，又何其极也。然场屋称文，自先生而后，今古变化，义理沉著，皆有味之言，至于今犹有遗者。师友学问，自先生而后，知证之本心，溯之六经，辨濂洛而见洙泗，不但语录或问为已足。词章翰墨，自先生而后，知大家数，笔力情性，尽扫江湖晚唐锢习之陋。虽发舒不昌，不能震于一世之上，如前闻人，而家有其书，人诵其言，隐然掇流俗心髓而洗濯之，于以开将来而待有作。尝论李汉称韩公摧陷廓清之功，雄伟不常，比于武事；东坡推欧公同于禹抑洪水，周公之膺惩，千载无异词。抑佛老，人知其为异端也；西昆体，世之所谓时文也。未有若学问之平沉，而文字之澜倒也，且视韩、苏所遇为何如哉！而振拔一时至此，则先生之文，岂不有关于气运。力难而功倍，而其不幸，则可感者在是矣。往年侍侧，尝授以诗卷，俾为选次，谨排比一卷以呈，不以为不然。丁酉以来，深惧散佚，编汇成集。季弟参之、婿项逢晋笃志愿学，乃其父时槱审而授之。今刻为诗八十卷，文又如干。绪言如昨，荒忽坠忘，不能有所发明，顾无以慰刻者之意，诚知其不趣不赎，而亦无所逃也。"（《养吾斋集》卷十一）刘将孙《彭丙公诗序》："往年侍先君子须溪先生居高山绝顶。一日昧旦起，见万山之外，微明湛然，远如水光。已而紫翠金彩，稜露百叠。良久，则云收天澹，山尖如染。其下，雾气方冥濛如晦。心窃如有所省，因请曰：'诗宜得如此景、趣、意者，画手犹难之也。'先君子欣然证之曰：'诗道具此矣。浓者欲其愈浓，淡者不厌其更淡。'由是观于诸家，始略得浓淡真处。尝历举唐诗至'黄鹂深树〔鸣〕，春潮过雨急'，进见，问曰：'此入何画品？'对曰：'水墨。'乃掉首：'否否，此生色画也。'良久乃悟。然未悟固不识其妙，既悟亦不能得于言。欲举以语人，谁当领此者。特为吾友丙公发之。"（《养吾斋集》卷十一）《勤有堂随录》："刘辰翁字会孟，号须溪，江古心之爱友。文字有好议论，惜无全篇纯雅者。其学不自朱子来，是其天资高，后来渐渐迁僻，如注杜诗，多说得迂晦，教人费力解说。可怒其人好怪，父丧七年不除，以此钓名。"刘岳申《题须溪先生真赞》："其清足以洗一世之众浊，其新足以去千古之重陈。昔之见者，尚不足以得其真；今之谤者，复何足以望其尘。呜呼！何年复见若人。"（《申斋集》卷十四）《麓堂诗话》："刘会孟名能评诗，自杜子美下至王摩诘、李长吉诸家皆有评，语简意切，别是一机轴，诸人评诗者皆不及。及观其所自作，则堆叠饾饤，殊乏兴调，亦信乎创作之难也。"《词品》卷五："须溪刘辰翁《元宵雨》词云：'角动寒谯。看雨中灯市，雪意萧萧。星球明戏马，歌管杂鸣刁。泥没膝，舞停腰。焰蜡任风飘。更何怜，红喈桃脸，绿颊杨桥。当年乐事朝朝。曾锦鞍呼妓，金屋藏娇。围香春醉酒，坐月夜吹箫。今老去，倦歌谣。嫌杀杜家乔。漫三杯，拥炉觅句，断送春宵。'以《意难忘》按之，可歌也。"《元诗选》三集甲集：
"会孟天资超特，人物伟然，以文章居当世之第一流。宋社既屋，肠断哀些，拉泪讴
吟，积至万首。文祖先秦、《战国》、《庄》、《老》等书。字体奇逸，自成一家。有
《须溪集》二百卷。草庐先生吴澄称其文典雅温润，明白敷畅，读之可见其为正人。非
虚誉也。"四库提要卷四十六："《班马异同评》三十五卷，宋倪思撰、刘辰翁评。
……辰翁人品颇高洁，而文章多涉僻涩。其点论古书，尤好为纤诡新颖之词，实于数
百年前预开明末竟陵之派。此书据文义以评得失，尚较为切实，然于显然共见者往往
赘论，而笔削微意罕所发明。又倪思原书，本较其文之异同。辰翁所评，乃多及其事
之是非。大抵以意断制，无所考证，既非论文，又非论古，未免两无所取。杨士奇跋
以为臻极精妙，过矣。"四库提要卷一五〇："《笺注评点李长吉歌诗》四卷、《外集》
一卷，旧本题西泉吴正子笺注，须溪刘辰翁评点。……辰翁论诗，以幽隽为宗，逗后
来竟陵弊体。所评杜诗，每舍其大而求其细。王士祯顾极称之。好恶之偏，殆不可解。
惟评贺诗，其宗派见解，乃颇相近，故所得较多。"四库提要卷一六五："《须溪集》
十卷，宋刘辰翁撰。……辰翁当贾似道当国，对策极言济邸无后可恸，忠良残害可伤，
风节不竞可憾，几为似道所中，以是得鲠直名。文章亦见重于世。其门生王梦应作祭
文，至称'韩、欧后惟先生卓然秦汉巨笔'。然辰翁论诗评文，往往意取尖新，太伤佻
巧。其所批点，如《杜甫集》、《世说新语》及《班马异同》诸书，今尚有传本。大率
破碎纤仄，无裨来学。即其所作诗文，亦专以奇怪磊落为宗，务在艰涩其词，甚或至
于不可句读，尤不免轶于绳墨之外。特其蹊径本自蒙庄，故惝恍迷离，亦间有意趣，
不尽堕牛鬼蛇神。且其于宗邦沦覆之后，眷怀《麦秀》，寄托遥深，忠爱之忱，往往形
诸笔墨。其志亦多有可取者，固不必概以体格绳之矣。"又："《须溪四景诗集》四卷，
宋刘辰翁撰。考晋、宋以前，无以古人诗句为题者。沈约始有《江蓠生幽渚》诗，以
陆机《塘上行》句为题，是齐、梁以后例也。沿及唐宋科举，始专以古句命题。其程
试之作，唐莫详于《文苑英华》，宋莫详于《万宝诗山》。大抵以刻画为工，转相效仿。
辰翁生于宋末，故是集各以四时写景之句命题。春景凡六十三题，诗七十二首；夏景
凡三十二题，诗三十五首；秋景凡四十题，诗四十四首；冬景十六题，诗如题数。所
作皆气韵生动，无堆排涂饰之习，在程试诗中，最为高格。"

## 本年

　　**高克恭由山南河北道廉访副使迁江南行台治书侍御史。**高克恭（1248—1310），字
彦敬，自号房山老人，人称高房山。其先西域人，后占籍大同。至元十二年，由京师
贡补工部令史。江南归附，选充行台掾，复迁内台掾，擢山东西道按察司经历，自工
部为经历，率间岁一。迁经历之明年，入掾中书。二十二年，除河南道提刑按察司判
官。明年，改山东西道。元贞二年，迁山南河北道廉访副使。大德元年，擢为江南行
台治书侍御史。三年，复召入为工部侍郎。寻转为翰林直学士。六年，授吏部侍郎。
又明年，除彰德路总管，未赴。八年，改刑部侍郎，升尚书。未几，除大名路总管。
至大三年卒，年六十三。谥文简。著有《高文简公集》七卷，已佚。《元诗选》二集丙

集录其诗 21 首。生平据邓文原《故大中大夫刑部尚书高公行状》。

**周达观使真腊归。达观处其国三年，成《真腊风土记》一卷。**四库提要卷七十一："《真腊风土记》一卷，元周达观撰。达观，温州人。真腊本南海中小国，为扶南之属。其后渐以强盛，自《隋书》始见于《外国传》。唐、宋二史并皆纪录，而朝贡不常至。故所载风土方物，往往疏略不备。元成宗元贞元年乙未，遣使招谕其国，达观随行。至大德元年丁酉乃归。首尾三年，谙悉其俗。因记所闻见为此书，凡四十则。文义颇为赅赡。惟第三十六则内记渎伦神谴一事，不以为天道之常，而归功于佛，则所见殊陋。然《元史》不立真腊传，得此而本末详具，犹可以补其佚阙。是固宜存备参订，作职方之外纪者矣。达观作是书成，以示吾邱衍。衍为题诗，推挹甚至，见衍所作《竹素山房诗集》中，盖衍亦服其叙述之工云。"

**方回作杂诗一卷。**戴表元《方使君诗序》："右紫阳方使君丁酉岁杂诗一卷。……大篇清新散朗，天趣流洽，如晋、宋间人醉语，虽甚亵，不及声利；小篇沉鸷峻整，如李将军游骑远击，自成部伍。盖使君好客，志气白首不衰，而学问播闻。端平以来诸老，于书无不窥，于理无不究，故能若是之有馀也。"（《剡源文集》卷八）

**梁曾由淮安路总管转为杭州路总管。在任三年，大德四年，以丁内艰去职。**见《元史》卷一七八本传。《词品》卷六："梁贡父曾，燕京人。大德初，为杭州路总管。政事、文学，皆有可观。尝作西湖送春《木兰花慢》词云：'问花花不语。为谁落，为谁开？算春色三分，半随流水，半入尘埃。人生能几欢笑，但相逢，樽酒莫相推。千古幕天席地，一春翠绕珠围。彩云回首暗高台。烟树渺吟怀。拼一醉留春，留春不住，醉里春归。西楼半帘斜日，怪衔春，燕子却飞来。一枕青楼好梦，又教风雨惊回。'此词格调俊雅，不让宋人也。"

**卢挚拜集贤学士，年五十馀。**虞集《河图仙坛之碑》："今上皇帝以特进上卿吴公全节年七十，用其师故开府仪同三司神德张真君故事，命肖其像，使宰执赞之，识以明仁殿，宝而宠之，赐宴于所居崇真万寿宫。……元贞元年，制授公冲素崇道法师、南岳提点。二年，奉诏祠中岳、淮渎、南岳、南海。大德元年，奉诏祠后土、西岳、河渎、江渎。……他日，成宗遣岳渎使还，顾问如世祖故事曰：'卿遇郡县有善治民者乎？'对曰：'臣过洛阳，太守卢挚平易无为，而民以安靖。'上曰：'吾忆其人。'即日召拜集贤学士。"（《道园学古录》卷二十五）《元史》卷二〇二《释老传》："〔吴〕全节尝代祀岳渎还，成宗问曰：'卿所过郡县，有善治民者乎？'对曰：'臣过洛阳，太守卢挚平易无为，而民以安靖。'成宗曰：'吾忆其人。'即日召拜集贤学士。"吴全节代祀岳渎，在元贞二年，时卢挚任满寓居河南。又《元史》卷十九《成宗本纪》载，大德二年正月，"以翰林王恽、阎复……集贤王颙、宋渤、卢挚……皆耆德旧臣，清贫守职，特赐钞二千一百馀锭。"是卢挚之为集贤学士当在此年。卢挚，字处道，一字莘老。大都涿州人。至元初，以能文荐，累迁河南路总管。吴全节代祀岳渎，过河南，闻其治行，力荐之。大德初，授集贤学士，出为江东道廉访使，复入为学士，迁承旨，卒。与姚燧以能文名，时称姚卢，又与刘因并以诗名。著有《疏斋集》，今不传。另著有论文之作《文章宗旨》（陶宗仪《南村辍耕录》卷九）。《全元散曲》录其小令 120 首，残小令 1 首。卢挚与程钜夫、刘因、姚燧、吴澄、马致远、张可久、刘时中等人均有交往，为一时著名文臣。今人李修生《卢挚年谱》，考其生平甚详。[按，卢挚生年，当不早于1242年。卢挚《移岭北湖南道肃政廉访司乞致仕牒》云："当职年虽未及六十……扬历中外，垂四十年。……年及弱冠，疵贱姓名，已登仕版。"文作于大德四年（1300）夏。]

**吴莱生。**吴莱（1297—1340），吴直方子，方凤孙婿，初名来，字立夫，号深袅山道人，婺州浦江人。延祐七年，以《春秋》举上礼部，不利，退居深袅山中，著书为文，甚为柳贯、黄溍所推许。重纪至元三年，监察御史许绍祖行部浙东，以茂才荐署饶州路长芗书院山长，未行而疾作。重纪至元六年卒于家，年四十四。门人私谥渊颖，更谥贞文。著有《尚书标说》六卷、《春秋世变图》二卷、《春秋传授谱》一卷、《古职方录》八卷、《孟子弟子列传》二卷、《渊颖先生文稿》六十卷，编有《楚汉正声》二卷、《乐府类编》一百卷、《唐律删要》三十卷。《元诗选》初集已集选其诗88首。生平据宋濂《渊颖先生碑》、《浦阳人物记》卷下、《元史》卷一八一本传。

**关汉卿小令〔双调〕《大德歌》十首作于本年。**末首云："吹一个，弹一个，唱新行大德歌。快活休张罗，想人生能几何。十分淡薄随缘过，得磨陀处且磨陀。"（《阳春白雪》前集四）或以为《大德歌》乃由佛曲转入北曲者，与大德年号无涉。然以《窦娥冤》作于至元二十九年以后推之，以其作于大德初之可能性较大。姑系于此，俟考。

## 公元 1298 年　（成宗大德二年　戊戌）

### 二月

十六日，戴表元序赵孟頫所撰《松雪斋集》。序见《剡源文集》卷七。赵孟頫所撰诗文，今存《松雪斋集》十卷、《外集》一卷，其子赵雍所编，有《四库全书》本、《四部丛刊》本。沈璜《松雪斋集题记》："松雪翁词翰妙天下，片言只字，人辄传玩。公薨几二十年矣，而平生所为诗文犹未镂板。今从公子仲穆求假全集，与友原诚郑君再加校正，凡得赋五，古诗一百八十四，律诗一百五十，绝句一百四十，杂著五，序二十，记十二，碑志廿六，制诰、批答、策题廿五，赞十，铭一，题跋五，乐府二十，总五百三十四。并公行状、谥文一卷，目录一卷，合为十二卷。亟镂诸梓，置之家塾，俾识者共观焉。至元后己卯良月十日花溪沈璜伯玉书。"《藏园订补郘亭知见传本书目》卷十四："《松雪斋集》十卷、《外集》一卷、《续集》一卷，元赵孟頫撰。康熙间曹培廉刊本。明刊本二卷，不全，入《存目》。《天禄后目》有元刊本，附董其昌手跋。……附：康熙刘氏刊本。（邵氏）补：《赵文敏公松雪斋全集》十卷，元赵孟頫撰。清康熙五十二年曹培廉城书室刊本。补：《松雪斋集》十卷、《外集》一卷，附《行状》，元赵孟頫撰。清清德堂刊本……余据元花溪沈璜本及自藏元至正元年虞氏务本堂刊《诗集》七卷本校，并辑《补遗》、《目录》。补：《松雪斋集》七卷，元赵孟頫撰。明万历四十三年潘是仁辑刻《宋元四十三家集》本。补：《松雪斋文集》十卷、《外集》一卷，元赵孟頫撰。元后至元五年花溪沈璜刊本……已印入《四部丛刊》，缺卷用明初翻本配补，视元刻如婢学夫人矣。明初翻元后至元五年花溪沈璜刊本……故宫图书馆、江南图书馆、刘氏嘉业堂各有一帙，均号为元刊本，余亦有一帙。……重印《四部丛刊初编》时，即据余藏本补入此附录一卷。明天顺六年岳璿刊本……又有天顺六年知湖州府事大梁文玑跋，言'得赵雍手书镂版于予婭家花城沈氏，惜其故板无存，重付刀笔'云云。李木斋先生处见。清传钞明天顺六年岳璿刊本。补：《松雪斋文集》十卷，元赵孟頫撰。明末刊本。"

## 三月

**邓文原以才名征至京师，调崇德州教授。** 戴表元《送邓善之序》："大德戊戌春，巴西邓善之以材名被征，将祗役于京师。……三月朔日，剡源戴表元序。"（《剡源文集》卷十四）吴澄《元故中奉大夫岭北湖南道肃政廉访使邓公神道碑》："年三十二，浙省檄充杭学正。大德戊戌，部注崇德州教授。"（《吴文正集》卷六十四）。袁桷《送邓善之应聘序》："今年春，〔善之〕承征将如京师，告余以行。余固喜夫人之所期者有验，而其行也，复将有说焉。……予与君畴昔相好，无所隐思，所赠之谊，而密以告焉。"（《清容居士集》卷二十三）

## 五月

**二十一日，贡师泰生。** 贡师泰（1298—1362），贡奎子，字泰甫，号玩斋，学者称玩斋先生，宁国府宣城人。早肄业太学，为诸生。天历元年，授从仕郎、太和州判官，未赴。二年，丁外艰。至顺二年，除徽州路歙县丞，未赴。三年，江浙行省辟为掾，寻辞去。重纪至元三年，以大臣荐，擢应奉翰林文字、同知制诰兼国史院编修官。五年，丁内艰。至正四年，除绍兴路总管府推官。考满，复入翰林为应奉，寻授宣文阁授经郎。九年，迁翰林待制。十年，改国子司业。十一年，再迁吏部郎中，拜监察御史。十二年，除吏部侍郎。十三年冬，调兵部侍郎。十四年八月，转都水庸田使。十五年，擢江西廉访副使，未行，迁福建廉访使，六月到任。十月，除礼部尚书。十一月，选为平江路总管。明年正月，以张士诚陷城，隐居吴淞江上。十七年，授两浙都转运盐使。十八年，升江浙行省参知政事。十九年，除户部尚书，分部闽中。二十年，除秘书监卿。二十二年五月，自闽浮海归于海宁旧寓，十月，以疾卒，年六十五。著有《诗经补注》、《玩斋集》十卷、拾遗一卷。《元诗选》初集戊集选其诗 193 首。生平据朱镳《礼部尚书贡公玩斋先生年谱》、《元史》卷一八七本传。

## 六月

**十九日，舒岳祥卒，年八十。** 刘庄孙《舒阆风先生行状》："公生于宋嘉定己卯十一月二十七日，其卒以大德戊戌六月十九日。"〔按，舒岳祥生卒年，《元人传记资料索引》据岳祥所撰其妻墓志及胡长孺所作集序，以为生于嘉定丁丑（1207），卒于大德辛丑（1301）。此据刘庄孙所撰行状。行状据《中华大典·文学典·宋辽金元文学分典》所录。〕吴子良《舒阆风文集序》："癸卯秋八月，乃始得舒生，首示余两编。余读《苏埜稿》，如登岱华，桧柏松椿、枞杉梗樟之干，掀舞而偃蹇，槎牙而阴森。如涉大海，龙蜃蛟螭，鲲鲸鼋鼍，号风噀雨，叱霆擭电，朝莫变怪之百出。如观武库，戈甲犀利，光芒闪烁，毛发森耸而胆为寒。如步寒皋，眺远渚，烟深月澹，雁嘈嗥而鹤孤唳。读《史述》，如神禹随山刊木，百川顺逆之势毕露；如季札观周乐，聘列国，逆料其理乱兴亡皆暗合；如冯妇徒手搏虎，如子路片言折狱。盖其通达近谊，辩博近军，赡郁近观，奇诡近贺，劲挺近令，清峻近居实。余惊喜，恨得之晚。进之曰：谊也隘，军也诮，观也肤，贺也浮，令也激，居实也伧，生岂此之俪乎哉！"刘庄孙《舒阆风先生行状》："公之文，其于南北者，今皆刊本。凡作于丙子以前者，有《苏墅稿》四十卷、《史述》十八卷、《汉砭》四卷、《补史》一卷、《家录》三卷。若《避地稿》、《篆畦稿》、《蝶轩稿》、《梧竹里稿》、《三史纂言》、《谈丛》、《丛续》、《丛残》、《丛传》、《丛肆》、《昔游稿》、《深衣图说》，总二百二十卷，皆丙子以后所作也。呜呼！公之用心于斯文，可谓尽矣。然其文之出于平实正大，由诸老之渊源而溯诸孔、孟，其果尽于此乎哉！公之少作，荆溪公既评之，而人得以知公之道。其作于中年者，明洁而清峻，丽密而深雄。其作于莫年者，诗益精妙，文益宏肆，大约如丹漆白玉，不假雕饰，晶采焕发，如深山大泽，珍异所产，宝藏所兴，日月之光景，烟云之姿状，出于自然，不可摹写，世未有知而评之者，固有待于后世之子云。"胡长孺《阆风集序》："先生负奇气，固伯仲诸葛孔明、王景略，其视龌龊琐碎，虽达官贵人，若遗涕唾，不肯一回顾。少年已擢巍科，同时流辈，往往涉足要津，已独凝立却行，不能以分寸为进。其文凌张文潜、秦太虚而出其上，其诗韩子苍、陆务观不足高也。"四库提要卷一六五："《阆风集》十二卷，宋舒岳祥撰。……岳祥少时以文见吴子良，子良即称其异秉灵识如汉终、贾，晚逢鼎革，遁迹终身，乃益覃思于著作。其诗文类皆称臆而谈，不事雕缋。集中有诗诀一首云：'欲自柳州参靖节，将邀东野适卢仝。'又云：'平原骏马开黄雾，下水轻舟遇快风。'其宗旨所在，可以想见矣。"

**二十四日，释圆至卒，年四十三。** 戴表元《圆至师诗文集序》："圆至师诗文一卷。师讳圆至，字天隐，江西高安姚氏子。父兄宗邻俱以进士科目起家，独喜为僧。江上兵事起，即去依袁州仰山雪岩钦禅师。至元中，自淮入浙，依承天觉庵真禅师、天童月波明禅师、育王横川巩禅师。二十七年，复归庐山。越四年，建昌能仁虚席，郡牧赵侯移文请居之。二年，竟弃归庐山，卒于大德二年六月二十四日。以上皆吴僧行魁师所记。"（《剡源文集》卷九）戴表元另作有《魁师诗序》，云："戊戌、己亥岁，有魁师自吴中来，屡相接，前后袖诗觊余，累十百篇。"则魁师编圆至诗文集，或在大德三年。圆至所著《牧潜集》七卷，有方回、姚广孝等为之作序。四库提要卷一六六："《牧潜集》七卷，元释圆至撰。……自六代以来，僧能诗者多，而能古文者不三五人。圆至独以文见，亦缁流中之卓然者。都穆《南濠诗话》尝称圆至工于古文，诗尤清婉，举其《寒食》、《西湖》、《送人》、《再往湖南》、《涂居士见访》五诗。《送人》及《再往湖南》诗，不免凡语，馀三篇诚楚楚有清致。盖其诗亦有可观。而所注周弼《三体唐诗》，乃弇陋不可言状。知文章之道，与考证之学分路而扬镳也久矣。"又有《唐诗说》二十卷，其书乃取宋周弼所选《三体唐诗》而为之注释，坊本称之《碛沙唐诗》，大德九年方回尝为之作序，然不为四库馆臣所取。四库提要卷一九一："《唐诗说》二十一卷，元释圆至撰。……此书盖取宋周弼所选《三体唐诗》为之注释，前有大德九年方回序。其书诠解文句，颇为夸陋。坊本或题曰《碛沙唐诗》。"杨维桢《雪庐集序》："宋南渡后，大夫无文章，乃得于高安上人圆至者。方严陵有是言也。始予怪其言之自薄，及取至文览之，则于江子、参寥辈诚有过之者。其修辞有古作者法，吾中国圣人与西方圣人，有合不合者，二之则不是，一之亦不然，则必推极初之母者言也。善夫至之能文也。"（《东维子集》卷十）《南濠诗话》："元僧圆至，工于古文，而诗尤清婉。其《寒食》云：'月暗花明掩竹房，轻寒脉脉透衣裳。清明院落无灯火，独绕回廊礼夜香。'《晓过西湖》云：'水光山色四无人，清晓谁看第一春？红日渐高弦管动，半湖烟雾是游尘。'《送人》云：'送子江头水亦悲，更能随我定何时？垂杨但为秋来瘦，不为秋来有别离。'他如《再往湖南》云：'春路晴犹滑，山亭晚更凉。竹枯湘泪尽，花发楚魂香。'《涂居士见访》云：'并坐夜深皆不语，一灯分映两闲身。'其造语之妙，当不减于惠勤、参寥辈也。"《元诗选》初集壬集："其诗虽所存不多，而风骨自见。如《送才上人往湖南》云：'竹枯湘泪尽，花发楚魂香。'《富塘》云：'亦供贫者乐，独以富为名。'《寄志胜上人》云：'瘴月人南去，花时雁北飞。'弘秀集中不多得也。"

## 七月

初一，郑玉生。郑玉（1298—1358），字子美，学者称师山先生，徽州歙县人。尤邃于《春秋》，以授徒为事，受业者甚众，遂构师山书院以处。元统初，有司荐于浙省及江南行御史台，谢不就。至正十四年，朝廷除玉翰林待制、奉议大夫，辞疾不起。十六年，讲道淳安徐氏书堂。十七年，还师山，纂注《周易》。秋七月，郡城失守，遂率昆弟子侄复往淳安，仍馆徐氏。十八年，淳安、建德相继破，乃间道归隐休宁山中。徽州守将闻其名，欲罗致之，遂自缢于寓馆，年六十一。著有《周易纂注》、《春秋阙疑》、《师山文集》八卷、《馀力稿》五卷、《师山遗文》六卷（一作九卷）。《元诗选》初集庚集选其诗21首。生平据汪克宽《师山先生郑公行状》、《元史》卷一九六《忠义传》。

初一，冯福京序其与郭荐等人共编之《昌国州图志》。八月，冯福京又为其书作后序。冯氏二序均见本集。四库提要卷六十八："《大德昌国州图志》七卷，元冯复京、郭荐等同撰。复京，潼川人，官昌国州判官。荐，里贯未详，官鄞县教谕。昌国州即今定海县。宋熙宁六年置昌国县。元至元十五年始升为州。此书成于大德二年七月。凡分八门：曰叙州，曰叙赋，曰叙山，曰叙水，曰叙物产，曰叙官，曰叙人，曰叙祠。前有州官请耆儒修志牒一篇，末有郭荐等缴申文牒一篇，冠以复京序。据序中所述始末，盖复京求得旧志，属荐等订辑，而复京为之审定者也。其大旨在于刊削浮词，故其书简而有要，不在康海《武功志》、韩邦靖《朝邑志》下。海书、邦靖书为作者盛推，而此书不甚称于世，殆年代稍远，钞本稀传欤？据原目所载，卷首当有环山、环海及普陀山三图。图志之名，实由于是。此本有录无书，盖传写者佚之矣。"《四库全书总目提要补正》卷二十二："《大德昌国州图志》七卷。陆氏《藏书志》有影写元刊本，所载请修志疏及序跋，均作'福京'，此作'复'，恐误。张氏《藏书志》有文澜

**103**

阁传钞本，题冯复京等撰，序亦作'复'。（郑翼谨案：《文渊阁目》作复京，张文虎记所钞文澜诸书作福京，见《湖楼校书记》。）"

## 十二月

顾伯玉客杭，与白珽、屠约、张槃等人相与唱和。明年三月，又与表元等人同游金华北山。顾伯玉客杭一年馀，多与戴表元等人以诗文唱和。牟𪩘（《陵阳集》卷十二《顾伯玉文稿序》）、戴表元（《剡源文集》卷十一《顾伯玉诗文稿序》）均尝为其所撰文集作序，极许伯玉为人。戴表元《城东倡和小序》："余少时学诗，诵夫子之说，曰'可以兴，可以观，可以怨'，易知也，至于'可以群'而难之。有老先生教余：汝他日当自解此，非可以言语悟也。盖自弱冠出游，至于今阅历三纪，平生所过从延接，贵贱浮沉，贤愚聚散，无虑千数，至是而始略知夫交之难，而尤未知群之难也。非群之道难于交，而交之可致，不如群之不可致也。交之群，莫盛于杭。于是岁在大德戊戌，嘉兴顾伯玉客于杭城东，杭之贤而文者皆与之游，而屠存博、白廷玉以岁晏立春前一日过庐，清谈剧饮甚适。既少倦，即相与循开垌，步江皋，眺太白、钱镠之荒墟，吊陶朱、子胥之遗迹，意色苍莽，襟神飞疏。退而存博遂先成古诗二韵六言五章以纪其事，既而廷玉有和伯玉，既和，又别为诗，而张仲实、陈无逸诸贤又皆和。有和诗，遂不可胜纪。其气如椒兰之交袭而郁也，其音如箫钟之迭居而不乱也，其类如针芥磁铁之不相违而相入也。噫嘻美哉，其群矣哉！余也山野土木之人，无能预于兹集，而知旧怜其流离，每不疏外，辱以小序见命，不敢固辞，私心亦喜。交道之有群，而诗学之少验也，而为同业者愿之，因附系其颂叹云。明年仲春哉生明，剡源戴表元序。"（《剡源文集》卷十）

## 本年

钟嗣成本年前入杭州路儒学，从师邓文原。曹刊本《录鬼簿》卷下"赵良弼"条："总角时，与余同里闬，同发蒙，同师邓善之、曹克明、刘声之三先生。"朱凯《录鬼簿后序》亦称嗣成为善之邓祭酒、克明曹尚书之高弟。邓善之，即邓文原。据《元史·邓文原传》，邓文原荐辟杭州路儒学正在至元二十七年（1290），于大德二年（1298）调崇德教授。曹克明，即曹鉴。其为杭州路儒学教授，约在本年前后。大德五年（1301），曹鉴以翰林侍讲学士郝彬荐，转为镇江淮海书院山长。刘声之，即刘濩。据黄溍《文献集》卷四《跋刘声之诗》云："仆年二十馀，识声之先生于钱唐，时声之方以经学教授，愧莫能执弟子礼。"黄溍生于至元十四年（1277），大德五年（1301）年二十五。钟嗣成《录鬼簿》记其同窗友者，有赵良弼、陈无妄、李齐贤、屈子敬、刘宣子等人。《录鬼簿》卷下："子敬，英甫之侄，与余同窗。有乐府，所编有《田单复齐》等套数。以学官除路教而卒。乐章华丽，不亚于小山。"英甫，屈彦英之字，编有《一百二十行》及《看钱奴》院本。

戴表元始从方回游。戴表元《紫阳方使君文集序》："戊戌、己亥间，来钱塘，始得熟从紫阳方使君游。"（《剡源文集》卷十一）

**虞集游金陵，与杨刚中、元明善等人为文学之交。**虞集《佩玉斋类稿序》："大德戊戌，集始游升，与杨公志行、元公复初为文学之交。"《元史》卷一八一元明善本传："明善早以文章自豪，出入秦、汉间，晚益精诣，有文集行世。初在江西、金陵，每与虞集剧论，以相切劘。明善言：'集治诸经，惟朱子所定者耳，自汉以来先儒所尝尽心者，考之殊未博。'集亦言：'凡为文辞，得所欲言而止，必如明善云"若雷霆之震惊、鬼神之灵变"然后可，非性情之正也。'二人初相得甚欢，至京师，乃复不能相下。董士选之自中台行省江浙也，二人者俱送出都门外。士选曰：'伯生以教导为职，当早还。复初宜更送我。'集还，明善送至二十里外，士选下马入邸舍中，为席，出橐中肴酌酒同饮，乃举酒属明善曰：'士选以功臣子出入台省，无补国家，惟求得佳士数人为朝廷用之，如复初与伯生，他日必皆光显，然恐不免为人构间。复初中原人也，仕必当道；伯生南人，将为复初推折。今为我饮此酒，慎勿如是。'明善受卮酒，跪而釂之。起立，言曰：'诚如公言，无论他日，今隙已开矣。请公再赐一卮，明善终身不敢忘公言。'乃再饮而别。真人吴全节与明善交尤密，尝求明善作文。既成，明善谓全节曰：'伯生见吾文，必有讥弹，吾所欲知。成季为我治具，招伯生来观之，若已入石，则无及矣。'明日集至，明善出其文，问何如。集曰：'公能从集言，去百有馀字，则可传矣。'明善即泚笔属集，凡删百二十字，而文益精当。明善大喜，乃欢好如初。集每见明经之士，亦以明善之言告之。"

**周伯琦生。**周伯琦（1298—1369），字伯温，号玉雪坡真逸，鄱阳人。年十五，补国子生，从学于吴澄、邓文原、虞集。后五年，升上舍生。泰定二年，用荐授将仕郎、广州路南海县主簿。天历三年，除从仕郎、太府监照磨，兼管勾承发架阁。重纪至元元年，以欧阳玄、张起岩等荐，迁征事郎、翰林国史院编修官。六年，升承务郎、翰林修撰、同知制诰兼国史编修。至正元年，擢宣文阁授经郎，阶儒林郎。三年，升宣文阁鉴书博士。明年，复兼授经郎。五年，除崇文监丞。寻转广东道肃政廉访司佥事，阶朝散大夫。八年，改福建闽海道，未行，以翰林待制兼国史院编修官召。明年，擢崇文少监。十一年，拜翰林直学士、大中大夫、同修国史。十二年，改兵部侍郎，寻拜中台监察御史。十三年，改崇文太监、嘉议大夫。明年，丁母忧，寓居姑苏。十五年，起为江东肃政廉访使，改浙西道肃政廉访使。十七年，擢参知政事。十九年，授行省左丞。二十四年，特除资政大夫、江南诸道行御史台侍御史。张士诚败亡，引归鄱阳。洪武二年卒，年七十二。著有《坚白居士集》三十卷、《近光集》三卷、《扈从诗》一卷、《说文字原》一卷、《六书正讹》五卷、《翰林志》十卷。《元诗选》初集庚集选其诗 77 首。生平据宋濂《元故资政大夫江南诸道行御史台侍御史周府君墓铭》（《芝园续集》卷四）、《元史》卷一八七本传。

**周密约卒于本年或稍后。**赵孟頫《题王右军思想帖》："大德二年二月二十三日，霍肃清臣、周密公谨、郭天锡佑之、张伯淳师道、廉希贡端甫、马昫德昌、乔簣成仲山、杨肯堂子构、李衎仲宾、王芝子庆、赵孟頫子昂、邓文原善之，集鲜于伯机池上，佑之出右军《思想帖》真迹，有龙跳天门、虎卧凤阁之势，观者无不咨嗟叹赏神物之难遇也。"（《续书画题跋记》卷一）夏承焘《唐宋词人年谱·周草窗年谱》以为周密卒于本年七月之后，明年十一月之前。且辨吴荣光《名人年谱》之误云："《疑年录二》吴修注云：'至大戊申年七十七，尚无恙。据《癸辛杂识》。'吴荣光《名人年谱》定周密卒于至大元年戊申。今本《癸辛杂识》无至大戊申，别集下'武城蝗'条为本年七月，为最晚。"姑从之。马廷鸾《题周公谨蜡屐集后》："东坡评遥集此事，以为君子可寓意于物，而不可留意于物。今夫诗，天地间一灵物也。故曰：乾坤有清气，散入诗人脾。君子之于是物也，寓焉而已。陶渊明每见树木交阴，时鸟变声，便欣然有喜，临流赋诗，寓之谓耳。呕心出腑如李长吉，则留之为弊也。以余观公谨，非能为诗，不能不为诗也。悠然而长，黯然而幽，有圆转流丽之新声，无惨淡经营之苦思，谓之寓者，非耶？虽然，公谨一出门，则遥集纷纷矣，独无感乎？感则悲，悲则吟，岂独有取于蜡屐之区区乎？故曰：公谨非能为诗，而不能不为诗者也。"（《碧梧玩芳集》卷十五）

## 公元 1299 年　（成宗大德三年　己亥）

### 六月

**二十九日，陈义高卒，年四十五。**张伯淳《崇正灵悟凝和法师提点文学秋岩先生陈尊师墓志铭》："按状，师名义高，宜父其字，生于宝祐乙卯九月。……大德改元，王就国，仍载之后车。越二年，请以其徒代，得还。至开平，次恒州南道，病增剧，无言端坐而化。时乙亥六月二十九日。"（《养蒙文集》卷四）大德无"乙亥"，据铭文所叙，当是"己亥"之误。张伯淳《祭陈秋岩文》："呜呼！白头如新，倾盖如旧。不必衾裯之同，所同者兰心之臭。回首都门，能几邂逅。凡其掀髯抵掌，论心握手，皆将空八极而陬九州，折群啾而腾雅奏。师虽以道法遇知乎明时，而其品则谪仙、贺监之抱负，此固伯淳心契而神友，每欲拍洪崖之肩，而挹浮丘之袖。万里归云，昕夕占候。曾谓旧隐在跬步间，而只鹤遽凌空于清昼。呜呼！梦与春而同归，岩经秋而陨秀。留不朽之诗名，长充塞乎宇宙。英爽所次，有怀莫究。一奠倾诚，辞以为侑。"（《养蒙文集》卷六）张伯淳《崇正灵悟凝和法师提点文学秋岩先生陈尊师墓志铭》："余初入词林，与秋岩先生陈宜父为世外友。其纵谈三千年宇宙间事，亹亹忘倦。酒酣为诗文，意生语应，笔陈不能追，有谪仙、贺监风致，高古处可追陶、谢，类非烟火食语。今已矣夫！遗文有《沙漠稿》、《秋岩稿》、《西游稿》、《朔方稿》。"四库提要卷一六六："《陈秋岩诗集》二卷。案陈秋岩集散见《永乐大典》中，然不著其名，亦不著时代。考焦竑《国史经籍志》有陈宜甫《秋岩集》，当即其人，而爵里则终无可考。……其诗多与卢挚、姚燧、赵孟頫、程钜夫、留梦炎等相唱和，而诸人诗乃罕及之，其始末遂不可复详矣。原集焦志作一卷，然篇什稍多，疑其字画偶误，今据《永乐大典》所存者编为二卷。其诗大抵源出元、白，虽运意遣词少深刻奇警之致，而平正通达，语无格碍，要自不失为雅音也。"《善本书室藏书志》卷三十三："《秋岩诗集》二卷，旧钞本，元陈宜甫撰。……其诗则抒所欲言，自有雅音。"

### 七月

**初二，定"乐人词讼约会"之制。**《元典章》卷五十三《刑部》十五"乐人词讼约会"条:"大德三年七月初二日,中书省奏,奉圣旨:乐人每根底,管民官每的勾当,迟误说眼教生受有,有问的勾当呵,管乐人的头目与管民官每一同问者,钦此。"

## 八月

赵孟頫改集贤大学士,行江浙等处儒学提举。至大二年迁去。见杨载《大元故翰林学士承旨荣禄大夫知制诰兼修国史赵公行状》。

## 冬

刘敏中由燕南廉访副使入为国子司业。据刘敏中《贾滦州饯行诗序》(《中庵先生刘文简公文集》卷八)、《元史》卷一七八刘敏中本传。

## 本年

曹轵序仇舜臣、曹彦文所编《诗苑丛珠》。《钦定天禄琳琅书目》卷六:"《诗苑丛珠》一函三册,元仇舜臣编,曹彦文增辑,三十卷。前曹轵序。轵序作于大德己亥,按己亥为元成宗大德三年。序后有至正甲辰菊节西园精舍新刊木记,按至正甲辰为元顺帝至正二十四年,距轵作序之时已逾六十六载。书分三十六门,皆采摘成语,取其二三字,集成对偶,并附诗联,以备初学拮摭之用,系饾饤之书,故不显于当世。历年既久,书贾得之,始为开雕,宜其刊印草草也。舜臣、彦文、饺俱无考。"

陈岩卒。陈岩(?—1299),字清隐(或误作清德),一字民瞻,青阳人,自号九华山人。博极群书,负用世大志。宋末,屡举进士不第,入元隐居不出。元世祖征求隐逸,遂汗漫江湖以避之。及老,始归青阳。著有《九华诗集》一卷、《凤髓集》。《九华诗集》,《千顷堂书目》卷八作四卷,并言为五言绝句,然今存《九华诗集》则皆七言绝句;《江南通志》卷一九三作二卷;《钦定续文献通考》卷一九五作一卷。今存《四库全书》本。方时发《九华诗集序》:"九华,池阳胜境也。……昔诗人陈清隐岩负其乐山乐水之趣,遍游历览,随寓吟咏,凡山中草木羽毛之名品,泉石岩洞之灵异,烟霞风月之气象,悉采而模写于中,皆得其事迹景物之真。盖陈君生于九华,身所亲历,目所亲睹也。诗有旧板,兵毁不全,此二百一十篇,乃余掇拾于散佚之馀者也。窃谓山乃无声之诗,诗乃有声之山,山之有诗,犹天有日月星辰之光彩,人有衣冠佩玉之文华也。苟或泯泯山灵,其不抱泯泯之恨乎?"吴师道《陈氏凤髓集后题》:"诗集句起近代,往往采拾诸家而间一为之,未有寻取一家之作而用之全编者也。文文山在羁囚中,始专集杜陵诗以发己意,咸谓创见。今观九华陈氏《凤髓集》,则知前乎已有此矣。夫杜陵之诗,浩博深宏,涵蓄万象,巨细无不有,而于古今之治乱得失,人情之舒惨戚忻,亦莫不散布毕陈。斯人乃能融液贯穿,排比联合,大篇短章,词从句顺,宛然天成,积至数百首之多。既免夫鸿鹄家鸡之嘲,而自谓得凤髓胶弦之妙,其用心不既专且勤乎?夫良工之机锦,经纬错综,顺而成章者,固粲然可观。若夫剪缀百衲,横斜曲直,纹缕相值,不差毫分,要非极天下之至巧者不能也。陈君名岩,字民瞻，自序在宋淳祐中，今且百年，而未传于世。景德上人宗公出以示予，俾题其后，故为论之如此。呜呼！文章在天地间，其变无穷，不可测知，当杜陵有作时，岂预为后人设哉？由今而后，凡前世诸大家，皆可仿此而为之。推其端原，必自陈君，君亦足以为不朽矣。因阅缙云冯时行集有跋杨序之《草堂集句》，知昔人亦有为此者，多不传耳。"（《礼部集》卷十七）四库提要卷一六五："《九华诗集》一卷，宋陈岩撰。……其诗皆七言绝句，凡咏名胜者二百七首，咏物产者三首。九华山自唐以李白得名，诗家多有题咏。而取泉石洞壑之胜，遍加品目，实莫备于是编。其诗亦俱潇洒出尘，绝去畦径，有高人逸士风格，不仅足供山志采择而已。"

**贡奎以荐授池州路齐山书院山长，时年三十一。**戴表元《送贡仲璋序》："贡君仲璋，以儒隐宣城南漪湖上，余尝遇之。观其居家厚，待乡顺，怡亲悌长，隆师敬客，而馀暇攻问学，治文词，种种不丽于流俗。然亦窃怪其天资疏通爽迈，可以用世而若未有所营者。既而有司次第其庠序岁月之劳，以名闻于中都，而将授之以郡博士之秩。前所谓甚艰且劳之选，既可以安坐而得。一日，囊粮秣骑，滕舾篋笔，翩翩然告余以远役，曰：'奎生三十有一年矣，平居读古传记，见才名气焰士，必快慕之。今纵不得如洛贾生、蜀司马长卿、吴陆士衡，即取印绶节传，为左右侍从言论之臣，尚当赋《两都》、《三大礼》，献太平十二策。遇则拱摩青霄，不遇则归耕白云，安能浮沉泑忍，为常流凡侪而已乎？'余闻其言而壮之。"（《剡源文集》卷十四）李繭《故集贤学士奉训大夫贡公行状》："郡上其才，被行者檄为池州路齐山书院山长。……满秩，谒选京师。时大德六年。"贡奎（1269—1329），字仲章（一作仲璋），号云林子，徽州府宣城人。生于咸淳五年二月二十一日。年十岁，辄能属文，已有闻于人。初，被浙省檄为池州齐山书院山长。大德六年，中书奏授太常奉礼郎兼检讨。九年十一月，迁翰林国史院编修官。至大元年，转应奉翰林文字、将仕郎、同知制诰，兼国史院编修官，预修《成宗实录》。以丁父忧归。延祐元年，起为承事郎、江西等处儒学提举，明年就官。五年，迁翰林待制、文林郎，预修《仁宗实录》。至治元年，谒告归里第。泰定三年，复起为翰林待制，进承直郎。四年七月，拜集贤直学士、奉训大夫，秩从三品。天历元年十月，往祠北岳、淮、济、南镇。二年春，还自会稽，涉吴中，以疾归卧于家。十月卒，年六十。谥文靖。著有《云林集》十卷。《元诗选》初集丙集选其诗107首。生平据李繭《故集贤学士奉训大夫贡公行状》、马祖常《集贤直学士贡公文靖公神道碑铭》（《石田文集》卷十一）。

**朱升生。**朱升（1299—1370），字允升，学者称枫林先生，休宁人。与赵汸从学于黄泽。至正四年，举乡荐。八年，授池州路学正。秩满，归隐歙县石门。朱元璋下徽州，召问时务。吴元年，授中顺大夫、翰林侍讲学士、知制诰、同修国史。洪武元年，进翰林学士，明年请归。三年卒，年七十二。著有《周易旁注图说》二卷、《尚书旁注》六卷、《诗旁注》八卷、《枫林集》十六卷，编有《小四书》五卷、《枫林类选小诗》一卷。生平据朱同《朱学士传》（《新安文献志》卷七十六）、《殿阁词林记》卷四、《明史》卷一三六本传。

# 公元1300年 （成宗大德四年 庚子）

## 二月

**叶颙生。**叶颙（1300—1383），字景南，号云颙天民，金华人。以吟咏自适，隐逸以终其身。著有《樵云独唱》六卷。《元诗选》初集辛集选其诗 75 首。[按，同时有字伯昂者，为东洞庭山后人，非其人。见吴敏《叶伯昂传》（《吴都文粹续集》卷四十五）。《列朝诗集小传》以为叶颙字伯恺，洪武中登进士。《四库全书总目》卷一六八《樵云独唱》提要已辨其误。叶颙生年，据所作《挽琳荆山上人》："大德庚子春，生我及此公。同庚复同道，同游金芙蓉。"（《樵云独唱》卷一）又《诞日》题下注云："前元己丑仲春，予知命之年。贤甥童中州赋诗寿予，揆今二十五年矣，甥亦五旬。予曾赋五言唐律一首，今书于此云。"（《樵云独唱》卷五）其卒年，据彭韶《叶氏先茔碑》，其文云："金华叶氏，宋阜陵时讳衡者，为宰相，其裔遭寇难，家族流散，谱牒失亡，虽有居其故乡而世系无传，莫之考信。有约庵先生者，金华府城北四隅人，仕元为九江路判官，后隐迹不复出。事业生卒之详，于今无能言者。故老相传，先生未仕时，读书于城北智者庵，归隐后，卜筑于城西芙蓉峰下居焉，遗址尚存，谦恭厚德，时目为长者。子颙，字景南，克承家学，以时多故，不复仕，性甘淡泊，善吟咏，所著有《樵云独唱集》传于世，年八十四而卒，与约庵俱葬芙蓉峰之麓。"（《彭惠安集》卷五）]

## 三月

**蔡正孙自序所编《精选唐宋千家联珠诗格》。**集为于济初编，仅三卷，蔡正孙增益为二十卷。序见本集卷首。又有于济、王渊济序。今存朝鲜刊本，藏北京大学图书馆；又有日本正保三年刊本。今人祝尚书《宋人总集叙录》（中华书局 2004 年版）考之甚详。

## 春

**白珽选授常州儒学教授。**戴表元《送白廷玉赴常州教授序》："大德庚子春，钱塘白廷玉以公府高选得之。江南之缙绅韦布识与不识，不谋而同声曰：'此固才学，可以为师儒，称职而无愧者也；此固取之高年素望，可以四面决疑请益者也。铨格而皆若人，其何不可之有。'因相率作为诗文以饯其往，而寻复征赠于余，余不得辞。抑余私有欲赞于廷玉者。廷玉本余同里舒文靖公诸孙少度君之子，生十龄，以孤稚随母寄养于白，及今成立，自当用范文正、刘文节二公例，请为白氏置后，而身归舒宗，乃合于礼，缘人情不忘本之义。"（《剡源文集》卷十三）方回有《送白廷玉常州教二首》诗二首（《桐江续集》卷二十五）。张伯淳《送白廷玉赴常州教授序》："吾友白君廷玉，为常州路教授才选也。年来儒官赴选部，如水赴壑，员无穷而阙有限，于是枢机日趋于密。始仕须府与州，再调乃得路学。君由学正入仕，用荐者即得教授一路，岂易然哉？初至元壬辰岁，余赴阙廷，时近侍之臣亦尝以君姓名进，不果行。以今所得，较昔所遇，果何如也？……君平昔不好以臧否出口，然闻人之善，未尝不心服，闻人之恶，惟恐掩耳或后。有以知君静者也，可以仕者也，足为吾道增重者也。因其行，序以识别。"（《养蒙文集》卷二）白珽（1248—1328），字廷玉，号湛渊，又号栖霞山人，浙江钱塘人。本四明名儒舒少度遗腹子，白嵊育以为嗣。五岁能属对，八岁能赋诗，十三受经太学，习为科举业，有声场屋间。及壮，元丞相伯颜平江南，闻其名，檄为安丰丞，辞不赴。至元十七年，程钜夫、刘伯宣前后交荐，以疾辞。中岁出游梁、郑、齐、鲁，历览河山之胜。大德初，以李衎荐，授太平路儒学正，寻转常州路儒学教授。以翰林、集贤院臣荐，升将仕佐郎、江浙等处儒学提举司副提举。秩满，署淮东盐仓大使，遂退居海陵。年六十七，迁婺州路兰溪州判官，不复仕，优游以终。天历元年卒，年八十一。著有《湛渊集》、《湛渊静语》等。生平据宋濂《元故湛渊先生白公墓铭》。

## 五月

**十八日，牟巘序朱晞颜所撰《瓢泉吟稿》。** 序见本集卷首，又有郑僖序，于其所作《曲生》、《菊隐》二传推许甚至。《瓢泉吟稿》五卷，今存《四库全书》本。朱晞颜，字景渊，湖州长兴人，或以为与著《鲸背吟》之朱晞颜非一人。吴澄《吴文正集》卷七十一有《元赠承事郎德清县尹朱君墓表》，朱文进（1242—1313）其人即为朱晞颜父。四库提要卷一六七："《瓢泉吟稿》五卷，元朱晞颜撰。……晞颜始末不甚可考，惟吴澄集有晞颜父文进墓表，载及晞颜，称其能诗文，而为良吏，亦不详其为何官。今以集中诗考之，则初以习国书被选为平阳州蒙古掾，又为长林丞，司煮盐赋，又曾为江西瑞州监税，盖以郡邑卑吏终其身者也。其集藏书之家罕见著录，惟焦竑《国史经籍志》载有《瓢泉集》四卷，而世无传本。顾嗣立录元诗三百家，亦不及其名。今据《永乐大典》所载，钞撮编次，厘为诗二卷、诗馀一卷、文二卷。又牟巘、郑僖原序二首尚存，仍以弁诸卷首。集中所与酬赠者，为鲜于枢、揭傒斯、杨载诸人，故耳目薰揉，具有法度。所作虽边幅稍狭，而神理自清。牟巘序所称拟古之作，今具在集中，颇得汉魏遗意，异乎以割剥字句为工。其杂文亦刻意研练，不失绳墨，惟郑僖所赏《曲生》、《菊隐》二传，沿《毛颖》、《革华》之体，自《罗文》、《叶嘉》以来，已为陈因之窠臼，僖顾以奇赡许之，殆所谓士俗不可医矣。"

## 六月

**十七日，不忽木卒，年四十六。** 赵孟頫《故昭文馆大学士荣禄大夫平章军国事行御史中丞领侍仪司事赠纯诚佐理功臣太傅开府仪同三司上柱国追封鲁国公谥文贞康里公碑》："公薨于大德四年□月十七日，年止四十又六。天子震悼，士大夫哭泣相吊，是月廿七，葬大都西四十里东安祖之原。葬之日，都城之民为之罢市。"（《松雪斋集》卷七）《元史》卷二十《成宗本纪》："〔大德四年六月〕丁巳，太白犯填星。御史中丞不忽木卒，贫无以葬，赐钞五百锭。"不忽木（1255—1300），一作不忽麻，或作不忽卜，又作博果密、博呼密。名时用，字用臣，号静得，康里部人，燕真仲子。从学于王恂、许衡，为衡所称。至元十三年，与同舍生坚童、太答、秃鲁等上疏请建置学校。十四年，授利用少监。十五年，出为燕南河北道提刑按察副使。十九年，升提刑按察使。二十一年，召参议中书省事。二十二年，擢吏部尚书。二十三年，改工部尚书。九月，迁刑部。二十七年，拜翰林学士承旨、知制诰兼修国史。二十八年拜平章政事。元贞二年，拜昭文馆大学士、平章军国事。大德二年，以御史中丞崔彧卒，特命行中丞事。三年，兼领侍仪司事。四年，病卒，年四十六。谥文贞。散曲今存套数〔仙吕〕《点绛唇·辞朝》。《曲海一勺》第四"骈史"："至于绚烂之馀，归于平澹；牢骚之极，反为旷达。遂乃寄身世于糟邱（元不忽麻平章《点绛唇·辞朝》'宁可身卧糟邱'套），悟人生于梦蝶（元马致远《夜行船》'百岁光阴一梦蝶'套）。爰有餐霞服日之想，枕流漱石之志；时夺艳词之席，并冷醋歌之拍。乃欲界之仙都，词场之别调也。"

## 本年

**邓牧与张炎遇于东吴，牧为张炎所撰词集作序。**序见《伯牙琴》。张炎所作词集，今存《山中白云词》八卷，版本颇多，有元钞本、《四库全书本》本、《榆园丛刻》本、《彊村丛书》本等，今人吴则虞辑校《山中白云词》附录之版本述略，可见其一斑。郑思肖《玉田词题辞》："吾识张循王孙玉田先辈，喜其三十年汗漫南北数千里，一片空狂怀抱，日日化雨为醉。自仰扳姜尧章、史邦卿、卢浦江、吴梦窗诸名胜，互相鼓吹春声于繁华世界，飘飘征情，节节弄拍，嘲明月以谑乐，卖落花而陪笑。能令三十年西湖锦绣山水，犹生清响，不容半点新愁飞到游人眉睫之上，自生一种欢喜痛快，岂无柔劣少年，于万花丛中，唤取新莺稚蝶，群然飞舞下来，为之赏听。三外野人所南郑思肖书于无何有之乡。"仇远《玉田词题辞》："读《山中白云词》，意度超玄，律吕协洽，不特写青檀口，亦可被歌管、荐清庙，方之古人，当与白石老仙相鼓吹。世谓词者诗之馀，然词尤难于诗。……予幼有此癖，老颇知难，然已有三数曲流传朋友间，山歌村谣，是岂足与叔夏词比哉！古人有言曰：'铅汞交炼而丹成，情景交炼而词成。'《指迷》妙诀，吾将从叔夏北面而求之。"赵昱《山中白云词题辞》："词源于诗，未有词工而不能诗者。玉田生词清空秀远，绝出宋季诸名家上，意其诗必有可观。……近阅《延祐四明志》，有张玉田《题腰带水》一绝云：'犀绕鱼悬事已非，水光犹自湿云衣。山中几日浑无雨，一夜溪痕又减围。'不独语意佳绝，且有承平故家之感。"曹炳曾《山中白云词后序》："曩者余友简兮陆先生，相契甚笃，朝夕过从，讨论古今乐府诗馀，必推玉田张叔夏。……欲求所谓《玉田词》者，杳不可得。间尝披阅《词选》，得见数阕，觉慷慨洒落，于周待制、柳屯田诸名家外，别出蹊径，而律吕调谐，一一应声叶节。追忆简兮之语，为太息自悔者久之。"四库提要卷一九九："《山中白云词》八卷，宋张炎撰。……平生工为长短句，以《春水词》得名，人因号曰张春水。其后编次词集者，即以此首压卷，倚声家传诵至今。然集中他调似此者尚多，殆如贺铸之称梅子，偶遇品题，便为佳话耳，所长实不止此也。炎生于淳祐戊申，当宋邦沦覆，年已三十有三，犹及见临安全盛之日。故所作往往苍凉激楚，即景抒情，备写其身世盛衰之感，非徒以剪红刻翠为工。至其研究声律，尤得神解，以之接武姜夔，居然后劲。宋元之间，亦可谓江东独秀矣。"

**柳贯以察举授衢州江山县学教谕。**戴表元《送柳道传赴江山序》："大德庚子岁，吴楚闽越士待命于中书行署，行署长取其阙升府，俾宰士捧牒，以次礼进其人，廷授之，观者以为荣，而吾友金华柳道传得衢之江山焉。"（《待制集》外编附录）宋濂《元故翰林待制承务郎兼国史院编修官柳先生行状》："国朝大德四年庚子，先生年三十一，始用察举为江山县学教谕。"（《待制集》外编附录）柳贯（1270—1342），字道传，自称静俭翁，号乌蜀山人，婺州浦江人。咸淳六年八月一日，生于乌蜀山。甫及冠，受经学于兰溪金履祥，又从方凤、谢翱、吴思齐、方回、龚开、仇远、戴表元、胡之纯、胡长孺等游。大德四年，用察举为江山县学教谕。至大元年，迁昌国州儒学正。延祐四年，特授湖广等处儒学副提举，未上。六年，改国子助教，阶将仕佐郎。至治元年，升博士，转将仕郎。泰定元年，迁太常博士，升征事郎。三年，以文林郎出为江西等处儒学提举。秩满归里，乡居十馀年不出。至正元年，以翰林待制、承务郎兼国史院编修官征，明年五月到官。至正二年卒，年七十三。门人私谥文肃。与虞集、揭傒斯、黄溍号"儒林四杰"。著有《金石竹帛遗文》十卷、《近思录广辑》三卷、《字系》二卷、《柳待制文集》二十卷、《别集》二十卷、《乌蜀山房类稿》二十卷。《元诗选》初集丁集选其诗152首。生平据宋濂《元故翰林待制承务郎兼国史院编修官柳先生行状》、黄溍《元故翰林待制柳公墓表》、《元史》卷一八一本传。

**连文凤作《庚子立春》诗。**诗云："又逢庚子岁，老景对韶华。"（《百正集》卷上）或据以推定文凤生于宋理宗嘉熙四年（1240）。然今存《百正集》并非连文凤所作之全部，"又逢庚子"之外，亦可有诸如"又逢甲午"、"又逢丙申"之类，故不得以此诗推定其生年。又或据《百正集》卷中《送友人归越》诗注："己亥避地于越，后十载，越之故人来杭，与之相慰藉者累日，语未温，复别去，为之黯然。"以为其卒在至大二年（1309）之后。然《四库》本于本首下注乃云："乙亥避地于越"。乙亥为德祐元年（1275），其时宋尚未亡，"避地"之谓正与其时境况相合。故"己亥"当作"乙亥"，其后十年为至元二十二年乙酉而非至大二年己酉。刘辰翁《连伯正诗序》："故人连伯正，乃未尝与于一命之士，而长吟坐啸，凄其千百，其时其命如此，殆合古今穷者而为一人。因为言古之穷者，不必如今之甚，以寓吾怀伤不可极之思，而其诗之苦，则伯正自能喻之于言。虽览者未尝不同其时同其命，直不能如其诗之一二，则得之口者在彼犹我，故虽呜咽流涕之至，亦无不快然称好云。"（《须溪集》卷六）四库提要卷一六五："《百正集》三卷，宋连文凤撰。文凤字百正，号应山，三山人。仕履未详。集中《暮秋杂兴》诗有'仕籍姓名除'句，则德祐以前亦尝从宦。又《庚子立春》诗有'又逢庚子岁，老景对韶华'句，庚子为大德四年，则成宗之时犹在，入元已二十四年矣。至元丙戌，浦江吴渭邀谢翱、方凤等举月泉吟社，以《春日田园杂兴》为题，征诗四方，得二千七百三十五卷，入选者二百八十卷，刊版者六十卷，以罗公福为第一名。据题下所注，公福即文凤之寓名也。王士祯《池北偶谈》则谓月泉吟社诗，清新尖刻，别自一家，而谢翱等品题未允，因重为移置，改文凤为第二十一名。然元初东南诗社，作者如林，推文凤为第一，物无异词，当必有说，似未可以一字一句遽易前人之甲乙。今观所作，大抵清切流丽，自抒性灵，无宋末江湖诸人纤琐粗犷之习，虽上不及尤、杨、范、陆，下不及范、揭、虞、杨，而位置于诸人之间，亦未遽为白茅之藉，则当时首屈一指，亦有由矣。《文渊阁书目》载《连百正丙子稿》一部一册，久无传本。《永乐大典》所载，但题曰《连百正集》，当即其本。今裒辑排比，编为三卷，又赋三首，序二首，记二首，说一首，传一首，亦散见《永乐大典》中，文格雅洁，亦不失前民矩矱。其《冰壶先生传》一首，虽以文为戏，然《毛颖》、《罗文》诸传载之韩、苏集中，古有是例。今并附缀卷末，以存其梗概焉。"

　　**本年前后，于石卒。**于石（1247—1300 前后），字介翁，号紫岩，又号两溪。著有《紫岩诗选》三卷，吴师道所选，金履祥序之。《元诗选》二集丙集选其诗 63 首。[按，于石生年，据顾嗣立《元诗选》二集丙集云："年三十而宋亡，隐居不出。"宋亡时间，诸家所记凡有两说：一作至元丙子（1276），一作至元己卯（1279）。考《元诗选》二集卷三"刘教授埙"条，言刘埙年三十七宋亡。刘埙生于嘉熙庚子（1240），三十七岁为至元丙子（1276）。又《元诗选》二集卷十五"刘处士诜"条，言刘诜九岁而宋亡。刘诜生于咸淳戊辰（1268），九岁为至元丙子（1276）。知《元诗选》言宋亡时间，取至元丙子（1276）。则于石生年，是为淳祐丁未（1247）。其卒年，据吴师道《礼部集》卷十七《于介翁诗选后题》云："愚年十二三时从之（于石）游，会以故舍去。后数岁，见愚所作，辄曰：是子当不下人。向之不能卒业，彼此交以为恨，而称道诱掖，惓惓不怠，犹有古人之风焉。未几死矣。"吴师道生于至元二十年（1283），于石之卒，似在师道年二十之前。]吴师道《于介翁诗选后题》："于介翁先生名石，因所居乡，自号紫岩，徙城中，复两溪之号。貌古气刚，喜谈谐，早慕杜氏五高之为人，后师王定庵业词赋，接闻诸老绪论，故其学多所通解，自负甚高。世变后一意于诗，出入诸家，豪宕激发，气骨苍劲，望而知其为山林旷士，一时吾乡言诗者皆莫及也。……平生刊稿七卷，其子以板借人，为所匿，馀篇或购以钱，久将妄为己作，薄甚可叹也。予暇日因即其传本及所藏续抄者，选之为三卷。虽愧力之未能广其传，庶几写录散布，不遂泯没，俾掠美盗名者有所警。九原有知，亦足慰矣。旧见《金华山赋》及乐府隐括《出师表》等作，先生自以为得意者，今皆无所考，姑伺访求。又尝得仁山金先生所为集序，当时不列于编，岂所见有不同欤？然其历叙山川人物而归重期待之意，亦不为薄，特温雅之评，似未切尔，并附于后以示览者云。"（《礼部集》卷十七）《诗薮》外编卷六："胜国吾乡诗人若于介翁、李坦之，皆新拔多奇句。于在元颇知名，如《紫霞洞》诗云：'洞门相对是吾家，朝看烟云暮看霞。铁笛一声山石裂，老松惊落半岩花。'《白云洞》云：'一局残棋双鹤去，石枰空倚白云寒。'虽自是元人语，亦豪爽可观。第五、七言古多议论，杂宋调，律诗不脱晚唐耳。"《元诗选》二集丙集《读史》诗后按语："紫岩《读史》共七首，中云：'首录鄋侯忘纪信，不诛项伯戮丁公。'又云：'郑君不肯更名籍，项伯胡为赐姓刘。'对仗极工，惜全首未称，故不录入。"《石洲诗话》卷五："于紫岩以李长吉《金铜仙人辞汉歌》未能达意，因作《后歌》以广之，此所谓画蛇添足。"四库提要卷一六五："《紫岩诗选》三卷，宋于石撰。……集有丁丑、己卯纪年，乃临安初破之后；又有丁亥、戊子岁作，乃至元二十四五年，皆其中年以后之诗。每卷题门人吴师道选，仅古今体诗二百首，殆意求精汰，故少作皆不录欤？其古诗感诗（时）伤事者，多哀厉之音，而或失之太尽；游览闲适者，有清迥之致，而或失之稍薄。如《邻叟言》、《母子别》、《路傍女》诸篇，欲摹少陵，而不免入于元、白；《山中晚步》诸篇，欲拟襄阳，而不免入于钱、郎。皆取法乎上，仅得其中。然在《江湖集》盛行以后，则啾啾百鸟群，忽见孤凤凰矣。律诗不及古诗，特大势尚为清整。至如《题净居寺》之'雪堕枯枝龙解甲，藤缠怪石虎生须'，《题栖真院》之'禅家也办吟边料，不种闲花只种梅'，颇不脱宋季俗格，是则风气之移人也。"《四库全书总目提要补正》卷五十："《紫岩诗选》三卷。陆氏《藏书志》有旧钞本诗集三卷，并载金履祥序。又有旧钞本诗选三卷，并载劳权手跋云：'中缺二叶，以家本补录，复以近年金华王氏《冰壶山馆丛书》新刻本补中卷末《妾换马》一首，及此序。旧补《吊古行》，云见《元诗体要》，乃集外逸诗也。'丁氏《藏书志》有天福山房钞本三卷，云：'所著诗七卷，今存卷一五古五十三首、七古十一首，卷二七古十七首、五律二十三首、七律二十三首，卷三七律四十首、七绝三十七首，综古今体诗二百四首。每卷后题元门人吴师道原编，明四世孙伯善谨录。'又有旧钞本云：'诗三卷，篇第与前不同，殆别一钞本也。后有之江沈廷芳题云："集久不传，传者仅此册耳。同里门人吴师道为之选次，诗凡三卷，内缺二页，其来已久，不能复补矣。"'玉缙案：据此，则原诗七卷，吴师道编，殆后人因残阙而改题为选欤？师道乃弟子，不应自居于选也。"胡玉缙此论，殆未见师道所作之《于介翁诗选后题》也。

## 公元1301年 （成宗大德五年 辛丑）

### 一月

**十七日，倪瓒生。**倪瓒（1301—1374），字元镇，号云林、云林居士、云林子、云林生、荆蛮民、幻霞子、曲全叟、如幻居士、朱阳馆主、沧浪漫士、素心道人、净名居士、净明庵主、萧闲仙卿、海岳居士、东海农、迂翁，多用于题画。常州府无锡人。生而俊爽。稍长，强学好修，性雅洁，敦行孝弟。家雄于赀，工诗，善书画。四方名士日至其门。所居有阁曰清閟，幽迥绝尘。藏书数千卷，皆手自勘定。为人有洁癖，盥濯不离手。至正初，海内无事，忽散其赀给亲故，人咸怪之。未几兵兴，富家悉被祸，而瓒扁舟箬笠，往来震泽、三泖间，独不罹患。张士诚累欲钩致之，逃渔舟以免。其弟士信以币乞画，瓒又斥去。及吴平，瓒年已老，黄冠野服，混迹编氓。洪武七年卒，年七十四。著有《清閟阁全集》十一卷。《元诗选》初集辛集选其诗162首。生平据周南老《元处士云林先生墓志铭》、王宾《元处士云林倪先生旅葬墓志铭》、《明史》卷二九八《隐逸传》。[按，今存四库本《清閟阁全集》中，有《乙未岁，余年适五十。幼志于学，皓首天成，因诵昔人知非之言，慨然永叹，谩赋长句》诗。乙未为至正十五年（1355），上推四十九年，则其生在大德十年丙午（1306）。与周南老《墓志铭》不合。又张丑《真迹日录》录云林山水帧，有至正（洪武）庚戌自跋，谓正月初七日生，是年六十五岁。（朱彭寿《古今人生日考》）与倪瓒所作诗合，而日期又与周南老所撰《墓志铭》不合。又释道衍作《题云林墨竹诗卷》，云："世变后天各一方，不得相会者五七年，未尝不想其风度也。云林于洪武辛亥卒于锡山之故里，今已廿馀年。"(《清閟阁全集》卷十二外纪下）据此，则倪瓒又卒于洪武四年（1371）。其错讹出入概如是。张丑《真迹日录》卷一云："倪元镇写赠袁子方郎官夜景小幅，绢本。师董源按年作于至正四载，时年四十有四。至洪武庚戌重题时年七十有一，而云六十五岁，窃所未解。董玄宰至以四载为元镇四十时画，亦非也。"是诸家所录倪瓒生平之不同，其来亦久矣。今以周南老所撰墓志为据，出生日期，则据沈世良《倪高士年谱》。他书所录，存而待考。]

## 二月

**十五日，房祺自序所编《河汾诸老诗集》。**序见本集卷首。是集选金末元初临晋麻革、临汾张宇、临晋陈赓、临汾陈庚、房皞、稷山段克己、段成己以及寓居平阳的应州曹之谦八人诗作，人各一卷。《河汾诸老诗集》八卷，今存毛氏汲古阁刻本、乾隆四十三年敬冀堂刻本、《四库全书》本、《四部丛刊》本。高昂霄《河汾诸老诗集跋》："《河汾诸老诗集》者，乃大同路儒学教授房先生之所编也。予一日得之。惜乎诸老一代高名，百年清气，已尝遍白于天下。是集未尝流布也。皇庆癸丑夏，特命工锓木以广其传。然而诸老之学，又岂专乎诗也？出处大略，已具前序，今书是说以告夫后之学者，不为无益云。六月吉日，尊贤堂高昂霄具白。"车玺《河汾诸老诗集序》："金源氏自兴定以后，与元日寻干戈，士生其间，形之声诗，类多感慨悲歌之语，亦其时之使然也。若太原元遗山，值金亡不仕，为河汾倡正学，麻贻溪、张石泉、房白云、陈子京、子扬、段克己、成己、曹兑斋诸老，与遗山游从宦寓中，一时雅合，以诗鸣河汾。大德间，房公祺编集成峡，今所传者是也。遗山之文，为一代宗工，别有集行于世。房公独取诸老当金元混扰困郁之中，其词藻风标，如层峰荡波，金坚玉莹，绝无突梯脂韦之习、纤靡弛弱之句，河汾之士，真足尚哉！侍御沁水李公叔渊，企仰乡贤，出是集以畀开封同知谢侯景星刊行，将以正士气，严礼防，以兴起嵩洛之士，罔俾河汾诸老专其美也。天下之士，闻之诵之，宁不惕然有所感耶！"四库提要卷一八八："《河汾诸老诗集》八卷，元房祺编。……其书成于大德间。皇庆癸丑，高昂霄为锓板。明弘治十一年，御史沁水李叔渊复授开封同知谢景星刊行，河南按察司副使车玺为之序。今旧刻皆佚。此本为毛晋汲古阁所刊，称以林古度、周浩若及智林寺僧所钞三本互校，乃成完书。然祺后序称古律诗二百一首，嶼嶼郝先生序于前。今郝序已佚，而诗止一百七十七首，则尚非全本矣。然诸老以金源遗逸，抗节林泉，均有渊明义熙之志。人品既高，故文章亦超然拔俗。吉光片羽，弥足宝贵，又何论其完阙乎！"

## 春

**黄溍以其友叶审言力挽，出为教官。**危素《大元故翰林侍讲学士中奉大夫知制诰同修国史同知经筵事赠中奉大夫江西等处行中书省参知政事护军追封江夏郡公谥文献黄公神道碑》："归从仙华山隐者方君凤游，为歌诗相唱和，绝无仕进意。其友叶君谨翁力挽之出。大德五年春，举校官。"(《日损斋笔记》附录）黄溍（1277—1357），字晋卿，又字文晋，婺州府义乌人。生于至元十四年十月一日。弱冠，西游钱塘，又从方凤等游。大德五年，举教官。七年，举宪吏。登延祐二年进士第，授将仕郎、台州宁海县丞。逾再期，迁两浙都转运盐铁使司石堰西场监运事。阅四载，升从仕郎、绍兴路诸暨州判官。至顺二年，以马祖常荐，入为应奉翰林文字、同知制诰兼国史院编修官，进阶儒林郎。丁外忧，去官。服阕，转承直郎国子博士。阅六年，出为奉政大夫、江浙等处儒学提举。至正三年春，年六十七，不俟引年而归。俄以中顺大夫、秘书少监致仕。居四岁，落致仕，除翰林直学士、知制诰、同修国史。八年夏，升侍讲学士、中奉大夫、知制诰、同修国史、同知经筵事。十年四月，南还。优游田里凡七年，卒于绣湖私第，年八十一。赠中奉大夫、江西等处行中书省参知政事、护军，追封江夏郡公，谥文献。著有《日损斋笔记》一卷、《金华黄先生文集》四十三卷。《元诗选》初集丁集选其诗162首。生平据杨维桢《故翰林侍讲学士金华黄先生墓志铭》（《东维子集》卷二十四）、危素《大元故翰林侍讲学士中奉大夫知制诰同修国史同知经筵事赠中奉大夫江西等处行中书省参知政事护军追封江夏郡公谥文献黄公神道碑》、宋濂《故翰林侍讲学士中奉大夫知制诰同修国史同知经筵事金华黄先生行状》、《元史》卷一八一本传。

## 四月

**十五日，张以宁生。**张以宁（1301—1370），字志道，号翠屏，福建古田人。泰定四年，以《春秋》登李黼榜进士第，授黄岩州判官。不逾年，以计擒捕海寇殆尽，民赖以安，继升真州六合县尹。以丁内艰去官。服阕，将上京师，为兵所阻，教授淮南凡十余年。复征为国子助教，累官至翰林侍讲学士、中奉大夫，人呼小张学士。洪武初，征至京，授翰林侍读学士、朝列大夫。洪武二年六月，奉使安南，阅八月而还。三年，以疾卒，年七十。著有《春王正月考》二卷、《翠屏集》四卷（《明史·艺文志》作五卷）。生平据杨荣《故翰林侍读学士朝列大夫张公墓碑》（《文敏集》卷十九）、《明史》卷二八五《文苑传》。

## 夏

**揭傒斯游武昌，始与程钜夫交。**揭傒斯有《病中初度，盱江严仁安、周仕雅、欧阳伯诚、周伯达，临江陈道之，庐陵彭宗建、乡友熊可大、张伯贞，九原陈伯丰，各以歌诗见贻，而楚国程文宪公之孙敬甫，独宠以百韵。仆故程公客也。俯仰今昔，慷慨系之。次韵奉酬，并呈诸君子》长诗，于"忆昔承先正，因人访大方"两句下注曰："大德五年夏，同临川娄道舆叔佅始拜文宪公武昌宪府。"（《揭傒斯全集·诗集》卷七）

## 十一月

**鲜于枢题袁易所寄诗凡十三首后。**一时士大夫如龚璛、黄溍、贡奎、郑元祐、柳贯、干文传等人，多有题署。时袁易自石洞书院山长任上归，游于杭，鲜于枢为浙东

**帅府都曹**。今存《四库全书》本《静春堂诗集》卷二，此十三首诗为《杭州道中言怀》四首、《重午客中》三首、《寄吴中诸友》六首，而《赵氏铁网珊瑚》卷六、《六艺之一录》卷三百八十三、《式古堂书画汇考》卷十七均题为《舟行漫兴》四首、《重午客中雨》三首、《怀吴中诸友》六首。鲜于枢《袁静春杂诗跋》："右十三诗，命意闲远，下语清丽，可谓不流于俗矣。然少加精密，杜少陵、黄山谷不难到也。困学民渔阳鲜于枢题其后而还之。大德辛丑冬至前一日也。"（《赵氏铁网珊瑚》卷六）陈方《袁静春杂诗跋》："予尝闻外舅存悔翁论袁先生诗可近半山，而困学于此十三章期以少陵、山谷。然山谷律法虽严，未免削刻，不能无诡遇之意，视少陵阔步随心，未尝不范我驰驱者，前辈评之矣。况闲远清丽，不知可尽山谷否耶？困学必有所见也。且此所杂赋皆五字诗，律吕和谐，使气有所充，岂不可造少陵之藩耶？更阅全集，则存悔当中的矣，姑摭此以问于仲长。天历三年春正月，京口陈方谨题。"吴宽《题袁静春寄鲜于太常诗后》："宽少喜考论吴中前辈，尝阅元黄文献公文集，载袁静春先生墓志，知其为吴人，而尤以不得见其子孙为恨。他日，社学师袁以昭氏过予，谈及其家世，则静春乃其五世祖也。又明日，挟静春所寄鲜于太常游钱唐杂诗来示，于是静春之子孙既得见之，又得见其手迹。而诗有怀吴中钱德钧以下诸友之作，又因得见前辈数人，于一日间为欣幸久之。"（《家藏集》卷四十九）袁易，字通甫，长洲人，与龚璛、郭麟孙称"吴中三君子"。大德初，以行中书省荐，出为徽州路石洞书院山长，一仕即归。大德十年卒于家。著有《静春堂诗集》四卷，为其子袁泰所编，今存《四库全书》本、《知不足斋丛书》本、《丛书集成初编》本。《元诗选》初集甲集选其诗 45 首。生平据黄溍《袁通甫墓志铭》（《文献集》卷八下）。

## 十二月

**十六日，陈思济卒**。虞集《通议大夫金河南江北等处行中书省事赠正议大夫吏部尚书上轻车都尉追封颍川郡侯谥文肃陈公神道碑》："大德五年，授通议大夫、金河南江北等处行中书省事。未及上，以十二月十六日，殁于池阳寓地之正寝，享年七十。赠正议大夫、吏部尚书、上轻车都尉，追封颍川郡侯，太常定谥曰文肃。"（《道园学古录》卷四十二）陈思济，字济民，号秋冈，柘城人。著有《秋冈诗集》，已佚。《元诗选》二集丙集选其诗 10 首。虞集《陈文肃公秋冈诗集序》："公以政事之馀，歌咏迭作，有风雅之义焉。公开朗岂弟，衣冠伟如，人望之如神明，已神销而气化矣。穷陋僻远，有不得见者，闻其片言只字之传，大有所感发，所系岂轻也哉！然公平生文章之出，沛如泉源之发挥，而波澜之无津，譬如风云之变化，而舒卷之无迹。"（《道园学古录》卷三十三）

## 本年

**许善胜序吴弘道所编《中州启劄》**。吴弘道，或以为即曲家吴仁卿，以其名、字均同，或为可信云。吴弘道，字仁卿，号克斋，保定路祁州蒲阴人。曾任江西省检校掾史，历官至府判致仕。与钟嗣成相知。著有杂剧《子房货剑》、《火烧正阳门》、《醉游阿房宫》、《楚大夫屈原投江》、《手卷记》，均佚；散曲《金缕新声》，亦佚，有近人辑本。编有《曲海丛珠》，《中州启劄》四卷。《全元散曲》录其小令34首，套数4套。曹刊本以其名仁卿，字弘道。贾仲明〔双调〕《凌波仙·吊吴仁卿》："克斋弘道老仁卿，衣紫腰金府判升，银鞍紫马敲金镫。锦乡中，过一生，老来也，致仕心宁。《手卷记》，《子房货剑》，锦乐府，天下盛行。《曲海丛珠》，《金缕新声》。"四库提要卷一九一："《中州启劄》二卷，元吴弘道撰。……是书作于大德辛丑，前有许善胜序，称吴君裒中州诸老往复书尺，类为一编，凡若干卷。体制简古，文词浑成，其上下议论，率于政教彝伦有关，风流笃厚，典型具存。今考其所载，有赵秉文、元好问、张斯立、杜仁杰诸人劄子，大抵皆一时名流。《永乐大典》载宋元启劄最夥，其猥滥亦最甚。惟此一编，犹稍稍近雅，以文多习见，故亦仅存其目焉。"

**吴思齐卒**，年六十四。宋濂《吴思齐传》："大德辛丑，年六十四，手编圣贤顺正考终之事曰《俟命录》。录成，赋诗别诸友，遂卒。"吴思齐（1238—1301），字子善，一字善父，号全归子。其先处州丽水人，以祖深婿陈亮，家于永康。入元不仕，与方凤、谢翱等游。著有《左氏传阙疑》，并选陈亮、叶适二家文。生平见任士林《吴思齐传》（《松乡集》卷四）、宋濂《吴思齐传》（《文宪集》卷十）。黄溍《书吴善父哀辞后》："右《吴善父先生哀辞》，永康胡氏穆仲作。始予未识先生，得先生所为诗而读之，其气盈而不肆，志伏而不折，言无缘饰，而忠厚恻怛之意跃如也。私心慕焉。元贞丙申秋，予游仙华宝掌间，因得拜先生浦阳江上。先生顾予，喜曰：'吾二十年择交江南，有友二人焉，曰方君韶父，曰谢君皋父。今皋父已矣，子乃能从吾游乎？子其遂为吾忘年交。'予谢不敢，先生盖予大父行也。然自是间岁辄一再会，会则必欢欣交通，如果忘年者。先生间为予上下古今人物，使审所择而尚友焉。先生之心，其有望于予者哉。大德庚子秋，有越客道浦阳境上，谓予先生且死，已而知其妄也。厥明年某月，或又谓先生死矣。予不敢即哭，盖犹几其为越人之传也。既阅月，而韶父之子育以讣至。育，先生婿也。呜呼！先生真死矣。先生之先处州人，由大父婿龙川陈氏，故又为婺之永康人。先生尝以父任入官，仕未显，而所为要以直遂其志。中岁，颇慕管幼安、陶渊明之为人，因自放山水间，时与畸人静者探幽发奇，以泄其羁孤感郁之思。遇意所不释，或望天末流涕，其所居室扁曰愚隐。先生古冠服，不妄笑言，樵儿牧竖或戏绐之，先生不疑欺我，不知者以先生诚愚也。晚乃取古所谓全而归之者，自号全归子云。先生死时，年六十有四。呜呼！先生之寿不必满于德，而其存远矣；志不必究于物，而其行得矣。稽其存，不可谓夭；征其行，不可谓穷。先生虽死何憾矣。"（《文献集》卷四）何梦桂有《吴愚隐诗序》（《潜斋集》卷七）。

**徐琰（？—1301）卒**。据《元诗选》癸集乙集。戴表元有《众祭徐子方文》（《剡源文集》卷二十三），李之绍有《祭徐承旨文》（《元文类》卷四十八）。《庶斋老学丛谈》卷中下："中丞容斋徐公，人物魁岸，襟度宽洪，文学吏才，笔不停思。题莱州海神庙云：'龙宫高拱六鳌头，六合乾坤日夜浮。贝殿走珠蛟构室，戟门烘雾蜃喷楼。中原北顾真孤岛，外域东渐更九州。咫尺深航倭瀇近，好将风浪戒阳侯。'通之狼山僧舍，有墨莲，公肆笔成长篇，尤工致。建台扬州日，确斋苟公、雪楼程公、校官胡石塘唱和无虚日，亦一时之文会也。"王祎《书徐文贞公诗后》："至元、大德之间，东平李公谦、孟公祺、阎文康公复、徐文贞公琰，并以文学政事为世典刑，海内尊之，号四大老，而徐公尤长于诗。初未尝雕刻藻绘以为工，而中原浑厚之意，隐然可以概见。……数十年来，士大夫气习益下，词章日堕于纤靡，翰墨日趋于颓媚，遂无复向时馀韵矣。词翰细事耳，于此不亦可观世变乎！"（《王忠文集》卷十七）

**曹鉴以荐选茂异至杭。**牟巘《以斋记》："当宝庆丁亥，而予以生，越十有二年，侍亲去蜀。昔之善地，莽为荆棘，六十必复，今已逾其数矣。辛丑，曹君克明举茂异，自燕来杭，汉复有人在省需选，闻之良喜。张仲实为予言，克明笃实有气义，异乎流俗，闭门读书，一意于学。谓《易》六十四卦，卦下象皆有以字，因以以名其斋，且求予语。"（《陵阳集》卷九）曹鉴，字克明，宛平人。生平见《元史》卷一八六本传。

**梅应发卒，年七十八。**方回有《挽艮岩梅府卿》诗三首（《桐江续集》卷二十六）。梅应发（1224—1301），字定夫，号艮岩，广德人。补太学生，授庆元府学教授。咸淳间，累官至太府卿、直宝章阁。入元不仕。著有《艮岩馀稿》四卷，又与刘锡合撰《开庆四明续志》十二卷。

**周南老生。**周南老（1301—1383），一作周南，字正道，常熟人。从学于江阴陆文圭，屡试不利，遂弃去，授徒于苏。以荐授信州路永丰县学教谕，改太平路当涂县学教谕，秩满还苏。兵兴，起为吴县主簿，累迁淮南行省照磨，改从仕郎、江浙行省理问。明初，征赴太常，议郊祀礼。礼成，移临安府居，越数月，得旨放还。洪武十六年卒，年八十三。著有《姑苏杂咏》一卷。生平据吴沉《周先生墓碣铭》（《吴都文粹续集》卷三十九）。

**本年前后，张国宾官教坊管勾。**贾仲明〔双调〕《凌波仙·吊张国宾》："教坊总管喜时丰，斗米三钱大德中，饱食终日心无用。捻《汉高歌大风》，薛仁贵，衣锦峥嵘。七里滩头辞主。《汗衫记》，孙认公，朝野兴隆。"张国宾，一作张国宝，大都人。著有杂剧《严子陵垂钓七里滩》、《歌大风高祖还乡》、《薛仁贵荣归故里》（一作《薛仁贵衣锦还乡》）、《相国寺公孙合汗衫》（一作《相国寺公孙汗衫记》），后两种今存。或以为《罗李郎大闹相国寺》亦为国宾所作。

# 公元 1302 年 （成宗大德六年 壬寅）

## 一月

**初四，燕公楠卒，年六十二。**程钜夫《资德大夫湖广等处行中书省右丞燕公神道碑铭》："大德三年，迁湖广。五年夏，征入朝。明年正月四日，薨于京师传舍，年六十二。敕中书致祭。有司具仪卫，遣官乘驲，护丧南归。某月某日，祔葬江州德安县乌石山先茔。"（《雪楼集》卷二十一）燕公楠（1241—1302），或作燕公南，字国材，号五峰，南康建昌人。著有《五峰集》十五卷，已佚。程钜夫《沁园春序》："五峰大卿寄示所和绣江参议《沁园春》词，一以退为高，一以进为忠，二者皆是也。"

**十五日，萧龙友序陈仁子所撰《牧莱脞语》。**序见本集卷首。又有至元辛卯樵溪遗民余恁序、至元癸巳邓光荐序。《牧莱脞语》二十卷、二稿九卷，今存清初影元钞本。仁子字同俌，号古迂，茶陵人。咸淳十年漕试第一。编有《文选补遗》四十卷，有

《四库全书》本。四库提要卷一七四："《牧莱脞语》十二卷、《二稿》八卷，宋陈仁子撰。……是集名曰牧莱，言牧牛于草莱间也。初稿题其门人李懋宣编，二稿题其门人谭以则编。观卷首余恁、邓光荐、萧龙友序，则仁子盖自定之，托于门人耳。仁子作《文选拾遗》，袭真德秀《文章正宗》之说，进退古今作者，若有特识。今观所作，则殊为猥滥。诸序皆推其《南岳赋》，特以压卷。邓光荐比之相如，萧龙友比之班固，然赋所云'卓高冈兮争长，走平垅兮要荒。方各有山，山各有纲。譬诸观水势之潆洄者，必航大海、七泽之汪洋；讯花谱之繁丽者，必诹上林、艮岳之低昂'，恐马、班决无是语。又多以表启骈词、语录俚字入之古文，如《与衡阳邹府教书》，通体皆散文，而其中忽曰：'士修于身，将用于天子之庭。春风莘野之耕，而升陑之规模已定；夜月磻溪之钓，而牧野之体段已成'云云。不惟自韩、欧以来无此文格，即'春风'、'夜月'四字，尚可谓之有根据乎？殆好为大言者耳。"

## 六月

**十七日，张翥卒，年六十七。** 吴澄《故文林郎东平路儒学教授张君墓碣铭》："年六十七，以疾终，大德壬寅六月十七日也。葬于扬子县甘露乡三城里蜀冈之原。"（《吴文正集》卷七十三）张翥（1236—1302），字达善，人称导江先生，先世蜀之导江人，侨寓江左。著有《张达善文集》（一作《导江文集》）。吴澄《张达善文集序》："至元中，予识达善于金陵，出一二著述，相与细论。……余读之竟，而叹吾达善之学，殆非庸浅者之所能窥。议论正，援据博，无一语不有根柢，贯穿纵横，俨然新安氏之尸祝也。苟有关于人心世教可矣，而暇弊精神，为夸末俗计哉！序记笔势翩翩，尤在诸体之上；经说等类，达善既不可作，而予亦何能独审其至当。"（《吴文正集》卷十五）吴澄《故文林郎东平路儒学教授张君墓碣铭》："君自幼敏悟，气毅而容肃，未尝一日废书，经史、传记、礼乐、名数靡不研究。教人读《近思录》，为四子阶梯；《四书》以朱子《章句》、《集注》为本。次读《仪礼》、《诗》朱氏传，《书》蔡氏传；《易》先朱子《启蒙》、《本义》以达程传；《春秋》胡氏传、张氏《集传》。读史及诸子百家，定其是非邪正。作文书字，亦各有法，讲说明畅，援引该赡，粲然皆成文辞，音节抑扬中度，听者莫不竦服。其所著述，有《四经归极》、《孝经口义》、《丧服总类》、《冕弁冠服考》、《引彀训蒙》、《经史入门》、《阙里通载》、《淮阴课稿》等书及文集若干卷。"

## 十月

**孟宗宝编《洞霄诗集》成。** 孟宗宝《书洞霄诗集后》："洞霄旧名天柱观。《武肃钱王记》所载三泉合派，双石开扉，药圃新池，古坛书阁，右有题品，足为耿光者，惜今无传。宋绍定间，住山冲妙龚先生与道士王思明，裒类大涤留题，刻板行世。咸淳甲戌，化为劫灰。迄今大德壬寅，且三十年，废弗举，名胜入山，咸谓阙典恨之。宗宝以介石祖沈公命，取旧集泊家藏诗，与本山叶君、牧心邓君，暇日讨论删定唐宋贤及今名公题咏，命工重刻，与好事者共之，非独为山中清事，亦足继前人志叶。时大德六年十月，山中道士孟宗宝集虚谨书卷后。"（《洞霄诗集》卷末）其书又有沈多福、邓牧所作序。《洞霄诗集》十四卷，今存《知不足斋丛书》本、《宛委别藏》本、《丛书集成初编》本。四库未收书提要："《洞霄诗集》十四卷，宋道士孟宗宝撰。宗宝字集虚，尝筑室于苕溪之上，曰集虚书院。为诗文咸有法度，炼元养素，居九锁山中，三年积书至书千卷，与邓牧相友善。牧为《洞霄宫图志》，曾载其人。……是本明有高以谟刊，近亦不可得见。此从旧钞过录，中有残缺处。宗宝后跋云：……。则其用力亦勤矣。书中所载篇什，至元时元贞、大德间，而于王思明则载入宋本山高道类。因仿《四库全书·伯牙琴》之例，归诸宋人焉。"

## 十二月

**刘庄孙卒，年六十九。** 袁桷《刘隐君墓志铭》："大德六年十二月某日卒，年六十有九。"（《清容居士集》卷二十八）刘庄孙（1234—1302），字正仲，号樗园，台州宁海人，与舒岳祥、戴表元交善。著有《易志》十卷、《诗传音旨补》二十卷、《书传上下篇》二十卷、《周官集传》二十卷、《春秋本义》二十卷、《芳润稿》五十卷、《和陶诗》一卷。舒岳祥《刘正仲和陶集序》："梅林刘正仲，自丙子乱离崎岖，遇事触物，有所感愤，有所悲忧，有所好乐，一以和陶自遣，至立程以课之。不二年，和篇已竟至有一再和者，尽囊以遗予。予细味之，其体主陶，其意主苏，特借题以起兴，不窘韵而学步。于流离奔避之日，而有田园自得之趣；当偃仰啸歌之际，而寓伤今悼古之怀。迫而裕，乐而忧也。其深得二公之旨哉。"（《阆风集》卷十）袁桷《先君子师友渊源录》："刘庄孙，学于舒〔岳祥〕，能文词，深沉善精思。家贫无书，传五经能默，与先儒合。病废卒。"（《清容居士集》卷三十三）方孝孺《刘樗园先生文集序》："自周以来，教化详明，得先王之意者莫如宋。故宋之学术，最为近古，大儒硕生，既皆深明乎道德性命之理，远追孔、孟之迹而与之为徒。其他以文辞驰于时者，亦皆根据六艺，理精而旨远，气盛而说详，各有所承传，而不肯妄相沿蹈，盖教化使然也。有元百年之间，宋之遗政销灭殆尽，士之能言者不为不多，辞采音节不为不工，及观其所至，不过攘取旧说以为言，求其学术之所自得，岂惟不及宋之名世者哉？凡生于其时，及见宋之遗风者，自以为不可及也。宁海在宋特为诗书文物之邑，去南渡国都为近，故士之显闻于世者甚众，未之衰也。兵刑不振，而教化犹存，取士之法稍弊，而风俗不坏。故其文章虽不能不降于盛时，而学术之醇终不能甚愧于古。樗园刘先生少游钱塘，学于宋太学，与名士大夫交。斯时违乾道、淳熙诸大儒犹未远，文献之传，盛有可征。是以先生之学，渊博崇高，得圣贤之大。要其为文章，朴茂质实，不为异常绝俗之谈，而纡徐衍肆，必达其意而后止，索之而愈深，味之而愈长，其视菢藻无实可喜之辞，敻乎其不侔也。先生所尊善者，惟同邑阆风舒公景薛、南山陈先生寿；所友而敬者，则剡源戴公帅初、鄞袁公伯长。袁公后仕元为显官，名称海内，戴公文亦传于时。阆风、南山与先生皆自谓宋遗人，不屑仕。故文行虽高，而不大彰著于世，传而知之者，惟邑人而已。今相去五六十年，故老沦丧，知先生之名者日已寡矣。使又历数世，岂复有知斯文之可贵者乎？夫学术如先生而不传，后死者之责也。故择其尤善者，次为若干卷，且推其所自而备著之，使知先生自得之深，非近代能言者所及也。先生讳庄孙，字正仲，樗园其号，所著有《周礼辑传》、《易说》，今不传。"（《逊志斋集》卷十二）

## 本年

冯子振作《鹦鹉曲》四十二首，时年四十六。[按，冯子振之生年，据所作《居庸赋》，赋云："吾生四十六年矣。面加皱，鬓加白，脐始噬，腕始扼，肤焦然而欲槁，筋倦矣而犹客。始忆吾前者十三年之惝狂懵惑，如醉者之乘车，幸而不堕于一落千丈之不可测也。且自居庸之北，而之乎上京也。"后有子振自跋云："大德壬寅，予至自上京，与客谈居庸之胜绝，疲于应答，遂作此赋。今十六年矣，支离老倦，无复脚色，呵冻为吾静春书之。海粟道人冯子振。"（《式古堂书画汇考》卷十七）又泰定四年（1327）冯子振作《书赠朱君璧诗卷》，自言"时年七十一"。据此，知其生年为宋宝祐五年（1257）。又，清光绪间刊本《山田冯氏续修族谱》，记冯子振生于宋宝祐元年（1253），卒于元至正八年（1348），年九十六。]冯子振《鹦鹉曲自序》："白无咎有《鹦鹉曲》云：'侬家鹦鹉洲边住，是个不识字渔父。浪花中一叶扁舟，睡煞江南烟雨。觉来时满眼青山，抖擞绿蓑归去。算从前错怨天公，甚也有安排我处。'余壬寅岁留上京，有北京伶妇御园秀之属，相从风雪中，恨此曲无续之者。且谓前后多亲炙士大夫，拘于韵度，如第一个'父'字，便难下语；又'甚也有安排我处'，'甚'字必须去声字，'我'字必须上声字，音律始谐，不然，不可歌，此一节又难下语。诸公举酒，索余和之，以汴、吴、上都、天京风景试续之。"（《朝野新声太平乐府》卷一）冯子振，号海粟（一作字海粟），又号怪怪道人、瀛洲客，攸州人。曾官集贤待制，著有《海粟集》，已佚。《元诗选》三集丙集选其诗73首，今存散曲小令共44首。凌云翰《和梅诗序》："余幼时闻先辈言海粟冯子振作文最为汗漫，一日袖咏梅长句凡百首谒中峰本公，寻和之，冯大惊异。及详观二作，则知冯以正胜，本以奇胜，皆非末学所能至也。"（《柘轩集》卷四）宋濂《题冯子振居庸赋后》："海粟冯公以博学英词名于时，当其酒酣气豪，横厉奋发，一挥万馀言，少亦不下数千，真一世之雄哉。遗墨之出，争以重货购之。或刻之乐石，或藏诸名山，往往有之，则为人之宝爱可知矣。"（《文宪集》卷十三）《元史》卷一九〇《儒学传》："攸州冯子振，其豪俊与〔陈〕孚略同，孚极敬畏之，自以为不可及。子振于天下之书，无所不记。当其为文也，酒酣耳热，命侍史二三人，润笔以俟，子振据案疾书，随纸数多寡，顷刻辄尽。虽事料酿郁，美如簇锦，律之法度，未免乖剌，人亦以此少之。"张宁《张抚军画卷跋》："武略将军张公廷鸾，以家藏画卷索题。……元人冯海粟所题词翰，亦跌荡放纵，意与象合。古人谓诗为有声画，又画家多用草书笔法，观此卷，信乎能相通也。"（《方洲集》卷二十）周瑛《放使君和梅花百咏序》："梅为诗一赋百绝，自冯海粟始；一赋百律，自僧中峰始。近学诗君子皆追和之，其思健矣。……夫冯海粟诸人，是以己之辞模写梅之态度；君特借梅之梗概发泄己之情怀，所指异矣。"（《翠渠摘稿》卷二）《恬致堂诗话》卷二："元冯海粟作《梅花》百绝，调卑意庸，未足称奇。幻住老衲遽作长律一韵百首以敌之，往往有意外之句，其于风雅虽非本色，然光怪超忽，譬辣鞨帝青，实世间异宝也。"四库提要卷一八八："《梅花百咏》一卷，元冯子振与释明本倡和诗也。……《宋史·艺文志》载李祺《梅花百咏》一卷，久佚弗传。又端平中有张道洽者，作梅诗三百馀首，今惟《瀛奎律髓》仅存数首。子振才思奔放，一题衍至百篇，往往能出奇制胜。而明本所和，亦颇雕镂尽致，足以壁垒相当。"

**虞集以荐授大都路儒学教授。**欧阳玄《元故奎章阁侍书学士翰林侍讲学士通奉大夫虞雍公神道碑》："大德六年，用大臣荐，授大都路儒学教授。平阳王文宪公尹京，待以客礼。"虞集（1272—1348），字伯生，号邵庵，学者称邵庵先生，又自称青城山樵。其先居蜀，宋亡，徙家江西临川崇仁。大德六年，用大臣荐，授大都路儒学教授。十一年，擢国子助教，丁内艰。至大二年服阕，以旧官复用。四年，转将仕郎、国子博士。延祐元年，改从仕郎、太常博士。四年，迁承事郎、集贤修撰，考大都乡试。五年，被旨召集贤直学士吴澄于家，寻除翰林待制、儒林郎兼国史院编修官。丁外艰，服阕，以旧官召还。泰定元年，考试礼部，升承德郎、国子司业。三年，进奉训大夫、秘书少监。四年，再考试礼部，拜翰林直学士、奉议大夫、知制诰、同修国史。俄以前职兼经筵官，进阶奉政大夫。明年，又兼国子祭酒。天历三年，特授中顺大夫。未几，拜奎章阁侍书学士，升亚中大夫，仍翰林直学士、知制诰、同修国史，兼经筵官、国子祭酒。两月，进阶中奉大夫。至顺元年御试，选读卷官，被旨修《皇朝经世大典》，为总裁官。三年，拜翰林侍讲学士、通奉大夫。顺帝即位，召赴上都。秋，以病谒告归田里。元统二年，召还朝，使者至郡，疾作不能行而归。至正八年病卒，年七十七。赠江西行中书省参知政事护军，封仁寿郡公，谥文靖。著有《道园学古录》五十卷。《元诗选》初集丁集选其诗 383 首。生平据欧阳玄《元故奎章阁侍书学士翰林侍讲学士通奉大夫虞雍公神道碑》（《圭斋文集》卷九）、赵汸《邵庵先生虞公行状》（《东山存稿》卷六）、《元史》卷一八一本传。

**鲜于枢卒，年五十七。**戴良《跋鲜于伯几所制刘遗安寿词后》："按此词作于辛丑之岁，阅明年而渔阳没，又十年而使君亦薨。"（《九灵山房集》卷七）吴讷《袁静春杂诗跋》："吾郡通甫袁先生，元大德五年辛丑，自石洞书院谢事游杭，因书五言唐律十三首，奉渔阳鲜于公伯机。伯机时为浙东帅府都曹，吟诗作字，奇态横出，一时南士多慕与之游，故通甫亦以诗求正。越明年壬寅，伯机北还，得官太常典簿以殁。又四年丙午，通甫亦捐世矣。"《研北杂志》卷下："鲜于枢，字伯机，渔阳人也。少为郡吏，后以材选为行御史大夫掾。意气鲜豪，每晨出，则载笔橐与其长廷争是非，一语不合，辄欲弃去。及日晏归，焚香弄翰，取鼎彝陈诸几席，搜抉断文废款，若明日急有所须而为之者。客至，则相对指说吟讽，或命觞径醉，醉极作放歌颠草，人争持去以为荣。于废圃中得怪松一株，移植所居旁，名之曰支离叟。中岁益自刻苦读书，故自号困学。伯机美须髯，望之甚伟。卒年五十七，终征仕郎、太常典簿。赵子昂为诗哭之，观其诗，可以见伯机之为人矣。"张伯淳《挽鲜于伯几二首》其一："福星推乃祖，济美旧家声。浙水分乡社，湖山合墓茔。词华推哲匠，幕府负平生。犹想池亭上，高谈四座倾。"其二："廿载论文稔，间中屡盍簪。北来凝望眼，西去报归音。诗好空遗墨，人亡不问琴。幽明从此隔，庭树看成阴。"（《养蒙文集》卷八）柳贯《跋陈庆甫所藏鲜于伯几书自作饮酒诗》："鲜于公面带河朔伟气，每酒酣骜放，吟诗作字，奇态横生。此《饮酒》诸诗，尤旷迈可喜，遇其得意，往往为人诵之。予亦尚窃识其一二。"（《待制集》卷十八）吴师道《鲜于伯机自书乐府遗墨》："乐府亦其所自作，前二首道退居之趣，恬淡闲雅，有稼轩、遗山风。后无题一首，规模《香奁》、《花间》，艳丽而媟，非庄士所欲闻。然古今词人极意以为工者，往往若是，岂惟伯机父哉？"（《礼部集》卷十七）苏天爵《题鲜于枢诗帖》："公生燕、赵，官吴、越，而词翰有晋、唐风。"《书史会要》卷七："鲜于枢，字伯几，号困学民，渔阳人。官至太常寺典簿，而带河朔伟气。每酒酣骜放，吟诗作字，奇态横生，善行草，赵文敏极推重之。评者以谓太常早年尝作吏，故所书未能脱去旧习，不免间有俗气。曾见手编《草韵》，下用小楷，音释类钟元常，尤不可得也。"《吴礼部诗话》："鲜于伯几初至婺，题诗于屏云：'廨舍如僧舍，官曹似马曹。头巾终日岸，手板或时操。'佳句也。"四库提要卷一二二："《困学斋杂录》一卷，元鲜于枢撰。……是书所纪，当时诗话杂事为多。原本不著名氏，故嘉靖中袁褧跋称撰人未详。曹溶收入《学海类编》，以鲜于枢自号困学民，题所居曰困学斋，遂以此书为枢撰。今考其书，虽随笔划录，草草不甚经意，而笔墨之间，具有雅人深致，非俗士所能伪托。且元初诸人，亦别无称困学斋者，溶定为枢作，似乎可信。末有厉鹗跋，谓卷中金源人诗，可补刘祁《归潜志》阙。存之亦可以资采录也。开卷引李平、许褚二事，但录旧文，无所论断，莫详其意。卷中赵复初二诗，前后两见，字句亦有异同。殆亦偶然杂录，未经编定之本。后人因其墨迹，缮录成书，如苏轼《志林》、《仇池笔记》之类欤？"

**刘埙作《自志》，时年六十三。** 志云："江之南有州曰丰，丰之濒有民曰刘埙，字起潜父，家浅村水云间。性宽静忍辱，然浸成堕弛，见事迟而课效疏，所丧败常什九，初不改。其尤骇特者，无位而思救时，无责而喜论事，无财而乐施予。道不行，守道不易；学不用，嗜学不厌。众迁之，自亦迁之，终不改。早参名辈大老，概有闻，故于书不务拘束章句，惟圣贤深旨是求。曰：书以理身心、达政治也，穿凿破碎无益也，用即治经博士身耳。诗不求甚工，亦不轻示人。曰：寄吾兴，陶吾情，奚用人知？读《易》至《革》，读《诗》至《黍离》、《匪风》诸篇，常凄怨不胜情。曰：孰知我哀？自恨孝养不尽，当生旦，即晨拜祢庙，香一炷，泪数行。曰：哀哀劬劳，忍举觞乎？世易道隐，群弟子率改化奔放，乃独侁然理残书，训饬如素，深夜寒灯，父子谈古今、商义理，槁干苦澹，非人所堪，犹欣然曰：陋巷读书，对圣贤语，未为非乐。其迂盖如此。生嘉熙庚子岁，年六十有三矣，诵陶诗自挽，羡其达，成《自志》。"（《水云村稿》卷八）

**仇远序马臻所撰《霞外诗集》。** 序见本集卷首。马臻（1254—1318后），字志道，号虚中。著有《霞外诗集》十卷，今存汲古阁《元人集十种》本，《四库全书》据以收录，黄石翁、龚开均尝序其集。《元诗选》初集壬集选其诗204首。[按，马臻生年，据所作《至节即事》诗，其序云："癸酉岁长至节，效王建体，偶成绝句十首。予年始二十，即一时之事，寓一时之意，故沦落不复收。"（《霞外诗集》卷五）癸酉为咸淳九年（1273），其时臻年二十，则其生于宝祐二年（1254）。其卒年，据《西湖春日壮游纪事》诗前小序（《霞外诗集》卷九）推定。]《元诗选》初集壬集："当是时，江南甫定，兵革偃息，遗民故老如周草窗、汪水云之徒，往往托于黄冠以晦迹，虚中殆其流亚欤？庐山黄石翁摘其秀句……至云：'苦心雕琢易，出口浑成难。''道合天心易，篇终鬼胆寒。'非深于诗者，不能道也。"《历代诗话》卷六十八："马虚中诗：'吟静惊山鬼，心空守谷神。'吴旦生曰：杨仲弘《雪中》诗：'寒侵兔窟愁山鬼，冻合龙宫逼水仙。'向服其工。又见虚中一联，可悟属对之法。虚中《江边钱别》诗：'古巷聚人祠栎社，暮潮催客散樟亭。'《浙江晚眺》诗：'云分雨脚回沙溆，帆趁潮头出海门。'《幽居遣怀》诗：'卜筑每嫌山有姓，避时长羡草无名。'皆佳致也。"四库提要卷一六七："《霞外诗集》十卷，元马臻撰。……其人盖在通介之间者也。集中铺张富贵者数篇，如《嗣师吴真人》诗之类，颇乖山林之格。然所作皆神骨秀骞，风力遒上，琅琅有金石之音。虽不能具金鸡擘海、香象渡河之力，而亦不类酸寒细碎、虫吟草间。观其《述怀》一诗，殆宋末遗老寄托黄冠，而其豪逸俊迈之气，无所不可，政不以枯寂恬淡为高耳。此本为毛晋所刻，末有晋跋，称伯雨之后复有虚中。今考诸家之序，皆作于仁宗大德初年，则臻尚在张雨前，晋偶失检也。"

## 公元 1303 年 （成宗大德七年　癸卯）

### 三月

**初二，陈英奉诏宣抚江西、福建。**《元史》卷二十一《成宗本纪》："〔大德七年〕三月己丑朔，保定路饥，赈钞四万锭。庚寅，诏遣奉使宣抚循行诸道：以郝天挺、塔出往江南、江北，石珪往燕南、山东，耶律希逸、刘赓往河东、陕西，铁里脱欢、戎益往两浙、江东，赵仁荣、岳叔谟往江南、湖广，木八剌、陈英往江西、福建，塔赤海牙、刘敏中往山北、辽东，并给二品银印，仍降诏戒饬之。"孙楷第《元曲家考略》以为陈英或即曲家陈草庵。姑从之。陈英，一作陈士英。延祐初，以左丞往河南经理钱粮，拜河南省左丞。《录鬼簿》卷上称之"陈草庵中丞"，置于"前辈名公乐章传于世者"之列。《全元散曲》录其小令 26 首。

**初四，金履祥卒，年七十二。**据柳贯《故宋迪功郎史馆编校仁山先生金公行状》（《待制集》卷二十）。柳贯《故宋迪功郎史馆编校仁山先生金公行状》："先生之学，以其绝禀，济之精识，得于义理之涵濡，而成于践修之充闡。研穷经义以究窥圣贤心术之微，历考传注以服袭儒先识鉴之确。无一理不致体验，参伍错综所以约其变；无一书不加点勘，铅黄朱墨所以发其凡。平其心，易其气，而不为浚恒之求深；钩其玄，探其赜，而不为臆决之无证。自其壮岁，韬英蓄锐，致其人十己百之功，固已深造自得乎优柔厌饫之域。迨夫晚暮，意笃见凝，心和体舒，所发皆睟盎，所趋皆宽平，于一动作语默之间自然丕冒，太和之内而无回护掩覆之弊，学之成己，盖若此也。先生神爽清辣，器宇静夷，平居渊潜俨恪，深自晦藏，而内积忠信，与物无忤，非意之干，自不能近，简直不阿，视人犹己，久与之居，愈益生敬。四方学者，承风依止，肃襟造请，方群疑塞胸，胶辖纠缠，莫能自解，而亲其矩范，聆其诲言，固吝消亡，隐慝轩露。如人有疾疢，察脉制剂，适其浮沉滑濇之候，而中夫攻熨补泻之宜，动悟孚格，不俟终日。其或一时扞格而不入，则宽以养之，徐而制之，浸灌磨砻，未尝无益而错施之也。先生笃于分义，先人后己，终始不渝。"《居易录》卷一："元金履祥吉父《仁山集》二卷，董遵所编。仁山道学不工诗，而《广箕子操》一篇特工。云：'炎方之将，大地之洋。波汤汤翠，华重省方。独立回天天无光，此志未就，死矣死南荒。不作田横，横来者王。不作幼安，归死其乡。欲作孔明，无地空翱翔。惟馀箕子，仁贤之意留沧茫，穿壤无穷此恨长。千世万世，闻者徒悲伤。'吴师道跋云：'宋末为相者，曾聘先生馆中，先生以奇策干之，不果用而去。先生感激旧知，后为赋此。辞旨悲慨，音节高古，真奇作也。'此操似为陈宜中而作。"四库提要卷一六五："《仁山集》六卷，宋金履祥撰。……履祥受学于王柏，柏受学于何基，基受学于黄榦，号为得朱子之传。其诗乃仿佛《击壤集》，不及朱子远甚。王士祯《居易录》极称其《箕子操》一篇，然亦不工。夫邵子以诗为寄，非以诗立制。履祥乃执为定法，选《濂洛风雅》一编，欲挽千古诗人，归此一辙，所谓华之学王，皆在形骸之外，去之愈远。所作均不入格，固其所矣。至其杂文如《百里千乘说》、《深衣小传》、《中国山水总说》、《次农说》诸篇，则具有根柢，其馀亦醇洁有法，不失为儒者之言。盖履祥于经史之学研究颇深，故其言有物，终与空谈性命者异也。"

**二十日，孛兰肹、岳铉等进《大一统志》。** 孛兰肹，又作不兰奚、卜兰奚，《元史》卷二十一《成宗本纪》误作小兰禧。据许有壬所作《大一统志序》，至元二十八年，虞应龙等尝撰成《大一统志》。《元一统志》全书今已不存，近人赵万里有辑本，尚能见其大概。有《辽海丛书》本、中华书局校点本。

## 五月

**初六，张伯淳卒，年六十一。** 程钜夫《翰林侍讲学士张公墓志铭》："大德七年五月癸巳，翰林侍讲学士清河张公卒于京师。……大德四年，即家拜翰林侍讲学士。明年造朝，扈从上都。还，请老，不许。又明年夏，病终于官，得年六十有一，有司护匶归里。"（《雪楼集》卷十七）邓文原《养蒙文集序》："自公至京师，友道日广，酬接无少懈，暇则伸纸濡毫，作为词章，以应四方之求，时时为文原诵之。盖耻尚钩棘，而舂容纡馀，铿乎金石之交奏也。"《居易录》卷一："元张伯淳《养蒙集》十卷，邓文原、虞集序之。诗歌杂文，皆肤浅不工。"《元诗选》二集丙集《次韵光斋》诗后按语："师道古诗，语意肤浅，近体率皆应酬之作，全篇不足观，而佳句颇多。如《简张畴斋》云：'白发游尘里，黄花过雨馀。'《出郊》云：'瘦筇支彳亍，狭路写之玄。'《寿张右丞》云：'春意偏于天上早，月华长似夜来圆。'《次韵雪涧兄》云：'身疑梦里同清境，喜到眉间展碧峰。'《送王士能赴衢州同知》云：'才从国子先生出，曾是分司御史来。'《送顾东圃》云：'一廉宜得能官誉，垂去还如始至时。'《送张可与参政》云：'不日可承三接宠，此官已较十年迟。'《贾氏望梅楼》云：'曾观海者难为水，自出山来无此游。'《送张从之台郎》云：'幕中颇见此客不？江左喧传某掾来。'觉意深语健，耐人吟讽也。"四库提要卷一六六："《养蒙集》十卷，元张伯淳撰。……虞集序其集，述其生平甚悉，以汉贾谊比之，邓文原序亦拟以陆贽。然所称论事数十条者，今皆不载于集中，盖召对面陈，未具疏也。……今观其文，源出韩愈，多谨严峭健，得立言之体。文原以春容纡徐称之,不甚相似。其诗则鄙拙殊甚,古体尤劣。王士祯《居易录》深诋其肤浅,顾嗣立《元诗选》亦称其古诗少合作,集中有《题鲜于伯机所藏黄庭经》一首,语较古健,乃赵孟頫作误入。又称其近体率皆酬应之作。其言皆允。惟嗣立所摘佳句九联,则多所未安。如《出郊》诗云:'瘦筇支彳亍,狭路写之无(玄)。'此何等语,而顾以为佳乎?皇甫湜、李翱诸集皆不载诗,不害其为湜与翱,正不必曲为回护也。"

## 夏

**田衍辑其先友翰墨,中有名撒举者,或以为即曲家阚彦举。**虞集《田氏先友翰墨序》:"大德七年夏,兵部员外郎彰德田君师孟,缉其先友手翰为一卷,使余为之序。余读其辞而悲之。盖其愤郁哀壮,称余所谓豪杰者多在是。……撒举字彦举,关东人,不羁,诗有律。"(《道园学古录》卷五)孙楷第《元曲家考略》以为其人即《录鬼簿》卷上《前辈名公》篇之曲家"阚彦举学士","阚"乃"撒"之误。姑系于此,以备一说。又侯克中《艮斋诗集》卷六有《悼阚彦举》诗一首,诗云:"锦绣肝肠铁石姿,九州行遍复何之。鳌吞鲸吸千杯酒,凤起蛟腾七字诗。竹杖打门求友日,纸衣裹骨到家时。生前死后俱漂泊,想象临风酹一卮。"则其卒又似在至元二十年前后。王恽《员先生传》:"复有撒举,字彦举,亦陕人。面黯惨,目光(原阙)凭者。少为里啬夫,初不解文字。一日,忽能作诗,吐奇怪语,皆古人所未经道。虽苦无义意,其豪侈之况,侪辈属和,终不能及。中元冬,见予于燕市酒楼,浮大白,数行径出步炉间,嘤嘤然忽作露蚓(原阙)来扼余腕,忻甚,曰:'吾有以赠子。'其诗有'气凌太华五千仞,诗绕国风三百篇'之句,醺酣中惜不全忆也。尝谒得楮币若干,醉过里井,即投其中,曰:'为尔俾予区区若此,奚用为。'其狂易如是。后客死保塞,殡西南门外路北若干步,揭曰:'诗人撒某墓。'诗三卷,号《极(函)谷道人集》,好事者刊行于世。"(《秋涧集》卷四十九)

## 十月

**二十六日,翰林国史院进太祖、太宗、定宗、睿宗、宪宗五朝实录。**见《元史》卷二十一《成宗本纪》。袁桷以预其事,擢为应奉翰林文字。袁桷《李庆长御史饯行序》:"大德癸卯,桷以太史属事承旨阎先生于翰林。先生色庄,慎许可,待院属必面质其长,质之而犹以为疑也,卒询于尝往还以考其词学焉。桷入院五日,先生召堂上,曰:'子能为制诰乎?'桷谢不敏。顷之,出片纸,令试制草,即具稿以进。阅一月,将登车,辄命撰庙学诏,如汉诏今体。冬十月,大会院属,令拟进五朝实录表,桷得预拟焉。先生始察而奖之,即署为应奉文字。"(《清容居士集》卷二十四)袁桷有《进五朝实录表》(《清容居士集》卷三十八)。

## 本年

揭傒斯作《湖南宪使卢学士，移病归颖，舟次武昌，辱问不肖姓名，先奉寄三首》诗。卢学士，即卢挚。揭傒斯另有《正月十二日寻卢学士船至汉口，留诗为别》云："新知遽相违，馀悰何由展。"揭傒斯新交卢挚，不忍遽别，遂寻卢挚于汉口。观诗所言，卢挚当是离开湖北。按黄溍所撰《揭公神道碑》，言"程楚公钜夫、涿郡卢公挚前后持湖北使者节，程公奇其才，妻以从妹"，则知曼硕与卢挚相交乃在其出游湖北时。复考揭傒斯所作，有《卢学士奉旨南祀海岳，由钟陵相别，闻尚宿留会稽，有怀奉寄》诗。卢挚奉旨南祀海岳，在大德三年（1299），见其《代祀南岳记》，时揭傒斯年二十六，二人相交，或在其时。

邓剡卒，年七十二。程钜夫《书邓中斋名谢氏三子说后》："至元戊子，余官南台，时中斋邓公客于升。倾盖剧谈，互有所发。别去十五年，闻其讣于武昌。又明年，谢君汝霖持其名三子说来。读之，意核而言悫，犹若对面语也。"（《雪楼集》卷二十四）邓剡（1232—1303），字光荐，号中斋，江西庐陵人。著有《中斋词》一卷。程钜夫《邓中斋挽词》："中斋吾所敬，一别几飞萤。栗里藏名字，欧乡有典刑。龙蛇那起起，鸿雁已冥冥。泪眼河汾述，犹占处士星。"（《雪楼集》卷二十八）《遂昌杂录》："邓中斋先生，讳剡，字光荐，宋丞相信国公客也。宋亡，以义行著。其所赋《鸥鸪词》有曰：'行不得也哥哥。瘦妻弱子嬴悖驮，天长地阔多网罗。南音渐少北音多，肉飞不起可奈何。行不得也哥哥。'其意可见。其所赞文丞相像有曰：'目煌煌兮疏星晓，寒气英英兮晴雷殷。山头碎柱兮璧完，血化碧兮心丹。'呜呼，孰谓斯人不在世间。"

余阙生。余阙（1303—1358），字廷心，一字天心，人称青阳先生。唐兀氏，世家河西武威，以父官庐州，遂为庐州人。元统元年，赐进士及第，授同知泗州事。俄召为应奉翰林文字，转中书刑部主事。以不阿权贵，弃官归。寻以修辽、金、宋三史召，复入翰林为修撰。拜监察御史，改中书礼部员外郎，出为湖广行省左右司郎中。复以集贤经历召入，迁翰林待制。出金浙东道廉访司事，丁母忧归。至正十二年，天下兵兴，起为淮西宣慰副使，分兵守安庆。抵官十日而寇至，拒却之。明年，升同知淮西宣慰副都元帅，俄升都元帅。旋拜淮南行省参知政事，仍守安庆。十七年，改左丞。十八年城陷，死节，年五十六。赠阙摅诚守正清忠谅节功臣、荣禄大夫、淮南江北等处行中书省平章政事、柱国，追封豳国公，谥忠宣。著有《青阳先生文集》九卷。《元诗选》初集庚集选其诗49首。生平据宋濂《余左丞传》、《元史》卷一四三本传。

傅若金生。傅若金（1303—1342），初字汝砺，后改字与砺，号玉楼，临江新喻人。自幼为诗，出语惊人。弱冠游湖南，宣慰使阿荣招延于家，宾主吟咏不辍。久之，荐为岳麓书院直学，即弃去。至顺三年，挟其所作歌诗游京师。不数月，公卿大夫皆知其名，交口称誉。元统三年，诏遣使者颁正朔于安南，以与砺才学，为之参佐。明年使还，以功授广州路儒学教授。湖南及广西帅阃争欲辟君为掾，皆辞不就。至正二年卒，年四十。著有《傅与砺诗集》八卷、《傅与砺文集》十一卷。《元诗选》二集戊集选其诗263首。生平据苏天爵《元故广州路儒学教授傅君墓志铭》（《滋溪文稿》卷十三）。

梁寅生。梁寅《傅与砺文集序》："寅自弱冠游乡校，见君所为《观澜赋》，固已知其名，敬其为杰士。且与君同邑，生又同岁月，而君之才名播京师，结交海内士，

寅屏迹岩谷，穷居以老，乃竟不识君，然所以知君者亦深矣。"（《傅与砺文集》卷首）

梁寅（1303—1390），字孟敬，学者称石门先生，江西新喻人。弱冠授徒豫章，后至元间，馆于建康，以荐授集庆路儒学训导，至正十年归。洪武初，征修礼书，书成辞归。洪武十年，讲学石门书院。二十二年卒，年八十七。著有《周易参义》十二卷、《诗演义》十五卷、《石门集》十卷。生平据石光霁《石门先生行状》、《明史》卷二八二《儒林传》。

**危素生。**危素（1303—1372），字太朴，号云林，金溪人。至正二年，以大臣荐，入经筵为检讨。与修三史。五年，改承事郎、国子助教。七年，除应奉翰林文字、同知制诰兼国史院编修官。转文林郎、宣文阁授经郎，兼经筵译文官。明年，复入翰林为应奉。十一年，迁儒林郎、太常博士。十三年，转奉训大夫、国子监丞，擢兵部员外郎。十五年，迁奉议大夫、礼部郎中，拜朝散大夫、监察御史，擢工部侍郎。明年，转朝请大夫、大司农丞。又明年，升中奉大夫、大司农少卿，拜礼部尚书。十八年，参议中书省事。次年，进通奉大夫、御史台治书侍御史。二十年，拜通奉大夫、中书参知政事。后四年，升资政大夫，俄除翰林学士承旨、荣禄大夫。出为岭北等处行中书省左丞。明年，弃官居房山。二十八年，起为翰林学士承旨，已而元亡。洪武二年，授翰林侍讲学士、中顺大夫、知制诰、同修国史。三年，兼弘文馆学士。是年冬，以王著等劾去官，出居合州。五年卒，年七十。著有《说学斋稿》四卷、《云林集》二卷、《危太朴文续集》十卷。生平据宋濂《故翰林侍讲学士中顺大夫知制诰同修国史危公新墓碑铭》、《明史》卷二八五《文苑传》。

**睢景臣与钟嗣成相识于杭州。**曹刊本《录鬼簿》卷下："景臣，后字景贤。大德七年，公自维扬来杭州，余与之识。自幼读书，以水沃面，双眸红赤，不能远视。心性聪明，酷嗜音律。维扬诸公，俱作《高祖还乡》套数，惟公《哨遍》，制作新奇，皆出其下。又有〔南吕〕《一枝花·题情》云：'人间燕子楼，被冷鸳鸯锦，酒空鹦鹉盏，钗折凤凰金。'亦为工巧，人所不及也。"钟嗣成〔双调〕《凌波仙·吊睢景臣》："吟髭捻断为诗魔，醉眼慵开为酒酡。半生才，便作三闾些。叹番成，《薤露歌》。等闲间，苍鬓成皤。功名事，岁月过，又待如何？"睢景臣，字景贤，或作睢舜臣，字嘉贤。大德间，与钟嗣成相识，先嗣成而卒。著有杂剧《楚大夫屈原投江》、《莺莺牡丹记》、《千里投人》3 种，词一卷（《嘉庆扬州府志》），皆不传。《全元散曲》录其套数 3 套，残套数 1 套。《太平乐府》有名睢玄明者，或以为即景臣。《右书·元睢景臣〈高祖还乡〉曲后》："元世曲人，襟怀浅陋，所作绝少深意。非自放于山巅水涯，即自娱于妇人醇酒。盖身当衰乱，厌世畏祸，流于杨朱者也。此套摹写可笑，旨在叹贵贱之无常。"钟嗣成，字继先，号丑斋，自称古汴（今河南开封）人，寓居杭州。著有杂剧《章台柳》、《钱神论》、《蟠桃会》、《郑庄公》、《斩陈馀》、《诈游云梦》、《冯骥烧券》等 7 种，均佚而不传。著有《录鬼簿》二卷。散曲见于《太平乐府》、《乐府群玉》、《乐府群珠》等集，《全元散曲》录其小令 59 首，散套 1 套。

**《元典章前集》于本年初刊。此后，侯有颁降，随类刊入。**《四库全书总目提要补正》卷二十四："《元典章前集》六十卷、附《新集》。沈家本《寄簃文存·跋钞本元典章》云：'其目：诏令则为世祖、成宗、武宗、仁宗、今上（谓英宗）；圣政二十四，朝纲二，台纲六，吏部四，子目凡五十一；户部十五，子目凡七十五；礼部四，子目凡二十三；兵部五，子目凡三十九；刑部十四，子目凡一百三十二；工部二，子目凡七；总计目为八十一。其六部之子目，别为三百二十七。《四库总目》称其目凡三百七十二，每目之中，又各分条格，与此本不相应，未知是别一本，抑总目之数偶未核也？《新集》之纲，分国典、朝纲、吏、户、礼、兵、刑、工八类，其目三十九，子目九十四，与《前集》不尽相同，盖随事立名，故不能一一符合矣。目录有记七行云："大德七年，中书省劄，节文准江西奉使宣抚呈，乞照中统以至今日所定格例编集成书，颁行天下。照得先据御史台以及国家定立律令以来，合从中书省为头，一切随朝衙门，各各编类中统建元至今圣旨条画，及朝廷已行格例，置簿编写检举"等语。是此书当日乃奉官刊布，以资遵守，非仅为吏胥之钞记，刻于江西，故有江西奉劄之语。《新集》目前有记云："《大元圣政典章》，自中统建元至延祐四年所降条画，板行四方已有年，今谨自至治新元以迄今日颁降条画，及前所刊新例，类聚梓行"等语。目后有至治二年六月之文。是此书初刊于大德，嗣后随时续增以至延祐。《前集》有延祐五、六、七年诏令事例，不止于四年。《新集》有至治三年事例，亦不止于二年六月。当日官书随时续增者有之，故与所记不能尽符，《总目》疑为未竟之本，殆未究其故也。此书乃汇集之书，非修纂之书，故所录皆条画原文，未加删润，颇似今日官署通行之案牍，大都备录全文，以资参考。《总目》议其所载皆案牍之文云云，所论固是，然谓其体例之未善，则原其宗旨，本以备官府之遵守，与著述家之体例不同。谓于考证无关，则删其繁芜，菁英自出，颇足供考证家之采撷。若但存文字之见，遂屏而不录，良可惜已。'玉缙案：目后云：'至治二年以后新例，候有颁降，随类编入梓行，不以刻板已成，而靳于附益也。至治二年六月日谨咨。'此实坊间所记。大抵《前集》为官刊，《新集》乃坊贾所次耳。张氏及丁氏《藏书志》、瞿氏《目录》，《新集》皆不言卷数，惟陆氏《藏书志》称二十三卷。"

何梦桂卒于本年之后。据本集卷十《王石涧临清诗稿跋》，本年何梦桂七十五岁。会其卒，王沂有诗挽之。何梦桂，字严叟，号潜斋，淳安人。著有《潜斋集》十卷。《石洲诗话》卷四："何潜斋梦桂深于《易》。吴《钞》谓其诗淳朴，阮亭则与王义山同评为'酸腐庸下'者也。"四库提要卷一六五："《潜斋文集》十一卷、附《铁牛翁遗稿》一卷，宋何梦桂撰。……此集凡遗诗三卷，词及政策一卷，杂文七卷。诗颇学白居易体，殊不擅长。王士祯《池北偶谈》以酸腐庸下诋之，则似乎已甚。文则颇援引证佐，有博辨自喜之意。明成化中，其八世孙淳访得旧印本于同邑汪廷贵家，校正刊行。后其远孙之论等又为重刊。考元盛如梓《庶斋老学丛谈》，载梦桂送留梦炎一诗曰：'昆明灰劫化尘缁，梦觉功名黍一炊。钟子未甘南操改，庾公空作北朝悲。归来眠里吴山在，别后心期浙水知。白发门生羞未死，青衫留得裹遗尸。'盖梦桂为梦炎所取士，故是诗有王炎午生祭文天祥意，而是集不载，则其散佚亦多矣。"

公元 1304 年 （成宗大德八年 甲辰）

正月

**初八，汪克宽生。**汪克宽（1304—1372），字德辅，一字仲裕。先世自歙县迁于祁门，是为祁门人。从学于胡炳文、吴仲迁。泰定三年，举江浙乡试，出邓文原之门。明年会试，以不合于主司下第。归自京师，刻励为学，痛自修饬，遂厌科举之文。与金华许谦、鄱阳朱公迁、建康彭炳讲论道学，弟子著录者日盛，所居山谷环绕，学者称之曰环谷先生。至正十二年，蕲黄兵至，率长幼避兵深山。洪武二年，征修《元史》。史成，以老疾辞归。五年卒，年六十九。著有《经礼补逸》九卷、《春秋胡氏传纂疏》三十卷、《环谷集》八卷。《元诗选》二集辛集选其诗 7 首。生平据吴国英《环谷汪先生行状》（《新安文献志》卷七十二）、朱彝尊《汪克宽传》（《曝书亭集》卷六十二）、《明史》卷二八二《儒林传》。

**刘将孙序周南瑞所编《天下同文集》。**序见本集卷首，将孙以为其必有功于一代之文章，信然。朱思本有《敬修集天下同文以寿诸梓用前韵赋诗一章求赏于予次韵》诗（《贞一斋杂著》卷二）。周南瑞，字敬修，安成人。至顺间犹存。编有《天下同文集》五十卷，今存《四库全书》本、《雪堂丛刻》本。四库提要卷一八八："《天下同文集》四十四卷，元周南瑞撰。南瑞始末未详。考吴澄《支言集》，有《赠周南瑞序》，称：'安成周南瑞敬修，扁濂溪二字于室，或者议之。'又称：'敬修之文词，固已早冠于乡儒之上，自濂溪视之则陋也。盍暂舍其所已学，而勉其所未学'云云。当即其人也。澄序多不满之词，至称其欲为濂溪后人，当知其门户路径，是明以冒称周子之裔诮之。其人盖好趋附高名者，观其目录末标'随有所传录，陆续刊行'九字，其体例与今时庸陋坊本无异，可以概见也。卷首有刘将孙一序，亦潦倒浅陋，似乎依托。然其所载，颇有苏天爵《文类》所未收，而足资当日典故者。如《元史》崔彧上宝玺事，见于《成宗本纪》及彧本传，未详得玺月日，是集所载崔彧献玺书文，知为至元三十一年正月三十日。又《成宗本纪》元贞元年三月乙巳朔，安南世子陈日燇遣使上表并献方物。而《安南国传》则纪其事于至元三十一年五月之下，与本纪互异。今考是集所载安南国王《贺成宗登极表》，末云元贞元年三月初一日，知列传为误书。皆可以旁资考证。其他文亦多有可观者。其中十七卷、十八卷、三十一卷、三十四卷、三十五卷、四十一卷并阙。盖麻沙旧式，分卷破碎，传钞易于佚脱。今既无别本校补，亦姑仍原本录之，以存其真焉。"《善本书室藏书志》卷三十八："《天下同文前甲集》五十卷，旧钞本，振绮堂藏书。元庐陵周南瑞撰。……大德甲辰，庐陵刘将孙序其书。目录后有'随所传录，陆续刊行'，似类麻沙坊估所为。标题前甲集，恐不止此。五十卷中所录文，颇有出苏氏《文类》之外者，亦足参观。旧缺六卷，今又阙一卷。"

## 春

**辛文房撰《唐才子传》成。**辛文房自为之引，末署"大德甲辰春"。据文房自引，其书十卷，凡二百七十八篇，附见者一百二十家。辛文房，字良史，西域人。尝官翰林编修，与杨载、卢亘并以诗名于时。其生平不甚能详。所著《唐才子传》十卷，今存三间草堂本。《四库全书》本作八卷，系由《永乐大典》辑出。杨士奇《书唐才子传后》："《唐才子传》，西域辛文房著。十卷，总三百九十七人，皆有诗名当时，其见于《唐书》者共百人。盖行事不关大体，不足为劝戒者不录，作史之体也，而读其诗欲知其人，于辛所录宜有取。然唐以诗取士，三百年间以诗名者，当不止于辛之所录，如郭元振、张九龄、李邕之徒，显于时矣，而犹遗之，况在下者乎。而辛所录者，又间杂以臆说，观者当择之。"（《东里文集》卷十）四库提要卷五十八："《唐才子传》八卷，元辛文房撰。……是书原本凡十卷，总三百九十七人，下至妓女、女道士之类，亦皆载入。其见于新、旧《唐书》者仅百人，馀皆从传记说部各书采辑。其体例因诗系人，故有唐名人，非卓有诗名者不录。即所载之人，亦多详其逸事及著作之传否，而于功业行谊，则只撮其梗该。盖以论文为主，不以记事为主也。大抵于初、盛稍略，中、晚以后渐详。至李建勋、孙鲂、沈彬、江为、廖图、熊皦、孟宾于、孟贯、陈抟之伦，均有专传，则下包五代矣。考杨士奇《东里集》，有是书跋，是明初尚有完帙，故《永乐大典》目录于传字韵内，载其全书。今传字一韵适佚，世间遂无传本。然幸其各韵之内，尚杂引其文，今随条撷拾，裒辑编次，共得二百四十三人，又附传者四十四人，共二百七十八人。谨依次订正，厘为八卷。按杨士奇跋，称是书凡行事不关大体，不足为劝戒者不录，又称杂以臆说，不尽可据。今考编中，如许浑传称其梦游昆仑，李群玉传称其梦见神女，杂采孟棨《本事诗》、范摅《云溪友议》，荒唐之说，无当史裁。又如储光羲污禄山伪命，而称其养浩然之气，尤乖大义。他如谓骆宾王与宋之问唱和灵隐寺中，谓《中兴间气集》为高适所选，谓李商隐曾为广州都督，谓唐人学杜甫者惟唐彦谦一人，乖舛不一而足。盖文房钞撮繁富，或未暇检详，故谬误牴牾，往往杂见。然较计有功《唐诗纪事》，叙述差有条理，文笔亦秀润可观。传后间缀以论，多掎摭诗家利病，亦足以津逮艺林。于学诗者考订之助，固不为无补焉。"王宗炎《三间草堂本唐才子传序》："有元西域辛文房始撰集爵里姓氏遗事轶闻为《唐才子传》十卷，将以定品概之流别，窥心术之邪正，资阅览之衡裁，镜艺林之得失。其书岁久散佚，宗炎盖尝求之而未睹其全也。同邑陆君芝荣，得日本所刊《佚存丛书》中有是帙，犹为当日完本。凡二百七十八人，附见者一百二十家，以时代为次，时代之中，又以科目先后为断。始以大业之初，终于五季之末。继往开来，别具微旨，伸尊黜妄，体裁雅赡，评论得失，好而知恶，非徒诵其诗而不论其世者。独于古今人才升降之由，与唐之才之诗所以不能复于古者，则未有及也。……嘉庆乙丑八月朔日，萧山王宗炎序。"

**虞集、袁桷、贡奎等六人游大都长春宫，赋诗唱和。**虞集《游长春宫诗序》："大德八年春，集与豫章周仪之、四明袁伯长、宣城贡仲章、广信刘自谦、庐陵曾益初，始得登于其宫之阁而观之。……乃以'蓬莱山在何处'为韵，以齿叙而赋之，得古诗六首。别因仲章所赋倡和，又得律诗十有三首，萃为一卷，谨叙而藏之。"（《道园学古录》卷五）

## 六月

二十日，王恽卒，年七十八。据王公孺《大元故翰林学士中奉大夫知制诰同修国史赠学士承旨资善大夫追封太原郡公谥文定王公神道碑铭》（《中州名贤文表》卷二十八）。张养浩有《王内翰哀挽》，程钜夫作《王秋涧先生挽词》二首。王恽《自喻》："吾性懒且拙，置书未尝观。兴来一披读，暂涉意已阑。因伤中道画，勉力鞭使前。奈彼外物诱，既往辄复还。年来天与幸，缪当函文间。朝昏迫童课，未免亲书编。开缄三叹息，知学今十年。虽传失自习，所得亦已偏。正如乘跛马，十步九踬颠。引领望圣域，尺绠汲丈泉。有时寻坠绪，意会亦惬然。务敏修乃来，自弃诚可怜。譬彼执铫耨，缓治榛芜田。纵弗曰收熟，犹愈埋荒烟。进进久不辍，功岂止百廛。九原虽不复，圣道具蹄筌。尧舜等人耳，悉自学至焉。从兹自发药，浩浩还吾天。"（《秋涧集》卷二）王公孺《大元故翰林学士中奉大夫知制诰同修国史赠学士承旨资善大夫追封太原郡公谥文定王公神道碑铭》："作为文章，不蹈袭前人，要自肺腑中流出。平居谈话，无异于人，及操觚染翰，经旨之义理，史传之铺陈，子集之英华，古今体制，间见叠出，雄深雅健，辞古而意不晦，以自得有用为主。"《花草蒙拾》："王秋涧《湖上乐》四首，纯乎元曲。其佳句云：'新词淡似鹅黄酒。'《豆叶黄》亦是曲意，即元人《一半儿》也。"《元诗选》初集乙集："秋涧诗才气横溢，欲驰骋唐宋大家间，然所存过多，颇少持择，必痛加芟削，则精彩愈见。"季振宜《秋涧先生大全集跋》："文章醇厚淹博，得于欧、曾为多，在元人中可与潜溪方驾。……至其题跋榜约诸文，戏谑风流，皆有源流，则东坡、山谷之流也。"四库提要卷一六六："《秋涧集》一百卷，元王恽撰。……恽文章源出元好问，故其波澜意度，皆不失前人矩矱。诗篇笔力坚浑，亦能嗣响其师。论事诸作，有关时政者，尤为疏畅详明，瞭如指掌。史称恽有才干，殆非虚语，不止词藻之工也。"

## 九月

初一，戴表元序洪焱祖所作诗。戴表元《洪潜甫诗序》："来上饶，得新安洪焱祖潜父。潜父诗，优游隽永处不减宣城，沉著停蓄往往豫章社中语，视永嘉雕琢，俯手而徐就之耳。为之惊喜赞敬，恨相得晚。而潜父之年，非余所及，谦躬强志，于书方无所不观，于理方无所不究。诚若此，其升阶而趋唐，入室而语古，不患不自得之。余惫矣，不能从也。大德八年九月朔日。"（《剡源文集》卷九）洪焱祖所著，今存《杏亭摘稿》一卷，有《四库全书》本。

二十日，方回序唐元所撰《艺圃小集》。序见《筠轩集》卷首，又见《桐江续集》卷三十三。其时唐元年三十六。唐元（1269—1349），字长孺，号筠轩，新安歙县人。初贫，屡厄于衣食。既长，方奋迅劘切，以诗自鸣。方朝廷以巍科收多士，四战辄北，遂屡以明经试有司，又不第。乃弃举子业，以古文鸣于世。筮仕吴庠，发已纷白。年五十八，省授平江路儒学录。再调分水县儒学教谕，升南轩书院山长，以徽州路儒学教授致仕。平生与方回、孟淳、王士熙、杨刚中、张起岩等善。至正九年卒，年八十一。著有《筠轩集》十三卷。生平据杜本《徽州路儒学教授唐公墓志铭》（《新安文献志》卷九十五下）。

## 十二月

二十四日，舒頔生。舒頔，字道原，号贞素，学者称贞素先生，徽州府绩溪人。年十五六，淹贯诸史，工诗文，乡先辈皆奇之，与同郡朱允升、郑子美、程以文相与讲明。比壮，游江湖，受业于姑苏李青山，与其子伯羽、仲羽及陶安、潘元叔为同舍生，为马伯庸、韩伯高所赏。重纪至元三年，江东宪使燕只不花辟为池阳教谕。秩满，调京口丹徒校官，馆于平章元之秦公之门。至正十年，转升台州路儒学正，辞归。十七年，郡府交荐，以疾辞不就。乡居几三十年，洪武十年卒。著有《贞素斋集》八卷。《元诗选》二集辛集选其诗96首。生平据张梓《故贞素先生舒公行状》、舒頔《贞素斋集·自传》、唐桂芳《华阳贞素舒先生墓志铭》、舒正仪《贞素先生舒公年谱》。

## 本年

大德六年至本年间，臧梦解、陆垕荐蒋捷于朝，不就。《宋季忠义录》卷十五："蒋捷，字胜欲，宜兴人，举德祐进士。元初晦迹不仕。大德中，宪使臧梦解、陆垕荐其才，不就。称竹山先生。"《万姓统谱》卷八十六："蒋捷字胜欲，阳羡人，德祐进士。元初遁迹不仕。大德间，宪使臧梦解、陆垕交章荐其才，卒不就。平生著述，一以义理为主，其《小学详断》，发明旨趣尤多。学者以其家竹山，咸称为竹山先生云。"乾隆《江南通志》卷一二一《选举志》："元蒋捷，字胜欲，宜兴人，德祐中进士。元初晦迹不仕。大德中，宪使臧梦解、陆垕俱荐其才，不就。博学工词，学者称竹山先生。"考《元史》卷一七七臧梦解本传，臧梦解于大德六年至八年间任浙东肃政廉访副使，大德九年除广东肃政廉访使，则其荐蒋捷当在浙东肃政廉访副使任上。姑系于此。蒋捷，字胜欲，号竹山，阳羡人。度宗咸淳进士，宋亡不仕，隐居太湖竹山，人称竹山先生，与周密、王沂孙、张炎并称"元末四大家"。著有《竹山词》一卷。毛晋《竹山词跋》："昔人评词，盛称李氏、晏氏父子及耆卿、子野、子游、子瞻、美成、尧章止矣，蒋胜泯焉无闻。今读《竹山词》一卷，语语纤巧，真《世说》靡也；字字妍倩，真六朝腴也，岂其稍劣于诸公耶？或读《招落梅魂》一词，谓其磊落横放，与辛幼安同调，其殆以一斑而失全豹矣。"四库提要卷一九九："《竹山词》一卷，宋蒋捷撰。……其词练字精深，调音谐畅，为倚声家之矩矱。间有故作狡狯者，如《水龙吟·招落梅魂》一阕，通首住句用'些'字。《瑞鹤仙·寿东轩》一阕，通首住句用'也'字，而于虚字之上仍然叶韵。盖偶用《诗》、《骚》之格，非若黄庭坚、赵长卿辈之全不用叶，竟成散体者比也。"《艺概》卷四："蒋竹山词，未极流动自然，然洗炼缜密，语多创获。其志视梅溪较贞，其思视梦窗较清。刘文房为五言长城，竹山其亦长短句之长城与！"《左庵词话》卷上："蒋竹山《一剪梅》词有云：'银字笙调。心字香烧。红了樱桃。绿了芭蕉。'久脍炙人口。"又卷下："蒋竹山《虞美人》云：'丝丝杨柳丝丝雨。春在冥濛处。楼儿忒小不藏愁。几度和云、飞去觅归舟。天怜客子相关远。借与花消遣。海棠红近绿阑干。才卷珠帘、却又晚风寒。'亦工整，亦圆脆。"周济《介存斋论词杂著》："竹山薄有才情，未窥雅操。"《白雨斋词话》卷五："蒋竹山，至元大德间，臧、陆辈交荐其才，卒不肯起。词不必足法，人品却高绝。"《蕙风词话续编》卷一："竹山词《虞美人》咏梳楼：'楼儿忒小不藏愁。几度和云、飞去觅归舟。' 较 '天际识归舟' 更进一层。"

**戴表元起为信州儒学教授。**袁桷《戴先生墓志铭》："大德甲辰，先生年六十一矣，会执政荐于朝，起家拜信州教授。秩满，授婺州，以疾辞。"又见宋濂《剡源集序》。方回有《送戴帅初信州教授》诗（《桐江续集》卷二十七）。

**仇远由镇江路儒学正迁溧阳州儒学教授。**方回《送仇仁近溧阳州教序》："吾友山村居士仇君远仁近，受溧阳州教，年五十八矣。归附垂三十年，始得一州教，则何其难于仕也。仕之难如此，而况敢望夫达之易乎？仁近诗名满世，自有垂百世而不可朽者，仕之达外物也，何足控抟而芥蒂。"（《桐江续集》卷三十四）马臻（《霞外诗集》卷四）、袁衷（《御选元诗》卷二十六）均作诗送其行。

**汪元量筑楼于丰乐桥外，以为湖山隐处，刘将孙为作《湖山隐处记》。时元量年六十馀，后十馀年方卒。**刘将孙《湖山隐处记》："水云名元量，字大有，其家尊名琳，字玉甫，生甲申，于今八十一。七子，明、白、灿、逸、清、远，皆从元，水云其三，各取号于水，以月、天、霞、相、玉、楼为序"（《养吾斋集》卷二十二）或以为记作于至元三十一年（1294），甲申乃甲戌之误。（孔凡礼：《汪元量事迹纪年》，《增订湖山类稿》，中华书局 1984 年版）刘辰翁《湖山类稿序》："杭汪水云，以布衣携琴渡易水，上燕台。侍禁时，为太皇、王昭仪鼓琴奉卮酒。又或至文丞相锒铛所，为之作《拘幽》以下十操，文山亦倚歌而和之。昔者乌孙公主、王昭君，皆马上自作曲，钟仪之絷，南冠而操土音。自作乐，使人听乐，孰乐？或谓作者之悲，不如听者之乐；听者之乐，复不如旁观者之悲也。汪氏之琴，天其使娱清夜、释羁旅耶？何其客之至此也。琴本出于怨，而怨者听之亦乐，谓其能雪其心之所谓也。当其奏时，如出乎人间，落乎天上，殆泊与淡相遭，而卒归于无有，其亦有足乐耶？归江南，入名山，着黄冠，据槁梧以终，又起而出乎江湖。迩者，名人胜士以诗见。其诗自奉使出疆，三宫去国，凡都人忧悲恨叹，无不有。及过河所历皇王帝伯之故都遗迹，凡可喜、可诧、可惊、可痛哭而流涕者，皆收拾于诗。解其囊，南吟北啸，如赋史传，亦自有可喜。余盖不忍观之。孰不游也，以琴遇少，琴能诗又少，余欲尽其卷计之，而不胜其壹郁也，则复使之进琴焉。"（《湖山类稿》卷首）文天祥《书汪水云诗后》："吴人汪水云，羽扇纶巾，访予于幽燕之国，袖出行吟一卷。读之，如风樯阵马，快逸奔放。询其故，得于子长之游。嗟夫异哉！乃为之歌曰：南风之熏兮琴无弦，北风其凉兮诗无传，云之汉兮水之渊，佳哉斯人兮水云之仙。一百五日，庐陵文山文天祥履善甫。"（《湖山类稿》卷五）《遂昌杂录》："宋季琴士汪水云者，工于诗，诗皆清丽可喜。"四库提要卷一六五："《湖山类稿》五卷、《水云集》一卷，宋汪元量撰。……其诗多慷慨悲歌，有故宫离黍之感。于宋末诸事，皆可据以征信。故李鹤田《湖山类稿跋》，称其 '记亡国之戚，去国之苦，间关愁叹之状，备见于诗，微而显，隐而彰，哀而不怨。开元、天宝之事记于《草堂》，后人以诗史目之。水云之诗，亦宋亡之诗史'云云。其品题颇当。惟集中《醉歌》一篇，记宋亡之事曰：'乱点连声杀六更，荧荧庭燎待天明。侍臣已写投降表，臣妾佥名谢道清。' 以本朝太后，直斥其名，殊为非体。《春秋》责备贤者，于元量不能无讥。然元量以一供奉琴士，不预士大夫之列，而眷怀故主，终始不渝。宋季公卿，实视之有愧，其节概亦不可及。笔墨之间，偶然失检，视无礼于君者，其事固殊。是又当取其大端，恕其一眚者矣。黄虞稷《千顷堂书目》载《湖山类稿》十三卷、《水云词》三卷，久失流传。此本为刘辰翁所选，只五卷，前脱四翻，间存评语。近时鲍廷博因复采《宋遗民录》，补入辰翁元序，合《水云集》刻之。以二本参互校订，诗多重复，今亦姑仍原本焉。"

**揭汯生**。揭汯（1304—1373），揭傒斯子，字伯防，一字元量，龙兴人。生平见宋濂《元故秘书少监汯君墓碑》（《文宪集》卷十八）。

**本年或稍后，卢挚还朝为翰林学士**。吴澄《送卢廉使还朝为翰林学士序》："往年北行征中州文献，东人往往称李、徐、阎，众推能文辞有风致者曰姚曰卢，而澄所识惟阎、卢二公焉。阎踵李、徐为翰林长，卢公由集贤出持宪湖南，由湖南复入为翰林学士。夫翰林之职，自唐宋至于今，一所以宠异儒臣也。公之文名，天下莫不闻，岂以宠异之数而为轻重哉！是盖未足为公荣也。然而有可以为天下喜者，何也？国有大政，进儒臣议之，此家法也。公事先皇帝为亲臣三十年，朝夕近日月之光，朝廷事，宫禁事，耳闻目见熟矣。凡宏规远范，深谋密虑，有人不及知而公独知之者，事或昔然而今不然，昔不然而今然，苟有议，公援故事以对，言信而有证，听者乐而行者不疑。其与疏逖之臣，执经泥古，师心创说，而于成宪无所稽者，相去万万也。"（《吴文正集》卷二十五）

## 公元1305年 （成宗大德九年 乙巳）

**二月**

令御史台、翰林、集贤院、六部于五品以上各举廉能识治体者三人，行省、行台、宣慰司、廉访司各举五人。见《元史》卷二十一《成宗本纪》。

**七月**

初七，梁栋卒。据《宋遗民录》卷十二所录元人胡洒所作《梁先生诗集序》。《山房随笔》："梁栋隆吉，亦作《四禽言》云：'不如归去，锦官宫殿迷烟树。天津桥边叫一声，叫破中原无住处。不如归去。''脱却布袴。贫家能有几尺布，寒机织尽无得裁，可人不来廉叔度。脱却布袴。''提葫芦。近来酒贱频频沽，众人皆醉我亦醉，湘江唤起醒三闾。提葫芦。''行不得也哥哥。湖南湖北春意多，九疑山前叫虞舜，奈此乾坤无路何。行不得也哥哥。'寓意甚远，诸作不及。"（《说郛》卷四十下）

初八，方回作《学诗吟》十首。其自序云："小子何莫学夫诗，伯鱼承过庭之问，退而学诗，三百五篇之诗也。《诗》亡然后《春秋》作，《诗》有美有刺，导人为善而遏其恶。《诗》不复作，孔圣惧焉，故寓褒贬于《春秋》，以为贤君良臣之劝，而破乱臣贼子之胆。后世之诗，自楚骚起，汉晋唐宋至于今日，得洙泗之遗意否乎？虽然，天理人心一也。回近诗十首，名曰《学诗吟》，所见并具诗中，或者亦粗得前辈心传之一二。大德九年乙巳七月初八日方回自序。"又作《诗思》十首。序曰："年甫弱冠而学吟诗，新春将八十矣。凡用六十年之工夫，仅至此地，俗人不识，晚进不知，自纪厥事凡十。"（《桐江续集》卷二十八）均为论诗之作。

## 八月

**十五日，张炎与仇远会于溧阳。**张炎《夜飞鹊》（林霏散浮暝）词小序云："大德乙巳中秋，会仇山村于溧阳。酒酣兴逸，各随所赋，余作此词，为明月明年佳话云。"（《山中白云词》卷六）仇远为溧阳儒学教授，在上年。仇远任教溧阳期间，所作诗集曰《金渊集》，集凡六卷，今存《四库全书》本。四库提要卷一六六："《金渊集》六卷，元仇远撰。……远在宋咸淳间即以诗名，至元中尝为溧阳教授，旋罢归，优游湖山以终。远初锓所作一编，方凤、牟巘、戴表元皆为之序。分教京口时，裒所作曰《金渊集》，吾邱衍为之题诗，所谓'仇仁父解秩建康，有新文曰《金渊集》'者是也。二集皆已佚。故明嘉靖中顾应祥跋其《赠士瞻上人卷》，已有不见全集之憾。世所传《兴观集》、《山村遗稿》，皆从手书墨迹搜聚成编，非其完书。近时歙县项梦昶始采撷诸书所载，补辑为《山村遗集》一卷，刻之杭州，而所谓《金渊集》者，则不可复睹。今惟《永乐大典》所载，尚数百首。考远《赠士瞻上人卷》后，有洪武二十一年僧道衍跋，其推挹甚至，盖深倾倒于远者。故其监修是书，载之独夥，疑其全部收入，所遗无几也。谨以各体排纂，编为六卷。"

## 十一月

**十五日，沈多福序邓牧、孟宗宝所编《洞霄图志》。**序见本集卷首。其书即为沈多福属孟宗宝、邓牧二人撰集。书又有大德九年大涤隐人叶林跋及至大三年吴全节所作序。《洞霄图志》六卷，今存《四库全书》本、《丛书集成初编》本。四库提要卷七十："《洞霄图志》六卷，宋邓牧撰。……洞霄宫在馀杭县大涤洞天，岩壑深秀，为七十二福地之一。宋世尝以旧宰执之奉祠者领提举事。政和中，唐子霞作《真境录》纪其胜，后不传。端平间有续录，今亦无考。牧于大德己亥入洞霄，止超然馆，住持沈多福为营白鹿山房居之，遂属牧偕本山道士孟宗宝搜讨旧籍，作为此志。凡六门，曰宫观，曰山水，曰洞府，曰古迹，附以异事，曰人物，分列仙、高道二子目，曰碑记，门各一卷。前有玄教嗣师吴全节及多福二序，后有钱塘叶林、台州李洧孙二跋。牧文章本高旷绝俗，故所录皆详略有法，惟不载宋提举官姓名，近时朱彝尊始作记以补之。然宋代奉祠，率皆遥领，与兹山古迹不甚相关，正如魏晋以下之公侯，名系郡县，而事殊茅土。志乘之中，载之不为赘，削之亦不为阙也。牧成此书在大德乙巳，至明年丙午春而牧卒。此书第五卷后附住持、知宫等题名，有及丙午六月后事者，疑为道流所增入。又人物门有牧及叶林二传，前题续编二字，亦不知续之者为谁。旧本所有，姑并存之。又书称图志而此本乃有志无图，当为传写所脱佚，无可校补，亦姑仍其阙焉。"

## 本年

**邓文原以翰林修撰召还京师。**任士林《送邓善之修撰序》："文章之尚，缘时而兴，时有淳庞，则文有隆污，其势则然也。亦固在夫操制作之柄者，与道消息，与时翕张，于以风示当世，然后学者一趋于正也。……往时科举事具，人方以言语相雄长，文字第甲乙，不旁搜以为奇，远引以为博，钩致以为深，有不可也。今天下一家，元气浑合，大声洋洋，朝廷之上躬行古人，而右文之治，四海风被。山林之远，时及睹播告之修、纪载之作、咏歌之章，浑然典谟之温润、风雅之清扬，将作为一经，以袭六为七，何其盛耶！友人邓善之归自词垣，与余剧谈西湖之上。观其浑厚以和，沉潜以润，如清球在县，明珠在乘，信涵养之深，而持守之纯也。呜呼，质乎？文乎？若循环乎盛古之风，躬行之治，历数千百年而后振乎，则夫操制作之柄者，得不有思乎？宜非枯槁之士果所窥也。八代之衰，退之起之；五代之陋，永叔弛之。百川东障，狂澜靡之，故其为力也为甚难，今时则易然也，善之勉乎哉！天风万里，将还玉堂之署，幸为我谢诸君。江海之迹倦矣，得无恋恋盛时乎！"（《松乡集》卷四）

**郭翼生。**郭翼（1305—1364），字羲仲，号东郭生，自称野翁，昆山人。少从卫培游，尤邃于《易经》。年四十，闭门授徒。张士诚据苏，羲仲尝献策于张，几为所杀。归居娄上，以儒学训导终。颇为杨维桢所赏，与李孝光、顾瑛善。著有《林外野言》二卷、《雪履斋笔记》一卷。《草堂雅集》卷九选其诗147首，《元诗选》二集庚集选其诗144首。

## 公元 1306 年　　（成宗大德十年　丙午）

### 正月

**邓牧卒，年六十。**吾衍《闲居录》："叶林字去文，钱唐人，与邓牧俱隐居大涤山，分地而居。或旬日不食，或一食兼人。清夜放游，则不避豺虎；白昼危坐，则客至不起。作为文辞，多世外语。邓则全效柳子厚也。大德乙巳冬，忽驰书别亲故，云将他往，且诣邓言别。至丙午正月八日，平坐而化，年五十九。后十馀日，邓知叶已化去，叹息曰：'叶君出处与我同，奈何给我言别，吾亦当长往耳。'乃述叶君墓志，又于灯下取叶文集，读毕而终。其平生如叶，解化无异，其文集皆藏洞霄山中云。"邓牧（1247—1306），字牧心，自称三教外人、九锁山人、大涤隐人，人称文行先生，钱塘人。著有《伯牙琴》、《洞霄图志》六卷。邓牧《伯牙琴后序》："右余集诗文六十馀篇，平日所作不止是，然于是见大凡矣。有若礼法士严毅端重者，有若逸民恬淡闲旷者，有若健将忠壮激烈者，有若仙人绰约靖深者，有若神人变化不可测者。余自知，如此未知，或者知我如也。噫！三千年后，必有扬子云。"（《伯牙琴》附录）《遂昌杂录》："邓牧心、叶本山两先生皆高节士，宋亡，深隐大涤山。邓先生于古文尤精核，不苟作。承其学者，杭人李坦之，讳道坦。坦之诗亦工，然伤于巧云。"鲍廷博《伯牙琴跋》："钱塘邓牧心先生生宋晚季，薄于荣名，工古文词，雅以作者自命。"四库提要卷一六五："《伯牙琴》一卷，宋邓牧撰。……牧与谢翱、周密等友善，二人皆抗节遁迹者。尝为翱作传，为密作《蜡屐集序》，而翱传叙交情尤笃。翱之临卒，适牧出游，翱作诗有'谢豹花开桑叶齐，戴胜叶生药草肥，九锁山人归不归'之句。九锁山人，牧别号也，其志趣可想见矣。密放浪山水，著《癸辛杂识》诸书，每述宋亡之由，多追咎韩、贾，有《黍离》诗人彼何人哉之感。翱《西台恸哭记》诸作，多慷慨悲愤，发变徵之音。牧则惟《寓屋壁记》、《逆旅壁记》二篇，稍露繁华消歇之感，馀无一词言及兴亡，而实侘傺幽忧，不能自释，故发而为世外放旷之谈，古初荒远之论，宗旨多涉于二氏。其《君道》一篇，竟类许行并耕之说；《吏道》一篇，亦类老子剖斗折衡之旨。盖以宋君臣湖山游宴，纪纲丛脞，以致于亡，故有激而言之，不觉其词之过也。是集为牧所自编，皆滔滔清辨，而不失修洁，非晚宋诸人所及。"

## 七月

**史蒙卿卒，年六十。** 袁桷《静清处士史君墓志铭》："大德七年，桷官翰林，史先生以书见贻，不获领。后二十年，子壁孙橐其书稿以示，反复痛悼策励，于桷为甚重。……晚岁罹厄穷，讲道不辍，从者益众。天台多名山，心乐之，侨居者八年。大德十年七月某日卒，享年六十。疾渐革，语诸子曰：'我死，必归葬。不能得资，良累汝，汝有志，其果能成也。'是岁十有一月，柩归祖墓。明年，葬于阳堂乡穆奥之原。"（《清容居士集》卷二十八）史蒙卿（1247—1306），字景正，号静清，鄞县人。咸淳元年进士。著有《易究》十卷、《静清先生文集》二十卷。陈著《史景正诗集序》："尝谓文与世变升降，而诗为甚。三代以上，四诗一唯真实正大而已。尔后，其深浅厚薄，随时不同，然时也有人焉，君子不谓时也。晋宋间如陶、谢诸人，唐如李、杜、韩、柳、刘禹锡辈，皆卓卓于风流之外。今之天下，皆淫于四灵，自谓晚唐体，浮漓极矣。景正独非今人耶！其出古今，发明理义，不轻为风月花草所诱，如景星，如砥柱，望而知其为景正之诗，时何与焉。彼时者流，无根无源，将亦有时，如源水归壑，而唯景正之从，则诗其庶乎。余虽耄，倘犹及见之。"（《本堂集》卷三十八）邓文原《静清先生文集序》："先生名蒙卿，姓史氏，字景正，鄞人。……甲子一周而殁。其孤璧孙辑其遗文二十卷，属余序。异时荐绅之士，多奋身儒科，逮一再传，则习尚渐远，不复知穷巷藿菽，朝安劬瘁，往往从舞姬歌儿，酣谑豪纵，至隳其基构不自觉，奚暇留情于诗书研席间哉？先生年未弱冠，已由六馆掇取进士第，使生不后时，当偕诸父群从簪橐蝉联，小却犹当持麾列郡。虽文字性所甚嗜，或以事废。自罹兵讧，幽忧穷踣，屏迹林谷间，始得大放厥辞，以宣道其志。故自古立言之士，厄于当时者，必信于后世，识者较其优劣，未易以彼易此也。先生早知殚思六经，长益隽永关洛之绪言，以推穷化几，探索理奥。故其言精核雅赡，可规古作者之林，譬之美曲蘖以为酒醴，均律吕以中琴瑟，有本者固如是。夫时有所愤激，若太史公述屈原《离骚》，方之《小雅》，怨诽而不乱，此先生之志也。先生有《易究》十卷，未及见。然所论《河图洛书》，足以抉先儒未发之蕴，又以见学者蹈袭固滞，宁使先圣王之书郁而不彰者，可悲也。先生摘周元公通书语，扁其居曰静清，故称谓因以著云。"（《巴西集》卷下）

## 十月

**戴表元自信州教授任上归。** 戴表元《质野堂记》："大德丙午之孟冬，归自上饶。于是筋骸倦衰，世念益薄，而眼前子息各已长大，生平婚嫁渐就清简。发橐中装舟车薪米佣赁杂费之馀，尚留三千缗，以为陆贾分金则不给，以为萧何买田则难多，且专议兴筑。伐材于近冈，聚土于后麓，役工以券而使之自食，烦邻于暇而量予之直。不三月，质野堂成，以次充安阁、岌嵲亭、缩轩、雪镜诸役，仍旧名而增新构，前后左右凡一百三十六楹。……因复自名为质野翁，以记其辞于质野堂云。"（《剡源文集》卷二）戴表元《剡源文集自序》："先生姓戴氏，名表元，字帅初，一字曾伯。……先生生淳祐甲辰，五岁知读书，六岁知为诗，七岁知习古文，十五始学词赋，十七试郡校，连优补守六经谕。即厌去，游杭，作书言时政激摩，公卿大人无所避。杭学每岁贡士得三百员，试礼部中者十人入太学，谓之类申。二十六岁己巳，用类申入太学。明年庚午，试中太学秋举。岁终，校外舍生试，优升内舍。辛未春，试南省，中第十名。五月，对策中乙科，赐进士及第，授迪功郎、升学教授。癸酉冬，起升。及乙亥春，以故归旧庐。改杭学教授，辞不就。既而以恩转文林郎、都督掾行户部掌故、国子主簿，会兵变，走避邻郡。及丁丑岁，兵定，归鄞。至是三十四岁矣。家素贫，毁劫之馀，衣食殆绝，乃始专意读书，授徒卖文以活老稚。鄞居度亦不可久，遂买榆林之地而庐焉。如是垂三十年，执政者知而怜之，荐授一儒学官，因起教授信州。噫！老矣。大德丙午，归自信州。时体气益衰，而婚嫁渐已毕，即以家事属诸子，使自力业以治养具。然性好山水，每杖策东游西眺，不十里，近才数百步，不求甚劳，意倦辄止，忘怀委分。自号曰剡源先生，因以名其集，或称质野翁、充安老人云。"（《剡源文集》卷首）

## 十一月

二十六日，袁易卒。黄溍《袁通甫墓志铭》："君卒以大德十年十一月二十六日，得年四十有五。其年十二月二十四日，葬长洲东吴乡楮墩先墓之次。"（《文献集》卷八下）龚璛《静春堂诗集序》："予于通甫既曰古之人，岂必以半山枉通甫？譬诸登峰造极，循循来径，尚于此乎见之也。古人所尝有者皆有，今人所当无者必无，灵杰百出，清婉明丽，抑古谓酷令人爱者，非耶？忆通甫与予交，上下古今，一返诸性情之正。予固望其鸣国家之盛，横经、石洞，归而不复出静春堂，手校万卷，筑修亭遂志焉。属其仲子泰辑遗遍托予序。"郭麟孙《书静春堂诗集后》："盖其所蓄既深，上自《三百篇》以至魏晋唐宋诸家之诗，莫不融会于胸中，故其作为篇章，自有不期似而似之者耳。虽然，似特其形体也。至于妙而化之之地，又有超出于古人语意之表者，犹未易识也。余颇有志于此事，然极力为之不能工。今幸通甫之诗锓梓以传于世，余将购求一集，朝夕优柔涵咏之，他日或考见余之诗，曰颇似袁通甫，则予诗进矣。"陆文圭《跋袁静春诗》："今来吴中，与其子游，而隐君殁久矣。示余手泽一编，伏而读之，体制精严而不雕，音响和平而不激，仰攀陶、阮，俯凌鲍、谢，而机轴自成一家。余恨不获登静春之堂，相与上下其议论，而遗风流韵，犹隐隐纸上可掬，惜哉！隐君袁氏，名易，字通父，子泰，字仲长，敏学自修，克世其业云。"（《墙东类稿》卷九）杨载《静春堂诗集序》："通甫生于治世，虽以文学补官，未及受一命。所与为莫逆交如郡人郭祥卿、高邮龚子敬，皆知名于时，在吴郡文士中，三君子号为领袖。通甫卒，年末五十，二君子年位皆过此，其名亦浸闻于朝廷。序通甫之诗，皆盛有所推许，谓己不能及。二君子者，过为谦词，求以愉悦于人，然则通甫之诗，必传于世无疑矣，岂以区区之皮、陆而有所不逮也哉！"黄溍《袁通甫墓志铭》："君少敏于学，蕴积之素，俱发于诗，未始高谈性命，以师道自任。至其在石洞，推明双峰之说，上及于考亭，诸生昔所未闻，莫不敬服焉。君所为诗，有《静堂集》若干卷，龚氏子敬为之序，谓近半山，而渔阳鲜于公称其闲远清丽，稍加精密，少陵不难到。其为一时人推重如此。吴兴赵公，尝取汝南先贤传所记汉司徒袁公卧雪事，写为图以遗君，且曰：'予作此图，正以通甫好修之士，景慕其高节尔。'则君之人品，固不问可知。"汤弥昌《静春堂诗集序》："通甫年志学即与余友，自宋亡，科举废，俛焉寻究源委，笃于务本之学。于六经、四书则研订训诂而探索微旨，于迁、固诸史则视时与事而析其是非，迨《庄》、《骚》而下，莫不旁贯通畅，涵泳优柔，溯而会六义之极者，通甫之学也。虽日与同志求丽泽之益，而通甫颖悟自得，奔轶绝尘不可及矣。故其为诗，经之以风雅颂，纬之以赋比兴，法度森严，旨趣高远，得驰骋变化之妙，一时擅诗人能事矣。"陈绎曾《静春堂诗集后序》："静春，吴先生别墅，吴淞、具区之间……资蕴藉而学赡给，尤得吴会之美者而居有之。故其诗如奏雅琴，巍然而高山，汤然而流水，穆然而《南风》，洋然而《文王》，愀然而《猗兰》，凄然而《履霜》。情境之通，错然百变，而和平祥雅主于中者，固蔼如也。严古似建安，工致似三谢，娴冶似徐、庾，冲淡似陶元亮，合数长而引之于律度，盖近取之王介甫。就其资与学而发之于所居所遇，不失情境之真，斯可谓不求异古人而自能成家者矣。"厉鹗《静春堂诗集跋》："静春诗似黄、陈学杜，往往以苍硬盘郁出之。当是去宋未遥，不染元人纤靡之习耳。《八月一日雨后》七古一篇，意气摆脱，才情奔放，具体大苏矣。"四库提要卷一六七："《静春堂集》四卷，元袁易撰。……是集乃易殁之后，其子泰所编。延祐四年龚璛为之序，推之甚至，然以王安石拟之，殊不相类。卷末有厉鹗跋，拟以黄、陈，亦未尽然。易诗吐言天拔，于陈与义为近，与黄庭坚之镕铸劖削、陈师道之深刻瘦硬，其门径实各别也。有元作者，绮缛居多，易诗虽所传无几，而风骨遒上，固足以高步一时。龚璛等所作集序墨迹，至明正统中尚存，吴讷题其卷末，深致向往。盖其人品诗品，均有动人遐想者矣。"

## 本年

**白朴有扬州之游，时年八十一，此后事迹不甚可考。**白朴《水龙吟·丙午秋到维扬途中值雨》词，今人王文才以为乃大德十年（1306）之作。见《白朴戏曲集校注》附录《白朴年谱》。白朴所作杂剧，凡 16 种，见于《录鬼簿》者 15 种：《绝缨会》、《赶江江》、《梁山泊》、《银筝怨》、《崔护谒浆》、《高祖归庄》、《赚兰亭》、《斩白蛇》、《幸月宫》、《钱塘梦》、《凤凰船》，均已佚；《流红叶》，现存曲词残文；《墙头马上》、《梧桐雨》，今存。《盛世新声》（《词林摘艳》、《雍熙乐府》亦录）有《李克用箭射双雕》，现存曲词残文。《全元散曲》录其小令 37 首，套数 4 套。另作有词集《天籁集》二卷。《词谑》："《梧桐雨》，白仁甫所制也，亦甚合调，但其间有数字误入先天、桓欢、盐减等韵,悉为改之。"程羽文《曲藻》:"情语如白仁甫《墙头马上》:'我推粘翠屬遮宫额,怕绰起罗裙露绣鞋。'白仁甫《秋夜梧桐雨》:'见芙蓉怀媚脸,遇杨柳忆纤腰。'又:'这雨一阵阵打梧桐叶凋,一点点滴人心碎了。枉着金井银床紧围绕,只好把泼枝叶做柴烧,锯倒。'"

**胡次焱卒**。程文《跋媒蒦问答诗后》:"右《媒蒦问答》诗,宋乡先生胡公次焱济鼎之所作也。先生登宋咸淳四年第,授迪功郎、江州湖口县主簿,以母老,改授池州贵池尉。德祐乙亥,天兵将至池州,都统制张林潜纳款请以城降。先生奉母亡归,教授乡里。或劝之仕,先生赋是诗以见意。大德十年,以寿终于家。"(《梅岩文集》卷九附录)四库提要卷一六五:"《梅岩文集》十卷,宋胡次焱撰。……集中有《媒蒦问答》诗,所谓'井底水不波,山头石不迁。什袭藏破镜,他年会黄泉'者,所以自寓其志也。其诗文本未编集,故藏书家多不著录。此本乃明嘉靖中其族孙琏搜辑而成,琏甥潘滋校刊之,并为之序。凡赋、诗、杂文八卷,冠以《雪梅赋》,盖著其素心。九卷以下皆附录同时赠答往来之作。目录所载,往往与集中诗文不相应,则编次之疏也。次焱在宋元作者之中,尚未能自辟门户,而其人有陶潜栗里之风,故是集至今犹传。集中有《赘笺唐诗绝句序》,称'叠翁注章、涧二泉先生选唐绝句,次焱复为赘笺'。叠翁者,谢枋得。章泉者,赵蕃。涧泉者,韩淲也。其书不传,无由验其工拙。然亦足见次焱研心诗学,非苟作者矣。"

# 公元1307年 (成宗大德十一年 丁未)

## 正月

**八日,元成宗崩于玉德殿,在位十三年,年四十二,谥曰钦明广孝皇帝,庙号成宗,蒙语曰完泽笃皇帝**。《元史》卷二十一《成宗本纪》:"成宗承天下混一之后,垂拱而治,可谓善于守成者矣。惟其末年,连岁寝疾,凡国家政事,内则决于宫壶,外则委于宰臣;然其不致于废坠者,则以去世祖为未远,成宪具在故也。"

**十四日,方回卒,年八十一**。方回卒年,据陈栎《哭方虚谷先生》诗题下注云:"丁未岁正月十四日,卒于杭。"(《定宇集》卷十六)方回(1227—1307),字万里,号虚谷,歙县人。著有《壁流集》、《桐江集》八卷、《桐江续集》三十六卷、《读易释疑》、《易中正考》、《皇极经世考》、《续古今考》三十七卷、《历象考》、《衣裳考》、《玉考》、《先觉年谱》、《瀛奎律髓》四十九卷、《名僧诗话》等。《元诗选》初集甲集选其诗124首。生平见洪焱祖《方总管回传》(《新安文献志》卷九十五上)。戴表元《桐江诗集序》:"紫阳方使君,平生于诗无所不学,盖于陶、谢学其纤徐,于韩、白学其条达,于黄、陈学其沉鸷。而居常自说欲慕陆放翁,岂其暮年安贫守经,忘怀出处,有偶相貌类者,而姑引之以自托耶?……故其为诗,笙鸣镛应,磁动针合,虽不规规求与之似,而自有不容不似者,其居使之然乎?"(《剡源文集》卷八)戴表元《紫阳方使君文集序》:"一夕,乃得尽其平生制作读之,荧荧乎河汉之光华,而阴明舒惨,若有鬼神物怪先后而翕忽也。恢恢乎太山乔岳、长川巨浸之喷薄氛祲,而龟鼋蛟鳄,豹犀虎象,出没震耀之不可狎也。熙熙乎时春美卉,平郊茂樾,舆马丰腴,而衣冠靓侈，舒眉酣气，乐闻歌谣之奏也。呜呼！是岂非精气之英，统绪之会，而诸老先生未尽之泽者哉！"（《剡源文集》卷十一）《石洲诗话》卷五："虚谷自言七言决不为许浑体，妄希黄、陈、老杜，力不逮，则退为白乐天及张文潜体。五言慕后山苦心久矣，亦多退为平易，盖其职志如此。"四库提要卷一六六："《桐江续集》三十七卷，元方回撰。……回人品卑污，见于周密《癸辛杂识》者，殆无人理。观其集中诸文，学问议论，一尊朱子，崇正辟邪，不遗馀力，居然醇儒之言。就文言文，要不可谓其悖于理也。其诗专主江西，生平宗旨，悉见所编《瀛奎律髓》中。虽不免以粗率生硬为老境，而当其合作，实出宋末诸家上，更不能以其人废矣。"《白雨斋词话》卷一："方回词，胸中眼中，另有一种伤心说不出处，全得力于楚骚，而运以变化，允推神品。"

## 五月

**二十一日，孛儿只斤海山即皇帝位，是为武宗。**见《元史》卷二十二《武宗本纪》。海山，顺宗长子，成宗侄。至元十八年七月十九日生。阎复于本年五月作有武宗皇帝《即位诏》（《元文类》卷九）。

## 八月

**二十日，刘应龟卒，年六十四。**黄溍有《山南先生挽诗》（《文献集》卷二）。黄溍《山南先生行述》：先生姓刘氏，讳应龟，字元益，世为婺之义乌人。……明年，遂以疾卒于家，寿六十四，大德十一年八月二十日也。……凡所著为《梦稿》六卷、《痴稿》六卷、《听雨留稿》八卷藏于家。"（《文献集》卷三）刘应龟（1244—1307），字元益，号山南，义乌人，与方凤、谢翱、仇远等人善。著有《山南先生集》二十卷，已佚，黄溍尝题其集后（《文献集》卷七上）。黄溍《绣川二妙集序》："吾里中前辈以诗名家者，推山南先生为巨擘，傅君景文、陈君景传其流亚也。先生囊游太学，未及释褐而学废士散，束书东归，遁迹林壑间，览物兴怀，一寓于诗。悲壮激烈有以发其迈往不群之气，自视与石曼卿、苏子美不知何如。近代江湖间呫呫然动其喙者，姑勿论也。……先生姓刘氏，讳应龟，字元益。景文讳野，景传讳尧道云。"（《文献集》卷六）

## 十月

**初六，华幼武生。**华幼武（1307—1375），字彦清，号栖碧，无锡人。家素饶财，少孤奉母，名声藉甚诸公间，与倪瓒等善。人有援之仕者，力辞不就。洪武八年卒，年六十九。著有《栖碧先生黄杨集》三卷、补遗一卷、《陶振赋》一卷。《元诗选》初集辛集选其诗 30 首。生平见俞贞木《栖碧处士圹志铭》。

## 十一月

**初三，胡翰生。**胡翰（1307—1381），字仲申，号仲子，金华人。长从吴师道、吴莱、许谦学，文为黄溍、柳贯所称，与余阙、贡师泰等善。遭时多虞，四方兵起，避地南华山中，以著书自乐。朱元璋驻兵金陵，招罗贤才，遣使起之于家，授衢州教授。洪武初，征修《元史》，书成辞归。洪武十四年卒，年七十五。著有《春秋集义》、《胡仲子集》、《长山先生集》。生平据吴沉《长山先生胡公墓铭》（《明文衡》卷八十四）、《明史》卷二八五《文苑传》。

## 十二月

**二十九日，诏改大德十二年为至大元年。**见《元史》卷二十二《武宗本纪》。

## 本年

**萧㪺以嘉议大夫、太子右谕德征，明年二月至京。**萧㪺（1241—1318），字维斗，益都人，著籍京兆。年二十餘，郡守以茂才辟为掾。未几辞去，隐于终南山下，著书授徒三十餘年。元一海内，以荐授承务郎、陕西儒学提举，辞不就。大德七年冬，超擢集贤直学士、奉训大夫、国子司业，力辞不拜。九年，以屡征至京，寻辞归。十年，进集贤侍读学士、少中大夫，即家授之。明年，特授嘉议大夫、太子右谕德，至大元年二月至京。未几，以老辞归。二年四月，征拜集贤学士、国子祭酒，进阶通议大夫，又以老疾辞。延祐五年卒，年七十八。谥贞敏。著有《勤斋集》八卷。生平据苏天爵《元故集贤学士国子祭酒太子右谕德萧贞敏公墓志铭》（《滋溪文稿》卷八）。

**范梈客京师，与杨载等人相交。**吴澄《故承务郎湖南岭北道肃政廉访司经历范亨父墓志铭》："年三十六，始客京师，勋旧故家延致教其子。艺能操趣，绷中彪外，流光浸浸，以达中朝，荐举充翰林编修官。"（《吴文正集》卷八十五）范梈《翰林杨仲弘诗集序》："大德间，余始得浦城杨君仲弘诗读之，恨不识其为人。及至京师，与余定交，商论雅道，则未尝不与挺掌而说也。"（《翰林杨仲弘诗集》卷首）范梈（1272—1330），字亨父，一字德机，清江人。初，以荐授左卫教授。皇庆元年，以荐举充翰林编修官。延祐二年，出为建昌路照磨。改擢将仕佐郎、海南海北道廉访司知事，政闻于上，迁江西湖东宪长。寻选充翰林应奉，又改擢福建闽海道知事。会江浙行省礼请校进士文卷，行至建宁，移疾归，家新喻百丈山。天历二年，授湖南岭北道肃政廉访司经历，辞不赴，校文湖广行省。至顺元年卒，年五十九。著有《范德机诗集》七卷。《元诗选》初集丁集选其诗234首。

**孛术鲁翀荐授襄阳县儒学教谕。**苏天爵《元故中奉大夫江浙行中书省参知政事追封南阳郡公谥文靖孛术鲁公神道碑铭并序》："年出二十，号称巨儒，由宪府荐，授襄城学官。汴省右丞廉公恂辟掾，辞，擢汴学正。"（《滋溪文稿》卷八）《元史》卷一八三孛术鲁翀本传："大德十一年，用荐者，授襄阳县儒学教谕，升汴梁路儒学正。"孛术鲁翀（1279—1338），姓孛术鲁氏，讳翀，有称鲁子翚者，亦即其人。始名思温，字伯和，新喻萧克翁为改今名，字子翚。其先隆安人，后徙居邓州顺阳。以父居谦辟掾江西，生于赣江舟中。始从萧克翁学，复从萧维斗游，又学于姚燧，极为燧所称。至大四年，授翰林国史院编修官。延祐二年，擢河东道廉访使经历，迁陕西行台监察御史，阶将仕佐郎。入拜监察御史。延祐五年，擢中书右司都事，会权相铁木迭儿用事，退居齐之新镇，改翰林修撰。左相拜住强起之为左司都事。寻升右司员外郎，奉旨预修《大元通制》。泰定元年，充会试考官，迁国子司业。明年秋，出为河南行省左右司郎中。三年，擢燕南河北道廉访副使，入佥太常礼仪院事，寻升奉训大夫，兼经筵讲官。至顺元年，同知礼部贡举，拜陕西汉中道廉访使，入为太禧宗禋院佥事，改集贤直学士，兼国子祭酒。顺帝即位，迁礼部尚书，阶中顺大夫。元统二年，进中奉大夫，除江浙行省参知政事。明年，召为翰林侍讲学士、知制诰、同修国史，以葬亲辞不上。重纪至元四年卒年，六十。制赠通奉大夫、陕西行省参知政事、护军，追封南阳郡公，谥文靖。著有《菊潭集》六十卷，已佚。明刘昌编《中州名贤文表》，所录六家，其一即为李术鲁翀，选其诗文凡二卷。今存《菊潭集》四卷，有《藕香零拾》本。《元诗选》二集乙集选其诗 8 首。生平据苏天爵《元故中奉大夫江浙行中书省参知政事追封南阳郡公谥文靖李术鲁公神道碑铭并序》（滋溪文稿）卷八）、《元史》卷一八三本传。

**张孔孙卒，年七十五。**《元史》卷一七四本传："大德十一年卒，年七十有五。"张孔孙（1233—1307），字梦符，其先出辽之乌舍部，为金人所并，遂迁隆安。尝为礼部尚书、燕南提刑按察使、燕南肃政廉访使等官。《录鬼簿》卷上"名公有乐府行世者"下录张梦符宪使，当即其人。

**沈梦麟生。**沈梦麟生年，据所作《金节妇传》（《新安文献志》卷九十九），传末署"洪武丙子春三月朔日，吴兴郡花溪九十翁沈梦麟识"。洪武丙子为 1396 年，上推八十九年，即生于本年。沈梦麟（1307—1399），字原昭，号华溪，吴兴人。举乡荐，授婺源州学正，迁武康令。至正中解官归隐。明初，以贤良征，辞不起，应骋入浙闽校文者三，为会试同考者再。年九十三卒。著有《花溪集》三卷。

**龚开卒，年八十六。**马臻有《哭岩翁龚处士二首》诗（《霞外诗集》卷四）。龚开（1222—1307），字圣予（一作圣与），号翠岩，淮阴人。少负才气，博学好古，工诗文，尤长于书画。宋季与陆秀夫同居李庭芝幕府。宋亡，居吴下。龚开所作画，著名者有《宋江三十六人画像》，已佚，其题画之《宋江三十六赞》，周密录入《癸辛杂识》。龚开生年，据所作《霞外诗集序》，序作于大德壬寅（1302），署"淮阴龚开圣予甫序于西湖客舍，时年八十一"。马臻《和黄瀑翁寄吊龚岩翁画马诗序》："大德丁未，黄瀑翁寄吊龚岩翁画马诗。因路云溪过西江访李鹤田，请同赋。明年，路云溪回杭，瀑翁首出此卷，索和章。余于岩翁久敬不忘，故拭泪次其韵，以重存殁之感焉。"（《霞外诗集》卷十）马臻《题联句诗卷后序》："至元甲午，龚圣予、鲜于伯机、盛元仁访予与王子由于紫霞小隐。不值，联句而去。二十年间，相继长往，惟予与元仁在焉。因感存殁，书于卷尾。"（《霞外诗集》卷七）《吴礼部诗话》："龚开圣予工诗，善画马，篆隶亦奇古，每画题诗于后，尝见三幅，皆佳。《高马小儿图》诗云：'华骢料肥九分膘，童子身长五尺饶。青丝鞚短金勒紧，春风去去人马骄。莫作寻常厮养看，沙陀义儿皆好汉。此儿此马俱可怜，马方三齿儿未冠。天真烂熳好容仪，楚楚衣装无不宜。岂比五陵年少辈，胭脂坡下逗轻肥。四海风尘虽已息，人材自少当爱惜。如此小儿如此马，它日应须万人敌。老夫出无驴可骑，乃有此马骑此儿。呼儿回头为小驻，停鞭听我新吟诗。儿不回头马行疾，老夫对之空啧啧。'《黑马图》诗云：'八尺龙媒出墨池，昆仑月窟等闲驰。幽州侠客夜骑去，行过阴山鬼不知。'《瘦马图》诗云：'一从云雾降天关，空尽先朝十二闲。今日有谁怜瘦骨，夕阳沙岸影如山。'"

**荣肇卒**。据许熚《荣祭酒传》。荣肇（1226—1307），字子兴，盐官人。宋末隐居，不求仕进。大德十一年卒，年八十二。著有《荣祭酒遗文》一卷，今存《丛书集成初编》本。

## 大德间

或以为王实甫《西厢记》作于大德三年至大德十一年间。王季思校注本《西厢记》后记云："现传金圣叹本《第六才子书西厢记》续之四《清江引》曲，有'谢当今垂帘双圣主'句。查元成宗大德三年，立巴约特氏为皇后，当时成宗多病，一切政事都由皇后处决。'双圣主'似指此时。从这些材料来看，王实甫的《西厢记》杂剧大约作于元成宗大德三年至十一年之间。"姑系于此，以备一说。"谢当今垂帘双圣主"，或作"谢当今盛明唐圣主"。王实甫，名德信，大都人。所撰杂剧，《西厢记》外，尚有《四丞相高宴丽春堂》、《吕蒙正风雪破窑记》、《苏小卿月夜贩茶船》、《韩彩云丝竹芙蓉亭》、《东海郡于公高门》、《孝父母明达卖子》、《曹子建七步成章》、《才子佳人拜月庭》、《赵光普进梅谏》、《诗酒丽春园》、《陆绩怀橘》、《双渠怨》、《娇红记》等。前二种今存，《月夜贩茶船》及《丝竹芙蓉亭》今存残曲。贾仲明〔双调〕《凌波仙·吊王实甫》："风月营，密匝匝，列旌旗。莺花寨，明飙飙排剑戟。翠红乡，雄纠纠，施谋智。作词章，风韵美。士林中，等辈伏低。新杂剧，旧传奇，《西厢记》，天下夺魁。"王实甫其人虽不甚能详，然明清两代，关于《西厢记》之研究，却成为元曲研究之大热门，李卓吾、徐文长、金圣叹均尝对其进行评点，可谓极一时之盛。

**陈谟生**。陈谟，字一德，泰和人。元季，隐居不仕。洪武初，征诣京师，赐坐议学，宋濂、王祎请留为国学师，引疾辞归。屡应聘为江浙考试官，著书教授以终，年九十六。著有《海桑集》十卷。生平据《明史》卷二八二《儒林传》。

**盛如梓官嘉定州儒学教授**。盛如梓，号庶斋（一作恕斋），扬州人。大德间，以荐授嘉定州学教授，迁衢州路学教授，以崇明州判官致仕。著有《庶斋老学丛谈》四卷，今存《四库全书》本、《丛书集成初编》本。又尝以所作《吟稿》见赞于方逢振，逢振遂为之序，序见《山房遗文》（《蛟峰文集》卷八附）。二人相识，在逢振宋末从军淮海之时，于其时已二十五年。四库提要卷一二二："《庶斋老学丛谈》三卷，元盛如梓撰。……其书多辨论经史、评骘诗文之语，而朝野逸事，亦间及之。分为三卷，而第二卷别析一子卷，实四卷也。大抵皆随时掇拾而成。如载陆游《姚将军》、《赵宗印》二诗，惜不得姚名字，而《渭南集》实有《姚平仲传》。王士祯《居易录》已摘其疏。他若引《左传》晋景公病，如厕陷而卒，谓国君何必如厕，而以为文胜。其实不知《国策》赵襄子、《史记》慎夫人皆载有此事。古人朴质，不以为怪，岂可执此以证《左传》之诬。又于贾似道有豪杰之誉，载曹东畎媟俚之词，皆为失当。然如驳《吹剑录》谓广陵散不始于王凌、母邱俭，以姑蔑墓证韦昭注《国语》之非，此类亦颇见考据。又各条之下，间注出某人说。盖如梓犹及与元初故老游，故所纪多前人绪论，颇有可采云。"《四库全书总目提要补正》卷三十八:"《庶斋老学丛谈》三卷。瞿氏《目录》有旧钞本,云:'如梓尝仕于宋,结衔称崇明州判官,犹宋制也,书乃入元以后所作。'李慈铭《桃华圣解盦日记》戊集一云:'盛如梓学识凡陋,其论诗文,亦多溺南宋迂腐之习,然其论韩致光(当作致尧)《过湖湘食樱桃》诗,谓意与少陵同而尤凄惋,则古人所未发。'"

**宋远生活于至元、大德间。**宋远,号梅洞,江西清江人。至元、大德间,与滕宾、刘将孙、周景、萧烈等人以诗词往还唱和。其生活年代,据刘将孙、滕宾等人推定。小说《娇红记》,一般认为即宋梅洞所撰。今存文献中较早记载《娇红记》者,有李昌祺于永乐十年(1412)所撰之《贾云华还魂记》及成化二十二年(1486)成书之《钟情丽集》。《百川书志》以为其书乃虞集所撰,吕天成《曲品》、祁彪佳《远山堂曲品》则以为撰者为卢伯生,亦有文献以为乃明人中州文士李诩。今人伊藤漱平《〈娇红记〉成书经纬:其变迁及流传过程》及陈益源《元明中篇传奇小说研究》已辨其误。丘汝乘《新编金童玉女娇红记序》:"元清江宋梅洞,尝著《娇红记》一编,事俱而文深,非人莫能读。余每恨不得如《崔张传》获王实甫易之以词,使途人皆能知也。"(《娇红记》卷首)《娇红记》,今存《艳异编》本、《国色天香》本、《绣谷春容》本、《花阵绮言》本、《燕居笔记》本。

**刘应李《事文类聚翰墨全书》成于大德年间。**其书有熊禾所作序,见《勿轩集》卷一。《千顷堂书目》卷十五:"刘应李,字希泌,建阳人,咸淳中进士,授本邑簿。与熊禾、胡廷芳讲学洪源书堂。《翰墨全书》一百三十三卷(一作一百四十五卷)。又《事文类聚翰墨全书》九十八卷。"《翰墨全书》,拜经楼藏本作前集一百四十二卷、后集六十三卷。《七修类稿》卷二十八:"《翰墨全书》,大德间刘应李所编,多取近代宋末诗文,篇章之下,多书字与号焉。显者可知,馀无姓名,犹不具也,因以所知者,或名或字,以其世所行者书之于稿,以便检阅。罗狷庵(颂)、罗存斋(愿,即鄂州)、罗止庵(点)、罗止之(适)、赵紫芝(师秀)、赵章泉(蕃)、章义若(旸)、章懒庵(蹈中)、徐毅斋(侨)、徐山民(照)、徐思叔(得之)、徐师川(俯,山谷甥也)、戴石屏(复古)、戴东皋(敏才,石屏父也)、韩涧泉(琥)、韩南涧(无咎)、曾茶山(几)、曾梅野(觌)、王初寮(安中)、王仲至(字也,名钦臣)、王卢溪(庭珪)、王教授(兰)、王癯轩(实)、王从周(镐)、陈后山(名师道,字无己,一字履常,即却衣之陈二也)、陈简斋(名与义,字去非)、陈野云(至道)、陈觉民、方秋崖(岳)、方北山(丰之)、张芸叟(舜民)、张文潜(耒)、张无垢(九成,又号横浦居士)、张商英(号无尽居士)、黄知命(叔达,山谷弟)、黄白石(景说)、黄寅庵(大临,亦山谷弟)、黄通老(中)、汪浮溪(藻)、汪龙溪(亦名藻)、汪玉山(应辰)、姜梅山(特立)、姜白石(夔)、潘转庵(柽)、潘邠老(大临)、萧千岩(海藻)、萧梅坡(育)、朱灊山(翌)、游唐林(子蒙)、游寒岩、游伯庄(仪)、尤梁溪(延之,名袤)、杜小山、李梅亭(刘)、任斯庵、邓中斋(光荐)、彭虚寮(子翔)、刘溪翁(淮)、刘伯宠(褒)、刘篁嵘(子寰)、刘龙洲(过)、刘后村(克庄)、刘季孙(字景文)、刘良佐(名应时)、孙花翁(季蕃)、孙南叟(作温)、冯双溪(熙之)、袁遹翁(世弼)、谢无逸(逸)、冯古洲(庄父)、马碧梧(廷鸾)、梅和胜(执礼)、邹定

（应可）、武允蹈（德由）、阮梅峰（秀实）、林可山（洪）。"四库提要卷一三七："《翰墨大全》一百二十五卷，宋刘应李撰。应李自称乡贡进士，其里籍未详。是书仿祝穆《事文类聚》之例，分二十五门。采摭颇博，而踳驳亦甚。下至对联套语，皆纷纷阑入，尤为秽琐。"

**赵公辅为元贞、大德间人。**赵公辅，平阳人。尝官儒学提举。著有杂剧《晋谢安东山高卧》、《栖凤堂倩女离魂》。贾仲明〔双调〕《凌波仙·吊赵公辅》："儒学提举任平阳，公辅先生天水郎，元贞、大德乾元象。宏文开，襄世广，阆玉京、燕赵擅场。寻新句，摘旧章，按谱依腔。"

**范居中妹以才名征赴大都，居中亦随其北行。**《录鬼簿》卷下："居中字子正，冰壶其号也。杭州人。父玉壶，前辈名儒，假卜术为业，居杭之三元楼前。每岁元夕，必以时事题于灯纸之上，杭人聚观，远近皆知父子之名。公精神秀异，学问该博，尝出大言矜肆，以为笔不停思，文不阁笔。诸公知其有才，不敢难也。善操琴，能书法。其妹亦有文名，大德年间，被旨赴都，公亦北行，以才高不见遇。卒于家。有乐府及南北腔行于世。"钟嗣成〔双调〕《凌波仙·吊范居中》："向、歆传业振家声，羲、献临池播令名。操焦桐，只许知音听。售千金，价未轻。有谁如父子才能，冰如玉，玉似冰，暎壶天，表里澄清。"

**郑廷玉大德间尚在世。**据《全元戏曲》小传，其所作杂剧《楚昭王疏者下船》中尝引白贲《鹦鹉曲》中词句。郑廷玉，彰德人。著有杂剧《宋上皇御断金凤钗》、《楚昭王疏者下船》、《包待制智勘后庭花》、《看钱奴冤家债主》、《布袋和尚忍字记》、《孙恪遇猨》、《吹箫女悔教凤皇儿》、《孟县宰因祸致福》、《一百二十行贩扬州》、《采石渡渔父辞剑》、《风月郎君双教化》、《子父梦秋栾城驿》、《冷脸刘斌料到底》、《尉迟公鞭打李道焕》、《曹伯明复勘赃》、《齐景公驷马奔阵》、《冤报冤贫儿乍富》、《卖儿女没兴王公绰》、《奴杀主因福折福》、《汉高祖哭韩信》、《萧丞相复勘赃》、《孟姜女送寒衣》、《风月七真堂》等23种。今存者有《金凤钗》、《后庭花》、《忍字记》、《疏者下船》、《冤家债主》等5种。贾仲明〔双调〕《凌波仙·吊郑廷玉》："《金凤钗》，《打李焕》，《后庭花》。《忍字记》，《栾城驿》，《双教化》。《凤凰儿》，《料到底》，《偷闲暇》。《因祸致福》关目冷。《贬扬州》，《债主冤家》。《渔父辞剑》才情壮，《孙恪遇狠》节□佳。《疏者下船》，安顿精华。"

**与郑廷玉同时者，有李寿卿、纪君祥。附系于廷玉之后，以略识其人之岁月。**纪君祥，大都人。著有杂剧《驴皮记》、《信安王断复贩茶翁》、《陈文图悟道松阴梦》、《赵氏孤儿大报仇》、《韩湘子三度韩退之》、《曹伯明错勘赃》等6种。其中，《松阴梦》今存残曲，惟《赵氏孤儿》今存《元刊杂剧三十种》本。贾仲明〔双调〕《凌波仙·吊纪君祥》："寿卿、廷玉在同时，三度蓝关韩退之，松阴梦里三生事。《驴皮记》，情意资。冤报冤，《赵氏孤儿》。编成传，写上纸，表表于斯。"《易馀籥录》卷十七："元曲皆四折，或加楔子，惟《赵氏孤儿》五折，又有楔子、生、旦、净、丑。"《录鬼簿》卷上："李寿卿，太原人，将仕郎，除县丞。"所著杂剧有《吕太后使计斩韩信》、《吕无双远波亭》、《月明三度临歧柳》、《鼓盆庄子叹骷髅》、《船子和尚秋莲梦》、《复夺受禅老》、《夜锁鉴湖亭》、《吕太后祭浐水》、《伍员吹箫》、《辜负吕无双》等。

今存《伍员吹箫》、《度柳翠》二种，《叹骷髅》仅存残曲。《全元散曲》录其小令 1 首。贾仲明〔双调〕《凌波仙·吊李寿卿》："南华庄老叹骷髅，船子秞莲梦里游，月明三度临歧柳。播阎浮，四百州。姓名香，赢得青楼。黄沙漫，塞草秋，白骨荒丘。"

# 第二章

## 武宗至大元年至文宗至顺三年共 25 年

## ·引 言·

袁桷《送陈山长序》：数十年来，朱文公之说行祠宇，遍东南，各以《四书》为标准，毫杪摘抉，于其所不必疑者而疑之，口诵心臆，孩提之童，皆大言以欺世。故其用功少而取效近，礼乐政刑之本，兴衰治乱之迹，茫不能以知。累累冠绶，碍于铨部，老死下僚，卒莫能以自见，良有以也。（《清容居士集》卷二十三）

袁桷《书陆淳春秋纂例后》：近世《春秋》家，立褒贬于字义，茫不知尽性之理。按其形模，以中有司程序为精巧，天理人欲，三尺童子矜矜然犹能言之，《春秋》之学废矣。习三传者，唯文词是师，左氏盛而公、谷废矣。武夷胡氏作传，止于七家，唐世传《春秋》者皆废矣。噫，士何事《春秋》哉！（《清容居士集》卷四十八）

许有壬《林春野文集序》：贡举未行，士之力学者，积厚资深，发而为文章，决江河，泾沟池，至即盈溢。利禄一启，人重得失，始有欲速而求捷者，假步蹈律，寸跬模仿，躟而始籴，规规乎其不裕也。今试格一日之目，有古赋，有诏诰、章表。近循习多用赋，则赋当日盛，上不追骚，下亦不失为汉魏矣。而失反有今不逮昔之叹，何哉？盖昔之人有式不拟，直以所学充之，后之人无学可充，而惟式是拟也。（《至正集》卷三十三）

吴师道《答傅子建书》：今科举之制，先之以《四书》、《五经》，传注主某氏某氏，所以明义理、正学术；次之以赋诏、诰表，欲其为古文章；终之以策，观其器识。果能是，则其才品亦不卑矣，况又本之以德行乎？二十年间，所得亦可睹矣。窃怪比年义理之学日以晦埋，文章之体日以骫骳，士气日以衰恭懈怠，岂无故哉？大抵司文衡者，不肯心服前儒，好持偏见诐说迷谬学者，敢于违明制而不惧，此最大害也。又有专泥一经，不知兼之六艺、参之赋策以观其全，而摸拟凤构之弊得以售。又有好取俚拙不文之作，以不拘格律为工，仆每与剧辨者此也。慎选主司，其责固不在我。学者但当潜心经文，笃守传说，融会而发明之。至于文非贾、马、晁、董、班、扬、韩、柳、陆宣公、欧阳子、王、苏、曾不观，自然追配古人，度越流俗，遇明有司，不患于不见取。彼区区括套之编，揣摩之术，君子之所不道也。间尝有问于仆者，以是告之，往往迂其言，迟其效，哑然而笑，望而去之。是以门稀请业之徒，口绝决科之习，又安有可为足下矜式者哉？所欲献者，不过如前之说而已。（《礼部集》卷十一）

吴莱《石塘先生胡氏文抄后序》：乡（向）予尝见永康先生胡公钱塘寓舍，每叹古今道术之异。及今览其所论著，则尤得其父兄渊源、师友讲习，是非取舍之或不同者。盖自近世周、邵、二程，始推圣贤理数之学以淑诸人，然而学者秘之，则谓其学之所出者远有端绪，不言师承，而今说者乃称濂溪之所授受，实本于寿崖佛者之徒。先生至为论辨以著明之，曾不容喙。是殆当世士君子之所深感者也。夫以周、程理学之盛，而邵之数学且不能以并传，于是朱子乃以东都文献之馀，一传于闽之延平，而又兼讲于楚之岳麓，诚可谓集濂洛诸儒之大成矣。当是时也，二陆复自奋于抚之金溪，欲踵孟子，曾不以循序渐进为阶梯，而特以一超顿悟为究意。今则至谓朱为支离，陆为简易，必使其直见人心之妙而义理自明，然后为学。自谓为陆，实即禅也。故曰：世之学者，知禅不知学，知学不知禅，是岂深溺乎异端外学之故，而遂诬其祖。……近年科举行，朱学盛矣，而陆学殆绝。世之学者，玩常袭故，寻行摘墨，益见其为学术之弊。意者其幸发金溪之故椟，而少濯其心耶！（《渊颖集》卷十一）

王祎（祎）《赠陈伯柔序》：有元以来，大江之西有二大儒焉，曰吴文正公、虞文靖公。文正之学主于为经，其于群经，悉厘正其错简，折衷其疑义，以发前儒所未发而集其成，讨论该洽，封殖深固，视汉儒之颛门名家者有间矣。文靖之学主于修辞，其于文辞，养气以培其本，知言以极其用，凡以载斯道而传之世。故其羽翼圣教，黼黻人文，卓然为一代之所宗，而自成一家之言也。二公之学，虽其径庭有若异向，然要皆圣贤之为道，其趋一而已矣。后学之士，乌可妄议乎哉！（《王忠文集》卷五）

贝琼《送危于怳赴安庆教授序》：谈者称江西多豪杰之士，文章自欧阳文忠公、王文公、曾文定公为天下所宗，不啻山之于岳，水之于海矣。及元之方盛，则有程文宪公、吴文正公，而虞文靖公继起天历、元统间，其文章传之四方万里，欧、曾以降二百馀年，未有能过之也。若临川危公太朴，又登文正之门，博学而多艺，其出游江海也，文靖公序以送之，且待之以万人之上矣。（《清江文集》卷二十）

贝琼《潜溪先生宋公文集序》：文章经国之要也，岂直一艺而已哉？而与时升降，其变不一。在唐则宗昌黎韩子，在宋则宗庐陵欧阳子。韩子之文祖于孟子，而欧阳子又祖于韩子，皆所谓杰出于千百者也。元初，姚文公以许氏之学，振于北方。下至天历、至正间，又有蜀虞文靖公、金华黄文献公，亦若韩子之在唐、欧阳子之在宋矣。然文靖公之放言极论，纵横无穷，其气焰莫敢迫；而文献公之不失准绳，卑不可隆，而高不可抑也。大抵先秦两汉以来，圣人之经汩于诸子，道固晦而未明也。故各骋异同之说，以夸耀一世，恒病其驳而不纯。及宋周、程、朱子，大发其闷，是非邪正，奚翅黑白之形，而后之立言者，由是求合于道，亦既无弊矣。又惜蓄之无源，而徒剿窃陈腐，支离蔓衍之为工，孰知其去古远而益抏，不亦悲夫！（《清江文集》卷二十八）

吴澄《李宗明诗跋》：予在乡与丰城诸诗人游，宪使陈公远矣。若揭养直，若赵用信，若蔡黻、胡琏、揭傒斯，铁中之铮铮者。来京师，又见李宗明诗，胡、蔡、赵、揭伯仲间也，岂非犹有龙泉、太阿之馀，灵钟而为人，发而为诗与？何其诗之超超如此哉！（《吴文正集》卷五十七）

袁桷《李景山鸠巢编后序》：桷过永嘉张宗鲁书塾，庋河间李景山氏手校朱子《诗

作不及见矣。以故伯上复征余为之序，余因序其后曰：古今诗道之变非一也。气运有升降，而文章与之为盛衰，盖其来久矣。……建炎之馀，日趋于弊。尤延之之清婉，朱元晦之冲雅，杨廷秀之深刻，范智能之宏丽，陆务观之敷腴，固粲然可观，抑去唐为已远。及乎淳祐、咸淳之末，莫不音促局而器苦窳，无以议为矣。此又一变也。元初承金氏之风，作者尚质朴而鲜辞致。至延祐、天历丰亨豫大之时，而范、虞、揭以及杨仲弘、元复初、柳道传、王继学、马伯庸、黄晋卿诸君子出，然后诗道之盛，几跨唐而轶汉。此又其一变也。然至于今未久也，而气运乖裂，士习遽卑，争务粉绘镂刻以相高，效齐梁而不能及。伯上于斯时独不移于流俗，益肆其学而昌于诗，蔼然和平之音，有融畅之工，无藻饰之态，凡出处离合、欢欣忧戚、跌宕抑郁之思，无不托于是焉。此所以自成其家而无愧也。余尝闻之杨公之言曰：诗当取材于汉魏，而音节以唐为宗也。黄公之言曰：诗贵乎平实而流丽也。嗟乎，言诗之要，无易于此矣。读伯上之诗者，合二公之言而求之，则其为诗可得而识也。伯上与予同官为左右史，相知也厚，故因序其诗，而历道古今诗道之变而与之商略焉。（《王忠文集》卷五）

王礼《跋张文忠公帖》：某尝求我朝科目得人之盛，无如延祐首榜，圣继神传，累朝参错。中外闻望之重如张起岩、郭孝基，文章之懿如马祖常、许有壬、欧阳玄、黄溍，政事之美如汪泽民、杨景行、干文传辈，不可枚举。大者深厚忠贞，小者精白卓荦，所以黼藻皇猷、裨益治道者，初科之士为多。虽曰一时光岳之气，钟为英杰，沛然莫之能御，然亦仁庙切于求贤之念，上格天心，当时硕德元老，足以风厉后进所致也。（《麟原前集》卷十）

贝琼《陇上白云诗稿序》：余在钱唐时，与二三子录中州诗总若干首成编，题曰《乾坤清气》。盖元初文治方兴，而吴兴赵公子昂、浦城杨公仲弘、清江范公德机，务铲宋之陈腐以复于唐。其相继起于朝者，有蜀虞公伯生、西域马公伯庸、江右揭公曼硕、莆田陈公众仲，在外则永加（嘉）李公五峰、会稽杨公铁崖、钱唐张公句曲，而河东张公仲峰（举），亦留三吴，以乐府唱酬。金春玉应，骎骎然有李、杜之气骨，而熙宁、元丰诸家为不足法矣。下至四明黄公伯成、曲江钱公思复，亦皆卓然可观者。（《清江文集》卷二十九）

刘崧《鸣盛集序》：至开元、天宝间，有若李白、杜甫、常建、储光羲、孟浩然、王维、李颀、岑参、高适、薛据、崔颢诸君子，各鸣其所长。于是气韵声律，粲然大备。及列而为大历，降而为晚唐，愈变而愈下。迨夫宋，则不足征矣。元有范、虞、杨、揭、赵数家，颇踵唐人之辙，至于兴象，则不逮焉。（《鸣盛集》卷首）

章懋《枫山语录》：蒙古氏之有天下也，治率不师古，礼乐刑政，无足称述。独文章一脉，代有作者，未尝绝响。若虞伯生、范德机、杨仲弘、揭曼硕、欧阳原功、马伯庸、萨天锡，暨吾乡黄晋卿、柳道传诸人，各以其诗文鸣，莫不涵淳茹和，出入汉唐，郁乎彬彬，何其盛也。

罗洪先《静思集序》：元鄙儒术，七八十年间，科举诏不岁下，山林之士无他慕，因各肆力于文学，于是多为古辞诗歌以道己志。在吾族邻而娴者，有郭静思先生，与先翠屏诸公倡和往来，而先竹轩公及里中宋、周、李、杨诸君子，固皆一时杰出者也。兹数人者，不独能为古辞诗歌而已，尤善测微隐，明道理，言又足以发之。至其处贫遭遇，卓然自守，不少涅流俗，皆以为当然，无用矫强。使得一命，所立必有可观，顾老于蓬荜，不少概见。馀其精神，仅寓于声律，可哀也已。（《静思集》卷首）

《诗薮》外编卷六：元五言古，率祖唐人。赵子昂规陈伯玉，黄晋卿仿孟浩然，杨仲弘、滕玉霄、萨天锡诵法青莲，范德机、傅与砺、张仲举步趋工部。虞文靖学杜，间及六朝；揭曼硕师李，旁参三谢。元选体源流，略尽于此。然藩篱稍窥，阃域殊远，碎金时获，完璧甚稀。盖宋之失，过于创撰，创撰之内，又失之太深；元之失，过于临模，临模之中，又失之太浅。

《诗薮》外编卷六：元人力矫宋弊，故五言律多草草无复深造。虞、杨间法王、岑，而神骨乏；范、揭时参韦、孟，而天韵疏。新喻、晋陵二子，稍自振拔，雄浑悲壮，老杜遗风，有出四家上者。

《诗薮》外编卷六：宋元排律少大篇，独高子勉《上黄太史三十韵》、傅与砺《寿陈都事四十韵》，风骨苍然，多得老杜句格。

《诗薮》外编卷六：元人先达者，无如元好问、赵子昂。元，金遗老；赵，宋宗枝也。元体备格卑，赵词雅调弱，成都诸子，乃一振之。伯生典而实，仲弘整而健，德机刻而峭，曼硕丽而新，至大家逸格，浩荡沉深之轨，概未闻也。同时傅若金、张仲举，不甚知名，而近体特多宏壮。傅如"国蟠蜗角小，地接犬牙深"，"雨暗蛟龙出，天晴鹳鹤回"，"江路筀犹箬，山田稻始苗"，"黄归幽径狡，青聚古祠鸦"，"洒竹啼宫女，持弓泣野臣"，"雨蒸归日路，云合去时山"；张如"半生县磬室，万事缺壶歌"，"积阴霾日月，愁色满江湖"，"露花迎夕敛，风树借秋凉"，"宁为伏剑死，不作倒戈攻"，"四郊多壁垒，万事半烟尘"，"词人歌蟋蟀，军士叹蠨蛸"。七言律，傅如"衡庐树入青天尽，章贡波翻白日来"，"中天日月回金阙，南极星辰绕玉衡"，"交龙拥日明丹宸，飞凤随云绕画车"，"载笔旧登天禄阁，将书还到大明宫"，"百粤云山连楚大，六朝烟树入隋荒"，"焚香凤阁春开宴，鸣玉龙墀午散朝"；张如"龙伯衣冠藏下府，梵王台殿起中流"，"露下远山皆落木，风来沧海欲生潮"，"千嶂晚云原上合，两河秋色雁边来"，"云移雁影沉江树，雨带龙腥出海涛"，"方惊掘地双鹅起，即见浮江五马来"，"金波夜永浮鸩鹊，玉树春浓下凤凰"，皆高华雄畅，得杜陵句格，特变态差少耳。而诗流不能举其姓氏，良可叹也。

《静居绪言》：虞、杨、范、揭，足婷群雅而截众流。道园载酒诣仲弘，究论体格，寻源溯委，得六朝、三唐风趣。曼硕语意拔俗，德机天然古秀，方之二家，实亦无所轩轾。"汉庭老吏"，或非矜夸；"三日新妇"，评之过当。元诗至此，才能一洗宋习，别成机轴。

《历代诗话》卷六十六：吴旦生曰：元诗以虞待制（伯生，讳集）、杨编修（仲弘，讳载）、范应奉（德机，讳梈）、揭应奉（曼硕，讳傒斯）为称首，谓之四大家，唯赵承旨（松雪，讳孟頫）得颉颃其间。李元仲云：豫章三日新妇（揭），蒲城百战健儿（杨），蜀郡唐临晋帖（虞），清江汉法令师（范）。语与《辍耕》小异。揭曼硕为德机诗序云："伯生尝评仲弘诗如百战健儿，德机如唐临晋帖，以予为三日新妇，而自比汉廷老吏也。"又与元仲小异。《尧山堂外纪》云："揭闻三日新妇之语，不悦，尝中夜过伯生，问及兹事，一言不合，挥袂遽去。后以诗寄伯生曰：'奎章分署隔窗纱，不断香风别殿花。留守日颁中赐果，宣徽月送上供茶。诸生讲罢仍番直，学士吟成每自夸。五载光阴如过客，九疑无处望重华。'伯生得诗，谓门人曰：'揭公才力竭矣。'就答以诗云：'故人不肯宿山家，夜半驱车踏月华。寄语旁人休大笑，诗成端的向谁夸？'并题其后云：'今日新妇老矣。'揭召至都，果疾卒。"

《龙性堂诗话续集》：虞、范、杨、揭，元号四大家。今观其集，篇什格调，如出一手，七言古稍有可观，近体匀软卑凡，了无可取。其云欲矫宋人拘牵之弊，而才具单弱，不敌苏、欧、王、黄远矣。

《石洲诗话》卷五：至治、天历之间，馆阁诸公如虞伯生、袁伯长、王继学、马伯庸，每多唱和，如《代祀西岳》、《上京杂咏》之类。

《石洲诗话》卷五：虞伯生尝谓揭曼硕诗如"三日新妇"，己诗如"汉庭老吏"。揭闻之不悦，故《忆昨》诗有"学士诗成每自夸"之句。虞得诗，谓门人曰："揭公才力竭矣。"因答以诗云："故人不肯宿山家，夜半驱车踏月华。寄语傍人休大笑，诗成端的向谁夸？"并题其后云："今日新妇老矣。"按揭曼硕诗，格调固自不乏，然亦不能深入，虽间有秀色，而亦不为新艳。不知所谓"三日新妇"与"美女簪花"者，何以肖也？总之，杨、范、揭三家，不应与虞齐名。其所以齐名者，或以袁伯常（长）、马伯庸辈才笔太纵，转不若此三人之矜持格调者，谓可以绍古乎？然以格调论之，范稍雅饬，揭稍有致，杨则平平，皆非可语于道园之《学古》也。

《石洲诗话》卷五：当时之论，以虞、杨、范、揭齐名，或者又以子昂入之，称虞、杨、赵、范、揭。杨廉夫序贡师泰《玩斋集》，又称："延祐、泰定之际，虞、揭、马、宋，下顾大历与元祐，上逾六朝而薄《风》、《雅》。"金华戴叔能序陈学士基《夷白斋集》云："我朝自天历以来，以文章擅名海内者，并称虞、揭、柳、黄。"（铁崖又序郯九成曰："虞诗为宗，赵、范、杨、马、陈、揭副之。"此言是矣，而不及袁伯长。）由此观之，可见诸公齐名，元无一定之称。杨、范、揭与马、宋等耳，皆非虞之匹。赵子昂亦马伯庸伯仲。黄、柳虽皆著作手，而以诗论之，亦不敌虞。尔时论者必援虞以重其名耳。

《石洲诗话》卷五：仲宏（弘）觉有盛气，故有"百战健儿"之称；德机纯就格调，故有"唐临晋帖"之目。然而德机之格调，亦自不能坚实，与仲宏（弘）之盛气等耳。

《艺概》卷四：虞伯生、萨天锡两家词，皆兼擅苏、秦之胜。张仲举词，大抵导源白石，时或以稼轩济之。

《艺概》卷四：元张小山、乔梦符为曲家翘楚，李中麓谓犹唐之李、杜。《太和正音谱》评小山词"如披太华之天风，招蓬莱之海月"。中麓作梦符词序称"评其词者，以为若天吴跨神鳌，喷沫于大洋，波涛汹涌，有截断众流之势"。案，小山极长于小令，梦符虽颇作杂剧、散套，亦以小令为最长。两家固同一骚雅，不落俳语，惟张尤翛然独远耳。

## 公元 1308 年　（武宗至大元年　戊申）

### 正月

**三十日，唐桂芳生。**唐桂芳（1308—1380），唐元第五子，一名仲，字仲实，号白云，又号三峰，学者称白云先生，歙县人。少从洪焱祖学。至正中，荐授崇安县学教谕，迁南雄路儒学正，丁忧归。入明，起摄紫阳书院山长。洪武十三年卒，年七十三。著有《白云集》七卷。生平据钟亮《南雄路儒学正白云先生唐公行状》（《新安文献志》卷八十九）。[按，钟氏所撰行状，颇多错讹，时间甚为错乱。或据以为卒于洪武四年，然《白云集》卷首有桂芳洪武九年自序，卷五有《移建师山书院引》一篇，末署"洪武十三年冬十月日，里人唐仲书"，其卒不在洪武四年则明矣。行状言其生于戊申，当可据。据《白云集》卷六《三峰精舍记》及卷七《先兄敏仲训导墓表》，唐元卒时桂芳年四十二，唐元卒于至正九年（1349）。]

### 三月

**二十日，诏命翰林国史院纂修顺宗、成宗实录。**见《元史》卷二十二《武宗本纪》。

### 四月

**十一日，黎廷瑞卒，年五十九。**吴存《挽黎芳洲》："当年赤手夺青衫，风引蓬莱碧海帆。师道晚行文学事，泽民空署法曹衔。苔迷车马平生迹，尘锁诗筒旧日函。莫恨芳洲秋色晚，珑璁玉树总非凡。"（《乐庵遗稿》一）《鄱阳五家集》卷一《宋黎廷瑞芳洲集》："公讳廷瑞，字祥仲。……咸淳庚午，与计偕。辛未，奏名礼闱。知举刑部侍郎方公逢辰、殿中侍御史曾公渊子见公所为文，贯穿出入，沉郁典据，意必老于场屋者。及谒谢，使之年曰某甲生二十又二年矣。皆叹息久之。……至大元年戊申夏，公卒。馀干养吾李先生谨思以书语吴仲退曰：'悲哉！辛未以后，出语天拔，不烦绳削而自合，有如斯人者乎？'胡文友愕有诗曰：'鄱阳四月十一日，优钵昙花枯一株。'二公之叹，盖皆为斯文叹也。"黎廷瑞（1250—1308），字祥仲，号俟庵。著有《芳洲集》三卷。《鄱阳五家集》卷一《宋黎廷瑞芳洲集》一："公生平倜傥豪逸，雅慕李太白、杜牧之为人，所友皆四方名胜士。居家常致千里外客，客至，不问家有无，必延款弥日，谈笑竟夕。有急赴之，必为尽力，无德色，或负之，亦终身不复言。为文必黜百家，崇孔氏，以韩子为宗，尤酷嗜欧阳子，不用奇字生语，而幽然之光、苍然之色，绝出笔墨畦径外。诗尤神解，自成一家，驰骋唐宋以还，深入陶、谢之室，气韵雄浑，趣味深永，盖不独专美一时矣。"

### 八月

**初四，戴天锡卒，年四十五。**据邓文原《戴祖禹墓志铭》（《巴西集》卷上）。戴天锡（1264—1308），字祖禹，会稽人。与邓文原、张仲实善。邓文原《戴祖禹墓志铭》："祖禹喜为诗，早宗太白，渐就深沉，用少陵法。每论诗至历代正变、是非优劣，又如老吏持律，明烛幽眇。其学自经传诸子百家书靡不研究，尤嗜古法书名画及鼎彝器物，遇胜友则焚香娱玩，殆忘渴饥。"（《巴西集》卷上）

## 九月

**十二日，赵孟頫序郝天挺所注《唐诗鼓吹》。** 赵孟頫《左丞郝公注唐诗鼓吹序》："中书左丞郝公当遗山先生无恙时，尝学于其门，其亲得于指授者，盖不止于诗而已。公以经济之才坐庙堂，以韦布之学研文字，出其博洽之馀，探隐发奥，人为之传，句为之释。或意在言外，或事出异书，公悉取而附见之。使诵其诗者知其人，识其事物者达其义，览其词者见其指归，然后唐人之精神情性，始无所隐遁焉。嗟夫，唐人之于诗，美矣，非遗山不能尽去取之工。遗山之意深矣，非公不能发比兴之蕴。世之学诗者，于是而绅之、绎之、厌之、饫之，则其为诗，将见隐如宫商，锵如金石，进而为诗中之韶、濩，此政公惠后学之心，而亦遗山裒集是编之初意也耶。……至大元年九月十二日，吴兴赵孟頫序。"（《松雪斋文集》卷六）《唐诗鼓吹注》十卷，元好问编，郝天挺注，今存《四库全书》本。姚燧《唐诗鼓吹注序》："遗山代人，云南参政郝公新斋视为乡先生，自童子时尝亲几杖，得其去取之指归，恐其遗忘，以易数寒暑之勤，既辑所闻与奇文隐事之杂见他书者，悉附章下，则公可当元门忠臣，其又郑笺之孔疏钦？公将种也，父兄再世数人皆长万夫，于鼓吹之赔，爆稍而导绣悗，似已饫闻，晚乃同文人词士以是选为后部，寂寂而自随，无亦太希声乎。其亦宏壮而震厉者，亦有时乎为用也。兵志有之，不恃敌之不我攻。走闻江南诗学，垒有元戎，坛有精骑，假有诗敌挑战，而前公以元戎握机于中，无有精骑，孰与出御。走颇知诗，或少数年，使得备精骑之一曲，横槊于笔阵间，必能劖垒得俊而还，惜今白首，不得公一振凯也。公由陕西宪长以宣抚使巡行郡国河淮之南，欲序，故燧书此。"（《牧庵集》卷三）四库提要卷一八八："《唐诗鼓吹》十卷，不著编辑者名氏。据赵孟頫序，称为金元好问所编，其门人中书左丞郝天挺所注。……顾其书与方回《瀛奎律髓》同出元初，而去取谨严，轨辙归一。大抵遒健宏敞，无宋末江湖、四灵琐碎寒俭之习，实出方书之上。天挺之注，虽颇简略，而但释出典，尚不涉于穿凿，亦不似明廖文炳等所解，横生枝节，庸而至于妄也。"

## 秋

**吴澄以国子监丞征，明年六月到官。** 刘岳申《送吴草庐赴国子监丞序》："至大元年秋，临川吴幼清先生以国子监丞征。当之京师，郡县趣就道者接乎先生之门。明年三月，先生至洪。……先生尝以翰苑征至京，而不就列。又当劝学江右，至官而不终淹。今其久速，未可知也，由此大任，亦未可知也。临川自王氏以文学行谊显，过江，陆氏以道显，至于今不可尚。先生出乎二氏之后，约其同而归于一，所谓尊德性而道问学者，盖兼之矣。使先生之学行，岂复有遗憾哉？将天下有无穷之休，而复临川有无穷之闻，以临川复显于天下，必将自今始。"（《申斋集》卷一）虞集《送李扩序》：

"近者吴先生之来为监官也，见圣世休明而人材之多美也。慨然思有以作新其人，而学者翕然归之，大小如一。于是先生之为教也，辩传注之得失而达群经之会同，通儒先之户牖以极先圣之阃奥，推鬼神之用以穷物理之变，察天人之际以知经纶之本。礼乐制作之具，政刑因革之文，考据援引，博极古今，各得其当，而非夸多以穿凿。灵明通变，不滞于物，而未尝析事理以为二。使学者得有所据依，以为日用常行之地；得有所标指，以为归宿造诣之极。噫，近世以来，未能或之先也。惜夫在官未久，而竟以病归。呜呼，文正与先生，学之所至，非所敢知、所敢言也，然而皆圣贤之道则一也。时与位不同而立教有先后者，势当然也。至若用世之久速，及人之浅深，致效之远近小大，天也，非人之所能为也。仆之为学官，与先生先后而至，学者天资，通塞不齐，闻先生言，或略解，或不能尽解，或暂解而旋失之，或解而推去渐远。……近臣以先生荐于上，而议者曰：吴幼清，陆氏之学也，非朱子之学也，不合于许氏之学，不得为国子师，是将率天下而为陆子静矣。遂罢其事。呜呼，陆子岂易言哉？彼又安知朱、陆异同之所以然，直妄言以欺世拒人耳。"（《道园学古录》卷五）吴澄（1249—1333），字幼清，晚称伯清，其先自豫章之丰城迁居崇仁。咸淳六年，应抚州乡举，以第二十八名荐，明年试礼部下第。教授乡里，学者称草庐先生。至元二十三年，程钜夫奉诏起遗逸于江南，强起之至京。明年，以母老辞归。二十五年，以程钜夫言，以其所校定诸书教授国子监生。大德元年，以荐授应奉翰林文字、登仕佐郎、同知制诰兼国史院编修官，辞不就。八年，除将仕郎、江西等处儒学副提举。十一年，以疾辞去。至大元年，除从仕郎、国子监丞，二年六月到官。至大四年，升国子司业。延祐五年春，除集贤直学士，特升奉议大夫，遣集贤修撰虞集奉诏召于家。行至仪真，病作不复行。至治三年，超拜翰林学士、知制诰、同修国史。元统元年卒，年八十五。谥文正。著有《吴文正集》一百卷。《元诗选》初集乙集选其诗 55 首。生平据虞集《故翰林学士资善大夫知制诰同修国史临川先生吴公行状》（《道园学古录》卷四十四）、危素《吴文正公年谱》、《元史》卷一七一本传。

## 本年

**元明善由中书左曹掾授东宫承直郎、太子文学。**马祖常《翰林学士元文敏公神道碑》："至大戊申，我仁宗皇帝养德东宫，左右文化，选天下髦俊之士列在宫臣，公首被简拔，授承直郎、太子文学。"（《石田文集》卷十一）元明善（1269—1322），字复初，大名府清河人，拓跋魏之裔。深于《春秋》，弱冠游吴中，已名能文章。浙东使者荐为安丰、建康两学正，行枢密院辟充令史，金院事董士选深敬之。及士选升江西左丞，又辟为省掾，旋升掾南行台。未几，授枢密院照磨，转中书省左曹掾。坐诬免，事明，复掾省曹。至大元年，授东宫承直郎、太子文学。仁宗即位，迁翰林待制、承直郎兼国史院编修，与修《成宗实录》，加奉议大夫，升翰林直学士、朝列大夫、知制诰、同修国史。皇庆元年，与修《武宗实录》。明年，迁翰林侍读学士、中奉大夫。延祐二年，策试士子，选充考官，充廷对读卷官。改礼部尚书。五年，知贡举，复入翰林为侍读学士、通奉大夫。岁终，拜湖广行省参知政事。英宗即位，以集贤侍读学士召，制授翰林学士、资善大夫，修《仁宗实录》。至治二年卒于官，年五十四。赠资善大夫、河南江北等处行中书省左丞，追封清河郡公，谥文敏。著有《龙虎山志》三卷、《清河集》五十卷。《元诗选》二集丙集选其诗14首。生平据马祖常《翰林学士元文敏公神道碑》（《石田文集》卷十一）、张养浩《故翰林学士资善大夫知制诰同修国史赠某官谥文敏元公神道碑铭》（《归田类稿》卷十）、《元史》卷一八一本传。

**李京以吏部侍郎奉使安南**。姚燧、程钜夫等有诗送其行。李京，字景山，号鸠巢，河间人。大德五年，宣慰乌蛮，授乌撒乌蒙宣慰使，以疾归。至大元年，奉使安南。著有《鸠巢漫稿》、《云南志略》四卷。所著《鸠巢漫稿》，虞集（《道园学古录》卷五）、袁桷（《清容居士集》卷二十一）均尝序之。《元诗选》二集丙集选其诗11首。

**李道坦与吴师道别，后寄诗以述相思之意**。《吴礼部诗话》："坦之作《杜鹃行》云：'吾闻昔有蜀天子，化作冤禽名杜宇。一身流落怀故乡，万里逢人诉离苦。西来纵呼巫峡间，楚台花落青春阑。台中魂梦久寂寞，行云日暮愁空山。明朝复向潇湘发，北叫苍梧江竹裂。竹间之泪花上血，怨入东风俱不灭。天涯无穷朝暮啼，王孙草绿不思归。哀哉王孙终不归，江南江北杨花飞。'时年二十馀尔。逮从邓公，日益精进，其歌行最为流丽，尝言学诗必以李、杜为宗，唐律四十字、五十六字，成一片文章，岂可以闲冗语填之。大凡诗一字未佳未稳，必有一字可代，思之自当得也。在兰江时，尝手写一帙留予家。至大戊申别后，寄友三诗，一以与予曰：'拂袖行歌归故乡，相思又是一星霜。梦回江上秋枫杳，愁入天涯春草长。书问久淹嗟契阔，诗章时读慰凄凉。知君亦有逍遥兴，肯学征鸿为稻粱。'又送人归严陵并寄予云：'官车一两马并驰，送君朝出城门西。投觞誓河以为别，东流到海无还期。云间挂冠归故里，河上停帆谢游子。不愿松江食巨鲈，甘向桐川钓寒水。子陵昔钓川之侧，百尺高台犹屹立。斜日归舟系石根，稽首清风无愧色。金华洞天深且幽，神仙牧羊松下游。故人吴君仙者俦，高卧岩屋秋浮浮。兹山相邻尔睦州，山翠俯压城南楼。吴君之家某水丘，尺书欲烦亲手投。一见足写平生忧。'坦之素善书，予爱之，尝裒其手写者一卷，为人窃去，仅存一幅，二诗皆佳。《高将军白鹞子歌》：'淮西猛士高将军，新获骁禽被凉素。调之弗顾情未狎，跨马臂出城东去。征鸿作字云边斜，耸身直上谁能遮。天寒日莫望不见，北风万里吹瑶花。云飞忽断鸿飞却，短草长烟际沙漠。但馀孤色摇清秋，未许纤毫生碧落。归来珍卫不解韝，亲手馁肉供饥喉。英雄遇合固有分，可惜惊尘俱雪头。'其一《李白酒楼歌》：'溧阳酒楼春水涯，白也系马楼东家。千金醉尽不复顾，犹吹玉笛引吴娃。日斜楼外东风起，春愁满眼杨花里。高歌一曲下楼去，传遍江南数千里。锦袍绿水迷踪迹，月落空梁照颜色。江头尽日不见人，楼上几年无此客。倚阑仰看西飞云，胡为不饮愁其身。即今寂寞千年后，谁酹青山山下坟。'他皆类此。警句如：'落日中原小，悲风易水寒。'尝自言以此诗寄邓善之，邓借以为己作。'凡物皆归土，深山始见天。'（《落叶》）'城南草绿王孙去，江上花飞燕子来。''清江百曲秋花底，渔火孤村莫雨中。''芙蓉水碧双凫冷，苜蓿秋高万马肥。'不可胜录也。"道坦之诗，遂藉之以存。李道坦，字坦之，钱塘（或作吴兴）人。从学于邓牧，与吴师道善。著有《学道斋集》，已佚。《宋诗纪事》选其诗五首并录残句五。《遂昌杂录》："邓牧心、叶本山两先生，皆高节士，宋亡，深隐大涤山。邓先生于古文尤精核，不苟作。承其学者杭人李坦之，讳道坦，坦之诗亦工，然伤于巧云。"黄溍《题李坦之诗卷》："神仙中人世莫识，政以文章为戏剧。李生也复可怜人，手种蟠桃待春色。山空岁寒谁念汝，青枫堕影霜露白。远游赋成一朝去，翠盖云旗暮何适。蓬莱烟雾秋冥冥，邓君白鹿无消息。袖中骊珠三百颗，夜深勿近蛟龙宅。金华之山青矗天，山人看山忘岁年。黄精芝草幸可食，安得与子巢其间。石床醉听松风眠，无为长歌怨如哭，使汝恻怆凋朱颜。"（《文献集》卷二）《西湖游览志馀》卷十五："李坦之，钱唐人，风度高远，寄情岩壑，往来洞霄石室间，读书赋诗歌，皆超轶前古。其《山中苦寒歌》云：'深山苦寒弗可居，门前积雪三尺馀。阴崖一夜石蜕骨，寒溜万瓦冰垂须。道人冻卧山之麓，暮爇松明煮溪绿。山阴孤棹期不来，梦入幽岩闻折竹。征西将军持短兵，驰马夜渡黄河冰。关东诸将面欲裂，严光独钓桐江雪。'"《诗薮》外编卷六："胜国吾乡诗人若于介翁、李坦之，皆新拔多奇句。……坦之名殊没没，而吴正传《诗话》载其诗数首甚佳。《太白酒楼歌》，全篇合作。《白鹇子歌》：'天寒日暮望不见，北风万里吹瑶花。'语甚雄峭。又'落日中原小，悲风易水寒'，'芙蓉水碧双凫冷，苜蓿秋高万马肥'，大类近日嘉、隆语。而世无传者，元诸家诗选亦决不收，良可慨叹。"

**释妙声生**。妙声（1308—？），字九皋，吴县人。景德寺僧。尝居常熟慧日寺，后住本郡北禅寺。洪武三年，征至京。著有《东皋录》三卷。

**陈世崇卒**。《四库提要辨证》卷十八："《随隐漫录》五卷。嘉锡按：近人夏敬观校刊此书，据朱存理《铁网珊瑚》所载世崇《题曾氏诸帖》诗，署大德丁未立冬日前宫讲陈随隐题，疑随隐当是入元后所改名。《提要》谓旧本题随隐为误以号为名者，未必确当。余尝以夏氏之言为是，而苦无显证。会见妻家临川陈氏族谱，知陈藏一父子乃其同族远祖也。谱前载有元至大二年旴江周端礼所撰《故宫讲陈公随隐先生行状》云：'父藏一，故宋随龙忠翊郎、缉熙殿应制、东宫讲堂说书兼两宫撰述备咨问。公讳世崇，字伯仁，家住抚州崇仁县。……至大元年十二月卒，年六十四。有《漫录》十二卷行于世。止庵林实，临川儒也，尝序之。'其所叙事迹，与《漫录》及《提要》所考者并合，知确出元人手笔，非其子孙所附会。其言取旧号为名，可为夏氏入元后改名之说添一证佐。知《提要》之改陈随隐撰为陈世崇撰者，非也。惟行状云《漫录》十二卷，林实序，而今所传明商濬《稗海》本仅五卷，又无林实之序。考《天中记》引此书甚多，如卷十九引钱塘范十郎二女一条，卷二十引韩香一条、潘庭坚毛惜惜诗一条，俱不见于今本，盖已被明人妄加删削，非完书矣。"陈世崇，字伯仁，号随隐，临川人。著有《随隐漫录》五卷。四库提要卷一四一："《随隐漫录》五卷，旧本题宋临川陈随隐撰。盖后人以书中自称随隐，而称陈郁为先君，知为临川陈姓，故题此名。实则随隐非名也。据所载钱舜选诗，其人尝于理宗景定四年以布衣官东宫掌书。又载辛巳八月己丑，为元世祖至元十八年，则其人盖已入元。案刘埙《水云村泯稿》，载宋度宗御批一道云：'令旨付藏一，所有陈世崇诗文稿都好，可再拣几篇来。在来日定要，千万千万。四月五日辰初付陈藏一。'埙跋其后，以为度宗在春宫时，盛年潜跃，汲汲斯文。惜不遇园绮羽翼，乃下访藏一父子之卑陋。藏一为郁字，则其子当即世崇。证以书中所记，与此批一一吻合，知随隐即世崇号也。其书多记同时人诗话，而于南宋故事言之尤详。如紫宸殿上寿仪、赐太子玉食批、直书阁、夫人名数、孩儿班服饰、孟享驾出仪、太子问安、展书仪带格三十二种诸条，颇有史传所未及者。他所记诗话杂事，亦多可采。其第二卷内论汉平帝后、晋愍怀太子妃以下五条，皆假借古事以寓南宋臣降君辱之惨，与所以致败之由，而终无一言之显斥。犹有《黍离》诗人悱恻忠厚之遗，尤非他说部所及也。"

## 公元 1309 年　（武宗至大二年　己酉）

### 五月

虞集入为国子助教。虞集《书堂邑张令去思碑后》："至大二年夏五月，余受国子助教，入京师。"（《元文类》卷三十九）

### 七月

十九日，任士林卒，年五十七。赵孟頫《任叔实墓志铭》："君生于癸丑八月戊申，卒于至大己酉七月己亥，年五十七。"任士林（1253—1309），字叔实，号松乡。其先蜀绵竹人，八世祖来居庆元奉化，又再世而徙居四明琦山。著有《句章文集》、《论语指要》、《中易》、《松乡集》十卷。《元诗选》二集丙集选其诗 40 首。王应麟《书松乡先生赋传二篇后》："叔实尚友前修，镕意铸辞，赋传二篇（《复志赋》、《寿光先生传》），师法孟坚，幽通昌黎。"赵孟頫《任叔实墓志铭》："盖叔实之于文，沉厚正大，一以理为主，不作瘦语棘人喉舌，而含蓄顿挫，使人读之而有馀味。"（《松雪斋集》卷八）陆文圭《任叔实遗稿序》："余往来古杭五十年，纳交南北胜士甚众。庆元任君叔实，籍籍有文名，曩一见于南谷坐上，恨不得倾盖而语。泰定间，君之嗣子良吏于澄川，因出先人手泽示余，将摹而传之。余然后尽睹君之文，记序碑铭，高古特甚，长吟短韵，清雅有馀，无一点尘俗气。近世号为文士，略无能过之者。彼皆树声望而蹴清要，俯玩一世，志得意满，而君独困踬坎壈，布衣终身，不沾一命，命也夫！时也夫！"（《墙东类稿》卷五）杜本《松乡先生文集序》："惟叔实甫始自四明山中来杭，倡为古作者文辞，一时惊猜疑愕怪笑非讪者往往喧杂。独赵公子昂、邓公善之、袁公伯长、周公景远、张君锡、杨仲弘、薛宗海、吾子行、刘师鲁交相推誉，以为柳河东其人也。……余时喜从故都遗老承问往昔文献，尤与叔实亲善，又尝从受《中易》之旨。盖叔实粹美质直，爱好人伦，有志于当世，以兴起斯文为己任，尝见其意于《送邓善之赴史馆序》矣。中书左丞郝公以事至杭，见其文之典则淳雅，而制行端实，荐为安定书院山长，庶使讲道以淑来学，而竟以疾终。若赵公子昂、袁公伯长、邓公善之继登词垣，使叔实而犹存，岂不能与时翕张，日昌其制作之思而相与为高下耶！是其所谓浑厚博大、温润清扬者，抑又有非人之所能为者矣。而不使之鸣夫国家之盛，乃独多见于宫词、塔寺琬琰之间，其亦幸托斯文以为世隽永。又若谢翱、胡烈妇传，能使秉彝好德之心千载著明，是岂徒作者哉？"胡俨《题任松乡先生文集序》："余读其文，笃实而弘博，深厚而舒徐，沉郁而顿挫，镪然而金石奏，灿然而琅玕呈。盖卓乎有道之言，非浅之为儒者也，又岂必附青云而后施于后世哉！"《石洲诗话》卷五："任松乡士林《题翰墨十八辈封爵图》，用事颇巧。"四库提要卷一六六："《松乡文集》十卷，元任士林撰。……是集所录，碑志居多。大抵刻意摹韩愈，而其力不足以及愈，故句格往往拗涩，乃流为刘蜕、孙樵之体，又间杂偶句，为例不纯。其《自然道士传》、《正一先生传》、《寿光先生传》诸篇，袭《毛颖传》而为之，亦颇嫌窠臼。然南宋季年，文章凋敝，道学一派，以冗沓为详明，江湖一派，以纤佻为雅隽，先民旧法，几于荡析无遗。士林承极坏之后，毅然欲追步于唐人，虽明而未融，要亦有振衰起废之功，所宜过而存之者也。赵孟𫖯尝见其兰苕山寺碑文，深相倾挹。后士林卒，孟𫖯为志其墓。杜本亦称其《谢翱传》、《胡烈妇传》能使秉彝好德之心千载著明。固非曲相假借矣。"

## 八月

初三，诏立尚书省。以乞台普济为太傅、右丞相，脱虎脱为左丞相，三宝奴、乐实为平章政事，保八为右丞，忙哥铁木儿为左丞，王罴为参知政事，中书左丞刘楫授尚书左丞、商议尚书省事。见《元史》卷二十三《武宗本纪》。

## 本年

陈孚卒，年五十一。皇甫㽮《陈刚中诗集后序》："观夫与其国主（安南国）陈日燇往返诸书，开谕周至，若禹鼎始铸，魑魅魍魉，莫可逃其情也。又自其家以至于京，自京以至安南，道途往返纪行诸诗，山川草木虫鱼以至人物诡异之状，靡不具载，又若图经前陈，险易远近，按之可悉数也。良由忠义之气养之有素，遇事触物，沛然发见，非若雕镌刻画有意为文者可比也。"《归田诗话》卷中："崔涂《鹦鹉洲》诗云：'曹瞒尚不能容物，黄祖何由解爱才？'后无继之者。陈刚中一篇云：'大江东南来，孤洲屹枯藓。中有千载人，残骨寄偃蹇。惟汉党锢祸，荐绅半摧殄。况复啖葛奴，尽使羽翼剪。天乎鸾凤姿，乃此侣獥犬。想当落笔时，酒酣玉色洒。鹦鹉何足咏，仅以雕虫显。我来策蓬颗，清泪凄以泫。尚恨迷几先，不为无道卷。贤哉庞德公，一犁老襄岘。'词语跌宕，议论老成，佳作也。"《水东日记》卷三十六："诗与文稍异者，以诗兼兴趣，有感慨调笑风流脱洒处，如长诗落句翻空，旁人作散场语是也，然时一出奇可耳。前元诗人陈孚刚中集中歌行，则全用此体，观者审之。"《升庵诗话》卷七："元陈孚《远归帆》绝句云：'日落牛羊归，渡头动津鼓。烟昏不见人，隐隐数声橹。'识者以为不减王维。"[编者按：孚诗原题作《远浦归帆》，为五律。杨慎截取前四句，遂成五绝。]《徐氏笔精》卷四："古今题和靖先生墓者，不下百篇，悉梅鹤封禅数事而已。独张羽一绝云：'水绕荒山路半斜，墓园无主属官家。我来正是梅开日，满目蓬蒿不见花。'淡而有味。又陈刚中一绝云：'北邙翁仲拱朱门，玉盌时惊古帝魂。争似孤山一抔土，梅花依旧月黄昏。'亦可掩诸作者也。"《元诗选》二集丙集："刚中天材过人，性任侠不羁。所为诗文，大抵任意即成，不事雕斲。"四库提要卷一六六："《观光稿》一卷、《交州稿》一卷、《玉堂稿》一卷、附录一卷，元陈孚撰。……《观光稿》为至元中孚以布衣上《大一统赋》，江浙行省闻于朝，署上蔡书院山长，考满谒选京师时作。《交州稿》为至元二十九年，世祖命梁曾以吏部尚书再使安南，孚以翰林国史院

163

编修官摄礼部郎中为副使，往来道中之作。《玉堂稿》皆孚官翰林日作。……《观光》、《交州》二稿，皆纪道路所经山川古迹，盖仿范成大使北诸诗，而大致亦复相埒。《玉堂稿》多春容谐雅，沨沨乎治世之音。其上都纪行之作，与前二稿工力相敌。盖摹绘土风，最所留意矣。……瞿宗吉《归田诗话》曰：……。叶盛《水东日记》则曰：……。盖宗吉举其一两篇，而盛则核其全集，故以自落窠臼为病。虽推阐少苛，要亦识微之论矣。又陶宗仪《辍耕录》记孚少尝为僧，题诗于父执之壁，父执知其欲归俗，因使养发，妻之以女。其诗浅鄙，某事亦不知有无。小说多诬，不尽可信。"

**迺贤生**。迺贤（1309—1368），或作纳延、纳新，字易之，号河朔外史，西域葛逻禄人。元代文献中有称马易之、葛逻禄易之、合鲁易之、葛易之者，均系其人。世居金山之西，因祖上迁居南阳，故自称南阳人。幼年随父迁居庆元路鄞县。受业于乡贤郑觉民，又从高岳受诗法。至正五年，复游于京师，于次年春抵大都，居金台坊。后归鄞县，居家十馀年。至正二十二年，以翰林编修征。至正二十八年，出参桑哥实里军，守东蓟州，卒于军中。著有《金台集》二卷、《河朔访古记》及《海云清啸》、《铙歌》等集。《元诗选》初集戊集选其诗158首。[按，迺贤生年，据所作《徐伯敬哀诗》，其序云："伯敬姓徐氏，讳仁则，世为明之奉化大族。早孤，奉母鞠弟，至行有闻于时。家贫，益自励嗜字学，有能名，王公硕儒皆慕重之。君与予同生年，月日先于余，为莫逆者几二十年。岁庚辰，君年三十有二，得疾卧于家。予归自京师，闻之驰往省焉，君伏枕已逾月。既莫而别，君曰：'明日不复握手。'越宿讣至，君果死矣。"（《金台集》卷一）庚辰即重纪至元六年（1340）。其卒年，据郑真所作《濠梁录》，其文云："〔洪武六年七月〕十四日，渡淮河，谒前枢密院都事李子云，得马易之《海云清啸集》。子云言易之大致甚的。初，易之以代祀海岳，复命于京。时僧格实哩（即桑哥实里）以枢密院同知领军东蓟州，易之以编修保充从事官。后廷命枢密公移军直沽，易之以老病军旅中，艰于行履，日以为忧，子云尝譬解之。子云未几以军事前去，既归，而易之已病风不能言矣。盖医者不识症，误为伤寒，以承气汤下之，大小便不知所出。后易之有著作之除，含糊微笑而已。盖子云与之同居，多视其汤药，至死迄无一言，戊申五月十一日也。次日，棺殓葬于静明寺栖霞亭松林中。其友危于愰、陈伯刚、杨松实为用力，遗衣散与力士。所赍文籍，《事文类聚》、《文献通考》各一册，为梓北山取去，《海云集》及著作郎敕牒留子云家。兵至内府，敕牒付诸火。子云居濠梁，与予相遇，既以《海云集》见贻，且云：'其墓军旅数经，恐已不可保矣。'（《荥阳外史集》卷九十八）今人陈高华《元代葛逻禄诗人迺贤》（《文史》第31辑）、杨镰《元西域诗人群体研究》、《元诗史》考其生平甚详。]

**邵亨贞生**。[按，邵亨贞生年，据所作《追和赵文敏公旧作十首》，其序云："予生十有四年而公薨，每见先辈谈公典型问学，如天上人，未尝不神驰梦想。"赵文敏公，即赵孟頫，卒于至治二年（1322）。孟頫卒时年十四，则亨贞之生，在至大二年（1309）。《列朝诗集小传》甲集言亨贞得寿九十三，则其卒，又当在建文三年（1401）。]邵亨贞（1309—1401），字复孺，号清溪（一作贞谿），其先建德人，徙居华亭。与王逢、申屠衡、邾经、陶宗仪善。著有《野处集》四卷、《蚁术诗选》八卷、《蚁术词选》四卷。

**姚燧授荣禄大夫、翰林学士承旨。**据《元史》姚燧传。教坊艺人名真真者，以姚燧之请，落籍嫁翰林属官王棣，其时姚燧为翰林学士承旨。其事当在本年以后。《南村辍耕录》卷二十二："姚文公燧为翰林学士承旨日，玉堂设宴，歌妓罗列，中有一人，秀丽闲雅，微操闽音。公使来前，问其履历。初不以实对。叩之再，泣而诉曰：'妾乃建宁人氏，真西山之后也。父官朔方时，禄薄不足以给，侵贷公帑无偿，遂卖入娼家，流落至此。'公命之坐，乃遣使诣丞相三宝奴，请为落籍。丞相素敬公，意公欲以侍巾栉，即令教坊检籍除之。公得报，语一小史曰：'我以此女为汝妻，女即以我为父也。'史忻然从命。京师之人相传以为盛事云。嘉兴贝阙尝有诗曰：'断丝弃道边，何日缘长松。堕羽别炎洲，不复巢梧桐。昔在至元日，六合车书同。玉堂盛文士，燕集来雍雍。金刀手割鲜，酒给葡萄浓。坐有一枝春，秀色不可双。（叶）娉婷刘碧玉，绰约商玲珑。宝钗金雀钗，已觉燕赵空。或闻操南音，未解歌北风。上客惊且疑，姓字初未通。问之渐复泣，乃起陈始终。妾本建宁女，远出西山翁。父母生妾时，谓是金母童。梨花锁院落，燕子窥帘栊。迢迢官朔方，位卑食不充。侵贷国有刑，桎梏加父躬。鬻女以自赎，白璧沦泥中。秋娘教歌舞，屡入明光宫。永为娼家妇，遂属梨园工。京华多少年，门外嘶青骢。不如孟光丑，犹得嫁梁鸿。自伤妾薄命，失落似秋蓬。客闻为三叹，天道何懵懵。遣使白宰相，削籍归旧宗。小史十八九，勿恨相如穷。配尔执箕帚，今夕看乘龙。鸳鸯并玉树，鹦鹉开金笼。弃汝桃花扇，红牙不复从。提瓮自汲水，绤绤自御冬。时多困辄轲，事或忻遭逢。安知百尺井，忽登群玉峰。借问为者谁，内相姚文公。'"高启（《高太史大全集》卷七）、王逢（《梧溪集》卷五）、贝琼（《清江诗集》卷二）均有诗咏其事。

## 公元 1310 年　（武宗至大三年　庚戌）

### 三月

**戴表元卒，年六十七。**据袁桷《戴先生墓志铭》（《清容居士集》卷二十八）。袁桷《戴先生墓志铭》："其文清深整雅，蓄而始发，间事摹画，而隅角不露，施于人者多，尤自秘重，不妄许与。"宋濂《剡源集序》："辞章至于宋季，其敝甚久。公卿大夫视应用为急，俳谐以为体，偶俪以为奇，脑然自负其名高。稍上之，则穿凿经义，隐括声律，挈挈为哗世取宠之具。又稍上之，剽掠前修语录，佐以方言，累十百而弗休。且曰：'我将以明道，奚文之为？'又稍上之，骋宏博，则精粗杂糅而略绳墨；慕古奥，则删去语助之辞而不可以句。顾欲矫弊，而其弊尤滋！……及览先生之文，新而不刻，清而不露，如晴峦出云，姿态横逸，而连翩弗断；如通川萦纡，十步九折，而无直泻怒奔之失。呜呼！此非近于所谓豪杰之士邪！"（《銮坡前集》卷六）《元史》卷一九〇《儒学传》："初，表元闵宋季文章气萎苶而辞骸骳，骸弊已甚，慨然以振起斯文为己任。时四明王应麟、天台舒岳祥并以文学师表一代，表元皆从而受业焉。故其学博而肆，其文清深雅洁，化陈腐为神奇。"卢文弨《剡源集跋》："继得黄梨洲所录《剡源文钞》，则大好之。剡源者，奉化戴表元帅初也。其文和易而不流，谨严而不局，质直而不俚，华腴而不淫，此非徒古于字句之末者也。……颍谷吴人称：'剡源文近子厚，亦间似苏门，能从容于窘步，萌苗于枯条。'此数语亦殊有见。朱君曰：'此亦吾乡之学者也，故附著之云。'"《石洲诗话》卷五："戴帅初诗：'寒起松鸣屋，吟圆月上身。''老树背风深拓地，野云依海细分天。''乡山云淡龙移久，湖市春寒鹤下迟。'皆佳句也。又如：'甃埕水温初荇菜，粉墙风细欲梨花。''六桥水暖初杨柳，三竺山深未杜鹃。'此二联，句法亦新。"四库提要卷一六六："《剡源集》三十卷，元戴表元撰。……表元少从王应麟、舒岳祥游，学问渊源，具有授受。顾嗣立《元诗选》小传称：'宋季文章，气萎苶而词骫骳，帅初慨然以振起斯文为己任，其学博而肆，其文清深雅洁，化朽腐为神奇，间事摹画，而隅角不露，尤自秘重，不妄许与。至元、大德间，东南之士以文章大家名重一时，帅初一人而已。'又引宋濂之言曰：'濂尝学文于黄文献公，公于宋季词章之士，乐道之而不已者，惟剡源戴先生为然'云云。于元人之中，推之独至。今观其诗文，信嗣立所论不诬也。"

## 四月

**初二，周暌序白珽所撰《湛渊静语》。**序见本集卷首，又有白珽自序。《湛渊静语》二卷，今存《四库全书》本、《丛书集成初编》本。四库提要卷一二二："《湛渊静语》二卷，元白珽撰。……是书乃其杂记之文。据卷末有明人跋语，称嘉靖丙午钞自昆山沈玉麟家，而疑其不止此二卷，殆残本欤？厉鹗作《宋诗纪事》，搜采极博，而此书开卷载理宗赐林希逸诗一篇，鹗不及收，则鹗未见其本矣。其中如谓皎然铜盎为《龙吟歌》咏房琯事，诗家未有引用者，不知李贺《昌谷集》中，实有《假龙吟歌》。谓匡谬正俗为颜真卿作，不知实出颜师古。不免稍有疏舛。文中子李德林一条，乃晁公武《读书志》之语；辨常仪占月一条，亦史绳祖学斋占毕之说。亦未免偶相剽袭。其载倪思论司马光一条，谓王安石援《孟子》大有为之说，欲神宗师尊之，故光著此书，明其未可尽信，其说为从来所未及。案晁公武《读书志》称王安石喜《孟子》，自为之解，其子雱与其门人许允成皆有注释。盖唐以前《孟子》皆入儒家，至宋乃尊为经，元丰末遂追封邹国公，建庙邹县，亦安石所为。则谓光疑孟，实由安石异议相激而成，不为无见，必以为但因大有为二语，则似又出于牵合，非确论也。然其他辨析考证可取者多，其记汴京故宫，尤为详备。在元人说部之中，固不失为佳本矣。"

**曹毅卒，年五十二。**许有壬有《挽曹士弘》诗（《至正集》卷十五）。袁桷《曹士弘墓志铭》："疾革，命诸子曰：必返汝祖母故茔，吾魂气无不之，得地即埋我。卒以至大三年四月某日，年五十有二。"（《清容居士集》卷二十八）曹毅（1259—1310），字士弘，庐陵人。著有《南陵遗稿》。虞集《题诸公与曹士弘文》："国家因辽金之旧，寄政事于文法之吏，于是用世之士，胥此乎出焉。故宋以儒学用士，既已，士亦无所于仕。材彦如士弘氏，早有誉于故朝，而尤不免从事于簿书游徼之末以没其身而已，不亦悲乎！然博学君子如故宋礼部尚书王公伯厚，及四明戴帅初、隆山牟成甫、徽州方回总管，与今翰林侍讲学士邓善之、袁伯长、曹子贞诸公，皆名显于儒林，言信于当世，而人人言皆哀士弘氏之位不称材远甚。噫！此固足以暴白于后世也夫。"（《道园学古录》卷十一）苏天爵《曹先生文稿序》："庐陵曹先生有文数百篇，季子友仁板行于世，征愚序其端。昔者国家隆兴之初，人材众多，然或抱异材奥学，卒于小官，岂非命欤？先生少年倜傥有奇节，论议古今，出人意表。江左初下，一时名公争与为友，而名声日延。作为文章，博洽古雅，不徇流俗，可谓豪杰之士矣。"（《滋溪文稿》卷六）杨维桢《曹士弘文集后序》："余生晚，不及识庐陵曹先生。及来钱唐，获睹与刘志善书，书言刘光伯、杜子美诸人之学不闻道，王氏、陆氏之学为无用之空谈，独有志于述礼乐、征文献。余已异其为人，恨不得与之共世同里闻接其言议也。未几，其子希颜以《南陵遗稿》来，则知先生抱有用之才，不见于世，而见者惟此耳。吁，编简零脱，曾无几矣。诗凡若干篇，文仅二十有九首，皆津津焉善言世故，综之以往史，而宿之以圣贤之理，非代之学者谬悠无边畔、芜涩险怪以为辞者之所可及也。观其翁彦扬之《让议》，则范史不无佚鸿（原阙）之悖；李庚伯之《孝纪》，则鄠人对亦不无忍薄之愧。议之近于情而依理，虽古之人惧焉，况今之谬悠为学而芜怪为文者邪？"（《东维子集》卷六）

## 八月

**姚燧跋《雪堂雅集》。**姚燧《跋雪堂雅集后》："释统仁公见示《雪堂雅集》二帙，因最其目：序四，诗十有九，跋一，真赞十七，送丰州行诗九，凡五十篇。有一人再三作者，去其繁复，得二十有七人：副枢左山商公讳挺；中书则平章张九思，右丞马绍、燕公楠，左丞杨镇，参政张思立；翰林承旨则麓庵王公讳磐、董文用、徐琰、李谦、阎复、王构，学士则东轩徐公讳世隆、李槃、王恽；集贤学士则苦斋雷君膺、周砥、宋渤、张孔孙、赵孟頫；御史中丞王博文、刘宣；吏曹尚书则〔夹〕谷之奇、刘好礼，郎中张之翰，太子宾客宋道（衟），提刑使胡祇遹，廉访使崔瑄。皆咏歌其所志，喜与缙绅游者。求古人之近似，惟唐文畅故柳送其行曰：晋宋以来，桑门上首道林、道安、慧远、慧休，其所与游，谢安石、王逸少、习凿齿、谢灵运、鲍照，皆时之选。夷考其言，有失有得。其失者，以天官顾少连、夏官韩翠之徒，为有安石之德、逸少之高、凿齿之才，其不伦何啻相去千百而十一，又且近谀。其得者，文畅亦桑门上首，时不相及，方以林、安、远、休，夫谁曰不然与？以灵运、明远之文自居，皆无愧德。斯自唐视晋宋者也，自今而视唐，独不可为之比乎？柳之颂文畅曰：道源生知，善根宿植，脱弃秽累，宣涤凝滞。施之仁公，亦声闻称情而不过者。然求如灵澈澄观，重巽浩初，元嵩文郁，希操深浚之流，与文畅生同其时，若是之多，则仁公为独行而无徒矣。又彼少连、翠者，岂足躅二十有七人之遗尘，而求安石、逸少、凿齿之德之高之才，吾亦不能必其当者何人，况文乎哉？其敢以灵运、明远自居，如柳州者，盖不知其谁也。然此中予未有识四人，镇、琰、好礼、瑄，然已皆物故，其存者阎、李两承旨而已，可为人物眇然之叹。至大庚戌秋八月下弦日跋。"（《牧庵集》卷三十一）王恽《题雪堂雅集图》："扰扰王城若个闲，禅房来结静中缘。机锋为道灵师峻，樽酒同倾绣佛前。谈麈风清穿月窟，雨花香细扬茶烟。应惭十九人中列，开卷题诗又五年。"（《秋涧集》卷十八）商挺、夹谷之奇、刘宣、刘好礼等人均卒于至元二十五年，则其人之集会雪堂，当在至元二十五年之前。

## 九月

初四，高克恭卒，年六十三。邓文原《故大中大夫刑部尚书高公行状》："至大三年春二月，还京师，客城南，将入觐，得寒疾，久不愈。至九月初四日卒，即以是月二十九日葬在佐山花山之原，从嘉甫先生之兆。公生于戊申十一月（原阙）日，享年六十有三，积官至大中大夫。"（《巴西集》卷下）邓文原《故大中大夫刑部尚书高公行状》："公性极坦易，然与世落落寡合，遇知己则倾肝膈与交，（原阙）身亦不复疑贰。在杭，爱其山水清丽。公退，即命僮挈樏杖屡适山中，世虑冰释，竟日忘归。好作墨竹，妙处不减文湖州。画山水，初学米氏父子，后乃用李成、董元、巨然法，造诣精绝。公卒后，构公遗墨者一纸率百千缗。为诗不尚钩棘，自得天趣。尝见公作画时，虽贵交在侧，或不暇顾，有指谓公简傲者，久乃识其真。"（《巴西集》卷下）柳贯《题赵明仲所藏姚子敬书高彦敬尚书绝句》："高公彦敬画入能品，故其诗神超韵胜，如王摩诘在辋川庄、李伯时泊皖口舟中，思与境会，脱口成章，自有一种奇秀之气。人见其出藩入从，而不知其游戏人间，直其寓耳。姚子敬所书绝句十馀，皆昔所逮见，公诗之佳，岂止是哉！"吴师道《赵明仲所藏姚子敬书高彦敬诗》："房山高尚书与吴兴姚先生，人品高胜，故其词章翰墨，自有天趣。此卷姚书高诗，诗似王维、张籍，书似杨凝式、上沂王大令，使人想见其翛然埃墙之表，宜夫二人者之相得为深也。"（《礼部集》卷十八）《吴礼部诗话》："吴兴姚式子敬，手写高彦敬尚书绝句一卷，皆佳。'北来朋友不如鸿，几个西飞几个东。多少登临旧楼观，阑干闲在夕阳中。'（《过京口》）'二千里地佳山水，无数海棠官路旁。风送落红搀马过，春光更比路人忙。'（《过信州》）'雷声驱雨转山西，山腹云根似削齐。日暮牧儿归不得，料应白水涨前溪。'（《弋阳》）'仰有岚光俯有溪，轩窗初不计东西。云峰雨岫安排定，松竹林林自整齐。'（《拍洪楼》）'山腰涧曲缭短垣，百怪老树龙蛇蜿。山翁有时抱琴至，雪霁明月开北轩。'（一）'溪头白鹭来相安，溪上红桃雨打残。满目云山为谁好？一川晴色上楼看。'（《满目云山楼》）'古木阴中生白烟，忽从石上见流泉。闲随委曲寻源去，直到人家竹坞边。'（《即事》）'鸡鸣上马戴星还，邻近人家见面难。一度相思一回首，二千里外得相看。'（二）'并行沿堤步晚晴，野香牵引过林坰。谁知却是江南梦，寻到西曹夜直厅。'（《寄友》）'草色琅玕逼两楹，早阴才过午阴晴。斜阳又送西轩影，一就移床待月生。'（《济州道庵》）子敬为人修洁，词翰皆工，此卷作行草，尤可爱。"《元诗选》二集丙集："彦敬好作墨竹，画山水，初用二米法，写林峦烟雨，晚更出入董北苑。每不轻于著笔，遇酒酣兴发，或好友在前，杂取缣楮，研墨挥毫，乘快为之，神施鬼设，不可端倪。……为诗不尚钩棘，自得天趣。……其画中题句如：'木落秋宇空，天寒远山静。''峭寒留剩雪，暮影入浓云。''云气外无出路，水声中有人家。''冷光湿翠相抟处，曾向庐山月下来。''青山万叠云无屋，中有仙人问月台。'具有妙思，故并录之。"《元诗选》二集丙集《过信州》诗后按语："王士熙云：房山乐府有云：'吴山青，越山青，两岸青山相送迎。'绝句云：'无限飞红随马足，春光更比路人忙。'大有唐人意度。"《石洲诗话》卷五："高房山小诗，有胜于云林处。"

## 十月

**十三日，宋濂生。** 宋濂（1310—1381），初名寿，后更今名，字景濂，号潜溪，又号龙门子、元贞子、白牛生、仙华生、南山樵者。其先金华潜溪人，至濂乃迁浦江。从闻人梦吉、吴莱学，游于柳贯、黄溍之门。至正中，荐授翰林编修，以亲老辞不行，入龙门山著书。逾十馀年，朱元璋取婺州，召见濂。时已改宁越府，命知府王显宗开郡学，因以濂及叶仪为五经师。明年三月，以李善长荐，与刘基、章溢、叶琛并征至应天，除江南儒学提举，命授太子经，寻改起居注。至正二十五年三月，乞归省。寻丁父忧。服除，召还。洪武二年诏修《元史》，命充总裁官。史成，除翰林院学士。明年，以失朝参，降编修。四年，迁国子司业，坐考祀孔子礼不以时奏，谪安远知县，旋召为礼部主事。明年，迁赞善大夫。六年，迁侍讲学士、知制诰、同修国史兼赞善大夫。命与詹同、乐韶凤修日历，又与吴伯宗等修宝训。八年九月，从太子及秦、晋、楚、靖江四王讲武中都。九年，进学士承旨、知制诰，兼赞善如故。明年，致仕归。十三年，长孙慎坐胡惟庸党，濂亦安置茂州。明年卒，年七十二。正德中，追谥文宪。著有《潜溪集》四十卷、《萝山集》五卷、《龙门子》三卷、《浦阳人物记》二卷、《翰苑集》四十卷、《芝园集》四十卷。生平据郑楷《翰林学士承旨嘉议大夫知制诰兼修国史兼太子赞善大夫致仕潜溪先生宋公行状》（《明文衡》卷六十二）、《明史》卷一二八本传、孙锵《宋文宪公年谱》。

## 冬

**林景熙卒，年六十九。** 章祖程《题白石樵唱》："既而会稽王监簿移书屈致，与寻岁晏之盟。于是先生往来吴越间，殆二十馀年。戊申岁，归自武林，感疾。迨庚戌冬，终于家，时年六十有九。"吕洪《霁山先生文集序》："予平阳素称文献之邦，骚人墨客，义士忠臣，何代无之。宋淳祐壬寅，挺生林先生，讳景熙，字德阳，号霁山。居州治后白石巷，别墅在城西赵奥马鞍山之麓，予今所卜筑，即其故址也。……时为会稽王监簿延致，与寻岁晏之盟。于是往来吴越殆廿馀年。戊申岁，归自武林，感疾。迨庚戌冬，卒于家，享年六十有九。"（《霁山文集》卷首）林景熙（1242—1310），一作林景曦，字德阳，一作德旸，号霁山，浙江平阳人。章祖程《题白石樵唱》："先生少工举业，有场屋声，时文既废，倡为古文，发为骚章，往往尤臻其奥。晚年所著，杂文十卷外，有诗六卷题曰《白石樵唱》行于世。愚尝熟玩其诗，大抵皆托物比兴，而所以明出处、系人伦、感世变而怀旧俗者至矣。卷首数篇，尤为亲切，其他题咏酬倡，虽有不同，然而是意亦未尝不行乎其间。读者倘以是求之，则庶乎不失其本领，而有以知其诗之不苟作也。至于造语之妙，用字之精，法度之整而严，格力之清而健，又未易以名言。"章祖程《白石樵唱注跋》："善乎先生之为诗也。本义理以为元气，假景物以为形质，濯冰雪以为精神，剪烟云以为态度，朱弦疏越而有遗音，太羹玄酒而有遗味，其真诗家之雄杰欤！予尝伏读而窃爱之，沉潜反复盖亦有年。"郑僖《书白石樵唱注》："吾乡霁山林先生，前朝遗老，履和蹈贞，晚年英气诎折为诗，其立言命意，欲厉风节，盖仿佛草堂翁忠爱之馀思也。今宜竹章君和父独喜其诗，为之笺注，诚以其所作有关世教民彝，非特尚其融液句度之清妍，亦非自示其掇揽故实之赡详而已。"吕洪《霁山文集序》："所著文十卷，曰《白石稿》，诗六卷，曰《白石樵唱》。一皆本于忠义之所发越，传诵江湖，脍炙人口。……若其诗句之高古，文辞之典丽，自有诸先正之首引，暨夫知言者之评论，有不待予赘辞，姑序其出处作述大略云。"《诗薮》杂编卷五："林景熙，字德旸，东瓯人。宋亡，入元不仕。遗集二卷，今传。其恋恋宗国之意，盖未尝顷刻舍也。五言律如'老泪遗陵木，乡山出海云'，'烟深凝碧树，草没景阳钟'；七言如'衣冠洛社浮云散，弓剑桥山落照移'，'鹤归尚觉辽城是，鹃老空闻蜀道难'。虽不甚脱晚宋，亦自精警。集中大半此类，忠义气概，落落简编，有足多者。"《宋诗钞》卷一〇三："林景熙，字德阳，号霁山，温之平阳人也。……诗六卷，曰《白石樵唱》。大概凄怆故旧之作，与谢翱相表里。翱诗奇崛，熙诗幽宛。蛟峰方逢辰曰：'诗家门户，当放一头。'非虚言也。"

## 本年

黄溍客杭，与邓文原、黄石翁、儒鲁山上人往来唱和。吴师道有《至大庚戌，黄君晋卿客杭，与邓善之翰林、黄松瀑尊师、儒鲁山上人会集赋诗。今至正辛巳，晋卿提举儒学，与张伯雨尊师、高丽式上人会，再和前诗。上人至京，以卷相示，因写往年所和，重赋一章》诗一首（《礼部集》卷八）。

邓文原出为江浙儒学提举，吴澄等人赋诗送之。吴澄又作《送邓善之提举江浙儒学诗序》（《吴文正集》卷二十五）。

王构卒，年六十六。袁桷《翰林学士承旨赠大司徒鲁国王文肃公墓志铭》："翰林承旨赠大司徒鲁国王文肃公，至大三年，六十有六，薨京师，假葬于城东隅。至治元年，其孤翰林待制士熙始克奉柩，以某月某日葬东平祖茔瓠山之原。"（《清容居士集》卷二十九）王构（1245—1310），字肯堂，号安野，山东东平人。卒谥文肃。著有《修辞鉴衡》二卷及文集三十卷。袁桷《翰林学士承旨赠大司徒鲁国王文肃公墓志铭》："其为文开阖咏讽，落笔缅属，不止于王言为尤长，台阁故事，资公始能奉行。"王理《修辞鉴衡序》："理命李君晋仲、李君伯羽校之，厘正其次叙。论诗为首，文为后，四六以附，凡一百九十余条，俾学者知其难焉。因命儒学正戚君子实掌板，郑椕刻之于集庆路学。至顺四年七月望日，文林郎、江南诸道行御史台监察御史王理序。"《元史》卷一六四王构传："构少颖悟，风度凝厚，学问该博，文章典雅，弱冠以词赋中选，为东平行台掌书记。"四库提要卷一九六："《修辞鉴衡》二卷，元王构编。……据至顺四年王理序，是编乃构官济南总管时，以授其门人刘氏，而理为刻于集庆路者。旧本残蠹，阙其前页，其刘氏之名，则不可考矣。上卷论诗，下卷论文，皆采宋人诗话及文集、说部为之。构所附论者，惟下卷结语一条而已。所录虽多习见之语，而去取颇为精核。《元史》称构弱冠以词赋中选，至元十一年为翰林国史院编修，草伐宋诏书，为世祖所赏。又称构练习台阁故事，凡祖宗谥议册文，皆所撰定。又称其子士熙、士点皆能以文学世其家。则构在当时，实以文章名世，宜是编所录，具有鉴裁矣。其中所引，如《诗文发源》、《诗宪》、《蒲氏漫斋录》之类，今皆亡佚不传，赖此书存其一二。又世传《吕氏童蒙训》,非其全帙,此书所采凡三十一条,皆今本所未载,亦颇足以资考证。较《诗话总龟》之类浩博而伤猥杂者,实为胜之,固谈艺家之指南也。此书久无刊本,传写多讹,而卷中不著书名者凡十条,又上卷佚其第五页,序文仅存末页,中亦时有阙字。今检其可考者补之,其无可考者,则姑仍原本,以存其旧焉。"

**顾德辉生。**顾德辉(1310—1369),一名顾阿瑛,又作顾瑛,字仲瑛,江苏昆山人。家世素封,轻财结客,豪宕自喜。年三十,始折节读书,购古书名画、彝鼎秘玩,筑别业于茜泾西,曰玉山佳处。晨夕与客置酒赋诗,张翥、杨维桢、柯九思、李孝光、张雨、于彦、成琦、元璞等咸主其家。举茂才,授会稽教谕,辟行省属官,皆不就。张士诚据吴,欲强以官,去隐于嘉兴之合溪。寻以子元臣为元水军副都万户,封武略将军、飞骑尉、钱塘县男。母丧归绰溪,士诚再辟之,遂断发庐墓,自号金粟道人。张士诚亡,父子并徙濠梁。洪武二年卒,年六十。著有《玉山璞稿》二卷。编有《玉山名胜集》十二卷、《草堂雅集》十三卷、《玉山纪游》一卷。《元诗选》初集辛集选其诗 152 首。生平据顾德辉《金粟道人顾君墓志铭》(《名迹录》卷四)、殷奎《故武略将军钱塘县男顾府君墓志铭》(《强斋集》卷四)、王鏊《姑苏志》卷五十四、《明史》卷二八五《文苑传》。

**陶安生。**陶安(1310—1368),字主敬,当涂人。少敏悟,博涉经史,尤长于《易》。元至正初,举江浙乡试,授明道书院山长,避乱家居。朱元璋取太平,安与耆儒李习率父老出迎。留参幕府,授左司员外郎。坐事谪知桐城,移知饶州。吴元年,初置翰林院,首召安为学士。洪武元年,命知制诰,兼修国史。四月,出为江西行省参政。九月卒,年五十九。著有《陶学士集》二十卷。生平据《明名臣琬琰录》卷九《行省参政陶安传》、《明史》卷一三六本传。

**马致远《马丹阳三度任风子》杂剧或作于本年以后。**杂剧第一折马丹阳上场自报家门:"俗姓马,名从义,乃伏波将军马援之后。……方成大道,正授白云洞主,丹阳抱一无为普化真人。"(《全元戏曲》第二册)据《道家金石略》所载《至大诏书碑》第四诏,有云:"丹阳抱一无为真人马钰,可加增丹阳抱一无为普化真君。"署"至大三年二月(宝)日"。"真人"与"真君"仅一字之差,遂据以为杂剧作于本年以后。然今存元刊本《新刊关目马丹阳三度任风子》第一折不见此段文字,或为后人所加。姑系于此。

## 公元 1311 年　　(武宗至大四年　辛亥)

**正月**

初八,武宗崩。在位五年,年三十一,谥曰仁惠宣孝皇帝,庙号武宗,蒙语曰曲律皇帝。《元史》卷二十三:"武宗当富有之大业,慨然欲创治改法而有为,故其封爵太盛,而遥授之官众,锡赉太隆,而泛赏赏之恩溥。至元、大德之政,于是稍有变更云。"

初十,卢挚作〔双调〕《蟾宫曲·辛亥正月十日游胡仲勉家园》(《乐府群珠》卷三)。此为今存卢挚纪年较晚之作。此后卢挚事迹,仅见《元史》卷一八一揭傒斯本传："延祐初，钜夫、挚列荐于朝，特授翰林国史院编修官。"程钜夫《卢疏斋江东稿引》："疏翁意尚清拔，深造绝诣，荦荦不羁，故其匠旨辑辞，往往隔千载与古人相见。向者遣教余以其诗文一编曰《江东稿》，挹其风味，如在疏斋时也。……诗不古久矣。自非情其情而味其味，则东篱南山，众家物色，森戟凝香，寻常富贵，于陶、韦乎何取。疏翁于此，殊不疏。"（《雪楼集》卷十四）吴澄《盛子渊撷稿序》："比年涿郡卢学士处道，所作古诗，类皆魏晋清言；古文出入《盘诰》中，字字土盆瓦釜，而候有三代虎蜼瑚琏之器，见者能不为之改视乎。"（《吴文正集》卷二十二）徐明善《疏斋卢公文后集序》："涿郡疏斋卢公，天才奇远，评古今文得失，如金合范，矢破的，又绝识也。凡为文，尽弃古今拙陋之意，虽抽英搴藻，穷极绚粲，而与化工侔巧，不失自然。兹为妙矣。咨诹所至，又诗城骚国，江山澄丽，兰茝芳洁，楚辞晋句，领挈未尽，若有待也。乃游心放目，而尽得之，故篇什尤超。"（《芳谷集》卷上）张雨《卢疏斋集并序》："卢疏斋集，宣城校官本，读之一过，生气凛然，有怀哲人，援笔而赋。人物西清第一流，曾看绣斧下瀛州。难求翼北千金骨，空载江南数斛愁。小谢梦无青草句，大苏诗有景苏楼。敬亭依旧蛾眉月，付与卢敖汗漫游。"（《贞居先生诗集》卷中）

## 三月

十八日，皇太子爱育黎拔力八达即皇帝位，是为仁宗。见《元史》卷二十四《仁宗本纪》。爱育黎拔力八达，顺宗次子，武宗之弟，生于至元二十二年，大德十一年立为皇太子。仁宗即位，姚燧作《即位诏》（《元文类》卷九）。

## 五月

十五日，安熙卒，年四十二。袁桷《真定安敬仲墓表》："至大四年五月某日卒，年四十有二。"安熙（1270—1311），字敬仲，号默庵（一作晦庵），又号神峰野客，真定藁城人。著有《默庵集》五卷，有《四库全书》本、清抄本、《畿辅丛书》本。《元诗选》初集丙集选其诗24首。苏天爵《默庵先生安君行状》："为文章以理为主，皆有为而作。诗学渊明、晦翁，第以吟咏性情、隐写造化而已。"（《滋溪文稿》卷二十二）袁桷《真定安敬仲墓表》："其学汪洋静邃，谓文以载道，辞不胜不足以言理，故其言修以立。于诗章幽而不伤，慕贞絜之实，将以自任其道者也。"（《清容居士集》卷三十）《元诗选》初集丙集："自金源氏与宋分疆，以词章辨博相雄长。元初，姚公茂得赵江汉之书而北，许鲁斋力起而昌明之，而理学始传。静修能以所学羽翼鲁斋，而推源于周、程、邵、朱者也。敬仲私淑静修而尊朱子之说以为教，游其门者，望而知为安氏弟子。北方之学，于是乎益振。敬仲固刘氏之功臣，然其诗去静修远矣。"四库提要卷一六六："《默庵集》五卷，元安熙撰。……诗颇有格调，虽时作理语，而不涉语录，惟《冬日斋居》五首及《寿李翁八十》诗不入体裁。杂文皆笃实力学之言，而伤于平沓，盖本无意于求工耳。"

## 六月

**十五日，刘基生。**刘基（1311—1375），字伯温，处州青田人。元统元年，举进士，除高安丞，有廉直声。行省辟之，谢去。起为江浙儒学副提举，论御史失职，为台臣所阻，再投劾归。方国珍起海上，掠郡县，有司不能制，行省复辟基为元帅府都事。旋以山寇蜂起，行省复辟基往剿捕，与行院判石抹宜孙守处州。经略使李国凤上其功，执政以方氏故抑之，授总管府判，不与兵事。基遂弃官还青田，著《郁离子》以见志。及朱元璋下金华，定括苍，闻基及宋濂等名，以币聘。基未应，总制孙炎再致书固邀之，始出。既至，陈时务十八策。朱元璋大喜，筑礼贤馆以处基等，宠礼甚至。朱元璋定鼎中原，其策多出于基。吴元年，以基为太史令，上《戊申大统历》。寻拜御史中丞，兼太史令。洪武三年，授弘文馆学士。十一月，大封功臣，授开国翊运守正文臣、资善大夫、上护军，封诚意伯。明年，赐归老于乡。胡惟庸以左丞掌省事，构陷基于帝前，遂夺其禄。基惧入谢，乃留京，不敢归。八年，太祖亲制文赐之，遣使护归。抵家，疾笃，居一月而卒，年六十五。基在京病时，惟庸以医来，饮其药，有物积腹中如拳石。其后中丞涂节首惟庸逆谋，并谓其毒基致死云。正德八年，加赠太师，谥文成。著有《郁离子》十卷、《覆瓿集》二十四卷、《写情集》四卷、《犁眉公集》五卷。生平据黄伯生《故诚意伯刘公行状》、张时彻《诚意伯刘公神道碑》、《明史》卷一二八本传。

## 闰七月

**二十日，增国子生额。**初定国子生额为三百人，今增陪堂生二十人，凡通一经者，以次补伴读，著为定式。见《元史》卷二十四《仁宗本纪》。

## 九月

**十四日，诏改明年为皇庆元年。**见《元史》卷二十四《仁宗本纪》。程钜夫《皇庆改元诏》（至大四年九月）："朕赖天地祖宗之灵，纂承圣绪；永惟治古之隆，群生咸遂。国以乂宁，朕夙兴夜寐不敢怠。遹任贤使能，兴滞补敝，庶其臻兹敛时，五福用敷，锡厥庶民，朕之志也。逾年改元，厥有彝典，其以至大五年为皇庆元年。"（《雪楼集》卷一）

## 十二月

**初四，宋讷生。**宋讷，字仲敏，号西隐。本卫之山阳人，后徙直隶滑县。性持重，学问该博。至正中，举进士，任盐山尹，弃官归。洪武二年，征修礼、乐书。事竣，不仕归。十三年，以龚敩荐，授国子助教。十五年，超迁翰林学士奉、奉议大夫，俄升文渊阁大学士。未几，迁祭酒。二十三年卒。正德中，谥文恪。著有《西隐集》十卷。生平据刘三吾《文渊阁大学士国子祭酒宋先生墓志铭》（《西隐集》附录）、《明史》卷一三七本传。

初八，郭豫亨自序所撰《梅花字字香》。序见本集卷首。《梅花字字香》二卷，《四库全书总目》作 200 首，《善本书室藏书志》亦言凡七律 200 首，杨绍和《元至大刻本梅花字字香二卷跋》则言共 98 首，举成数而言百首，今存《四库全书》本，《前集》诗 50 首，《后集》诗 48 首。《藏园订补邵亭知见传本书目》卷十四、《北京图书馆古籍善本书目》皆言有至大刻本，当是刻于本年。《元诗选》二集己集："豫亨自号梅岩野人，性爱梅花，见古今诗人梅花杰作，必随手钞录而歌咏之。暇日，辄集其句得百篇，目为《字字香》。其中工妙之句，如：'不禁夜雨轻欺著，却怕春风漏泄香。''十年世事三更梦，斜日阑干万古心。''春回积雪层冰里，人倚闲庭小槛前。''岚气欲飞山隔岸，生香不断树交花。''动摇腊信随征使，裁剪春风入小诗。''定知深院黄昏后，多在青松白石间。''一生知己林和靖，晚岁论交何水曹。''家为逆旅相逢处，人倚阑干欲暮时。''生无桃李春风面，好作梨花夜月看。''雪后园林才半树，水边风月笑横枝。''几处酒旗山影下，一川风物笛声中。''白雪却嫌春色晚，好风吹送暗香来。''肯随骚菊同奴仆，却说山矾是弟兄。''已成白发潘常侍，自弃明时孟浩然。'梅岩自谓句煅意炼，璧合珠联，亦有天然之巧。吾不知其为古作也。"四库提要卷一六七："《梅花字字香》前集一卷、后集一卷，元郭豫亨撰。……其书名盖取宋晏殊词'唱得红梅字字香'句也。《离骚》遍撷香草，独不及梅。六代及唐，渐有赋咏，而偶然寄意，视之亦与诸花等。自北宋林逋诸人，递相矜重暗香疏影、半树横枝之句，作者始别立品题。南宋以来，遂以咏梅为诗家一大公案。江湖诗人，无论爱梅与否，无不借梅以自重。凡别号及斋馆之名，多带梅字，以求附于雅人。黄大舆至辑诗馀为《梅苑》十卷。方回作《瀛奎律髓》，凡咏物俱入著题类，而梅花则自立一类。此倡彼和，沓杂不休，名则耐冷之交，实类附炎之局矣。豫亨在至大中，距南宋之末未远，故亦染山人之积习。前、后二集，咏梅七律至二百首，与张鎡之数相等。然鎡诗层见叠出，总不出幽香高格、耽寂避喧之意，描摹窠臼，未免厌观。豫亨则集句为之，又辟新境。且属对颇能工巧，亦胜李龏《剪绡集》之多集绝句，一花一石，时逢佳胜。存备诗家之小品，固亦无不可矣。"《四库全书总目提要补正》卷五十一："《梅花字字香》前集一卷、后集一卷。杨氏《楹书隅录》有元本二卷，云：'近时仁和胡珽得五砚楼袁氏钞本，刻入《琳琅秘室丛书》，舛误颇多。……前集诗五十首，后集诗四十八首，豫亨序言百首，盖举成数。《四库总目》作二百首，二乃衍字耳。'玉缙案：瞿氏《目录》有旧钞本二卷，亦云：'皆集宋人咏梅句，为梅花诗百首。'（郑翼谨案：自序集古今诗，故篇中虽多宋人，间亦有唐句。）"

## 本年

**牟巘卒，年八十五。**《宋史翼》卷三十四《牟巘传》，言其至元丙子后即杜门隐居，凡三十六年，年八十五终。据方回《寄寿牟提刑献之巘并序》云："前浙东宪使大卿陵阳牟公献之先生，宝庆三年丁亥正月十一日生。"（《桐江续集》卷二十一）则当卒于本年。牟巘（1227—1311），字献之（一作献甫），人称陵阳先生。四川井研人，著籍湖州。著有《陵阳集》二十四卷。《元诗选》初集甲集选其诗 35 首。程端学《陵阳集序》："元初陵阳先生牟公巘，博学实德，为时名卿。天下之书无所不读，古今典礼无所不考，其源出于伊洛，其出处有元亮大节，故其发于文章，渊源雅淡，从容造理。其法度之妙，盖有与欧、曾并驰，而其实则吾道之言也。"牟应复《陵阳先生文集跋》："公少年为文，操笔立就，若不经意，而有过人者。子弟为置稿，辄笑裂去。晚岁笔力愈劲，南北学者皆师尊之。"《居易录》卷一："《陵阳集》二十四卷，元初牟巘献之著。诗有盛宋时坡、谷门风，题跋亦如之，杂文皆典实详雅。……诗五言亦佳，不具录。献之蜀陵阳人，清惠公存斋子，寓吴兴，所与游好者如刘会孟、戴帅初、仇仁近、周公谨、赵子昂兄弟，皆一时名胜，可以知其人已。"四库提要卷一六五："《牟氏陵阳集》二十四卷，宋牟巘撰。……是集凡诗六卷、杂文十八卷，前有至顺二年程端学序。王士禛《居易录》称其诗有坡、谷门风，杂文皆典实详雅。今观所作，知士禛之论不诬。"

许谦作《答潘明之启》，题下注云："辛亥岁，以厚币相招，欲使废学家塾，辞之。继书来，欲不废学而受币。"复有《回潘县尉启》，亦辞荐之意；《上宪使刘约斋启》，辞举茂异。《南村辍耕录》卷九："婺州许白云先生谦，字益之，隐居金华山，四十年不入城府，著书立言，足以垂教后世。浙东廉使王公继学访先生于山中，谓先生清气逼人可畏。既退，明日，以学行荐于朝。有录其举文至者，先生方讲说，目不一少视，其无意于仕宦如此。"许谦（1270—1337），字益之，自号白云山人，世称白云先生。其先京兆人，由平江徙居金华。年三十一，闻金履祥讲道兰江上，遂委己从学。念东宪府闻其名，辟以为掾，避弗就。肃政廉访使刘庭直举茂材异等，副使赵宏伟举遗逸，亦皆固辞。延祐初，居东阳八华山，学者翕然从之，寻开门讲学。居乡授业，不出里闾者垂四十年。省台、中朝屡以遗逸召，皆不赴。后至元三年卒，年六十八。谥文懿。著有《四书章句集注丛说》二十卷、《诗集传名物钞》八卷、《书集传丛说》六卷、《春秋三传温故》、《春秋三传管窥》若干卷，《治忽几微》若干卷，《自省编》若干卷。文集有《白云集》四卷，今存《四库全书》本、《四部丛刊》本。《元诗选》初集己集选其诗 32 首。生平据黄溍《白云许先生墓志铭》（《文献集》卷八下）、《元史》卷一八九《儒学传》、王祎《元儒林传·许谦》。

## 公元 1312 年 （仁宗皇庆元年 壬子）

### 三月

阎复卒，年七十七。袁桷《翰林学士承旨荣禄大夫遥授平章政事赠光禄大夫大司徒上柱国永国公谥文康阎公神道碑铭》："仁宗初政，首命召公，以疾辞。皇庆元年三月某日，年七十有七薨。其年五月，葬于先茔之侧。公将薨时，梦游祠宫，有道士迎，问公年，口占一诗以答。觉而言曰：吾殆云逝矣。世方倚公为重，而公不复少留，可慨也矣。"（《清容居士集》卷二十七）阎复（1236—1312），字子静，号静轩（一作静斋）。其先平阳和州人，至父迁至山东高唐。官至翰林学士承旨，阶荣禄大夫，遥授平章政事，卒谥文康。著有《静轩集》五十卷、《内外制集》，均已佚，缪荃孙自《元文类》及《金石碑版》中共辑得四十三篇，类为五卷，今存《藕香零拾》本。生平见袁

梀《翰林学士承旨荣禄大夫遥授平章政事赠光禄大夫大司徒上柱国永国公谥文康阎公神道碑铭》、《元史》卷一六〇本传。《山房随笔》:"阎子静复,至元间翰林学士,后廉访浙西。有《梅杖》诗云:'冻尽西湖万玉柯,春风入手重摩挲。较量龙竹能香否,比并鸠藤奈白何。声破梦寒霜满户,影随诗瘦月横坡。只知功到调羹尽,不道扶颠力更多。'"《吴礼部诗话》:"阎子静初挟其乡人书至京谒贾仲明,以梅枝拄杖为献,适姚公茂诸人至,贾因见阎道其故,诸公令赋《梅杖》诗,阎即赋云:'斫取江南万玉柯,春风入手惯摩挲。较清邛竹能香否,斗品鸠藤奈俗何。声破梦回霜满户,影随诗瘦月横坡。人言功在调羹上,不道扶颠力更多。'诸公延誉,遂知名。"缪荃孙《静轩集跋》:"右《静轩集》,元阎复撰。……复美风仪,操笔缀词赋,音节谐岊,融洽事理。……复在翰林最久,以文学自任,不肯为执政官,上亦嘉其谦退。宜其文气春和融粹,绝去町畦,卓然为元一代大宗。"

## 十月

**初九,翰林学士承旨玉莲赤不花等进顺宗、成宗、武宗实录。**见《元史》卷二十四《仁宗本纪》。程钜夫《进三朝实录表》:"臣等以所编成《顺宗皇帝实录》一卷,《成宗皇帝实录》五十六卷、《事目》十卷、《制诏录》七卷,《武宗皇帝实录》五十卷、《事目》七卷、《制诏录》三卷,总计一百三十四卷,缮写已毕,谨具进呈。"此表见于《元文类》卷十六,又《雪楼集》卷四亦录此表。范梈《十月九日诣天光门上进三朝实录》:"仪鸾簇仗满云端,玉钥初开众乐攒。三后龙光周典册,群臣鹄立汉衣冠。炉香著日浮晴霭,宫树班香试晓寒。千骑前头都不避,只传学士拜金銮。"(《范德机诗集》卷七)

**二十九日,熊禾卒,年六十六。**偰处约《勿轩先生传》:"先生生于宋理宗淳祐七年丁未,即元定宗之二年也,卒于元仁宗皇庆元年十月二十九日,葬于鳌峰之横历,寿六十。"宋理宗淳祐七年丁未为1247年,元仁宗皇庆元年为1312年,其寿当为六十六,非所言之"六十",盖刊刻时失一"六"字。熊禾(1247—1312),初名钤,字位辛,一字去非,号勿轩,又号退斋,建宁建阳人。著有《勿轩集》八卷。《元诗选》初集甲集选其诗13首。生平见偰处约《勿轩先生传》、《闽中理学渊源考》卷三十七、《元史类编》卷三十四。吴高《熊勿轩先生文集序》:"文之传世,岂易云乎?不深于道德,不能以为文;不关乎世教,不足以言文。道德其本,关世教其用软?求其真才实学,全体大用,具天地之纲常,寿斯民之命脉,绍圣贤之统绪者,吾于建阳熊先生足征焉。"《元诗选》初集甲集:"先生之论诗曰:'灵均之骚,靖节、子美之诗,痛愤忧切,皆自其肺肝流出,故可传也。不然,虽呕心冥思,极其雕镂,泯泯何益?'先生言此,盖已得诗之本原矣。"《四库全书·勿轩集提要》:"禾文章平正质实,不以藻采见长,而根柢六经,自见本色,固非浮谈无根者所可几及。"

**二十九日,赵孟頫序黄溍所撰《日损斋初稿》。**序见本集卷首。《日损斋初稿》三卷,临川危素所编,为黄溍未登第时所作。今存《四部丛刊初编》本,与《续稿》合刻,总四十三卷。危素《日损斋初稿跋》:"右《日损斋初稿》,金华黄晋卿先生少时作。举进士后，则有《续稿》。先生故衣冠家，及师友前代遗老。素至京师，尽得其文而读之，爱其雅畅深密而讨论精核，盖及于古矣。谨第录为若干卷，庸俟学古之君子。"

## 本年

**吾衍卒，年四十五。**胡长孺《吾子行文冢铭》："初，子行年四十未娶，所知宛丘赵天锡为买酒家孤女为妾。女尝妻人，年饥弃归，母与后夫匿弗言，辄去之太末。……留五年，当至大四年秋，故夫微知妻处，讼之。……腊月未尽二日甲午，子行持诗一章暨玄纁缁笠以诣仁近别。值晨出家，留诗还纁笠，子行去不知所之。……明年三月辛酉，卫天隐以六壬筮之，得亥子丑顺流象，曰：岁子月己，旬寅斯首，亥为水乡，已墓在丑，惟子与丑，无禄贾虚，墓非其藏，死沉江湖，是生戊辰，土为宰制，土弗胜火，家绝身弃。此其骨朽渊泥九十日矣。与诗合。"钱良右《吾子行挽诗序》："余自至元、元贞间客杭，得交子行父，虽齿在余先，甚款密也。……其过山村翁诀别之诗，按胡汲仲先生《冢铭》，乃至大四年也。"宋濂《吾衍传》："初，衍年四十未娶，买酒家女为妾。至大三年秋，或讼女尝为己妻。……或有诉诸丞相府，事得下杭府。殆腊月未尽二日甲子，衍持诗别仇远竟去，不知所之。明年三月辛酉，卫天隐以六壬筮之，得亥子丑顺流之象，曰骨污渊泥久矣。"吾衍（1268—1312），或作吾丘衍，字子行，号竹房、竹素，又号贞白处士，太末人，家钱塘。著有《尚书要略》、《听玄集》、《造化集》、《九歌谱》、《十二月乐辞谱》、《重正卦气》、《楚史梼杌》、《晋书春秋》、《道书授神契》、《说文续解》、《石鼓诅楚文音释》、《闲居录》、《竹素山房诗集》。《元诗选》二集甲集选其诗 12 首。生平见胡长孺《吾子行文冢铭》、宋濂《吾衍传》、王祎《吾丘子行传》、王行《吾衍传》。任士林《吾子行梦蝶坛疏》："诵五千言，尝究犹龙之旨，以六月息载，开梦蝶之坛。善戏谑兮，志怪者也。载惟真白方丈，布衣道士，存方寸地，卧百尺楼，有淳于髡滑稽，有东方朔之博物。贾谊升堂，相如入室，惜不用赋于夫子之门；李邕识面，王翰卜邻，肯叹误身于丈人之听。于是心超蝉蜕之境，神游鸟迹之初，蓬蓬然，栩栩然，何必扶摇三千里、九万里；訚訚也，侃侃也，不妨咏归五六人、六七人。莫笑边孝先，请问南华子。"（《松乡集》卷十）胡长孺《吾子行文冢铭》："慕李长吉诗、乐府，效其体为之，气韵辄与相似。性旷放，有高世不仕之节，自比张志和、郭忠恕，玩亵一世。"宋濂《吾衍传》："衍通声音律吕之学，善效李贺诗，工隶书，犹精于小篆，其志不止秦唐二李间。"王祎（祎）《吾丘子行传》："子行为诗，不纯守法律，而喜著书。"都穆《跋吾子行招雨师文》："天性高洁，读书攻古文辞，兼精篆籀音律之学。"《七修类稿》卷三十八："吾杭吾子行，好古博学，尤精律吕，当时后世如赵子昂、宋景濂辈，无不称仰者，惜其死于非命。其著述亦多，诗则未尝闻也。予于旧杭志中得其二首，今录示人，则又惜死于无穷也。《柳枝词》云：'一径梨花过雨沾，日华浮动碧丝帘。轩前插遍垂杨柳，看舞春风入画檐。'又《答沈尧道赠梨花》云：'山中折花摇白云，一枝赠我寒食春。薄帘隔晴不须卷，恐随蝴蝶飞成尘。'"四库提要卷一六六："《竹素山房诗集》三卷，元吾丘衍撰。……其诗颇效李贺体，不能尽脱元人窠臼。然胸次既高，神韵自别，往往于町畦之外，逸致横生。所谓王、谢家子弟，虽不复端正者，亦奕奕有一种风气也。"

**黄仲元卒，年八十二。** 宋濂《莆田四如先生黄公后集序》："先生夙承父训，年十二，试举子业乡校，多占前列。后二十九年，始擢咸淳辛未进士第。……先生年八十二而终。"（《文宪集》卷六）咸淳辛未为公元1271年，其时黄仲元年四十一，以其寿八十二推之，当卒于本年。黄仲元（1231—1312），字善甫，号四如居士，福建莆田人。咸淳七年进士，授国子监簿，不就。宋亡，更名渊，字天叟，号韵乡老人、韵乡聋翁，晚又号彦安。著有《四如集》五卷，有《四库全书》本、《四部丛刊》本，傅定保、宋濂、尹台等均有序。四库提要卷一六五："《四如集》五卷，宋黄仲元撰。……仲元在宋末讲学诸家，特为笃实，其出处亦均合道义。故其文章不事驰骋，而自有端厚朴直之气。知近里之言，与嚣争门户者固有殊也。"

**杨载以布衣召，授翰林国史院编修官，与修《武宗实录》。** 范梈《翰林杨仲弘诗集序》："皇庆初，仲弘与余同为史官。会时有纂述事，每同舍下直，已而犹相与回翔留署，或至见月，月尽继烛相语。刻苦澹泊，寒暑不易者，唯余一二人耳。故其后余以御史府用笼南宪架阁适海上，仲弘复登乙卯进士第，为浮梁别驾。"（《杨仲弘集》卷首）黄溍《杨仲弘墓志铭》："贾户部国英数言其材能于朝，遂以布衣召入，擢翰林国史院编修官，与修《武宗实录》。"杨载（1271—1323），字仲弘，其先建州浦城人，以父起潜补京学诸生，家于杭，故又为杭州人。少孤，事母尽孝而有礼。行中书数举茂才，不起。年四十不仕，户部贾国英数荐于朝。皇庆初，以布衣召入，擢翰林国史院编修官，与修《武宗实录》。书成，褒赐甚厚。寻调管领，系官海船万户府照磨，兼提控案牍。延祐二年，登进士乙科，授承务郎、饶州路同知浮梁州事。秩满，迁儒林郎、宁国路总管府推官。未上而卒，年五十三。著有《杨仲弘集》八卷，今存嘉靖十五年辽藩朱宠瀼刻本、汲古阁《元诗四大家》本、《四库全书》本、《蒲城遗书》本、《四部丛刊》本。《元诗选》初集丁集选其诗182首。生平据黄溍《杨仲弘墓志铭》（《文献集》卷八上）、《元史》卷一九〇《儒学传》。

**杜本以江浙行省丞相忽剌术荐至京师。** 杜本《怀友轩记》："余少时喜游名山川，闻武夷最胜而最远，常按图指画，击几为节，咏九曲棹歌，想昔人之馀韵，谓不得遂其愿慕之心矣。皇庆初元，以御史大夫术公荐，在京师，获托姓名于四方之士。于时张君伯起，以童子科校书秘省，詹君景仁，亦辟掾三公府。三人者，暇辄相从，以问学切磋为事，乃二君皆粤产。……延祐间，景仁出贰浙东宪幕，伯起亦佐郡三山，余以微言连执事之臣，书不报而去。遂得挟册山中，偿夙所愿，盖二君之力也。……然每一俯仰，辄思平生故交，多海内名士，或道德之高深，或文章之雄雅，或政事之明达，或翰墨之神奇，或节操之坚峻，或信义之昭白，或谭论之该综，或考核之精审，或出处之慎重，或神情之闲旷，乃皆在神京大府，湖江之外不得相观以成其志，宁不重有所怀邪！因题其轩曰怀友，以著余心。"（《元文类》卷三十一）《元史》卷一九九《隐逸传》："江浙行省丞相忽剌术得其所上《救荒策》，大奇之，及入为御史大夫，力荐于武宗。"杜本（1276—1350），字伯原，号清碧，学者称清碧先生。其先居京兆，后徙天台，又徙临江之清江，遂为清江人。江浙行省丞相忽剌术得其所上《救荒策》，大奇之，及入为御史大夫，力荐于武宗。尝被召至京师，未几归隐武夷山中。文宗在江南时，闻其名，及即位，以币征之，不起。至正三年，右丞相脱脱以隐士荐，诏遣使赐以金织文币、上尊酒，召为翰林待制、奉议大夫兼国史院编修官。使者致君、相意，趣之行。至杭州，称疾固辞，遂不行。至正十年卒，年七十五。著有《四经表义》、《六书通编》、《十原》、《清江碧嶂集》一卷，编宋遗民诗为《谷音》二卷。《元诗选》初集已集选其诗 25 首。生平据危素《元故征君杜公伯原父墓碑》、《元史》卷一九九《隐逸传》。

**今以杜本所编《谷音》，于元代即刊于怀友轩，姑系于此。**张榘《谷音跋》："右诗一卷，凡二十三人，无名者四人，共一百首，乃宋亡元初，节士悲愤、幽人清咏之辞。京兆先生早游江湖，得于见闻，悉能成诵，因录为一编，题曰《谷音》，若曰山谷之音，野史之类也。刊于平川怀友轩，以传于世。今历兵燹，板已不存，余幸藏此本。风晨月夕，寂寥之中，每一歌之，则想象其人，而愧不能仿佛其万一也，未尝不慨然久之。今年，先生之孙德基来从余，暇时辄出此编，俾录而归之，曰：是尔祖手订之文，且诸人小录，皆其自述，言简而备，是亦家传之旧，子能诵而思之，亦继绍之一端，未可以为小书而忽之也。因尝论之，时危世变，临难不避，与夫长往自洁者，不为不少，惜不尽传于世也。如此编数人，苟非先生记其诗而传之，则泯没无闻矣。然则诵其诗者，非独取其雄浑冲澹，而其心术之正，出处之大，可概见矣。德基其广传之，毋为箧笥故纸云。戊午重九日，蜀郡张榘书。"毛晋《谷音跋》："宋初阅杜伯原《怀友轩记》，喜其孤往风标，翛然云上。急觅本传读之，累征不赴，隐廉于武夷九曲间，殆古之栖逸者流，而以翰墨自放者也。正谓其《四经表义》诸书湮没罕见，扼腕久之。月在从吴门来，携得《谷音》二卷，乃伯原所集宋末逸民诗也。凡二十有九人，各有小传纪其大略，共诗百篇，诸体具备。韩昌黎云：其歌也有思，其哭也有怀，凡出乎口而为声者，其皆有弗平者乎。宋室既倾，诗品都靡，独数子者心悬万里之外、九霄之上，或上书，或浮海，或仗剑沉渊，悲歌慷慨，令人读其诗，想其人，有齐二客、鲁两生之思焉。"施闰章《龙眠风雅序》："唐人选唐诗，如《河岳英灵》、《国秀》、《箧中》等六种，所存不甚多，而传之至今。杜清碧之《谷音集》、元裕之之《中州集》，亦铮铮焉。盖全集繁而易失，选本合而易行也。"（《学馀堂文集》卷三）《池北偶谈》卷十九："《谷音》二卷，元清江杜本清碧所辑。其人皆节侠跅弛之士，诗亦岸异可喜，常疑清碧自撰，托名于人。及得其《清江碧嶂集》观之，殊庸肤无足取，与所辑迥不类。《谷音》，吾友施愚山为湖西监司时，亦尝刻于临江。"《香祖笔记》卷二："《谷音》二卷，皆宋末人诗。上卷王炎以下凡十人，率任侠节义之士；下卷詹本以下凡十五人，则藏名避世之流也。番阳布衣、潇湘渔父以下五人，不可得其姓字，要之皆宋之逸民也。其诗慷慨激烈，古澹萧寥，非宋末作者所及。是时谢皋羽、林霁山辈，皆以文章节义著于东南，而又有此三十人者与之遥为应和，亦奇矣。此书毛氏汲古阁本与《月泉吟社》合刻，最工。亡友施愚山备兵湖西，又尝刻之清江，盖杜清碧其郡人也。适见黄少司马《雪洲集》，记此书初得之临淮顾德光氏，后又见江西刻本。多帝虎陶阴之憾，间托南都博洽之士，是正稍复其真。虞部主事吴时冕见而爱之，遂刻诸真州分署以传，知弘、正以来，此书盖不一刻矣。集中诸人本末，各有耿耿不没者，宜有神物在在护持之也。黄名瓒，字公献，扬之仪真人。"四库提要卷一八八："《谷音》二卷，元杜本编。……是编末有张榘跋，称右诗一卷，凡二十三人，无名者四人，共一百首。明毛晋跋，则称《谷音》二卷，宋末逸民诗也，凡二十有九人，诗百篇。此本上卷凡十人，诗五十首；下卷凡十五人，无名者五人，诗五十一首。当为三十人，诗一百一首，与二跋皆不合。其厘为二卷，亦不知始自何人也。每人各载小传，惟柯芝、柯茂谦父子共一传，杨应登、杨零祖孙共一传，凡小传二十有八。其间如王浍、程自修、冉琇、元吉、孟鲠，皆金元间人。张璜以牙兵战没，汪涯以不草露布为贾似道所杀。毛晋以为皆宋逸民，亦约略大概言之耳。本所著《清江碧嶂集》，词意粗浅，不称其名。而是集所录，乃皆古直悲凉，风格遒上，无宋末江湖龌龊之习，其人又皆仗节守义之士，足为诗重。王士禛《论诗》绝句曰：'谁嗣箧中冰雪句，《谷音》一卷独铮铮。'其品题当矣。"

## 公元 1313 年 （仁宗皇庆二年 癸丑）

### 正月

**禁泰山民间赛祈社集。仁宗一朝，尝屡禁之。**《元典章》卷五十七《刑部》十九"禁投醮舍身烧死赛愿"条："皇庆二年正月□日，福建廉访司承奉行台准御史台咨，承奉中书省札付呈：据山东东西道廉访司申，本道封内有泰山东岳，已有皇朝颁降祀典，岁时致祭，殊非细民谣渎之事。今士农工商，至于走卒、相扑、排扰（俳优）、娼妓之徒，不谙礼体，每至三月，多以祈福赛还口愿，废弃生理，聚敛钱物，金银、器皿、鞍马、衣服、匹缎，不以远近，四方辐凑，百万馀人，连日纷闹。近为刘信酬愿，将伊三岁痴男抛投醮纸火池，以致伤残骨肉，灭绝天理，聚众别生馀事。岳镇海渎，圣帝明王，如蒙官破钱物，令有司岁时致祭，民间一切赛祈，并宜禁绝。……得此，都省仰依上施行。"今存元杂剧中，多有涉及迎神赛社之事者，如《黑旋风双献功》、《相国寺公孙合汗衫》、《小张屠焚儿救母》等。故近人王国维跋《元刊杂剧三十种》论及《小张屠焚儿救母》，有云："则此事元时乃真有之，不过剧中易刘为张，又谬悠其事耳。然则此剧之作，当在皇庆以后矣。"此等故事，当为民间历有之事，王国维以见诸文献者定《小张屠焚儿救母》一剧所作年月，似未免过于直断。

### 二月

**初一，李士瞻生。**李士瞻（1313—1367），字彦闻，南阳新野人，徙居汉上。至正初，以布衣游公卿间。至正十年，中大都路举人第十名，为万亿广源知事。越两年，中书辟为右司掾。在掾七月，除从仕郎、刑部主事，出赞总戎。未几，迁承事郎、枢密院经历，调金山南江北道，改儒林郎、吏部侍郎。迁文林郎、户部侍郎，行永平路总营。升户部尚书，出使福建。以功诏拜资善大夫、福建行中书左丞。寻入为中书参议，复进参知政事。越一年，迁翰林学士、荣禄大夫，出为辽阳省左丞。再入为中书参政，改枢密副使，拜翰林学士承旨，封楚国公。至正二十七年病卒，年五十五。著有《经济文集》六卷。《元诗选》初集己集选其诗 11 首。生平据李守成《元翰林承旨楚国李公圹志》、陈祖仁《翰林承旨楚国李公行状》（《经济文集》卷六附录）。

**贯云石授翰林侍读学士，时年二十八。**程钜夫《跋酸斋诗文》："右诗文一卷，故勋臣楚国武定公之孙酸斋所作。皇庆二年二月，拜翰林侍读学士，与余同僚，因出此稿。余读至《洪弟之永州序》，恳款教告五七言诗长短句，情景沦至，乃叹曰：妙年所诣已如此，况他日所观哉！君初袭万夫长，政教并行，居顷之，逊其弟，以学行见知于上，而有今命。余听其言，审其文，盖功名富贵有不足易其乐者。世德之流，讵可涯哉？"（《雪楼集》卷二十五）

## 春

**李仲章以耀州知州秩满，赴调京师。**程钜夫《代白云山人送李耀州归白兆山建长庚书院序》："冯翊李君仲章为德安府判官时，予方家白云山中。……予既出山，君亦累迁耀州守。皇庆二年春，君赴调京师。"（《雪楼集》卷十五）康熙《德安安陆郡志》卷九记李仲章云："冯翼（冯翊）人。皇庆元年任府判，延祐四年迁去。"（转引自赵景深、张增元编《方志著录元明清曲家传略》）孙楷第《元曲家考略》以为其人即曲家李仲章。然程钜夫序所言李仲章为冯翊（奉元路高陵县）人，《录鬼簿》卷上所言之曲家李仲章则为大都人。孙氏以为，李仲章或曾家于燕。姑系于此，以备一说。李仲章，一作孙仲章。曾任德安府判、耀州知州。著有杂剧《卓文君白头吟》、《金章宗断遗留文书》、《河南府张鼎勘头巾》。今仅存后一种。贾仲明〔双调〕《凌波仙·吊李仲章》："只耸《鬼簿》姓名香，不识前贤李仲章。《白头吟》，喧满鸣珂巷。咏诗文，胜汉唐，词林老笔轩昂。江湖量，锦绣肠，也有无常。"

## 九月

**十四日，姚燧卒，年七十六。**据刘致《姚牧庵年谱》（《牧庵集》附录）。张养浩《牧庵姚文公文集序》："皇元宅天下百许年，倡明古文，才姚公牧庵一人而已。盖常人之文，多剿陈袭故，窘趣弗克振拔，惟公才驱气驾，纵横开阖，纪律惟意，其大略如古劲将率市人战，彼虽素不我习，一号令之，则鼓行六合，所向风从，无敌不北。虽路绝海岳，亦莫不迎锐而开，犹度平衍。视彼选兵而阵，择地而途，才一再敌，辄衰焉且老者，相万矣。走年二十四，见公于京师，时公直学士院。每有所述，于燕酣后岸然瞑坐，词致砑隐，书者或不能供章，成则雄刚古邃，读者或不能句。尤能约要于繁，出奇于腐，江海驶而蛟龙掔，风霆薄而元气溢，森乎其芒寒，森乎其辉煜，一时名胜，靡不鳃鳃焉自闷所有，伏避其路，而将相鼎族，辇金筐币，托铭先世勋德者，路谒门趋，如水赴壑，厥问之崇学者，仰之山斗矣。每往来江湖间，赆饯宴劳，月无虚朝，二千石趋翼下风，吟啸自若，巷陌观者谓君神仙人。尝谓唐三百年，其文为世所珍者，李邕、韩愈二人，或所蔽若市，或酬金切门，最其凡论之，公盖兼有。至其外荣达，喜施与，宏逸高朗，中表惟一，年愈艾而气节愈隆，顾有前人所未备者，然则公之奇侅瑰异者，独文乎哉？"（《归田类稿》卷三）吴善《牧庵集序》："我朝国初，最号多贤，而文章众称一代之宗工者，惟牧庵姚公一人耳。公营州柳城人，营州之族，好驰马试剑游畋为乐，公独嗜学绩文，早负奇气，非所谓秉山川之灵，关天地之运者乎。……窃惟公之文，雄深雅赡，世罕有知焉。譬之太羹玄酒，食而无味，然足以享天。呜呼！草《玄》者之有望于后世之子云也，宜哉！"《词品》卷五："姚牧庵《醉高歌》词云：'十年燕月歌声，几点吴霜鬓影。西风吹起鲈鱼兴，已在桑榆暮景。荣枯枕上三更，傀儡场中四并。人生幻化如泡影，几个临危自省。'牧庵一代文章巨公，此词高古，不减东坡、稼轩也。"〔编者按，牧庵《醉高歌》，实为两首，杨慎误作一阕。〕四库提要卷一六六："《牧庵文集》三十六卷，元姚燧撰。……燧虽受学于许衡，而文章则过衡远甚。张养浩作是集序，称其才驱气驾，纵横开合，纪律惟意，如古劲将率市人战，鼓行六合，无敌不北。柳贯作燧谥议，称其典册之雅奥，诏令之深醇，抉去浮靡，一返古辙，而铭志、箴颂，雄伟光洁，家传人颂，莫得而掩。虽不免同时推奖之词，然宋濂撰《元史》，称其文阂肆该洽，豪而不宕，刚而不厉，春容盛大，有西汉风，宋末弊习，为之一变。国初黄宗羲选《明文案》，其序亦云：唐之韩、柳，宋之欧、曾，金之元好问，元之虞集、姚燧，其文皆非有明一代作者所能及。则皆异代论定，其语如出一辙。燧之文品，亦可概见矣。……集中诸体皆工，而碑志诸篇，叙述详赡，尤多足补《元史》之阙，又不仅以词采重焉。"《元史新编》卷四十七："然其文专长碑版，必附丽于事物，酬酢于请托，罕能自抒胸臆。至于匡扶世教，如贾谊、陆贽、韩愈、杜牧之立言，则亦未之有。燧亦自言文章有题目者吾能为之，无题目者惟元明善能为之，吾不能也。"

姚燧之侄有名姚守中者，为元代曲家。姑系于燧之后，以见其家世渊源。姚守中，洛阳人。姚枢之孙，姚燧之侄。曾官平江路吏。近人孙楷第先生考出姚守中名埭，其先世为营州柳城人。《录鬼簿》置于于"前辈已死名公才人，有所编传奇行于世者"之列。贾仲明〔双调〕《凌波仙·吊姚守中》："挂冠解印汉逢萌，扫笔成章姚守中，布关串目高唫吟。《牛诉冤》，巧用工。《扯诏谏》，扶立中宗。麒麟阁，狐兔冢，怨雨愁风。"著有杂剧《汉太守郝连留钱》、《神武门逢萌挂冠》、《褚遂良扯诏立东宫》等三种，均佚。今仅存散套〔中吕〕《粉碟儿·牛诉冤》。

## 十月

中书省奏开科举，倡优不得与试。《通制条格》卷五："皇庆二年十月，中书省奏为科举的上头。……今将合关防各各条目，开坐于后：一、倡优之家，及患废疾，若犯十恶，奸盗之人，不许应试。"

## 十一月

诏行科举。诏云："惟我祖宗以神武定天下，世祖皇帝设官分职，征用儒雅，崇学校为育材之地，议科举为取士之方，规模宏远矣。朕以眇躬，获承丕祚，继志述事，祖训是式。若稽三代以来，取士各有科目，要其本末，举人宜以德行为首，试艺则以经术为先，词章次之。浮华过实，朕所不取。爰命中书，参酌古今，定其条制。其以皇庆三年八月，天下郡县，兴其贤者能者，充贡有司。次年二月会试京师，中选者朕将亲策焉。具合行事宜于后：科场，每三岁一次开试。举人从本贯官司于诸色户内推举，年及二十五以上，乡党称其孝悌，朋友服其信义，经明行修之士，结罪保举，以礼敦遣，资诸路府。其或徇私滥举，并应举而不举者，监察御史、肃政廉访司体察究治。考试程式：蒙古、色目人，第一场经问五条，《大学》、《论语》、《孟子》、《中庸》内设问，用朱氏《章句》、《集注》。其义理精明，文辞典雅者为中选。第二场策一道，以时务出题，限五百字以上。汉人、南人，第一场明经：经疑二问，《大学》、《论语》、《孟子》、《中庸》内出题，并用朱氏《章句》、《集注》，复以己意结之，限三百字以上。经义一道，各治一经，《诗》以朱氏为主，《尚书》以蔡氏为主，《周易》以程氏、朱氏为主，已上三经，兼用古注疏，《春秋》许用《三传》及胡氏《传》，《礼记》用古疏注，限五百字以上，不拘格律。第二场古赋、诏诰、章表内科一道，古赋、诏诰用古体，章表、四六参用古体。第三场策一道，经史时务内出题，不矜浮藻，惟务直述，限一千字以上成。蒙古、色目人，愿试汉人、南人科目，中选者加一等注授。蒙古、色目人作一榜，汉人、南人作一榜，第一名赐进士及第，从六品，第二名以下及第二甲，皆正七品，第三甲以下，皆正八品，两榜并同。所在官司，迟误开试日期，监察御史、肃政廉访司纠弹治罪。流官子孙荫叙，并依旧制，愿试中选者，优升一等。在官未入流品，愿试者听。若中选之人，已有九品以上资级，比附一高，加一等注授。若无品级，止依试例从优铨注。乡试处所，并其馀条目，命中书省议行。於戏！经明行修，庶得真儒之用；风移俗易，益臻至治之隆。咨尔多方，体予至意。"（《元史》卷八十一）据苏天爵编《元文类》，此诏为程钜夫所作，然《雪楼集》所载，较此为略。《通制条格》卷五"科举"条及《元史》卷八十一《选举志》，列中书省议行条目甚详。揭傒斯《送也速答儿赤序》："自科举废，而天下学士大夫之子弟不为农则为工为商，自科举复，而天下武臣氓隶之子弟皆为士为儒。非昔之人无闻知而今之人独贤也，顾在上之人所以导之者何如耳。"虞集《本德斋送别进士周东扬赴零陵县丞诗序》："某闻之延祐初，天子慨然思见儒者之治，命执政讲求取士之法。执政者退而与廷臣议焉，曰：唐宋科举之制，先朝议论常及之，盖周人乡举里选之遗也。以为可尽得天下之士乎固不敢，必以为不足以得天下之士乎，则昔之大贤君子胥此焉出。其弊者，尚文之过也。今为是举者，本之德行以观其素，求之经学以观其实，博之以文艺以观其华，策之以政事以观其用。通此，其庶几矣。而或者以为此四者，自古之人，据其一已足名世，今欲兼之，不亦难乎？是不知本出一原，体用无二致也。于是天子特出睿见独断而行之，其宵旰望之之志深矣。"（《道园学古录》卷六）《南村辍耕录》："皇庆癸丑冬十一月，诏曰：'其以皇庆三年八月，天下郡县，兴其贤者能者，充赋有司。明年二月，会试京师。中选者，朕将亲策焉。'按遗山元公好问所撰廉访使杨文宪公奂墓碑云：'太宗即位之十年戊戌，开举选，特诏宣德课税使刘公用之，试诸道进士。公试东平，两中赋论第一，奏授河南路征收课税所长官，兼廉访使。'则国朝科举之设，已肇于此。寥寥七十馀年，而普颜笃皇帝克不坠祖宗之令典，尊号曰仁，不亦宜乎。初焉试论赋，盖又宋金馀习。后则一以经学为本，非复向时比矣。"《元史·选举志序》："元初，太宗始得中原，辄用耶律楚材言，以科举选士。世祖既定天下，王鹗献计，许衡立法，事未果行。至仁宗延祐间，始斟酌旧制而行之，取士以德行为本，试艺以经

**183**

术为先，士襄然举首应上所求者，皆彬彬辈出矣。然当时仕进有多岐，铨衡无定制，其出身于学校者，有国子监学，有蒙古字学、回回国学，有医学，有阴阳学。其策名于荐举者，有遗逸，有茂异，有求言，有进书，有童子。其出于宿卫、勋臣之家者，待以不次。其用于宣徽、中政之属者，重为内官。文荫叙有循常之格，而超擢有选用之科。由直省、侍仪等入官者，亦名清望。以仓庾赋税任事者，例视冗职。捕盗者以功叙，入粟者以赀进，至工匠皆入班资，而舆隶亦跻流品。诸王、公主，宠以投下，俾之保任。远夷、外徼，授以长官，俾之世袭。凡若此类，殆所谓吏道杂而多端者欤。矧夫儒有岁贡之名，吏有补用之法。曰掾史、令史，曰书写、铨写，曰书吏、典史，所设之名，未易枚举。曰省、台、院、部，曰路、府、州、县，所入之途难以指计。虽名卿大夫，亦往往由是跻要官、受显爵；而刀笔下吏，遂致窃权势、舞文法矣。故其铨选之备，考核之精，曰随朝、外任，曰省选、部选，曰文官、武官，曰考数，曰资格，一毫不可越。而或援例，或借资，或优升，或回降，其纵情破律，以公济私，非至明者不能察焉。是皆文繁吏弊之所致也。"

## 本年

**刘三吾生。** 刘三吾，初名如孙，以字行，茶陵人。三吾避兵广西，行省承制授靖江路儒学副提举。明兵下广西，乃归茶陵。建文初卒。著有《坦斋文集》二卷。生平见《明史》卷一三七本传。

**郝天挺卒，年六十七。** 郝天挺（1247—1313），字继先，号新斋，太原人，出于都噜别族。天挺英爽刚直，有志略，受业于元好问。以勋臣子，世祖召见，嘉其容止，备宿卫春宫，裕宗遇之甚厚。建省云南，除参议云南行尚书省事，寻升参知政事，又擢陕西汉中道廉访使。未几，入为吏部尚书，寻除陕西行御史台中丞，又迁四川行省参政及江浙行省左丞，俱不赴。拜中书右丞，与宰相论事，不合，辄面斥之。仁宗临御，以故老征。又出为江西、河南二省右丞，召拜御史中丞。寻俾均逸于外，拜河南行省平章政事。皇庆二年卒，年六十七。赠光禄大夫、中书平章政事、柱国，追封冀国公，谥文定。天挺尝修《云南实录》五卷，又注《唐人鼓吹》十卷。生平据《元史》卷一七四本传。《池北偶谈》卷六："金元间有两郝天挺，一为元遗山之师，一为遗山弟子。予考《元史·郝经传》云，其先潞州人，徙泽州之陵川。祖天挺，字晋卿，元裕之尝从之学。裕之谓经曰'汝貌类祖，才器非常者'是也。其一字继先，出于朵鲁别族，父和上拔都鲁，元太宗世多著武功。天挺英爽刚直，有志略，受业于遗山元好问，累拜河南行省平章政事，追封冀国公，谥文定，为皇庆名臣。尝修《云南实录》五卷，又注《唐人鼓吹集》十卷。元时汉人赐号拔都，惟史天泽、张弘范，见《辍耕录》，汉言勇也。近常熟刻《鼓吹集》，乃以为《隐逸传》之晋卿，而致疑于赵文敏之序称尚书左丞，又于尚书左丞上妄加金字，误甚。"

**胡助以建康路儒学录秩满，调为美化书院山长。** 胡助《纯白先生自传》："年逾三十，郡举茂才为教官，行中书授建康路儒学学录。……会司业吴草庐先生南归，过金陵，见先生所为诗，大加称赏，列在上品，由是名振一时，实皇庆初元也。明年，科举开，台章例格不行，复就行省调美化书院山长。"（《纯白斋类稿》卷十八）许谦《送胡古愚序》："尝闻胡君伯仲子姓，皆务学深造，未能尽交。往年遇古愚子于市，友人苏世贤指曰：此东阳学者胡君也，将试仕于金陵颍宫，今行矣。揖而过，不暇交一语，余重恨之。皇庆二年夏，余游金陵，而君尚在讲席。其气粹温，其仪济跄，诵其文若诗，皆清平古雅，余向之有待而欲见者，其在古愚子乎！……古愚气和心广，余尝欲与从容论之，而以满秩解去。君采芹藻之英，将以道淑诸人者也。以余之说评之，然欤？否欤？余非敢为子勉也，子固余所敬也。"（《白云集》卷二）吴澄《胡助诗序》："金华胡助，诗如春兰苗芽，夏竹含箨，露滋雨洗之馀，馥馥幽媚，娟娟净好，五七言古近体皆然，令人爱玩之无斁。颂雅风骚而降，古祖汉，近宗唐，长句如太白、子美，绝句如梦得、牧之，此诗之上品也。得与于斯者，其在斯乎！其在斯乎！"（《吴文正集》卷二十二）胡助，字履信，一字古愚，号纯白道人，婺州东阳人。年逾三十，郡举茂才为教官，行中书授建康路儒学学录。皇庆二年，秩满，就行省调美化书院山长。考满，赴礼部选，再游京师，见知于元明善、王继学、袁桷、虞集、贡奎、马祖常、宋本等人，与王继学尤善，日相唱和。既授温州路儒学教授，需次差远，用诸公荐改翰林国史院编修官。至顺初元，从虞集分院清署上京。秩满，久之，又以例格保举调右都威卫儒学教授。秩满，再任国史院编修。秩满，授承事郎、太常博士。至正二年，年几七十，致仕以归。著有《纯白斋类稿》二十卷。生平据《纯白先生自传》（《纯白斋类稿》卷十八）。

**本年或稍后，杨朝英选前人曲词及己作为《乐府新编阳春白雪》，贯云石序之。**序见本集卷首。[按，《阳春白雪》，孙楷第《元曲家考略》言贯云石皇庆中序之。据欧阳玄所作贯云石神道碑，贯云石拜知制诰、同修国史，在皇庆元年。序言"年来职史"，则当作于本年或稍后。]《阳春白雪》十卷，今存元刊本、《随庵丛书》影元刊本、《散曲丛刊》本。又有元刊残存二卷本、明抄九卷本、明抄六卷本。隋树森据北京图书馆藏旧钞本校订为《新校九卷本阳春白雪》。卷一有燕南芝庵先生所撰《唱论》，并录宋人苏东坡、晏叔原、辛稼轩等人大乐一篇；以下八卷则均为元人作品。杨朝英，号澹斋，青城人。《土官底簿》卷下有名杨朝英者，尝官广西永康知县，其子杨荣贤，于洪武元年归附朱元璋，似即其人。张之翰《题杨英甫郎中澹斋》："至人寡于欲，达者无所嗜。或不接世俗，或不谈荣利。贤哉吾英甫，学古亦已至。以澹名其斋，涉世良有为。灭除是非心，消落忧喜意。山色秀可餐，溪光清可醉。诗嚼陶谢深，易吐朱程秘。但得静中趣，何思身外事。老天未相容，正坐才具累。前年作郡守，今年署郎位。迹居喧扰中，兴在潇洒地。琴闲鹤长饥，竹瘦梅欲悴。待君早归来，享此无尽味。"（《西岩集》卷一）

**艾性夫本年前后在世。**四库提要卷一六六："《剩语》二卷。案是集散见《永乐大典》中，或题曰《艾性夫剩语》，或题曰《艾性夫孤山晚稿》，而不著性夫为名为字，亦不载时代。今考《江西通志》，称抚州三艾，叔可字无可，宪可字元德，性字天谓，皆工于诗。性阃门教授，执经者盈门。著有《孤山诗集》。与《永乐大典》所题《孤山晚稿》相合。吴澄《支言集》有高夔妻艾氏墓志，称'为咸淳贡生性夫之女，习见其家儒教，屡以勖其夫'云云。与《永乐大典》所题艾性夫合，疑《江西通志》本作性夫，字天谓，传刻脱一夫字也。考集中有谢枋得挽诗一首，则性夫元初尚存。又曹安《谰言长语》，称于成化五年，之元江署学，一家多藏书，内一诗集乃江浙道提举艾性夫作，贯酸斋作序云云。宋无江浙道提举，盖其晚年已仕元矣。性夫虽讲学之家，而其诗气韵清拔，以妍雅为宗，绝不似宋末有韵之语录。五七言古体，笔力排荡，尤为擅长。曹安称其七言律太辣，五七言绝、歌行语多关世教，并称其《铜雀砚》、《扑满吟》、《临邛道士招魂歌》三首，所论颇为得实。谨采掇排次，厘为二卷，用存其概。至原书本分集编次，其卷目已不可见。而《永乐大典》内题作《剩语》者较多，今故用以标名，不复更为分析云。"

## 公元1314年 （仁宗延祐元年　甲寅）

### 正月

**初四，王礼生。**王礼（1314—1386），字子尚，后改字子让，庐陵人。至正十年，中江西乡贡进士。十一年，授安远县教官。十六年，授兴国县主簿。未几，以亲老辞归。十八年，噶海齐为江西行省参政，总戎赣州，复召入幕府，参赞军事。明年，挈家下赣州。又明年，归庐陵。明兴不仕，聘为考官亦不就。洪武十九年卒，年七十三。著有《麟原文集》二十四卷，编有《长留天地集》、《沧海遗珠》等。生平据孔公恂《元广东宣慰使司都元帅府照磨王公墓志铭》。[按，孔氏所撰墓志，以其生年为延祐甲寅（1314），卒年为洪武丙寅（1386），然其寿年则作七十六。二者必有一误，今以数字较甲子易讹，以其寿年为七十三。]

**十一日，元怀自序所撰《拊掌录》。**序见《说郛》本卷首。《拊掌录》一卷，今存《说郛》本、《古今说海》本、《百川学海》本、《学海类编》本、《丛书集成初编》本、《五朝小说》本、明刊本。四库提要卷一四四："《拊掌录》一卷，旧本题元人撰，不著名氏。后有至正丙戌华亭孙道明跋，亦不言作者为谁。《说郛》载此书，题为宋元怀。前有自序，称延祐改元立春日，辙然子书。盖元怀自号也。此本见曹溶《学海类编》中，失去前序，遂以为无名氏耳。书中所记，皆一时可笑之事。自序谓补东莱吕居仁《轩渠录》之遗，故目之曰《拊掌录》云。"

**二十二日，诏改皇庆三年为延祐元年。**《延祐改元诏》（正月丁未）："惟天惟祖宗眷佑有国。朕自即位，于今四年，比者阴阳失和，星芒示儆，岂朕躬修德之未至欤？抑官吏之未选，而政令之或乖欤？思以回天心，召和气，侧身修行，实切余衷，庸敕攸司各共乃职，爰布惟新之令，诞敷济众之仁，可改皇庆三年为延祐元年。於戏！以实应天爱，聿新于庶政，用孚有众同，保合于太和。"诏为程钜夫所拟。邓文原《奉题延祐宸翰诗序》："钦惟仁宗上承祖武，搜罗俊彦，求治靡宁，尤尊礼儒臣，务敦风化。"（《元文类》卷七）

### 三月

**二十五日，王振鹏授秘书监典簿。**据《秘书监志》卷九。虞集《王知州墓志铭》："昔我仁宗皇帝天下太平，文物大备，自其在东宫时，贤能材艺之士，固已尽在其左右。文章则有翰林学士清河元公复初，发扬蹈厉，貌视秦汉；书翰则有翰林承旨吴兴赵公子昂，精审流丽，度越魏晋。前集贤侍读学士左山商公德符，以世家高材，游艺笔墨，偏妙山水，尤被眷遇。盖上于绘事天纵神识，是以一时名艺，莫不见知，而永嘉王振鹏其一人也。振鹏之学，妙在界画，运笔和墨，毫分缕析，左右高下，俯仰曲折，方圆平直，曲尽其体，而神气飞动，不为法拘。尝为《大明宫图》以献，世称为绝。延祐中得官，稍迁秘书监典簿。得一遍观古图书，其识更进，盖仁宗意也。"（《道园学古录》卷十九）袁桷《跋王振鹏锦标图》："界画家以王士元、郭忠恕为第一。余尝闻画史言，尺寸层叠，皆以准绳为则，殆犹修内司法式，分秒不得逾越。今闻王君以墨为浓淡高下，是殆以笔为尺也。僚丸秋奕，未尝以绳墨论；孙吴之论兵，亦犹是也。然尝闻鉴古之道，必由其侈靡者言之。余于画断有取焉。龙舟之图，得无近似，不然昔之所传者，安得久远至是耶。"（《清容居士集》卷四十五）《画史会要》卷三："王振鹏，字朋梅，永嘉人，官至漕运千户。界画极工致，仁宗眷爱之，赐号孤云处士。"《七修类稿》卷三十二："王振鹏，元世祖时人，善诗画，仁宗赐号孤云处士。予幼时见有蜻蜓诗画卷于里中旌德观，诚妙笔也。诗有《黍离》之哀，想宋季之遗黎。其卷多名人题识，今亡矣。今以记忆者录之于左。其自题蜻蜓诗曰：'露凉芳草晓风吹，纱翼轻明水影欹。莫便临平山下去，眼睛双眩碧琉璃。'末二句意其写图之时，必伯颜驻师皋亭（临平，地名）之日，不忍故国垂亡而虏骑之觇杭，得诗人之比也。"《池北偶谈》卷十三："元仁宗在东宫时，材艺之士，文章则翰林学士清河元复初，书翰则翰林承旨吴兴赵子昂，画山水则集贤侍读学士商德符，而永嘉王振鹏其一也。"

## 五月

**十五日，袁桷随驾分院上都，抵开平，成诗《开平第一集》。**袁桷《跋开平第一集》（甲寅）："延祐改元五月三日，分院，十五日始达开平，得诗数篇，录示儿曹。"（《清容居士集》卷十五）后又于延祐六年（1319）、至治元年（1321）、至治二年（1322）三次随驾分院上都，分别作有《开平第二集》、《开平第三集》、《开平第四集》。

**诏为许衡立鲁斋书院于京兆。**见程钜夫《雪楼集》卷一《谕立鲁斋书院》、《雪楼集》卷十三《鲁斋书院记》，张养浩《归田类稿》卷五《奉元路鲁斋书院三先生祠堂记》，许有壬《至正集》卷四十三《鲁斋书院记》，《元史》卷一五八许衡传。

## 八月

**陈泰以《天马赋》领湖广行省乡荐。**本年乡试，龙仁夫为考试官。刘诜《天马歌赠炎陵陈所安》诗注："所安名泰，甲寅以《天马赋》领荐。下第，颇不遇，故以此叹之。"（《桂隐诗集》卷二）《所安遗集》有《留别欧阳玄鲁伯昭二同年》、《将离京师别李朝端陈伯奎二同年》、《与同年邹焕同归舟中望太行山和前韵》等诗，其所谓同年者，系指乡贡而言。《四库全书总目》以为陈泰登延祐二年进士第，当是误读"同年"所致。《天马赋》考试官评曰："气骨苍古节悠然，疑熟于《楚辞》者。然不免悲叹，意必山林淹滞之士。天门洞开，天马可以自见矣。"（《所安遗集》）陈泰，字志同，号所安，长沙茶陵人。官龙泉主簿，以吟咏自怡。所著有《所安遗集》一卷，为其曾孙朴所辑，今存清初抄本、《四库全书》本、嘉庆十九年戴光曾抄本、光绪六年谭钟麟刻本。《元诗选》初集己集选其诗33首。吴澄《跋陈泰诗后》："蕲州路教授陈伯美之子泰，年甚少，勤学而工诗。观其所作古近五七言，俱合度，句有法，字有眼，语有味，意有柢，充而进之，何可量已。虽然，吾之儒学，盖不止此。文者，儒之小技，诗又文之小技，有最上事业，坦若大路。既有其资，且又有其学，充之夫何难，他技特其馀尔。诗诚工，谨毋专一技而遽自足也。"（《吴文正集》卷六十一）李祁《题刊陈所安文集》："天马骁腾，早蜚声于鄂渚；鸾凤伏窜，竟殒命于殊乡。爱其人者，多得之悲歌慷慨之馀；见其文者，犹惜其断简残编之末。此幸存而未泯，尚或望其可传，必有当仁共成胜事。写之琬琰，冀千载而不磨；报以琼瑶，庶九京之可作。"（《云阳集》卷十）《居易录》卷一："《所安遗集》一卷，元长沙进士陈泰志同著。歌行驰骋，笔力有太白之风，在元人诸名家中，当居道园之下，诸公之上，而名不甚著，岂名位卑耶？"《元诗选》初集己集："所存者歌行为多，亦清婉有致也。"《石洲诗话》卷五："长沙陈志同歌行，如《赵子昂画马歌》、《朔方歌》、《万里行》诸嵚崟嵬磊落。在元人诸家中，卓然有风骨，不徒以金粉竞丽者。昔渔洋先生从人借宋元人诗集数十种，独手钞《所安遗稿》一卷，良是具眼。……今观其诗，如《万里行》之类，实有似太白处。然合一卷通看之，似尚未可遽跻诸道园之次。合看其一二近体，即知之矣。若较杨仲弘辈，则固胜之耳。至顾秀野乃以'清婉'评之，则殊属违戾，此直似不知诗者之言。"四库提要卷一六七："《所安遗集》一卷，元陈泰撰。……泰与欧阳玄同举于乡，以《天马赋》得荐。考官批其卷曰：'气骨苍古，音节悠然，天门洞开，天马可以自见矣。'今赋与批词俱载集首。后玄跻显仕，文章震耀一世，泰集乃几几不传。今观所作，七言歌行居十之七八，大致气格近李白，而造句则多类李贺、温庭筠。虽或不免奔轶太过，剽而不留，又不免时伤粗犷，不及玄之风规大雅，具有典型。要其才气纵横，颇多奇句，亦自有不可湮没者。久晦而终传于世，亦有由矣。"

**阴中夫序阴时夫所编《韵府群玉》，并为之注释。**《韵府群玉》二十卷，今存《四库全书》等本。宋濂《韵府群玉后题》："右《韵府群玉》一书，元延祐间，新吴二阴兄弟之所集也。二阴，一名时夫，字劲弦，一名中夫，字复春，博学而多闻。乃因宋儒王百禄所增《书林事类韵会》、钱讽《史韵》等书，会粹而附益之，诚有便于检阅。板行于世，盖已久矣。入我圣朝，近臣奉敕编《洪武正韵》，旧韵音声有失者改之，分合不当者更之，定为七十六韵。今重刻是书，一依新定次序，而字下所系诸事，并从阴氏之旧，因书其故，以告来学者。洪武八年夏五月既望，翰林侍讲学士金华宋濂记。"（《翰苑别集》卷八）《山堂肆考》卷一二二："元阴幼遇，奉新人，五世同居，家数百口，读书讲学，八岁中九经科，著《韵府群玉》行世。"雍正《江西通志》卷六十七："阴幼遇，字时夫，奉新人，家数百口，五世同居，登宝祐九经科，入元不仕。父乡贡士应梦，授以凡例，幼遇著《韵府群玉》若干卷，兄中夫幼达复为注释若干卷，传于世。应梦号竹埜，幼达号复春，幼遇号劲弦。（人物志）按：阴幼遇，《南昌耆旧记》、林《志》俱以为元人。"《七修类稿》卷二十五："《韵府群玉》乃元阴劲弦父子所纂，收事甚少，若《太平广记》所载奇怪隐僻者，多未录也。故姚江村为序，故用红罗梅屋与重光子遇，角花月一字之响，登太清楼而问长睿诸人，扣铜刻、拂文壁之谈之二事，以见《群玉》未收，暗以讥之。吾杭先辈徐延之曾欲补之，以为非十卷不可。昨见《续编》，乃青田包瑜所缉，已四十卷矣，然于二事亦未收，则知遗者尚多也。且于《群玉》重出并无谓者几半矣，凡例犹曰：'若人常读之书，常谈之事则略之。'诚可笑也。呜呼！阴氏纂之垂三十年，而包氏几四十年，不能使为全书，是纂者之非人耶？抑造物者固不欲耶？虽然，蓄书多而有志年少者，补之特易。"《四库提要辨证》卷十六："《韵府群玉》二十卷。嘉锡案：杨守敬《日本访书志》卷四《元椠本韵府群玉跋》云：'首滕宾序，次姚云序，次赵孟頫题，次阴竹野序，次阴复春序，次阴劲弦序，次凡例，次序目，次目录，有戊申春东山秀岩书堂刊本。书首行题《韵府群玉》卷之一，次行字有阴文上平声三字，次行题晚学阴时夫劲弦编辑，三行题新吴阴中夫复春编注。《千顷堂书目》云：阴劲遇，一作阴时遇，字时夫，奉新人，数世同居，登宋宝祐九经科，入元不仕。其兄中夫，名劲达。今以此书证之，中夫为时夫之兄，见于自序，与黄氏所说合。不知《提要》何缘以中夫为时夫之弟，岂以标题时夫居中夫之前乎？又足见所见本，无阴氏昆弟二序也。今按阴竹野序，称前进士阴幼达，序称延祐甲寅乡试后五日，则黄氏所云登宋宝祐九经科进士者，为其父阴竹野，亦非时夫昆弟登科之年也。今合序与标题参互考之，阴竹野未详其名，阴时夫为竹野之季子，名幼达，字时夫，以字行，遂别字劲弦。阴中夫为时夫之兄，名劲达，字中夫，以字行，又别字复春。其书为时夫所作，其注为中夫所作，故标题弟居兄前。然一称后学，一称中吴，为不典矣。'……按，杨守敬云：'《提要》录此书，云是大德间刊本。今考时夫之父阴竹野序为大德丁未，阴复春序为延祐甲寅，阴劲弦序虽不书年月，而言其书成时，其父已没。是大德间此书尚未成，安得有刊本？则所云大德本者，意断之说也。'"《四库全书总目提要补正》卷四十："《韵府群玉》二十卷。陆氏、丁氏《藏书志》并有元刊本，题'晚学阴时夫劲弦编辑，新吴阴中夫复春编注'。据此，则时夫、中夫，当是其名。"

## 九月

**十七日，朱右生。**朱右（1314—1376），字伯贤，号邹阳子，台州临海人。博通群书，游金陵，南台监察御史赵承禧举才堪校官，浙东帅阃檄授庆元路慈溪县儒学教谕。居无何，丁外艰。旋奉母入越，以授徒为养，往来吴越间，又徙居上虞。调绍兴萧山县儒学教谕，擢县主簿。至正二十年，除江浙行省照磨左右司都事，转员外郎。洪武三年，用荐召至京师，预修《元史》。既竣事，以疾辞还。又召入纂修日历，书成，特授翰林国史院编修官。八年秋，授晋府长史。洪武九年卒，年六十三。著有《白云稿》十一卷、《春秋传类编》三卷、《三史钩言》三卷、《秦汉文衡》三卷、《深衣考》一卷、《朱子世家》一卷、《李邺侯传》一卷、《补注汉魏诗》四卷、《历代统纪要览》一卷、《元史补遗》十一卷、《唐宋六先生文选》十七卷。生平据陶凯《故晋相府长史朱公行状》、宋濂《故晋相府长史朱府君墓铭》（《珊瑚木难》卷五）、《明史》卷二八五

《文苑传》。

## 本年

**卢亘卒，年四十馀**。卢亘卒年，据袁桷《卢彦威与余同为待制，下世已八年，睹行院题名旧迹，感怆写情》诗，诗云："长髯黑发佩鸣珂，嗜饮常持金叵罗。诗艳欲追长吉制，词新深爱小蛮歌。凤池联辔情偏重，鸾镜重妆病已魔。（彦威再醮一日，即病以终。）题壁凄凉悲二妙，元公近亦葬山阿。"（《清容居士集》卷十六）此诗乃《开平第四集》中一首，为桷于至治二年（1322）扈从上京所作。上推八年，即为延祐元年（1314）。又据黄溍《金华黄先生文集》卷二十三，有《元故正议大夫卫辉路总管兼本路诸军奥鲁总管管内劝农事知河防事卢公行状》，系为卢亘之弟卢景所作。卢景生于至元二十年（1283），卒于至正三年（1343）。是卢亘生平，不晚于至元二十年。卢亘（约1273—1314），字彦威，号含雪，汲郡人，通奉大夫、河南省参知政事卢克柔子，奉议大夫、福建闽海道肃政廉访副使仇谔婿，正议大夫、卫辉路总管卢景兄，与邓文原、袁桷、赵孟頫、范梈等善。元贞间，以拟著《滕王阁记》，受知姚燧，荐为国史院编修官，时年二十四。迁应奉翰林文字，辞职省亲河南，及丁父忧服阕，除翰林修撰，寻除待制。延祐元年，以病卒。《元诗选》二集丙集选其诗23首。《诗薮》外编卷六："卢彦威《送邓文原十首》，虽格调规仿唐人，而气骨成就，意象老苍。其中合作数篇，足为元五言翘楚，而不甚知名。"《元诗选》二集丙集："幼即颖悟，日记数千言，自经传史汉诸子皆成诵。其为文，初若不经意，徐而读之，雄辞逸气，真足以追古作者。而尤工于诗，一时名流多宗尚之。"《石洲诗话》卷五："卢彦威亘《读王维夷门歌》，虽意在怀古，而语颇直率。序云：'用其意作歌续其后。'不知所谓'用其意'者，用其何意也？"

**揭傒斯以程钜夫、卢挚等荐，授翰林国史院编修**。欧阳玄《元翰林侍讲学士中奉大夫知制诰同修国史同知经筵事豫章揭公墓志铭》："延祐元年，用荐为翰林国史院编修官。"《元史》卷一八一揭傒斯传："延祐初，钜夫、挚列荐于朝，特授翰林国史院编修官。"揭傒斯（1274—1344），字曼硕，龙兴富州人。大德间，出游湘汉，湖南帅赵淇甚重之。湖北宪使程钜夫奇其才，妻以从妹。皇庆初，程钜夫入朝，傒斯即馆其门。延祐元年，用荐为翰林国史院编修官。三年，升应奉翰林文字、同知制诰。四年，迁国子助教。五年，谒告归。泰定元年，复授应奉翰林文字，丁内艰去职。天历二年秋，文宗开奎章阁，首擢为授经郎。至顺元年，预修《经世大典》。三年，书成，超授艺文监丞，参检校书籍事。元统初，迁翰林待制。后至元四年，擢集贤直学士。六年，以奎章供奉学士召未至，改授翰林直学士、知制诰、同修国史。至正改元，兼经筵官。二年，升翰林侍讲学士，且命同知经筵事。三年，诏修三史，与铁木儿塔识等六人为总裁官。明年卒，年七十一。六年，制赠护军，追封豫章郡公，谥文安。著有《文安集》十四卷。《元诗选》初集丁集选其诗153首。生平据欧阳玄《元翰林侍讲学士中奉大夫知制诰同修国史同知经筵事豫章揭公墓志铭》（《圭斋文集》卷十）、黄溍《翰林侍讲学士中奉大夫知制诰同修国史同知经筵事追封豫章郡公谥文安揭公神道碑》（《文献集》卷十上)、《元史》卷一八一本传。

**同恕领鲁斋书院教事。**贾仁《元故奉议大夫太子左赞善榘庵先生同公行状》:"延祐改元,奉旨领教鲁斋书院,规矩载新,学校增重。时诏天下设经明行修科以取士,偕勤斋先生萧贞敏公璵考试秋闱。三年秋,又为考试官。前后取士,人服其公。"(《榘庵集》附录)孛术鲁翀《元故太子左赞善赠翰林直学士亚中大夫同文贞公神道碑铭并序》:"仁皇践阼,关陕大儒同先生即其家拜国子司业,秩儒林郎,使三召不起。陕西行御史台侍御史赵世延,请置并序鲁斋书院于秦中,书奏,先生领教事,制可,学益增重。"同恕(1254—1331),字宽甫,号榘庵。其先太原人,徙居奉先。年十三,魁乡校。至元间,朝廷始分六部,选名士为吏属,关陕以恕贡礼曹,辞不行。仁宗践阼,即其家拜国子司业,阶儒林郎,使三召不起。延祐元年,陕西行台侍御史赵世延,请即奉元置鲁斋书院,制以恕领其事。六年,以奉议大夫、太子左赞善召,入见东宫。明年春,英宗继统,以疾归。致和元年,拜集贤侍读学士,以老疾辞。至顺二年卒,年七十八。制赠翰林直学士,封京兆郡侯,谥文贞。与萧维斗齐名,并称"萧同"。著有《榘庵集》二十卷。生平据孛术鲁翀《元故太子左赞善赠翰林直学士亚中大夫同文贞公神道碑铭并序》、贾仁《元故奉议大夫太子左赞善榘庵先生同公行状》、《元史》卷一八九《儒学传》。

**陈基生。**陈基(1314—1370),初名无逸,字敬初,陈旅为改今名。临海人。年甫九岁,父卒。年十八,受业于黄溍。重纪至元初,从黄溍游京师,授经筵检讨,寻引避南归临海。属南北用兵,朝廷开以枢密府镇抚南服,起为都事,转江浙行中书员外郎,俄升郎中。张士信统兵镇杭,基以本职参佐,道之以正。未几,由杭来吴,参张士诚军府事。士诚称王,群下同声贺之,而基独谏止。士诚欲杀之不果,已而超授内史,迁学士院学士,阶通奉大夫。洪武二年,召入与修《元史》。书成,赐金而还。洪武三年卒,年五十七。著有《夷白斋稿》三十五卷、外集一卷、补遗一卷,有《四库全书》本、《四部丛刊》本、涵芬楼影明抄本。《元诗选》初集庚集选其诗 162 首。生平据尤义《陈基传》(《吴都文粹续集》卷四十五)。

**贝琼生。**贝琼,一名阙,字廷琚,浙江崇德人。至元三年,馆于华亭夏氏,凡十年。张士诚屡辟不就。年四十八,领乡荐。复往华亭讲学,客华亭近十年。洪武初,聘修《元史》。既成,受赐归。六年,以儒士举,除国子助教。与张美和、聂铉齐名,时称"成均三助"。九年,改官中都国子监,教勋臣子弟。十一年(或作十年)致仕,明年卒。生平见《元史》卷一三七《宋讷传》附。张美和(1314—1396),名九韶,以字行,号吾乐,清江人。元末不仕,入明累官至翰林院编修。著有《理学类编》、《群书拾唾》、《元史节要》。生平见《坦斋文集》卷二《张吾乐先生墓表》、《明史》卷一三七《宋讷传》附。

**朱善生。**朱善(1314—1385),字备万,号一斋,江西丰城人。著有《一斋集》、《辽海集》。生平见《皇明名臣琬琰录》卷九、《明史》卷一三七本传。

# 公元 1315 年 (仁宗延祐二年 乙卯)

正月

初七，赵文卒，年七十七。程钜夫《赵仪可墓志铭》："余自弱冠闻江右诸儒先称词赋家，必及赵仪可。仪可家庐陵，庐陵师友视他郡为众，仪可又以材力浮湛激昂其间，故所就异而驰声早。科废，益衍其力于经史百家之言，为文盈编，授徒恒满席。闻科举令下，犹攘臂盱衡，不自谓其老也。然终不得以死，死时年七十有七矣。……延祐元年冬十二月，葬宗强于右。明年正月七日，仪可亦卒。其子将葬之于左，遂来乞铭。"（《雪楼集》卷二十二）刘将孙《赵青山先生墓表》："呜呼！是为青山先生之墓，于是斯文之原委，有可言者矣。……吾庐陵巽斋欧阳先生，沉潜贯穿，文必宿于理，而理无不粲然而为文，由是吾先君子须溪先生与青山赵公相继。今四方论文者，知宗庐陵而后进，心胸耳目，涵濡依向，无不有以自异。独时殊施狭，不能丕变当世，如昔六一公之盛，而私淑之文献，可以俟来世而不惑，夫岂一人一家之私言哉！吾故表著之于此。……青山暮年得笔墨，不甚索莫，天其犹以是为灵光耶，而今亦已矣。文章英气也，人声之精者为言，言之精者为文，英者所以精者也。每叹作文之陋，不知所以发其精英者，类以椎鲁者为古，崛强者为奇，遏抑其光大，登进其泥涂，遂使神骏索然，一无足以动悟。有能以欧、苏之发越，造伊洛之精微，篇有兴而语有味，若是者百过不厌也。安得起公九京，复论此事。区区所为存一二于千百者，窃独悲夫来者之无闻也。公尝自喜为文老犹有俊气，而世之谈者每欲求加于俊，是岂非所谓可与知者道者哉？青山长身张拱，左视微下，慨然而言，无不尽于意，谈谐文戏，仓卒蜂涌。读书提掇警醒，闻者感动，抑扬高下间思过半矣。所成就耸悟，往往神气激越使然。公少吾先君子八岁，而先君子推重之，以为吾党，婉娈不忘，无疏密如一日。"（《养吾斋集》卷二十九）《元诗选》二集甲集："青山为诗文脱略涯岸，独自抒其所欲言。晚年颇以理学自任，进进未已。临川吴澄尝答书云：'尔来举子业废，稍能弄笔遣辞者，英华无所发泄，拈掇小诗之外，间或以此为务。合东西数道，可偻指者不三四，而足下其一也。'"四库提要卷一六六："《青山集》八卷，元赵文撰。……文与谢翱、王炎午同入文天祥幕府。沧桑以后，独不能深自晦匿，以迟暮馀年，重餐元禄。出处之际，实不能无愧于诸人。然其文章，则时有《哀江南赋》之馀音，拟以古人，其庾信之流亚乎？文尝自言：'行事使人皆可知可见者，为君子之行；为文使人读之可晓、考之有证者，为君子之言。'今观其诗文，皆自抒胸臆，绝无粉饰，亦可谓能践其言矣。焦竑《国史经籍志》载《青山稿》三十一卷，世鲜流传。今从《永乐大典》中裒辑编订，勒为八卷。"

## 三月

初七，廷试进士，赐护都答儿、张起岩等五十六人及第、出身有差。程钜夫《许几先墓碣》："延祐二年春三月七日，天子始策进士，廷对者五十有六人，国子生盱江许晋孙与焉。"（《雪楼集》卷二十）宋褧《廷对贴黄引》："皇庆二年，仁宗皇帝诏天下以科举取士。又明年，为延祐二年乙卯，得士五十六人。五年戊午，得士五十人。七年庚申，仁庙宾天，英宗即位，诏科举，仍旧制。时臣先兄国子祭酒谥正献臣本洎臣褧预大都乡贡，故陕西行台中丞谥文忠臣张养浩时为礼部尚书，实受知焉。臣因获遍阅乙卯、戊午两科进士程文之在掌故者，卷牍委积，历腐将半，惟乙卯科进士廷对誊录卷首有读卷官考第甲乙语。文将竣乙，览所仅存者，凡二十九帖。护都沓儿等二十七卷，乃集贤直学士臣赵孟頫所批；张起岩、许有壬二卷，则翰林侍讲学士谥文敏元明善笔也。臣私取藏于家，二十年矣。亚中大夫臣何镛为之装潢成轴。臣惟当时之盛典，文臣之名笔，宜宝惜之，昭示悠久，后将有所征云。至元四年秋九月，奉直大夫、监察御史臣宋裒惶恐顿首谨识。"（《燕石集》卷十五）许有壬《跋首科贴黄》："皇朝贡举启于太宗，定于世祖，申议于成宗，而决行于仁庙。乙卯首科得五十六人，而臣有壬忝其一。殿策复玷前列，中实骇怍。赐宴玉堂，知贡举乃读卷平章政事臣李孟、读卷参知政事臣赵世延、集贤学士臣赵孟頫皆坐。礼方洽，呼臣有壬前，平章指参政而语有壬曰：'始子策第高下未定，参政言观此策，必能官，请实第二甲，吾不许。真上复掇下者，至于再三。'又指集贤曰：'学士见吾辈辨不已，乃立请曰："宋东南一隅，每取尚数百人，国家疆宇如是，首科正七品，取多一人不多也。"乃从之。吾谓此卷何人，而使吾数老人争论终日，拆名后当观其面目，吾非市恩掠美也，使子知其难耳。子其勉之。'臣有壬谢而复坐，然亦莫究其详焉。得请南归，监察御史臣宋裒行部过鄂，出廷对卷读卷官拟进贴黄，凡廿九帖，而臣有壬在焉。始知以策切于救荒也，视货校直益重悚惧切。惟愚缘阶是十五转，遂待罪政府，曾不能报其万一。而国家百年论议，二十年已行之盛典，一旦废罢，数奇罹蹇，适丁其会，尚欲胶荣腼面见天下士哉！圣贤在上，一时为覆盆之蔽者，亦已就殛文运其不远复乎？复不复未可知，而七科已得俊杰不少，必有能收功桑榆，非与臣有壬愦愦苟禄，尝试无效缩手而归者比。御史甲子进士也，方年富力强，顾不在兹乎？臣有壬衰且病矣，山林之下，独有拭目盛事、咏歌太平尔。"（《至正集》卷七十二）本年御试策题，乃赵孟頫皇庆二年所作，见《松雪斋集》卷十。

**李孟为会试考官。**李孟《初科知贡举》："百年场屋事初行，一夕文星聚帝京。豹管敢窥天下士，龙（一作鳌）头谁占日边名。宽容极口论时事，衣被终身荷圣情。愿得真儒佐明主，白头应不负平生。"（《元诗选》二集乙集）顾嗣立作按语云："按此诗为延祐二年春始设科会试，韩公知贡举而作也。太宗即位之十年戊戌，开举选，特诏宣德课税使刘公用之试诸道进士，则元朝科举之设，已兆于此。后七十馀年，皇庆癸丑冬十一月，诏曰：其以皇庆三年八月，天下郡县兴其贤者能者，充赋有司。明年二月，会试京师，中选者朕将亲览焉。是时韩公为平章，实主其议。许中丞有壬序《秋谷文集》曰：贡举倡于草昧，条于至元，议于大德，沮尼百端，而始成于延祐，亦戛戛乎其难哉！今读此诗，可以想见韩公为国求贤之苦心矣。"

**张养浩为会试考官。**许有壬《张文忠公年谱序》："赠平章政事滨国文忠张公巏，南台中丞张起岩铭其碑，翰林学士欧阳玄序其文，江浙儒学提举黄缙（溍）纪其祠。三君洎有壬，皆延祐乙卯公主文所取进士也。"（《至正集》卷三十四）

**元明善选充考官，廷对为读卷官。**马祖常《翰林学士元文敏公神道碑》："延祐乙卯，国家始策试士子，选充考官，廷对又充读卷官。迅笔详定试卷数语，辞义咸委曲精尽，他人抒思者不及也。"

**马祖常登进士第，授应奉翰林文字、承事郎、同知制诰兼国史院编修官。**其弟马

**祖孝亦登进士第，授陈州判官。**元明善《送马翰林南归序》："上患吏弊之深以牢也，思有以抉而破之，于是考取士之法，仿于古而不戾于今者，乃设两科以待国之士。诸国士、汉士、江南士，第一名品第六，第二名品第七。天下翕然以应，英翘之士被乡荐而会试南宫者百三十五人，雍古士马君伯庸巍然在一科之首，及廷对大策，复在第二，于是声震京师，出则群人争先睹焉。既而官之曰应奉翰林文字、承事郎、同知制诰兼国史院编修官，而其弟祖孝亦以科名得陈州判官。吁，荣矣哉！来告余以归省其母，又以余忝在试官之末，求言以华其归。伯庸之名显于天下，垂于后世，归不待余言而华也。"（《元文类》卷三十五）许有壬《敕赐故资德大夫御史中丞赠摅忠宣宪协正功臣河南行省右丞上护军魏郡马文贞公神道碑铭并序》："科举诏下，乡、会试皆第一，廷试第二，盖以国人冠也，授应奉翰林文字、承事郎、同知制诰兼国史院编修官。"苏天爵《元故资德大夫御史中丞赠摅忠宣宪协正功臣魏郡马文贞公墓志铭》："延祐元年，诏辟贡举，网罗贤才。公偕其弟祖孝俱荐于乡，公擢第一。明年会试礼部，又俱中选，公仍第一。廷试则以国人居其首，公居第二甲第一人，隐然名动京师。授应奉翰林文字、承事郎、同知制诰兼国史院编修官，日与会稽袁公桷、东平王公士熙以文章相淬砺。"（《滋溪文稿》卷九）

**许有壬登进士第。**刘岳申《双桂堂记》："相州以殷王河亶甲所居，故名其县汤阴。又为周文王演《易》之所，历代以来，名世之士多出其间。故人会福院照磨许君献臣家焉。君有子四人，仲子有壬，登延祐乙卯上第，累官为两淮盐转运使。季子有孚，登天历庚午上第，初仕为湖广儒学副提举。官树双桂堂其乡，以显其亲，以劝学方来，甚盛举也。"（《申斋集》卷五）

**欧阳玄登进士第。**欧阳玄有《谢恩日呈同年》诗。张起岩《元敕赐翰林直学士亚中大夫轻车都尉追封渤海郡侯欧阳公神道碑铭有序》："公（即欧阳玄父欧阳龙生）既殁之七年，当延祐甲寅，玄举进士，魁湖广省贡。明年乙卯，以第三人赐第，同知平江州。"（《圭斋文集》附录）危素《大元故翰林学士承旨光禄大夫知制诰兼修国史圭斋先生欧阳公行状》："延祐元年季（季）春之月，芝草一茎七叶，生于舍东桃树，猫犬乐相乳哺，绿泉复见，作三瑞堂以志其事。会下诏设科取士，公以治《尚书》与贡，庐陵龙公仁夫为考试官，梦神马见于云霄，书公姓名于大旗上，果以《天马赋》中第一。明年，赐进士及第，授承事郎、岳州路同知平江州事。"《至正直记》卷一："欧阳玄，字元功，号圭斋，浏阳人。幼梦天马墨色，大逾凡马数倍，横天而过，寤而赋之。延祐甲寅首科，公以《天马赋》中第，盖昔时所作也。为人谦和好礼，虽三尺童子请问，亦诚然答之。作文必询其实事而书，未尝代世俗夸诞。时人尝有论云：'文法固虞、揭、黄诸公优于欧，实事不妄，则欧过于诸公多矣。'"

**杨载登进士第，授承务郎、饶州路同知浮梁州事。**黄溍《杨仲弘墓志铭》："于是仁宗在御，方以科目取天下士。仲弘首应诏，登延祐二年进士乙科，用有官恩例视第一人，授承务郎、饶州路同知浮梁州事。"（《文献集》卷八上）

**黄溍登进士第，授台州路宁海县丞。**宋濂《故翰林侍讲学士中奉大夫知制诰同修国史同知经筵事金华黄先生行状》："延祐元年，贡举之法行，县大夫又强起先生充贡乡闱。时古赋以《太极》命题，场中作者往往不脱陈言，独先生词致渊泳，卓然有古风，特真前列。二年，上春官，复在选中。及奉大对，惓惓以用真儒、行仁义为言，辞甚剀切，读卷者以其颇涉于激，缀之末第，奉上旨赐同进士出身。主选吏以为白身补官，散阶当下二等，上命特与对品，阶授将仕郎、台州路宁海县丞。"（《文宪集》卷二十五）苏天爵《题黄应奉上京纪行诗后》："晋卿故宋儒家，自应乡荐，以《太极赋》名海内。"（《滋溪文稿》卷二十三）

**王沂登进士第**。许有壬有《偕王师鲁同年游长春宫，访完颜真人不遇，书其壁，真人以是日出迎》诗（《至正集》卷十三）。马祖常《监黄池税务王君墓碣铭》："王君元父既没之十一年，其子国史院编修官沂，茹哀请于马祖常曰：'子与予同登进士第，又同官于朝，先人生世以迄于卒，其行谊无愧，而生终龃龉以不合于时者，子能知之。其宜揭以传后者，子宜为文，沂之述诸状者，子宜加详焉。……以至治三年五月十三日终于家，享年六十有七，以某年月日葬于某州某里之原。娶把氏隶州判官时之女，男三人：登、沂、洙。"（《石田文集》卷十三）王沂，字师鲁（一作思鲁），先世云中人，徙居真定。生于至元十七年（1280）以后。至顺间，官翰林国史院编修。元统初年，为国子博士。重纪至元初年，除翰林待制。迁翰林直学士，与修辽、金、宋史。不久即卒，年逾六十。著有文集二十八卷。今存《伊滨集》二十四卷，系四库馆臣自《永乐大典》辑出，其中所云丧乱之诗，俱为明初征士王沂子与所作。《读书杂识》卷十二："王沂《伊滨集》。补《王师鲁尚书文集序》（《诚意伯集》四）。《大典》本羼入明王征士沂诗，几于全部误入。凡所云丧乱之诗，俱征士作也。"

**干文传登进士第**。李祁《题干氏封赠碑后》："尚书干公登第时，祁方勉强就学。……窃独羡夫卷中所题，自欧阳公而下，若中书张公、中丞许公、秘监黄公凡四人，与公而为五。昔延祐初科进士，皆位通显，皆负天下重望，圭璋炳焕，辉映先后，可不谓之盛欤？敬仰高风，邈如霄汉。噫，安得后来科目之得人，复有如延祐初元之盛如此哉！"（《云阳集》卷十）

**王士元登进士第**。《元诗选》三集丙集："士元，字□□（善甫），临汾人。登延祐二年张起岩榜进士第，知吉州，历官风宪，迁国子司业，以崇文少监致仕。"王士元，字善甫，号拙庵，又号具川道人。善画。著有《拙庵集》。《元诗选》三集丙集选其诗 8 首。

**张翔登进士第**。许有壬有《同年张雄飞金事见访，醉后作诗赠之》（《至正集》卷十九）、《考官王师鲁博士、监试张雄飞御史，皆同年也，因成鄙句，以写旧怀》（《至正集》卷二十）等诗。许有壬《张雄飞诗集序》："延祐首科，国人暨诸部列右榜者十六人，幸获鱼兔，委其筌蹄，与夫不以一得为足。汲汲所未至者，亦各播人耳目，有不得而掩者焉。唐兀氏张君雄飞，首科右榜，有闻者也，不以一得为足。益砺其学，尤工于诗，往往脍炙人口，佳章奇句，不可悉举。拜御史西台，按巴蜀越嶲，足迹殆尽西南，履少陵之躅黔有契焉。移南台，行岭海，穷极幽险。金浙东宪，过钱塘，登会稽，探禹穴，天台雁荡之胜，举在心目。得江山之助，故其诗益昌而多也。夫言之精绝者为诗，然昔人有文章妙一世，诗句不逮古人之言。亦有文章不传，独以诗显者。工部三赋，他无闻焉，非无文也，以其所长掩之也。雄飞既砺其学，而诗又其尤长者乎？移金湖南，过余琅璆山中，出其稿，古律诗共若干首，属序其端。愚因得以悉其多也。且作邑而有惠，佐台而有闻，司宪而有为，砺学又不已，不独资以为诗，将泽于道德仁义致其远者大者，其可尚也哉！吾同年之得人，可不谓盛矣乎！"（《至正集》卷三十三）

**杨景行登进士第。**《元史》卷一九二《良吏传》："杨景行，字贤可，吉安太和州人，登延祐二年进士第，授赣州路会昌州判官。"杨景行，字贤可，号吟窗。生平见欧阳玄《元故翰林待制朝列大夫致事西昌杨公墓碑铭》（《式古堂书画汇考》卷十八）。虞集《杨贤可诗序》："始予在奉常，贤可登进士第，盖尝见之于琼林粉署之间。英英乎其风采也，濯濯乎其容色也，浩浩乎其神气也，秩秩乎其经画也。后二十年，予自禁苑归，相见江上。……既而乃得见其初岁及登科后诸诗稿，叹曰：非能赋能说之大夫乎！……诗中佳句，刘养吾之赞尽之。若曰推其赋咏之磊落，而见诸行事之明敏，则引而未发，故以书其后云。"（《道园学古录》卷三十三）

**偰哲笃登进士第。**吴澄《都运尚书高昌偰祠堂记》："侯之有祠何也，从民欲也。侯高昌人，合刺普华其号也。……侯之子二，长偰文质，尝以江西行省断事官监临抽分舶货至广，今以通议大夫同知广西两江道宣慰使司副都元帅。侯之孙六，延祐乙卯、戊午，至治辛酉，泰定甲子、丁卯，至顺庚午六科，六孙相继擢进士，其第三孙偰哲笃最先登科，历陕西、江南二行台监察御史，今以中顺大夫金海北广东道肃政廉访司事，廉明宽慈，是非有公论，循良知劝，奸恶敛迹，广之人士咸谓金宪祖至孙三世惠于南海。"（《吴文正集》卷三十五）《至正直记》卷三："高昌偰哲笃世南以儒业起家，在江西时，兄弟五人同登进士第，时人荣之。且教子有法，为色目本族之首。世南以金广东廉访司事被劾，寓居溧阳，买田宅，延师教子，后居下桥。世南有子九人，皆俊秀明敏。"

## 十一月

**陈高生。**陈高（1315—1367），字子上，号不系舟渔者，温州平阳人。擢至正十四年进士第，授庆元路录事。再授慈溪县尹，辞不起。二十六年冬，东西浙陷。明年春，走中州。夏，谒扩廓帖木儿于怀庆，论江南之虚实，陈天下之安危，当何以弭已至之祸，何以消未来之忧。适关、陕多故，未之用。二十七年卒，年五十三。著有《不系渔舟集》十五卷，今存清抄本、《四库全书》本、《敬乡楼丛书》本。《元诗选》初集庚集选其诗79首。生平据揭汯《陈子上先生墓志铭》（《不系渔舟集》附录）。

## 本年

**陈普卒，年七十二。**《闽中理学渊源考》卷四十《陈石堂先生普》："普生当理宗淳祐甲辰，鸲鹆百数绕屋。……元延祐乙卯卒于家，年七十二。"陈普（1244—1315），字尚德，号惧斋，学者称石堂先生，福建宁德人。著有《石堂先生遗集》二十二卷。《元诗选》三集甲集选其诗65首。闵文振《嘉靖刊石堂先生遗集跋》："先生咏史之作题曰《诗断》，信乎推心穷迹，昭道此义。绳以《春秋》之法，归诸天理之公，其词严，其论正，其指深，其意远，视古今诸家咏史大有间矣。谓诗之断，不其然乎？"

《元诗选》三集甲集:"普生淳祐甲辰,鹧鸪百数绕屋。七岁时,坐田间,有白鹭飞止,有士人戏语之曰:'汝能赋一诗乎?'应声曰:'我在这边坐,尔在那里歇。青天无片云,飞下数点雪。'士人奇之。"《复小斋赋话》卷上:"宋陈普《无逸图赋》,不满二百言,而简括已尽。元人方、胡、汪三作,虽淋漓奔放,终不能出其范围。"陆心源《陈石堂集跋》:"其文多语录体,诗皆《击壤》派,说经、说理亦浅腐肤庸。余尝谓诗文至宋季而极弊,此其尤者。"

胡正臣约卒于本年之后。曹刊本《录鬼簿》卷下置之于"已死才人不相知"之列,并撰其小传云:"正臣,杭州。与志甫、存甫及诸公交游。董解元《西厢记》自'吾皇德化'至于终篇,悉能歌之。至于古之乐府、慢词、李霜涯赚令,无不周知。辞世已三十年矣,士大夫想其风流酝藉,尚在目前。其子存善能继其志。小山《乐府》、仁卿《金缕新声》、瑞卿《诗酒馀音》,至于《群玉丛珠》,裒集诸公所作,编次有伦,及将古本□□直取潭州易氏印行,元文□读无讹,尽于书坊刊行,亦士林之翘楚也。余尝言之:'人孰无死?死而有子。人孰无子?如胡公之嗣,若敖氏之鬼不馁矣。'"小传仅见于曹刊本,应为至正五年(1345)以后修订时所补入。则正臣之卒,当在本年之后。志甫,金仁杰字;存甫,陈以仁字。

## 公元 1316 年 (仁宗延祐三年 丙辰)

### 三月

刘敏中跋张养浩所撰《江湖长短句》。刘敏中《江湖长短句引》:"声本于言,言本于性情,吟咏性情莫若诗,是以《诗》三百皆被之弦歌。沿袭历久而乐府之制出焉,则又诗之遗音馀韵也。逮宋而大盛,其最擅名者东坡苏氏,辛稼轩次之,近世元遗山又次之。三家体裁各殊,然并传而不相悖,殆犹四时之气律不同,而其元化之所以斡旋未始不同也。至于有得,惟能者能之。礼部侍郎济南张养浩希孟使江南,往返仅半岁,得乐府百有馀首,辑为一编,目之曰《江湖长短句》。归以示余,余读之,篆丽葩妍,意得神会,横纵卷舒,莫可端倪。其三湘五湖晴阴明晦之态,千岩万壑竞秀争流之状,与夫羁旅之情,观游之兴,怀贤吊古之感,隐然动人。视其风致,盖出入于三家之间,可谓能也。昔太史迁南游,而文益奇。故知宏才博学,必待山川之胜,有以激于中而后肆于外。山川之胜,亦必待名章巨笔,有以尽其真而后播于远。然则是编之出,固非偶然矣,其永于传盖无疑。延祐丙辰三月下旬题。"(《中庵先生刘文简公文集》卷十六)

### 七月

十三日,袁桷为程钜夫作《七观》。袁桷《七观跋》:"桷不佞遗谍守儒,号东南故家。志学之岁,先子命缮治书录,观史志略录部,第时见舛杂。稍长,得博考先贤藏书总目,矻矻三十年。合传短长,乃成一家。承旨程公作藏书山房于麻源三谷,命桷赋之,遂作《七观》,极道源委。延祐三年岁在丙辰,七月癸丑,会稽袁桷志。"(《清容居士集》卷二)赵孟𫖯《七观跋》:"《七观》者,翰林待制袁公桷之所作也。

何为而作也？翰林承旨程公请老而归，袁公作此以送之也。送程公之归而不及乎执手伤离之情，顾乃铺张组织，细大靡遗，何其勤且博也。盖自枚生始作《七发》，魏晋而下，往往追踪蹑影，夸奇斗丽，才高者干云霄，学博者涨溟渤，后之学者，绝响久矣。公之此作，因事以发其辞，引类而极其理，将驰骋乎汉魏，超轶乎班、扬，非夫贯通三才，博综百家，畴能缜密宏辨若斯其美也。仆虽衰老目昏，不觉援笔为书一通。若袁公不以笔札之陋，刻诸坚石，庶几词翰相须之义，传之天下后世，以为美谈云尔。"（《松雪斋文集》卷十）

**赵孟頫超拜荣禄大夫、翰林学士承旨。**见杨载所撰行状。

## 十一月

**吴会生。**吴会（1316—1388），字庆伯，一字伯庆，号书山，又号书山真逸、散亭散人。金谿人。元至正三年，乡荐第一，慕渊明之风，不仕。筑室山中，别号独足翁。与曾白、葛元喆善。与上清方方壶、张孟循、临川危伯明、龙叔昂以诗酒唱和。卒，私谥文肃先生。著有《书山遗集》二十卷。杨服彩《吴书山先生墓志铭》："然状载吴氏家乘，只传先生卒于前明洪武二十一年戊辰岁，无有月日。又云享年七十有三。距数先生之生，当在元延祐三年丙辰岁矣。及读先生《雅言集》，有《谢陈逢原相寿》诗引'岁十一月二十日，维仆揆度之辰'云云，则先生之月日无疑。第卒之月日尚俟稽考耳。"吴尚骅《传闻考》："惟新谱刻先生本传一篇，注出素亭公手。查继疏公所修家乘，只载先生享年七十有三，卒于明洪武戊辰年，其生忌月日俱阙。按甲子逆数，洪武戊辰乃明太祖之二十一年，则距生应是元仁宗延祐三年丙辰。又考分修支谱，载先生八十有四，而卒生年月日仍阙，则距生又应在元成宗大德九年乙巳。后于曾祖鹤万先生手抄文帙中捡得历祖讳忌单帖，载先生在元仁宗丙辰十一月二十四日辰时，与素亭公所修世谱合。读先生赋《谢陈逢原相寿》诗小引云：'岁十一月二十日，维仆揆度之辰'句，其生日又异。"

## 本年

**郭守敬卒，年八十六。**见《元史》卷一六四郭守敬本传。郭守敬（1231—1316），字若思，邢台人。生平见齐履谦《知太史院事郭公行状》（《元文类》卷五十）、《元朝名臣事略》卷九、《元史》卷一六四本传。

**董朴卒，年八十五。**董朴，字太初，顺德人。生平见《元史》卷一九〇《儒学传》、《元儒考略》卷二。

**陶宗仪生。**陶宗仪（1316—?），字九成，号南村，黄岩人。元季寓居华亭，著书授徒，不应辟举。明初，出为学官。永乐元年（1403）犹存。著有《草莽私乘》一卷、《古刻丛钞》一卷、《游志续编》二卷、《书史会要》九卷、补遗一卷、《南村辍耕录》三十卷、《南村诗集》四卷、《沧浪棹歌》一卷，编有《说郛》一百二十卷。生平见孙作《陶先生小传》（《沧螺集》卷四）、贝琼《南村外史传》（《蟫精隽》卷十三）。〔按，陶宗仪生年，据《元人传记资料索引》。〕

**郭钰生**。郭钰（1316—1375 后），字彦章，号静思，吉水人。壮年奔走，资笔以为养。洪武四年，以茂才征，辞疾不就。年逾六十，以贫卒。著有《静思集》十卷，今存《四库全书》本、清抄本、清道光元年经钼堂抄本。《元诗选》初集辛集选其诗 179首。[按，郭钰生年，据所作《乙卯新元，余年六十，目病又甚，抚今怀昔，感慨系之，适诸弟侄来贺，因赋长句》诗（《静思集》卷五）。乙卯，即洪武八年（1375）。]

**袁华生**。袁华（1316—?），字子英，昆山人。从学于杨维桢，元季，与顾瑛、郯韶、陈基等人游咏唱和。明初，出为苏州府学训导。其子为吏获罪，坐累逮系，卒于京师。谢应芳有诗哭之。著有《耕学斋诗集》十二卷、《可传集》一卷。生平见《昆山人物志》卷三。

# 公元 1317 年　（仁宗延祐四年　丁巳）

## 正月

**二十六日，刘履生**。刘履（1317—1379），字坦之，上虞人。元末避兵山中，自号草泽间民。编选古诗，成《风雅翼》十四卷。洪武十二年，强起至京师，将授官，以老辞归，未行而卒，年六十三。著有《草泽稿》三卷。生平据谢肃《草泽先生行状》（《密庵文稿》壬卷）。

**钱良祐跋张炎所撰《词源》**。跋云："乙卯岁，余以公事留杭数月，而玉田张君来寓钱塘县之学舍。……丁巳正月，江村民钱良祐书。"钱良祐，或作钱良右。《词源》二卷，有《宛委别藏》本、《词话丛编》本、人民文学点校本等。陆文圭《玉田词源稿序》："西秦玉田张君著《词源》上、下卷，推五音之数，演六六之谱，按月纪节，赋情咏物，自称得声律之学于守斋杨公、南溪徐公。淳祐、景定间，王邸侯馆，歌舞升平，君生处乐郊，不知老之将至。梨园白发，吴宫蛾眉，馀情哀思，听者泪落。君亦因是弃家，客游无方，三十年矣。昔柳河东铭姜秘书，闵王孙之故态；铭马淑妇，感讴者之新声。言外之意，异世谁复知者。览君词卷，抚几三叹。"（《墙东类稿》卷五）江藩《词源跋》："《词源》二卷，宋遗民张玉田撰。……玉田生词，与白石齐名。词之有姜、张，如诗之有李、杜也。姜、张二君皆能按谱制曲，是以《词源》论五音均拍，最为详赡。"四库未收书提要："《词源》二卷，宋张炎撰。……是编依元人旧钞影写。上卷详论五音十二律，律吕相生，以及宫调管色诸事，厘析精允，间系以图，与姜白石歌词九歌琴曲所记用字纪声之法大略相同。下卷历论音谱、拍眼、制曲、句法、字面、虚字、清空、意趣、用事、咏物、节序、赋情、离情、令曲、杂论、五要十六篇，并足以见宋代乐府之制。"秦恩复《词源跋》："乐笑翁以故国王孙，遭时不偶，隐居落拓，遂自放于山水间。于是寓意歌词，流连光景，噫鸣婉抑，备写其身世盛衰之感。《山中白云词》八卷，实能冠绝流辈，足与白石竞响，可谓词家龙象矣。别有《词源》二卷，上卷研究声律，探本穷微；下卷自音谱至杂论十五篇，附以杨守斋作词五要，计十有六目。"吴梅《词源疏证序》："玉田《词源》，备述律吕宫调管色犯声之源，及讴曲旨要，其说甚精，而律度可悟，声理仍晦，此又无如何者也。"吕澄《词源疏证序》："夫长短句之制，本以歌咏，宋人佳构，填字审音，声调婉美，著于辞意之外。有如清真诸作，意境本不甚高，而音节圆润，荡气回肠，有动人于不自觉者，填词正轨则应尔也。玉田《词源》反复论阐，立意不能越此。"

## 三月

苏天爵以《碣石赋》中国子监第一名。马祖常《跋滋溪文稿》："祖常延祐四年以御史监试国子员，伯修试《碣石赋》，文雅驯美丽，考究详实。当时考试礼部尚书潘景良、集贤直学士李仲渊真伯修为第二名，巩弘为第一名。弘文气疏宕，才俊可喜。祖常独不然此，其人后必流于不学，升伯修第一。今果然，而吾伯修方读经稽古，文皆有法度，当负斯文之任于十年后也。"（《滋溪文稿》卷首）苏天爵（1294—1352），苏志道子，字伯修，人称滋溪先生，真定人。延祐四年，国子监公试第一，释褐，授从仕郎、大都路蓟州判官。丁内外艰，服除，调功德使司照磨。泰定元年，改翰林国史院典籍官，升应奉翰林文字。至顺元年，预修《武宗实录》。二年，升修撰，擢江南行台监察御史。明年，虑囚于湖北。入为监察御史，道改奎章阁授经郎。元统元年，复拜监察御史，预修《文宗实录》，迁翰林待制，寻除中书右司都事，兼经筵参赞官。后至元二年，由刑部郎中改御史台都事。三年，迁礼部侍郎。五年，出为淮东道肃政廉访使。入为枢密院判官。明年，改吏部尚书，拜陕西行台治书侍御史，复为吏部尚书，升参议中书省事。至正二年，拜湖广行省参知政事，迁陕西行台侍御史。四年，召为集贤侍讲学士，兼国子祭酒。明年，出为山东道肃政廉访使，寻召还集贤，充京畿奉使宣抚。以忤时相意，竟坐不称职罢归。七年，天子察其诬，乃复起为湖北道宣慰使、浙东道廉访使，俱未行。拜江浙行省参知政事。九年，召为大都路都总管，以疾归。俄复起为两浙都转运使。十二年，诏仍江浙行省参知政事，总兵于饶、信。卒于军中，年五十九。著有《滋溪文稿》三十卷、《春风亭笔记》二卷、《松厅章疏》五卷，编《国朝名臣事略》十五卷、《国朝文类》七十卷。《元诗选》二集庚集选其诗7首。生平据《元史》卷一八三本传。

## 五月

十三日，戴良生。戴良（1317—1383），字叔能，号九灵山人，又号云林先生、嚣嚣生，婺州浦江人。曾先后受业于黄溍、柳贯、吴莱、余阙。至正十八年，朱元璋取金华，用为学正。二十一年，以荐授中顺大夫、淮南江北等处行中书省儒学提举。洪武元年，隐居鄞县。洪武十五年，征至京师，以老病辞，忤旨待罪。明年，卒于寓馆，年六十七。著有《九灵山房集》二十卷。《元诗选》二集辛集选其诗209首。生平据赵友同《故九灵先生戴公墓志铭》、《九灵山房集》卷首《年谱》、《明史》卷二八五《文苑传》。

二十日，王沂生。王沂（1317—1383），字子与，号竹亭，江西泰和人。至正十三年，领乡荐。授福建行省照磨，不赴。寻授亚中大夫、吉安路治中，亦不受。洪武三年，考试于广东。授福建盐运司副使，以老辞。洪武十六年卒，年六十七。著有《王征士诗》八卷，明初与弟佑集四卷合梓，称《二妙集》。生平据梁潜《竹亭王先生行状》、杨士奇《王竹亭先生墓志铭》(《王征士诗》附录)。

## 九月

**初九，刘壎追录其与易仲信、周从周、黄阑、曾子良等人至元辛卯（1291）岁论诗之事并其说，成《诗说》一篇。** 其文云："至元辛卯秋，予与故友易雪崖闲游南城乡，至欧桥访小谿周文郁（名从周，淳祐丙午中乡举），因过坡下访彩野黄卫道（名阑，登科，仕为兴国军通判，除榷院），就往金谿县之曾坊，访平山曾仲材（名子良，咸淳戊辰登科，仕至严州淳安令）。三先生者，皆予旧识也。前修雅望，绰有典型，从容说诗，各得一论，足以补后学之阙漏。今二十有七年矣。雪崖翁壬辰岁先逝，三先生亦相继仙去，宰木俱拱，惟予仅存，而亦年近钓璜，惧来日之有限，前闻之易亡也。因摭其说，载家集，以示吾孙。……予以诸老前后言语参玩，乃知前辈作诗，俱有节度。如今人率尔五七字，凑砌成章，遽名曰诗，宜其不足传矣。学不广，闻不多，其何能淑？予窃愧夫造诣之不深，而又虑夫前世之不传，故纂其所闻，以为《诗说》也。日或嗣有见教者，顾虽老惫，犹愿读书。延祐丁巳重阳日记于东轩。"（《水云村稿》卷十三）刘凝《水云村吟稿笺注序》："平山与易雪翁、黄卫道偕公纵谈著作，以为诗贵平易自然。公又语赵次山：不论古文、时文、诗章、四六，当以风骨为主。若文字有骨气，虽精采差减，正亦自佳。次山大击节叹赏。"

## 本年

**马祖常以监察御史出使河西，馆阁之士多赋诗送之。** 袁桷作《送马伯庸御史出使河西》诗，凡八首（《清容居士集》卷四）。柳贯有《送马伯庸御史出使河陇》诗（《待制集》卷三），文矩有《送马伯庸御史奉使关陇》诗（《元风雅》前集卷五）。马祖常作有纪行诗《庆阳》、《河湟书事》（二首）等。

**姚式卒于本年或稍后。** 姚式卒年，据吴师道《跋赵明仲所藏姚子敬书高彦敬诗》，跋云："某于高公声迹不相及，子敬则间东西州。皇庆中，有孙伯劳者，出子敬所书陆氏馆中诸诗及手选乐府一帙，小楷极精，欣慕之甚。尝作诗送孙，以末章致意。暨赵君明仲往来吾州，则知子敬为详，而明仲亦且过称予以欺子敬，交以未识为恨耳。泰定初，明仲为常山簿，相见则曰：'子敬亡矣。'为言其一月前，似疾非疾，屏居敷山中，绝食，惟日饮水，曰：人肠胃秽恶，皆食所致，吾将以是荡涤而漂清之。家人来候者悉遣归，留一子侍。明日，语子曰：'汝知之乎？男子不死于妇人之手。'命扶起坐而逝。乌乎，其死亡之际如此，世之知之者特末耳。明仲以予雅敬之，故见辄道子敬事，谨识而不忘。时距其殁已七年，今又十八年矣。明仲子肃携此卷来京师邀予题，因记前语。明仲见之，能无感乎！"（《礼部集》卷十八）泰定凡四年。以泰定元年（1324）计之，则姚式之卒当不早于本年。邓文原《祭姚子敬文》："历观人生，芝菌殊伦。祸福纠缠，孰运化钧。彼庸琐类，振武要津。子好修姱，自贻蹇屯。早驰英茂，凌厉无群。探幽河洛，考赜《典》、《坟》。九流百氏，罗络轮囷。瑰词藻思，玉棱之珍。峨冠被褐，长揖缙绅。藐视云浮，不见戚欣。邂逅朋簪，酒酣气振。俗子颜汗，唾若垢尘。诸贤论荐，梯之青云。一官陆沉，赍志莫伸。我材若樗，匠石弗斤。子辱与友，逾三十春。子啸且歌，视我性真。子加悻直，我无怒嗔。江楼酣饮，由夜达晨。湖堤芳林，苕洲白蘋。鉴湖五月，采莲风薰。携壶放舟，其乐无垠。我走南北，鬓霜日臻。今归闻子，病卧謇呻。致书与诗，一何谆勤。曾未浃旬，死生以分。念我好友，艰若凤麟。子其逝矣，挥涕咠云。敷山天寒，墓木犹新。矢辞酬觞，闻乎不闻。"(《巴西集》卷下）赵孟頫《送姚子敬教授绍兴》："我友子姚子，风流如晋人。白眼视四海，清言无一尘。结交三十年，每见意自新。皎皎白驹瘦，华发无缁磷。此行度浙水，言采会稽芹。会稽山水胜，王谢雅所欣。亦有支许俦，迭递为主宾。子往访遗迹，棹舡镜湖滨。狂客虽已去，高情自清真。以子绝代才，数贤可比伦。登山复临水，啸歌且怡神。时时书寄我，用慰情相亲。"(《松雪斋集》卷三）

**姚式与赵孟頫、钱选、陈康祖等人，时人目之为吴兴八俊。** 赵孟頫《送吴幼清南还序》："吾乡有敖君善者，吾师也。曰钱选舜举，曰萧和子中，曰张复亨刚父，曰陈恧信仲，曰姚式子敬，曰陈康祖无逸，吾友也。吾处吾乡，从数子者游，放乎山水之间，而乐乎名教之中，读书弹琴，足以自娱，安知造物者不吾舍也，而吾岂有用者哉。"(《松雪斋集》卷六)〔按，赵孟頫所作《送吴幼清南还序》，当作于至元丁亥十二月。据《吴文正集》附录《年谱》云："丁亥。春诣燕，程公上所荐士。……赵文敏孟頫方便召为兵部郎中，独书朱子与其师刘先生屏山所庆三诗为赠。十二月，还家。"〕张羽《题钱舜举溪岸图》："忆昔至元全盛日，天子诏下征遗逸。吴兴八俊皆奇才，秀邸王孙称第一。一朝玉马去朝周，诸子声名总辉赫。岂知钱郎节独苦，老作画师头雪白。江南没骨传者希，钱也得法夸精奇。晴窗点染弄颜色，得钱沽酒不复疑。今人只知重花鸟，岂识此图夺天巧。玄云抱石雷雨垂，苍山夹水龙蛇绕。岸侧溪回共杳冥，蒲稗深沉映鱼鸟。渔舟乍随远烟散，客子竞渡澄江晓。自云布置师北苑，只恐庸工未深了。卷馀更有魏公题，字拟钟王差未老。郑侯得之恐神授，使我一见喜绝倒。双溪流水清何极，城外南山空黛色。文章翰墨何代无，二子傅能蹑其迹。为君题诗三叹息，於呼古人难再得。(吴兴当元初时，有八俊之号，盖以子昂为称首，而舜举亦与焉。至元中，子昂被荐入朝，诸公皆相附取宦达，独舜举龃龉不合，流连诗画，以终其身。故二公之诗，各言己志，而子昂微有风意，览者当自得之也。)"(《静居集》卷三)《吴兴备志》卷十二："张复亨，字刚父，乌程人。力学博闻，仕至泰州同知，时与赵子昂、牟应龙、萧子中、陈无逸、陈仲信、姚式、钱选皆能诗，号吴兴八俊。虞邵庵尝称唐人之后，惟吴兴八俊可继其音。(劳志)"钱选，字舜举，号玉潭，又号习懒翁、雪川翁、清癯老人。吴兴人。景定间乡贡进士。《元诗选》二集选其诗25首，题作《习懒斋稿》。生平略见《吴兴备志》卷二十五。姚式，字子敬，号浮玉山人。入元，以荐授绍兴教授。生平略见光绪《归安县志》卷十二。陈康祖，字无逸，吴兴人。其诗甚为戴表元所赏，以为"冰蚕火布，煤脱垢烬，翛然而洁"。生平略见《吴兴备志》卷十二。赵汸《赠钱彦宾序》："吾邑令吴兴唐君子华，尝为余言：赵文敏公，以清才雅望，见用国朝，名声流于四海。其同时有牟成甫、张刚父、姚子敬、钱舜举，文学之美，皆与公相先后。舜举以绘事擅名，公甚敬其为人，尝赠之诗，有'鲁国万钧王月重，汉天一点客星孤'之句，而不及其画。盖皆一时之杰也。至正己丑冬，余访唐君吴兴，因得牟先生之书而传之。未几，又得姚、张、钱三公之诗而讽咏焉，皆清迈博洽，寄兴深远，非浅闻可冀。而钱公跌宕真率，格力优暇，无怨愤不平之意，要为不可及云。独其所谓经说者，不可得见。访其家，问诸其兄子国用，则曰：'公尝著书，有《论语说》、《春秋馀论》、《易说考》、《衡泌间览》之目，后皆焚之矣。'盖当时同游之士，多起家教授，而舜举独隐于绘事，以终其身。世之见其杜德机者，亦惟称其善画而已。呜呼！其真所谓轻世肆志者乎，何其掩抑藏遁如是之深也。"（《东山存稿》卷二）

## 公元 1318 年　　（仁宗延祐五年　戊午）

### 三月

初七，廷试进士，赐忽都达儿、霍希贤等五十人及第、出身有差。（见《元史》卷二十六《仁宗本纪》。

袁桷为殿试读卷官。袁桷《江陵儒学教授岑君墓志铭》："慈溪黄宗卿震之季子叔英彦实甫，婿馀姚岑氏，咸言岑氏善择婿。彦实馆其家，以诗书授子弟，彬彬于于，钩深纂玄，融液品节，各就条贯，掉鞅于词场者尤宜焉。延祐五年，岑君良卿以诗义上礼部第二，桷时为殿试读卷官定甲乙。七年，其弟士贵贡于乡。桷以至治元年再入集贤预校文选，词赋工者擢前列，暨拆名，则士贵也。"（《清容居士集》卷二十九）本年殿试试题亦为袁桷所拟。袁桷《试进士策问》（延祐五年三月六日进）："制曰：盖闻昔之圣人，垂衣裳以成无为之治。稽于书传，任贤设教，品节备具，谆谆然命之矣。是无为者，始于有为也。事久则弊，唐、虞之世，历年滋多，不闻其有弊也。治莫重于定国体、尊国势。纲常之分，严风俗之化，一国体定矣；善恶之类，明赏罚之制，宜国势尊矣。廉远堂高，上下之辨也；量才授官，莫得逾越，国之大柄也。若是者，其道何以臻此。《记》曰：礼乐刑政，四达而不悖，王道备矣。夫礼以防民，乐以和志，刑以禁暴，政以善俗，四者何所先也？凤夜浚明，卿大夫之德也。知其邪慝，则知所以儆之；知其困穷，则知所以振之。为吏习常，恬不知省，其故何也？继体守文，善论治者，尤以为难。朕承累圣之丕绪，宵旰图治，罔敢暇豫，于变时雍，若有缺然者，子大夫观乎会通，酌古今之宜，毋迂言高论，以称详延之美，朕将有考焉。"（《清容居士集》卷三十五）

祝尧登进士第。祝尧，字君泽，上饶人。延祐五年进士，为江山尹，后迁无锡州同知。元统元年，尝校文江西行省。著有《大易演义》、《策学提纲》。编有《古赋辨体》八卷、《外集》二卷，今存《四库全书》本。四库提要卷一八八："《古赋辨体》八卷、《外集》二卷，元祝尧编。《江西通志》载尧上饶人，延祐五年进士，为江山尹，后迁无锡州同知。《广信府志》载尧字君泽，与此本所题同，惟云官萍乡州同知，与《江西通志》异。其书自《楚词》以下，凡两汉、三国、六朝、唐、宋诸赋，每朝录取数篇，以辨其体格，凡八卷。其《外集》二卷，则拟骚、琴操歌等篇，为赋家流别者也。采摭颇为赅备。其论司马相如《子虚》、《上林》赋，谓问答之体，其源出自《卜居》、《渔父》，宋玉辈述之，至汉而盛。首尾是文，中间是赋，世传既久，变而又变。

其中间之赋，以铺张为靡，而专于词者，则流为齐、梁、唐初之俳体。其首尾之文，以议论为便，而专于理者，则流为唐末及宋之文体。于正变源流，亦言之最确。何焯《义门读书记》尝讥其论潘岳《藉田赋》分别赋、颂之非，引马融《广成颂》为证，谓古人赋、颂通为一名。然文体屡变，支派遂分，犹之姓出一源而氏殊百族，既云辨体，势不得合而一之。焯之所言，虽有典据，但追溯本始，知其同出异名可矣，必谓尧强主分别即为杜撰，是亦非通方之论也。"

**汪泽民登进士第。** 袁桷《赠宣城汪泽民登第归里序》："宣城汪君叔志，首上于春官，报罢以归，则曰吾学未至焉耳。探幽阐微，遂益治其业。戊午岁，复来京师，擢乙科，授同知平江州以归，则又曰：仕优而益学，斯可矣。将行，求余赠言以归。……夏四月，越袁桷序。"（《清容居士集》卷二十三）宋濂《元故嘉义大夫礼部尚书致仕赠资善大夫江浙等处行中书左丞上护军追封谯国郡公谥文节汪先生神道碑铭》："自少卿至先生，奕世科名，蝉联不绝，先生自幼融通经史，亦锐然思继承之。会科目之法行，遂领延祐甲寅江浙乡荐，上南宫不利，有司用恩例署宁国路儒学正。暨再举，遂擢戊午进士第，授岳州路同知平江州事，阶承事郎。"（《文宪集》卷十七）。汪泽民（1273—1355），字叔志，自号堪老真逸，徽州府婺源人。延祐元年领江浙乡荐，明年下第，例授宁国路儒学正。延祐五年，登进士第，授岳州路同知平江州事。转南安路总管府推官。以政声闻，擢信州路总管府推官。丁内艰，不赴。服除，迁平江路总管府推官。除济宁路兖州知州兼奥鲁劝农事，阶奉议大夫。至正三年，召修三史，拜朝列大夫、国子司业。已而除集贤直学士，寻以嘉议大夫、礼部尚书致仕。至正十五年，死于兵，年八十三。赠江浙等处行中书省左丞，追封谯国郡公，谥文节。著有《宛陵稿》、《巢深稿》、《燕山稿》，编有《宛陵群英集》二十八卷。《元诗选》三集庚集选其诗23首。生平据宋濂《元故嘉义大夫礼部尚书致仕赠资善大夫江浙等处行中书左丞上护军追封谯国郡公谥文节汪先生神道碑铭》、《元史》卷一八五本传。

**偰玉立登进士第。** 欧阳玄《高昌偰氏家传》："偰氏伟兀人也，先世曰暾欲谷，本突厥部，以女婆匐妻默棘速可汗为可敦，乃与谋其国政。唐史突厥传载其事甚详。……哈喇巴哈，倜傥有节概，好义如嗜欲，恤穷若姻戚，恤危蹈难，循国忘身。儿时，父以断事官治保定，留之侍母鄂通氏，居益都。……二子，长曰偰文质，次曰越伦质。文质甫十岁，刲股以愈母疾，粤之人士谓忠贞孝三节备于一家，故相与绘为图而传观之。既长，名迹猎猎称其家。延祐初，守广德，治法风声，为诸郡最。……〔偰文质〕子五人，曰偰玉立，登延祐戊午第，今翰林待制、朝请大夫兼国史院编修官；曰偰直坚，登泰定甲子第，今承务郎、宿松县达鲁花赤；曰偰哲笃，登延祐乙卯第，今中顺大夫、金广东道肃政廉访司事；曰偰朝吾，登至治辛酉第，今承务郎、同知济州事；曰偰列箎，登至顺庚午第，今从仕郎、河南府路经历。越伦质早岁警敏笃学，无子弟之过，未仕而殁，赠从仕郎、山东东西道宣慰使司都事。一子曰善著，登泰定丁卯第，今承务郎、天临路同知湘潭州事。"（《元文类》卷七十）《元诗选》三集庚集："玉立字世玉，其先本回纥人，即今伟兀。伟兀称高昌，地则高昌，人则回鹘也。居偰辇河上，因以偰为氏焉。……玉立以儒业起家，登延祐戊午进士第，授翰林院待制，兼国史院编修官。至正中，为泉州路达鲁花赤。考求图志，搜访旧闻，聘寓公三山吴鉴成

《清源续志》二十卷。后迁湖广佥事、海北海南道肃政廉访使。玉立兄弟五人，弟偰直坚登泰定甲子第，偰哲笃登延祐乙卯第，偰朝吾登至治辛酉第，偰列箎登至顺庚午第，俱以江西龙兴籍同登进士榜，时论荣之。"

**冯景仲于本年中进士第。**吴师道《冯景仲存拙稿序》："醴陵冯君景仲，延祐五年进士也。天历中，予至江西，君为省属。一时洪府上下多名士大夫，君有文声出其间，固已心识之。今兹幸为成均同僚，得睹所谓《存拙稿》者。其诗断自泰定丙寅，文则间存少作。……盖君之学，根据经传，出入百氏，以取材罗络甚广。间尝与之商较，作者矩度，高下可否，不差毫厘。"（《礼部集》卷十五）

**虞槃登进士第。**虞集《亡弟嘉鱼大夫仲常墓志铭》："时人美其才，稍从诸侯为宾客，署湖广行省龙阳州儒学正、全州清湘书院山长，除辰州路儒学教授，冀斗升以为养，然所至论学设教，馈粥初不给也。辰州未上而延祐科诏行，岁丁巳，以蜀远，就试江西。明年廷试，赐同进士出身，除吉安永丰丞，丁郡公忧，不及上。"（《道园学古录》卷四十三）

**忽都达儿登右榜状元。**忽都达儿，或译作呼图克岱尔。马祖常《送呼图克岱尔著作祠岳渎》（戊午状元）："日长东观著书清，绛荐龙香为帝擎。山岳发灵银瓮出，河宫迎节马图明。行观谣俗期星使，归奏蕃厘拜月卿。千里楚乡乘传去，关人应识弃缥生。"（《石田文集》卷三）

## 六月

**李源道以翰林直学士转云南肃政廉访使。**虞集《送李仲渊云南廉访使序》："延祐五年六月，翰林直学士李公仲渊除云南肃政廉访使。十二月二十有八日，乘驿骑五出国门西去。"（《道园学古录》卷六）虞集《送李仲渊云南廉使》："海上瀛洲想玉珂，绣衣今历几坡陀。贤人会合何其少，盖世文章不用多。兰楫谁迎桃叶渡，芦声莫奏竹枝歌。不令驷马归金马，奈尔相如好赋何。"（《道园遗稿》卷三）李源道，一作原道，字仲渊，号行斋，亳人，宦学三川，历四川行省员外郎，后入为监察御史。延祐中，迁翰林直学士，出为云南肃政廉访使，累迁翰林侍读学士，出为云南行省参知政事。著有《行斋谩稿》，吴澄（《吴文正集》卷二十二）、程钜夫（《雪楼集》卷十五）、虞集（《道园学古录》卷六）均为作序。《元诗选》三集己集选其诗 10 首。同恕《跋李仲渊所撰刘简州墓铭》："唐元鲁山墓碑，李华制文，颜真卿书，李阳冰篆额，时号四绝。若简州瑰奇卓伟之迹，肃政雄深雅健之文，事辞彬彬，于以信今而行后无疑也。不谓之二绝而何哉！泰定三年春二月望日同恕识。"（《榘庵集》卷四）

**龙仁夫序黎崱所撰《安南志略》。**其书又有察罕、程钜夫、元明善、刘必大、许善胜、许有壬、欧阳玄等人序。书前有崱自序，末署"元统初元乙卯春清明节，古爱黎崱序"。元统元年干支为癸酉，或以为"乙卯"当为"己卯"之误，许有壬序即作于"己卯"（重纪至元五年）。据欧阳玄等人序，知其书尝于天历间上于朝廷，则"元统初元"或为"延祐二年"之误亦有可能。其书有《四库全书》本、中华书局校点本。朱彝尊《安南志略跋》："《安南志略》二十卷，国人奉议大夫、金归化路宣抚司事爱州黎崱景高撰。序之者十有一人，广平程钜夫、魏郡元明善、安阳许有壬、庐陵龙仁夫、欧阳原功与焉，缩亦自为之序。汉自设交州、日南、九真三郡，历代沿革不同，崱参考史传，能详其山川、风土、人物，及书命之往复，军旅之出入，篇章之酬和，一一悉之。盖自内附后，闲居汉阳，得以优游著述，宜为诸公合辞赞美也。崱于泰定中游庐山，著游记三卷，惜乎吾不得而见之矣。天历中修《经世大典》，大学士何荣曾以《志略》上进，诏付书局，乃作《安南录》一卷附入。今《经世大典》已无存，予从海盐郑氏抄是书，恨讹字太多，豕三虎六，疑难尽释，安得更求善本是正之。"（《曝书亭集》卷四十四）四库提要卷六十六："《安南志略》十九卷，元黎崱撰。崱字景高，号东山，安南国人。东晋交州刺史阮敷之后，世居爱州。幼与黎瑋为子，因从其姓。九岁试童科，仕其国至侍郎，迁佐静海军节度使陈键幕。至元中，世祖伐安南，键率崱等出降。其国邀击之，键殁于军。崱入朝，授奉议大夫，居于汉阳，以键志不伸而名泯，乃撰此志以致其意。元明善、许有壬、欧阳玄皆为之序。所纪安南事实，与《元史》列传多有异同。如李公蕴所夺，是黎非丁；张怀侯为国叔，张宪侯为日烜兄子，俱非婿；遭兴道王之难者乃明诚侯，而非义国侯。皆可证史氏之讹。又史于至元二十三年诏书内数安南罪，有'戕害遗爱'语，而不著其事。今志载至元十九年，授柴椿元帅，以兵千人送遗爱就国。至永平界，安南勿纳。遗爱惧，夜先逃归，世子废遗爱为庶人。更足明史有脱漏。其他山川人物，叙述亦皆详赡，洵可为参稽互考之助。盖安南文字，通于中国。其开科取士，制亦略同。故此书叙述，彬彬然具有条理，不在《高丽史》下云。"

## 七月

初八，萧㪍卒，年七十八。《南村辍耕录》卷二以其寿年为七十七。苏天爵《元故集贤学士国子祭酒太子右谕德萧贞敏公墓志铭》："延祐五年七月己未，有星殒于所居中庭，光射如昼。越八日丙寅，公以疾薨，春秋七十有八。八月某甲子，葬咸宁县少陵乡朱张里南原先茔之昭。"张冲《勤斋集序》："贞敏禀刚明淳正之资，致穷理尽性之功，卒之道积厥躬，名扬海外，蔚为一代醇儒。修齐之馀，不得已而见于杂著，必本经术，一出自然，不泥乎体裁，不资乎雕篆，不尚乎夸靡，实而不俚，简而得要。虽咏物适情，随意信笔，每有至理寓于其间，有裨于名教，不累于习气，所谓萧散之文也。玄酒太羹，知味者鲜。……先生诗文制作，固不类乎六公（指韩、柳、欧、曾、苏、黄六人），而继乎鹤山、放翁者，不可诬也。"李黼《勤斋集序》："黼未冠时，闻关中萧先生名，人称之者不容口，其时想像先生，以为负才尚气，落落不羁，如秦汉间豪杰之士，加以辨博之学而已。厥后游上庠，闻诸巨公道先生之高风雅德、真学实践，然后知先生之名声有自，黼得之于传闻者，非其真也。……文八十篇，诗二百六十首，乐府二十八篇。盖先生立志笃，制行高，其处心正，其识趣远，其力学充积华赡，一以洙泗为本，濂洛、考亭为依。其发于辞章，所谓有德者斯有言，未宜以文人才士律之也。"《元史》卷一八九《儒学传》："㪍制行甚高，真履实践，其教人必自小学始。为文辞立意精深，言近而指远，一以洙泗为本，濂洛、考亭为据，关辅之士，翕然宗之，称为一代醇儒。所著有《三礼说》、《小学标题驳论》、《九州志》及《勤斋文集》行于世。"四库提要卷一六七："《勤斋集》八卷，元萧㪍撰。……天爵《滋溪集》载㪍墓志铭一首，称㪍于六经百氏无不通，尤精三《礼》及《易》，且邃于六书。……今考其文，气格虽不甚高，而质实简洁，往往有关名教。其辞儒学提举书及辞免祭酒、司业等状，尤可见其出处进退之大节。诗非所长，而陶冶性灵，绝去纤秾流派，亦足觇其志趣之高焉。"

**十八日，程钜夫卒，年七十。**程世京《楚国文宪公雪楼程先生年谱》："〔延祐〕五年戊午，公年七十。春三月十五日丙子，楚国夫人俞氏卒，年五十八。秋七月十八日丙子亥时，公薨于正寝。"（《雪楼集》附录）刘埙《与程学士书》："窃惟主斯文之齐盟，必属之当世之宗工。明公大名震乎海宇，鸿名行乎中朝，盖南北人士倚以为吾道元气者。执文盟之牛耳，微公其谁归？"欧阳玄《雪楼集序》："公之为文，以气为主，至于代播告之言，伟然国初气象，见于辞令之间。故读公之文者，可以知公之事业也。夫气寓于无形，其有可见，政事、文章二者而已。其间涵蓄之深，培养之厚，以之为政而刚明，以之为文而浑灏，惟程公有焉。"虞集《跋程文宪公遗墨诗集》："故宋之将亡，士习卑陋，以时文相尚，病其陈腐，则以奇险相高，江西尤甚，识者病之。初内附时，公之在朝，以平易正大，振文风，作士气，变险怪为青天白日之舒徐，易腐烂为名山大川之浩荡。今代古文之盛，实自公倡之。"（《道园学古录》卷四十）揭傒斯《程公行状》："所为文章，雄浑典雅，混一以来，为归于厚者，实自公发之。累朝实录、诏制、典册，纪之金石、垂之竹帛者，多公所定撰。至于名山胜地，遐荒远裔，穿碑巨笔，亦必属之公焉。……公平生潜心圣贤之学，博闻强识，诚一端庄，融会贯通，穷极蕴奥，而复躬践力行，始终不息。故其措诸事业，发为文章，非他人之所可及也。"揭泫《玉堂类稿跋》："公之学阂博，而其气浑厚，故其文雅健严密。"熊钊《雪楼文集序》："有元楚国程文宪公，当至元之间，特起东南，作为文章，脱略宋季靡陋之弊，振起乎作者之风。……公之文雄浑雅则，叙事详密，铺张正大，议论恢弘，昭晰如青天白日，雍容如和风庆云。故其揄扬至治，黼黻皇猷，天下之士，翕然归之，思有以企及于其后焉。制诏见代言之懿，国史备述作之工。"四库提要卷一六六："《雪楼集》三十卷，元程钜夫撰。……钜夫宏才博学，被遇四朝，忠亮鲠直，为时名臣。文章亦春容大雅，有北宋馆阁馀风。其《顺宗谥册》诸篇，宋濂等采入《元史》；苏天爵撰《文类》，亦录其文十馀篇，大抵皆诏诰碑版纪功铭德之作，而不及其诗。然其诗亦磊落俊伟，具有气格，近体稍肤廓，当由不耐研思之故；古诗落落自将，七言尤多遒警。当其合作，不减元祐诸人，非竟不工韵语者。天爵偶尔见遗，非定论也。"

## 九月

**初八，刘敏中卒，年七十六。**曹元用《敕赐故翰林学士承旨光禄大夫柱国追封齐国公刘文简公神道碑铭并序》："延祐戊午秋九月八日薨，享年七十有六。"《元史》卷一七八刘敏中本传："延祐五年卒，年七十六。"刘敏中（1243—1318），字端甫，号中庵，济南章丘人。著有《中庵集》二十五卷。生平见曹元用《敕赐故翰林学士承旨光禄大夫柱国追封齐国公刘文简公神道碑铭并序》、《元史》卷一七八本传。韩性《中庵集序》："余观公之文，不藻缋而华，不琢镂而工，不屈折条干而扶疏茂好，户枢门键，庭旅陛列，进乎古人之作矣。其所纪载，足以裨太史之阙，传之后学，传诵玩绎，得以审中和之声，而窥圣人德化之盛。教思无穷，非其他别集所可拟也。"曹元用《敕赐故翰林学士承旨光禄大夫柱国追封齐国公刘文简公神道碑铭并序》："公孝慈清介，气严而和善，奖诱后进，使人人恨造请之晚。平生身不怀币，口不论钱……恒以书史自娱，恬若无所营者。至其赞皇猷，决大议，援据今古，雍容不迫，言论出人意表。每以时事为忧，或郁而弗伸，则戚形于色，中夜叹息，至泪湿枕席。素无心于显达，义不苟进，进必有所匡救，然亦未尝久于其位。其文理备辞明，不为奇涩语。其诗清婉，可追配唐贤。字画有颜、米风度，求者缣素委积。"（《中庵先生刘文简公文集》附录）四库提要卷一六七："《中庵集》二十卷，元刘敏中撰。……其诗文率平正通达，无钩章棘句之习，在元人中亦元明善、马祖常之亚。本传称其文理明辞备。韩性原序亦谓其不藻缋而华，不琢镂而工，户枢门键，庭旅陛列，进乎古人之作。固不诬也。"《左庵词话》卷上："刘敏中《点绛唇》云：'短梦惊回，北窗一阵芭蕉雨。雨声还住。斜日明高树。远望行云，送雨前山去。山如雾。断虹犹怒。直入山深处。'写出骤雨乍晴光景。"

## 本年

郑思肖卒，年七十八。［按，陆心源《宋史翼》卷三十四引卢熊《苏州府志》云："郑思肖……语讫而绝，年七十有八。"王鏊《姑苏志》卷五十五亦以其寿年为七十八。其生年，据《大义集》题下自注："德祐初年乙亥（1275）十二月初二日，寓吴陷虏，时我年三十五。"据此，知思肖生于宋理宗淳祐元年（1241），卒于元仁宗延祐五年（1318）。《历代名人年里碑传总录》、《历代名人年谱》以为卒于延祐三年（1316）。］郑思肖《一是居士传》："一是居士，大宋人也。生于宋，长于宋，死于宋。今天下人悉以为非赵氏天下，愚哉！尝贯古今六合观之，肇乎无天地之始，亘乎有天地之终，普天率土，一草一木，吾见其皆大宋天地，不复知有皇帝王霸盗贼诸蛮介于其间。大宋粹然一天也，不以有疆土而存，不以无疆土而亡。行造化，迈历数，母万物，而未始有极焉。譬如孝子于其父，前乎无前，后乎无后，满眼与父与天同大，宁以生为在死为不在耶？又宁见有二父耶？此一是之所在也。未死，书死誓其终也，故曰死于宋。一是者何？万古不易之理也。由之行则我为主，天地鬼神咸听其命。不然，天地鬼神反诛之。断古今，定纲常，配至道，立众事，自天子至于庶人，一皆不越于斯，苟能深造一是之域，与天理周流，明而不惑，杀之亦不变，安能以伪富伪贵刍豢之？居士生而弗灵，几沦于朽弃，长而明，始感父母恩异于他人，父母恩非数可算。性爱竹，嗜餐梅花，又喜观雪，遇之，过于贫人获至宝为悦。不饮酒，嗜食菜，荐饭得菜，欣然饭速尽。有招之者，拒而不从，决不妄以足迹及人门。癖于诗，不肯与人唱和，懒则数岁不作，一兴动，达旦不寐。作讽咏，声辞多激烈意。诗成章，数高歌，辄泪下，若不能以一朝自居。每弃忘生事，尽日遂幽闲之适，遇痴浊者则急去之。多游僧舍，兴尽即飘然怆怀，终暮坐不去。寡与人合，间数月，竟无至门者。独往独来，独处独坐，独行独吟，独笑独哭。抱贫愁居，与时为仇雠，或痴如哆口不语，瞠目高视而僵立，众环指笑，良不顾。常独游山水间，登绝顶，浩歌狂笑，气润霄碧，举手掀舞，欲空其形而去。或告人以道，俗不耳其说，反嫌迂谬，率耻与之偕。破衣垢貌，昼行呓语，皇皇然若有求而弗获。坐成废物，尚确持一是之理，欲衡古今天下事咸归于正，愚又甚众人。宜乎举世之人不识之，有识者，非之识，之识其人，不识其人，非识也，能识一是之理，则真识一是居士矣。奚以识其精神笑貌，然后谓识一是居士也与。故作《一是居士传》。"（《文章辨体汇选》卷五四三）《南村辍耕录》卷二十："郑所南先生思肖，福州连江人，宋太学上舍，应博学宏词科，刚介有立志。会天兵南，叩阙上疏，犯新禁，众争目之，由是遂变今名。曰肖，曰南，义不忘赵，北面它姓也。隐居吴下，一室萧然，坐必南向。岁时伏腊，望南野哭，再拜而返。人莫识焉。誓不与朔客交往。或于朋友坐上见有语音异者，便引去。人咸知其狷洁，亦弗为怪。工画墨兰，不妄与人。邑宰求之不得，闻先生有田三十亩，因胁以赋役取。先生怒曰：'头可斫，兰不可画。'尝自写一卷，长丈馀，高可五寸许，天真烂熳，超出物表。题云：'纯是君子，绝无小人，深山之中，以天为春。'《过齐子芳书塾》云：'此世但除君父外，不曾别受一人恩。'《寒菊》云：'御寒不藉水为命，去国自同金铸心。'其忠肝义胆，于此可以见之。晚年究竟性命之学，以寿终。"

**释宗泐生。** 宗泐（1318—1391），字季潭，临海人，俗姓周。工诗能书，虞集、黄溍、张翥甚推之。明初，主持京师天界寺。洪武二十四年卒，年七十四。著有《全室外集》九卷、《续集》一卷。

**徐一夔生。** 徐一夔（1318—?），字大章，天台人。以危素荐，除建宁路儒学教授。元末，避兵嘉兴。明初，征修礼书，授杭州府学教授。卒于建文前后。著有《始丰稿》十四卷。生平见朱彝尊《徐一夔传》（《曝书亭集》卷六十四）、《明史》卷二八五《文苑传》。

# 公元 1319 年 （仁宗延祐六年 己未）

## 三月

**初八，赵汸生。** 赵汸（1319—1369），字子常，徽州路休宁人。生而姿禀卓绝。年十九，闻九江黄泽有学行，往从之游。后复从临川虞集游，获闻吴澄之学。乃筑东山精舍，读书著述其中。由是造诣精深，诸经无不通贯，而尤邃于《春秋》，学者称东山先生。明初，征修《元史》。书成，辞归。未几卒，年五十一。著有《东山存稿》七卷，有《四库全书》本。《元诗选》二集辛集选其诗 51 首。生平据詹烜《东山赵先生汸行状》（《东山存稿》附录）、《明史》卷二八二《儒林传》。

**十二日，王逢生。** 王逢（1319—1388），字原吉，号席帽山人、梧溪子、醉闲园丁，江阴人。至正中，作《河清颂》，台臣荐之，称疾辞。张士诚据吴，其弟士德用逢策，北降于元以拒明。朱元璋灭士诚，欲辟用之，坚卧不起，隐上海之乌泾，以歌咏自适。洪武十五年，以文学征，有司敦迫上道。其子以父年高，叩头泣请，乃止之。又六年卒，年七十。著有《梧溪集》七卷。《元诗选》初集辛集选其诗209首。生平据《明史》卷二八五《文苑传》。［按，王逢生辰，据吴荣光《历代名人年谱》。王逢《采芝辞后序》云："今年丁卯，垂七十矣。八月二日己酉，园北小山，濯风所见，芝蘽苗草间，因发笑曰：静观世间，何者非梦耶？遂作是辞，漫纪如此。"（《梧溪集》卷七）丁卯为洪武二十年（1387），所谓年垂七十，当即六十九之数。观乎此，则《历代名人年谱》言其生于本年三月十二日为可据云。］

## 五月

初十，管道昇卒，年五十八。赵孟𫖯《魏国夫人管氏墓志铭》："延祐四年，余入翰林为承旨，加封魏国夫人。五年冬，旧所苦脚气疾作，上遣太医络绎诊视。六年，增剧，闻于上，得旨还家。四月廿五日，发大都。五月十日，行至临清，以疾薨于舟中，年五十八。"（《松雪斋外集》）管道昇（1262—1319），字仲姬，一字瑶姬，吴兴人，赵孟𫖯妻。生而聪明过人，至元二十六年归于赵孟𫖯，偕至京师。至大四年，封吴兴郡夫人。延祐四年，加封魏国夫人。六年卒，年五十八。王逢《题管夫人画兰》："赵管才高柳絮风，水晶宫里写幽蘖。秋来纫作夫君佩，笑杀回文漫自工。"（《梧溪集》卷七）《书史会要》卷七："管夫人，讳道昇，字仲姬，吴兴人。赵魏公室，封魏国夫人。有才略，聪明过人，为词章，作墨竹，笔意清绝，亦能书。仁宗尝取夫人书，合魏公及子雍书善装为卷轴，识以御宝，命藏之秘书监，曰：'使后世知我朝有一家夫妇父子皆善书也。'"《尧山堂外纪》卷七十："赵松雪欲置妾，以小词调管夫人云：'我为学士，你做夫人。岂不闻陶学士有桃叶桃根，苏学士有朝云暮云。我便多娶几个吴姬越女何过分！你年纪已过四旬，只管占住玉堂春。'管夫人答云：'你侬我侬，忒煞情多，情多处热似火。把一块泥捻一个你，塑一个我。将咱两个一齐打破，用水调和，再捻一个你，再塑一个我。我泥中有你，你泥中有我。与你生同一个衾，死同一个椁。'松雪得词，大笑而止。"［按，赵松雪、管仲姬此事，李开先《词谑》、《情史类略》卷八、《词苑丛谈》卷十一、《古今词话》词话类下、《历代诗馀》卷一一九、《词苑萃编》卷二十二、《坚瓠癸集》卷二等均有征引。或以为非赵孟𫖯、管道昇所作，为元人之俗曲。］《太平清话》："松雪夫人管仲姬，生泖西小蒸，至今其路尚名管道。工诗，善画竹，亦能小词。尝题《渔父图》云：'人生贵极是王侯，浮利浮名不自由。争得似，一扁舟，弄月吟风归去休。'松雪和云：'渺渺烟波一叶舟，西风木落五湖秋。盟鸥鹭，傲王侯，管甚鲈鱼不上钩。'"《吴兴备志》卷二十五："管夫人性喜兰梅，下笔精妙，不让水仙。有时对庭中修竹，亦自兴致不能自休。（《丹青记》）"《庚子销夏录》卷二："管夫人墨竹。管夫人画竹，风格胜子昂。此帧凡三竿，极其苍秀，自题一诗：'春晴今日又逢晴，闲与儿曹竹下行。春意近来浓几许，森森稚子石边生。'字法似子昂。"

## 六月

晋阳、西凉、钧等州，阳翟、新郑、大同、密等县大雨雹。汴梁、益都、般阳、济南、东昌、东平、济宁、泰安、高唐、濮州、淮安等处大水。见《元史》卷二十六《仁宗本纪》。

## 八月

**初六**，王剌哈剌作《重修明应王殿之碑》。其文云："询之故老，每岁三月中旬八日，居民以令节为期，适当群卉含英，彝伦攸叙时也。远而城镇，近而村落，贵者以轮蹄，下者以杖履，挈妻子、舆老羸而至者，可胜既（概）哉！争以酒肴香纸聊答神惠，而两渠资助乐艺，牲币献礼，相与娱乐数日，极其餍饫，而后顾瞻恋恋，犹忘归也。此则习以为常。"（转引自冯俊杰编《山西戏曲碑刻辑考》卷二）此外，明应王庙南壁东侧墙上尚存有绘于泰定元年（1324）之"忠都秀在此作场"壁画。此亦元代演剧盛行之一佐证。

**初七**，刘埙卒，年八十。吴澄《故延平路儒学教授南丰刘君墓表》："归四年，延祐己未也，年八十矣。后八月七日晨兴，进饭一七，端坐而逝。初殡华野，泰定丙寅九月庚申，葬广昌县文教里之塔冈。"（《吴文正集》卷七十一）曾子良《水云村吟稿序》："一日，以其诗示予也，而文未之见。诗予视之，古视《选》、近古视黄；绝五视《选》、七视晚唐而轶焉，皆合大家数。盖其材全，其力巨，其气雄，故能持众微而不自以为名，刻众形而不自以为功。"《元诗选》二集甲集："研经究史，网罗百氏，文思如泉涌，宋季与同里谌祐自求各以诗文鸣。"四库提要卷一六六："《水云村稿》十五卷，元刘埙撰。……埙才力雄放，尤长于四六，集中所载诸启劄，大都皆在宋世所作。考《隐居通议》，自述其得意之笔，如《代吴浚谢建阃表》、《吊吴浚文》、《代赵必峾谢庙堂启》、《通丁应奎启》，今皆不见于集中，则其散失者亦自不少。然即所存者观之，隶事铸词，亦复颇见精采。埙尝自言，赵必峾称其能以散文为四六，正是片段议论，非若世俗抽黄对白而血脉不贯者。盖生平得力，有甘苦自知者矣。其他古文，则多入元以后所作。灏瀚流转，颇为有气，而时以俳句绮语搀杂其间，颇乖典则。则覃精俪偶，先入者深，有不知其故态之萌者矣。"龚望曾《水云先生年谱后跋》："昔临川草庐吴氏推先生之学，足以颉颃子固，而惜不遇六一翁其人。窃谓先生早负盛名，与游皆一时人杰，其推挽之力，即欧阳之于子固，亦未能远过。无如权奸柄国，君子有《北风》'雨雪'之思，故蓄道德、能文章，甘心隐而未见。迨至运移世易，弓招虽切，只以博士一官自全素履，是先生不遇者时也，非人也。遇不如子固，而学则同于子固，此草庐吴氏之所以为知言也。……盖宋元之际，目击板荡之忧伤，不得已而托于杜陵之以诗为史，华衮斧钺，悉寓于长言咏叹之中。则先生之诗，即宋元之逸史也。"

## 本年

**《三衢文会》刊行于鄱江。**汪琬《跋三衢文会》："右《三衢文会》一编，元仁宗延祐六年刻于鄱江。盖诏行科举已五年矣，一时巨公名士，遂相率由科目以进，殆莫炽于延祐。如史所载，张文穆公起岩、黄文献公溍、欧阳文公玄、许文忠公有壬、杨待制载，则皆二年进士也。汪文节公泽民、虞仲常槃，皆五年进士也。其人儒术吏治，文章节义，类皆卓然杰出，著闻于世者。然则科目，亦何负于国家哉！此编虽江浙间私课，亦足以见是时人文之盛。编中自余闺至汪诚凡十名，皆全录其文；十五名徐徽录赋一篇，十九名王世风录经疑二道，共文五十三篇。予既记其始末，而又跋之如此。"（《尧峰文钞》卷三十九）

**宋本与其弟宋褧入京师，本以其集《千树栗》见贽于许有壬。**许有壬《宋诚夫文集序》："延祐己未，赠翰林直学士谥正献宋公诚夫偕其弟显夫始入京，过予陋巷，一见如平生。出所著曰《千树栗》者视予曰：'京师吾乡，田庐尽废，江湖二十年，储蓄归为恒产独此尔。'阅其帙，知其学已充，文已成，谓之曰：'君之产不但与千户侯等，将与万户侯等。'……诚夫自选其文，更《千树栗》曰《至治集》，其传不待予叙也。"（《至正集》卷三十）

**朱德润以赵孟頫荐，授应奉翰林文字、同知制诰兼国史院编修官。**周伯琦《有元儒学提举朱府君墓志铭》："当延祐之末，年廿五，游京师，吴兴赵文敏公子昂荐之，驸马太尉沨王以闻仁宗皇帝，召见玉德殿，命为应奉翰林文字、同知制诰兼国史院编修官。明年正旦，日食。越三日受朝，君从沨王再见上，注视久之。廿一日，宫车晏驾。三月，英宗嗣位，会沨王以忤中贡人斥外，太皇太后命驰芗于鄞之天童寺，君遂与偕，表授镇东行中书省儒学提举。又明年二月，大雪，上猎柳林，驻寿安山，以近臣言，召见，君献《雪猎赋》，累万馀言，奇之。"（《存复斋文集》附录）

**李从道等人结丽泽诗社，以《冬景》为题。**叶颙《冬景十绝》题下注云："李从道丽泽诗社出题。至治己未至己亥，四十年矣。"（《樵云独唱》卷四）（编者按：至治当系延祐之误。）

**释来复生。**来复（1319—1391），字见心，号蒲庵，丰城人，俗姓黄。元末，主持慈溪定水庵，后主四明天宁寺。入明，征至京，诏住凤阳圆通院。洪武二十四年，坐胡惟庸党诛，年七十三。著有《蒲庵集》十卷。

**曾鲁生。**曾鲁，字得之，新淦人。博通古今，以文学闻于时。年十九，以上《长书》见称于虞集。洪武初，修《元史》，召为总裁官。史成，赐金帛，以鲁居首。乞还山，会编类礼书，复留之。五年，超拜中顺大夫、礼部侍郎。鲁以顺字犯其父讳辞，就朝请下阶。是年十二月引疾归，道卒。生平见宋濂《大明故中顺大夫礼部侍郎曾公神道碑铭》、《明史》卷一三六本传。

## 公元1320年 （仁宗延祐七年 庚申）

正月

二十一日，仁宗崩，年三十六。在位十年，谥曰圣文钦孝皇帝，庙号仁宗，蒙语曰普颜笃皇帝。李好文《雪楼集序》："初，世皇之在潜邸也，已喜儒士，凡天下之鸿才硕德，靡不延访招致左右。爰暨即位，乃考文章，明制度，兴礼制乐，为天下法。一时名士，汇征并进，文采炳蔚，度越前代，如王文康公鹗、王文忠公磐、李文正公冶、太常徐公世隆、内翰图克坦公履之俦，多前金遗逸，皆为我用。惟公（即程钜夫）

南来，际遇隆渥，逮事四朝，四十馀年，虽出入显要，而居侍从之列者有半，仕履之久，一人而已。"（《雪楼集》卷首）

## 三月

十一日，皇太子硕德八剌即皇帝位于大明殿，是为英宗。张士观作英宗皇帝《即位诏》。元英宗生于大德七年二月甲子，延祐三年十二月丁亥立为太子。

## 春

张翥由杭州归太原就科试。李存《送张仲举明春秋经归试太原序》："国家以科举取士，士之选，必由于其乡。延祐七年春，张仲举将由钱塘归就试太原，不远千有馀里，以书来征余言。仲举明于《春秋》者也。《春秋》，圣人是是非非之经也。故曰：知我者，其唯《春秋》乎？罪我者，其唯《春秋》乎？然昔之传是经者，固或溺于臆说；后之号为通是经者，亦多托之空言。经之不明，其来尚矣。……仲举谅直君子也，其必审于斯义，而非托诸空言者也。之行也，吾意其乡之好事者，必相与乐推先焉，而有司之明者，亦将无所失也。"（《俟庵集》卷十六）陈樵《送张仲举归晋阳举进士六首》其一："籍甚张公子，词华众所推。门闾千里望，天地一编诗。花落山公宅，云寒杵臼祠。看君归晋日，翻作别家时。"（《鹿皮子集》卷二）

## 四月

罢回回国子监。见《元史》卷二十七《英宗本纪》。

## 五月

滕宾跋《唐赵模摹集晋人千文》。见《珊瑚网》卷二十二，题作《唐赵模集晋字千文》。又见《御定佩文斋书画谱》卷七十二。滕宾，一作滕斌，又作滕霄，字玉霄，黄冈（一作睢阳）人。风流笃厚，见者心醉，狂嬉狎酒，韵致可人。其谈笑笔墨，为人传诵，宝爱不替。至大间，任翰林学士。延祐初，出为江西儒学提举，后弃家入天台为道士。著有《滕玉霄集》、《滕玉霄词》。《元诗选》三集丙集选其诗 46 首。《全元散曲》录其小令 15 首。钟嗣成《录鬼簿》录之入"前辈已死名公，有乐府行于世者"之列。刘辰翁《滕玉霄赞》："似不似在阿堵，同不同在里许。其落笔也如箕，其出神也如杵。其得于酒狂也为剑侠，而得于独醒也为处女。固不得与二陆三，岂不可与四夔五。嗟乎！使吾得而客之，亦何至嘲子云而责子羽也。"（《须溪集》卷七）〔按，《天下同文集》卷二十九亦载此赞，题卢挚作。另《须溪集》卷七有《赠滕玉霄入京启》云："有一男子，长歌楚泽之中，乘万里风，自致燕台之上。寒十年不调，逾三月聚粮，何众口诵佳句，谊而万言，不一杯，直阮籍驾车穷途哭而返，岂达者哉！王郎拔剑斫地歌，莫哀有知我者。方今官无买价，贤有聘书，行而过东、马、严、徐之间，亦不在秦、黄、晁、张之下。骑将军马，已看当路之同升；爱文人乌，更在诸贤之乐与。"刘辰翁生于 1232 年，卒于 1297 年。方回有《送滕玉霄、张元朴管押地理书入都》诗（《桐江续集》卷二十四）。考《元史》，征虞应龙修地理书在至元二十三年，二十八年书成。滕玉霄等押解地理书入京，当在此年之后。又刘诜《桂隐文集》卷三有《与滕玉霄》一篇，观其言辞，其年辈似晚于玉霄。刘诜生于 1268 年，则滕玉霄之生年，或在 1250 年前后。]《徐氏笔精》卷四："赵子昂绝句云：'春寒侧侧掩重门，睡鸭香残火尚温。燕子不来花又落，一庭风雨自黄昏。'滕玉霄绝句云：'吟人瘦倚玉阑干，酒醒香消午梦残。燕子不来春社去，一帘疏雨杏花寒。'二首颇相似，皆诗馀中绝佳句也，唐人无此纤弱之作。"《词品》卷五："元人工于小令、套数，而宋词又微。惟滕玉霄集中，填词不减宋人之工。今略记其《百字令》一首云：'柳颦花困，把人间恩怨，樽前倾尽。何处飞来双比翼，直是同声相应。寒玉嘶风，香云卷雪，一串骊珠引。元郎去后，有谁着意题品。谁料浊羽清商，繁弦急管，犹自馀风韵。莫是紫鸾天上曲，两两玉童相并。白发梨园，青衫老傅，试与留连听。可人何处，满庭霜月清冷。'玉霄又有赠歌童阿珍《瑞鹧鸪》云：'分桃断袖绝嫌猜。翠被红裀兴不乖。洛浦乍阳新燕尔，巫山行雨左风怀。手携襄野便娟合，背抱齐宫婉娈怀。玉树庭前千载曲，隔江唱罢月笼阶。'盖郑樱桃《解红儿》之流也。用事甚工。予同年吴学士仁甫喜诵之。"

## 六月

初一，何中自序所撰《知非堂稿》。序见本集卷首。何中（1265—1332），字养正，一字太虚（一作号太虚），抚州乐安人。少颖拔，以古学自任，家有藏书万卷，手自校雠。其学弘深该博，程钜夫、元明善、姚燧、王构、揭傒斯及中表兄吴澄，皆推服之。至顺二年，江西行省平章全岳柱聘为龙兴郡学师。明年六月，以疾卒。著有《易类象》二卷、《书传补通》十卷、《通鉴纲目测海》三卷、《通书问》一卷、《吴才老叶韵补疑》一卷、《六书纲领》一卷、《补六书故》三十二卷、《苏丘述游录》一卷、《揸颐录》十卷、《知非堂稿》十七卷、《知非外稿》十六卷。《元诗选》二集丙集录其诗 204 首。生平据揭傒斯《何先生墓志铭》、《元史》卷一九九《隐逸传》、《元史类编》卷三十五。四库提要卷一六七："《知非堂稿》六卷，元何中撰。……自序称有《知非堂稿》十七卷、《外稿》十六卷。顾嗣立《元诗选》载《知非堂稿》十七卷，与自序合。王士祯《居易录》作十六卷，亦与自序《外稿》合。此集止六卷，似非完书。然嗣立之所录与士祯之所称者，已均在此六卷之中，又似无所亡佚者。岂后人传写，或合并其卷数，抑或重为选录，汰其繁冗，故篇帙虽减，而名章隽句一一具存欤？诗集之富，唐无若白居易，宋无若陆游、杨万里，而珠砾并存，往往使后人以多为憾。是编佳制具存，而芜词较少，可谓刊糟粕而存菁华。"《知非堂稿》，各家书目著录不同，或作六卷，又有作十卷、十七卷者。何诜《知非堂稿序》："于是取太虚先生《知非稿》诗文，编次六卷，命工刊传。"《千顷堂书目》卷二十九："何中《知非堂稿》六卷，一作十七卷。"《绣谷亭薰习录》集部二："《知非堂稿》六卷，元临川何中太虚著。吴澄伯清序，延祐庚申自序。中与伯清姻兄弟也。《元诗选》称《知非堂稿》十七卷，验其选次甲乙，即从此本录出，自序只题六卷，或有文集耳。"《藏园群书题记》卷十六：

"《钞本知非堂稿跋》:《知非堂稿》,元何中太虚著,《四库》著录者为六卷,此小学斋钞本,凡十一卷。前六卷为诗集,与《四库》本同,后五卷为文集及附录,即《提要》所称之《外稿》。前人合并为十一卷,而没其《外稿》之名,于义例殊乖违矣。卷前有延祐庚申太虚自序,次列至顺二年吴澄序,元统二年揭曼硕序,洪武丙子黄德民序,永乐二年孙 诙序。"

**二十日,袁裒卒**。袁桷《海盐州儒学教授袁府君墓表》:"正肃次子讳偊,通判潭州,是生君讳裒,字德平,以安定长授海盐州儒学教授,未拜,延祐七年六月二十日卒,年六十有一。……至治二年岁次壬戌,族侄具官桷表。"(《清容居士集》卷三十)袁裒(1260—1320),字德平,鄞县人。大德间,为庆元路儒学录,升安定书院山长。延祐七年,授海盐州儒学教授,未拜而卒。著有《卧雪斋文集》,已佚。《元诗选》初集丙集于袁桷后附选其诗 5 首。马祖常《卧雪斋文集序》:"袁君德平之文,可谓美矣。优柔而不华,典则而不质,可以施之宗庙、告之朝廷,而今已死无及也。其子杲,游于国学。以余尝从其兄伯长甫官史馆,而伯长甫又好余甚者也,请重序其父之文焉。噫,德平之文,世虽无知者,抑何伤乎?子杲兹行,又囊而归于越山之下。一日,太史占候,言南方有光气上达于天者,其必德平之文在其下也夫。"(《石田文集》卷九)苏天爵《书袁德平文稿后》:"国子伴读四明袁杲,手其先君子文一编示天爵曰:'吾先正献公学于金溪陆先生,至正肃公益修其学,俱有家集传焉,盖非专以文名于世者也。先君子生于宋季,皇有江南,教授州郡,志之所存,著于斯文而已。'天爵闻其言而感焉。呜呼,儒者之学大矣,岂缀文之士所能尽乎?自圣贤之学不传,而六经之训日泯。宋在汴时,周、程诸公倡明道学,学者始克知所本矣。及迁国江左,一时大儒各以其学兴起于世,其徒从而应之者,考索之精,问辨之博,固有所未及也。而金溪先生独超然所见,发明其要,欲直造于高明,得其心之本真。正献袁公、慈湖杨公,亲授其业者也。故正肃之言曰:'学贵自得。《论语》一书,多六经所未言。《孟子》一书,多《论语》所未发。圣贤岂求异于人哉,得于心,发于言,不自知其然尔。'正肃得其先训以达于陆氏。杲之先君子则正献曾孙,正肃公之孙也,其于家学,盖亲有所闻焉。"(《滋溪文稿》卷二十八)《元诗选》初集丙集:"裒字德平,与伯长为族兄弟。善书法,隐居沙家山。常作《求志赋》以叙次先世遗业。诗多失传,并附联句诸作。"

## 九月

**初一,李齐序郑构所撰《衍极》**。序见本集卷首。《衍极》五篇,今存《四库全书》本厘为上、下两卷,有同时人刘有定注。《四库全书总目提要补正》卷三十三:"《衍极》二卷。陆氏《藏书志》有明万历刊本五卷,并载黄丕烈手跋云:'此《衍极》五卷,虽明刻本,然分卷尚是旧第,未经硬分二卷也。'玉缙案:此五卷本不言有刘注,俟考。杨氏《楹书隅录》有校旧钞本五卷,并载黄丕烈识语云:'《衍极》以五卷者为佳,明神庙时刻犹如此,近传二卷,非其旧矣。《读书敏求记》云:"龙溪令赵敬叔为之锓梓以传。"今考陈众仲书云:"又喜赵龙溪之能笃意于斯文,然后喜著书者之托以不朽也。"则此书在元时当有刻本,世所传者,不过明刻耳。'"

**215**

## 十月

二十四日，李衎卒，年七十六。苏天爵《故集贤大学士光禄大夫李文简公神道碑》："公享年七十有六，以延祐七年十月二十四日卒于维扬，葬江都县某乡某原。"（《滋溪文稿》卷十）邓文原有《哭李息斋大学士》诗二首（《元诗选》二集）。苏天爵《故集贤大学士光禄大夫李文简公神道碑》："仁宗皇帝临御之初，方内晏宁，乃兴文治。一时贤能材艺之士，悉置左右。……当是时，朝之宿学硕儒名能文辞翰墨者，若洛水刘公赓、吴兴赵公孟頫、保定郭公贯、清河元公明善，皆被眷顾，士林歆慕以为荣。公居其间，年德俱尊，国有大政，则偕诸老议之，衣冠整肃，言论从容，廷臣莫不起敬。……公翰墨馀暇，善图古木竹石，庶几王维、文同之高致，而达官显人争欲得之，求者日踵门，公弗厌也。"四库提要卷一一二："《竹谱》十卷，元李衎撰。……《续弘简录》曰：李衎少时，见人画竹，从旁窥其笔法，始若可喜，旋觉不类，辄叹息舍去。后从黄华子澹游学（案，黄华老人，金王庭筠之别号，澹游，庭筠子曼庆之别号，《画史会要》录称庭筠善古木竹石，曼庆亦工墨竹），已观黄华所画墨竹，又迥然不同，乃复弃去。至元初，来钱塘，得文同一幅，欣然愿慰，自后一意师之。兼善画竹，法加青绿设色。后使交趾，深入竹乡，于竹之形色情状，辨析精到，作《画竹》、《墨竹》二谱，凡黏帧矾绢之法悉备。又邓文原《履素斋集》有哭衎诗二首，诗末注曰：仲宾近刊《竹谱》二十卷。'其书世罕传本，浙江鲍氏所传钞者仅有一卷，疏略殊甚。惟《永乐大典》载其完书，实分四门，曰画竹谱、墨竹谱，与《弘简录》所言合，又有竹态谱、竹品谱。其竹品谱中，又分全德品、异形品、异色品、神异品、似是而非竹品、有名而非竹品六子目，共为十卷。卷各有图，盖每二卷并一卷矣。其书广引繁征，颇称淹雅，录而存之，非惟游艺之一端，抑亦博物之一助矣。中有说而无图者，自序谓与常竹同者则不复图，非阙佚也。"

## 十一月

初九，诏命翰林国史院纂修《仁宗实录》。见《元史》卷二十七《英宗本纪》。

柳贯以国子助教分教北都，作《上京纪行诗》一卷。柳贯《上京纪行诗序》："延祐七年，贯以国子助教分教北都生。始出居庸，逾长城，临滦水之阳而次止焉。自夏涉秋，更二时乃复。计其关途览历之雄，宫谈物仪之盛，凡接之于前者，皆足以使人心动神竦，而吾情之所触，或亦肆口成咏，第而录之，总三十二首。……吾友薛君宗海，雅善正书，探囊中，得旧纸数板，因请宗海为作小楷，联为卷。……后三年至治三年十一月五日，柳贯自序。"（《待制集》卷十六）宋濂《跋柳先生上京纪行诗后》："濂以元统甲戌伏谒先生于浦江私第，出示《上京纪行诗卷》，乃永嘉薛君宗海所书。时先生自江西儒台解印家居，上距分教滦阳赋诗之年实延祐之庚申，已历十五春秋。洪武丁巳之正月，濂方谢事归田，幸获重观于萝山书舍，相去元统甲戌复四十有四年，于是先生墓上之草亦三十六新矣。"（《文宪集》卷十四）《天禄琳琅书目后编》卷十九："《上京纪行》，一函一册，元柳贯撰。……书一卷，凡诗四十首。贯以延祐七年由国子助教分教北都，所作三十二首，至泰定元年被命方试进士上京，所作八首，属薛汉作楷联卷,并摹入版。"《上京纪行诗》,有故宫博物院影洪武刻本。

## 十二月

**初二,下诏改元,以明年为至治元年。**元明善《至治改元诏》:"以延祐七年十二月初二日,被服衮冕,恭诣于太庙,既大礼之告成,宜普天之均庆,属兹逾岁,用易纪元,于以导天地之至和,于以法春秋之谨始,可改延祐八年为至治元年。"(《元文类》卷九)《元史》卷二十七《英宗本纪》:"十二月乙巳朔,诏曰:'朕祇遹眙谋,获承丕绪,念付托之惟重,顾继述之敢忘。爰以延祐七年十一月丙子,被服衮冕,恭谢于太庙。既大礼之告成,宜普天之均庆。属兹逾岁,用易纪元,于以导天地之至和,于以法春秋之谨始,可以明年为至治元年。……'""十一月丙子"为初一。此以《元文类》所录元明善《改元诏》所记为谁。

## 本年

**吴师道与吴莱同行北上。**吴师道《题谢君植吴立夫诗词后》:"延祐庚申冬,余北上过彭城黄鹤故基,俯汴泗交流,四望青山逶迤,残冬参差,孤城低黯,问戏马台何处,同行吴立夫喜为诗。予因相与诵苏子由《黄楼赋》、文文山《彭城行》,为凄然而罢。后三年,之淮东,泊舟京口,遇故人谢君植,饮酣,同上北固多景楼。时云物冥晦,风起浪作,江中来去船千百,远若凝立不动者。望维扬,隐隐凄凉满目。君植善乐府,因举辛稼轩、姜白石旧赋一二阕,悲壮顿挫,使人涕下不自禁。倏忽十年,思二友未即见。一日,阅故纸,得所寄他诗词,联缀成卷。念昔游所欲赋,援笔记此。倘有二友作,必能道余所不能言。感慨激烈,与古人争雄,异时庶几见之。"(《礼部集》卷十六)于此略见吴师道、吴莱、谢君植之游处。

**翰林编修蒲道源以母老告归,后不复仕。**蒲道源《洋州太守周子仁送行诗序》:"余以皇庆癸丑,忝被驿召为翰林末属,去公时已二十馀年,得观所谓视草者。……延祐庚申,余以母老得告归,继丁重哀,闲居十馀年,不复出。"(《闲居丛稿》卷二十)蒲道源(1260—1336),字得之(一作德之),号顺斋,自眉州徙居兴元。延祐间,官翰林应奉文字、编修。著有《闲居丛稿》二十六卷。《元诗选》初集丙集选其诗43首。《闲居丛稿》二十六卷,今存《四库全书》本、清遐寄斋抄本。陆心源《仪顾堂续跋》:"《顺斋先生闲居丛稿》二十六卷,次行题曰'男蒲机类编,门生薛懿校正'。……卷一、卷二赋及古诗,卷三五律,卷四至六七律,卷七、八绝句,卷九铭、箴、赞、解、辨、说、乐语、春帖、疏,卷十题跋,卷十一斋醮文、祝词、致语、上梁文、诗联,卷十二乐府,卷十三经旨策,卷十四传记,卷十五制表笺,卷十六碑,卷十七书,卷十八至二十序,卷二十一字说序,卷二十二祝文,卷二十三祭文、表辞,卷二十四、五墓志铭、墓表,卷二十六行实。"

**袁桷以庆元路总管马泽之属,撰成《延祐四明志》十七卷。**又据贝琼所撰《故福建儒学副提举王公墓志铭》(《清江文集》卷三十),知王厚孙亦尝与撰二考。袁桷有《四明志序》,见《清容居士集》卷二十一。四库提要卷六十八:"《延祐四明志》十七卷，元袁桷撰。……桷文章博赡，为一时台阁之冠。所著《易说》、《春秋说》诸书，见于苏天爵墓志铭者，世久无传。惟《清容居士集》及此志尚存。书成于延祐七年，盖庆元路总管马泽属桷撰次者也。凡分十二考：曰沿革，曰土风，曰职官，曰人物，曰山川，曰城邑，曰河渠，曰赋役，曰学校，曰祠祀，曰释道，曰集古。条例简明，最有体要。桷先世在宋，多以文学知名，称东南故家遗献。没后会朝廷修史，遣使求郡国轶文故事，惟袁氏所传为多。故其于乡邦旧典，尤多贯串。志中考核精审，不支不滥，颇有良史之风。视《至元嘉禾》、《至正无锡》诸志，更为赅洽。惟自第九卷至第十一卷为传写者所脱佚，已非全帙。然元时地志，钞帙无多，存之亦足以资考究，固未可以不完废也。"

**吴澄序元明善所撰文集。**序见《吴文正集》卷十九。其时明善以英宗即位，召为集贤侍讲学士。明善所著，有《清河集》三十九卷，已佚，清人缪荃孙辑为《清河文集》七卷，存《藕香零拾》本。《文渊阁书目》卷九：元明善《清河文集》一部十五册，完全；《国史经籍志》卷五：元明善《清河集》三十九卷；《内阁藏书目录》卷三：《清河集》八册，全。元至治间翰林学士元明善著，共三十九卷，阙三卷至八卷、十二卷至十七卷、二十一至二十三卷。缪荃孙《清河文集跋》："右《清河集》七卷，元元明善撰。……文集五十卷，明文渊阁、绛云楼两书目尚有其书。……马伯庸撰《神道碑》云：'其文赋五篇，诗一百六十三篇，铭赞传记五十九，序三十，杂著十五，碑志一百三十，分五十卷。'今掇拾丛残，存诗十四篇，诏制六篇，碑志铭表十六篇，序三篇，记六篇，传三篇，杂著五篇，分七卷。"

**张埜官御史台亚中大夫、南台治书侍御史。**《至大金陵新志》卷六下："治书侍御史：张埜，亚中，延祐七年上。"《元史》卷七十二《祭祀志》："英宗至治二年九月，有旨议南郊祀事。中书平章买闾，御史中丞曹立，礼部尚书张埜，学士蔡文渊、袁桷、邓文原，太常礼仪院使王纬、田天泽，博士刘致等，会都堂议。"二者当同是一人。张埜，字野夫，号古山，张之翰子。著有《古山乐府》二卷。

**吴昌龄为《张提点寿藏记》碑篆额。**时吴昌龄为奉议大夫、婺源州知州，兼管本州诸军奥鲁劝农事。孙楷第《元曲家考略》以为其人或即曲家吴昌龄。姑系于此，俟考。《张提点寿藏记》碑文，曹元用所撰，北京大学图书馆藏有拓片，末署"延祐七年十月二十有二日弟子佟道安等立石"。吴昌龄，西京人。著有杂剧11种，今存《花间四友东坡梦》、《张天师断风花雪月》、《西游记》3种，或以为后二种非其所作。《全元散曲》录其套数1套。贾仲明〔双调〕《凌波仙·吊吴昌龄》："西京出屯俊英杰，名姓题将《鬼簿》写。《走昭君》，《东坡梦》，《辰勾月》，《探狐洞》，《赏黄花》，色目佳。《西天取经》，行用全别。《眼睛记》，《狄青扑马》，《抱石投江》、《货郎末泥》，十段锦，段段和协。"

**乌斯道生于本年之后。**据乌斯道所撰《先兄春风先生行状》，其兄乌本良长斯道三岁，后至元丁丑（1337），本良年二十一二岁，其时斯道年十八九岁。乌斯道，字继善，慈溪人。至正间，从学于宝峰先生赵偕，洪武初，官石龙县知县。九年，调永新。坐事谪戍定远，寻放还。卒于洪武末。著有《春草斋集》十卷。

### 延祐间

**黄石翁约卒于延祐间。**袁桷作《黄可玉哀辞》（《清容居士集》卷二），邓文原作《祭黄可玉炼师文》（《巴西集》卷下），马臻亦有诗挽之（《霞外诗集》卷八）。黄石翁，字可玉，号清权，又号松瀑、狷叟，南康人。世儒，家居庐山下。少多疾，父母强使为道士。与邓文原、袁桷等善。年近六十卒。著有《清权斋集》，刘将孙、赵孟頫均尝为之序。《元诗选》二集壬集选其诗 13 首。赵孟頫《清权斋内稿序》："清权子处山林而不忘于世故，混人事而不累于尘俗，一草冠，一布衣，逍遥天地之间，傲睨景物之表，歌声琅然，若出金石，古所谓碨磈列缺、魁诡谲怪之士。吾何幸闻其言、诵其书耶？古之能言者，去之千载，或数百年，皆不得而见之，所赖而传者书也。然则余虽未得与清权子谈，固已因其书知其人矣，亦有因余言而得清权之心者乎？子名石翁，姓黄氏，清权其自号云。"（《松雪斋集》卷六）《元诗选》二集壬集："邓善之谓其学典丽该洽，贯儒名老而同归。文章由古训诚，诚若拟金石而奏韶、濩。袁伯长称其静而不驰，溢于哀忿，砥砺志节，有古逸民之风焉。"

**李直夫延祐间尚在世。**据孙楷第《元曲家考略》所考，清河元明善有诗送李直夫，直夫尝官湖南肃政廉访使。李直夫，德兴人，本姓蒲察，人称蒲察李五，女真族。《录鬼簿》录其所撰杂剧 12 种，今仅存《虎头牌》一种，《伯道弃子》存残曲。贾仲明〔双调〕《凌波仙·吊李直夫》："蒲察李五大金族。《邓伯道》，《夕阳楼》，《劝丈夫》。《虎头牌》，《错立身》，《怕媳妇》。《谏庄公》，颖考叔。俏郎君，谎郎君，各自乘除。《淹蓝桥》，尾生子，教天乐，黄念奴，是德兴秀气直夫。"（《录鬼簿》卷上）

**宫天挺约延祐间在世。**《录鬼簿》卷下："天挺字大用，大名开州人。历学官，除钓台书院山长。为权豪所中，事获辨明，亦不见用。卒于常州。先君与之莫逆交，故余常得侍坐，见其吟咏。文章笔力，人莫能敌。乐章歌曲，特馀事耳。"宫天挺所著杂剧，有《严子陵钓鱼台》、《会稽山越王尝胆》、《死生交范张鸡黍》、《济饥民汲黯开仓》、《宋仁宗御览托公书》、《宋上皇御赏凤凰楼》等，今存者有《范张鸡黍》、《严子陵垂钓七里滩》二种。钟嗣成〔双调〕《凌波仙·吊宫大用》："豁然胸次扫尘埃，久矣声名播省台。先生志在乾坤外，敢嫌天地窄。更词章，压倒元、白。凭心地，据手策，数当今，无比英才。"

## 公元 1321 年　（英宗至治元年　辛酉）

### 正月

**以张养浩谏，罢元夕张灯于禁中。**《元史》卷二十七《英宗本纪》："〔至治元年正月〕丁亥，帝欲以元夕张灯宫中，参议中书省事张养浩上书谏止，帝遽命罢之，曰：'有臣若此，朕复何忧。自今朕凡有过，岂独台臣当谏，人皆得言。'赐养浩帛二匹。"《元史》卷一七五张养浩本传："英宗即位，命〔张养浩〕参议中书省事，会元夕，帝欲于内庭张灯为鳌山，即上疏于左丞相拜住。拜住袖其疏入谏，其略曰：'世祖临御三十馀年，每值元夕，闾阎之间，灯火亦禁；况阙庭之严，宫掖之邃，尤当戒慎。今灯山之构，臣以为所玩者小，所系者大；所乐者浅，所患者深。伏愿以崇俭虑远为法，

219

以喜奢乐近为戒。'帝大怒，既览而喜曰：'非张希孟不敢言。'即罢之，仍赐尚服金织币一、帛一，以旌其直。"张养浩《谏灯山疏》："至治元年正月初七日，大中大夫、参议中书省事臣张养浩谨斋沐信宿，顿首百拜，昧死实封，献书于皇帝陛下。伏念臣养浩才行无奇，窃食于官，殆三十年矣。"（《归田类稿》卷一）养浩之名，以此大著于时。

**方凤卒，年八十二。**方凤（1240—1321），一名景山，字韶卿，一字韶父，号岩南老人，婺州浦阳人。与吴思齐、谢翱善，倡答诸诗集为《风雨集》。著有《存雅堂遗稿》五卷。生平见柳贯《方先生墓碣铭并序》、《浦阳人物志》卷下、程敏政《方凤小传》。黄溍《方先生诗集序》："先生在胜国时，未及仕而运去祚移，抱其遗经，隐于仙华山之阳，穷深极密，殆与世隔。久之，稍出游浙东西州，遇遗民故老于残山剩水间，往往握手歔欷，低回而不忍去。缘情托物，发为声歌，凡日用动息，居游合散，耳目之所属，靡不有以寓其意。而物理之盈虚，人事之通塞，至于得失废兴之迹，皆可概见。故其语多危苦激切，不暇如他文人藻饰秾丽以为工。"（《文献集》卷五）张燧《辑评方韶卿先生遗集序》："先生少负异才，又起而缵承家学，雄踞词坛，天下知与不知，咸推宏博，议者至之于蜀郡明允，一时宗向，概可知已。然而先生绝不喜为空言，综核治体，原本忠爱，且为当国指画奇谟，思得撑维宗社。惜也庸孱，无足与议，而《麦秀》之遗音作矣。盖先生既自废，恒望天末，托物兴怀，挥涕悼咏，迄无虚暑。制作甚富，悲懑特深。……大抵先生所遭既变出未经，而先生所怀尤愤懑特过。其情旨之激切，音调之凄怆，当有不止于是者。"四库提要卷一六五："《存雅堂遗稿》五卷，宋方凤撰。……凤志节可称，所作文章亦骯脏磊落，不屑为庸腐之语。龚开尝评其诗，以为由本论之，在人伦不在人事，等而上之，在天地不在古今。盖凤泽畔行吟，往往眷念宗邦，不忘忠爱，开亦以遗民终老，故扬诩未免过情。然幽忧悲思，缠绵悱恻，虽亡国之音，固犹不失风人之义也。"

## 二月

监察御史观音保（一作观音宝）、锁咬儿哈的迷失、成珪、李谦亨谏造寿安山佛寺，遂杀观音保、锁咬儿哈的迷失，杖成珪、李谦亨，窜于奴儿干地。《元史》卷二十七《英宗本纪》以其事署本月丁巳、己未间。综观英宗一朝，佞佛甚殷。观音保等以谏修佛寺被杀，实罕闻于他世。

## 三月

**初七，廷试进士泰普化、宋本等六十四人，赐及第、出身有差。**见《元史》卷二十七《英宗本纪》。本年会试策问，为袁桷所拟，见《清容居士集》卷四十二。吴师道《辛酉进士题名后题》："至治初元，某参与奏名，今二十有二年矣。六十有四人者，东西南北，声迹之相闻盖少。兹来学馆，幸睹题名，升沉存没，尤不胜其可慨矣。惟吾榜得人，见称为盛。政事文学，布在中外者，夫人能历数之。若愚之不才而厕其间，则未知指目者之谓何也。然前瞻后顾，警谏振饬，以无贻诸公羞，则亦不敢不勉。而名位之不逮，则非所愧也。同年翰林待制赵君伯器，以摹本缀帙见示，因书其后。"
又："至元六年秋，某被国子助教之命。时李好文惟中自浙东宪佥入为司业，同北上，
继而惟中别除。一时同年多在成均者，司业王思诚致道、监丞司廙彦恭、典簿赵琏伯
器。明年至正改元，惟中擢祭酒，某亦忝进博士，致道、彦恭皆以御史选出佥诸道宪，
伯器迁刑部主事。又明年，惟中为西台治书侍御史，伯器迁今官。至正后自外任入者，
宝源库提举舍克赫子正、秘书大监巴图尔丹至道、侍仪使廉惠山哈雅公亮、礼部侍郎
台哈布哈兼善。子正不久卒官，兼善近出守绍兴。今在京师者，惟伯器、致道、公亮
暨某四人。中间聚散可见，自始至今，相与最久者伯器耳。然某与伯器不但同年之好，
自其祖贞献公时受知，于今三世，馀三十年，他人无是也，兹其所以为尤厚也欤。"
（《礼部集》卷十八）

**泰不华登状元第，年十八。**《书史会要》卷七："泰不华，字兼善，元名达溥化，
御赐今名，号白野，蒙古人。状元及第，官至浙东宣慰元帅、台州路达鲁花赤。没于
王事，追赠江浙行省平章政事，封魏国公，谥忠介。以清厉显名，骨鲠不同于物。篆
书师徐铉、张有，稍变其法，自成一家。行笔亦圆熟，特乏风采耳。常以汉刻题额字
法题今代碑额，极高古可尚，非他人所能及。正书宗欧阳率更，亦有体格。"《元史》
卷一四三泰不华本传："年十七，江浙乡试第一。明年，对策大廷，赐进士及第，授集
贤修撰，转秘书监著作郎，拜江南行台监察御史。"泰不华（1304—1352），又译作台
哈巴哈、台哈布哈，字兼善，伯牙吾台氏。初名泰普化，或作达普化、达溥化，文宗
赐以今名。世居白野山，遂以白野自号。至正十一年，授浙东道宣慰使都元帅。与方
国珍战于黄岩之澄江，死之，年四十九。《元诗选》初集庚集选其诗 24 首。生平据
《元史》卷一四三本传。

**宋本登状元第。**宋褧《故集贤直学士大中大夫经筵官兼国子祭酒宋公行状》："七
年，英宗即位，大魁大都乡试。至治元年廷对，为天下第一，赐进士及第。宰相命京
尹给仪卫驺从导至所居，实自公始。授翰林修撰、承务郎、同知制诰兼国史院编修官，
预修仁庙实录。"（《燕石集》卷十五）《元史》卷一八二宋本传："至治元年，策天下
士于廷，本为第一人，赐进士及第，授翰林修撰。"《石洲诗话》卷五："宋诚夫本，大
都人，至治元年廷试第一人。其殿试诗云：'扶摇九万风斯下，礼乐三千日未斜。'此
真状元语也。"

**吴师道登进士第，授高邮县丞。**张枢《元故礼部郎中吴君墓表》："至治元年辛酉
岁，登进士第。解巾褐，为高邮县丞，阶将仕郎。"（《礼部集》附录）吴师道《游西
山诗序》云："三月十七日，金华吴师道正传、晋宁张翥仲举、襄城赵琏伯器、临川吴
当伯尚、河东王雍元肃，同游西山玉泉护圣寺，遂至香山。既归，各赋诗以纪实。先
是，护圣主僧月潭师款客甚勤，留之不果，则约以再游，又约以诗为寄。未及寄，则
又屡督趣之，于是哀写为卷，纳之山中。四人者，推某为最长，故其诗居首，而又复
叙其略焉。吁，吾曹东南西北之人，幸而会于京师，佳时胜集，徜徉名山水间。既惬
于心，师超然方外，而独惓惓焉其高致，尤可爱而仰也。"（《礼部集》卷十五）诸人
之游，或在其时。

**杨舟登进士第，授茶陵州同知。**吴师道有《送陈汝锡录事归湖南寄意杨梓人张幼

择二同年》诗二首（《礼部集》卷七）。杨舟，字梓人，澧阳人。至治元年进士，仕于州县二十馀年。至正初，累迁翰林待制。著有《鸡肋集》。至正九年，危素尝序其所撰文集（《说学斋稿》卷三）。刘三吾《翠屏集序》："元至治辛酉进士蜀杨舟梓人、寓鼎宋本诚夫相颉颃，以古文鸣未科第之先。……杨之文，古而该博；先生之文，古而精粹，皆能脱去时文窠臼，而自成一家者。"（《翠屏集》卷首）

**李好文登进士第。** 吴师道有《春陪李惟中司业同年赴京至彭城而别》诗。王逢《目眦轩后序》："李公讳好文，字惟中，开州东明人。幼力学，家苦贫，夜就邻之磨坊灯读书，凡十馀年，靡少懈。……李好文后以明经登进士第，累迁太常博士。会至顺皇帝祭太庙，乘马至里桥，无敢谏止者，公膝行阻桥曰：请皇帝下马。上如之，百官咸悚惧，上入问左右，特授礼仪使。明年，丁母王夫人忧。至正间，权国子祭酒，从容语上，宜躬祀孔子，上敬纳之。……尝进所撰《礼书》若干卷，官至翰林承旨，致仕河南平章，卒。从子澄为予言之，故予录以为肃劝，肃尚勉之哉。"（《梧溪集》卷四）李好文，字惟中，大名府东明人。至治元年进士。著有《长安图志》三卷。生平见《元史》卷一八三本传。

**王思诚登进士第，授管州判官。** 王思诚，字致道，兖州嵫阳人。至治元年进士。至正二年，累迁至监察御史，出为河东金宪。召拜国子司业，超升兵部侍郎，丁忧归。服除，起为河间路总管。历官礼部尚书、国子祭酒、集贤侍讲学士。出为西台治书。至正十七年，复拜国子祭酒，道卒，年六十七。谥献肃。生平见《元史》卷一八三本传。

## 四月

初三，李孟卒，年六十七。黄溍《元故翰林学士承旨中书平章政事赠旧学同德翊戴辅治功臣太保仪同三司上柱国追封魏国公谥文忠李公行状》："至治元年春，疮发于股，医莫能疗，公知不可复起，乃区别家事，手书付家人，使治葬地于燕。遂以夏四月三日，薨于大都和宁坊居第之正寝，享年六十有七。以其月十八日，葬宛平县石井乡之某原，遵遗命也。"（《文献集》卷三）李孟（1255—1321），字道复，号秋谷。上党人，徙居汉中。历官至中书平章政事、翰林学士承旨。至治元年卒，年六十七。谥文忠。著有《秋谷集》，许有壬为之序（《至正集》卷三十五）。《元诗选》二集乙集选其诗10首。《元诗选》二集乙集："韩公才气跌宕，落笔纵横，诗尤清壮丽逸。仁宗尝亲授国公印章，召绘工惟肖其形，赐号秋谷，命集贤大学士王颙大书之，手刻为扁而署其上，又侧注曰：大德三年四月吉日，为山人李道复制。因自号所著曰《秋谷集》。元初因仍吏治，士气奄奄仅属，韩公侍仁宗潜邸，日夕启沃，谓儒可与守成。逮延祐当国，即议行贡举，其后如泰白野、余忠宣、李浔阳诸公，立节疆场，垂名竹帛，皆出自左右两榜。元朝尊贤养士之报，于今为烈，揆厥由来，皆韩公主行科举之力也。"

二十一日，袁桷随驾扈跸上京，沿途所作，成《开平第三集》。袁桷《开平第三集序》（辛酉）："至治元年二月庚戌，至京城。壬子，入礼闱考进士。三月甲戌朔，入集贤院供职。四月甲子，扈跸开平，与东平王继学待制、陈景仁都事同行，不任鞍马。

八日始达。留开平一百有五日，继学同邸。八月甲寅，还大都，得诗凡六十二首。道途良劳，心思雕落，姑录以记出处耳。是岁八月袁桷序。"（《清容居士集》卷十五）

**禁官吏与乐女宿。**《元典章新集》刑部"县尉将乐女奸宿"条："至治元年四月□日，福建宣慰司奉江浙行省札付，近据建康路申：教坊司乐户张成，状告江宁县魏县尉同上元县张县尉，延祐六月正月初九日，各官将引弓手周二等，将成女张娇娇并男妇奔子叫，同于应家楼上饮酒呕（讴）唱罢，各官将娇娇等奸宿一夜，与成中统钞二定二十两，押到路引一道，告乞，详状。……延祐七年二月初四日，回准中书省咨，送刑部呈，议得江宁县尉魏居仁、上元县尉张义所招，除轻罪外，止据各人职专捕盗，不以巡警为心，就于散乐妇人张娇娇、王阿杨家饮酒，更行寅（夤）夜同宿，俱系命官污滥不法，合准江浙省所拟，各笞四十七下，比例解见任，别行求仕，标附过名。外据张成已首钞两，准拟没官。其馀有招人等，合准本省就便发落。相应具呈照详。都省准拟，依上施行。"

## 六月

**张养浩辞中书省参议，还济南里居。**张养浩《故翰林学士资善大夫知制诰同修国史赠某官谥文敏元公神道碑铭》："至治元年六月，余辞参议，还济南。"（《归田类稿》卷十）又其《咏史自序》云："至治元年，余辞官归里，日以文籍山水自娱乐。因观秦汉至魏晋事，若有感于中者，遂为咏史诗四十六首以见意云。"（《归田类稿》卷二十二）其《和陶诗序》云："余年五十二，即退居农圃，日无所事，因取陶诗读之，乃不继其韵，惟拟其题，以发己意。可拟者拟，不可者则置之，凡得诗如干篇。既以祛夫数百年滞泥好胜之弊，而又使后之和诗者，得以挥毫自恣，不窘于步武，《春秋》之法，大复古则，余之倡此，他日未必不见赏于识者云。"（《归田类稿》卷三）其《归田类稿自序》云："历年既久，所述浸多。顷退休家野，出而录之，凡得诗若赋若文若乐府九百馀首，岐为四十卷，名曰《归田类稿》。"（《归田类稿》卷首）居家八年，凡七聘而不起，苏天爵作有《七聘堂记》。张养浩自编所作为《归田类稿》，当在此年后不久。《归田类稿》二十二卷，今存《四库全书》本；元刊本，题作《张文忠公文集》，二十八卷；乾隆五十五年周永年、毛堃刻本，作《元张文忠公归田类稿》，二十卷，存北京图书馆。四库提要卷一六六："《归田类稿》二十四卷，元张养浩撰。……是编乃其诗文也。养浩尝自序其集，称退休田野，录所得诗文乐府九百馀首，岐为四十卷，名曰《归田类稿》，富珠哩翀序（案，富珠哩翀原作字术鲁翀，今改正），作三十八卷，卷数已异。《文渊阁书目》载养浩《云庄传家集》一册，《云庄集》三册。焦竑《国史经籍志》则作张养浩《文忠集》十八卷，书名卷数更均与养浩自序不符。黄虞稷《千顷堂书目》虽载《归田类稿》之名，而亦无卷数。考吴师道序云：'公《云庄集》四十卷，已刻于龙兴学宫，临川危太朴掇其有关于治教大体者为此编，而属予以序'云云，则龙兴所刻者，即养浩手编之《类稿》，而改其名曰《云庄集》，亦即《文渊阁书目》之三册。危素所删定者，即《经籍志》之《张文忠集》十八卷。而所谓《传家集》一册者，当由后人掇拾，乃外集、补遗之类也。然苏天爵辑《元文类》，仅录养浩文二篇，故明叶盛《水东日记》颇以天爵失载《谏灯山疏》为讥，疑元未已鲜流播。近时王士祯偶得养浩《王友开墓志》，叹其奇诡，载之《皇华纪闻》，则亦未见其全集。惟明季有刻本二十七卷，尚存于世，既多漏略，编次亦失伦类。今据以为本，而别采《永乐大典》所载，删其重复，补其遗阙，得杂文八十八首、赋三首、诗四百六十三首，共为五百八十四首，厘为二十四卷。较之九百原数，已及其大半，亦足见其崖略矣。又集中有《和陶诗序》，自谓年五十二退居无事，日读陶诗，拟其题以发己意，得诗若干篇云云。今集中乃无一篇，殆别为一编，未以入集，故《永乐大典》不收欤？"《适园藏书志》卷十三："《张文忠公文集》二十八卷，元刻本，元张养浩撰。……此元元统刊本。……卷一赋，卷二拟雅，卷三至卷五古诗，卷六至卷九律诗，卷十绝句，卷十一书，卷十二、十三序，卷十四至十六记，卷十七至二十碑铭，卷二十一表铭、碣铭、圹铭，卷二十二志铭，卷二十三表、传、书、疏、露布、操，卷二十四文词赞，卷二十五至二十七《三事忠告》，卷二十八《经筵馀旨》。附录则画像，倪中撰记，刘耳撰赞，张起岩撰神道碑，黄溍撰祠堂碑也。……读《云庄集》，自以此本为最善矣。周本所缺，文：《序蜀》、《致乐堂铭》、《露布》、《堂邑祈雨文》、《绰然亭上梁文》。诗：五古，《得子强也书》其二；五律，《休日郊外》、《立秋后五日夜坐有感》、《过友人林居》、《辞参议还家》、《探春》、《寒食客舍》、《斋居春暮》、《游华鹊林别墅》、《题任主簿弃官侍亲诗卷》、《湖亭小酌》；七律，《登会波楼》、《半山亭题壁十首》。"

## 七月

初十，盩厔县僧圆明作乱，寻于十月伏诛。见《元史》卷二十七《英宗本纪》。

## 八月

十五日，李长翁序张埜所撰《古山乐府》。序见本集卷首。长翁尝就馆于张埜家，故推之甚至。《古山乐府》二卷，收词六十四首，有《百家词》本，《彊村丛书》本；《粟香室丛书》本、《名家词集》本作一卷。吴澄《题西斋倡和后》："宗弟此民教授待选留京师，张野夫修撰宾而师之。野夫家世文儒，诗词清丽，固风尘表物。暇日，主宾吟咏，多至累百。盖其意气相似，才力相当，云翻川鳞，不足以喻甚适，是以无倡而不和也。余在京师时，察其交道，与苟合强同者辽绝。宾之忠直，主之爱敬，始终如一。而不渝此民得官南还，依依而不忍别，追录主宾倡和之什，犹存五十馀篇。野夫为之引，恻然兴风俗日衰、师友道缺之叹。呜呼，远矣。古之吟咏，所以厚伦而美化言辞，声音云乎哉。凡今之交，有如二君者乎？余将进之宵雅，《伐木》不废，《谷风》可无作也。"（《吴文正集》卷五十四）

## 十月

**十三日，敕翰林、集贤官七十者毋致仕。**见《元史》卷二十七《英宗本纪》。

## 十一月

**刘麟瑞自序所撰《昭忠逸咏》一集，凡七言律诗 50 首。**《元诗选》二集甲集："麟瑞，字□□，号如村，埙次子。至治间，尝以暇日追惟宋末仗义死节之士，搜讨遗事，赋五十律，题曰《昭忠逸咏》。邑人赵景良秉善合水村《补史十忠诗》为一编，附以汪水云、方虚谷诸君子伤时悼事之什若干首，总谓之《忠义集》云。"《忠义集》七卷，赵景良编，今存汲古阁刻本、《四库全书》本。四库提要卷一八八："《忠义集》七卷，元赵景良编。初，南丰刘埙作《补史十忠诗》一卷，述宋末李芾、赵卯发、文天祥、陆秀夫、江万里、密佑、李庭芝、陈文龙、张世杰、张珏之事，埙自为序。其子麟瑞复取宋末节义之士，撰述遗事，赋五十律，题曰《昭忠逸咏》，凡四卷，亦自为前后序。又有岳天祐者序之。景良合二集为一编，又采宋末遗老诸作，续为二卷，而并麟瑞诗四卷为三，总名之曰《忠义集》。于时《宋史》未修，盖藉诗以存史也。其书在元不甚著。明弘治中，江右何乔新始序而梓之。序言附录中有汪元量诗，然此本实无之，未详其故。又方回背宋降元，为世僇笑，其人最不足道，而景良列之忠义中，亦所未解也。埙有《隐居通议》，已著录。麟瑞号如村，至治中人。景良字秉善，二刘之乡人也。"

## 十二月

**十三日，张留孙卒。**据虞集《张宗师墓志铭》（《道园学古录》卷五十）。张留孙，字师汉，信州贵溪县人。至治二年卒。吴全节、陈义高、夏文泳、毛颖达、王寿衍、余以诚、孙益谦、陈日新、何恩荣、李奕芳、张嗣房、薛廷凤、舒致祥、张德隆、薛玄羲、徐天麟、丁应松等均从其学道，又有弟子三十八人，一时掌天下道教者，均出其门。生平见吴澄《上卿大宗师辅成赞化保运神德真君张公道行碑》（《吴文正集》卷六十四）、虞集《张宗师墓志铭》（《道园学古录》卷五十）、袁桷《有元开府仪同三司上卿辅成赞化保运玄教大宗师张公家传》（《清容居士集》卷三十四）。

## 本年

**张炎卒于此年之前。**据钱良祐《词源跋》，张炎之卒又或在延祐四年（1317）之后。[按，张炎生年，据《山中白云词》卷八《临江仙》（剪剪春冰生万壑）词序："甲寅秋寓吴，作墨水仙，为处梅、吟边清玩。时余年六十有七。""甲寅"为元仁宗延祐元年（1314）。]《珊瑚网》卷三十二陆行直自跋所作《碧梧苍石图》云："此友人张叔夏赠余之作也，余不能记忆。于至治元年仲夏廿四日，戏作《碧梧苍石》，与冶仙西窗夜坐，因语及此。转瞬二十一载，今卿卿、叔夏皆成故人，恍然如隔世事，遂书于卷首，以记一时之感慨云。季道陆行直题。"张炎赠词："候虫凄断人语，西风岸，月

落沙平，流水漫惊，见芦花来雁。可怜瘦损兰成，多情因为卿卿，只有一枝梧叶，不知多少秋声。"《至正直记》卷四："钱唐张炎，字叔夏，自号玉田，长于词曲。尝赋《孤雁》词，有云：'写不成行，书难成字，只寄得相思一点。'人皆称之曰张孤雁。有《山中白云集》，首论作词之法，备述其要旨。"

**文矩以礼部郎中辅吏部尚书教化出使安南。** 袁桷《送文子方使安南序》："新天子即位，更元曰至治，遣使诏谕。故事必遣近臣为之，又择能文辞通达国体者以贰之。于是金曰翰林修撰文君子方有使才，实可任。乃名上于天子而许之，遂增秩为礼部郎中以行。"（《清容居士集》卷二十四）文矩（？—1323），字子方，湖南长沙人。湖南道廉访司辟署书吏，时卢挚廉访湖南，敬其才辨，遇之殊常人。大德十一年，授荆湖北道宣慰司照磨兼承发架阁。留补刑部宗正曹属，转为登仕郎、秘书监校书郎。延祐三年，升从仕郎、秘书监著作郎。六年，改翰林修撰、文林郎、同知制诰兼国史院编修。至治元年，以奉议大夫、礼部郎中奉使安南。使还，进太常礼仪院判官。至治三年卒。《元诗选》二集丙集选其诗9首。生平据吴澄《故太常礼仪院判官文君墓志铭》（《吴文正集》卷八十）。

**赵岩应旨鲁国大长公主宫中，奉题王维《圆光二水图》后。** 张丑《真迹日录》卷二："王维圆光二水，后有冯子振、赵世延、王约、李源道、袁桷、张珪、邓文原、陈庭实、柳赟、陈颢、李洞、杜禧、赵岩十三诗，魏必复一跋，皆奉皇姊大长公主命题，实至治纪元也。按元运方隆，皇姊雅尚文学，一时名公巨儒，以文章翰墨宠遇当世，其盛盖可想见也。"据《至正直记》卷一，知有名赵岩者，尝应旨于大长公主宫中。则此赵岩当即为诗人及曲家赵岩。赵岩，字鲁瞻，号秋秾，长沙人。宋褧《燕石集》卷六有《和赵鲁瞻海岸冬日晚归》诗（《元诗选》癸集戊下）。《至正直记》卷一："长沙赵岩，字鲁瞻，居溧阳，冀公南仲丞相之裔也。遭遇鲁王，尝在大长公主宫中应旨，立赋八首七言律诗宫词，公主赏赐甚盛。出门，凡金银器皿，皆碎而分惠宫中从者及寒士。后遭谤，遂退居江南。尝又于北门李氏园亭小饮，时有粉蝶十二枚，戏舞亭前，座客请赋今乐府，即席成《普天乐》前联《喜春来》四句云：'琉璃殿暖香浮细，翡翠帘深卷燕迟，夕阳芳草小亭西。问西履见十二个粉蝶儿飞。（犹曲引子也）一个恋花心，一个搀春意，一个翩翻粉翅，一个乱点罗衣，一个掠草飞，一个穿帘戏，一个赶过杨花西园里睡，一个与游人步步相随，一个拍散晚烟，一个贪欢嫩蕊，那一个与祝英台梦里为期。'《普天乐》止十一句，今却赋十一个，末句结得甚工，便如作文字转换处，不过如此也。鲁瞻醉后，可顷刻赋诗百篇，有丁仲容之才思，时人皆推慕之。因不得志，日饮酒，醉而后死，遗骨归长沙。"

**诏命朱思本往主豫章玉隆万寿宫。其行在明年，袁桷、柳贯、王继学、许有壬、薛玄卿、马臻等作诗送之。** 柳贯《玉隆万寿宫兴修记》："至元丙子，宋社既屋，有司上江南名山仙迹之宜祠者于礼部，玉隆与居其一。故凡主是宫，率被受玺书如令。至治元年，临川朱君思本实嗣居其席。始至，见十一大曜、十一真君殿祖师堂摧剥弗治，位置非据，谋将改为，则以状请于教主嗣汉天师。……泰定二年之八月，阅三年而考其成，朱君过余请记。……朱君字本初，受道于龙虎山中，而从张仁靖真人扈直两京最久，学有源委，尝著《舆地图》二卷，刊石于上清之三华院云。"（雍正《江西通志》卷一二八）朱思本（1273—?），字本初，号贞一，临川人。尝受道龙虎山中，后从吴全节居都下。至大四年至延祐七年，数代祀海岳，积十年之功而成《舆地图》二卷（一作《广舆图》）。至治元年，往主豫章玉隆万寿宫。卒于至正年间。著有《贞一稿》二卷、《北行稿》若干卷。〔按，朱思本生年，据吴全节《贞一稿序》："朱本初，儒家子也，为黄冠，与予同道；居龙虎，与予同山；处京师，与予同朝；雅志诗文，与予同号。予长于本初四岁，则其年之相若也。……今观本初示予《贞一斋稿》，其文皆四十后作，而用志方锐也。……泰定四年岁在丁卯，四月八日丙子，玄教大宗师吴全节书。"（《贞一斋杂著》卷首）又《贞一稿》卷二有长题诗《至大四年辛亥，予年卅九，承应中朝，奉诏代祀海岳，冬十二月还京师，与欧阳翰林同舍守岁，赋诗和东坡龙钟卅九劳生已强半韵。至治辛酉，又与欧阳偕留京师，除夕，用韵述怀。迄来十年，春秋五十九矣。感今怀昔，追和前韵，呈秦古闲、喻山雨诸友》。〕

　　**徐再思《题陆行直碧梧苍石图》作于本年后**。见《珊瑚网》卷三十二，又见《式古堂书画汇考》卷四十八。陆行直《碧梧苍石图》作于至治元年，徐氏所题，自当在本年以后。徐再思，字德可，嘉兴人。尝为嘉兴路吏。好食甘饴，故号甜斋。为人聪敏秀丽，与张可久同时。后人以贯云石号酸斋，与徐再思均擅乐府，并称为"酸甜乐府"。散曲见《太平乐府》、《乐府群玉》等集，《全元散曲》辑其小令 103 首。曹刊本《录鬼簿》卷下录其于"方今才人相知者，纪其姓名行实并所编"下，则徐再思之卒或在 1345 年以后。《雨村曲话》卷上："徐甜斋《红绣鞋》：'一榻白云竹径，半窗明月松声。'又：'青猿藏火枣，黑虎听《黄庭》。'皆险诨妙句。"

　　**马致远作〔中吕〕《粉蝶儿》套曲**。曲云："至治华夷，正堂堂大元朝世。应乾元九五龙飞，万斯年。"今人多以为作于至治改元（1321），姑系于此。至泰定元年（1324）周德清撰《中原音韵》，马致远已经去世，则其卒当在本年后不久。贾仲明〔双调〕《凌波仙·吊马致远》："万花丛里马神仙，百世集中说致远，四方海内皆谈羡。战文场，曲状元。姓名香，贯满梨园。《汉宫秋》，《青衫泪》，《戚夫人》，《孟浩然》，共庚、白、关老齐肩。"

　　**与马致远为忘年交者，有涿州人王伯成。既为忘年之友，则其年辈当晚于马致远。姑附系于致远之后，以识伯成之岁月。**又王恽《秋涧先生大全集》卷十有《秋涧著书图歌赠画工张仁卿》诗，或以为张仁卿其人即与王伯成为莫逆交者。王伯成著有杂剧《李太白贬夜郎》、《张骞泛浮槎》，今存前一种。又有《天宝遗事》诸宫调，仅存残曲。《全元散曲》辑其小令 2 首，套数 3 套。贾仲明〔双调〕《凌波仙·吊王伯成》："伯成涿鹿俊丰标，公（么）末文词善解嘲，《天宝遗事》诸宫调。世间无，天下少。《贬夜郎》，关目风骚。马致远，忘年友；张仁卿，莫逆交。超群类，一代英豪。"

　　**范康因王伯成作《李太白贬夜郎》杂剧，遂编《杜子美游曲江》。**《录鬼簿》卷下："康字子安，杭州人。明性理，善讲解，能词章，通音律。因王伯成有《李太白贬夜郎》，乃编《杜子美游曲江》。一笔下即新奇，盖天资卓异，人不及也。"范康，字子安，或作子英，杭州人。著有杂剧《陈季卿悟道竹叶舟》、《曲江池杜甫游春》，前一种今存。钟嗣成〔双调〕《凌波仙·吊范子英》："诗题雁塔写秋空，酒满觥船棹晚风，诗筹酒令闲吟咏。占文场，第一功，扫千军，笔阵元戎。龙蛇梦，狐兔踪，半生来，弹指声中。"

## 公元 1322 年　（英宗至治二年　壬戌）

正月

初六，禁汉人执兵器出猎及习武艺。见《元史》卷二十八《英宗本纪》。终元之世，尝一再申禁汉人、南人执兵器及习武艺。

二月

初七，元明善卒。张养浩《故翰林学士资善大夫知制诰同修国史赠某官谥文敏元公神道碑铭》："鸣呼，肇余友吾复初殁三十馀年矣。相与同官者八：台则余掾于内，君掾于江之南。每计事至京师，必剧谈极欢乃去。地虽不同，均台掾也。省则同掾丞相府。仁宗在潜邸，同为太子文学。入翰林，余待制，君直学士。后转侍讲，余又以直学士代君。在礼闱，尚书则君，侍郎则余。未几，又同宾幕。及同知延祐六年贡举。鸣呼，世之同官者固有，多或一二，又多或四三，如吾二人联武台阁且三十年，抑亦古所无而今鲜有也。其如是者为偶然？非耶，兹亦交游中一大异事也。其尤可异者又有二焉。至治元年六月，余辞参议还济南。明年二月七日，君暴疾卒京师。其去朝廷为又同也。君二子，余亦二子，余长子前卒，君长子后一年卒，其为失望于嗣又同也。向所同者谓之偶然或可，今所同者是岂可以偶然论哉？……享年五十三。以某年月日，葬其乡清河某村某原之先茔。"（《归田类稿》卷十）马祖常《翰林学士元文敏公神道碑》："有元古文之宗曰翰林学士清河元公，以至治二年壬戌二月七日薨于位。……元氏盖拓拔魏之苗裔，南北转徙，不知所系，家清河者，至公四世矣。享年五十有四。"（《石田文集》卷十一）张养浩《送元复初序》："清河元君复初，早宦学江南，富于观览，文辞踔厉奇刻，肖其为人。事有当言，剖露无所蕴，人以是重，亦以是忘焉，要其心无他也。"（《归田类稿》卷三）张养浩《故翰林学士资善大夫知制诰同修国史赠某官谥文敏元公神道碑铭》："会牧庵姚先生燧以承旨居翰林，修成、武二宗实录，命君总之。君悉心毗赞，迄成两朝盛典。君所述者，姚公略为窜易，他人则所留无几。居尝谓：'文有题者，吾能为之；无题者，复初亦能为。'其见推激如此。夫古文自唐韩、柳后，继者无闻焉。至宋欧阳公出，始起其衰而振之。曾、苏诸公相与左右，然距韩、柳犹有间。金源氏以来，则荡然无复古意矣。天开皇元，由无科举，士多专心古文，而牧庵姚公倡之，骎骎乎与韩、柳抗衡矣。其踵牧庵而奋者，惟君一人。盖其天分既高，又济以经学，凡有所著，若不经人道。然字字皆有根据，阵列而戈矛森，乐县而金石具，山拔而形势峭，斗揭而光芒寒。惟有是，故视他人所作，断断不以许用。是谤议蜂午，盖由才高不肯少自谦晦所致，初无甚恶于人也。君为文必以示余，或有所见，未尝敢不为之尽，君于余亦然。余尝许其词工，而君亦谓余气盛。"马祖常《翰林学士元文敏公神道碑》："其文有赋五，诗凡一百六十三，铭赞传记五十九，序三十，杂著十五，碑志一百三十。出入秦汉之间，本之于六经，以涵泳以膏泽，参之于诸子百家，以骋其辨。刻而不见其迹，新而必自己出，蔚乎其华敷，锵乎其古声。倡古学于当世，为一代之文宗者，柳城姚燧暨公而已。"《研北杂志》卷下："延祐中，馆阁诸公同赋《秋日梨花》诗，惟元复初'朝食叶底梨，暮看枝上花'之句为警策。"《书史会要》卷七："元明善，字复初，清河人。……文章言行有声于时，书体纯熟，似守李北海之矩度。"《霏雪录》卷下："元元明善善学《庄子》，观其《虚室》、《拟槎亭》等作可见。"《元诗选》二集丙集："复初早以文章自豪，晚益精诣。吴伯清称其文脱去时流畦径，而追古作者之遗。……伯生亦尝谓复初文章发扬蹈厉，藐视秦汉云。"

## 三月

从中书省臣言，以国学废弛，令中书平章政事廉恂、参议中书事张养浩、都事孛术鲁翀董之。外郡学校，仍命御史台、翰林院、国子监同议兴举。见《元史》卷二十八《英宗本纪》。

## 四月

**二十八日，袁桷随驾上京，成《开平第四集》。**《元史》卷二十八《英宗本纪》言车驾幸上都在本月戊戌朔。集有袁桷自序，见《清容居士集》卷十六。袁桷《戏题开平四集》："开平四集诗百首，不是故歌行路难。竹簟暑风茅屋下，它年拟作画图看。"王士熙《奉题开平百首诗后》："玉海云生贝阙高，骑鲸人去采芝遨。滦江一夕秋风到，瑟瑟珊瑚涌翠涛。"（《清容居士集》卷十六附）

**十六日，杨载作《诗解序》。**此序又见于《诗法家数》、《诗法源流》中，或题作《诗法源流序》。《历代诗话》卷四十亦引其文，题作《律诗法》，以其序考之，当是出自怀悦编辑之《诗法源流》。今人张健《元代诗法校考》一书考之甚详。杨载序曰："予年少从叔父杨文圭游西蜀，间抵成都，过浣花溪，求工部杜先生之祠而观焉。有主祠者，曰工部九世孙杜举也，居于祠之后。予造而问之曰：'先生所藏诗律之重宝，不犹有存者乎？'举曰：'吾鼻祖审言，以诗鸣于当世。厥后言生闲，闲生甫，甫又以诗鸣，至于今源流益远矣。然甫不传诸子，而独于门人吴成、邹遂、王恭传其法。故予得传之三子者，虽复先世之重宝，而得之亦不易也。今子之自远方而来也，敢不以三子所授者为子言之？子其谨之哉！'予遂读之，朝夕不置，久之恍然有得，益信杜举所云非妄也。京城陈氏子，有志于诗，故书举之传余戒余者以贻之。时至治壬戌初元四月既望杨仲弘序。""壬戌"为至治二年。《诗法家数》，旧题杨载撰，又名《杨仲弘诗法》、《杨仲弘诗教》。常见版本有《历代诗话》本。《四溟诗话》卷三："杨仲弘律诗三十四格，谓自杜甫门人吴成、邹遂传其法。然窘于法度，殆非正宗。"四库提要卷一九七："《诗法源流》三卷，不著撰人名氏。末有至治壬戌杨载旧序一篇，称少年游浣花草堂，见杜甫九世孙杜举，问所藏诗律。举言甫之诗法不传诸子，而传其门人吴成、邹遂、王恭。举得之于三子，因以授载。其说极为荒诞。所载凡五言律诗九首，七言律诗四十三首，各有吴成等注释。标立结上生下格、拗句格、牙镇格、节节生意格、抑扬格、接顶格、交股格、纤腰格、双蹄格、续腰格、首尾互换格、首尾相同格、单蹄格、应句格、开合格、开合变格、叠字格、句应句格、叙事格、归题格、续意格、前多后少格、前开后合格、兴兼比格、兴兼赋格、比兴格、连珠格、一意格、变字格、前实后虚格、藏头格、先体后用格、双字起结格，凡三十三格。其谬陋殆不足辨。杨载序俚拙万状，亦必出伪托。然其书乃作第三卷。前二卷则一为元人论诗之语，分标傅若金等姓名。一为选录汉、魏、晋诗，题傅若川次舟编。卷末又有嘉靖癸未邱道隆后序，称宪伯荆南王公用章，取《诗法源流》，增入古人论述与诗足法者，厘为三卷云云。然则此书为王用章所辑。诸家著录，有作傅若金撰者，当以开卷第一篇题若金名，因而致误耳。"四库提要卷一九七："《诗法家数》一卷，旧本题元杨载撰。……是编论多庸肤，例尤猥杂。如开卷即云：'夫诗之为法也，有其说焉。赋、比、兴者，皆诗制作之法。然有赋起，有比起，有兴起'云云。殆似略通字义之人，强作文语，已为可笑；乃甫隔一页，忽另标一题曰《诗学正源》，题下标一纲曰：'风、雅、颂、赋、比、兴'。纲下之目又曰：'诗之六义，而实则三体。风、雅、颂者，诗之体；赋、比、兴者，诗之法。故兴、比、赋者，又所以制作乎风、雅、颂者也。凡诗中有赋起，有比起，有兴起。然风之中有赋、比、兴，雅、颂之中亦有赋、比、兴'云云。载在于元号为作手，其陋何至于是？必坊贾依托也。"

## 六月

**初一，钱良右跋宋无所撰《翠寒集》。** 钱良右，或作钱良祐。跋云："子虚先余廿年，虽知嗜吟，其亦未始置齿牙间。自其壮年游江东，首见知中丞王公，侍御邓公、今承旨赵公皆序其卷。最后集贤冯公闻其诗欲行，将有以资之，而亦未尝见其卷也。公一日过子虚索稿，子虚不容已，遂出稿。公疾视默览，遇佳句辄首肯而声诵之，谓子虚曰：'子诗真刻意于唐者，明当为子序之。'翌旦，子虚袖二纸请焉。公欣然援毫，不烦脱稿，一扫千馀言。昨所声诵，叠叠出笔下，至于题之前后，句之次第，略不少差。其一二所许可，皆子虚平生得意句、世所谓脍炙者，子虚亟拜且喜，坐客皆为之叹服。吁，士之处世，能不逐声利，而独嗜片言只字以陶写其心腹，不求人知，有终其身而诗不传者乎？今子虚是也。冯公序其诗时，年已逾耳顺，何一览其卷，而尽能默记佳句于俄顷之间，抑子虚之诗如正声雅乐，入耳而不忘邪？序虽撷其英，为公论。余意《翠寒集》其堪击节者，恐不翅若是也。因征予书，获识卷末，且以纪冯之才之强记云。至治二年六月一日，里人钱良右谨书。"（《吴都文粹续集》卷五十五）

**十五日，赵孟頫卒，年六十九。** 据杨载《大元故翰林学士承旨荣禄大夫知制诰兼修国史赵公行状》、欧阳玄《元翰林学士承旨荣禄大夫知制诰兼修国史赠江浙等处行中书省平章政事魏国赵文敏公神道碑》（《圭斋文集》卷九）。杨载《大元故翰林学士承旨荣禄大夫知制诰兼修国史赵公行状》："公治《尚书》，尝为之注，多所发明。律吕之学尤精，深得古人不传之妙，著《琴原》、《乐原》各一篇。性善书，专以古人为法，篆则法《石鼓》、《诅楚》，隶则法梁鹄、钟繇，行草则法逸少、献之，不杂以近体。他人画山水、竹石、人马、花鸟，优于此或劣于彼，公悉造其微，穷其天趣，至得意处，不减古人。事有难明，情有难见，能于手书数行之内，尽其曲折。尤善鉴定古器物、法书、名画，年祀之久近，谁某之所作，与其真伪，皆望而知之，不待谛玩也。诗赋文辞，清邃高古，殆非食烟火人语，读之使人飘飘然若出尘世外。"欧阳玄《元翰林学士承旨荣禄大夫知制诰兼修国史赠江浙等处行中书省平章政事魏国赵文敏公神道碑》："公治《尚书》，有《书注》。于礼乐度数甚明，知音律幽眇，有《琴原》、《乐原》各一篇，号松雪道人，有《松雪斋文集》若干卷、《谈录》一卷。为文清约典要，诸体诗造次天成，不为奇崛，格律高古不可及。尺牍能以数语曲畅事情。鉴定古器物名书画，望而知之，百不失一。精篆隶小楷行草书，惟其意所欲为，皆能伯仲古人。画入逸品，高者诣神，四方贵游及方外士，远而天竺、日本诸外国，咸知宝藏公翰墨为贵。故世知之浅者，好称公书画；识者论公，则其该洽之学、经济之才，与夫妙解绝艺，自当并附古人，人多有之，何至相掩也。"倪瓒《跋赵松雪诗稿》："赵荣禄高情散朗，殆似晋宋间人，故其文章翰墨，如珊瑚玉树，自足照映清时。虽寸缣尺楮，散落人间，莫不以为宝也。今人工诗文字画，非不能粉泽妍媚，山鸡野鹜，文彩亦尔斓斑，若其神韵，则与孔翠殊致，此无他，固在人品何如耳。"（《清閟阁全集》卷九）《书史会要》卷七："性通敏持重，未尝妄言笑。书一目辄成诵。诗赋文辞，清邃高古。善鉴定古器物名画。画山水、竹石、人马、花鸟，悉造其微。尤善书，为国朝第一，篆法《石鼓》、《诅楚》，隶法梁、钟，草法羲、献，或得其片文遗帖，亦夸以为荣。然公之才名，颇为书画所掩，人知其书画，而不知其文章，知其文章，而不知其经济之材也。"《麓堂诗话》："赵子昂书画绝出，诗律亦清丽。其《滦上》诗曰：'锦缆牙樯非昨梦，凤笙龙管是谁家？'意亦伤甚。《岳武穆墓》曰：'南渡君臣轻社稷，中原父老望旌旗。'句虽佳，而意已涉秦越。至《对元世祖》曰：'往事已非那可说，且将忠赤报皇元。'则扫地尽矣。其画为人所题者，有曰：'前代王孙今阁老，只画天闲八尺龙。'有曰：'两岸青山多少地，岂无十亩种瓜田？'至'江心正好看明月，却抱琵琶过别船'，则亦几乎骂矣！夫以宗室之亲，辱于夷狄之变，揆之常典，固已不同。而其才艺之美，又足以为讥訾之地，才恶足恃哉？然南渡中原之句，若使他人为之，则其深厚简切，诚莫有过之者，不可废也。"王世贞《书赵松雪集后》："余尝谓吴兴赵文敏公孟頫，风流才艺，惟吾郡文待诏徵明可以当之，而亦少有差次。其同者，诗文也，书画也，又皆以荐辟起家。赵诗小壮而俗，文稍雅而弱，其浅同也。文皆畅利而乏深沉，其离古同也。书小楷，赵不能去俗，文不能去纤，其精绝同也。行押则赵于三王近，而文不能近，少逊也。署书则文复少逊也，八分古隶则文胜，小篆则赵胜也，然而篆不胜隶。画则赵之入唐宋人深，而文少浅，其天趣同也。其鉴赏博考复同也。位则赵至一品，而文仅登一命。寿则文逾九龄，而赵仅垂七袠，异也。若出处大节之异，前辈固已纷纷言之。独赵集有述太傅丞相巴延（伯颜）德一章，中所云'舆地久已裂，车书当会同'，又云'六合仰照耀，一方顾颛蒙'。呜呼！元诚而亲主，宋社诚屋，巴延（伯颜）诚贤有功，岂而所宜言者？何有胸无心至此也。吾待诏不与同年语也。"（《读书后》卷四）《诗源辩体》后集纂要卷一："赵子昂（名孟頫）《松雪斋集》，诸体仅二百二十六首，虽疏浅而寡僻调，入录者五言古、七言律、五言绝为胜，而五言律最劣。"又："子昂五言古虽学汉魏，七言律虽学杜，而全集远逊诸家，实以精力尽于书画，无专功琢磨故也。"《石洲诗话》卷五："赵子昂《东阳八咏楼》诗，颇有风致。"四库提

**231**

要卷一六六："《松雪斋集》十卷、《外集》一卷，元赵孟頫撰。……孟頫以宋朝皇族，改节事元，故不谐于物论。观其《和姚子敬韵》诗，有'同学故人今已稀，重嗟出处寸心违'句，是晚年亦不免于自悔。然论其才艺，则风流文采，冠绝当时，不但翰墨为元代第一，即其文章，亦揖让于虞、杨、范、揭之间，不甚出其后也。集前有戴表元序，见《剡源集》中，末题大德戊戌岁，盖孟頫自汾州知州谒告归里时裒集所作，请表元序之者。表元不妄许与，而此序推挹甚至，其有所以取之矣。后人编录全集，仍录此序以为冠，非无意也。"《逸老堂诗话》卷上："赵松雪《咏老态》诗云：'老态年来日日添，黑花飞眼雪生髯。扶衰每藉过头杖，食肉先寻剔齿签。右臂拘挛巾不裹，中肠惨戚泪常淹。称床独就南荣坐，畏冷思亲爱日檐。'吁！非身历老境者不能道。"

**饶州路官刊马端临《文献通考》**。马端临有自序，述其编撰本末、体例甚详。《文献通考》三百四十八卷，有《四库全书》本、商务印书馆排印本、中华书局校点本。王寿衍《进文献通考表》："臣寿衍言：臣于延祐四年七月，恭奉圣旨，给赐驿传，令臣寿衍寻访道行之士者。……臣伏睹饶州路乐平州儒人马端临，乃故宋丞相廷鸾之子，尝著述《文献通考》三百四十八卷，总二十四类，其书与唐杜佑《通典》相为出入。杜书肇自隆古，以至唐之天宝。今马氏所著，天宝以前者，视杜氏加详焉；天宝以后至宋宁宗者，又足以补杜氏之阙。其二十四类，类各有考，一曰田赋，二曰钱币，三曰户口，四曰职役，五曰征榷，六曰市籴，七曰土贡，八曰国用，九曰选举，十曰学校，十一曰职官，十二曰郊社，十三曰宗庙，十四曰王礼，十五曰乐，十六曰兵，十七曰刑，十八曰经籍，十九曰帝系，二十曰封建，二十一曰象纬，二十二曰物异，二十三曰舆地，二十四曰四裔。其议论则本诸经史而可据，其制度则会之典礼而可行。思惟所作之勤劳，恐致斯文之隐没，谨誊书于楮墨，远进达于蓬莱。……延祐六年四月日，弘文辅道粹德真人臣王寿衍上表。"《文献通考》卷首《抄白》："皇帝圣旨，里饶州路达鲁花赤总管府承奉，江浙等处行中书省掾史周仁荣承行剳付。近据本路申准弘文辅道粹德真人关钦奉圣旨，节该行法箓，有本事的好人，教寻访将来者。今访至本路，窃见乐平州儒人马端临，前宋宰相碧梧先生之子，知前代之典章，识当时之体要，以所见闻著成一书，名曰《文献通考》，凡二十四类，三百四十八卷，天文、地理、礼乐、兵刑、财用、贡赋、官职、选举、学校、经籍、郊祀、封建、户口、征役之属，可谓济世之儒，有用之学。解到缮写《文献通考》三百四十八卷并序目共计六十八册，得此送据江浙儒司校勘，得堪以传授。……速为差委有俸人员，礼请马端临亲赍所著《文献通考》的本文籍赴路，誊写校勘，刊印施行，须至指挥。右下乐平州。准此。至治二年六月日。"杨士奇《文献通考跋》："《文献通考》三百四十八卷，宋相马廷鸾之子端临所辑。间有复出，删治未尽。然立体正大，载事详核，有益实用，非其他类书之比。盖类书如《册府元龟》、《太平御览》，犹或伤于泛滥不切，或杂于怪异不经，况其下者？《通考》刻板在太学，吾家所有凡四十册，《郊社考》一册，尝为行俭借去，而厄于火，欲印补，更数岁未暇。一日，过沈民则修撰，见有断简数册，则此书也，《郊社考》在焉，纸板视吾家所有无二，遂乞补之，亦奇遇哉。"（《东里续集》卷十七）胡应麟《读文献通考》："鄱阳此书，于古今典章规制，囊括网罗，无巨弗该，无细弗综，研摩之力，勤亦至矣。乃其持论衷，操见确，按证精，又昔人之难于兼美者。余尝谓涑水马氏《通鉴》出而历代经纶治理明，鄱阳马氏《通考》成而历代典章规制备。《通鉴》纪传之全体，而《通考》表志之大成，宇宙间不可一日而无史，则不可一日而无二书。虽涑水主格君，鄱阳主格物，用不同而功则一也。"（《少室山房集》卷一〇四）

## 十一月

**十七日，王袆生。**〔按，正统刊本《王忠文公文集》附录郑济《故翰林待制华川王公行状》："公之生也，为元至正壬戌十一月十七日。"以卒年推之，"至正"当是"至治"之误。《国朝献征录》卷二十所录郑济《行状》则以其生日为十二月二十七日。〕王袆，字子充，浙江义乌人。师柳贯、黄溍，以文章名世。睹元政衰敝，为书七八千言上时宰。危素、张起岩并荐，不报。隐青岩山著书，名日盛。朱元璋取婺州，召见，用为中书省掾史。又以李善长荐，召入礼贤馆。寻授江南儒学提举司校理，累迁侍礼郎，掌起居注，同知南康府事。朱元璋即位，召还议礼。坐事忤旨，出为漳州府通判。洪武二年，修《元史》，与宋濂并为总裁。书成，擢翰林待制、同知制诰兼国史院编修官。五年，往招谕云南。次年十二月二十四日遇害。建文中，诏赠翰林学士，谥文节。正统中，改谥忠文。著有《王忠文公集》二十卷。生平据郑济《翰林待制华川王公行状》、邹缉《翰林待制王公墓表》（《明名臣琬琰录》卷十）、《明史》卷二八九《忠义传》。〔按，王袆，今所存文献中多作王袆。今人何冠彪《王袆二题》（《明清人物与著述》，香港教育图书公司 1996 年版）以为当作"王袆"，从其说。〕

## 本年

**江浙行省嘉兴路儒学刊行王恽《秋涧先生大全文集》。** 罗应龙《秋涧先生大全文集跋》："延祐庚申八月，太守伯常王侯（王秉彝）以公《大全文集》俾本学锓梓。……王侯谓应龙曰：刊印文集出于上命，学校当委曲之，以副朝廷崇尚文雅、嘉惠后学之意。……时至治壬戌春孟，嘉禾郡学文学掾，晚学罗应龙谨书集后。"而朝廷命为刊行，乃在 1319 年。王公孺《文定王公神道碑并序》云："平昔著《相鉴》五十卷……号《秋涧大全文集》者一百卷。延祐六年，蒙朝廷公议为之刊播焉。"王士熙延祐七年所作序亦云："逮延祐己未，与公之孙苛同在台察，又联事六曹，出公之《大全集》见示曰：兹御史请于朝，命江浙省刻梓以行矣。"王公孺之编《秋涧大全文集》，在 1309 年或稍前。王构《秋涧大全文集序》云："公既捐馆，其子太常司直公孺汇集遗文百馀卷，请予置言其端。……至大己酉春二月……王构谨序。"《秋涧集》一百卷，今存《四库全书》本、《四部丛刊》本。

**许恕生。** 许恕（1322—1373），字如心，号北郭生，江阴人。元末，以荐授澄江书院山长，未几弃去，隐于医。洪武六年卒，年五十二。著有《北郭集》六卷、补遗一卷。

公元 1323 年 　（英宗至治三年　癸亥）

## 正月

以中书右丞相拜住言，征吴澄为翰林学士。见《元史》卷二十八《英宗本纪》。

## 二月

初四，翰林国史院进《仁宗实录》。见《元史》卷二十八《英宗本纪》。袁桷有《进实录表》（《元文类》卷十六）。其后，袁桷复作《进仁宗皇帝实录表》，表见《清容居士集》卷三十八。

编《大元通制》成，颁行天下。初，中书右丞相拜住以法制不一，有司无所守，请详定旧典以为通制。于是，命枢密副使完颜纳坦、集贤学士侍御史曹伯启纂集累朝格例而损益之。书成，凡二千五百三十九条，内断例七百一十七，条格一千一百五十一，诏赦九十四，令类五百七十七，名曰《大元通制》，颁行天下。《元史》卷二十八《英宗本纪》署其事于本月辛巳、癸未间。孛术鲁翀有《大元通制序》（《中州名贤文表》卷三十）。序又见《通制条格》卷首，略有不同。吴澄《大元通制条例纲目后序》："仁宗皇帝克绳祖武，爰命廷臣类集累朝条画体例为一书，其纲有三：一制诏，二条格，三断例。延祐三年夏，书成。英宗皇帝善继善述，申命兵府宪台暨文臣一同审订，名其书为《大元通制》，颂（颁）降于天下。古律虽废不用，而此书为皇元一代之新律矣。以古律合新书，文辞各异，意义多同，其于古律暗用而明不用，名废而实不废，何也？制诏、条格，犹昔之敕令、格式也。断例之目，曰卫禁，曰职制，曰户婚，曰厩库，曰擅兴，曰贼盗，曰斗讼，曰诈伪，曰杂律，曰捕亡，曰断狱，一循古律篇题之次第，而类辑古律之必当从。虽欲违之，而莫能违也，岂非暗用而明不用，名废而实不废乎？"（《吴文正集》卷十九）

## 三月

二十三日，鲁国大长公主会群臣于天庆寺。袁桷《鲁国大长公主图画记》："至治三年三月甲寅，鲁国大长公主集中书议事执政官、翰林、集贤成均之在位者，悉会于南城之天庆寺，命秘书监丞李某为之主。其王府之寮寀，悉以佐执事，笾豆静嘉，尊罍洁清，酒不强饮。簪佩杂错，水陆毕凑，各执礼尽欢以承饮赐，而莫敢自恣酒阑。出图画若干卷，命随其所能，俾识于后。礼成，复命能文词者叙其岁月，以昭示来世。……泰定元年正月，具官袁桷记。"（《清容居士集》卷四十五）延祐至泰定年间，在朝诸臣如冯子振、李源道、王约、刘赓、袁桷、赵世延、张珪、邓文原、陈庭实、陈颢、魏必复、李泂、杜禧等均尝承应于大长公主府。大长公主祥哥剌吉，颇好名画，雅尚文学，故诸臣多有题画之作，今见于《珊瑚网》、《铁网珊瑚》、《式古堂书画汇考》及诸人文集中。据《元史》卷二十二《武宗本纪》，大德十一年六月壬子，武宗海山封皇妹祥哥剌吉为鲁国大长公主，驸马雕阿不剌为鲁王。仁宗即皇帝位，至大四年闰七月乙丑，鲁国大长公主祥哥剌吉进号皇姊大长公主。武宗生于至元十八年，仁宗乃武宗之弟，生于至元二十二年。则鲁国大长公主祥哥剌吉生年，当在至元十八年之后，二十二年之前。又据《元史》卷三十五《文宗本纪》，至顺二年四月戊申，皇姑鲁国大长公主薨。文宗为武宗次子，故以皇姑称之。是鲁国大长公主卒时，尚未及五十。杨基《题宋周曾秋塘图》："右宋周曾《秋塘图》一卷，前元皇姊大长公主所藏也。前有皇姊图书印记，后有集贤学士诸词臣奉皇姊教旨所题，自大学士赵世延、王约而下凡十六人。时邓文原、袁伯长俱为直学士，李洞（泂）以翰林待制居京师，为监修国史，实至治三年也。元运方隆，皇姊雅尚文学，一时名公巨儒，以文章翰墨宠遇当世，其盛盖可想见。元既革命，此卷遂出江左，吾友薛起宗得于其私沈祥氏。一日，携以见示，且征题诗。余虽不获援笔其间，而一十六人者，犹及亲炙一二。袁、邓二老，又皆先子之友，不可作矣。"（《眉庵集》卷二）

## 五月

**二十四日，熊朋来卒，年七十八。**熊朋来（1246—1323），字与可，自号彭蠡钓徒，学者称天慵先生，豫章人。登咸淳十年进士第。著有《五经说》七卷、《小学书标注》、《瑟谱》六卷，又有《豫章家集》三十卷。生平见吴澄《前进士豫章熊先生墓表》（《吴文正集》卷七十一）、虞集《熊与可墓志铭》（《道园学古录》卷十八）、《元史》卷一九〇《儒学传》。

**尤恪慎序郭居敬所撰《百香诗》。**《百香诗》，凡七言绝句 100 首，有钞本存于日本。

## 六月

**陈栎作《勤有堂记》。**见《定宇集》卷首《年表》，其时陈栎年七十二。定宇撰有《勤有堂随录》一卷，当在本年以后。四库提要卷一二二："《勤有堂随录》一卷，元陈栎撰。……此其随笔札记之文也。虽多谈义理，而颇兼考证，于宋末元初诸人，各举其学问之源流，文章之得失，非泛泛托诸空言者。其谓陈安卿为朱门第一人，黄直卿及李方子多有差处。谓杨诚斋亦间气所生，何可轻议？谓刘辰翁父丧七年不除，为好怪钓名。尤平情之论，不规规于门户之见者矣。"

## 八月

**初一，范梈序朱思本所撰《贞一稿》。**序见本集卷首。《贞一稿》，又题作《贞一斋稿》、《贞一斋杂著》，凡二卷，一时名公如虞集、柳贯等人多为之序，今存《宛委别藏》本、《适园丛书》本。刘有庆《贞一稿序》："暨主教玉隆，余来江右，始获尽窥其稿名《贞一》者，如泉涌石窦，日挹日新；如云幻晴峰，愈变愈丽。比兴序论，粹乎儒者。"柳贯《贞一稿序》："老氏之学，盖原于《易》，然而疏之为庄周、列御寇、庚桑楚、计然、尹文子之流，其刻意尚行，有不待言。而至于动为文辞，又皆离去垢浊而适乎清虚，亹亹然，斐斐然，进于《易》之'几'、'神'。所谓贞于一云者，真足以括天下之动而无违，其与观乎天文人文者，固有合哉！临川朱君本初，是尝寄迹老子法中，所谓游方之外者也。居京师，多从公卿大夫游，比年奉将使指代祀名山，车辙马迹半天下矣。每情与景会，辄形之篇什，有风人咏叹之思，而无山林愁悴之音。南归，专席玉隆，因即其斋居之名而题其汇次之编曰《贞一稿》，懿夫体《易》之言。……予非知诗者，而知君体《易》之意深矣。乃为之评曰：君之诗，似吴宗元、元丹丘，而远游之迹过之；君之自得，似葛稚川、司马子微，而颐神坐忘之妙，需其至焉，返之于静以知终终之。此显道神德之能事，而贞一之极功也。"吴宽《题贞一稿》："故元文章之盛，虽方外道流，亦有其人，如吴全节、薛玄卿、张伯雨辈是也。此则朱本初所著《贞一稿》，观其所得，尤为精深，宜一时大家，特为亲书其首也。"（《珊瑚网》卷十一）

**初四，英宗崩，年二十一。**《元史》卷二十八《英宗本纪》："〔至治三年〕八月癸亥，车驾南还，驻跸南坡。是夕，御史大夫铁失、知枢密院事也先帖木儿、大司农失秃儿、前平章政事赤斤铁木儿、前云南行省平章完者、铁木迭儿子前治书侍御史锁南、铁失弟宣徽使锁南、典瑞院使脱火赤、枢密院副使阿散、佥书枢密院事章台、卫士秃满及诸王按梯不花、孛罗、月鲁（不花）〔铁木儿〕、曲吕不花、兀鲁思不花等谋逆，以铁失所领阿速卫兵为外应，铁失、赤斤铁木儿杀丞相拜住，遂弑帝于行幄。"《书史会要》卷七："英宗，蒙古氏，讳硕德八剌，仁宗子。承武、仁治平之馀，海内晏清，得以怡情觚翰。尝见宋宣和手敕卷首御题四字，又别楮上'日光照吾民，月色清我心'十字，一琴上'至治之音'四字，皆雄健纵逸，而刚毅英武之气发于笔端者，亦足以昭示于世也。"

**十五日，杨载卒，年五十三。**据黄溍《杨仲弘墓志铭》（《文献集》卷八上）。范椁《杨仲弘集序》："余尝观于风骚以降，汉魏下至六朝，弊矣。唐初陈子昂辈，乘一时元气之会，卓然起而振之。开元、大历之音，由是不变，至晚宋又极矣。今天下同文，而治平盛大之音，称者绝少。于斯际也，方有望于仲弘也，天又不年假之，岂非命耶？盖仲弘之天禀旷达，气象宏朗，开口论议，直视千古，每大众广席占纸命辞，敖睨横放，尽意所止。众方拘拘，己独坦坦；众方纡馀，己独驰骏马之长坂而无留行。故当时好之者虽多，而知之者绝少，要一代之杰作也。"（《杨仲弘集》卷首）黄溍《杨仲弘墓志铭》："仲弘平居性和易，然于论议臧否，未尝有所假借。其游从皆当世伟人，吴兴赵公在翰林，尤爱重之，亟称其所为文，由是仲弘名益闻诸公间。盖仲弘于书无所不读，而其文益以气为主，毫端霏霏，纵横巨细，无不如其意之所欲出。譬如长风怒飙，一瞬千里，至于畸岸之萦折，舷欹柁侧，亦未始有所留碍也。凡所撰著，未及诠次以行，而人多传诵之。溍尝评其文博而敏，直而不肆。仲弘亦谓溍曰：'子之文气，有未充也，然已密矣。'溍每叹服其言。"蒋易《清江碧嶂集序》："易事先生（即杜本）武夷山中，请学为诗，先生言：今代诗人雄浑有气，无若浦城杨仲弘，仲弘诗法得于句章任叔植士林，其后叔植之诗乃不及仲弘，可谓青出于蓝矣。仲弘尝言：'取材于汉魏，而音节以唐人为宗。'此吾诗法也，小子识之。"《归田诗话》卷下："杨仲弘以《宗阳宫玩月》诗得名，然他作如'风雨五更鸡乱叫，江湖千里雁相呼'，'挟书万里朝明主，仗剑三年别故乡'，'窗间夜雨消银烛，城上春云压彩旗'，'空桑说法黄龙听，贝叶翻经白马驮'，沉雄典实，先叔祖每称之。长篇如《古墙行》、《梅梁歌》，亦皆为时所推许。"李昌祺《读元杨仲弘诗》："才名卓荦四贤同，进士诗人两萃公。周鼎殷彝推范古，天机云锦让虞工。江湖汗漫遗编在，风雅萧条大笔空。玉树琼枝那可见，闲花野草自青红。"（《运甓漫稿》卷五）《石洲诗话》卷五："杨仲宏（弘）诗，骨力既孱，格调复平，设色赋韵，亦未能免俗，不解何以与虞齐名。"又："仲宏（弘）格力，尚在袁伯长、马伯庸之下。乃铁崖《西湖竹枝序》：'我朝词人能变宋季之陋者，称杨仲宏（弘）为首，而范、虞次之。'此真不可解也。"四库提要卷一六七："《杨仲弘集》八卷，元杨载撰。……元代诗人，世推虞、杨、范、揭。史称其文章一以气为主，而于诗尤有法度，自其诗出，一洗宋季之陋云云。盖宋代诗派凡数变，西昆伤于雕琢，一变而为元祐之朴雅；元祐伤于平易，一变而为江西之生新。南渡以后，江西宗派盛极而衰，江湖诸人欲变之而力不胜。于是仄径旁行，相率而为琐屑寒陋，宋诗于是扫地矣。载生于诗道弊坏之后，穷极而变，乃复其始。风规雅赡，雍雍有元祐之遗音。史之所称，固非溢美。故清思不及范梈，秀韵不及揭傒斯，权奇飞动尤不及虞集，而四家并称，终无怍色，盖以此也。瞿宗吉《归田诗话》曰：……。陶宗仪《辍耕录》曰：……。竟谓载诗在虞集上，则非其实也。"

**十五日，释明本卒，年六十一。** 明本卒年，据虞集《智觉禅师塔铭》，铭云："师讳明本，宋景定癸亥岁生钱塘之新城，姓孙氏。年六十一，僧腊三十七，大元至治癸亥八月十五日，化于其山东冈之草庵。"（《道园学古录》卷四十八）然《佛祖历代通载》卷二十二云："癸亥，至治三年。八月十四日，天目山中峰卒，敕谥普应国师。法云之塔，奎章学士虞集奉敕撰铭，其略云：……仁宗皇帝闻而聘之，不至，制金纹伽黎衣赐之，号之佛慈圆照广惠禅师，赐师子院，名曰正宗禅寺云云。师讳明本，宋景定癸亥岁生，钱唐孙氏。年六十一，僧腊三十五，化于其山之东冈。"《佛祖历代通载》为元僧念常所撰，据其所引，当是本之虞集所撰塔铭，不详何以二者所记不同。明本（1263—1323），号中峰，俗姓孙，钱塘人。仁宗时，赐号佛慈圆照广慧禅师。卒赐谥智觉禅师，元统乙亥，赐号普应国师。著有《怀净土诗》一卷、《梅花百咏》一卷、《中峰广录》三十卷。生平见虞集《智觉禅师塔铭》（《道园学古录》卷四十八）。《元诗选》二集壬集选其诗74首。《升庵诗话》卷一："元天目山释明本中峰有《九字梅花诗》云：'昨夜西风吹折中林梢，渡口小艇滚入沙滩坳。野树古梅独卧寒屋角，疏影横斜暗上书窗敲。半枯半活几个揾蓓蕾，欲开未开数点含香苞。纵使画工奇妙也缩手，我爱清香故把新诗嘲。'池南唐文荐（锜）谓余曰：'此诗不佳，影不可言敲。又后四句有斋饭酸馅气。'"温纯《怀净土诗跋》："释氏说净土，与吾儒诚意若相发，盖人之身有土意是也，妄念起则秽矣。乌乎，净彼以净土为西方极乐国者，托说也。故心无秽焉，往非净土，何必西第西来意欲忘。吾儒曰：勿忘夫，勿忘矣。而又曰：勿助，则其效可逆睹矣。中峰和尚《怀净土诗》百八首，盖学净而若忘者。子昂书其要者于卷，亦心手两忘，得山阴笔意。武林人相传以为二宝，不虚。夫学而不可不至乎忘者，独释与书已耶。命镌之石。"（《温恭毅集》卷十五）顾起元《元王冕画梅赵奕书梅花诗后识》："元人好作梅花诗，冯海粟、中峰道人多至百馀咏，仲光（赵奕字）岂仅得其十五耶？中峰诗较仲光，似饶情致。"（《石渠宝笈》卷三十六）《元诗选》二集壬集《鄽居十首》诗后顾嗣立按语："中峰《四居》诗，皆避地时作。如《船居》云：'随

237

情系缆招明月，取性推篷看远山。''烟蓑带雨和船重，云衲冲寒似纸轻。''主张风月篷三叶，弹压江湖橹一寻。'《山居》云：'雪涧有声泉眼活，雨崖无路藓痕深。''偷果黄猨摇绿树，衔花白鹿卧青莎。''白发不因裁后出，青山何待买方归。'《水居》云：'波底月明天不夜，炉中烟透室长春。'《锜居》云：'锦街破晓鸣金镫，绣巷迎春拥翠钿。''月印前街连后巷，茶呼东舍与西邻。''玩月楼高门巷永，卖花声密市桥多。'并妙句也，附摘于此。"《元诗选》二集壬集《梅花百咏和冯学士海粟作》后顾嗣立按语："中峰《梅花百咏》，如：'斜照窗纱斜照水，半随风信半随尘。''一点芳心凭驿使，半梢清影伴诗人。''饥蜂冒雪身游絮，病鹤眠苔迹炉尘。''晓起白迷烟外策，夜深寒醒酒边人。''吟对瘦怜寒夜影，折看愁杀故乡人。'对仗极工，应不减孤山处士'疏影''暗香'之句也。"

二十二日，文矩卒。吴澄《故太常礼仪院判官文君墓志铭》："至治三年八月二十二日，太常文君矩子方卒于京师。……妻张氏，封宜春县君，先君卒。子一人：锁住，未冠。女一人，许嫁金湖广行省员外郎刘艺之子某，未行。"（《吴文正集》卷八十）〔按，文矩（？—1323）寿年，据虞集《张隐君墓志铭》（《道园学古录》卷十八）推定，约四十五左右。文矩为耒阳人张埴女婿，娶张埴长女。张埴生于宝祐元年（1253），卒于大德十一年（1307）。〕程钜夫《文矩名字说》："矩所以为方之器也。物非矩无以自致于方，矩非物亦莫著其为方之用。盖矩者，梓人氏所谓角尺也。必上下均平，左右若一，然后举此而加彼，推己以及人，是以君子有絜矩之道。然器非人不行，用之则随所施而无不中度，弗用则亦自守其尺寸之常，此君子又有藏器之喻。孟轲氏以规矩方圆之至，与圣人人伦之至并言，夫岂徒者？文掾名矩而字子方，材器兼人，如刃之新发，木之向荣，六翮既举，而风迫之也。求余说其名字之义，因书所闻以复之。抑又闻方者地也，非厚无以载体之者；舆也，非轮亦无以行。有弗思，思则得之。"（《雪楼集》卷二十三）赵孟頫《送文子方调选云南》："我友文子方，其人美如玉。高谈动卿相，惠利厚风俗。文章多古意，清切绿水曲。纷纷凫鹥群，见此摩霄鹄。今当使西南，万里道邛蜀。铨衡非细事，贤俊要甄录。远人待子来，饥者望菽粟。贤劳亦常事，但恐期程促。马嘶晨当行，草长春正绿。执手临岐路，使我空踯躅。"（《松雪斋集》卷二）吴澄《故太常礼仪院判官文君墓志铭》："君负当世辨敏之资，究之以问学，宜其有所设施。然使其就于用，则必能不失其官，以成一时之功。往往为小夫钺訾，而君巍然自信不顾，可谓古之奇男子者矣。其文章歌诗，虽疏宕尚气，有陈事风赋之志焉，惜其未传而遽止也。"

## 九月

初四，也孙铁木儿即皇帝位，是为泰定帝。也孙铁木儿，显宗甘麻剌长子，裕宗嫡孙。诸王按梯不花及也先铁木儿奉皇帝玺绶，迎于北，遂即帝位于龙居河。见《元史》卷二十九《泰定帝本纪》。曹元用《谕安南国诏》："朕以裕皇嫡孙，为宗戚大臣之所推藏。爰自太祖皇帝肇基之地，入承天叙，于至治三年九月四日即皇帝位，遂以甲子岁为泰定元年。"（《元文类》卷九）泰定帝生于至元十三年十月二十九日，大德六年袭封为晋王。本年十一月辛丑，车驾至于大都。

## 十二月

下诏改元，以明年为泰定元年。见《元史》卷二十九《泰定帝本纪》。

## 本年

马祖常自题所撰《松厅事稿略》。马祖常《题松厅事稿略后》："昔祖常承乏察院，初官未熟时事，往往笃信古道，动辄得咎。言秦州山移之变，则得奉祠太社；论特古斯丞相废法擅权，则谪官开平。婴虎口之毒，摈斥五年，幸遭遇天日清明，更张化弦，凡是同恶奸状显露，善类汇进，众贤登朝，而祖常忝备召用，待罪词垣。暇日偶翻阅书簏，见有章疏旧稿数十纸，因缮写成一编。祖常讵敢卖直要誉，庶亦存爱君忧时之万一云耳。名之曰《松厅事稿略》者，明其与同官论列者，皆不记也。至治三年端阳日，浚仪马祖常识。"（《中州名贤文表》卷十七）王结《书松厅事稿略》："伯庸之文章，简洁精密，足以鸣一世而服群彦，余固未暇论也。"

白贲在温州路平阳州儒学教授任上。苏伯衡《宋君墓志铭》："未冠，博学强记，天文地理、医卜术数，无不该洽，游心艺事。钱唐白公无咎之教授平阳州学也，见子成崛然秀出诸生中，选以为婿，而宋遗老湛渊先生则其父也。得子成所作文辞，啧啧曰：佳婿哉。子成婿白氏十五年而妻没，时子成年甫三十有四。"（《苏平仲文集》卷十三）宋允恒卒于至正八年（1348），年四十五。以此推之，则白贲本年在温州路平阳州教授任上。白贲（约1275—1330），白珽长子，字无咎，号素轩。先世太原文水人，后移居钱塘。先为中书省郎官，延祐中出任忻州太守，至治间为温州路平阳州教授，后为文林郎、南安路总管府经历。工曲，所作小令〔正宫〕《鹦鹉曲》极有名，后多唱和者。《全元散曲》录其小令2首，套数3套，残套数1套。〔按，白贲生年，据其父白珽及其女生年推定。其父生于淳祐八年（1248），其女生于大德六年（1302）。白贲生有一子，年幼而夭，以其婿宋允恒之仲子范继其嗣。《录鬼簿》卷上列之于"前辈已死名公有乐府行于世者"，称其为"白无咎学士"。然宋濂作白珽墓铭，不言无咎尝官学士。〕

释善住寓居钱塘千顷寺。善住，字无住，号云屋，吴郡人。居吴郡报恩寺，往来吴淞江上。与仇远、白珽、虞集、宋无等人往还唱和。著有《谷响集》三卷。《元诗选》初集壬集选其诗105首。〔按，善住生年，据所作诗《丁巳元日》，诗云："四十今朝是，余生未有涯。寸心曾不白，短鬓已先华。落落攀天骥，悠悠梦海槎。坐看残腊尽，空忆早梅花。"（《谷响集》卷一）"丁巳"，即延祐四年（1317），上推三十九年，则其生年当为至元十五年（1278）。〕《元诗选》初集壬集："山村赠诗曰：'阊门北去山如画，有日同师步翠微。'其相契可知也。所著《谷响集》近体诗若干首。子虚有《答无住师见寄》诗云：'句妙唐风在，心空汉月明。'即此可以评定其诗矣。"四库提要卷一六六："《谷响集》三卷，元释善住撰。……〔仇〕远赠诗有云：'阊门北去山如画，有日同师步翠微。'〔宋〕无答其见寄诗，亦有'句妙唐风在'之语。盖虽入空门，而深与文士同臭味也。集中《癸亥岁寓居钱塘千顷寺述怀》诗，有'高阁工书三十年'句。从英宗至治三年癸亥上推三十年，为世祖至元三十一年甲午，距宋亡仅十四年。其《赠隐者》诗，有'对食惭周粟，纫衣尚楚兰'句，盖犹及见宋之遗老，故所作颇有矩矱。观其《论诗》有云：'典雅始成唐句法，粗豪终有宋人风。'命意极为不凡。及核其篇什，则但工近体，大抵以清隽雕琢为事，颇近四灵、江湖之派，终不脱宋人窠臼。所言未免涉于过高。然造语新秀，绝无蔬笋之气，佳处亦未易及。在元代诗僧中，固宜为屈一指也。"

**凌云翰生。** 凌云翰（1323—?），字彦翀，钱塘人。元至正十九年举浙江乡试，除平江路学正，不赴。洪武十四年，以荐授四川成都教授，坐贡举乏人，谪南荒以卒。著有《柘轩集》四卷。

**胡长孺卒，年七十五。** 王沂作《挽胡汲仲先生》诗二首（《伊滨集》卷八），胡助作《挽胡石塘先生》诗二首，黄溍有《祭永康胡先生文》（《金华黄先生文集》卷二十三），吴莱有《至杭闻胡汲仲先生没，去秋奉枢葬建昌》诗（《渊颖集》卷四）。王逢《二胡节士后序》："二胡节士，婺之永康人，长穆仲，次汲仲，前后并寓杭。……汲：一日，文敏赵公来求撰罗司徒父墓铭，楮锭百定，他物称是。汲曰：'吾岂为宦官父作墓铭。'辞之。时绝粮一日矣。后赵文敏挽诗有云：'泪湿黔娄被，心伤郭泰巾。'概可征矣。……前乡贡进士钱唐钱惟善云。"（《梧溪集》卷四）又见佚名《东园友闻》（《说郛》卷二十六上、《古今说海》卷一一五），言赵孟頫挽诗乃为胡牧（穆）仲所作。按，赵孟頫卒于至治二年（1322）。黄溍《项可立墓志铭》云："永康胡先生长孺号廉介，休官而家益贫，寓杭之青莲佛舍以殁。"胡长孺（1249—1323），字汲仲，号石塘，学者称纯节先生，婺州永康人。著有《瓦缶编》、《南昌集》、《宁海漫抄》、《颜乐斋稿》、《石塘文稿》等。《元诗选》二集甲集选其诗17首。生平见《元史》卷一九〇《儒学传》、宋濂《胡长孺传》、《元史类编》卷三十二。唐元《跋胡石塘先生赠章润翁忆昔说》："往时同舍毕生为仆言：石塘胡先生议论风致，高出人表，其为文仿先秦汉史，雄深雅健，莫龄益自珍闷，不轻予人。蒙庄所谓骊龙之珠，深藏于渊，惟遭睡者得之，非有意于人。"《筠轩集》卷十一）宋濂《胡长孺传》："为辞章有精魄，金春玉撞，一发其和平之音，海内来求者，如购拱璧，碑板煜煌，照耀四裔，乡闱取士，屡司文衡，贵实贱华，文风为之一变。……其从兄之纲、之纯，皆以经术文学名。之纲字仍仲，尝作荐书，其于声音字画之说，自言独造其妙，惜其书不传。之纯字穆仲，咸淳甲戌进士，践履如古独行者，文尤明洁可诵。人号之为三胡云。"《南村辍耕录》卷四："胡汲仲先生长孺，号石塘，特立独行，刚介有守。赵松雪尝为罗司徒奉钞百锭，为先生润笔，请作乃父墓铭。先生怒曰：'我岂为宦官作墓铭邪？'是日，先生正绝粮，其子以情白，坐上诸客咸劝受之，先生却愈坚。观此则一毫不苟取于人，从可知矣，故虽冻馁有所不顾。先生《送蔡如愚归东阳》诗有云：'薄糜不继袄不暖，呕吟犹是钟球鸣。'语之曰：'此余秘密藏中休粮方也。'"《元诗选》二集甲集："汲仲为辞章有精魄，金春玉撞，壹发其和平之音。海内来求者如购拱璧，碑版煜煌，照耀四裔。赵文敏公孟頫称其天资高爽，发言便自超诣。……从兄之纲、之纯皆以经术文学名，人称之为三胡云。"

《木天禁语》约成于本年之后。据今人张健《元代诗法校考》所考，其中所引王士熙《送巨德新》诗约作于本年至泰定三年间。《木天禁语》，又作《范梈德机述江左第一诗法》，旧题作范德机撰。范德机，即清江人范梈。明初赵㧑谦所撰《学范》一书中列有其书。明人许学夷及《四库全书总目》均以为其书非范德机所撰。题范德机撰者，尚有《诗学禁脔》（又题作《诗格》）、《诗家一指》，及其门人集录之《总论》、《吟法玄微》等，《元代诗法校考》多有考论。《木天禁语》、《诗学禁脔》，均有《历代诗话》本。四库提要卷一九七："《木天禁语》一卷，旧本题元范德机撰。……是编开卷标'内篇'二字，然别无外篇，不知何故独名为内。其体例丛脞冗杂，殆难枚举。其大纲以篇法、句法、字法、气象、家数、音节，谓之六关；每关又系子目，各引唐人一诗以实之。其七言律诗一条，称唐人李淑有《诗苑》一书，今世罕传。所述篇法止有六格，今广为十三格。考晁公武《读书志》，《诗苑类格》三卷，李淑撰。宝元三年，豫王出阁，淑为皇子傅，因纂成此书之上。然则淑为宋仁宗时人，安得称唐？明华阳王宣㙒作《诗心珠会》，全引此条，亦作唐字。知原本实误以为唐人，非刊本有误。其荒陋已可想见。又云：'十三格犹六十四卦之动，不出八卦。八卦之生，不离奇偶，可谓神矣。目曰屠龙绝艺，此法一泄，大道显然'云云。殆类道经授法之语。盖与杨载《诗法家数》出一手伪撰。考二书所论，多见赵㧑谦《学范》中。知庸妄书贾，剽取《学范》为之耳。"四库提要卷一九七："《诗学禁脔》一卷，旧本题元范德机撰。凡分十五格，每格选唐诗一篇为式，而逐句解释。其浅陋尤甚，亦必非真本。"

## 至治间

建安虞氏刊行《全相平话》。《全相平话》为一套平话丛书，包括《武王伐纣书》（又称《吕望兴周》）、《乐毅图齐七国春秋后集》、《秦并六国》（又称《秦始皇传》）、《前汉书续集》（又称《吕后斩韩信》）、《三国志》五种。其中《三国志平话》扉页上标有"至治新刊"字样，或以为其书定稿于金代。《三国志平话》三卷，或以为即早期"说三分"底本，有涵芬楼影印本、《古佚小说丛刊初集》本、古典文学出版社排印本、中华书局排印本。《三国志平话》而外，另有《三分事略》一种，卷中有"至元新刊"、"甲午新刊"等字样，或以为乃至元三十一年甲午（1294）所刊。其书后改题作《照元新刊全相三分事略》。

狄君厚至治间尚或在世。狄君厚，平阳人。著有杂剧《晋文公火烧介子推》。贾仲明〔双调〕《凌波仙·吊狄君厚》："元贞、大德秀华夷，至大、皇庆锦社稷，延祐、至治承平世。养人才，编传奇，一时气候云集。有平易狄君厚，捻《火烧介子推》，只落得，三尺何堆。"

## 公元 1324 年 （泰定帝泰定元年 甲子）

### 正月

十一日，柳贯自题所作《北还诸诗》。见柳贯《待制集》卷十八。是集为柳贯被命往上京试国子生沿途之作。

十五日，袁桷为薛玄曦作《小领水亭记》。文云："薛君玄卿自京师归上清二年矣，习静修德，日治其文词，刊落雕饰，以求进于道。……遂掇其语而为之文。泰定元年正月壬寅，清容居士袁桷记。"（《清容居士集》卷十九）又袁桷《开平第四集》有《寓舍玄卿旧住，今归龙虎山，书壁言怀》（《清容居士集》卷十六）诗。据此，知薛玄曦辞归龙虎山，在至治二年（1322）。薛玄曦（1289—1345），一作薛玄羲，字玄卿，号上清外史。祖籍河东，徙居信州之贵溪。年十二，入道龙虎山，师事张留孙、吴全节。延祐间，以荐授大都崇真万寿宫提举，升上都崇真万寿宫提点。至正三年，制授弘文裕德崇仁真人、佑圣观住持，兼领杭州诸宫观。五年卒，年五十七。著有《上清集》、《樵者问》，编有《琼林集》。《元诗选》二集壬集选其诗28首。

## 二月

十八日，从浙江行省左丞赵简请，开经筵及择师傅，令太子及诸王大臣子孙受学，命平章政事张珪、翰林学士承旨忽都鲁都儿迷失、学士吴澄、集贤直学士邓文原，以《帝范》、《资治通鉴》、《大学衍义》、《贞观政要》等书进讲，复敕右丞相也先铁木儿领其事。见《元史》卷二十九《泰定帝本纪》。虞集《书赵学士简经筵奏议后》："泰定元年春，皇帝始御经筵，皆以国语译所说书两进读，左丞相独领之。凡再进讲，而驾幸上都，次北口，以讲臣多高年，召王结及集执经从行。至察罕行宫，又以讲事亟召中书平章张公珪，遂皆给传，与李嘉努、雅奇等俱行。是秋将还，皆拜金纹对衣之赐，独遣人就赐赵公简于浙省，加白金焉，赏言功也。四年之间，以宰执与者，张公珪之后，则中书右丞许公师敬与今赵公世延也，御史台则中丞萨勒迪默色。而任润译讲读之事者，翰林则承旨额森特穆尔、呼喇勒默色、学士吴澄幼清、阿尔威（阿鲁威）叔重、曹元用子贞、齐齐克伯瞻、雅奇信臣、马祖常伯庸及其待制彭寅亮允道、吴律伯仪、应奉许维则孝思也。集贤则大学士赵简敬甫、学士王结仪伯、邓文原善之也。李嘉努德源、玛噜仲璋皆礼部尚书。吴呼图克布哈彦弘中书参议，张起岩梦臣中书右司郎中也。（召而不至者，不及一一书。入筵前后除擢，亦不备载。）或先或后，或去或留，或从或否，或久或暂，而集与雅奇则四岁皆在行者也。今大丞相自援立后，每讲必与左丞相同侍，而张公既归老，犹带知经筵事，皆盛事也。"（《道园学古录》卷十一）

## 三月

十二日，廷试进士八剌、张益等八十四人，赐及第、出身有差；会试下第者，亦赐教官有差。见《元史》卷二十九《泰定帝本纪》。字术鲁翀、曹元用、虞集为会试考官。苏天爵《元故中奉大夫江浙行中书省参知政事追封南阳郡公谥文靖字术鲁公神道碑铭并序》："泰定初，充会试考官。"王结为廷试读卷官。《元史》卷一七八王结本传："泰定元年春，廷试进士，以结充读卷官。"本年殿试策题，由袁桷代拟，见《清容居士集》卷三十五。

宋褧登进士第。宋褧有《登第诗》五首（《燕石集》卷六）。宋褧《祖道集序》：

"大德壬寅，予生九龄，侍先府君笏库江陵。延祐己未，始克还京。泰定甲子，忝预科名，累试馆阁，声闻过情。"（《燕石集》卷十二）苏天爵《元故翰林直学士赠国子祭酒范阳郡侯谥文清宋公墓志铭并序》："延祐六年，挟其所作歌诗，从正献来京师。清河元公明善、济南张公养浩、东平蔡公文渊、王公士熙方以文学显于朝，见公伯仲，惊叹以谓异人，争尉荐之。会蔡公、王公试大都乡贡士，正献名冠第一，公文亦在选中，以解额不足而止。又三年，汶阳曹公元用、蜀郡虞公集、南阳字术鲁公𫘬为考官，公遂擢第，除秘书监校书郎。"（《滋溪文稿》卷十三）

**程端学登进士第。**《元史》卷一九〇《儒学传》误其登至治元年进士第。宋褧有《同年程时叔内翰还浙东》诗（《燕石集》卷三）。欧阳玄《积斋程君墓志铭》："至治癸亥，予以鸠兹宰浙省，聘为秋闱试官。第二场《四灵赋》，本房得一卷，爱其词气高迥，拟真选中。覆考官谓非赋体，欲黜之。予争之力，且曰：'其人赋场如此，经义必高。'手画三不成字号，督掌卷官对号参索，取其本经观之，至则伟然老成笔也。主司是予言，乃与选。予默识是卷，及拆号，同列秦邮龚璛子敬素知君姓名，谓予曰：'此四明处士程敬叔先生之弟时叔也，微君言，几失此佳士。'明年，君会试中高等，榜名传至江南，予自喜乡（向）者之识鉴不忒烘矣。……君早岁不屑为举子业，朋友力劝之就试，及再战再捷，素习者不能过之。会试，经义策冠场，试官为惊叹，白于宰相曰：'此卷非三十年学问不能成，使举子得挟书入场屋，寸晷之下，未必能作，请置通榜第一。'后格于旧制，以冠南士，置第二名。"（《新安文献志》卷七十一）程端学（1278—1334），字时叔，号积斋，庆元路鄞县人。与兄程端礼师史蒙卿，时人以'二程'目之。泰定元年登进士第，授仙居县丞，未行，改国子助教。转从仕郎、翰林国史院编修官，为虞集所称。中书选考乡试，号称得人，除筠州幕长。元统二年，迁太常博士，命未下而卒。后以子贵，赠奉训大夫、礼部郎中、飞骑尉，追封鄞县男。著有《春秋本义》三十卷、《春秋三传辨疑》二十卷、《春秋或问》十卷、《春秋纲领》一卷、《积斋集》五卷。生平据欧阳玄《积斋程君墓志铭》、《元史》卷一九〇《儒学传》。

**段天祐、吕思诚登进士第。**宋褧有《江浙省段照磨吉甫，于予为同年友。至顺癸酉，会于吴门。今春书来，寄近诗十馀首，遂和其次韵张伯雨新居四绝句以答。时同年吕仲实金浙西宪，并以柬之》诗（《燕石集》卷九）。吕思诚（1293—1357），字仲实，平定人。泰定元年进士，授同知辽州事，未赴，丁内艰，改景州蓨县尹。历官翰林编修、国子司业、监察御史、广西金宪、浙西金宪。至正初，迁刑部尚书，改礼部。累官至中书参政、中书左丞。至正十七年卒，年六十五。谥忠肃。生平见《元史》卷一八五本传。段天祐，字吉甫，汴梁人。泰定元年进士，授静海县丞。累迁至翰林应奉、浙江儒学提举。著有《庸音集》。

**费著登进士第。**费著，字克昭，成都人。泰定元年进士，授国子助教，累迁至重庆路总管。明玉珍据蜀，遁居犍为而卒。著有《岁华纪丽谱》等。

**郑禧登进士第。**郑禧，字天趣，温州平阳人。延祐间，馆于洪氏，与城西吴女唱和，未几女卒，禧编录唱和诗词成《春梦录》一卷。泰定元年登进士第，历官黄岩州同知。《春梦录》一卷，今存《说郛》本、《艳异编》本、《绿窗女史》本。

二十八日，李洄授秘书监著作郎。见《秘书监志》卷十。李洄，字溉之，滕州人。以姚燧荐，授翰林国史院编修官。寻辟中书省掾，除集贤院都事，转太常博士。丞相拜住闻其名，擢拜监修国史长史，历秘书监著作郎、太常礼仪院经历。泰定初，除翰林待制，以亲丧辞归。天历间，朝拜翰林直学士，俄授奎章阁承旨学士，预修《经世大典》，书成，旋引疾归。复以翰林直学士召，辞不起，年五十九卒。著有文集四十卷。《元诗选》二集戊集选其诗 11 首。《元史》卷一八三李洄本传："洄骨骼清峻，神情开朗，秀眉疏髯，目莹如电，颜面如冰玉，而唇如渥丹然，峨冠褒衣，望之者疑为神仙中人也。其为文章，奋笔挥洒，迅飞疾动，汩汩滔滔，思态叠出，纵横奇变，若纷错而有条理，意之所至，臻极神妙。洄每以李太白自拟，当世亦以是许之。尝游匡庐、王屋、少室诸山，留连久乃去，人莫测其意也。侨居济南，有湖山花竹之胜，作亭曰天心水面，文宗尝敕虞集制文以记之。洄尤善书，自篆、隶、草、真皆精诣，为世所珍爱。"

牟应龙卒，年七十八。黄溍作《隆山牟先生挽章》（《文献集》卷一）。虞集《牟伯成墓碑》："先生卒于泰定甲子三月，享年七十有八岁，以是年五月乙酉，葬于湖州乌程县三碑乡兑山之原。"（《道园学古录》卷十五）牟应龙（1247—1324），牟巘子，字伯成，自号隆山先生，学者因以称之。"吴兴八俊"之一。著有《隆山牟先生文集》。生平见虞集《牟伯成墓碑》、《元史》卷一九〇《儒学传》。黄溍《隆山牟先生文集序》："若昔宋东都盛时，眉山苏氏父子出，而蜀之文章被于海内。渡江后，疆圉日蹙，衣冠流散，而蜀之文章萃于东南。及其既久也，百年之遗老相继沦谢，而陵阳牟氏父子遂岿然为蜀士之望。以耆年宿德擅文章之柄而雄视乎东南者，大理公一人而已。隆山先生，大理公冢子，能世其家业而不陨者也。……先生于前朝制度之损益，故家文献之源流，历历如指诸掌，寒门下士，窥见一斑于残编断简中者，固不足以与此。至于白首穷经，孳孳矻矻而忘其老，阀阅贵游，挟清才雅艺以驰骋于英俊之域者，亦未易企而及也。凡先生所撰著，言必有实，而要其归，一本于理。昔之善为品评者，谓有山林之文，有台阁之文，先生盖兼之矣。内翰蜀郡虞公称先生警敏过人，志趣高迈，援引根据，不见涯涘。其文沛然若河江之决，不极所至不止。真知言哉。呜呼！坠绪茫茫，千钧一发，剥果不食，萌芽方新。斯文之未丧，岂但为蜀士之幸乎？"（《文献集》卷六）《元史》卷一九〇《儒学传》："应龙幼警敏过人，日记数千言，文章有浑厚之气。……初，宋亡时，大理卿已退不任事，一门父子，自为师友，讨论经学，以义理相切磨，于诸经皆有成说，惟《五经音考》盛行于世。应龙为文长于叙事，时人求其文者，车辙交于门，以文章大家称于东南，人拟之为眉山苏氏父子，而学者因应龙所自号，称之曰隆山先生。"

## 五月

初八，贯云石卒，年三十九。钱惟善作《酸斋学士挽诗》。欧阳玄《元故翰林学士中奉大夫知制诰同修国史贯公神道碑》："至治三年岁癸亥秋，玄校艺浙省。……明年甲子夏，公捐馆于杭。……泰定改元五月八日，薨于钱塘寓舍，年三十有九。"（《圭斋文集》卷九）邓文原《翰林侍读学士贯公文集序》："余往在词林，职司撰著，获事翰林承旨姚先生。于当世文学士少许可，然每称贯公妙龄，才气英迈，宜居代言之选。……公来游钱塘，过余，相见若平生欢。示所著诗若文，予读之尽编，而知公之才气英迈，信如先生所言者。宜其词章驰骋上下，如天骥摆脱羁羁，一踔千里，而王良造父，犹为之愕眙却顾。吁，亦奇矣。"（《巴西集》卷上）欧阳玄《元故翰林学士中奉大夫知制诰同修国史贯公神道碑》："入天目山，见本中峰禅师，剧谈大道，箭锋相当。每夏，坐禅包山，暑退始入城。自是为学日博，为文日邃，诗亦冲澹简远，书法稍取法古人，而变化自成一家。"姚桐寿《乐郊私语》："云石翩翩公子，无论所制乐府散套，骏逸为当行之冠。即歌声高引，可彻云汉。"《至正直记》卷一："北庭贯云石酸斋，善今乐府，清新俊逸，为时所称。尝赴所亲某官燕，时正立春，座客以《清江引》请赋，且限金木水火土五字冠于每句之首，句各用春字。酸斋即题云：'金钗影摇春燕斜，木杪生春叶，水塘春始波，火候春初热，土牛儿载将春到也。'满座皆绝倒。盖一时之捷才，亦气运所至，人物孕灵如此。生平所赋甚多，特举其一而记之云。"《铁崖古乐府》卷三《庐山飞瀑谣》吴复评："予偕评酸斋之词，滑稽谑浪，真风流才仙也。"《书史会要》卷七："豪爽有风概，富文学，工翰墨，其名章俊语流于毫端者，怪怪奇奇，若不凝滞于物，即其书而知其胸中之所养矣。"《元史》卷一四三本传："稍长，折节读书，目五行下。吐辞为文，不蹈袭故常，其旨皆出人意表。……晚年为文日邃，诗亦冲澹。"张昱《题贯酸斋芦花被诗后》："学士才名半滑稽，沧浪歌里得新知。静思金马门前直，那似芦花被底时。梦与朝云行处近，醉从江月到来迟。风流满纸龙蛇字，传遍梁山是此诗。"（《可闲老人集》卷三）《蟫精隽》卷十一："元贯酸斋学士云石有《兰房六谑》诗，题曰《柳眉》、《星眼》、《檀口》、《酥乳》、《纤指》、《香钩》。'香钩'，谓足也。其意本东坡《六忆》诗来，而酸斋则太淫丽矣。"《庄岳委谈》卷下："涵虚子记元词手百八十馀，中能旁及诗文者，贯酸斋、高则诚二三子耳。"姜南《瓠里子笔谈》："近时人歌唱，或被之管弦，皆淫词艳曲，所谓使人闻之，丧其所守者。尝观元人乐府，有四时行乐《小梁州》词四阕，不过模写馀杭西湖四时景象。比之一时其他词曲，犹为此善于彼。乃酸斋贯云石之作也。"

## 秋

**周德清撰《中原音韵》成。**集有周德清自序。又有虞集、欧阳玄、琐非复初等人序，见本集卷首，李祁亦尝为之序（《云阳集》卷四）。《中原音韵》二卷，今存《四库全书》等本。今人赵荫棠、杨耐思均对其有专门研究。蔡清《中州音韵序》："盖天地之中，气在中国，中国之中，气在中州。气得其中，则声得其正，而四方皆当以是为的焉。此元高安周德清先生之《中州音韵》，所以为人间不可无之书也。思昔先王之世，书必同文，文同则声同，其必有以中天下之不中者矣。秦汉而下，王者不考文。及江左音倡，而天下无正声。因循千有馀载，而我太祖高皇帝始命儒臣大厘正之，名曰《洪武正韵》，信有以追先王考文之典，而为万世不刊之书矣。然人知《正韵》出于当时儒臣承诏之所编定，而不知其有得于《中州音韵》之书者宜多也。何以言之？虞文靖公一代名儒也，尝爱德清先生之书而序之，深许其得音之正。而序中所谓吴楚伤于轻浮，燕苏失于重浊云云者，今《正韵》凡例中纯用之。则是当时诸儒之采用其书，初无损于诸儒之自得，而适足以见其能集众美，以成一代之盛典为可嘉。而德清先生之功，亦于是乎为不可掩矣。"（《虚斋集》卷三）祝允明《重刻中原音韵序》："有文韵，有诗韵，有词韵、曲韵。有古韵，有今韵。古韵出于六经，作文者用之，古选诗用之。今韵出于沈氏，近体诗用之。词始于唐，盛于宋，以迄于今，其用韵犹诗也。惟金元北曲，乃用所谓中原之韵。盖因其国都在幽燕之区，河洛相去不遥，其方言如是也。故为其言者，每诋诗韵之偏，而为诗者则至今犹不从之。我洪武圣人，亦既命儒硕定《正韵》，如其说矣。诗韵姑未论。若北调之制，可不严于此耶？余也好乐，故尝自负知音，谓四十年接宾友无一人至此者，颇有言乐之书，兹未遑似诸人。每浩叹今日事，惟乐为大坏，未论雅部，只日用十七宫调，识其美劣是非者几士？数十年前尚有之，今殆绝矣。不幸又有南宋温、浙戏文之调，殆禽噪尔，其调果在何处。噫嘻，陋哉！大河王将军廷瑞，俊迈士也，既刻诗韵，复欲取周德清《中原韵》入板，以示予，予为之喜甚。凡正音之说，德清全书言之甚详。因稍为括取要旨数节授之，令列诸前，庶览者可得其概也。缮毕就样，稍引之云尔。"（《怀星堂集》卷二十四）何瑭《读中原音韵》："《中原音韵》，江西周德清氏所著也。其法谓平分二义，入派三声。平分二义，则以平声之字，音有抑扬，分为阴阳，如荒、黄、青、晴之类是也。词曲之间，当用阳字者不可用阴字，当用阴字者不可用阳字，若失其法，则歌喉有碍。然此亦近世之论耳，古法不然也。古人歌诗，有叶音之法，盖借他字之音而歌之也。则于字相近而音有抑扬者，固可以相借而用之矣。况周法谓入派三声，则入声之字当歌之时，亦借为平上去声而歌之矣。拘于平声而不拘于入声，抑岂得为通例乎？然则周氏盖亦知音而未达者也。独其所述十二曲调，犹可考见古乐之仿佛，观者亦不可尽废之耳。"（《柏斋集》卷九）《蟫精隽》卷七："北乐府用字皆北音，与沈休文所传四声韵不同。盖地居土中为阴阳之所和，会五方之杂、亿兆之广，择其通者曰中原正语，取四海适中、天下同声而无滞者也。其音有平上去三声而无入声，其入声字皆附派入三声之内。燕山卓从之作《中州韵》，为志亦勤矣。惜其所收，不能什百四方未解之音，使后学莫知适从。至如秉持之秉，克己之克，肉食之肉，皆不见录，未得为成书也。若夫《琼林雅韵》，则其收尤驳杂以南音，谬戾可憎，词人病之。元高安周挺斋德清复作《中原正韵》，较前为胜。然其间犹有未能尽善者，试有一二言之。至若握雨携云之握，词中多用如握手、握雾擎云、掌握、一握、握筹之类，韵既不收，音从曷得？……呜呼，既定中天下之音，何方语市言之可证也。今京师之人，呼客读如怯，以往为网，而反以遗忘之忘为旺，宁能从之乎？既又讥时人呼庞涓为庞坚，渊明为烟明，非矣。而未免悬绝为眩，绢帛之绢为建，其能尽变之乎？盖以理推，则天下之音，无适不可耳。徒以耳目为异同，胡能得四方之正乎？今南人呼府县之县为眩，健羡之羡为旋（去声），月桂之桂为寄，季孟之季为巨，指挥之挥为吁，亦可以言语呼吸为证耶？欢娱之娱，六书即古唐虞字，今与提撕（音嘶）驿（音星）色字，咸误于世久矣。而德清乃谓从旁读亦无害，而又讥驿字之谬。噫，均之以偏旁之读，何独驿乃异于娱、撕哉？是可笑也。惊吓之吓，不收齐微，与黑字同音，而入皆来作蟹。刁椠之椠，不收戈禾，而与萧豪叶作炒。城郭之郭，不收戈韵，而亦从豪作稿。则棺椁之椁，读为棺稿，可乎？然又凡例不缜，考据未尽，乃从而文之，云字有不可施于词之韵脚，不能尽收，毋讥其不备。盖虽其字不可施之押韵，其不可施于词语中乎？既入词语，宁可不知其读作何音欤？又是书既成，阴阳有字，固然矣。墨本乃以一字又有阴阳之分，既而自亦难掩，复设饰词，谓云友朋索之难却，已写数十本散之江湖。当时虑为图利之徒盗刊，非我有也，故以此混之。此言岂公天下之心欤？是其矛盾可见矣。沈约为吴兴语言，固无俟语而已。德清乃欲为人转其喉舌，换其齿牙，其抑难乎尔焉。惟其选定四十词中，有精粹者，予故重为录出二十五章，并外附拨不断一章，共二十六章，以备赏音者鉴之云。"严虞惇《读诗质疑》卷首："又按顾炎武《音论》云：古音止有十部，一东冬钟江，二支脂之微齐佳皆灰咍，三鱼虞模侯，四真谆臻文殷元魂痕寒桓删山先仙，五萧宵肴豪幽，六歌戈，七阳唐，八耕清青，九蒸登，十侵覃谈盐添咸衔严。凡宋齐以下作韵书者，于此十大部，固不必分。……虽得失互殊，而大旨则一。至元周德清《中原音韵》，并四声而为三声，更失天地自然之正，不足以言音学矣。"

## 十二月

**十四日，命翰林国史院纂修英宗、显宗实录。**见《元史》卷二十九《泰定帝本纪》。揭傒斯撰吴澄神道碑，以为泰定二年闰正月修《英宗实录》。八月，书成。

**释德净作《来雁》诗。**题下注云："泰定甲子腊八前二日，间登小阜，忽闻雁声来自东北，而旋转西南，徘徊下于中庭，因而有作。"（《山林清气集》）又有《去雁》诗、《思雁》诗，亦同时作。集中又有《次云屋韵三首》诗，诗曰："辛酉生来七十二，间房敛迹愧耆年。"辛酉为景定二年（1261），年七十二当为至顺三年（1331），然题下所注岁月却为"元统甲戌（1334）"，不详孰是。德净，字如镜，钱塘人。著有《山林清气集》、《山林清气续集》各一卷，有乾隆、嘉庆间赵之玉星凤阁钞唐宋元三朝名贤小集本。又有附集，录白珽、仇远、冯子振、顾逢等人唱和之诗。四库提要以为其诗皆格调浅弱，故入存目而不选其集。

## 本年

**王炎午卒，年七十三。**刘诜作《祭王梅边》（《桂隐文集》卷三），又作《哭王鼎翁内舍三首》（《桂隐诗集》卷三）。王炎午（1252—1324），初名应梅，字鼎翁（一言初名鼎翁），改名炎午，号梅边，江西安福人。著有《吾汶稿》九卷。生平见李时勉《王炎午忠孝传》、《宋史翼》卷三十四、《宋季忠义录》卷十一。欧阳玄《梅边先生吾汶稿序》："他日从其门人镏君省吾得《吾汶稿》读之，至《生祭文丞相》文，作而叹曰：呜呼！王鼎翁，宇宙奇士也。士之趣人以自裁者，惟朱云于其师萧望之。然望之特一身计耳，鼎翁之为言，为天下万世之为人臣者计也。呜呼，雄哉！盖尝论之：斯文者，宇宙之元气也。幸而治平，措诸事业，则为典谟，为雅颂；不幸而反是，则为《春秋》，为变风雅，为《离骚》。然正人心、扶世教之功，难见于治平无事之时，而屹然可仗于流离颠沛之日，然后知斯文之所系如是其重欤！《诗》曰：'德辅如毛，民鲜

克举之。我仪图之，维仲山甫举之，爱莫助之。'夫天人维持之际，惟是心耳，何其深厚悠长之味溢出言表耶！文武之泽在人，其未泯钦。鼎翁是篇与是诗，辞气虽若不同，实相表里，吾故表而出之。他诗文，奇气壮节类是。"（《圭斋文集》卷七）《居易录》卷十二："《吾汶稿》九卷，安福王炎午鼎翁著。炎午以《生祭文丞相》得名，然他文乃似里社饼肆中庆吊卷轴之语。晚以书干姚参政、贯学士，自比于爨下之焦尾，若惟恐其不已知者。志父之墓，又必于当世显者是求。此数端，皆所未喻集中。惟《张尉旧祠堂记》颇佳，不减罗鄂州《社坛记》，存此一篇足矣。"四库提要卷一六五："《吾汶稿》十卷，宋王炎午撰。……炎午大节不亏，而文章不甚著名。其集晚出，或后人有所窜入，珠砾混杂，亦未可知。然要当以人重，不当仅求之词藻间。王士祯《居易录》至以为里社饼肆中庆吊卷轴之语，又摭其干姚参政、贯学士书，并其人而丑诋之，则未免责备太甚矣。"

**郑光祖卒于本年之前。**〔按，此处取一般说法，以"关、郑、白、马"之"郑"为郑光祖。今人或以为此处"郑"，乃指郑天挺。周德清《中原音韵起例》言"诸公已矣"，当是均已卒。钟嗣成作《录鬼簿》亦言病卒。则郑光祖当是卒于此年之前。姑系于此。〕郑光祖，字德辉，平阳襄陵人。以儒补杭州路吏。为人方直，不妄与人交，人多鄙之。病卒，火葬西湖之灵芝寺。甚有名于时，伶伦辈以"郑老先生"称之。所作贪于俳谐，未免多于斧凿。所作杂剧17种：《紫云娘》、《齐景公哭晏婴》、《周亚夫细柳营》、《李太白醉写秦楼月》、《丑齐后无盐破连环》、《陈后主玉树后庭花》、《三落水鬼泛采莲船》、《王太后摔印哭孺子》、《放太甲伊尹扶汤》、《秦赵高指鹿为马》、《㑇梅香骗翰林风月》、《醉思乡王粲登楼》、《周公辅成王摄政》、《迷青琐倩女离魂》、《虎牢关三战吕布》、《谢阿蛮梨园乐府》、《崔怀宝月夜闻筝》；今存者7种：《迷青琐倩女离魂》、《醉思乡王粲登楼》、《㑇梅香骗翰林风月》、《辅成王周公摄政》、《虎牢关三战吕布》、《立成汤伊尹耕莘》、《钟离春智勇定齐》。后三种今人或以为非郑光祖所作，亦有以《程咬金斧劈老君堂》归为德辉所作者。《崔怀宝月夜闻筝》，今存残曲。《全元散曲》录其小令6首，套数6套。钟嗣成〔双调〕《凌波仙·吊郑德辉》："乾坤膏馥润肌肤，锦绣文章满肺腑，笔端写出惊人句。解番腾，今是古。词坛老将伏输。《翰林风月》，《梨园乐府》，端的是，曾下工夫。"《曲论》："郑德辉杂剧，《太和正音谱》所载总十八本，然入弦索者，惟《㑇梅香》、《倩女离魂》、《王粲登楼》三本。今教坊所唱，率多时曲，此等杂剧古词，皆不传习。三本中独《㑇梅香》头一折《点绛唇》尚有人会唱，至第二折'惊飞幽鸟'，与《倩女离魂》内'人去阳台'、《王粲登楼》内'尘满征衣'，人久不闻，不知弦索中有此曲矣。"《艺苑卮言》附录一："何元朗极称郑德辉《㑇梅香》、《倩女离魂》、《王粲登楼》，以为出《西厢》之上。《㑇梅香》虽有佳处，而中多陈腐措大语，且套数、出没、宾白全剿《西厢》；《王粲登楼》事实可笑。毋亦厌常喜新之病钦？"

**张观光卒于本年之后。**四库提要卷一六六："《屏岩小稿》一卷，元张观光撰。观光字直夫，东阳人，其始末未详。集中有《和仇山村九日吟》，而《晚春即事》诗中有'杜鹃亡国恨，归鹤故乡情'句，盖宋末元初人。又有《甲子岁旦》诗，考景定五年为甲子，元泰定元年亦为甲子，诗中有'岁换上元新甲子'句，以历家三元之次推之，上元甲子当属泰定。观其《除夕即事》诗中称明朝年八十,则得寿颇长,其时犹相及也。"[按,或以为张观光《屏岩小稿》系伪作,以其与黄庚《月屋漫稿》所录诗全同,后人多言黄氏著《月屋漫稿》,而不及张氏之作。且集前有黄氏所作自序。然观柳贯、吴师道等人所作序跋,观光实亦颇以诗名于时。况其子枢为元末名士,甚有时名。张观光其人,雍正《浙江通志》、《癸辛杂识续集》及《桂隐诗集》中均有其名。而黄庚之名,则罕见于元人文集。是不能据以为其书非观光所作也。今姑用《四库全书》之例,两存之,且据以考证张、黄二人之岁月。雍正《浙江通志》卷一二九:"咸淳四年戊辰陈文龙榜:张观光,永嘉人,教授。"《癸辛杂识续集》卷下:"入燕士人。丙子岁春,三学归附,士子入燕者共九十九人,至至元十五年所存者止一十八人,各与路学教授。张观光,婺州,婺教。"刘诜《和张观光见贻》:"群公冠盖趋承明,至治四海鸾凤鸣。天门阊阖云五色,日照明堂韶九成。张君才华振夕秀,纵靶自可驰勋名。豫章隐林困万石,当春不及苕之荣。吾闻黄河之水昆仑来,奔流万里喧霆声。从君直上观其澜,秋风吹我冠上之琼英。"(《桂隐诗集》卷三)]柳贯《跋张直夫先生所得家枢密四诗》:"枢密家公之奉使祈请,此何如时。盖辞命方申,而运祚已去,夷然羑里之拘,痛甚秦庭之哭。公之是心,知有名义而不知有死生,《春秋》之用,深切著明,固一世之伟人哉。于时吾乡张直夫先生,亦以太学诸生从狩京都,公一见待以国士。虽其言议曲折,概莫能传,而赠言在纸,尚恳恳如也。……公诗四章,其一《雪山辞》也,著归洁之意,与朋友共之。其属望先生,则诚在矣。宜枢有以表见之也。"(《待制集》卷十九)吴师道《张屏岩文集序》:"士传世不专以言,而言固德之符也。夫子曰:有德者必有言。夫德修于身,不见于言,有之矣。其见于言,则亦皆心术行事之所寄,如景之出于形耳。不然,圣人岂为是确然深信之论哉?若吾东阳屏岩先生之为人,纯明而粹美,夷坦而渊深,孝爱友让,敦义笃行,自其乡之人及吾党之士,识与不识,皆称其为君子长者也。当宋季年,以诗义第浙士第一,入太学,才二十有六。载英华之气,发于文辞,同时辈流,固望而敬之矣。未几国亡,随其君北迁,道途之凄凉,羁旅之郁悒,闵时悼己,悲歌长吟,又有不能自已者焉。方中朝例授诸生官,独以亲老丐归,遂得婺学教授,改调时年甫强仕,即陈情辞禄以遂志养。杜门深居,沉潜经籍,缕析群言,益造精微,不为苟作。盖其自少至老,虽所遭不同,而履度若一。故所著述,皆本性情,义理春容和平,粹然一出于正,较其生平所为,殆无一毫不合者,所谓有德之言,岂不信哉。公既殁,其子枢哀遗稿,属愚为序。雅闻公晚年屏弃笔砚,以泪性害道,区区以言语求公,特其浅者也。况子长超卓之才,闳肆之学,方大振于文,异时并其前人而尊显之宜也,于愚何取焉。独念初与子长定交,逮今且三十年。闻公尝嘱以吴某无他,来必许其周旋,见则自延之庄,坐竟日,谈学馆旧游及留燕时事。尝出数编相示,每读一篇,已析言其所作之故。盖公平居,人未尝见其面也,藐焉不才,负公期待,衣冠道尽,风流日微,故书以致其拳拳之思,有不知其僭矣。公名观光,字直夫,屏岩其号,里系事行,详见子长所自志,兹不著。特别取其出处之概,有系于文者云。"(《礼部集》卷十四)四库提要卷一六六:"《屏岩小稿》一卷,元张观光撰。……诗多穷途之感,盖不遇之士。惟《赠谈命姚月壶》诗有'试把五行推测看,广文宫冷几时春'句,其殆曾为学官欤?全集皆格意清浅,颇窘于边幅，然吐属婉秀，无钩章棘句之态。越中诗社以《枕易》为题，李应祈次其甲乙，以观光为第一，其诗今见集中，并载应祈批，称其若纷纷盆盎中得古罍洗。（案，黄庚《月屋漫稿》亦称以《枕易》诗为李侍郎取第一，一试有两第一，必有一讹，然无可考证，谨附识于此。）又有《梅魂》七言律诗一首，注曰：武林试中选。《秋色》五言律诗一首，注曰：山阴诗社中选。盖在当日，亦以吟咏擅名矣。"

## 公元1325年 （泰定帝泰定二年 乙丑）

### 二月

二十四日，张模卒。王沂《张君仲实行述》："以泰定二年二月二十四日终于家，年六十六。葬于是年三月，墓在大慈乡龙姥池北。"（《伊滨集》卷二十四）张模为牟秖婿，甚得秖赏识，尝为作《学古斋箴并序》（《陵阳集》卷七）、《张仲实诗稿序》（《陵阳集》卷十二）等。戴表元《张仲实诗序》："张仲实，循忠烈王诸孙，在杭友中年最妙，而诗尚最力。强志多学，尝与庐陵刘公会孟往复，是能为唐而不为唐者也。故吾概举诸人所疑于古者告之，亦以坚仲实之学云。"（《剡源文集》卷八）戴表元《张仲实文编序》："诗者文之事。余尝怪世之能诗家，常谦谦自托于不敢言文；而号工文者，亦让诗不为，曰道固不得兼也。嘻嘻，是何异于言医者曰：吾曾为小儿医，妇人医而不通乎？他言兵者曰：吾能车而不能徒，吾能谋围而不能谋斗，岂理也哉？西秦张仲实，余诵其诗久矣，信乎其杰然者也。交之二十年而始见其文，其叙事如诸葛公起草庐谈鼎足形势，某当如是如是，而无阙辞、无剩语也；其析理如吴公子札过鲁观历代之乐，因其所起，而知其所止也；其立教如严君平依卜筮劝人父慈子孝，而各喻善也。旨哉，旨哉。然仲实终不自眩鬻，其累帙巨编，云蒸锦组，山翔涛涌，而皆缘于人情时务。若迫之而答，不得已而发此，其趣量又有进于文者耶？抑犹欲姑出入于谦谦自托者耶？仲实生世家，能力贫勉学为进士，能早不累于科举。纵交博览，意气超卓，而年少余十许岁，其材名何假余言而著？独感于所见，为叙大略云。"（《剡源文集》卷八）王沂《张君仲实行述》："盖自景定、咸淳间，士滔于举业，以碟经破道之学，橐龠而风声之。先生独斩斩于流俗，锐意矫复古学，一切扫除芬葩组绣而空之。于时翰林承旨赵公孟頫，以文墨论议特起东南，先生稍后出，名巍然角立，文辞肆博，其学富而醇。于经阐明奥旨，觝异划伪，与濂洛、紫阳表里，而涵浸渟蓄，洞见根极，大侈厥文，闳肆雅奥，茹道德之旨，达世务之要。于诗尤自喜温丽闲淡，气质浑浑，辞非一律，横从窈眇，而自合于绳削，又何其工也。为人廉靖自将，尤笃于嗜善。其游皆当世秀人伟士，与剡源戴表元帅初、渔阳鲜于枢伯几、吴兴陈康祖无逸、钱塘戴祖禹、今祭酒巴西邓公文原善之尤厚。……初，宋大理少卿牟公秖号大儒，读先生之诗，喟曰：非今之所谓诗也。桐江方万里于文学少许可，以昌黎有李汉、紫阳有黄幹拟先生。学士大夫以为俞，而先生不以标望高人。"（《伊滨集》卷二十四）

### 七月

宋翼作《有元泽州高平县米山宣圣庙记》。其文云："明道先生殁几三百年，泽潞里馆岁昵淫祀而嬉优伶，才乏俗浇，识者兴叹。"（《山右石刻丛编》卷三十三，转引自冯俊杰编著《山西戏曲碑刻辑考》卷三）虽是从反面予以批评，亦可见时人好演剧之风。

## 九月

初一，分天下为十八道，遣使宣抚。诏以湖广行省参知政事马合某、河东宣慰使李处恭之两浙江东道，江东道廉访使朵列秃、太史院使齐履谦之江西福建道，都功德使举林伯、荆湖宣慰使蒙弼之江南湖广道，礼部尚书李家奴、工部尚书朱赟之河南江北道，同知枢密院事阿吉剌、御史中丞曹立之燕南山东道，太子詹事别帖木儿、宣徽院判韩让之河东陕西道，吏部尚书纳哈出、董讷之山北辽东道，陕西盐运使众家奴、中书断事官韩庭茂之云南省，湖南宣慰使寒食、冀宁路总管刘文之甘肃省，山东宣慰使秃思帖木儿、陕西行省左丞廉惇之四川省，翰林侍讲学士帖木儿不花、秘书卿吴秉道之京畿道。见《元史》卷二十九《泰定帝本纪》。

募富民入粟拜官，二千石从七品，千石正八品，五百石从八品，三百石正九品，不愿仕者旌其门。见《元史》卷二十九《泰定帝本纪》。

## 十月

刘将孙（1257—1325 前）卒于本月之前。〔按，刘将孙生年，据其所作诗《游白纻山》后跋："咸淳己巳，余年十三，随侍漕幕。"（《养吾斋集》卷六）卒年，据其季弟刘参所作文集序，序称刘将孙为"先兄养吾先生"，是其时将孙已卒。序作于泰定乙丑（1325）十月。〕吴澄《刘尚友文集序》："夫一家二文人，由汉迄今，仅见眉山二苏，而尚友之嗣会孟，不愧子瞻之嗣明允。呜呼，盛矣！然欧实宗韩，明允乃以为非韩子之文，而欧阳子之文。刘与欧为同乡，而不专宗欧，予亦以为非欧阳子之文，而刘子之文也。明允雄浑奇峭，永叔拟以荀卿，直跻之周秦间。子瞻长江大河，一泻千里，评者曰子瞻之文，非明允之文也。若会孟之诙诡变化，而尚友之浩瀚演迤，评者亦曰尚友之文，非会孟之文，则为知言也已。呜呼，百世之下，有深于文者，其亦然予斯论否乎？尚友之门人曾闻礼编辑其文，自附于韩门李汉。予与尚友善，素喜其文辞，又嘉刘门之有南纪也，是以序其卷首云。"（《养吾斋集》卷首）四库提要卷一六六："《养吾斋集》三十二卷，元刘将孙撰。将孙字尚友，庐陵人，辰翁之子，尝为延平教官、临汀书院山长。辰翁以文名于宋末，当文体冗滥之馀，欲矫以清新幽隽。故所评诸书，多标举纤巧，而所作亦多以诘屈为奇，然蹊径独开，亦遂别自成家，不可磨灭。将孙擩染家学，颇习父风，故当日有'小须'之目。……观其《感遇》诸作，效陈子昂、张九龄，虽音节不同，而寄托深远，时有名理，近体亦多佳句。序说碑志诸文，虽伤于繁富，字句亦间涉钩棘，然序事婉曲，善言情款，具有其父之所短，亦未尝不具有其父之所长。又宋元之际故老遗民，如胡求鱼、聂济之学问，赵文、刘岳申之文章，郭汝介、涂世俊之孝行，多不见于他书，独是集能具其颠末，亦颇赖以传。至所云'欧、苏起而常变极于化，伊、洛兴而讲贯达于粹，然尚文者不能畅于理，尚

251

理者不能推之文',其言深中宋人之弊。又云:'时文之精,即古文之理。韩、柳、欧、苏皆以时文擅名,其后为古文,如取之固有;皇甫湜、樊绍述、尹洙、穆修诸家,宁无奇字妙句,幽情苦思,所谓不得与韩、欧并,时文有不及焉故也。'其言尤足以砭高语奇古而不能文从字顺之病。虽所作不尽践其言,要不能不谓之通论也。据曾以立序,原集本四十卷,而自明以来,罕见藏弆。惟周南瑞《天下同文集》首有将孙序一篇,中录其文一篇,顾嗣立《元诗选》仅载其诗一首,盖亡佚久矣。今据《永乐大典》所载,辑为三十二卷,以备文章之一格,亦欧阳修偶思螺蛤之意尔。"

## 本年

**吴澄序刘鹗所作诗。**序云:"有客携庐陵刘鹗诗一帙来,予观之,五言、七言古体,五言、七言近体,五言、七言绝句,凡六体,无一体不中诗人法度,无一字不合诗家声响。……卷首一序,乃其大父桂林翁所作。……翁字叔正,长吾父三岁,今一百有二。鹗字楚奇,与吾诸子之年相后先,今三十有六。予喜翁之寿,敬之如吾父;嘉鹗之才,爱之如吾子。于是书此而授之客以遗刘氏。"(《吴文正集》卷十七)刘鹗所作,有《惟实集》,四库提要作五卷,《四库全书》所收实为七卷。又有旧抄本,题作《宪节堂惟实集》,凡八卷,并附录二卷。

**徐瑞卒,年七十一。**《鄱阳五家集》卷六《元徐瑞松巢漫稿》:"公讳瑞,字山玉,松巢其号也。……叔洁山居士,偕公弟可玉、宗玉,公从弟楚玉、兰玉,皆有文才,次第任散官。公每有诗句寄怀。及诸弟宦归,各营别墅,极泉池之胜。公咏棣其中,时与芳洲黎廷瑞、月湾吴存、山村仇远、景文汤琛及板桥周南翁、竹南许季蕃友善,而月湾、芳洲二公,里闾密迩,书简邮致,辄申山中之约,或至岁暮,犹策蹇相过从焉。公生于宋宝祐甲寅十二月。咸淳间,曾如杭应举,不第,遂以科举之习、功名之念夺人清思,不复认以为真。曾作自省诗。今以家传所载考之,盖伤宋之亡于帝昺也。迨元延祐丁巳,以公经明行修,推为本邑书院山长。未几归隐于家,巢居松下。花晨月夕,随所赋,逐年笔记之。时来郡城,则与三五诗友,觥筹交错于东湖芝山之间,更相唱和,亦无虚日。所著则《松巢漫稿》。卒年七十一。吴月湾致语曰:'善人已矣,空留千百年番水之名。后世知之,当在数十卷松巢之稿。'其见重于当时如此。后许竹南有怀诗云:'江北江南老弟昆,三生文会几评论。早知倾盖头俱白,悔不连床话共温。洲没草枯芳士歇,巢倾鹤去故枝存。至今惟有湾头月,照我溪南水竹村。'竹南之意,使俱曰公与黎、吴皆鼎峙一时也。"《松巢漫稿》三卷,清人史简编辑宋末至明初鄱阳诗人为《鄱阳五家集》十五卷,徐瑞之集即为其中之一。史简字文令,亦为鄱阳人。《鄱阳五家集》所收除徐瑞外,有宋末黎廷瑞、元初吴存、元人叶兰、元末明初刘炳,其集今存《四库全书》本、《豫章丛书》本。

**虞集作《思学斋记》。**见《道园学古录》卷九。思学斋者,杜本之所居也。

**林弼生。**林弼(1325—1381),又名唐臣,字元凯,龙溪人。至正七年,领乡荐,为漳州路教官。洪武初,征修礼、乐书。除丰城知县。坐事误,逮至京师,狱中上书得释,授吏部考功主事。奉使安南,还,擢礼部主事。十二年,拜登州知府,阶中顺大夫。俄以疾不起，十四年卒，年五十九。著有《林登州集》二十三卷。生平据王廉《中顺大夫知登州府事梅雪林公墓志铭》、张燮《林登州传》。

## 公元 1326 年　（泰定帝泰定三年　丙寅）

### 春

**钟嗣成与廖毅相识。**曹刊本《录鬼簿》卷下"廖毅"条："泰定三年丙寅春，因余友周仲彬与之会，即叙平生欢。"廖毅（？—1329），或作康毅，字弘道，建康人。与周文质、钟嗣成善。天历二年春，卒于友人江汉卿家，火葬城外寺中。《全元散曲》录其残套数 2 套，均录自《录鬼簿》。《御定佩文斋书画谱》卷三十七："廖毅字弘道，建康人，能书，善为文。（《渊颖集》）"《录鬼簿》卷下："时出一二旧作，皆不凡俗，如〔越调〕'一点灵光'借灯为喻。〔仙吕·赚煞〕曰：'因王魁浅情，将桂英薄幸，致令得泼烟花，不重俺俏书生。'发越新鲜，皆非蹈袭。……公能书，善行文，不草率。题伍王庙壁有《折桂令》一曲，及有绝句：'浩浩凌云志，巍巍报国心。忠魂与潮汐，万古不消沉。'其感慨激烈，徒憎怅怏。噫，天之生物也，裁成辅相，以左右民，奈何如是之偏戾也。人犹有所憾者，良以此夫！"钟嗣成〔双调〕《凌波仙·吊廖弘道》："人间未得注金瓯，天上先教记玉楼。恨苍穹，不与斯文寿。未成名，一土丘，叹平生，壮志难酬。朝还暮，春又秋，为思君，泪满鹨裘。"

### 三月

**钱孚作《鬼董跋》。**钱孚《鬼董跋》："《鬼董》五卷，得之毗陵杨道方家。此只抄本，后有小序，零落不能详。其可考者，云太学生沈，又云光、孝时人，而关解元之所传也。喜其序事虽涉怪而有据，故录置巾笥中，以贻同好。泰定丙寅清明日，临安钱孚跋。"后或因其言关解元所传，以为其书乃关汉卿所撰。《尧山堂外纪》卷六十八："关汉卿……好谈妖鬼，所著有《鬼董》。"钱大昕《元史艺文志》及倪灿、卢文弨《补辽金元艺文志》均从其说。《鬼董》，或作《鬼董狐》，五卷，有《知不足斋丛书》本、《龙威秘书》本、《说库》本、写韵楼抄本、涵芬楼排印本。鲍廷博《鬼董跋》："《鬼董》五卷，不署撰人姓名。据泰定间钱孚跋语，似为宋孝、光时沈某著，特传之者关汉卿耳。考第四卷有'嘉定戊寅，予在都'之语，则其人宁宗时尚存。明蒋一葵《尧山堂外纪》竟以为关撰者，误矣。"

### 五月

**二十一日，危素过访李存于饶，存为跋其所撰诗集。**李存《题危太朴诗集后》："危太朴携其诗文自临川来过余，余敬之、爱之。间又出祝君蕃远所与帖，其言有曰：驱轻齿肥，券内事也。意若勉其盛年进进于德，毋或有羡于世俗之华、口体之末者，而太朴亦自谓吾志岂在于是。余曰：太朴之志虽不在是，如祝君所云，独不在于欲以言语文字上下出入古之人耶？太朴俛且笑不答。余曰：'使言言如古人，既美矣；更心心如古人，又尽善也。'虽然，谓太朴心心不如古人，则亦诬太朴甚矣，但患太朴不求其所以如者尔？苟能一日求之，则其言也非人而忽天。非人而忽天，则前乎开辟而未尝古也，后乎开辟而未尝今也。太朴信之，斯勉之。（泰定三年五月二十一日作）"（《俟庵集》卷二十六）

## 八月

**陆居仁以《诗经》中乡贡进士第七名。**陆居仁，字宅之，号巢松翁，又号云松野褐、瑁湖居士。华亭人。领乡荐，隐居教授。元末，与张枢、杨维桢、钱思复等人以诗词往还唱和。洪武四年犹存。《元诗选》三集辛集选其诗12首。生平据《明史》卷二八五《文苑传》、正德《松江府志》卷三十。《南村辍耕录》卷十二："京师教坊官妓连枝秀，姓孙氏，盖以色事人者。年四十馀，因投礼逸士风高老为师，而主教者褒以空湛静慧散人之号。挟二女童，放浪江海间。偶至松江，爱其风物秀丽，将结数椽，为栖息所。郡人陆宅之居仁，尝往访焉，秀颇不以礼貌。因其请作募缘疏，遂为撰之。疏曰：……。疏文一出，远迩传诵，以资笑谈。秀不可留，遂宵遁。然文虽新奇，固近于俳，视厚德君子有间矣。而其帷簿之不修者，岂偶然哉！"王逢《陆宅之进士挽词引》："讳居仁，明《诗经》，尝中乡贡。隐居教授以卒。"（《梧溪集》卷五）

## 本年

**苏天爵辑安熙诗文为《默庵先生文集》。**虞集《默庵集序》："《默庵集》者，诗文凡若干卷，藁城安君敬仲之所作，其门人赵郡苏天爵之所辑录也。既缮写，乃来告曰：……。泰定三年岁在丙寅，五月九日，奉训大夫、秘书少监蜀郡虞集序。"安熙子安塾目录后识语则书泰定四年十月旦，其略云："其后，门人今翰林院应奉苏君伯修始加辑录，得凡若干卷，类为内集五卷、外集五卷。然念先君门人散在四方，其文尚多遗阙，它日嗣有所得，当与外集传焉。"则苏天爵当时所缮写者，仅内集五卷。《默庵集》五卷，今存《四库全书》等本。

**杨基生。**杨基（1326—1378），字孟载，号眉庵，吴县人。遭乱，隐吴之赤山。张士诚辟为丞相府记室，未几辞去，客饶介所。明兵下平江，以尝客饶氏安置临濠，旋徙河南。洪武二年放归。寻起为荥阳知县，谪居钟离。被荐为江西行省幕官，以省臣得罪，落职。六年起官，奉使湖广。召还，授兵部员外郎，迁山西副使。进按察使，被谗夺官，谪输作，卒于工所。著有《眉庵集》十二卷。生平见《明史》卷二八五《文苑传》。

**仇远卒，年八十。**钱惟善《挽仇山村》："诗穷八十年，江海正凄然。"《七修类稿》卷三十四："山村先生仇远，字仁近，宋咸淳名士。宋亡，落魄江湖，博通经史，剩有诗声，惜未见集以行世也。至元中，荐为溧阳教谕，转宝庆路教授，不赴，改将仕郎、杭州路总管府知事致仕，就家钱塘，今西城脚下，尚有遗址在焉。年八十卒，葬钱塘北山栖霞岭。"〔按，郭味蕖《宋元明清书画家年表》言泰定四年（1327），仇远书《赠莫景行诗文卷》，故宫博物馆藏。王德毅《元人传记资料索引》以为卒于天历元年

（1328）后。] 仇远（1247—1326），字仁近，一字仁父，号近村，又号山村民，学者称山村先生，钱塘人。宋咸淳年间以诗名与白珽并称于吴下。著有《无弦琴谱》一卷、《金渊集》六卷、《山村遗集》一卷。《元诗选》二集甲集选其诗 108 首。牟㦉《仇山村诗集序》："观水必于海，观其会也。李、杜其诗之会乎？非精能之至，未易据其会而擅其名。山村仇君仁近，尝有《辛丑出西岳》诗，适从何来，而欲效渊明耶？自此亦皆以甲子书，似此例者甚众，而世独喜言渊明。盖渊明书甲子凡十二诗，自叙其生平出处本末略备。……仇君自号山村，有山村不愿富贵而志在田园，正如己酉九日、庚戌西田、丙辰下潠田舍获耳。是真知慕渊明者，可尚已。"（《陵阳集》卷十二）戴表元《仇仁近诗序》："景定、咸淳之间，余初客杭，见能诗人不一二数，不必皆杭产也。时余虽学诗，方从事进取，每每为人所厌薄，以为兹技乃天之所以畀于穷退之人，使其吟谣山林以泄其无聊，非涉世者之所得兼。余尝𫍢而非之，诸君子非失职，安得为此不祥之言。离去二十年复来，事有不可言，诸诗人皆尽，而余恍然独行独止，如羁禽越乡而无与群，如马行过其故枥，裴回而悲鸣也。呜呼，畴昔之叹，岂不以此哉？然犹未敢自断，何世无人，何人无心。特余交际先后，疏数之间，不足以得之。久之，屠君存博、白君廷玉二君者，皆靑靑志于古人，皆不弃余而肯与之交，私心自喜。久之，因二君得仇仁近也。遂赠余锓成一巨编，叩其藏未锓者，尚什伯于此，余惊其多而服其善，羡其敏而敬其密。自是，寓客中抑郁不自畅，不得与诸君晤语，则取其所编，张之案端行坐，讽之以为快。仁近又方力学，期树立以为千百年后世计，视余区区相知于耳目间，似不足为。既窃自喜兹编之不绝于世，而余犹及见之耳。仁近诗，余不敢托于知言。就杭人求之，比其盛时，有过之无不及也。余年视仁近不甚相绝，而气尽衰，业不早就，进退皆无足据。幸君之相亲，庶几诸君愈益见厚，时时得新闻以洗旧蔽，不敢望有名誉，或藉以一乐，稍稍捐去晚暮孤贫之忧，即君赐大矣。若君之所愿，君自得之，余无以进君也。"（《剡源文集》卷八）方凤《仇仁父诗序》："山村仇君过余说诗，余观其年甚茂，才识甚高，处纷华声利之场，而冷澹生活之嗜。混混盆盎中，见此古罍洗，令人心醉。及披其帙，标格如其人，盖得乾坤清气之全者也。余谓作诗当知所主，久则自成一家。唐人之诗，以诗为文，故寄兴深，裁语婉；宋朝之诗，以文为诗，故气浑雄，事精实；四灵而后，以诗为诗，故月露之清浮，烟云之纤丽。今君留情雅道，涤笔冰瓯，其孰之从？仇君曰：'近体吾主于唐，古体吾主于《选》。'融化故事，往往于融畅圆美中，忽而凄楚蕴结，有《离骚》三致意之馀韵。然后知向之所以为仁父者，穷而故在也。今夫水虽万折必东焉；鸟兽大者丧其群，过乡翔回焉，鸣号踯躅焉；小者至于燕雀，犹有啁噍之顷焉。由人心生也。使遭变而不悲《黍离》，居䘮而不念仪髪，望白云而不思亲，过西州门闻山阳笛而不怀故，是无人心矣，而尚复有诗哉？此余于仁父之诗，独证其不为穷所移。又明年，复相见，乃序而归之。人当有因余言而深知仁父之心者。世之人不有知其心，则仁父自知之，余知之，后世亦必有知之者矣。"（《存雅堂遗稿》卷三）四库提要卷一六六："《金渊集》六卷，元仇远撰。……远在宋末与白珽齐名，号曰仇白。厥后张翥、张羽以诗鸣于元代者，皆出其门。他所与唱和者，周密、赵孟頫、吾邱衍、鲜于枢、方回、黄溍、马臻，皆一时名士。故其诗格高雅，往往颉颃古人，无宋末粗犷之习。方凤序述远之言曰：'近体吾主唐，古体吾主《选》。'翟祐又记远自跋其诗曰：'近世习唐诗者，以不用事为第一格，少陵无一字无来处，众人固不识也。若不用事之说，正以文不读书之过耳。'其言颇中江湖、四灵二派之病。今观所作，不愧所言。而此集出自尘氲蠹蚀之馀，皆项梦昶本所不载，若有神物呵护，俾待圣朝而复显者，为尤可宝贵矣。"

## 公元 1327 年　（泰定帝泰定四年　丁卯）

三月

　　初七，廷试进士阿察赤、李黼等八十五人，赐进士及第、出身有差。见《元史》卷三十《泰定帝本纪》。欧阳玄作《喜门生中状元》诗四首，其序云："泰定丁卯八月十二日，崇天门传胪赐进士右榜第一人阿恰齐（阿察赤）、左榜第一人李黼，皆肄业国学日新斋，余西厅授业生也。是日，京尹备鼓乐旗帜，麾盖甚都，导二状元入学谢师，拜余明伦堂。榜眼镏思诚、探花郎徐容，尝因同年黄晋卿、彭幼元从予游，亦拜其侧。其馀进士以门生礼来拜谢杂遝，不记姓名。圜桥门而观者万计，都人以为斯文盛事，昔未有也。同寅举酒相属，偶成四绝，以纪其事。"（《圭斋文集》卷三）本年廷试，贡奎、马祖常为读卷官。贡师泰《和石田马学士殿试后韵》诗注云："丁卯岁，学士与先君同为读卷官，在院倡和甚多，此则放榜后所作韵也。"（《玩斋集》卷四）李黼《故集贤学士奉训大夫贡公行状》："泰定四年春，上策士于廷，以公为读卷官，第所试高下以闻，天子允之。"苏天爵《书泰定廷试策题稿后》："右策题草稿四首，泰定丁卯三月廷试进士监试官治书侍御史王士熙、读卷官翰林直学士马祖常所拟撰也。既缮写进呈，御笔点用其二。盖自延祐设科以来，规制如此。洪惟国家承平百年，治化当兴。然生财有道，制用未得其要；正俗多方，防范未尽其宜。将校骄堕而武备日弛，官士苟简而廉隅弗修。是皆当世急务，宜所延问而详陈者也。夫朝廷取士求贤，惟期有裨于政务，非徒观美而已。是举得人凡八十有五，国子员阿察赤、李黼名冠第一。今二十馀年，同榜之士扬历台省，蔚有令闻。则贡举得贤之效，成均养士之隆，益可征焉。时天爵待罪史馆，承命收掌试卷，故藏策稿于家，谨装潢以授黼。黼累迁秘书太监，方以材能进用云。至正己丑夏六月甲戌，通奉大夫、江浙等处行中书省参知政事赵郡苏天爵书。"（《滋溪文稿》卷三十）

　　李黼中左榜进士第一。黄清老有《访子威都事不遇》诗，题下注云："同年状元。"子威，李黼字。

　　杨维桢登李黼榜二甲进士第。贝琼《铁崖先生传》："登元泰定丁卯进士第，授承事郎、天台县尹。"（《明文衡》卷六十）宋濂《元故奉训大夫江西等处儒学提举杨君墓志铭》："泰定丁卯，用《春秋》擢进士第，署台之天台尹，阶承事郎。"

　　萨都刺登进士第。虞集《寄丁卯进士萨都拉天锡》（镇江录事宣差）："江上新诗好，亦知公事闲。投壶深竹里，系马古松间。夜月多临海，秋风或在山。玉堂萧爽地，思尔佩珊珊。"（《道园学古录》卷二）萨都刺，字天锡，号直斋，答失蛮氏，世居雁门。泰定四年进士，授京口录事长，南行台辟为掾，继而御史台奏为燕南架阁官。岁馀，迁闽海廉访知事。后至元三年，诏进河北廉访经历。历官江浙行省郎中、江南行御史台侍御史。后以弹劾权贵左迁淮西江北道廉访司经历。不久致仕，其后事迹不详。著有《雁门集》十四卷、补遗一卷。《元诗选》初集戊集选其诗 303 首。[按，萨都剌生卒年，历来论者莫衷一是，清人萨龙光、近人陈垣、今人张旭光、周双利、萨兆沩等，均尝撰书、撰文加以考证。虽不无发见，却难以定论。考《研北杂志》卷上，言鲜于枢作霜鹤堂，落成之日，萨都剌尝与贺，且与会者均为一时名流。鲜于枢卒于大德初年，则萨都剌之生年，当在至元十年前后。据此，萨龙光所考之至元九年又似可信。关于其族属，亦有回族、汉族、色目、蒙古等诸多不同看法。其籍贯亦有诸如雁门、燕山、河间、福州、京口等诸多说法。天锡其人，在元代诗名甚著，然其生平已不甚能详。]《至正直记》卷一："京口萨都剌，字天锡，本朱氏子，冒为西域回回人。善咏物赋诗，如《镜中灯》云'夜半金星犯太阴'，《混堂》云'一笑相过裸形国'，《鹤骨笛》云'西风吹下九皋音'之类，颇多工巧。金陵谢宗可效之，然拘于形似，欠作家风韵，且调低，识者不取也。"《书史会要》卷七："萨都剌，字天锡，回纥人。登进士第，官至淮西廉访司经历。有诗名，善楷书。"《至顺镇江志》则以其为回回人。其族属之不明，其来亦久矣。

**张以宁登进士第**。宋濂《张侍讲翠屏集序》："先生讳以宁，字志道，姓张氏，福之古田人。泰定丁卯进士，仕至翰林侍讲学士云。"（《文宪集》卷六）杨荣《故翰林侍读学士朝列大夫张公墓碑》："年十五，承父命往宁德受学于韩古遗。越五年方归，学业大进，乡之学者莫不推许之。登元泰定丁卯进士第，初任黄岩州判官。"（《文敏集》卷十九）朱彝尊《经义考》卷二一〇："张氏以宁《春王正月考》二卷，存。张隆跋曰：先祖讳以宁，字志道，居于闽古田翠屏山之下，因以翠屏为号焉。自少力学不倦，往宁德受学于韩古遗先生之门。年二十七，以《春秋》经登泰定丁卯李黼榜进士第，复往淮南读书十馀年，后历官太学及翰苑。数十年间，所作诗文号《翠屏集》。洪武二年己酉夏，使安南，著述是书。明年庚戌春，书成，逾月疾革，作自挽诗而逝，时年七十矣。"

**黄清老中进士第**。黄清老有《丁卯及第归和揭经历见贺诗》（《元诗选》二集己集）。张以宁《黄子肃诗集序》："先生名清老，泰定丁卯进士，累官翰林国史院，终湖广行省儒学提举。"（《翠屏集》卷三）

**俞焯登进士第**。俞焯，字元明，号午翁，一号越来子，太仓人。泰定四年进士，授仙居县丞。至正间，官德兴县尹。著有《诗词馀话》一卷。生平见至正《昆山郡志》卷五、王鏊《姑苏志》卷五。

## 四月

**黄庚自序所撰《月屋漫稿》**。序见本集卷首，又有成化十三年张泰序。《月屋漫稿》，《百川书志》、《千顷堂书目》均作四卷。今存一卷，有知不足斋抄本、《四库全书》本。黄庚字星甫，天台人。《元诗选》选其诗 117 首。《居易录》卷一："天台山人黄庚星父《漫稿》一卷，诗庸下无足观，多馆山阴王修竹之作，谢皋父、林霁山辈皆修竹客，盖同时人也。修竹名英孙。"《石洲诗话》卷四："天台山人黄星甫，尝于粤中诗社试《枕易》诗，推为第一。考官李侍郎应祈批：'诗题莫难于《枕易》，盖以其不涉风云雨露、江山花鸟，此其所以为难也。'然后四句，颇寓易代之感，此则文外寄托。"四库提要卷一六六："《月屋漫稿》一卷，元黄庚撰。……庚尝客山阴王英孙家，试越中诗社《枕易》题，庚为第一。考官乃李侍郎，今评语与原诗并在集中。（案，张观光《屏岩小稿》亦有此事，未详孰是，姑两存之。）盖甚为当时所推重。其诗沿江湖末派，体格不免稍卑，而触处延赏，亦时逢警语。如五言之'斜阳明晚浦，落叶瘦秋山'，'柳色独青眼，梅花同素心'，'鸣榔丹叶聚，撒网浪花圆'诸句，七言之'钟带夕阳来远寺，碑和春雨卧平芜'，'细柳雨中垂绿重，残花风里乱红轻'，'清夜梦分千里月，故乡人各一方天'，'风月满怀诗可写，雪霜侵鬓镜先知'诸句，类皆风致婉约，犹具晚唐之一体。王士禛《居易录》谓《月屋漫稿》一卷，皆庸下无足取，未免诋之太甚矣。"

## 六月

初四，翰林侍讲学士阿鲁威、直学士燕赤等进讲经筵，并译《资治通鉴》以进。见《元史》卷三十《泰定帝本纪》。阿鲁威，字叔重（一作叔仲），以其号东泉，遂有称之为鲁东泉者，元代文献又有称其名为阿鲁灰、阿鲁翠、阿噜威、阿鲁温等。历官泉州路总管、翰林侍讲学士、中书参知政事。晚居杭以终。《全元散曲》录其小令 19 首。《南村辍耕录》卷十九："歌妓顺时秀，姓郭氏，性资聪敏，色艺超绝，教坊之白眉也。翰林学士王公元鼎甚眷之。偶有疾，思得马版肠充馔，公杀所骑千金五花马，取肠以供，至今都下传为佳话。时中书参政阿鲁温尤属意焉。因戏谓曰：'我比元鼎如何？'对曰：'参政宰相也，学士才人也。燮理阴阳，致君泽民，则学士不及参政；嘲风咏月，惜玉怜香，则参政不如学士。'参政付之一笑而罢。郭氏亦善于应对者矣。"王元鼎，孙楷第《元曲家考略》疑其名玉元鼎，为西域人阿鲁丁。《全元散曲》录其小令 7 首，套数 2 套。

## 八月

初三，袁桷卒，年六十二。苏天爵《元故翰林侍讲学士知制诰同修国史赠江浙行中书省参知政事袁文清公墓志铭》："泰定初，辞归。四年八月三日，以疾终于家，享年六十有二。是岁十有一月某日，葬鄞县上水庆远墺之原。讣闻，制赠中奉大夫、江浙等处行中书省参知政事、护军，追封陈留郡公，谥文清。"袁桷《袁氏新书目序》："余少读书，有五失焉。雅观而无择，滥阅而少思，其失也博而寡要；考古人之言行，意常退缩不敢望，其失也懦而无立；纂录史籍之故实，一未终而屡更端，其失也劳而无成；闻人之长，唯恐不及，将疾趋从之而辄出其后，其失也欲速而过高；好学为文，未能蓄其本，经术隐奥，茫乎其无所适从，泛然而无所关决，是又失之甚者也。夫为学之道，用志不能不一，用力不能不专，农夫莽而广种，不如狭垦之为实也。工人泛而杂学，不如一艺之为精也。……噫！年未至于壮，其五失可以亟改也。而古人之志，余亦窃有慕焉。"（《清容居士集》卷二十二）苏天爵《元故翰林侍讲学士知制诰同修国史赠江浙行中书省参知政事袁文清公墓志铭》："公为文辞，奥雅奇严，日与虞公集、马公祖常、王公士熙作为古文，论议迭相师友，间为歌诗倡酬，遂以文章名海内。士咸以为师法，文体为之一变。"《石洲诗话》卷五："袁伯长才气，在赵子昂之上。"又："伯长《上京杂咏》叙次风土极工，不减唐人。"四库提要卷一六七："《清容居士集》五十卷，元袁桷撰。……桷少从戴表元、王应麟、舒岳祥诸遗老游，学问源渊，具有所自。其在朝践历清华，再入集贤，八登翰苑，凡朝廷制册、勋臣碑版多出其手。故其文章博硕伟丽，有盛世之音，尤练习掌故，长于考据。集中如《南郊十议》、《明堂郊天异制议》、《祭天无间岁议》、《郊不当立从祀议》、《郊非辛日议》诸篇，皆成宗初所上，其援引经训，元元本本，非空谈聚讼者所能。当时以其精博，并采用之。其诗格俊迈高华，造语亦多任工炼，卓然能自成一家。盖桷本旧家文献之遗，又当大德、延祐间，为元治极盛之际。故其著作宏富，气象光昌，蔚为承平雅颂之声，文采风流，遂为虞、杨、范、揭等先路之导。其承前启后，称一代文章之巨公，良无愧矣。"郁松年《清容居士集序》："元代著作家雄伟浩博，闳雅疏整，自姚牧庵、黄晋卿、柳道传、虞道园外，则有四明袁清容先生。才智亮特，学问综敷，承絜斋之旧闻，资深宁之渊博，故其诗文集五十卷，凡词赋歌咏、碑记志铭、传赞诰册、表笺书启、序议题跋，气体明质，义法宏赡，经术淹通，词旨雅丽。又悉两宋文献，深达史学，洵为元代著作之巨者。"

## 闰九月

**陈栎考评黟川会友吟盟所作课稿**。文见《定宇集》卷十四。栎又有《明经书院文会考评》、《燕山八景赋考评》，均系为当时文会考评所作之文。

## 十月

**十五日，王士熙由治书侍御史擢参知政事。**见《元史》卷三十《泰定帝本纪》。王士熙，王构子，字继学，东平人。师从邓文原，以文学名世。累官至中书省参知政事、南台御史。著有《江亭集》。《元诗选》二集戊集选其诗 127 首。《元诗选》二集戊集："继学为诗，长于乐府歌行，与袁伯长、马伯庸、虞伯生、揭曼硕、宋诚夫辈唱和馆阁，雕章丽句，脍炙人口。如杜、王、岑、贾之在唐，杨、刘、钱、李之在宋，论者以为有元盛世之音也。"

## 十二月

**二十日，张珪卒。**张珪，张弘范子，字公端，号澹庵，易州定兴人。年十七，以管军万户镇建康。至元二十九年，除江淮行省副使。大德三年，改南御史台侍御史。历官浙西廉访使、枢密院佥事。八年，擢拜南台中丞，以疾辞归。至大年间，召拜御史中丞。皇庆元年，除枢密院副使。延祐二年，迁中书平章，旋谢病归。至治二年，起为集贤大学士，复拜中书平章。泰定三年致仕，明年卒。生平据虞集《中书平章政事蔡国张公墓志铭》（《道园学古录》卷十八）、《元史》卷一七五本传。

## 冬

**杨梓（？—1327）卒。** 陈旅《杨国材墓志铭》："泰定丁卯冬，康惠公薨。元坦年二十五矣，乃服斩衰，从诸叔父治丧事。于是陆夫人殁已七载，而訾氏亦先九年殁。康惠公与陆夫人既合葬于德政乡泊舻山之原。至顺壬申六月二十日，又葬訾氏与宁都君于康惠公之兆。"（《安雅堂集》卷十一）姚桐寿《乐郊私语》："州少年多善歌乐府，其传皆出于澉川杨氏。当康惠公存时，节侠风流，善音律，与武林阿尔哈雅之子云石交善。云石翩翩公子，无论所制乐府、散套，骏逸为当行之冠。即歌声高引，可彻云汉，而康惠独得其传。今杂剧中有《豫让吞炭》、《霍光鬼谏》、《敬德不伏老》，皆康惠自制以寓祖父之意，第去其著作姓名耳。其后长公国材、次公少中，复与鲜于去矜交好。去矜亦乐府擅场，以故杨氏家僮千指，无有不善南北歌调者。由是州人往往得其家法，以能歌名于浙右云。"

## 本年

**吴全节被旨代祠江南三神山还京，沿途所作有《代祠稿》，吴澄序之。** 见《吴文正集》卷二十二。《元诗选》二集壬集："所著旧有《瓢稿》、《代祠稿》，总名曰《看云集》，共二十六卷。"《千顷堂书目》卷二十九："亡名氏《看云集》三卷。揭傒斯奉敕编，不详何人。"据虞集《河图仙坛之碑》，揭傒斯尝奉旨序吴全节所著《看云录》，则黄虞稷所记，当即吴全节所撰之集。

**宋克生。** 宋克（1327—1387），字仲温，号南宫生，长洲人。伟躯干，博涉书史。少任侠，好学剑走马，家素饶，结客饮博。迨壮，谢酒徒，学兵法，周流无所遇，益以气自豪。张士诚欲罗致之，不就。性抗直，与人议论期必胜，援古切今，人莫能难也。杜门染翰，日费十纸，遂以善书名天下。时有宋广，字昌裔，亦善草书，称二宋。洪武初，克任凤翔同知，卒。生平据高启《南宫生传》（《吴都文粹续集补遗》卷上）、《明史》卷二八五《文苑传》。

**侯克中《大易通义》刻于本年或上一年。** 袁桷尝为之序，见《清容居士集》卷二十一。据袁桷序，其书为郭文卿刻梓。郭文卿，即汴梁人郭郁。尝从侯克中学《易》。据《至正四明续志》卷一，郭文卿于泰定二年赴庆元路总管任。泰定三年，文卿尝重修宁波府儒学，袁桷作《庆元路重修先圣庙记》以记其事，见《清容居士集》卷十八。袁桷序中以"郡侯"称文卿，知其时文卿在庆元路总管任上。又袁桷卒于本年八月，则序之作，或在上一年。袁桷序中称侯克中"今年逾九十，康色未艾"，则克中其时尚存。侯克中，字正卿，号艮斋，真定人。著有《艮斋诗集》十四卷。《录鬼簿》卷上录其戏曲作品《关盼盼春风燕子楼》，或以为乃传奇（清佚名《传奇汇考标目》）。《全元散曲》录其套数2套。贾仲明〔双调〕《凌波仙·吊侯正卿》："史侯心友艮先生，诗酒相酬老正卿。挽丝缰，味里雕鞍凭，随王孙并马行。《燕子楼》，么末全赢。黄钟令，商调情，千载标名。"四库提要卷一六七："《艮斋诗集》十四卷，元侯克中撰。……

此乃所作诗集，犹元时旧刻，卷首有毛晋私印，盖汲古阁所藏。中间律体最多，而七言律为尤夥。卷一、卷二皆咏经史之作。卷八为谐音格，乃每首全以音通字异者相叶，如一东叶同、峒、桐、铜、童，二冬叶镛、庸、容、墉、蓉之类。凡七言三十一首，五言二十一首，亦克中自创之格，为古所未有。其诗颇近《击壤》一派，多涉理路，而抒情赋景之作，亦时有足资讽咏者。昔唐汝询幼而失明，长而能诗，始蓃一集，明人诧为古所未有，而不知克中已在前。是亦足为是集稀传之证。又汝询能注《唐诗解》，而克中乃至能诂经，是所学又在汝询上矣。"

**吕不用生于本年前后**。其父生于至大元年（1308），卒于洪武十五年（1382），不用为长子。又核以集中诗文，其生年当在本年前后。《大清一统志》言其年十三应至正乡试。吕不用，初名必用，字则畊（一作则行），号石鼓聋者，上虞（一作新昌）人。元亡不仕。洪武初举教谕，以聋辞。著有《得月稿》七卷。清人毛奇龄尝为作传。集有洪武九年曾衍、王霖序。每卷下题"石鼓聋者吕不用则畊学，白云山人庐陵曾衍伯曼批点，赐进士第奉直大夫孙男凤编次，曾孙举人鼐督刊"。四库提要以诗多粗俚，文尤冗漫，故录于存目。然提要所著录之《得月稿》为四卷，今存清钞本则为七卷，非同一本也。

**沈和泰定年间前后卒**。《录鬼簿》卷下："和字和甫，杭州人。能词翰，善谈谑。天性风流，兼明音律，以南北调合腔，自和甫始。如《潇湘八景》、《欢喜冤家》等曲，极为工巧。后居江州，近年方卒。江西称为蛮子关汉卿者是也。"沈和甫所作杂剧，有《祈甘雨货郎朱蛇记》、《徐驸马乐昌分镜记》、《郑玉娥燕山逢故人》、《闹法场郭兴何杨》、《欢喜冤家》等五种。钟嗣成〔双调〕《凌波仙·吊沈和甫》："五言尝写和陶诗，一曲能传冠柳词，半生书法欺颜字。占风流，独我师。是梨园，南北分司。当时事，子细思，细思量，不似当时。"

**沈和同母弟黄天泽，亦为曲家**。《录鬼簿》卷下："天泽字德润，杭州人，和甫沈公同母弟也。风流酝藉，不减其兄。幼年屑就簿书，先在漕司，后居省府，郁郁不得志。昆山听补州吏，又不获用，咄咄书空而已，然亦竟不归而终。公有乐府，播于世人耳目，无贤愚皆称赏焉。"钟嗣成〔双调〕《凌波仙·吊黄天泽》："一心似水道为邻，四体如春德润身，风流才调真英俊。轶前车，继后尘，谩苍天，委任斯人。岐山凤，鲁甸麟，时有亨屯。"

**施惠为延祐、泰定间人**。施惠，一作沈惠，字君美，或作君承，杭州人。居于吴山城隍庙前，以坐贾为业。《录鬼簿》卷下："公巨目美髯，好谈笑。余尝与赵君卿、陈彦实、颜君常至其家，每承接款，多有高论。诗酒之暇，惟以填词、和曲为事。有古今砌话，亦成一集，其好事也如此。"通常以为南戏《拜月亭》为惠所作。钟嗣成〔双调〕《凌波仙·吊施君美》："道心清净绝无尘，和气雍容自有春，吴山风月收拾尽。一篇篇，字字新，但思君，赋尽停云。三生梦，百岁身，到头来，衰草荒坟。"

公元 1328 年 （文宗天历元年 戊辰）

## 二月

二十七日，诏天下改元致和。见《元史》卷三十《泰定帝本纪》。

## 三月

二十六日，以赵世延知经筵事，赵简预经筵事，阿鲁威同知经筵事，曹元用、吴秉道、虞集、段辅、马祖常、燕赤、字术鲁翀并兼经筵官。见《元史》卷三十《泰定帝本纪》。

刘赓卒，年八十一。虞集《翰林学士承旨刘公神道碑》："致和元年三月薨于位，是年八十有一。"（《道园学古录》卷十七）刘赓（1248—1328），字熙载，洛水人。至元十三年，授将仕郎、国史院编修官。十六年，升从仕郎、应奉翰林文字。十八年，司徒府辟长史，升承事郎，仍兼应奉翰林文字。二十年，调承务郎、同知德州事。二十四年，除太庙署丞。明年，拜承直郎、太常博士。元贞元年，拜奉训大夫、监察御史。大德二年，除翰林直学士、朝列大夫、知制诰、同修国史。六年，加少中大夫，以学士奉使宣抚陕西。八年，晋翰林侍讲学士。十一年，落侍讲为翰林学士。至大二年，拜正议大夫、礼部尚书，仍兼翰林学士。明年，拜中奉大夫、侍御史。岁中，拜翰林学士承旨、资善大夫、知制诰兼修国史。四年，除资政大夫、国子祭酒。皇庆元年，除集贤大学士、荣禄大夫，兼国子祭酒。延祐改元，复入翰林为承旨。六年，立东宫，拜太子宾客。七年，复入集贤为大学士。是年四月，复入翰林为承旨。至治元年，丁外艰。泰定二年，加光禄大夫。致和元年卒，年八十一。生平据虞集《翰林学士承旨刘公神道碑》、《元史》卷一七四本传。

## 五月

二十二日，邓文原卒，年七十。黄溍《邓公神道碑》："天历元年五月二十二日，薨于杭州私第之正寝，享年七十。以其年七月十三日，葬湖州德清县千秋乡百寮山之麓。"（《文献集》卷十下）吴澄《元故中奉大夫岭北湖南道肃政廉访使邓公神道碑》："善之丰姿温粹，仪矩端严，其教于家塾、乡庠、国监也，从学者皆有长益。诗文淳雅，莹洁如玉，字法遒媚，与赵承旨伯仲。赵既逝，欲求善书人，舍是殆无可应诏。持宪两道，洊伸民冤，至今有遗爱。祠（词）苑代言，史馆修书，悉合体制，在儒臣中声实相副者也。有文集《内制稿》、《读易类编》，具存。"黄溍《邓公神道碑》："公于经史百氏之书，无不究极其根柢，为文精深典雅，东南遗老凋落既尽，文章之柄悉归焉。及在朝廷，施于训诰者温润而有体，志于简册者确实而有征，诗尤简古而丽逸。凡所著有《读易类编》若干卷，《内制集》若干卷，《素履斋稿》若干卷行于世。工于笔札，与赵魏公孟頫齐名。"（《文献集》卷十下）《书史会要》卷七："邓文原，字善之。……尝自题其斋居之室曰素履，人遂称素履先生。丰姿凝粹，内严外恕，为文精深典雅，诗简古而丽正。行草书早法二王，后法李北海。虞文靖云：'大德、延祐间，渔阳、吴兴、巴西翰墨擅一代。'"《石洲诗话》卷五："邓善之际元之盛，一时如范德机、高彦敬、赵子昂、鲜于伯机辈，皆相与往来，其诗亦名重一时，而今观之，殊多肤率。"又："善之集中题画诗极多，想一时所接，皆胜流鉴藏家也，而其诗皆不足观。"四库提要卷一六六："《巴西文集》一卷，元邓文原撰。……文原学有本原，所作皆温醇典雅。当大德、延祐之世，独以词林耆旧主持风气，袁桷、贡奎左右之，操觚之士响附景从。元之文章，于是时为极盛，文原实有独导之功。所著有《内制集》、《素履斋稿》，今并未见传本。此本不知何人所编，仅录其碑志、记序等文七十馀篇，即顾嗣立《元诗选》中所录诸诗，亦无一首。盖出后人摘选，非其完帙。"

## 七月

初十，泰定帝崩，年三十六。《元史》卷三十《泰定帝本纪》："泰定之世，灾异数见，君臣之间，亦未见其引咎责躬之实。然能知守祖宗之法以行，天下无事，号称治平，兹其所以为足称也。"

## 八月

二十一日，孙淑卒。孙淑（1306—1328），傅若金妻，字蕙兰，其先汴梁人。其父孙周卿，孙楷第《元曲家考略》以为即《太和正音谱》所言之曲家孙周卿。孙淑年二十三归若金，五月而卒。著有《绿窗遗稿》一卷，傅若金为之序，序见《南村辍耕录》卷十三。《南村辍耕录》卷十三："孙氏之诗，依乎礼义，先生之诗，哀而不伤，举得性情之正，是可传也已。"《历代诗话》卷六十六："吴旦生曰：其诗备载《辍耕录》中，皆雅秀可诵，特取一二绝句，以见其大概。蕙兰诗：'楼前杨柳发青枝，楼下春寒病起时。独坐小窗无气力，隔帘风乱海棠丝。''绿窗寂寞掩残春，绣得罗衣懒上身。昨日翠帷新病起，满帘飞絮正愁人。'"

## 九月

十三日，怀王图帖睦尔即皇帝位于大明殿，是为文宗，改元天历。虞集作《即位改元诏》（《元文类》卷九）。元文宗图帖睦尔，武宗次子，明宗之弟。生于大德八年正月癸亥，泰定二年，以怀王出居于建康。初，众臣谋立周王和世瑓为帝。然是时周王远在沙漠，猝未能至，虑生他变，乃迎周王弟怀王于江陵，并宣称已遣使北迎周王，以安众心。其时，倒剌沙等于上都立泰定帝之子为皇帝，改元天顺，并遣兵分道犯大都。十月，倒剌沙奉皇帝宝出降，明年三月内乱始平。《元史》卷三十一《明宗本纪》："岁戊辰七月庚午，泰定皇帝崩于上都，倒剌沙专权自用，逾月不立君，朝野疑惧。时金枢密院事燕铁木儿留守京师，遂谋举义。八月甲午黎明，召百官集兴圣宫，兵皆露刃，号于众曰：'武皇有圣子二人，孝友仁文，天下归心，大统所在，当迎立之，不从者死！'乃缚平章乌伯都剌、伯颜察儿，以中书左丞朵朵、参知政事王士熙等下于狱。燕铁木儿与西安王阿剌忒纳失里固守内廷。于是帝方远在沙漠，猝未能至，虑生他变，乃迎帝弟怀王于江陵，且宣言已遣使北迎帝，以安众心。复矫称帝所遣使者自北方来，云周王从诸王兵整驾南辕，且夕即至矣。丁巳，怀王入京师，群臣请正大统，固让曰：'大兄在北，以长以德，当有天下。必不得已，当明以朕志播告中外。'九月壬申，怀王即位，是为文宗，改元天历，诏天下曰：'谨俟大兄之至，以遂朕固让之心。'时倒剌沙在上都，立泰定皇帝子为皇帝，乃遣兵分道犯大都。而梁王王禅、右丞相答失铁木儿、御史大夫纽泽、太尉不花等，兵皆次于榆林，燕帖木儿与其弟撒敦、子唐其势等，帅师与战，屡败之。上都兵皆溃。十月辛丑，齐王月鲁帖木儿、元帅不花帖木儿以兵围上都，倒剌沙乃奉皇帝宝出降，两京道路始通。"《草木子》卷四上："梁王（怀王）登宝位时，自建康之京都途中，尝作一诗云：'穿了毡衫便着鞭，一钩残月柳梢边。两三点露滴如雨，六七个星犹在天。犬吠竹篱人过语，鸡鸣茅店客惊眠。须臾捧出扶桑日，七十二峰都在前。'"

**十五日，白珽卒，年八十一。**宋濂《元故湛渊先生白公墓铭》："先生已六十又七，及再迁从仕郎、婺州路兰溪州判官，则不复有宦情矣。日与韵朋胜友，曳杖游衍，衔杯赋诗，唯恐日之易夕。所居西湖，有泉自天竺来，及门而汇，榜之曰湛渊，因以自号。晚归老栖霞，又号栖霞山人。以天历元年九月十五日卒，年八十一。其年十一月二日，葬钱塘县履泰乡栖霞山之阳。其子遵治命，题曰西湖诗人白君之墓云。"（《文宪集》卷十九）戴表元《白廷玉诗序》："日余得白廷玉姓字于周义乌往还书中，其赋《铜浮沤》一篇，尤清驯可念。自是欲识廷玉，逢人辄问之，而廷玉授书北关数里外，凄凄然穷书生耳。时节一入城，不能与故人从容立谈而去，则余无自而接廷玉焉。一日，俨褒博之衣，忽来顾余逆旅中，辞倾意酬，慨然有古人班荆之喜、倾盖之诚。又出其自写诗数十百篇赠余，以其有以自重也，愈益念之。昔者杭为行都，士非欲售其业者不至杭。诗虽非干世之业，而自山林攻诗者，一涉足于杭而迁焉。若杭人之所自为诗，则迁愈甚，何也？累于知也。今夫士大夫之居游于杭者，皆无前时之心，而余之得廷玉，与廷玉之得于余，岂不亦有可言者哉？廷玉诗甚似渡江陈去非，而尝讳言去非。又特好记览，每一篇必欲令注波于六经之渊，披条于百氏之畹。诚放此不止，余何云以得廷玉哉！"（《剡源文集》卷八）宋濂《元故湛渊先生白公墓铭》："生平无骄辞怠色，一以谦抑为事。闻人善，未尝不艳慕；见扬人过，掩耳亟避去。奉先之外，不惑异端，不诌渎鬼神，疾疢忧患之来，一委之于天。自幼至老，无一日废问学，故能长于诗文。紫阳方公回，称其'冠绝古今，有英雄大丈夫气'；剡源戴公表元，谓其'注波五经之渊，披条百氏之畹'；庐陵刘公辰翁，又言其'不为雕刻苟碎，苍然者不惟极尘外之趣，兼有云山韶、濩之音'。皆确论也。翰墨虽其馀事，亦有晋魏风。……先生所著书曰诗，曰文，曰《经子类训》，曰《集翠裘》，曰《静语》，皆二十卷，尝锓诸梓，四方多传诵。呜呼！先生已矣。濂也晚出，虽不能识先生，幸从乡先生黄文献公游，听谈杭都旧事，有如淮阴龚公开、严陵何公梦桂、眉山家公之巽、莆田刘公濩、西秦张公横、虎林仇公远、齐东周公密，凡十馀人，相与倡明雅道，而先生齿为最少，乃与群公相颉颃。南北两山间，其遗迹班班故在。"《元诗选》二集甲集："剡源戴帅初评其诗'甚似渡江陈去非，而尝讳言去非'，'其赋《铜浮沤》一篇，尤清驯可念'；紫阳方万里称其'冠绝古人，有英雄大丈夫气'；庐陵刘会孟谓其'不为雕刻苟碎，苍然者不惟极尘外之趣，兼有云山韶、濩之音'。皆确论也。"四库提要卷一六六：
"《湛渊集》一卷，元白珽撰。……表元序称其诗'甚似渡江陈去非'。濂志载刘辰翁
之言，称其'不为雕刻苟碎，有云山韶、濩之音'。又月泉吟社第十八名唐楚友者，即
珽之寓名，谢翱、方凤等亦评其格调甚高。陶九成撰《辍耕录》，载其《演雅》十首。
盖珽在宋咸淳中，已与仇远同以诗名。入元后，二人皆应荐为儒官，坎坷不达，退老
湖山，出处亦略相近。"

**十八日，朱元璋生。**朱元璋（1328—1398），字国瑞，濠州钟离人。

## 冬

**赵良弼卒。**曹刊本《录鬼簿》卷下："天历元年冬，卒于家。"赵良弼（？—
1328），字君卿，东平人。总角时，与钟嗣成同里闬，同发蒙，同师邓文原、曹鉴、刘
濩，又于省府同笔砚。后补嘉兴路吏，迁调杭州。著有杂剧《春夜梨花雨》，已佚。散
曲今存《春思》1 套。曹刊本《录鬼簿》卷下："公经史问难，诗文酬唱，及乐章小
曲，隐语传奇，无不究竟。所编《梨花雨》，其辞甚丽。……公之风流酝藉，开怀待
客，人所不及，然亦以此见废。能裁字，善丹青，但以末技，故不备录。"钟嗣成〔双
调〕《凌波仙·吊赵君卿》："闲中袖手刻新词，醉后挥毫写旧诗，两般总是龙蛇字。不
风流，难会此，更文才，宿世天资。感夜雨，梨花梦；叹秋风，两鬓丝；住人间，能
有多时？"

## 本年

**张养浩《云庄休居自适小乐府》成于本年前。**明成化十六年艾俊作《云庄休居自
适小乐府引》，称《云庄乐府》为张养浩"政成归隐"后所作。考《元史》张养浩本
传及碑志，张养浩弃官家居在元英宗至治元年六月，后七聘而不起，居家凡八年，于
天历二年出为陕西行台中丞。其书成化前即有刻本，已不可见，今存最早者乃明成化
十九年边靖之刻本。

**陈旅以中书平章政事赵世延荐，授国子助教。**陈旅《琼芽赋序》："余惟物之不遇
于世者多矣。固有一无所遇而竟已者，而不欲以他技自炫；至晚始一遇者，亦可悲也。
余年四十又一，始为国子助教。天历二年夏，扈从至上京，因过邢生，饮琼芽，而生
征余赋。"（《安雅堂集》卷一）王沂《送陈众仲序》："沂至顺二年始遇莆田陈君众仲
于京师，时众仲用荐者，由布衣入教国子生。奎章阁侍书学士虞公伯生、今御史中丞
马公伯庸，皆注意高仰之，以故名实震发，暴耀一时。已而见其文章诗，闳肆俊伟，
语出惊人。久而知其学问，穿贯经史百子。其较古今，证成败，若鉴照，若决拾，应
机而发，若乘载决积水而伯禹为之讲画，若驱蒲梢骁骥蹀躞平地而王良握其衔策也。众
仲固可谓魁礨特起之士，而二公可谓善知人者也。……众仲为助教五年，执经北面，
考疑问业者，犹挹水于河、取火于燧，计然之策遂矣。"（《伊滨集》卷十五）《元史》
卷一九〇《儒学传》："中书平章政事赵世延又力荐之，除国子助教。居三年考满，诸
生不忍其去，请于朝，再任焉。元统二年，出为江浙儒学副提举。"

## 公元 1329 年 （文宗天历二年 己巳）

### 正月

二十八日，周王和世㻋即皇帝位于和宁之北，是为明宗。然本年八月庚寅（六日）即暴崩，年三十。见《元史》卷三十一《明宗本纪》。

### 三月

立奎章阁学士院。虞集有《奎章阁记》（《道园学古录》卷二十二）。虞集《奎章阁铭》："天历二年三月吉日，天子作奎章阁，万机之暇，观书怡神，则恒御焉。"（《道园学古录》卷二十一）〔按，《元文类》卷十七录虞集《奎章阁铭》，序署"天历二年四月吉日"。〕立奎章阁，《元史·文宗本纪》作二月甲寅。《元史》卷三十一《明宗本纪》："〔天历二年〕二月壬辰，宣靖王买奴自京师来觐。……是月，文宗立奎章阁学士院于京师，遣人以除目来奏，帝并从之。"《元史》卷三十三《文宗本纪》："〔天历二年二月〕甲寅，立奎章阁学士院，秩正三品，以翰林学士承旨忽都鲁都儿迷失、集贤大学士赵世延并为大学士，侍御史撒迪、翰林直学士虞集并为侍书学士，又置承制、供奉各一员。"揭傒斯《送张都事序》："天子既建奎章阁，置大学士二人，侍书学士二人，承制学士二人，供奉学士二人，参书二人，非尝任省台翰林及名进士，不得居是官。明年，增置大学士二人，典签二人。典签秩从六品，初命英宗龙飞进士第一人泰不华兼善、丞相掾张景先希哲为之。希哲寻去为礼部主事，又以丞相掾张中立惟正继之。居一年，兼善拜南台监察御史，惟正亦迁江西行省都事。"（《揭傒斯全集·文集》卷四）《南村辍耕录》卷二："天历初，建奎章阁于西宫兴圣殿之西廊，为屋三间，高明敞爽。南间以藏物，中间诸官入直所，北间南向设御座，左右列珍玩，命群玉内司掌之。阁官署衔，初名奎章阁，阶正三品，隶东宫属官。后文宗复位，乃升为奎章阁学士院，阶正二品，置大学士五员，并知经筵事。侍书学士二员，承制学士二员，供奉学士二员，并兼经筵官。幕职置参书二员，典签二员，并兼经筵参赞官。照磨一员，内掾四名，内二名兼检讨。宣使四名，知印二名，译史二名，典书四名。属官则有群玉内司，阶正三品，置监群玉内司一员，司尉一员，亚尉二员，金司二员，典簿一员，令史二名，典吏二名，司钥二名，司膳四名，给使八名，专掌秘玩古物。艺文监，阶正三品，置太监兼检校书籍事二员，少监同检校书籍事二员，监丞参检校书籍事二员，或有兼经筵官者，典簿一员，照磨一员，令史四名，典吏二名，专掌书籍。鉴书博士司，阶正五品，置博士兼经筵参赞官二员，书吏一名，专一鉴辨书画。授经郎，阶正七品，置授经郎兼经筵译文官二员，专一训教怯薛官大臣子孙。艺林库，阶从六品，置提典一员，大使一员，副使一员，司吏二名，库子一名，专一收贮书籍。广成局，阶从七品，置大使一员，副使一员，直长二员，司吏二名，专一印行祖宗圣训及国制等书。"

陈无妄卒。曹刊本《录鬼簿》卷下："天历二年三月，以忧卒，其弟彦正殡葬之。"陈无妄（？—1329），字彦实，东平人。与钟嗣成、赵良弼为同舍生。性资沉重，事不苟简，以苛刻为务，评直为忠，与人寡合，人亦难之。于乐府、隐语无不用心，所作甚多，惜不甚传。钟嗣成〔双调〕《凌波仙·吊陈彦实》："府垣岁月露忠肝，宪幕冰霜岂汗（汗）颜？薏苡生谗间，甘心愿就闲。转回头，梦入槐安，后会何时再？英魂甚日还？望东南，翘首三山。"

## 四月

**初一，范梈序傅若金所撰《牛铎音》。**序见《傅与砺诗文集》卷首。其时德机寓居新喻百丈山房。傅若金所作诗集，有《牛铎音》、《初稿》、《南征稿》、《使还新稿》等集，其弟若川于若金卒后合编为《清江集》，后改名《傅与砺诗集》，与《傅与砺文集》合刊。《傅与砺诗集》八卷、《傅与砺文集》十一卷，今存洪武间傅若川建溪精舍刻本、《四库全书》本、《嘉业堂丛书》本。

## 七月

**二十七日，张养浩卒，年六十。**黄溍《故陕西诸道行御史台御史中丞赠摅诚宣惠功臣荣禄大夫陕西等处行中书省平章政事柱国追封滨国公谥文忠张公祠堂碑》："文皇御极，以翰林侍读学士召，未至，改陕西诸道行御史台御史中丞，公乃幡然就道，时公年甫六十。到官仅三阅月而薨于位，天历二年七月壬午也。"（《文献集》卷十上）李士瞻《题济国张文忠公云庄卷后》："济国文忠公张先生，禀天地正大之气，学圣贤正大之学，蕴之而为道义，发之而为文章，推之而为政事功业，无一而非正大之寓也。故微而为一县，则一县蒙其福；达而为御史，则朝廷赖其尊；又大而登省台，秉钧赞化，执政事之柄，则治理以之而纲维。况其胸次开朗，志虑公忠，其见之设施注措者，宜乎其井然有条而弗紊。若先生者，果何如人乎？夫当至治间，英皇好以刚锐神武御下群臣，一忤旨，祸且弗测，在朝无小大，皆侧足度日。适有建造灯山事者，其势方峻，先生独不避鼎镬，抗章极谏，宰臣大人皆以为危，先生则处之裕如也。故章疏一上，卒能回天之力，霁雷霆之怒，而事赖以寝。至是人始大服先生之忠义、先生之量，将周召而伊傅之。先生则弃官长去，坚卧云庄之谷，日相忘于山水间，遨游咏歌，若将终身焉。吁！何其轻去就，急恬退，无一毫系累如此哉！盖其中心之烛理明、虑事远，不如此，他日必将有撄龙鳞以犯人主之怒者，复求如今日得乎？夫人臣不能炳几先作，卒使人主有一旦误杀直臣之名焉，不几于卖直以要人之誉乎？其心盖即孔子去鲁之意也。先生之于君，可谓忠爱之笃矣，岂真在乎山水之间耶？"（《经济文集》卷四）富珠哩翀（字术鲁翀）《张文忠公归田类稿序》："圣朝牧庵姚文公以古文雄天下，天下英才振奋而宗之，卓然有成。如云庄张公，其魁杰也。……其文渊奥昭朗，豪宕妥帖。其动荡也云雾晦冥，霆砰电激；其静止也风熙日舒，川岳融峙。绰有姿容，辟翕顿挫，辞必己出，读之令人想像其平生。千载而下，凛有生气，不可摩灭，斯足尚矣。公素知翀，其子引偕其妇翁吴肃彦清，持公所辑《归田类稿》三十八卷征序，因书其概如此。"（《中州名贤文表》卷三十）吴师道《张文忠公云庄家集序》："翛然云庄之居，悠然山泉禽鱼之乐，沉潜乎经史百氏，益肆于词。和平冲澹之中，错以奇崛藻丽，要皆依据义理而切于日用之实，流布自然而无缀缉辛苦之态。……公《云庄集》四十卷，已刊于龙兴学宫。临川危素复掇其关于治教大体者为此编，秘书属予以序。"(《礼部集》卷十五)《静居绪言》："张云庄律诗颇得调度。《登泰山》云：'风云一举到天关，快意生平有此观。'……他如'诗有少陵难著语，菊无元亮不成秋'，'若教宇宙无难事，未必山林有退人'，'发为荐冠容易雪，心因蜗角等闲灰'，皆具作法。"《元诗选》初集丙集："今观其句法，如'江空孤月白，天阔片云高'，'月色虫边苦，秋容雁外深'，'断岭云通气，颠崖树倒根'；又'鹤嫌客俗穿云去，燕喜春阴掠地飞'，'华发半簪天与老，丹枫两岸水分秋'，'半窗春梦子规月，满院客愁杨柳花'，'勘破宦途盘谷序，蹴开天网漆园书'，其风致潇洒，亦在元和、长庆间也。"《石洲诗话》卷五："张中丞养浩《赠刘仲宪》一诗，七古至六十八韵，然殊平漫。"四库提要卷一六六："《归田类稿》二十四卷，元张养浩撰。……养浩为元代名臣，不以词翰工拙为重轻。然读其集，如《陈时政》诸疏，风采凛然。而《哀流民操》、《长安孝子贾海诗》诸篇，又忠厚悱恻，蔼乎仁人之言。即以文论，亦未尝不卓然可传矣。"

**李好文、孛术鲁翀等辑《大元太常集礼稿》成。**李好文有《太常集礼稿序》(《元文类》卷三十六)。《太常集礼稿》，《文渊阁书目》卷一著录一部四十册，《千顷堂书目》卷二、卷九著录为五十卷。李好文序作五十一卷，分别为郊祀九卷，社稷三卷，宗庙二十一卷，舆服二卷，乐七卷，诸神祀三卷，诸臣请谥及官制因革典籍录六卷。

## 八月

**十五日，图帖睦尔复以皇太子即皇帝位。**见《元史》卷三十一《明宗本纪》。虞集作文宗皇帝《即位诏》(《元文类》卷九)。文宗被立为皇太子，在本年四月癸卯。

**二十一日，立艺文监，秩从三品，隶奎章阁学士院；又立艺林库、广成局，皆隶艺文监。**见《元史》卷三十三《文宗本纪》。欧阳玄授翰林修撰、艺文少监。

## 十月

**初一，贡奎卒，年六十一。**吴师道作《贡仲章学士挽诗》(《礼部集》卷七)，汪泽民有《挽贡仲章》(《宛陵群英集》卷八)。马祖常《集贤直学士贡公文靖公神道碑铭》："天历二年十月朔旦，集贤直学士贡公殁于家。……公以殁之明年正月八日庚申，葬宣城县射亭乡生田里之原，享年六十有一。"(《石田文集》卷十一)吴澄《题贡仲章文稿后》："理到气昌，意精辞达，如星灿云烂，如风行水流，文之上也。初不待倔强，其言蹇涩，其句怪僻，其字隐晦，其义而后工且奇。噫，兹事微矣，名于宋者五而已，亦惟难哉！仲章江南之英，与吾善之、伯长俱掌撰述于朝，各能以文自见，蔚乎其交荫，炳乎其争辉，予有望焉。予来京，仲章将有上京之役，示予新作数十，温然粹然，得典雅之体，视求工好奇而卒不工不奇者，相去万万也。读之竟，喜之深，书此而归其帙。夫上有所规，下有所逮，正有所本，旁有所参，韩、柳氏自陈其所得甚悉。"(《吴文正集》卷五十六)马祖常《集贤直学士贡公文靖公神道碑铭》："公年十岁，辄能属文，已有闻于人。及壮，读书并日，夜忘寝食，于经子史传无所不治，于其章义辞句、类数名制，委曲纤妙，无不究诣。于文章辨议闳放俊伟，不狃卑近，必以古为归。"(《石田文集》卷十一)《居易录》卷一："元贡仲章《云林诗集》，境地未能深造，歌行间工发端，而窘于边幅，视同时虞伯生、范德机，亦诸侯之附庸也。有三山陈岿序，草庐吴澄书后，凡六卷。"《石洲诗话》卷五："渔洋谓仲章境地未能深造，歌行间工发端，而窘于边幅，视同时虞伯生、范德机，亦诸侯之附庸也。今观其诗才，又在马伯庸之下。"四库提要卷一六七："《云林集》六卷、附录一卷，元贡奎撰。……奎诗格在虞、杨、范、揭之间，为元人巨擘。王士祯《居易录》论其境地未能深造，殆专以神韵求之歀？吴澄跋其文稿，称其温然粹然，得典雅之体，视求工好奇而卒不工不奇者，相去万万。惜今不可得见矣。卷末增载《见妇人》、《偶兴》二首，鄙俚秽亵，必委巷附会之说。元礼不知而误收之，其为谬陋，不止谢康乐集载《东阳溪中赠答》也。"

## 本年

刘氏刊《古赋题》十卷于翠岩家塾。又有后集五卷，明年续刊。《千顷堂书目》卷三十一作《古赋题》十卷、后集六卷，《钦定天禄琳琅书目》卷六则作《新编古赋题》前集十卷、后集八卷。其书盖为科举应试揣摩之用。四库提要卷一三七："《古赋题》十卷、后集五卷，旧本题天历己巳古雍刘氏翠岩家塾识。盖元仁宗时所刊，其刘氏名字则不可考矣。前有自序曰：'宇宙间事物皆可赋，然群书不能遍观而历考也。文场寸晷，未免有望洋之叹。今于经史子集类纂赋题十卷，各疏本末其下，锓梓以行。又于庚午春续为后集五卷'云云。考宋礼部贡举条例，载出题必具其出处。所列如周以宗强赋，则注曰：'以周以同姓强固王室为韵，依次用，限三百六十字以上成。'又大书其后曰：'出《史记》叙管蔡世家曰：周公主盟，太任十子，周以宗强，嘉仲改过'云云。故宋人有备对策论经义之书，无备诗赋题之书。至元此制不行，故钱惟善集载有乡试以《罗刹江赋》命题，锁院三千人不知出处之事。此书之所以作歀？"

**傅若金从范德机讨论诗法，后退而述其意，成《诗法源流》一篇。**据明刻本《傅与砺诗法》卷一《诗法源流》后附录傅若金之弟傅若川跋语。明高楝《唐诗品汇》尝引其书，徐骏《诗文轨范》全文收入，然均不标作者。赵扬谦《学范》引其书，题作"王著《诗法源流》"。据张健考证，傅若川之序极可能出于伪托。

**曹元用卒。**曹元用（1268—1329），字子贞，世居阿城，后徙汶上。与清河元明善、济南张养浩号为三俊。卒谥文献。著有《超然集》四十卷。《元诗选》三集丙集选其诗 8 首。生平见《元史》卷一七二本传。曹元用卒年，或作天历三年（1330）。

**洪焱祖卒，年六十二。**危素《序洪杏庭集》："天历元年，年六十有二，致其事去，明年卒于家。"（《新安文献志》卷九十五下）陈栎《挽洪簿（名炎祖）二首》："歙城虚谷后，犹幸有斯人。学问师乡老，勾稽子邑民。丹铅充庋阁，朱墨泥车轮。寿仅几重卦，遗文赖不泯。"又："抱瓮教多士，于时识景星。多年嗟判诀，几度听横经。郡乘橡挥笔，男邦刃发硎。贤郎专行状，不朽慎镵铭。"（《定宇集》卷十六）危素《序洪杏庭集》："先生之文，根极理要，而忧深思远，超然游意于语言文字之表。"宋濂

《杏庭摘稿序》："新安为江东一大郡，自旧多文学之士。及吏部诸公兄弟，以诗倡于建炎、绍兴间，而作者益盛，流风馀韵，直至于今不衰。先生之生，虽后朱公百馀年，尝及接乡之诸老，故闻见甚多，而讲索甚精。其发之于诗，和而不怨，平而不激，严而不刻，雅而不凡，庶几忠厚恻怛，有《三百篇》之遗意者。"（《文宪集》卷七）四库提要卷一六七："《杏亭摘稿》一卷，元洪焱祖撰。……是集为其子浦江尉在所编。其所居有银杏树大百围，焱祖尝以杏亭自号，因以名集。……其诗虽纯沿宋调，而尚有石湖、剑南风格，抗衡于虞、杨、范、揭诸家则不足，以视宋季江湖末派，则蝉蜕于泥滓之中矣。"

**金仁杰卒。**《录鬼簿》卷下："余自幼时闻公之名，未得与之见也。公小试钱谷，给由江浙，遂一见如平生欢，交往二十年如一日。天历元年戊辰冬，授建康崇宁务官。明年己巳正月叙别。三月，其二子护柩来杭，知公气中而卒。呜呼惜哉！"金仁杰（？—1329），字志甫，杭州人。天历元年，授建康崇宁务官，次年卒。其年辈长于钟嗣成，嗣成与之交往二十馀年。所作杂剧有《萧何月夜追韩信》、《秦太师东窗事犯》、《长孙皇后鼎镬谏》、《周公旦抱子摄朝》、《苏东坡夜宴西湖梦》、《玉津园智斩韩太师》、《蔡琰还朝》等7种，今存《萧何月夜追韩信》一种。《录鬼簿》卷下："所述虽不骈丽，而其大概多有可取焉。"钟嗣成〔双调〕《凌波仙·吊金志甫》："心交元不问亲疏，契饮那能较有无。谁知一上金陵路，叹亡之，命矣夫！梦西湖，何不归欤？魂来处，返故居，比梅花，想更清癯。"《七修类稿》卷二十三："岳武穆戏文《何立闹丰都》，世皆以为假设之事，乃为武穆泄冤也。予尝见元之平阳孔文仲有《东窗事犯》乐府，杭之金人杰有《东窗事犯》小说，庐陵张光弼有《蓑衣仙》诗。乐府、小说，不能记忆矣，与今所传大略相似。张诗有引云：'宋押衙何立，秦太师差往东南第一峰勾干，恍惚人引至阴司，见秦对岳事，令归告夫人东窗事犯矣。复命后，因即弃官学道，蜕骨今在苏州玄妙观，为蓑衣仙也。'据此数人，实有是事可知矣。否则，何铸子孙世为青盲，而罗汝楫之子鄂州一拜岳庙即不起，岂非其证欤？洋洋赫赫，如此大事，果无报欤？若《夷坚志》载何仙无押衙之说，恐或遗之也。"

**陈益稷卒，年七十六。**《元诗选》初集壬集："文宗天历二年卒，寿七十六，谥曰忠懿。"陈益稷（1254—1329），安南国王陈日烜之弟，其先闽人。至元二十三年封为安南国王，后以羁留鄂州，遥授湖广行中书省平章政事，累进金紫光禄大夫、仪同三司。著有《拱北稿》，已佚。《元诗选》初集壬集录其诗13首。张伯淳《湖广行省平章安南国王陈公诗序》："士君子负迈往英特之气，往往于诗文发之。然其体或寒或瘦，或富赡典丽，或吐不烟火食语，其所发见者盖不一。唐韩子直以为和平之音淡泊，愁思之声要妙，欢愉之辞难工，穷苦之言易好。又谓文章之作，每发于羁旅，若将以所遇为工拙者。以余观之，体之不同，由所禀与见闻之异，岂皆缘所遇哉？杜子美称特进汝阳王为词华哲匠，退之之于马兆平，称其变化魁杰。至于裴司空之佳句，马仆射之天平篇什，所以赞美之者甚至，遐想当时欢愉和平之意多，未必愁思，而决非穷苦者也。今湖广行省平章政事安南国王陈公，来归京阙有年，露昕月夕，雪桥霜路，景诗咏语居多，哀成一编曰《拱北稿》。夫以身被光宠，服食器用一出天家，不可谓羁旅愁苦，而其工好要妙乃若是，讵非得于天者然欤？抑亦客宦中华，风清月明，故国万里之怀，富贵无常之感，乐极而悲，所以致其吟咏，发其湮郁，而工好要妙，隐然出于光宠服用之表者耶！余友编修张君宗鲁，出公吟稿及手钞近作见示，凡寓目者叹赏同辞。能言之士，将效韩、杜所以赠数公者，作诗以美之，而俾江南张伯淳为之序。"（《养蒙文集》卷二）程钜夫《跋安南国王陈平章诗集》："右平章政事安南国王集一卷，诗二百三十，乐府十，皆至元中归朝后作。皇庆元年入觐，间以视余，始获读之。夫本以忠孝仁智之道，博以诗书六艺之文，更以艰难险阻之变，袭以忧欢离合之情，其居既殊，所遇亦异。故其落笔，如大将治军旅，贤辅立朝廷，纪律严明，条令整肃，而不失春容闲暇之意，过人远矣。昔越裳氏慕周德而朝，观其辞令，已知为诗礼之邦。安南古越裳也，自汉唐以来，世多闻人，览此又疑非古所及已。呜呼，其亦治世之音乎！秋九月望日，广平程某谨书其后。"（《雪楼集》卷二十五）《元诗选》初集壬集："安南，古南交地。自秦时为郡县，汉唐因之，五代割据，遂成异域。元时兵力之强，尽有西南诸部，而安南独不入版图，选将用兵，频年暴露，而终莫得其要领。然益稷以羁旅降王，犹能以歌吟与中朝文士相颉颃。何地无才，亦足以见元时诗学之盛矣。"

## 公元 1330 年　（文宗至顺元年　庚午）

### 二月

**初八，宋褧、雅琥等集于王守诚宅。** 宋褧《同年小集诗序》："天历三年二月八日，同年诸生谒座主蔡公于崇基万寿宫寓所。既退，小集前太常博士艺林使王守诚之秋水轩。坐席尚齿，酒殽简洁，谈咏孔洽，探策赋诗。右榜则前许州判官伊噜布哈（粤鲁不华）、前沂州同知库春（曲出）、前大司农照磨温都尔（谙笃尔）、奎章阁学士院参书雅勒呼（雅琥）；左榜则前翰林编修王瓒、前翰林修撰张益、前富州判官章谷、翰林应奉张彝、编修程谦。疾不赴者，前陈州同知纳沁、深州同知王理、太常太祝成鼎。时鄂啰调官监濠之怀远县，库春监庆元之定海县，谷广东元帅府都事，皆将赴上。雅勒呼，旧亦名为雅古云。执笔识岁月者，前翰林编修、詹事院照磨宋褧也。"（《燕石集》卷十二）〔按，蔡公，即东平蔡文渊。据苏天爵所撰宋褧墓志，蔡文渊、王士熙二人同为延祐七年大都乡试考官，而至治元年主会试者为孛术鲁翀、曹元用、虞集三人。则宋褧所谓"同年"，或系指延祐七年之乡试而言，诸生之谓，即其意也。序入雅琥于右榜，则此序或为后来所追记。〕

**置奎章阁监书博士二人，秩正五品。** 见《元史》卷三十四《文宗本纪》。柯九思为奎章阁监书博士，或即在此时。至顺二年九月，御史台劾时任监书博士的柯九思性非纯良，行极矫谲，挟其末技，趋附权门。见《元史》卷三十五《文宗本纪》。则其去官，当即在至顺二年。《秘书监志》卷六："天历二年十一月二十六日，照得当年三月二十一日，阔彻伯怯薛第二日，兴圣殿后穿廊里有时分，速古儿赤不颜帖木儿、温都赤哈剌八都儿、哈剌哈孙，给事中答里麻失里，舍别赤也里雅雅，胡参书，柯参书等有来，本监官谭学士、秘书卿穆薛飞特奉圣旨：'秘书监书画好生收拾者，少得厨柜架子，您行与工部文书，教添造者么道。圣旨了也，钦此。'"《南村辍耕录》卷七："文宗之御奎章日，学士虞集、博士柯九思常侍从，以讨论法书名画为事。时授经郎揭傒斯亦在列，比之集、九思之承宠眷者则稍疏。因潜著一书曰《奎章政要》以进，二人不知也。万几之暇，每赐披览。及晏朝，有画授经郎献书图行于世，厥有深意存焉。句曲外史张伯雨题诗曰：'侍书爱题博士画，日日退朝书满床。奎章阁中观政要，无人知有授经郎。'盖柯作画，虞必题，故云。"《南村辍耕录》卷十四："吾乡柯敬仲先生九思，际遇文宗，起家为奎章阁鉴书博士，以避言路居吴下。时虞邵庵先生在馆阁，赋《风入松》长短句寄博士云：'画堂红袖倚清酣，华发不胜簪。几回晚直金銮殿，东风软，花里停骖。书诏许传宫烛，香罗初剪彩朝衫。御沟冰泮水挼蓝，飞燕又呢喃。重重帘幕寒犹在，凭谁寄，锦字泥缄。报道先生归也，杏花春雨江南。'词翰兼美，一时争相传刻，而此曲遂遍满海内矣。剪，一作试。"

**敕奎章阁学士院修《经世大典》**。欧阳玄作《出试院有作寄诸弟》诗，序云："天历庚午会试，院中马伯庸尚书、杨廷镇司业及玄，皆乙卯榜进士，偶成绝句纪其事。出院明日，有敕督修《经世大典》。又成小诗寄诸弟。"改元至顺，在本年五月，故欧阳玄序署"天历庚午"。本年会试日期，改从旧制，在二月一日、三日、五日，故敕修《经世大典》当亦在其时。天历二年九月戊辰（十四日），尝敕翰林国史院官同奎章阁学士采辑本朝典故，仿唐、宋《会要》，著为《经世大典》（《元史》卷三十三《文宗本纪》）。本年二月，以翰林国史院自有著述，乃命奎章阁学士率其属为之。其开局纂修，在本年四月十六日，见赵世延等所撰《经世大典序录》（《元文类》卷四十）。与修者，有欧阳玄、赵世延、虞集、王守诚、赵世安、赡思、揭傒斯、李洞、彭仲实等。赵世延、赵世安领纂修《经世大典》事，在本年正月丙辰，见《元史》卷三十四《文宗本纪》。临川彭仲实佐修《皇朝经世大典》，见揭傒斯《送彭仲实赴水北巡检序》。

**甘立与修《经世大典》**。陈旅《送甘允从甫北上序》："陈留甘允从，甫年少，富才华。天历中，遭逢圣明，得在廷阁，从搢绅先生纂《经世大典》。方进用，俄以病去。久之来江南，补行省掾，又拓落不偶。于是闭门读书，治文章，穷巷草灭屦，而允从之学大进矣。"（《安雅堂集》卷四）甘立，字允从，陈留人。天历初，以荐授奎章阁照磨，与修《经世大典》。书成，以病归，辟江南行省掾。至正初卒。《元诗选》二集已集选其诗25首。《元诗选》二集已集："杨铁崖谓允从平日学文，自负为台阁体，然理不胜才，惟诗善炼饬，脱去凡近，其《夜乌啼曲》可配古乐府云。"《山居新话》卷三："士大夫因其闻见之广，反各有所偏致，有服丹砂者，服凉剂者。服丹砂者，为害固不待言。余以目击服凉剂者言之。友人柯敬仲、陈云峤、甘允从三人，皆服防风通圣散，每日须进一服以为常。一日，皆无病而卒，岂非凉药过多，销铄元气殆尽，急无所救者欤？可不戒之。"

## 三月

**廷试进士，赐笃列图、王文烨等九十七人及第、出身有差**。见《元史》卷三十四《文宗本纪》。欧阳玄为会试读卷官，虞集为御试读卷官。虞集《大廷策士，问经世之道，仆忝在读卷之列，观诸进士所对，有感赋此。录以赠别镏性粹中、支渭兴文举二贤良》："昔人有欲问先天，林下相期二十年。已向尘埃成白发，还从灯火事青编。获

麟遂讫春秋后，鸣鸟犹闻礼乐前。春雨未来农事晚，独怀归计在山田。"（《道园学古录》卷三）

**雅琥登进士第。**傅若金有《忆昔行送雅勒呼正卿参书南归。参书闲居京师，行中书调广西选，以为静江同知。比上其名，中书正奏授高邮。时广西寇盗，而参书母老，即移家归武昌待次。遂作此奉送，兼问讯江汉故人》诗，于其名下注曰："初名雅古，登天历第，御笔改雅勒呼。"（《傅与砺诗集》卷三）或以天历未尝开科而言与砺所记为误。不知改元至顺在本年五月，登第时在三月，其言天历第正是。或有称至顺元年进士者，乃以五月改元，故后世史家遂径以至顺元年为本年纪年之始，《元史》之纪年，均用此例。雅琥（约1284—1345），或译作雅勒呼，字正卿。本名雅古，色目人，文宗改名为雅琥。后至元间，行中书省调选广西静江知府。比上其名，中书正奏授高邮。后历官至福建盐运司同知。《元诗选》二集戊集选其诗39首。马祖常《送雅勒呼参书之官静江诗序》："奎章阁参书雅勒呼，字正卿，取高科，登朝廷，以文学才谞遇知于天子。出贰郡治，以宣上德而修百姓之务，亦可谓荣矣。"（《石田文集》卷九）

**林泉生登进士第。**虞集《书隐堂记》："莆阳林泉生清源，既登至顺庚午进士第，即介前进士昭武黄清老子肃，来求文以记其家所谓书隐堂者。"（《道园学古录》卷九）林泉生（1299—1361），字清源，号谦牧、觉是。先世居莆田，后徙永福。天历三年，登进士第，授承事郎、同知福清州事。明年，除泉郡府经历。丁父忧，服除，选授承务郎、温州路永嘉县尹。调漳府推官，升奉训大夫、知福清州事。秩满，除翰林待制、奉直大夫，以太夫人年逾九十，改福建行省理问官，寻升郎中。除漳郡太守，未行，召入为翰林直学士、奉议大夫、知制诰、同修国史，时已得疾卧章山中。至正二十一年卒，年六十三。谥文敏。著有《春秋论断》、《觉是集》二十卷。《元诗选》三集己集选其诗19首。生平据吴海《故翰林直学士奉议大夫知制诰同修国史林公行状》、《元故翰林直学士林公墓志铭》（《闻过斋集》卷五）。

**李裕登进士第，授汴梁路陈州同知。**宋濂《故承务郎道州路总管府推官李府君墓志铭》："至顺庚午，擢进士上第，授承事郎、同知汴梁路陈州事，上有朱衣象笏之赐。"（《文宪集》卷二十一）李裕（1294—1338），字公饶，婺州东阳人。从学于许谦。至治间上《至治圣德颂》，得宿禁卫。旋补国子生。登至顺元年进士第，授承事郎、汴梁路陈州同知。重纪至元四年卒，年四十五。与陈樵、宋褧等人唱和。著有《中行斋稿》，已佚。《元诗选》三集戊集选其诗35首。

**刘性登进士第。**刘性，一作镏性，字粹衷。欧阳玄《安成刘氏儒行阡表》："至正甲申，安成刘君粹衷以翰林应奉为后宋局修史官。……未几病作，又未几疾甚。遣其子都来趣余为阡表，余有所不忍也，已而果卒。……粹衷有学识，能词章，会试、御试皆第二，在南士中实第一名。为旌德县尹，廉明有威，政化大行，迁应奉翰林文字、儒林郎、同知制诰兼修国史院编修官。其与修《宋史》，大惬士论。余庚午科考试南宫，实余所得士。"（《圭斋文集》卷十一）

**许有孚登进士第。**许有壬《亡兄大理知事公志》："初，有壬登第，季有孚方学。公曰：汝能继兄，当作双桂堂。有孚果登至顺庚午上第。"（《至正集》卷六十四）许有孚，字可行，许有壬弟。历官南行台御史、同金太常礼仪院事。《元诗选》初集丙集

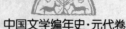

于许有壬后附选其诗 11 首。《石洲诗话》卷五:"许有孚《泠然台雪用东坡聚星堂韵》之作,并非禁体,诗亦不工。"

**施耳登进士第。**施耳(1296—1370),字子安,吴郡人,生于兴化。至顺元年进士,任官杭州,未几弃去。洪武三年卒,年七十五。或以为其人即撰《水浒传》之施耐庵。录此备一说。

**刘闻登进士第,授临江录事。**虞集有《送进士刘闻文廷赴临江录事》诗(《道园学古录》卷三)。刘闻,字文廷(一作文霆,或作闻廷),号容窗,安福人。至顺元年进士,历官国子助教、太常博士、江西儒学提举。至正中,拜翰林编修,进修撰,出知沔阳府。著有《春秋通旨》、《容窗集》十卷。《元诗选》三集庚集选其诗 8 首。杨士奇《刘文霆集跋》:"右刘文霆集。文霆名闻,安城人,元天历庚午进士,官至沔阳知府。文名重当时,后以沔阳之节不完,故不见称于世。今其家已无嗣。此集近年其外孙杨嗣庆所编刻,余得之安城尹道冲。"(《东里续集》卷十八)

## 五月

**初八,改元至顺。**见《元史》卷三十四《文宗本纪》。

**十七日,翰林国史院修《英宗实录》成。**谢端《进实录表》:"臣等所编成《英宗皇帝实录》四十卷、《事目》八卷、《制诰录》二卷,总计五十卷,缮写已毕,谨具进呈。"(《元文类》卷十六)

## 六月

**胡助扈从上京,作《上京纪行集》一卷。**一时名公如字术鲁翀、吕思诚、吴师道、王士熙、揭傒斯、王理、曹鉴、陈旅、苏天爵等,多为题署。胡助《上京纪行诗序》:"至顺元年夏五月,大驾清暑滦阳,翰林诸僚佐扈从,而助亦在行中。会微疾,差后至六月下瀚,始与检阅官吕仲实偕行。仲实权从游于升学者也,今又同在史馆,故乐与之偕。沿途马上,览观山水之盛也,日以吟诗为事。比至上都,官署寓于视草堂之西偏,文翰闲暇,吟哦亦不废。是时学士虞先生乘传赴召,先生至于堂上,留数十日,日侍诲言。先生属以目疾惮书,凡有所作,往往口占,而助辄从傍执笔书焉。助或一诗成,必正于先生,而先生亦为之忻然。其所以启迪者多矣,兹非幸欤?南还之日,又与翰林经历张秦山、应奉孟道源及仲实同行,亦日有所赋。若睹夫巨丽,虽不能形容其万一,而羁旅之思,鞍马之劳,山川之胜,风土之异,亦略见焉。至京师,辄录为一卷,凡得诗总五十首,以俟夫同志删云。其年八月吉日自序。"(《纯白斋类稿》卷二十)《纯白斋类稿》有《上京纪行诗七首》(卷二)、《上京纪行再赋居庸关》(卷八)、《上京纪行见玉泉山下荷花》(卷十四)等诗,当即其时所作。此外,《草堂雅集》尚存其《滦阳十咏》、《龙门行》,亦为其时所作。《草堂雅集》卷十三:"右《滦京十咏》,古愚亲写以寄。虽已刊于《上京纪行集》中,人不多见,今再附于此,庶以见皇元典章文物之盛事云。"

## 七月

**赵天锡赴镇江府判任。**《至顺镇江志》卷十五："赵禹珪，字天锡，河南人。承直郎，至顺元年七月二十七日至，三年十月致仕。"王国维《录曲馀谈》、傅惜华《元代杂剧全目》、赵景深《试谈河南元代曲家》、孙楷第《元曲家传略》均以为其人即曲家赵天锡。姑系于此。赵天锡，汴梁人。著有杂剧《试汤饼何郎傅粉》、《贾爱卿金钱剪烛》，已佚。《全元散曲》录其小令7首。贾仲明〔双调〕《凌波仙·吊赵天锡》："曹公汤饼试何郎，天德名公家汴梁，《金钗剪烛》音清亮。为府判，任镇江；出台阁，官样文章。显新句，贮锦囊，金玉铿锵。"

## 九月

**初一，朱凯为钟嗣成所撰《录鬼簿》作序。**《录鬼簿》卷下："凯字士凯，自幼孑立不俗，与人寡合。小曲极多，所编有《升平乐府》及隐语《包罗天地》、《谜韵》，皆余作序。"所著有杂剧《孟良盗骨殖》、《黄鹤楼》2种，今皆存。贾仲明〔双调〕《凌波仙·吊朱士凯》："梨园乐府永升平，沉默敦笃念信诚，《包罗天地》曹娥镜。诗禅隐语精，振江淮，独步杭城。王彦中，弓身侍；陈元赞，拱手听；包贤持，拜先生。"

## 十月

**范梈卒，年五十九。**吴澄《故承务郎湖南岭北道肃政廉访司经历范亨父墓志铭》："天历二年，授湖南岭北道肃政廉访司经历，以养亲辞，不赴其秩。自湖广行省校文而还，逾月有母丧。明年十月，以疾终，年五十九。"（《吴文正集》卷八十五）袁桷《送范德机序》："君所为诗文，幽絜而静深，怨与不怨，皆存乎天。慨然南归，善治其学，弥谨所徇，使果择士耶？无以易矣。譬之璞焉，蓄极而光，遇宁有不遂者乎？"（《清容居士集》卷二十三）袁桷《读范德机东坊稿》："范子东坊居，深巷蔽樛木。架上一帙书，墙东数丛菊。明月照西山，清夜勤盥沐。学为孤凤吟，非丝亦非竹。阴阳合万籁，逸响振林谷。水花不受唾，天衣那有触。玉署青裳枝，三嗅羞独宿。沧洲有真趣，从此谢荣辱。"（《清容居士集》卷五）虞集《题范德机诗集后》："抱膝长吟老范兄，寒岩古柏两同清。东都高节鸿毛远，南海真仙鹤骨成。遗稿飘零存梗概，孤儿瘦弱赖高情。若无尘外知心友，千古谁闻出世名。"（《道园学古录》卷二十九）虞集《赋范德机诗后》："玉堂妙笔交游尽，投老江南隔死生。最忆崖州相忆处，华星孤月海波清。"（《道园学古录》卷三十）揭傒斯《傅与砺诗集序》："自至元建极，大德承化，天下文士，乘兴运，迪往哲，稍知复古。至于诗，去故常，绝模拟，高风远韵，纯而不杂，朔南所共推而无异论者，盖得江西范德机焉。"揭傒斯《范先生诗序》："〔范先生〕与浦城杨载仲弘、蜀郡虞集伯生齐名，而余亦与之游。伯生尝评之曰：杨仲弘诗如百战健儿，范德机诗如唐临晋帖，以余为三日新妇，而自比汉庭老吏也。闻者皆大笑。余独谓范德机诗以为唐临晋帖，终未迫真。今故改评之曰：范德机诗如秋空行云，晴雷卷雨，纵横变化，出入无朕。又如空山道者，辟谷学仙，疲骨峻嶒，神气自若。又如豪鹰掠野，独鹤叫群，四顾无人，一碧万里。差有可仿佛耳。晚尤工篆、隶，吴兴赵文敏公曰：'范德机汉隶，我固当避之。'若其楷法，人亦罕及。……其诗道之传，庐陵杨中得其骨，郡人傅若金得其神，皆有盛名。"（《揭傒斯全集·文集》卷三）吴澄《故承务郎湖南岭北道肃政廉访司经历范亨父墓志铭》："为文雄健，追慕先汉，古近体诗尤工，蔼然忠臣孝子之情，如杜子美。"（《吴文正集》卷八十五）《草木子》卷四上："危太朴学士与范德机先生秋夜同步，先生得二句云：'雨止修竹间，流萤夜深至。'喜甚。既而曰：'语太幽，殆类鬼作。'亦近似也。"王礼《陈子泰诗稿序》："江西自德机范先生用太白风格，一变旧习，流动开阖，春容条畅，音响节奏，咸赴以合，类皆和平之音。于是学者翕然从之，遂无复涛怒电蹴、鳌掀鲸吼、镵空擢壁、峥冰掷戟之态。"（《麟原前集》卷五）刘球《书范先生侯官稿后》："昔吾清江范德机先生，以诗鸣元盛，所谓《侯官稿》者，乃其佐闽幕时所作。总五七言诗不越五十七篇，已可见其用思之清苦，制辞之婉正，类事之切实，足以形容山川之胜、物景之美、吏政之得失、民风士气之好恶，况窥其全稿哉！宜乎其与虞、杨、揭二三先生并称贤当时也。"（《两溪文集》卷十九）《元诗选》初集丁集："德机诗学庐陵，杨中伯允得其骨，郡人傅若金与砺得其神，皆有盛名于时。欧阳原功曰：宋东都时，黄太史号江西诗派。南渡后，杨廷秀好为新体。宋末，刘会孟出于庐陵，而诗又一变。我元延祐以来，弥文日盛，京师诸名公，一去宋金季世之弊，而趋于雅正。于是西江之士，亦各弃其旧习焉。盖以德机与曼硕为之倡也。"《历代诗话》卷六十六："范德机诗：'黄河西去从天下，泰华东来拔地高。'吴旦生曰：此德机杰句，有函盖，有振荡，不徒以气象求之。如云：'日月双吟鬓，乾坤独病身。'又云：'乾坤双蜡屐，江海一渔舟。'又云：'世故风尘双短屐，生涯天地一扁舟。'三诗辞致若一，且俱在颈联，要其兴会所属，意到笔落，不自知其仿佛也。生平与仲弘契分，谈诗最合，故德机有《进三朝实录》诗：'三后龙光周典册，群臣鹄立汉衣冠。'仲弘则有《寄袁伯长》诗：'祀事悉稽周典礼，颂声须假汉文章。'又《西曹即事》诗：'李耳旧藏周典礼，萧何元得汉图书。'即两人各自意到笔落，亦不自知其仿佛也。"又："《草木子》曰：'危太朴尝与范德机秋夜同步，德机得二句云：雨止修竹间，流萤夜深至。喜甚，既而曰：语太幽，殆类鬼作，不复缀笔。'吴旦生曰：此德机《感秋》诗也，集中具有全作，岂终自眷惜，为之缀笔耶？诗云：'苍山秋意长，池馆静而闳。雨止修竹间，流萤夜深至。羲黄世已远，雅俗日凋弊。举手遏颓波，谁识作者意。乌啼鲁东门，泗水不染袂。后出三千年，直可肩圣智。机关系风化，词语特细事。月落闭虚帘，坐梦太古帝。扬眉顺玉色，尽发养生秘。勿谓仙学难，此道可立致。'观其托旨深长，寄怀神圣，盖将示来学，以趋归其自家胸次，岂复堕鬼趣哉？要知类鬼一语，即是其教来学者知所避就尔。"《石洲诗话》卷五："范文白诗颇有格调，亦不能深入此事。有格调，则可以支架矣，亦较杨仲弘稍雅。"四库提要卷一六七："《范德机诗》七卷，元范梈撰。……叶子奇《草木子》载梈有与危素同晚步，得'雨止修竹间，流萤夜深至'二句，喜甚。既而曰'语太幽，殆类鬼作'云云。即今集中《苍山感秋》诗也。其语清微妙远，为诗家所称。然梈诗豪宕清遒，兼擅诸胜，实不专此一格。《闽书》又载其为闽海道知事时，以文绣局取良家子为绣工，作《闽州歌》述其事，廉访使遂奏革其弊。歌今亦载集中，然其事可记，其诗则语颇近俗，与沈作喆《哀扇工歌》仅相伯仲，尤不当以是概椁也。揭傒斯序其集曰：……。傒斯之语，虽务反虞集之评，未免形容过当，然椁诗格实高，其机杼亦多自运，未尝规规刻画古人，固未可以'唐临晋帖'一语据为定论矣。"《适园藏书志》卷十三："钱氏手跋曰：元季四家，虽以伯生为领袖，然德机诗才秀逸，吐属风流，亦当独冠一时。较诸伯生体大思精，不无稍逊，在仲弘、曼硕间，另出手眼，岂只鼎足而已？"

## 本年

　　**某月二十二日，钟嗣成自序所撰《录鬼簿》。**序见本集卷首。《录鬼簿》二卷，著录元曲作家一百五十馀人，《澹生堂藏书目》卷十二、《千顷堂书目》卷二十九、《钱遵王述古堂藏书目录》、《也是园藏书目》卷十、《楝亭书目》卷四、《暖红室汇刻传奇》、《藏园订补邵亭知见传本书目》卷十六下均有著录，今存天一阁藏明蓝格钞本、明钞《说集》本、孟称舜刊本、曹楝亭刊本，另有近人王国维、马廉、王钢等校注本，又有《中国古典戏曲论著集成》本、上海古籍出版社校点本。元代戏曲作家，多赖《录鬼簿》以传。然观书中纪事，有涉及元统二年（1334）（曹刊本"周文质"条）、至正辛巳（1341）（曹刊本"李显卿"条）与至正五年（1345）（曹刊本"乔吉甫"条）者，其书当非一时之作，乃陆续增订而成。盖继先于本年写成《录鬼簿》初稿，即自序之，又请朱凯为其作序。元人著书，多有著成一集，即广征时贤为序，作序日期与刊刻日期时有相隔数年甚而十数年者，乃一时之风气，钟嗣成《录鬼簿》自序与书中内容时间上前后之别，想亦由此。朱凯《录鬼簿序》："文以纪传，曲以吊古，使往者复生，来者力学，《鬼簿》之作，非无用之事也。大梁钟君继先，号丑斋，乃善之邓祭酒、克明曹尚书高弟也。累试于有司，命不克遇，从史则有司不能辟，亦不屑就，故其胸中耿耿者，借此为喻，实为己而发之。乐府小曲，大篇长诗，传之于人，每不遗稿，故未能就编焉。如《冯骥焚券》、《伪游云梦》、《斩陈馀》、《蟠桃会》等词，皆在他处按行，故近者不知，人皆易之。君之德业辉光，文行温润，后辈奚能及焉。……至顺元年九月吉日，朱凯士凯序。"邵元长《录鬼簿序》："余僻居慈溪山县，每叹孤陋，侧听继先钟先生名久矣，莫遂识荆。丁丑（1337）孟秋，邂逅于东皋精舍，匆匆东之鄞城，中秋复回溪上，示余以新编《录鬼簿》，皆当今显宦名公词章行于世者，恐后湮没姓名，故编次成集。纪其出处才能于其前，度以音律乐章于其后，千万载之下，知其为何如人，直欲俾其为不死之鬼也。先生之用心，诚可嘉尚。"邾经《蟾宫曲·题录鬼簿》："可人千古风骚，如意珊瑚，苍水鲸鳌。纸上功名，曲中情思，话里渔樵。叹雾阁云囱梦窈，想风魂月魄谁招。裹骊珠，泪冷鲛绡。续冰弦，指冻鸾胶。传芳名，玉兔挥毫。谱遗音，彩凤衔箫。至正庚子七月八日，西清道士邾经仲谊识。"贾仲明《书录鬼簿后》："前有董解元等，皆省院台部翰苑路府要路公卿大夫者四十四人，未纪挽词为吊。又编集传奇名公，自关先生等五十六人，惟纪其所编传奇，亦未吊之。与钟君相知者，自宫大用已下一十八人，皆作其传，各各以《凌波仙》曲吊挽。已后

277

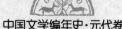

才人与先生不相识者，王思顺等三十三人，止列其姓名，书其学问，俱无词吊之。……余今暮年衰耄，首先公卿大夫四十四人，未敢相挽，自关先生至高安道八十二人，各各勉强次前曲以缀之。"贾仲明〔双调〕《凌波仙·题录鬼簿》："钟君《鬼簿》集英才，声价云雷震九垓，衣襟金玉名仍在。著千年，遗万载。勾肆中，般演诙谐。弹压著莺花寨，凭凌着风月牌，留芳名，纸上难揩。"

**鲍天祐或卒于本年以前。**《录鬼簿》以之人"方今已亡名公才人余相知者"。鲍天祐，一作钱天祐，字吉甫，杭州人。《录鬼簿》卷下："初业儒，长事吏。簿书之役，非其志也。跬步之间，惟务搜奇索古而已。故其编撰，多使人感动咏叹。余与之谈论节要，至今得其良法。才高命薄，今犹古也，竟止昆山州吏而止。"著有杂剧《王妙妙死哭秦少游》、《史鱼尸谏卫灵公》、《忠义士班超投笔》、《贪财汉为富不仁》、《摘星楼比干剖腹》、《英雄士杨震辞金》、《汉丞相宋弘不谐》、《孝烈女曹娥泣江》，仅《史鱼尸谏卫灵公》、《王妙妙死哭秦少游》二种存残曲。钟嗣成〔双调〕《凌波仙·吊鲍吉甫》："平生词翰在宫商，两字推敲付锦囊。耸吟肩，有似风魔状。苦劳心，呕断肠，视荣华，总是干忙。谈音律，论教坊，唯先生，占断排场。"据《录鬼簿》卷下，鲍天祐所作《孝烈女曹娥泣江》一剧中，有汪勉之所编两折。汪勉之，庆元人。由学官历浙东帅府令吏。所作乐府甚多。

**陈以仁或卒于本年前。**《录鬼簿》卷下有其名，列于"方今已亡名公才人余相知者"。《录鬼簿》之初稿成于本年，其时以仁已卒。《录鬼簿》卷下："以仁字存甫，杭州人。以家务雍容，不求闻达，日与南北士大夫交游。僮仆辈以茶汤酒果为厌，公未尝有难色。然其名因是而愈重。能博古，善讴歌。其乐章间出一二，俱有骈丽之句。"据此，则存甫殆亦倪瓒、顾瑛之流。陈以仁，一作陈以伏，字存甫，或作存父。所著杂剧有《锦堂风月》、《十八骑误入长安》，今仅《误入长安》存残曲。钟嗣成〔双调〕《凌波仙·吊陈存父》："钱塘风物尽飘零，赖有斯人尚老成。为朝元，恐负虚皇。命凤箫，寒鹤梦惊。驾天风，直上蓬瀛。芝堂静，蕙帐清，照虚梁，落月空明。"

**沈拱尝馆于陈以仁家，不旬日而亡。**《录鬼簿》卷下："拱字拱之，杭州人。天资颖悟，文质彬彬。然惟不能俯仰，故不愿仕。所编乐府最多。以老无后，病无所归，存甫馆于家，不旬日而亡，存甫殡送之，重友谊也。"于此，以仁之好与士交亦可见一斑。钟嗣成〔双调〕《凌波仙·吊沈拱之》："掀髯得句细推敲，举笔为文善解嘲，天生才艺藏怀抱。奈玉石，相混淆，更多逢，世事咬嚼。蜂为市，燕有巢，吊斜阳，缓走西郊。"

**吴勤生。**吴勤（1330—1405），字孟勤，号匡山樵者，又号田翁，永新人。著有《匡山樵者》、《黄鹤山樵》等集。生平见《国朝献征录》卷九十三胡广所撰行状。

**张适生。**张适（1330—1394），字子宜，长洲人。十三岁赴乡试，时称神童。元末，与高启、杨基等人以诗文唱和。洪武初，荐修《元史》，官水部郎中，未几辞归。著有《甘白集》六卷。生平见俞贞木《张子宜（宣）墓志铭》（《吴下冢墓遗文》卷三）。

## 公元 1331 年　（文宗至顺二年　辛未）

## 二月

**二十一日，同恕卒，年七十八。** 贾仁《元故奉议大夫太子左赞善榘庵先生同公行状》："至顺二年二月二十一日，以疾终于群贤坊第寝，寿七十有八。"（《榘庵集》附录）苏天爵《太子赞善同公文集序》："天爵再三诵读，爱其词淳而义正，信乎有德者之有言也。呜呼！迩年以来，中原耆旧相继沦逝，流风馀韵，日远日亡，独赖其语言文字尚能稽其一二。"（《滋溪文稿》卷五）贾仁《元故奉议大夫太子左赞善榘庵先生同公行状》："先生温粹安静，小心畏慎，非礼不动，于世味澹无所好，非其道，一介弗取，义所当与，虽在窘迫，无丝发吝。性整洁，虽衣布素，未尝染纤垢，大暑亦不去冠带。读书端坐敬对，或理有未得，终夜以思，事有未知，旁稽所自，必融通而后已。轨辙程、朱，履真践实，不为浮靡习。……先生家无儋石之储，丛书几万卷，手不停披，怡然自适。诗文不苟于作，诗喜陆放翁，而文慕周益公。扁所居为榘庵，又号其轩曰日鉴，期以自警，日以笃信好学、守死善道为事。"（《榘庵集》卷十五附录）《元史》卷一八九《儒学传》："恕之学，由程、朱上溯孔、孟，务贯浃事理，以利于行。教人曲为开导，使得趣向之正。"四库提要卷一六七："《榘庵集》十五卷，元同恕撰。……其平生著作，不事粉饰，而于淳厚敦朴之中，时露峻洁峭厉之气。贾仁《行状》称其于诗喜陆放翁，于文慕周益公。富珠哩翀《神道碑》又称至元三十一年，国史修世祖帝纪，采事四方，陕西行省平章政事咸宁王辟为掾，典司编录。故于元初典故，最为详赡。集中志状诸作，多有可与金、元正史相参订者。惟《祈禳青词》，本非文章正体，恕素以明道兴教自任，更不宜稍涉异端。乃率尔操觚，殊为失检。"

**二十六日，宋本作《滋溪书堂记》。** 滋溪书堂者，苏天爵之所居也。宋本《记》言其所著有《辽金纪年》、《国朝名臣事略》，并言"今之诸人文章，方类粹未已"，当是指《元文类》而言。知此时《元文类》尚未编成。此篇后来亦收入苏天爵所编之《元文类》。

## 五月

**初一，奎章阁学士院上《皇朝经世大典》。**《元史》卷三十五《文宗本纪》以为其书成于本月乙未。《元文类》卷十六有欧阳玄所作《进经世大典表》，署至顺三年二月进。其表又见于《圭斋文集》卷十三，署至顺三年三月。危素《圭斋先生欧阳公行状》言欧阳玄纂修《皇朝经世大典》成于至顺二年春。欧阳玄《渔家傲南词序》又言至顺三年二月修《经世大典》毕。虞集撰《经世大典序录》（《道园学古录》卷五），详叙其撰修本末。《经世大典》今已不存，仅赖《元文类》中赵世延等人所撰序录得见其大概。

## 六月

**初七，王理序苏天爵所编《国朝名臣事略》。** 序见本集卷首，又有欧阳玄、许有壬（《至正集》卷三十）所作序。《国朝名臣事略》十五卷，今存《四库全书》本、《畿辅丛书》本、《丛书集成初编》本。四库提要卷五十八:"《元朝名臣事略》十五卷,元苏天爵撰。……此书记元代名臣事实,始穆呼哩(原作木华黎,今改正),终刘因,凡四十七人。大抵据诸家文集所载墓碑、墓志、行状、家传为多,其杂书可征信者,亦采掇焉。一一注其所出,以示有征。盖仿朱子《名臣言行录》例,而始末较详;又兼仿杜大珪《名臣碑传琬琰集》例,但有所弃取,不尽录全篇耳。后苏霖作《有官龟鉴》,于当代事迹皆采是书。《元史》列传亦皆与是书相出入,足知其不失为信史矣。"《四库全书总目提要补正》卷十九:"《元朝名臣事略》十五卷。陆氏《仪顾堂集》有《校元本名臣事略书后》云:'向读《事略》至卷十一《赵文正事略》,与史不符,疑其中必有错简。今以元刊本校之,知今本夺落甚夥。卷首脱许有壬序三叶,王守诚跋二叶。卷二《丞相楚国武定公事略》,第一条"由子大"下,脱九条,约一千二百馀字。卷九《太史郭公事略》,第十三条"且缓其言"下,脱五百八十馀字。卷十一《赵文正事略》,第九条"初我师取四川"以下,脱七条,约千六百馀字。其"十六年李梓发盗"以下,则贾文正事,而非赵文正事也。《贾文正事略》脱前十二条,约二千馀字。'"

## 八月

**牟应复刊其父牟巘《陵阳集》二十四卷。**程端学《陵阳集序》:"元初陵阳先生牟公巘,博学实德,为时名卿。天下之书无所不读,古今典礼无所不考,其源出于伊、洛,其出处有元亮大节。故其发于文章,渊源雅淡,从容造理,其法度之妙,盖有与欧、曾并驰,而其实则吾道之言也。天下后世,当有慕其人而爱其文,诵其文而想见其人者矣。端学自史院归田于鄞,公之次子浙东帅府都事应复景阳甫在鄞,出公诗文若干卷,将锓诸梓,属端学序引。……至顺二年八月朔,从仕郎、前翰林国史院编修官程端学序。"《陵阳集》,《文渊阁书目》、《国史经籍志》、《千顷堂书目》均作三十四卷,又见《北京图书馆古籍善本书目》,今存《吴兴丛书》本、《四库全书》本、清抄本。

## 十一月

**十七日,龚璛卒,年六十六。**黄溍《江浙儒学副提举致仕龚先生墓志铭》:"盖先生异时以门荫补官,亦将仕郎也。在官岁馀,移疾上休致之请,遂以从仕郎、江浙等处儒学副提举致仕。命下,先生已卒于宜春,其卒以至顺二年十一月十七日,享年六十有六。"(《文献集》卷八上)唐元《读子敬龚先生江东小稿》其一:"词场诗社老能成,宿将临边号令明。尽洗铅华看绝色,何烦丝竹听希声。谢韦向上无圭角,濂洛方来以道鸣。自古文章分正闰,纷纷齐楚孰争盟。"其二:"宫墙面对阅时流,能事高悬水镜秋。清苦三年嗟刻楮,繁华满目付浮沤。坡公门下无多客,工部毫端有万牛。倘乞刀圭生羽翼,会随鸡犬上瀛洲。"其三:"寂寞祠官升斗谋,山川黄落未归舟。五更孤枕六句客,二句三年双泪流。醉倒浣花宗武在,行吟楚泽屈原愁。愿因纨缟酬投赠,不贵人间万户侯。"(《筠轩集》卷七)《石洲诗话》卷五:"龚子敬璛《咏史》有'文若纵存犹九锡，孔明虽死亦三分'之句，为时传诵。其咏《岳王孙县尉复栖霞墓田》七律，甚有风格。"四库提要卷一六六："《存悔斋稿》一卷、补遗一卷，元龚璛撰。……盛仪《嘉靖维扬志》称璛善属文，刻意学书，有晋人风度。盖亦一时知名士。乃篇什所存，寥寥无几，当已不免散佚。然其诗格伉爽，颇能自出清新，在元人诸集中，犹为独开生面，正不必以少为嫌矣。"钱振锽《论诗》三："杭州诗派擅聪明，后起龚郎最有名。非复汉家全盛日，半张纸上起秋声。"

**苏天爵由翰林修撰擢拜南台御史，明年正月到任。**黄溍《苏御史治狱记》："至顺二年冬十有一月，赵郡苏公天爵由翰林为御史南台。时方用中书奏，遣官审覆论报天下狱囚。三年春正月，公甫就职，即分莅湖北。湖北所统地大以远，其西南诸郡，民獠错居，俗素犷悍，喜斗争，狱事为最繁。公不惮山谿之阻，瘴毒之所侵加，遍履其地，虽盛暑，犹夜篝灯阅文书无少勌。"（《文献集》卷七上）苏天爵尝先后历官南台御史、中台御史、西台御史，所上章疏颇富，甚为时贤所称。黄溍有《读苏御史奏稿》（《文献集》卷四），以陆贽、裴延龄拟之。苏天爵《题松厅章疏后》："右《松厅章疏》五卷，天爵备员御史时所建言也。至顺二年冬十一月，天爵蒙恩自翰林修撰拜南行台御史，明年正月到官。未几，奉诏录囚湖广。五月，召拜监察御史。时方在辰、沅，远莫知也。七月，代者方至。八月入京，道除奎章授经郎。十月，始供职。明年，今天子入即位，寻诏奎章儒臣侍讲《六经》禁中，天爵亦进兼经筵译文官。是岁冬十二月，复官六察。明年四月，敕翰林修先朝实录，遂有待制之命。其在察院凡四月耳，而又稽核诸司吏牍，监摄庙社祠享，故所言止此。呜呼，居言责者，岂易为哉！昔人或焚稿以示谨密之意，或存稿以彰从谏之美，顾天爵何人，敢为是乎？第藏之于家，以示子孙。元统三年夏五月廿日，亚中大夫、中书省右司都事兼经筵参赞官苏天爵题。"（《滋溪文稿》卷二十八）陈旅《跋松厅章疏》："前代有谏官，有察官，其任皆重也。我朝唯设监察御史，而谏官之责寓焉，则御史实有两重任矣。然居是官者，往往致详于六察，匡谏之道则或未尽。至于为天下后世计，而出于寻常识见之外者，盖益寡矣。赵郡苏公伯修，为御史中台仅四阅月，而所上章疏已四十有五。言当畏天变，奉宗庙，保圣躬，辅圣德，止畋猎，大臣不当增广居第，凡政治之未善，民隐之未恤，风俗之未正，贤者之宜进而未进，不肖之宜退而未退者，皆言之。道足以事明主，气足以肃群慝，学足以达古今之变，智足以周天下之虑，若公者，可谓能任夫两者之重也。中间又尝以延平李先生从祀为请，于世教盖拳拳焉。呜呼，为御史而念及乎此，是岂易与寻常识见者言哉！"（《安雅堂集》卷十三）

## 本年

黄溍以马祖常荐，被召为应奉翰林文字、同知制诰兼国史院编修官，进阶儒林郎。上京沿途所作，有《上京道中杂诗十二首》等。

**唐肃生。**唐肃，字处敬，自号丹崖居士。世为杭之新城人，自其父始迁居越，为越之山阴人。至正二十二年，充赋江浙，中其选。以道梗不得上春官，省臣便宜授杭州路黄岗书院山长，转嘉兴路儒学正。明兵取浙西，起赴南京，以父忧东还。洪武三年春，用近臣荐，召至京师，纂修礼、乐书。夏，擢应奉翰林文字、承事郎。明年夏，以疾失朝参免官。归乡后，谪佃于濠。洪武七年十二月四日（公历为 1375 年 1 月 6 日）卒。与高启等号"北郭十友"，又与上虞谢肃齐名，号"会稽二肃"。著有《丹崖集》八卷。生平据翁好古《唐应奉行状》（《丹崖集》附录）、苏伯衡《翰林应奉唐君墓志铭》（《苏平仲文集》卷十二）、朱彝尊《唐肃传》（《曝书亭集》卷六十三）。

**王行生。**王行（1331—1395），字止仲，号半轩、褚园、淡如居士，吴县人。北郭十友之一。著有《半轩集》十二卷、补遗二卷。生平见杜琼《王半轩传》。

**俞贞木生。**俞贞木（1331—1401），初名桢，字贞木，后以字行，更字有立，吴郡人。著有《立庵集》。生平见王璲所撰墓志铭。

**郭贯卒，年八十二。**《元史》卷一七四郭贯本传："至顺二年，以疾卒，年八十有二。"郭贯，字安道，保定人。卒赠光禄大夫、河南行省平章政事、柱国，追封蔡国公，谥文宪。曹刊本《录鬼簿》卷上"彭伯威"条，著录《四不知月夜京娘怨》，注云："又云郭安道作。"或以为此郭安道即郭贯。彭伯威，明写本《录鬼簿》卷上作彭伯成，录其所作杂剧为《月宫金娘怨》，而不言有郭安道所作之说。姑系于此，俟考。

**萧英编其父萧国宝诗文为《辉山存稿》一卷。**萧国宝，字君玉，号辉山，山阴人。以乡举官吴江，家于吴。著有《辉山存稿》一卷。《元诗选》初集甲集选其诗 12 首。《元诗选》初集甲集："有《辉山存稿》若干首，其嗣子英所编。东鲁孔涛为之序，称其'握瑜怀璞，韫而不沽，发而为诗，皆有补于世道。近世浙右以诗名者，称张、邓、仇、白。余皆获从之游，独不及一识君玉为恨。时至顺辛未岁也。'明崇祯间，十五世孙云程重定，仅存二十馀首。"四库提要卷一七四："《辉山存稿》，元萧国宝撰。……其集乃至顺二年其嗣子英所编次，而孔东涛为之序。称其诗清新警策，句律整严。然此本所载仅二十四首，为明崇祯间其裔孙云程重编。疑旧稿散佚，云程掇拾成之，故所存止此也。书仅五页，不成卷帙，已见于顾嗣立《元诗选》中，故不复录焉。"

## 公元 1332 年 （文宗至顺三年　壬申）

### 二月

**欧阳玄作《渔家傲》鼓子词十二首。**词有玄自序，见《圭斋文集》卷四。"十一月"、"十二月"，《御选历代诗馀》作"子月"、"腊月"。《词品补》："宋欧阳六一作十二月鼓子词，即今之《渔家傲》也。元欧阳圭斋亦拟为之，专咏元世燕京风物。"

### 六月

**二十三日，何中卒，年六十八。**揭傒斯《何先生墓志铭》："至顺二年夏，诏以集贤大学士全公岳柱平章江西行省事，秋，具书币遣使帅抚州太守即隐所聘孙先生辙、何先生中，而孙不起。何先生既至，以为龙兴郡学东湖、宗濂二书院宾师。明年春，与其子渡江游西山，主丁氏。夏六月二十有三日，以疾卒。"（《揭傒斯全集·文集》卷八）吴澄《题何太虚近稿后》："表弟何中太虚少负逸才，弱冠已能诗，而亦用意于文。至顺二年春，予卧病，顾予于病中，录示近作十数。予读之，盖优优升七子之堂矣。予不胜其喜，非私喜也，喜斯学之不孤也。斯学也，虽非儒者之本务，而其格力之高下，实由气运之盛衰，关系又岂小小哉！"（《吴文正集》卷五十八）揭傒斯《何先生集序》："何先生讳中，字养正，号太虚，抚乐人。……其为诗精深雅粹，可与唐贞元、元和间诸人雁行。其为文义博而词达，可追古作者。"《元史》卷一九九《隐逸传》："少颖拔，以古学自任，家有藏书万卷，手自校雠。其学弘深该博，广平程钜夫，清河元明善，柳城姚燧，东平王构，同郡吴澄、揭傒斯，皆推服之。"《徐氏笔精》卷四："元季诗人踵出，知名者无论已。予家藏何中《知非集》六卷，佳句叠见，如：'燕来春已去，花少雨偏多。''汉殿金人别，唐陵石马嘶。''落花萦树转，幽鸟过林鸣。''山围双鹭晓，门闭一蝉秋。''鸟语前林日，鸡鸣曲巷烟。''年华流水在，春事落花知。''日明山气改，江静水痕归。'七言如：'赤壁惊乌飞夜月，衡阳归雁落秋风。''两涧寒声通法席，数峰秋影上香台。''隔水归樵分路散，冲岚飞鸟认林还。''水寒古道鸣驼外，雪暗空村落雁边。''马嘶平野呼鹰史，犬吠寒沙射雁人。'"《居易录》卷一："中善五言诗，近体亦冲澹。如：'聊随碧溪转，忽与白鸥逢。''小雨十数点，淡烟三四峰。''落叶半藏路，清风时满溪。''寒沙梅影路，微雪酒香村。''湖雪残波岸，船灯独夜人。''西风一夜雨，丹桂满林花。'皆有唐风。又绝句：'冰合金河雪暗关，内家难觅一枝寒。只应独结梅花伴，水远山长尽意看。'（《见梅花》）'深浅柴烟曲坞间，杉皮小屋绕幽潺。紫苔青石梅花路，随意闲看雪后山。'（《黄沙道中》）"《元诗选》二集丙集《元日》诗后按语："太虚七律，殊少韵致，不逮五言远甚。其佳句可摘者，如：'蝉鸣晚日浓时树，鸦落秋烟淡处村。''客如种放岂樵者？师似弥明非世人。''四时胜日围芳草，一坞春风护牡丹。''鹤鸟乘轩能致妒，马因立仗却移尤。''缓寻芳草多谙药，笑指遥岑便说出。'惜全首皆不相称也。"

## 七月

陈绎曾自序所撰《文筌》。序见本集卷首，又见唐顺之所编《稗编》卷七十六。《文筌》八卷，今存明刊本、清抄本。又著有《诗谱》一卷，今存《说郛》本、明刻本、清抄本、《历代诗话续编》本。陈绎曾，陈康祖子，字伯敷（一作伯孚），世居吴兴，后徙居处州。从学于戴表元，与陈旅友善。延祐初，游于京师。至顺中，以许有壬荐，官国子助教。重纪至元初，迁将仕左郎、翰林国史院编修官。著有《翰林要诀》一卷、《文说》一卷、《文筌》八卷、《古今文矜式》二卷。《文说》一卷，今存《四库全书》本，系从《永乐大典》辑出。《文式》二卷、《古文矜式》一卷，今存明刻本，藏北京图书馆。四库提要卷一九六："《文说》一卷，元陈绎曾撰。……尝从学于戴表元，而与陈旅友善，师友渊源，具有所自，故所学颇见根柢。是书乃因延祐复行科举，为程试之式而作。书中分列八条，论行文之法。时五经皆以宋儒传注为主，悬为功令，莫敢异趋。故是书大旨，皆折衷于朱子。"四库提要卷一九七："《文筌》八卷、附《诗小谱》二卷，元陈绎曾撰。……此篇凡分古文小谱、四六附说、楚赋小谱、汉赋小谱、唐赋附说五类。体例繁碎，大抵妄生分别，强立名目，殊无精理。《诗小谱》二卷，据至顺壬申绎曾自序，称为亡友石桓彦威所撰，因以附后。是本与《诗谱》合刻，元时麻沙坊本，乃移冠《策学统宗》之首，颇为不伦。"

## 八月

**文宗崩，年二十九，在位五年。**见《元史》卷三十六《文宗本纪》。《至正直记》卷一："文宗皇帝尝潜邸金陵，后入登大位，不四五年而崩。专尚文学，如虞伯生诸翰林，时蒙宠眷。一时文物之盛，君臣相得，当代无比。……文宗尚文博雅，一时文物之盛，过于今日。但纵奸权燕帖末（燕铁木儿）淫乱宫中，且挟征先帝后为妻，人伦大丧。造龙翔寺，以无用异端而费有限之膏血，不思潜邸之苦，而纵奢侈之非，视今上俭素，诛权臣，则相去大远矣。"《南村辍耕录》卷二十："文宗居金陵潜邸时，命臣房大年画京都万岁山，大年辞以未尝至其地。上索纸，为运笔布画位置，令按稿图上。大年得稿，敬藏之。意匠经营，格法遒整，虽积学专工，所莫能及。"《书史会要》卷七："文宗讳脱脱木儿，武宗子。以聪明睿知之资入正大统，乃稽古右文，开奎章阁，置学士员，讨论治道，几致刑措。喜作字，每进用儒臣，或亲御宸翰，作敕书以赐之。自写阁记，甚有晋人法度，云汉昭回，非臣庶所能及也。"

**熊太古中乡贡进士，明年上春官不第而还。**虞集（《道园学古录》卷五）、陈旅（《安雅堂集》卷二）等均作序送之。熊太古，朋来季子，字邻初，号巢云，丰城人。至顺三年中乡试，赵子敬辟为广东廉访司书吏，转湖广省掾，历翰林编修、国子助教，出为江南行省员外郎。至正兵兴，隐稻山（一作储山）。洪武三年，征校雅乐，告老归卒。太古颇得家学，尤邃于《礼记》，亦善画。著有《冀越集》二卷、《地理西南夷补志》五卷、《元京畿官制》二卷、《爨馀集》、《熙真集》。林弼《熊太古诗集序》："豫章熊先生太古，以其诗之集二授弼，一曰《爨馀》，一曰《熙真》。《爨馀》盖兵后集失，而仅记其旧作，汇为编。《熙真》则先生尝避兵龙虎山，得道家丹经玉诀之学，因寓兴于冲虚高逸之表者也。弼读终卷，则叹曰：古音邈矣，犹幸于先生之诗见之。集中诗多五言。《爨馀》卷端数十首，真有汉魏作者家法。《熙真》若干首，绰乎晋人之风，于景纯之《游仙》、子昂之《感遇》相颉颃后先者也。……《爨馀》之诗，作于元之盛时；《熙真》之作，虽当变故，而实我皇明开一统之初也。气完音完，宜其诗之浑和雅厚，无愧古之作者。诗不可必世之传，而世不能不传。余于先生之诗，有以必其传，而世之传之，有不容遂已者矣。故因先生自号，合名其集曰《巢云》，而书此于卷端。"（《林登州集》卷十三）

## 十月

**初四，懿璘质班即帝位于大明殿，是为宁宗。然十一月壬辰即崩，年七岁，庙号宁宗。**见《元史》卷三十七《宁宗本纪》。虞集《即位诏》："〔文宗〕宾天之日，皇后传济雅图皇帝顾命于太师太平王右丞相达尔罕雅克特穆尔、太保浚宁王知枢密院事巴延（伯颜）等，谓圣体弥留，益推固让之初志，以宗社之重，属诸大兄瑚土克图皇帝之世嫡，乃遣使召诸王宗亲，以十月一日来会大都，与宗王大臣同奉遗诏揆诸成宪，宜御神器。以至顺三年十月初四日即皇帝位于大明殿，可大赦天下。"（《元文类》卷九）懿璘质班，一作亦璘真班，或作懿璘只班，明宗次子，顺帝之弟。天历三年二月乙巳，受封为鄜王。

## 本年

江浙行省儒学刊行姚燧《牧庵集》。吴善《牧庵集序》："至顺壬申，公之门人翰林侍御刘公时中，始以公全集自中书移命江浙，以郡县赡学馀钱，命工锓木，大惠后学。予时承乏提学江浙儒学，因获董领其事，私窃欣幸。乃与钱塘学者叶景修重加校雠，分门别类，得古赋三篇，诗二百二十二篇，序三十八篇，记五十三篇，碑铭墓志一百四十篇，制诰五十八篇，传二篇，赞十五篇，说十一篇，祝册十篇，杂著十三篇，乐府百二十四篇，总六百八十九篇，凡五十卷。……至顺昭阳作噩之岁，季春之闰，儒林郎、江浙等处儒学提举，鄱阳吴善序。"张养浩《牧庵姚文公文集序》："公没之十一年，当泰定改元，江西省臣求所述于家，凡如干篇，将板行世。郎中贾焕华甫走书济南，以文序请。窃惟韩昌黎文李汉氏序，欧阳公文苏轼氏序，公与二子，代虽不同，要皆间气所钟，斯文宗匠，振古之人豪也。走何人，敢于焉置喙？辞不获，因纪平昔所尝得诸心目者，姑副所恳。公讳燧，字端甫，仕至翰林学士承旨、荣禄大夫、集贤大学士、太子宾客，牧庵其自号云。"序作于泰定元年（1324），其言刊刻者为郎中贾焕华甫，或为吴善所言之"宁国刊本"也。《牧庵集》三十六卷，今存《四库全书》本、《四部丛刊初编》本、《丛书集成初编》本。

## 至顺间

《至顺镇江志》约成于至顺年间。或以为其书乃俞希鲁所撰，然宋濂撰希鲁墓铭，并不言其尝撰此书，俟考。四库未收书提要："《至顺镇江志》二十一卷，此书不著撰人。……大约宋志主于征文，此则重于考献。宋志旁稽典籍，务核异同，此则备录故事，多详兴废。镇江在宋为边防之地，故其志岐守形势，网罗古今；在元为财赋之区，故此书物产土贡，胪陈名状。其用意各有所在，不得而同也。至于郡守、参佐，宋志近征唐代，此则远溯六朝；乡贤、寓公，宋志旁搜隋氏以前，此则详于两宋及元。互为补苴，不可偏废。然此书自明以来，藏书家绝无著录之者，洵为罕觏之秘笈。此旧钞本，编次失当，文字多舛。今重加校定缮写，俾考京口故实者得以取资也。以之抗行袁桷之志四明，殆无愧焉。"《四库未收书目提要补正》卷一："《至顺镇江志》二十一卷。张氏《藏书志》云：'至顺时，镇江路总管府达鲁花赤曰明里答失（至顺二年六月七日代）、曰狗儿（至顺二年六月七日至），总管曰脱因（至顺元年十一月一日至）、曰兀都马沙（至顺四年正月十日至）。脱因下备载祖父名位爵谥，及脱因历官始末，较他人特详。其时之参佐则赵禹珪、王杰、孔世英，学官则韩琪、徐圆。或者脱因任总管时命僚属所修欤？始叙郡，终考古，凡一百门，而亦冠之以郡县表。征引详赡，叙述该洽，土产、贡赋两门，胪陈名状，尤为赅备。至于郡守、参佐，远溯六朝；乡贤、寓公，近搜元代。与嘉定志互相补苴，是亦足以相辅而行矣。'陆氏《藏书志》并有旧钞本，定为元俞希鲁撰，张疑为脱因撰。其案语云：'希鲁字用中，镇江人，父德邻云云，见嘉庆《丹徒志》、乾隆《镇江志》。原本不著撰人名氏。考成化《镇江志》丁元吉序曰："胜国俞用中《至顺志》，例加精密。"乾隆志俞希鲁传云："至顺中，尝著郡志，序事精密。"则此志为俞希鲁作无疑。'"

秦简夫为延祐、至顺间人。《录鬼簿》卷下："见在都下擅名，近岁来杭回。"置于"方今才人相知者，纪其姓名行实并所编"之列，则钟嗣成撰《录鬼簿》时，简夫尚在世。简夫，大都人。所著杂剧有《东堂老劝破家子弟》、《天寿太子邢台记》、《玉溪馆》、《义士死赵礼让肥》、《晋陶母剪发待宾》，存者有《破家子弟》、《赵礼让肥》（或作《宜秋山赵礼让肥》、《孝义赵礼让肥》）、《剪发待宾》。贾仲明〔双调〕《凌波仙·吊秦简夫》："文章官样有绳规，乐府中和成墨迹，灯窗捻出新杂剧，《玉溪馆》，煞整齐。晋陶母，剪发筵席。《破家子弟》，《赵礼让肥》，壮丽无敌。"

# 第三章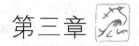

## 顺帝元统元年至顺帝至正二十七年共35年

## ·引 言·

吴师道《送胡生序》：嗟夫，科目废四十年，逮延祐初而兴。又二十年，当至元之初而罢。甲子凡一周矣。前乎延祐，诸老尚存，典则未泯，学者虽寡少，类皆无所为而为，则诚豪杰之士，而文词亦往往精诣不群。近年士习既殊，高者务求异于前哲，卑者不过争为揣摩笼络之说，文气卑下，骫骳日甚，识者已逆知有中更之事，闾巷小夫，投弃编册，彼固不足与议。忽游目乎八荒，问为诸老之所涵养扶植者，沦谢相继，落落无几，得不重为黯然哉！（《礼部集》卷十五）

杨维桢《张先生南归序》：浙士多无恒经，治亦往往不颛。有一年辄更，或半年才更，而窃中科。以故士之经愈不颛，且又视经师之利不利为向诎。意学经将已明道也，岂计利不利哉？以科利而学经，则科一利而经复弃矣，终亦必亡而已矣。（《东维子集》卷八）

杨维桢《留养愚文集序》：括之士以时文名于今日者，有林君则氏、叶见山氏、徐景熹氏、刘伯温氏、项子华氏；以古学名者，则有郑息堂公、洪乐闲公、叶壶谷公、留万石公。时文古学，使通能之，则有不工者矣。（《东维子集》卷六）

郭翼《与顾仲瑛书》：予自儿时，目睹诸老先辈先生，及历历耳闻者，或仕或不仕，其才德文章、书法画品，虽高下不齐，要皆百年以来，育德成材，固非一朝一夕所能致也。若方外之清流，闺门之贞节，皆灼灼可书，不可有忽略而弃置也。窃见昆山人物之盛，非他州可及，有耆儒硕学若李季高蓉月先生、卫培月山先生、二山郑渔溪、陈爱山，或典章老成，或经学博闻，皆师儒之宗也。有文章之流，若俞翠峰之超逸，施林塘之风骚，秦德卿之厚重，汪德载之深沉，文学古之奇放，马敬常之秀丽，皆士林尤著者也。若杨谠之著述，卢均华之教子，朱翱之标格，卢观之淳古，俞日强之文学，李简之清介，又不可以偏长而废也。士大夫之族，则朱次山之好古博雅，朱仲高之倜傥好客，张心田之能书能画，顾仁山之恬退守业，马廷玉君瑞之好文雅，杨仲元之世其家，易兼山之吏隐，顾善夫之墨妙，及乎朱都水妻茅氏之贞节，殷大章葬其祖伯堂之尽礼，书之皆可以激厉流俗，而有补于名教者也。鼓琴之妙，则宋尹文为之魁甲，屠云岩、秦德齐、王彦明、杨景文，又皆铿锵于浙操者也。方外诗僧，则大无外者、省梦庵者、理独间者、唐西白者、器大用者、庆云冈者，皆齐己、灵澈之流也。颜悦堂编蒲之有室，柏子庭不系之有舟，宝云海之宗乘，亮虚白之图画，秉白云之干林阁，庄蒙泉之大宝洲，方之高僧，无与伦比。道士则殷在山章句可推，蔡云谷骈俪可法，张虚谷之飘然高举，杨春云之多艺多材，是亦不可尽弃者也。题咏记述，则大成殿玉芝之有诗，灵慈宫饷运之有记，以至斋宫之铭、冢墓之碣，一言一咏，皆名流朝士聚精会神极其盛者。又若袁子英之高节楼，瞿惠夫之寿岂堂，姚文奂之书声，秦文仲之鹤冢，张师贤之芝兰堂，吕敬夫之来鹤亭，卢伯融观云之轩，陆良贵乾乾之室，卢公武之鹿城隐居。古人云境因人胜，此皆一时出群之材，其文章节概，固非泯泯默默而已者。又若顾伯衡、顾子达、严孟宾、项叔驭、俞复初，皆进进而不已者，诚非他郡所可仿佛也。所谓不传于今，必传于后，万万无可疑者。惟执事持至公之论，去常人之见，念圣人才难之叹，乐春秋与善之诚，无一毫嫌疑以自阻，则举雠举子之事，不得专美于前矣。（《林外野言》附）

苏伯衡《故庸斋吴君墓志铭》：昔元氏有国，自延祐之后，士尚多弥文而驰骋虚名，其于问学，不免苟且，尚何望修身践言如古人哉？及至正以来，而其风浸靡焉。平阳吴氏，于其时曰苗府君、曰海府君、曰涉府君，皆刻意于经术，力行于家庭，抗志不仕，自足山林，以孝友忠信礼让廉隅，表励其族姻乡党，而涉极为远近学者所宗，尊之曰金州先生。於乎，可谓特起于流俗中者矣。（《苏平仲文集》卷十四）

杨维桢《潇湘集序》：余在吴下时，与永嘉李孝光论古人意。余曰："梅一于酸，盐一于咸，饮食盐梅，而味常得于酸咸之外，此古诗人意也。后之得此意者，惟古乐府而已耳。"孝光以余言为韪，遂相与唱和古乐府辞。好事者传于海内，馆阁诸老以为李、杨乐府出，而后始补元诗之缺，泰定文风为之一变。吁，四十年矣。兵兴来，词人又一变，往往务工于语言，而古意浸失，语弥工，意弥陋，诗之去古弥远。吾不意得《潇湘集》于四十年后，尚有古诗人意也。（《东维子集》卷十一）

杨翮《送马彦翚赴江西省管勾诗序》：金陵为江左文物之邦，历晋、宋、齐、梁、陈及南唐为都会，其俗特善歌诗。自是以来，作者日众，虽风气之隆下有时，而凡著在编简者，无不可观也。往者天朝克定季宋，金陵独未尝被兵。行御史台开府郡中，涵煦五六十载，人材辈出，文物盖彬彬焉。日先君子以经学教授于乡，间尝取晋宋诸贤之诗，令学者习之。未几，而陶靖节、谢康乐之遗音绝响，一时复振。比年来，郭先生长卿、丁先生仲容，皆以盛唐之体为学者倡。于是后进之士，多翕然向风，而李翰林、杜拾遗之律度骎骎矣。当此之时，虽寓迹玄门释宗者，亦莫不知所慕尚。吾乡诗歌之作，于斯为盛。（《佩玉斋类稿》卷四）

郑东《来鹤亭诗集序》：余尝昆山取友，得四人焉。郭羲仲、陆良贵、袁子英三人之为诗，或雄，或雅，或温厚，或流丽跌宕，虽或不同，要皆能去夫险阻僻陋之习，其一人则敬夫。（《来鹤亭集》卷首）

宋濂《杏庭摘稿序》：濂颇观今人之所谓诗矣。其上焉者，傲睨八极，呼吸风雷，专以意气奔放自豪；其次也，造为艰深之辞，如病心者乱言，使人三四读，终不能通其意；又其次也，傅粉施朱颜燕姬越女，巧自炫鬻于春风之前，冀长安少年为之一顾。诗而至斯，亦可哀矣。（《文宪集》卷七）

宋濂《苏平仲文集序》：自秦以下，文莫盛于宋。宋之文，莫盛于苏氏，若文公之变化傀伟，文忠公之雄迈奔放，文定公之汪洋秀杰，载籍以来，不可多遇。其初亦奚暇追琢缔绘以为言乎，卒至于斯极而不可掩者，其所养可知也。近世道漓气弱，文之不振已甚，乐恣肆者失之驳而不醇，好摹拟者拘于局而不畅，合啄比声，不得稍自凌厉，以震荡人之耳目。譬犹敝帚漏卮，虽家畜而人有之，其视鲁弓郜鼎亦已远矣。每读三公之文，未尝不太息也。（《文宪集》卷七）

刘基《照玄上人诗集序》：夫诗何为而作也，情发于中而形于言，国风、二雅列于六经，美刺风戒，莫不有裨于世教。是故先王以之验风俗、察治忽，以达穷而在下者之情，词章云乎哉？后世太师职废，于是夸毗戚施之徒，悉以诗将其谀。故溢美多而风刺少，流而至于宋，于是诽谤之狱兴焉，然后风雅之道扫地而无遗矣。今天下不闻有禁言之律，而目见耳闻之习未变，故为诗者莫不以哦风月、弄花鸟为能事。取则于达官贵人而不师古，定轻重于众人而不辨其为玉为石，惛惛恢恢，此倡彼和，更相朋附，转相诋訾，而诗之道无有能知者矣。（《诚意伯文集》卷七）

唐桂芳《奉陈养吾书》：仰惟合下掇巍科，跻躬仕，分内事耳。顾乃遭回困踬，与时波流，然其文愈到而愈厉，其诗愈穷而愈工，文陵韩蹴柳，诗鞭李驾杜。自翰林诸老曰虞、揭，黼黻皇猷，近来诗文孱弱，不如脂韦绕指，则生柴屈折，寻无矩矱，而世运亦旋以衰矣。（《白云集》卷七）

朱绪曾《龟巢集重刻序》：盖尝论之，元末以诗文鸣者，铁崖倡纤诮之体，玉山侈歌舞之富，其他如张玉笥、刘羽庭辈，或羁縻于张士诚、方谷珍之官职，其诗亦哀艳动人，而终乏醇古之趣，不足以正人心、厚风俗，若文清公偁乎远矣。

《七修类稿》卷四十：元末，吴人顾阿英、陆德原、李鸣凤，皆富而好古，亦能诗文，至今有脍炙人口者。一时名士，咸与之游，名振东南。顾有三十六亭馆。陆之治财者，沈万三秀也。李尝助太祖军粮二万斛。入国朝，顾削发为僧，陆为黄冠，李挈妻子家资浮海去，俱惧法而避之。

《艺苑卮言》卷六：吾昆山顾瑛、无锡倪元镇，俱以猗卓之资，更挟才藻，风流豪赏，为东南之冠，而杨廉夫实主斯盟。倪绘事尤称绝伦。高皇帝征廉夫修《元史》，欲官之，廉夫作《老客妇谣》示不屈，乃放之归。时危素太朴为弘文馆学士，方贵重。上一日闻履声，问为谁，太朴率然曰："老臣危素。"上不怿曰："吾以为文天祥耶？"谪佃临濠死。人以定杨、危之优劣。倪顾各散家资，顾仍画其像，题曰："儒衣僧帽道人鞋，天下青山骨可埋。若说少年豪侠处，五陵鞍马洛阳街。"至今人传之。夫以顾、倪之富与廉夫之豪纵而若此，其于陶靖节，可谓异轨同操。

《艺苑卮言》卷六：当胜国时，法网宽，人不必仕宦。浙中每岁有诗社，一二名宿如廉夫辈主之，刻其尤者为式。饶介之仕伪吴，求诸彦作《醉樵歌》，以张仲简第一，季迪次之。赠仲简黄金十两，季迪白金三斤。后承平久，张洪修撰每为人作一文，仅得五百钱。

胡应麟《报李仲子允达》：婺，越之东国也。厥初人才何如哉？学术则孝标之博洽笼千秋，诗歌则宾王之绮藻焕百代，而皆婺产也。唐宋之际，稍陵夷焉，伯恭、同父一再振之。至黄晋卿、柳道传、吴立夫辈联翩胜国殆十数家，而婺之才遂以一郡踞海内者十之三。至王子充、苏平仲、胡仲申辈，驰骤皇朝又十馀家，而婺之才遂以一郡

割海内者十之六。盖至于宋文宪景濂，而一代之才咸归吾婺矣。（《少室山房集》卷一一九）

《诗薮》外编卷六：元婺中若黄文宪、柳文肃，皆以文名，而诗亦华整。黄如"挥毫风雨倾三峡，听履星辰按两朝"，"扶老未须苍玉杖，行春聊过赤兰桥"，"北寻海渎瞻恒岳，南涉江淮上会稽"，"山下录风吹桂棹，云边仙树拂丹梯"；柳如"羲和白日经天近，敕勒阴山度幕遥"，"雪华遥映龙旗动，日色才临凤盖闲"，置之作者奚让。

《诗薮》外编卷六：婺中黄、柳同辈吴立夫、胡长孺、戴九灵、王子充、宋潜溪诸子，皆以文章显，而诗亦工，当时不在诸方下。元末国初之才，吾郡盛矣。

《静居绪言》：酒易之《新乡媪》、《颍州老翁歌》，有白傅之真率。余忠宣登临怀古之作，合玄晖之遒丽。黄晋卿气特苍凉，得杜陵之法度。如《居庸关》云："连山东北趋，中断忽如凿。万古争一门，天险不可薄。圣人大无外，善闭非楗钥。车行已方轨，关吏徒击柝。居民动成市，庐井互联络。幽龛白云聚，石磴泉清落。地虽临要冲，俗乃近淳朴。政须记桃源，不必铭剑阁。仆夫踞谓我，无为久淹泊。山川岂不好，但恐风雨恶。"《赤城》云："鸡鸣秣吾马，晚饭山中行。何以慰旅怀，赤城有佳名。滩长石齿齿，树古风泠泠。时见岩壁间，粲若丹砂明。温泉发其阳，挐诃勤百灵。前峰指金阁，真境标殊庭。白道人迹稀，青崖云气生。信美无少留，缅焉起深情。"《担子洼》云："自从始出关，数日度崖谷。迢迢度偏岭，险尽得平陆。陂陀皆土山，高下纷起伏。连天尽丰草，不复见林木。行人烟际来，牛羊雨中牧。飒然衣裳单，咫尺异寒燠。伫立方有怀，相逢仍问俗。畏途宜疾驱，更傍滦河宿。"

《农田馀话》卷上：宋祚将终，不独文气衰弱，民间歌曲皆靡靡亡国之音，至今临安府瓦子印行小令，人家尚存，于此可见。至正间，北人歌辞破碎，声调哀促，号通街市，无复昔时文物豪雄之气，而人多制《香罗带》、《酷相思》之类，悲怨迫切之声，若不能一朝夕者，听之使人凄怆不自已，关系元气运亦不小者。

《石洲诗话》卷五：张蜕庵、贡玩斋皆元末大家。玩斋元亡隐吴淞上，其才致清逸，殆不让雁门。

《石洲诗话》卷五：蜕庵、玩斋、易之诸什，皆具有风骨，非漫为彩色者。置诸马伯庸、揭曼硕诸公间，正自未肯多让。

《石洲诗话》卷五：元时诸画家诗，如云林、大痴、仲珪集中，多属题画之作。云林最有清韵，而尚不能剔去金粉。至王元章则纯是十指清气，霏拂而成，如冷泉漱石，自成湍激，亦复不能中律。

《石洲诗话》卷五：元末诗人于七古声调杂遝中，忽用"不有祝鲍之佞，宋朝之美，难乎免于今世矣"，又云"甚矣吾衰也久矣"云云。太近随手漫兴，且经语尤不宜妄尔阑入。

《曲律》卷三：古曲自《琵琶》、《香囊》、《连环》而外，如《荆钗》、《白兔》、《破窑》、《金印》、《跃鲤》、《牧羊》、《杀狗劝夫》等记，其鄙俚浅近，若出一手。岂其时兵革孔棘，人士流离，皆村儒野老途歌巷咏之作耶？

《砚山斋杂记》卷二《恽氏说画小记》：南宗以唐王摩诘维、荆洪谷浩为祖，开文人笔墨游戏法。后至董源，号北苑，南唐人高逸、沈古、元四大家皆宗之。黄公望字子久，号大痴，又号一峰，最近巨然。巨然北宋僧，亦师北苑者也，故今称"董巨"。但一峰用正峰，长皴数笔，则得自北苑也。倪瓒元镇号云林，又号迂翁，学北苑，兼洪谷意，所以独逸在三家上。吴镇仲圭号梅花道人，独得北苑墨叶，兼巨公之长，最为沉郁。黄鹤山樵王蒙叔明，初师北苑，后兼摩诘，细麻皮皴，极郁密浑厚，其用墨意不离北苑。要之，黄、倪、吴、王四家，总出北苑而各不相似，所以能高自立家。若如出北苑一手，纵极肖，已落第二乘矣，岂能与北苑并传不朽者乎？如近世王绂、杨基、张羽、徐贲，皆以笔墨游戏，得元人意致，亦各成家。文徵明、沈周、仇英、唐寅，未尝相袭。而董宗伯其昌，复宗北苑，绘苑风流，赖以复振云。北宗以南宋刘、李、马、夏为标表，刘松年、李唐、马远、夏圭四家，各有奇妙。李晞古，境界极险，然命笔太刻画，至于开辟奥僻一路，使人不可到。刘极精工，然不及李。马远画，人间传者绝少，澹荡萧旷之趣，间于残轴断幅中得之。夏禹玉笔墨，最为深沉，又极灵秀，创境亦高奇，但所画皆浙中山水耳。世传北宗以唐李思训昭道父子为祖，即世号大小李将军者，俱极工整丽密之致。由刘、李、马、夏辈观之，岂复有二李遗意耶？故北宗以李将军论，则可谓衣钵失传者矣。余因断自刘、李、马、夏始。近人言北宗者，惟仇、唐，仇不及唐之高秀，而精工之极，又得士气，此最不易得。在浙则戴静庵文进远宗马、夏，然视仇又千里矣。

## 公元 1333 年 （顺帝元统元年 癸酉）

### 二月

**十六日，曹伯启卒。**曹鉴《大元故资善大夫陕西行御史台中丞赠体忠守宪功臣资政大夫河南江北等处行中书左丞上护军追封鲁郡公谥文贞曹公神道碑铭并序》："公生以乙卯年十二月三十日，卒以至顺癸酉二月十六日，寿七十有九。"（《曹文贞公诗集后录》）虞集《曹文贞公文集序》："集尝得与清河元公复初、汶上曹公子贞诸人，有往来之好焉，未尝不叹其意气之宏达，议论之慷慨，而文物之雍容也。当文宗起故老于休致之馀，托文儒以风纪之重，集时执笔史馆而叹慕焉。……读其墓碑、谥议，慨然千古之隔；观乎张、欧、苏之序言，又感乎一代之盛。衰退不敏，其何能赞一辞于其间哉！"（《道园学古录》卷三十一）《元诗选》初集丙集："士开弱冠从学于李文正公谦，其筮仕幕僚，江南初定，里居乡寓，大夫士殷集。公馀，每与陆宪使垕、史总管孝祥、陆文圭辈讲磨义理，诗咏酬答，未尝废滞府事也。遭遇承平，扬历清望，宦辙所至，多寄寓纪述之辞。如《村居》云：'露坐分藜榻，郊行解葛衣。'《宿吕梁》云：'澹烟新店舍，斜月旧河山。'《赠周可山》云：'立谈千古意，坐占一生闲。'《嘉祥道中》云：'积水不胜流水碧，远山翻比近山青。'《乡饮礼罢次诸公韵》云：'十年人事成今古，数老天留载典刑。'《除夜》云：'去岁关心如昨日，平明回首又东风。'《江阴咏怀》云：'山色欲冥知雨信，岸痕齐剥记潮生。'欧阳文公以为思致敏赡，襟韵朗夷，临文抒志，造次天成。斯足以称其为人矣。"四库提要卷一六六："《曹文贞诗集》十卷、后录一卷，元曹伯启撰。……伯启生于宋末元初，而家世江北，不染江湖末派，亦不沿豫章馀波，所作乃多近元祐格。惟五言古诗颇嫌冗沓，其馀皆春容娴雅，泬泬学可到。奎画传世，人知宝焉。"《草木子》卷三上："庚申帝幼年，远贬南服，舟泛清江，忽有二老猴登舟献果而拜。及去，使人尾之，至山洞中，群猴凡四五百。上命近寺僧每日设饭饲之。及癸酉还都登极，群猴复相率拜送，馀猴数百皆去。忽其中大猴卒死者三十六枚，当时皆惘然，莫知所以。盖申肖猴，迎拜，见祥也，送死，示孽也。庚申帝既贬而得国，在位凡三十六年而亡国，盖天示之象也。在昔唐明皇酉生肖鸡，明皇好斗鸡，兵争象也，其后卒有禄山之乱。"《七修类稿》卷十五："顺帝乃宋恭帝所生，元明宗取为养子。（事详《宋遗民录》末卷）既立为帝，幽徙文宗之后，放杀文宗之子。自文后不立己子而立顺帝，则顺帝所为，可谓逆天不仁，罪不容诛矣。然而复宋之仇，绝元之统，冥移暗夺，世主沙漠，昌大赵脉，天报宋家亦何厚耶？至于失国，君虽不明，史氏有言：'风宪为不捕之猫，将帅乃反噬之犬。'是亦天之所以阴使也。殂于应昌，荒猝以西江寺梁为棺，随为我国家岐阳王所袭，此则报于文宗之后也。自后妃以及金宝器物，无所不获，独太子爱猷识理达腊走脱，亦天之不绝宋也。我太祖以其知天命而谥之为顺，彼胡自谥为惠宗云。"《七修续稿》卷二："元顺帝为瀛国公之子，始据余应第十六飞龙之诗为证，袁忠彻之事实及何尚书等之跋语次第明白，更见于《两山墨谈》，以见宋家仁厚之报也。予又以我太祖北伐，元之后妃大臣俱被俘戮，顺帝之子爱猷识理达腊独能逃去，又非天尚留宋一脉耶？"

**二十五日，吴澄卒，年八十五。** 虞集《故翰林学士资善大夫知制诰同修国史临川先生吴公行状》："〔至顺〕四年，《礼记纂言》成。六月，先生寝疾。病逾旬，屏医药，使门人告子孙治后事。拱手正身而卧。乙酉夜，大星陨其舍东北隅。丙戌日正午，神气泰然而薨，年八十有五，以玄端敛。"虞集《临川吴先生画像赞》："业广而精，德周而尊。厘析群言，以究斯文。章甫玄端，书册左右。岂弟君子，天锡眉寿。"（《道园学古录》卷四）杨士奇《支言集跋》："元之盛际，北有许文正公，南有先生，皆道学大儒，其功在朝廷、在学者，表然重当时而垂后世。文虽先生馀事，然使后学得以窥见先生万一而私淑焉者，独有赖于斯。"（《东里续集》卷十八）《徐氏笔精》卷四："元吴草庐澄，专志理学，而诗亦多巧思。《咏雪》云：'腊转鸿钧岁已残，东风剪水下天坛。剩添吴楚千江水，压倒秦淮万里山。风竹婆娑银凤舞，云松偃蹇玉龙寒。不知天上谁横笛，吹落琼花满世间。'《叠叶梅》云：'罗浮梦断杳无踪，冰雪仙姿两两逢。缟袂怯单寒后袭，粉妆嫌薄晓来浓。迎风一笑知颜厚，临水相看见影重。道眼只将平等视，玉环飞燕总天容。'又如'百年竹木青春在，一院香花白昼闲'，'屋头月上元无夜，树杪风来若有期'，'花香静昼微风里，草色深春一雨馀'，'金镜南飞光欲半，银潢西去寂无声'，'定非战国谈天衍，疑是仙家缩地房'，'秋陇故园迷蝶梦，晓窗客枕厌鸡声'等句，皆超脱理学蹊径者也。"韩阳《吴文正公集序》："迨乎前元，真儒亦罕，惟鲁斋许先生、草庐吴先生焉耳。先生才智过人，默悟斯道，远沂洙、泗之流而穷其源，近绍程、朱之统而得其要，上焉天文，下焉地理，与夫九经之微辞奥义，以至诸子百家之言，罔不研究。真知实践而各臻其极，有功于圣门，有功于来学，周、邵、程、朱数先生之后，若先生、许先生者，讵非道学之真儒乎！……先生之文，道德性理之文也；先生之学，周、邵、程、朱之学也。"《元诗选》初集乙集："先生雅好邵子书，故其诗多近之。其句法超逸处，如：'乔木啸清风，寒花醉香露。''窗红开晓浐，草碧验春温。''人定籁声寂，天旋斗柄移。'又《述怀》云：'悬知海上三山客，尘视人间万户侯。'《题大乾庙壁》云：'身合沉江甘殉楚，心知蹈海胜归秦。'《芍药》云：'浅潮半醉流霞晕，清印初昏淡月痕。'俱清婉可诵也。……先是，许文正公倡教于北，而先生崛起于南，道统渊源，互相提唱，又不系乎词章之工拙也。"四库提要卷一六六："《吴文正集》一百卷，元吴澄撰。……初，许衡之卒，诏欧阳玄作神道碑。及澄之卒，又诏揭傒斯撰神道碑。首称'皇元受命，天降真儒，北有许衡，南有吴澄，所以恢宏至道，润色鸿业，有以知斯文未丧，景运方兴'云云，当时盖以二人为南北学者之宗。然衡之学主于笃实以化人，澄之学主于著作以立教。故世传《鲁斋遗书》，仅寥寥数卷，而澄于注解诸经以外，订正张子、邵子书，旁及《老子》、《庄子》、《太玄》、《乐律》、《八阵图》、《葬经》之类，皆有撰论，而文集尚衮然盈百卷。衡之文明白质朴，达意而止；澄则词华典雅，往往斐然可观。据其文章论之，澄其尤彬彬乎。"《善本书室藏书志》卷四十："幼清深于经术，著述极富，诗文亦闳深巨丽，凌跨一代。此诗馀一卷，仅十三阕，寥寥数简，似非所注意，然根本既富，出笔自殊，颇有因辞见道之意。"

## 九月

三日，廷试进士同同、李齐等，复增名额，达百人之数。其制稍异于前，左右榜各三人，皆赐进士及第，其馀赐出身有差。元代廷试，一般在三月，本年以顺帝于六月即位，遂易至九月举行。王沂《科举程文序》："徐君勉之集本朝科举程文，自延祐迄至顺凡若干人。经义、古赋、诏诰、章表、策凡若干卷，何其多也。予得而阅之。爱其光辉如珠联璧合，其雄壮如涿鹿昆阳之战，其古淡如太羹玄酒之为味，又何其工也。作之者若干人，而如出于一手，历年廿馀而气象如一时，又何其盛哉！昔者鲁君之宋，呼于垤泽之门，守者曰：'此非吾君也，何其声之似我君也。'此无他，其所养然也。我朝隆上儒术，旧矣。列圣相承，以人文化成天下，作新人材，以故由岩才里秀而超从官大臣之列，备文儒道德之任，累累有焉。惟养其中者至，故发于外者如此。其言可以典诰命，其谋虑可以经天下。是编也，盖其绪馀土苴而已。然文章与时世相为高下，后之考于斯者，其必低徊俯仰，有不及见之叹，是则勉之编类之意与？"（《伊滨集》卷十三）今存《元统元年进士录》，录本年登科名录甚详。

李齐登左榜进士第一。李齐（1301—1353），字公平，祁州蒲阴人。元统元年左榜进士第一，授翰林修撰。后至元六年，累官至南御史台御史，历河南、淮西金宪，转高邮知府。至正十三年，张士诚陷高邮，被执，不屈死，年五十三。生平见《元史》卷一九四《忠义传》。

李祁举左榜进士第二人。欧阳玄《送翰林应奉李一初南归序》："国家有科举以来，凡七科二十有一年，第一甲寘三人，三人者皆赐进士及第，自元统初元之癸酉岁始。南士居第二人而膺是宠者，自云阳李君一初始。以第二人南士初登第，入官即得供奉天子词林，预典制诰修史事，又自一初始。是皆儒者之所难遇也。"（《圭斋文集》卷八）李祁《青阳先生文集序》："元统初元，余与廷心偕试艺京师，是科第一甲寘三名，三名皆得进士及第。已而廷心得右榜第二，余忝左榜亦然。唱名谢恩，余二人同一班列。锡宴，则接肘同席而坐，同赐绯服，同授七品官。"（《云阳集》卷三）

**余阙举右榜进士第二人。**宋濂《余左丞传》："擢元统癸酉进士第，授同知泗州事。"（《文宪集》卷十一）王沂《送余阙之官泗州序》："元统初，郡国髦士咸进于有司。时沂佐考试，得淮南余阙对策，意甚伟之。既而覆于天子之廷，果中甲科。释褐，授同知泗州。"（《伊滨集》卷十五）陈旅有《送余廷心同知泗州》诗二首（《安雅堂集》卷二）。

**刘基中第二十六名进士，汉人、南人第三甲第二十名，授高安县丞。**时刘基年二十三，《元统元年进士录》作二十六。京试作《龙虎台赋并序》。

**宇文公谅登进士第。**宇文公谅（1292—?），字子贞，其先成都人，父挺祖徙吴兴，为吴兴人。元统元年，登进士第，授徽州路同知婺源州事。丁内艰，改同知馀姚州事。迁高邮府推官，未几，除国子助教。调应奉翰林文字、同知制诰兼国史院编修官，以病得告。后为国子监丞，除江浙儒学提举，改金岭南廉访司事，以疾请老。门人私谥纯节先生。《元诗选》三集庚集选其诗18首。生平见《元史》卷一九〇《儒学传》。

**朱文霆登进士第。**朱文霆（1295—1363），字原道，莆田人。生平见宋濂《元嘉议大夫泉州路总管朱公墓志铭》。

**成遵登进士第。**宋褧有《送翰林编修成谊叔，驿召鲁子翬学士于邓，遂便觐省。成由国子生乡举于大都，至顺四年登科，今始得归乡里》诗（《燕石集》卷四）。成遵（1304—1359），字谊叔，邓州穰县人。元统元年进士，授翰林编修，除翰林应奉。至正八年，累官至礼部郎中。十年，历工部尚书，以议治河忤时相，出为大都河间盐运使。迁武昌路总管，除南台治书，入为中书参议，进参政，升左丞。十九年，受诬杖死，年五十六。生平见《元史》卷一八六本传。

**十三日，胡炳文卒，年八十四。**《云峰文集》附录《云峰胡先生行状》："元统元年癸酉，先生忽夜梦峰颓，旦，先生曰：'吾寿终矣。'不二日，竟以微疾奄弃，时九月十三日夜，享年八十有四。集贤院剟谥文通先生，葬里之弄璋桥后。卒之日，远近如悲亲戚，弟子不远千里哭吊墓庭，又有徘徊怅望庐墓不忍去者。门人张存中、胡子玄、程益等请于州，建祠书院奉祀。"胡炳文（1250—1333），字仲虎，号云峰，学者称云峰先生，徽州婺源人。著有《云峰集》、《重芳集》等。《元诗选》初集丙集选其诗11首。生平见《云峰文集》附录《云峰胡先生行状》、汪幼凤《胡云峰传》（《新安文献志》卷七十一）、《元史》卷一八九《儒学传》。陈音《云峰胡先生文集序》："先生讳炳文，字仲虎，世居新安之婺源。其学以博闻实践为要，其论议皆本于天衷民彝之粹，其文章则如布帛菽粟之不可无。……先生之文，一本于吾儒之道，可以淑人心，扶世教，其源有自，其流无涯，视夫浮辞无补者悬绝，诚不可以不重也。"四库提要卷一六六："《云峰集》十卷，元胡炳文撰。……炳文之学，一以朱子为宗，故其《答陈栎书》云：'我辈居文公乡，熟文公书，自是本分中事。'其作《草堂学稿序》，历举前代诗人，极词丑诋，有云：'纵迫曹、刘，何补于格致诚正；纵迫谢、鲍，何补于修齐治平。'持论偏僻，殊为谬妄。然其杂文乃平正醇雅，无宋人语录方言皆入笔墨之习。其诗虽颇入《击壤集》派，然如《赠鹤庵相士四言》'北寺昏钟，廖坞晚烟'，

《拜鄂岳王墓》、《濠观亭》、《赠二齐生》诸篇，皆不失雅韵。殆其天姿本近于词章，故门径虽殊，而性灵时露钦？至于古文之中，往往间以藻饰，如《送文公五世孙序》云：'自古及今，人家岂无丘墓，岂无巢翡翠卧麒麟者。'《与吴草庐书》云：'苔绿滋深，而芹香莫采，有负先圣先师。'《环绿亭记》云：'睿圣武公七十犹好学，德麟年方绿鬓，学当如何？'以文体论之，皆为破律，然较诸侈言载道，毫不修饰者，固有间矣。"

## 秋

**张翥以荐授金陵郡学博士。**任职期间，与李孝光、丁复、释大訢、孙炎等同游石头城，赋诗唱和。潘纯有《送张仲举赴金陵郡学博》诗。孙炎《午溪集序》："元统癸酉秋，监察御史辟河东张仲举为金陵郡博士教弟子。时永嘉李孝光、天台丁仲容、僧笑隐咸在，炎以弟子员得从之游。登石头城，坐翠微亭故趾，大江西来，如白虹绕城下，淮南诸山尽在几席。是日，诸先生效韩、孟联句，仲容耆饮，口讷讷不能语，孝光髯漆黑，仲举长面而鹤身，善谈谑。酒酣，日已没，宿龙翔方丈。仲容困酒先引去，笑隐出烛中坐，孝光在左，仲举在右，昆仑奴作递书邮。仲举首倡曰：'先皇昔潜邸，梵宫冠东南，遗弓泣父老。'次授笑隐云云。比晓，仲举夺笔走数韵成章。余尝论：仲容诗若大宛天马，举足万里，有盖世之气；仲举如鸣球琴瑟，合轩辕氏律吕；孝光若禹九鼎，神奸物怪，怆人心魄；笑隐如棠溪之金，随手铸器，不离模范，而神采焰焰可畏。嗟夫，俯仰之间，忽焉隔世，独仲举先生尚存。"（《午溪集》卷首）丁复，字仲容，天台人。延祐初，游京师，大臣与杨载、范德机同荐之馆阁，不俟报而归。以诗名于时，晚家于金陵。至正八年前后卒，年六十馀。著有《桧亭集》九卷。《元诗选》二集已集选其诗 126 首。

## 十月

**初八，颁诏改元，以至顺四年为元统元年。**见《元史》卷三十八《顺帝本纪》。《南村辍耕录》卷一："今上皇帝御名妥懽帖睦尔，至顺四年癸酉六月八日己巳，即位于上都。十月戊辰，改元元统。至三年乙亥十一月辛丑，改至元。至七年正月一日，改至正。元统二，至元六，至正今二十六年。"

## 本年

**王翰生。**王翰（1333—1378），仕名诺摩罕（或译作那木罕），字用文，号友石山人，灵武人。先世齐人，元初赐姓唐古氏，家于庐州。年十六，领所部有能名。省宪共言其材于上，除庐州路治中。政誉日起，平章扬珠布哈镇闽，辟为从事，改福州路治中。升同知，又升理问官，综理永福、罗源二县。擢朝列大夫、江西福建行省郎中，平章陈公留居幕府。表授潮州路总管，兼督循梅、惠州。元亡，屏居永福山中，为黄冠服十年。以人荐，遂自经以终，年四十六。著有《友石山人遗稿》一卷。《元诗选》

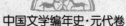

初集庚集选其诗 27 首。生平据吴海《友石山人墓志铭》（《闻过斋集》卷五）、吴海《友石先生传》。

**张羽生**。张羽（1333—1385），一名附凤（一作辅凤），字来仪，后以字行。本浔阳人，从父宦江浙，兵阻不获归，与友徐贲约，卜居吴兴。领乡荐，为安定书院山长，再徙于吴。洪武四年，征至京师，应对不称旨，放还。再征授太常司丞。太祖重其文，十六年自述滁阳王事，命羽撰庙碑。寻坐事窜岭南，未半道，召还。羽自知不免，投龙江以死。文章精洁有法，尤长于诗，作画师小米。著有《静居集》四卷。生平据童冀《太常司丞张来仪墓铭》（《静居集》附录）、《明史》卷二八五《文苑传》。

**丘葵卒**，年九十。［按，丘葵生年，据所作《周礼补亡自序》。《周礼补亡》，今存明弘治十四年钱俊民刻本，序末署"泰定甲子冬十一月朔，后学清源钓矶丘葵吉甫书，时年八十一"。泰定甲子为 1324 年，上推八十年，则丘葵当生于淳祐四年（1244）。又《钓矶诗集》附《邱吉甫先生传》云："邱先生名葵，字吉甫，同安人。……景炎元年，先生三十六岁。……年九十，以宋处士终。"景炎元年为 1276 年，前三十五年则为淳祐元年（1241），与丘葵自言之生年不合。考万历间闽人林霍刻《钓矶诗集》，其序云："先生之遭易代，年方三十有六。"所谓'易代'，即指宋亡。后人言及宋亡，凡有二指：一为景炎元年（1276），一为祥兴二年（1279）。《钓矶诗集》所附《邱吉甫先生传》，当是以"易代"为景炎元年（1276），不知其实为祥兴二年（1279）。《闽中理学渊源考》卷三十三以为葵"年八十馀卒"。检《钓矶诗集》，有题为《八十四岁吟》者，则《钓矶诗集》所附《邱吉甫先生传》所言之"九十"或为可信云。又雍正《福建通志》卷四十五亦以其卒年为九十。今姑以寿年九十论。］林霍《刻钓矶诗集序》："先生为宋诸生，而遭易代，有《怪事》、《天阴暮雨》、《秋兴》诸作，愤郁无聊，至于不欲生。及其衰老，尚有'满目乾坤都是恨，头毛白尽更愁吟'之句，歌之可以当泣焉。"林霍《访邱钓矶先生故居记》："先生后朱考亭百馀年，而道学独祖考亭，沦落腥风，敛德自全。考《清源集》，讽《景炎阴霾之歌》，忧悲恫切，若商山之遭秦世；读《梅花》一赋，见其孤高幽洁，有骚人信芳之情。……至《天阴》、《怪事》、《寄吴丞》、《和吕之寿》、《辞元聘》诸章，能令壮气竖发，亦可感泣沾襟。盖天地阳九之运，圣贤道脉之传，先生筹之审矣。"陆心源《钓矶诗集序》："宋同安邱吉甫先生，传正统之学，贞石隐之操，以气节文章著于天水之季。……惟所著《钓矶诗集》尚为完帙，苍老激楚，道古以刺时，缘情而类物，写其悲愤不平者必于诗，盖古所谓镂肝摧肾结为章句者也。予尝观宋之末造，如黄仲元、方韶卿诸人，其诗未必尽工，而其遗集当时珍之，后世爱且护之，无他，贞臣志士，宇宙间之正气所盘郁，固不必论其辞之工不工，而皆可传于后，况先生理学经术媲仲元，贞白迈韶卿，而其辞之工又过之无不及。"

**于钦卒**，年五十。于钦（1284—1333），字思容，益都人，家吴中。著有《齐乘》六卷。生平见柳贯《于思容墓志铭》（《待制文集》卷十一）。

**徐达左生**。徐达左（1333—1395），字良夫，吴县人。从邵光祖学，元季隐居山中，筑耕渔轩，一时胜流多为题咏，集成《金兰集》三卷。洪武二十二年，聘为建宁府学训导。二十八年卒，年六十三。著有《孟子内外篇》二卷。生平见俞贞木《故建宁府儒学训导徐良夫墓志铭》（《吴下冢墓遗文》）。

## 公元 1334 年 （顺帝元统二年 甲戌）

### 二月

初九，陆友自序所撰《研北杂志》。序见本集卷首。《研北杂志》二卷，今存明项德棻宛委堂刻本、明末刻本、《四库全书》本。陆友，字友仁，平江人。王沂《书砚北生传后》："至顺间，余尝序砚北生集《古印考》，是时生年甫三十，挟此著书游京师，一时贤豪知名士皆与交。生负其有，不肯俯首随流俗，已而归吴中。后十年，余待诏宣文阁，审定御府所藏珍图名札，品第甲乙，诸公贵人间问海内精赏鉴可召用者，余曰：吴中赵仲穆与生、淮南陈新甫而已。既而余承乏翰林，一二贵人亦相继去，而无知生者矣。又三年，诏修辽、金、宋史，余言任事者曰：生闻见甚博，叙事有法，宜以前代陈无己故事召生，而任事者复以白衣难之。至是不见生十五年矣。道士张一无来，出吴兴王蒙著《砚北生传》。读之，笑曰：昔米元章以高世逸群之气，而姗侮杜少陵于数百年之上，岂独为一薛少保计哉？生方以图书翰墨之乐而锱铢轩冕，以湖山钓游之适而尘壤势利，是区区者曾何足言，而余亦浅乎知生者矣。乃补传赞曰：鼓文周篆缺莫续，铙歌汉词亡可属。昆玉蟾肪泥视玉，螭盘蚕卧纹雷毂。商甗姜鼎敦有牧，雕戈虫鱼画狸鹄。断缣败楮倒囊椟，杂然前陈什袭蓄。清风古意溢我目，谁其乐之吴郡陆。"（《伊滨集》卷二十二）四库提要卷一二二："《研北杂志》二卷，元陆友撰。……友尝取《汉上题襟集》所载段成式语，自号研北生，因以名其杂著。前有元统二年二月自序，称元统元年冬还自京师，索居吴下，追忆所欲言者，命其子录藏。盖虞集、柯九思同荐友于朝，会二人去职，友亦罢归时也。所录皆轶文琐事。友颇精赏鉴，亦工篆隶，故关于书画古器者为多，中亦颇有考证。如解李商隐之金蟾啮锁句，辨徐锴《说文系传》之狝字、祢字互相矛盾，援《北史》证马定国以石鼓出宇文周之非，引郑康成之说证《传注》称错简之误，皆有可采。至谓仉姓出梁四公子传，不知孟母先氏仉；以王明清字仲言，谓本张华赠何邵诗'其言明且清'句，不知《礼记》先有此文，则偶然疏舛也。徐显《碑传》载友撰《研史》、《墨史》、《印史》，不载此书。此本出自陈继儒家，末有旧跋，已称字多讹脱，继儒刻入《普秘笈》中，更失校雠，如皇象天发神谶碑事一条，上下卷其文复见，则颠倒错乱可知矣。钱曾《读书敏求记》称有柯柘湖校本、项药师刊本，今皆未见也。"

十四日，陈栎卒。汪炎昶《定宇先生行状》："以淳祐壬子三月二十七日实生五城，殁以元统甲戌二月十四日，享年八十有三。"陈栎（1252—1334），字寿翁，号东阜老人，学者称定宇先生，徽州府休宁人。著有《尚书集传纂疏》六卷、《勤有堂随录》一卷、《历代通略》四卷、《定宇集》十六卷。《元诗选》初集丙集选其诗 8 首。生平见陈栎《云萍小录》（《定宇集》卷十五）、汪炎昶《定宇先生行状》、《定宇集》卷首《年表》、揭傒斯《定宇先生墓志铭》、《元史》卷一八九《儒学传》。揭傒斯《定宇先生墓志铭》："圣人之学，至于新安朱子，广大悉备。朱子既没，天下学士群起著书，一得一失，各立门户，争奇取异，附会缴绕，使朱子之说翳然以昏。朱子没五十有三年，而陈先生栎生于新安。……二十三而宋与科举俱废，慨然发愤圣人之学，涵濡玩索，废寝忘食，贯穿古今，罗络上下。以有功于圣人，莫盛于朱子，惧诸家之说乱朱子本真，乃著《四书发明》、《书传纂疏》、《礼记集义》等书，馀数十万言。其畔朱子者刊而去之，其微辞隐义引而伸之，其所未备补而益之，于是朱子之学焕然以明。方是时，惟江西吴先生澄以经学自任，善著书，独称陈先生有功朱子，凡江东人来受学，尽送而归之陈先生。然吴先生多居通都大邑，又数登用于朝，天下学者四面而归之，故其学远而彰，尊而明。陈先生居万山间，与木石为伍，不出门户动数十年，故其学必待其书之行，天下乃能知之。及其行也，亦莫之御，先生可谓豪杰之士矣。……铭曰：先生之学，既博而约。先生之行，既专而静。不为利疚，不为名高。杜门空山，与道游遨。其书孔富，其后孔茂。八表非寿，与天地久。"（《定宇集》卷十七）《元诗选》初集丙集："其句法如'笑渠柱笏看山色，容我扶筇听水声'，'柳枝水洒一溪月，豆子雨开千嶂烟'，'先苦半生真食蓼，回甘晚景异尝茶'，亦殊不多见也。"四库提要卷一六七："《定宇集》十六卷、《别集》一卷，元陈栎撰。……是集为其族孙嘉基所刊。凡文十五卷，诗及诗馀一卷，《别集》一卷，则附录序记志状之类。栎生朱子之乡，故力崇朱子之学。集中如《澄潭赞》曰：'惟千载心，秋月寒水。儒释同处，我闻朱子。'附会《斋居》、《感兴》诗句，以强合于禅，未免自生疵累，异乎朱子之所传。然集中诸文，大抵皆醇正质实，不涉诡诞。如《深衣考》之类，虽未必尽合古制，而援据考证，究与空谈说经者有间。惟诗作《击壤集》派，多不入格。顾嗣立《元诗选》中所称'笑渠挂笏看山色，容我扶筇听水声'，'柳枝水洒一溪月，豆子雨开千嶂烟'诸句，皆沙中金屑，不能数数遇之也。"

## 三月

初一，诏科举取士、国子学积分、膳学钱粮、儒人免役等制，悉依前朝。学校官选有德行学问之人以充。见《元史》卷三十八《顺帝本纪》。

## 五月

初五，陈旅序苏天爵所编《国朝文类》。序见本集卷首。又有王理序，王守诚跋。《元文类》七十卷，今存元刻本、《四库全书》本。《铁琴铜剑楼藏书目录》卷二十三："《国朝文类》七十卷，元刊本。元苏天爵编，此至正二年杭州路西湖书院所刻大字本。前有准中书省请刻咨文，移咨江南行省于赡学钱粮内镵梓，王理、陈旅序，王守诚跋。是此书初刻本也。目录后有'儒士叶森点对'一行。"《四库全书总目提要补正》卷五十七："《元文类》七十卷、目录三卷。杨氏《楹书隅录》有元本《国朝文类》七十卷、目录三卷，云：'每半叶十行，行十九字。《水东日记》云："尝见至正初浙省元刻大字本，有陈旅序。"即此本也。是书元刻有大字、小字两本，小字本为建安刘氏翠岩精舍所刊，椠镂之工，视此颇胜。然此本乃当时官板，且曾以苏氏元编校正，俾四十一卷《经世大典》军制以下之文，各本所无者，此独补成完帙。'又有元本七十卷，云：'每半叶十三行，行二十四字，板式字体，均与翠岩本无异。目录不分卷，卷四十一《经世大典》军制以下全缺，亦同翠岩。惟卷十八《李节妇赞》，卷三十一《建阳县江源复一堂记》，卷六十九《李节妇传》，卷七十《高昌偰氏家传》，皆翠岩本所无，而《李节妇传》则西湖本亦有之。考翠岩本，但载元统二年王理序，当是最初刻。西湖本，至元初刻，已补入陈旅序、王守诚跋。至正二年，复修补一十八板，九千三百九十馀字，又于目录及各卷内校正九十三板，脱漏差误一百三十馀字，于是四十一卷始成完帙。（见西湖本至正二年中书省下杭州路西湖书院公文）此本殆从翠岩本翻雕，而刊时在西湖本初刻之后，未补之前，故陈、王序跋均依西湖本补入，军制以下之文则仍阙如也。至《李节妇赞》诸篇，想又由他本搜辑者。《水东日记》曰："尝见至正初浙省元刻大字本，有陈旅序，此本则有书坊自增《考亭书院记》"云云，殊不尽然。叶氏所见，仅西湖本，不知《考亭书院记》，翠岩本已有之矣。况元刊诸本，互有差池，自是各从所据，非出一源，不得谓西湖本所无者即属书坊妄益也。'陆氏《仪顾堂续跋》元椠本跋云：'此本四十一卷既已补完，其馀亦无一缺叶烂版，当是至正二年初印本，每叶二十行，每行十九字。《元文类》刊本，余所见凡五：一为翠微（岩）精舍本，刊于元至正初；一为明晋藩本，题曰《元文类》，刊于嘉靖时；一为明坊刻细字本，题曰《校元文类》，当刊于明初；一为修德堂本，刻于明季；一即此本，乃此书祖本也。……五本之中，以西湖本为最，此则又西湖本之最善者也。'玉缙案：翠岩本多《考亭书院记》，陆跋误将'翠岩本'三字倒在'记'字下，当乙转。杨、陆两说，均足订叶氏之失，大字本，即西湖本。"

## 夏

吴全节从驾上都，赋诗以寄李存，李存有诗和之。李存《和吴宗师滦京寄诗序》："元统二年夏，玄教大宗师吴公从驾上都，叹帝业之弘大，睹朝仪之光华，赋诗二章。他日，手书以寄其乡人李某，且曰：'苟士友之过从者，宜出之与共歌咏太平也。'于是闻而来观者相继，传录于四方者尤众。咸以为是作也，和而庄，丰而安，婉而不曲，陈而不肆，其正始之遗音乎！夫大宗师以出尘之姿，绝俗之气，主朝廷祠祭之事，犹不肯以终食之顷，少忘于弦歌之间。"（《俟庵集》卷十八）

## 八月

十五日，吴自牧作《梦粱录自序》。序末署"甲戌岁"，或以为即本年。姑从其说。《四库全书总目提要补正》卷二十三："《梦粱录》二十卷。钱大昕《养新录》云：'自署甲戌岁，盖元顺帝元统二年也。若前六十年，则为咸淳十年，宋祚未亡，不当有沧桑之感矣。自牧事迹无可考，但其人既目睹临安繁华之盛，而书成于元顺帝之初，则必隐遁而享高寿者矣。'"《梦粱录》二十卷，有《四库全书》本、《丛书集成初编》本、中华书局校点本。四库提要卷七十："《梦粱录》二十卷，宋吴自牧撰。自牧，钱塘人，仕履未详。是书全仿《东京梦华录》之体，所纪南宋郊庙宫殿，下至百工杂戏之事。委曲琐屑，无不备载。然详于叙述，而拙于文采，俚词俗字，展笘纷如，又出《梦华录》之下。而观其自序，实非不解雅语者，毋乃信刘知几之说，欲如宋孝王《关

**301**

东风俗传》，方言世语，由此毕彰乎？（案，语见《史通·言语》篇）要其措词质实，与《武林旧事》详略互见，均可稽考遗闻，亦不必责以词藻也。自牧自序云：'缅怀往事，殆犹梦也，故名《梦粱录》。'末署甲戌岁中秋日。考甲戌为宋度宗咸淳十年，其时宋尚未亡，不应先作是语，意甲戌字传写误欤？王士禛《渔洋文略》有是书跋，云《梦粱录》二十卷，不著名氏。盖士禛所见钞本，又脱此序，故不知为自牧耳。今检《永乐大典》所引，条条皆题自牧之名，与此本相合。知非影附古书、伪标撰人姓氏矣。"

## 十月

**十五日，揭傒斯序盛熙明所著《法书考》。**序见本集卷首，其时揭傒斯官文林郎、艺文监丞、参检书籍事。又有虞集、欧阳玄序，于其书甚为推赏。《法书考》八卷，今存《四库全书》本。四库提要卷一一二："《法书考》八卷，元盛熙明撰。案陶九成《书史会要》曰：'盛熙明，其先曲鲜人，后居豫章。清修谨饬，笃学多材，工翰墨，亦能通六国书。'则色目人也。是书前有虞集、揭傒斯、欧阳玄三序。集序称其备宿卫，傒斯序则称为夏官属，其始末则不可考矣。傒斯序又称：'熙明作是书，稿未竟，已有言之文皇之前者，有旨趣上进。以修《皇朝经世大典》事严，未及录上。四年四月五日，今在上廷春阁，遂因奎章学士实喇巴勒（原作沙剌班，今改正）以书进。上方留神书法，览之终卷，亲问八法旨要。命藏之禁中，以备亲览。《书史会要》亦称至正甲申，尝以《法书考》八卷进上，与序相合。则是书实当时奏御本也。其书首为《书谱》，分子目四。次为《字源》，次为《笔法》，次为《图诀》，次为《形势》，各分子目二。次为《风神》，次为《工用》，合分子目三。次为附录、印章、题署、跋尾。虽杂取诸家之说，而采择特精。其《字源》一门，所列梵书十六声、三十四母，蒙古书四十二母，亦与陶九成通六国书之说合。皆颇足以资考证也。"

## 十一月

**初五，周文质卒，年四十馀。**《录鬼簿》卷下："元统二年六月，余自吴江回，公已抱病，盛暑中，止以为痧疠之毒，而不经意也。医足踵门，病及五月，而无瞑眩之药。十一月五日，卒于正寝。呜呼□（惜）哉。始余编此集，公及见之，题其姓名于未死鬼之列。尝与论及亡友，未尝不握手痛惋，而公亦中年而殁，则余辈衰老萎惫者，□□（又何）以久于人世也欤？"周文质（？—1334），字仲彬，其先建德人，后家杭州。体貌清癯，学问该博，资性工巧，文笔新奇。家世儒业，俯就为路吏。善丹青，能歌舞，明曲调，谐音律。性尚豪侠，好事敬客。与钟嗣成交二十馀年，未尝跬步离。著有杂剧《孙武子教女兵》、《春风杜韦娘》、《敬新磨戏谏唐庄宗》、《持汉节苏武还乡》，仅《苏武还乡》一种今存残曲。《全元散曲》录其小令43首，套数5套。钟嗣成〔双调〕《凌波仙·吊周仲彬》："丹墀未知玉楼宣，黄土应埋白骨冤，羊肠曲折云更变。料人生，亦惘然。叹孤坟，落日寒烟。竹下泉声细，梅边月影圆。因思君，歌舞十全。"

十五日，马莹卒，年五十五。马莹（1280—1334），字仲珍，建德县新亭乡人。尝仿汉魏乐府辞、唐柳宗元新体制《皇元铙歌鼓吹曲》十二章，选唐五百家诗五卷、宋南渡诸家诗一卷，著有讲义、读书记各二卷，诗集无传。生平见柳贯《马仲珍墓志铭并序》（《待制集》卷十一）。

十九日，程端学卒，年五十七。欧阳玄《积斋程君墓志铭》："君生以前至元十五年戊寅五月丁未，卒以元统二年甲戌十一月癸卯，年五十有七。以次年闰十二月乙酉，葬于邑之阳堂乡太白里之原。"（《新安文献志》卷七十一）四库提要卷一六七："《积斋集》五卷，元程端学撰。……端学之说《春秋》，勇于信心而轻于疑古，颇不免偏执胶固之弊。然其人品端谨，学术亦醇，故其文结构缜密，颇有闳深肃括之风。故曹安又记其会试经义策冠场，考官白宰相曰：'此卷非三十年学问不能成。'盖根柢既深，以理胜而不以词胜，故与雕章绘句者异焉。诗尚沿南宋末派。观《墓志》称端学泰定初扈跸上都，时虞集为国子司业，深相器重，而不甚见两人唱和之作，则端学不以是擅长，亦可见矣。"《铁琴铜剑楼藏书目录》卷二十二："其学深于《春秋》，故文章弘深简肃。"

二十五日，宋本卒，年五十四。宋褧《诚夫兄大祥毕祭文》："维元统二年岁次甲戌，十一月二十九日癸丑，弟翰林修撰褧，谨以少牢之奠，致祭于亡兄集贤直学士、国子祭酒诚夫公之灵。"（《燕石集》卷十三）胡助有《挽宋正献公诚甫》诗二首，余阙有《宋祭酒挽歌二首》（《青阳集》卷一）。［按，宋本生卒年，据《元史》卷一八二宋本本传。宋褧《故集贤直学士大中大夫经筵官兼国子祭酒宋公行状》云："公讳本，字诚夫，初讳克信，世燕人。……至元十八年辛巳，生大都为美坊。……元统改元，拜陕西诸道行御史台治书御史，疾未赴。……三年夏，改集贤直学士、大中大夫、经筵官兼国子祭酒。……冬，疾有加，浸不可救，竟以十月二十五日薨，享年五十四岁。……以次年四月十九日壬申，葬宛平县香山乡撅山原新卜之兆。……元统三年正月日，弟翰林修撰褧谨状。"（《燕石集》卷十五）至元十八年为1281年，下推五十三年，为元统二年（1334），则宋本改集贤直学士在元统二年，"三年夏"当系"二年夏"之误，与《元史》卷一八二宋本本传所言合。宋褧《行状》以其卒于十月二五日，《元史》本传则作十一月二十五日，或《行状》于"十"后又失刻一"一"耶？又宋褧《行状》末署"元统三年正月日"，然此前已言"以次年四月十九日壬申葬"，则其讹亦明矣。］宋褧《故集贤直学士大中大夫经筵官兼国子祭酒宋公行状》："公平昔记问该洽，才情精敏，行词务温雅宏丽，不敢苟简毫发，加以都人士及同年争欲公文章，公答应笔翰如流，故是岁时文极多，自是士论翕然愈归之。……性好著述，会粹凡四十卷，以登科之年号《至治集》。文章以气为主，贵立论，尚微辞，辞语典丽丰硕，温厚峭健，各得其宜。尤嗜骈俪乐府，尝患二者绝学，规规然必以中绳墨、谐律度为念，而不失雄浑。"苏天爵《宋正献文集后序》："自昔燕、赵山川风气雄浑奇伟，豪杰之士往往出于其间，故材气强毅，不随世俯仰。公之文辞高古，务出于己，每叹近世文气骩骳为不足尚也。"（《滋溪文稿》卷六）《元史》卷一八二宋本本传："善为古文，辞必己出，峻洁刻厉，多微辞。"《春明梦馀录》卷六十四："宋诚夫有《燕都》诗四首，为人传诵，附录于此。'抛却渔竿沧海边，拂衣来看九重天。画阑九陌桥如月，绿影千门树似烟。南国佳人王幼玉，中朝才子杜樊川。紫云楼上如渑酒，孤负春风二十年。''绣错繁华遍九衢，上林辞赋汉西都。朱门细婢金条脱，紫禁材官玉鹿卢。万里星辰开上界，四朝冠盖翙皇图。东邻白面生纨绮，笑杀扬雄卧一区。''卢沟晓月堕苍烟，十二门开日色鲜。海上神山无弱水，人间平地有钧天。宝幢珠珞瞿昙寺，豪竹哀丝瑇瑁筵。春雨如膏三万里，尽将嵩呼祝尧年。''形势全燕拥地灵，梯航万国走王城。狗屠已仕明天子，牛相宁知别太平。元武钩陈腾王气，白麟赤雁入新声。近来朝报多如雨，不见河南召贾生。'"《元诗选》二集戊集："诚夫材气强毅，不随世俯仰，其文峻洁刻厉，多微词。每叹近世文气骫骳，为不足尚，务为高古以胜之。盖少时与显夫随父宦游江汉间，日益贫窭，衣食时或不充，故其学精深坚苦。始以诗歌擅名，及闻贡举诏下，复习经义策问。诚夫年四十始同显夫还京师，兄弟后先擢科第，入馆阁，时人以大宋、小宋拟之。"《石洲诗话》卷五："诚夫《大都杂诗》，亦学樊川，可与萨雁门雁行。"

## 本年

**江浙等处儒学司刊刘敏中《中庵集》。**是集为刘敏中婿魏谊所编。韩性《中庵集序》："中庵刘公以文学受简知，致身通显，朝廷典册，巨公铭诔，所著为多，而集藏于家，学者愿见而不可得。总管魏公，公子婿也，将刊以传于代。"《藏园订补郘亭知见传本书目》卷十四："补：《中庵先生刘文简公文集》二十五卷，目录二卷，元刘敏中撰。元刊本……前元统二年江浙等处儒学提举吴善序，元统二年韩性序，每卷后有'后学钱唐叶森校正'一行，卷首题'正议大夫、前户部尚书魏谊编类'。卷一至三碑记，四至十一碑志，十二至十三序，十四铭、赞、颂，十五表、笺、册、奏议，十六经疑、策问、杂著，十七赋、诗，十八至二十三诗，二十四至二十五乐府。其编次与《四库》本迥异，卷数多五卷，所收诗文溢出《四库》本颇多。如其词凡一百二十六首，《四库》本只三十二首耳。"《四库全书总目》所录《中庵集》为二十卷，系四库馆臣由《永乐大典》中辑出。《中庵先生刘文简公文集》二十五卷，有元刊本、清抄本。

**高德基官承直郎、建康路总管府推官。**《至大金陵新志》卷六下："推官：高德基，承直，元统二年。"《千顷堂书目》卷五："高德基《平江纪事》一卷。（尝为建德路总管，不知何处人）"四库提要卷七十："《平江纪事》一卷，元高德基撰。德基，平江人，尝官建德路总管。书中记干文传修辽、金、宋史事，则当成于至正中矣。所载皆吴郡古迹，而亦兼及神仙鬼怪、诙谐谣谚之事，可裨图志佚闻。其间不免疏谬者，如引《图经》'虞山者巫咸所居'，而不知其语出《越绝书》；引《吴越春秋》'稻蟹不遗种'，而不知其语出《春秋外传》。又胥、苏二字古本通用，《左传》申包胥，《战国策》作勃苏，是其明证。故《国语》、《史记》皆作姑苏。德基以苏为后人之讹字，尤为失考。然其序次详赡，条理秩然，足供采撷者甚多，亦龚明之《中吴纪闻》之流亚也。其体不全为地志，亦不全为小说，例颇不纯，无类可隶。以其多述古迹，姑附之地理类杂记中焉。"

宋濂以金华胡翰之招，往从吴莱学古文于浦江麟溪郑氏，遂以著述名世。时濂年二十五。明年，即代吴莱主教麟溪。见孙锵《宋文宪公年谱》。《金华贤达传·明宋濂传》："年二十五，明道著述义门郑氏之东明山，名震朝野。"

孙蕡生。孙蕡（1334—1389），字仲衍，号西庵，顺德人。何真据岭南，开府辟士，与王佐、赵介、李德、黄哲并受礼遇，称南园五先生。廖永忠南征，蕡为真草降表，永忠辟典教事。洪武三年，登进士第，授工部织染局使，迁虹县主簿。居一年，召为翰林典籍，与修《洪武正韵》。九年，遣监祀四川。居久之，出为平原主簿。坐累逮系，俾筑京师望都门城垣。十五年，起为苏州经历，复坐累戍辽东。旋以党祸见杀。著有《西庵集》九卷。生平据《明史》卷二八五《文苑传》、黄佐《广州人物传》卷十二。［按，孙蕡生年，据所作诗《乙卯除夕》，诗云："四十今已过二年，明日又复岁华廷。"（《西庵集》卷五）"乙卯"为洪武八年（1375）。卒年，据黄佐《广州人物传》卷十二，言蕡年五十六卒。何冠彪《孙蕡二题》（《明清人物与著述》，香港教育图书公司 1996 年版）作 1338—1393 年。］

本年或稍后，陈旅选周权诗为《此山先生集》。据《元史》卷一九〇《儒学传》，陈旅以国子助教出为江浙儒学副提举，在元统二年。陈旅所作集序，亦言"予官桥门七年"，又序末衔以"登仕郎、浙江等处儒学副提举"。另有欧阳玄作于序末之识语，云："仆既序，复见诗集留莆田陈君处，陈为之精选，又倍神采焉。仆因致点校之助于其间云。"知陈旅编选周权诗集，在此年或稍后。《此山诗集》，《四库全书总目》作四卷，而《四库全书》所收实为十卷。《此山诗集》十卷，今存元至正间刊本、《四库全书》本；四卷本，今存明刻本、清钞本，藏北京图书馆。另有《周此山先生诗集》八卷，旧钞本，有清石铁华手跋。《元诗选》初集已集选其诗 104 首。陈旅《此山先生集再序》："此山诗，不但简淡和平，而语多奇隽。余为校选，故能深知之也。比翰林袁学士以其才堪充馆职，力荐诸朝，吾恐此山不能遂肥遁之乐也。"《元诗选》初集己集："衡之句法，实多可观，如《荷亭》云：'风细晨气润，月澄夜香寒'，《村溪即事》云：'鹤行松径雨，僧倚石阑云。'《倦游》云：'断猿明月曙，疏雨碧梧秋。'《村行》云：'桥断春堤多积雨，溪深野碓自春云。'《访陈子高》云：'竹深四壁生虚籁，山近半村无夕阳。'又如：'芳术旋收同茗煮，落花闲拾和香烧。''鸠雨欲晴桑叶晚，燕泥新湿杏花馀。'即众仲所谓'简淡和平，而语多奇隽者'也。"四库提要卷一六七："《此山集》四卷，元周权撰。权字衡之，号此山，处州人。尝游京师，以诗贽翰林学士袁桷，桷深重之，荐为馆职，竟报罢。然诗名日起，唱和日多。集中有赠赵孟頫诗云：'瓣香未展师道敬，携琴暂出松萝中。'赠虞集诗云：'远游非涉声利途，愿谒国文开榛芜。'赠揭傒斯诗云：'嗟予观光老宾客，瓣香仰止怀生平。'赠陈旅诗云：'下榻清风延孺子，高楼豪气卧元龙。'赠欧阳玄诗云：'床头萍绿多矜色，长价还从薛下门。'赠马祖常诗云：'绝怜白发南州士，山斗弥高独仰韩。'而赵孟頫赠权诗亦有'青青云外山，炯炯松下石。顾此山中人，风神照松色'之句，且亲写此山二字为额以赠。是时文章耆宿不过此数人，而数人无不酬答，似权亦声气干谒之流。然孟頫等并以儒雅风流照映一世，其宏奖后进，迥异于南宋末叶分朋标榜之私，故终元之世，士大夫无钩党之祸。权与诸人款契，盖文字之相知，固未可以依门傍户论也。是集为陈旅所

305

选定，旅及袁桷、欧阳玄等各为之序，揭傒斯又为之跋。旅本作者，故别择特精。旅序称其简淡和平，无郁愤放傲之色。桷序称其法苏、黄之准绳，达《骚》、《选》之旨趣。玄序称其无险劲之词而有深长之味，无轻靡之习而有舂容之风。今观其诗，玄所称尤为知言矣。"

**杨翮《送赵子祥序》**约作于天历元年至本年间。据孙楷第《元曲家考略》。孙氏以为，此赵子祥即《录鬼簿》所载之曲家赵子祥。然曹刊本《录鬼簿》卷上录其人于"前辈已死名公才人"之列，与孙氏所言生于大德末年似不合。姑存此以备考。赵子祥，著有杂剧《崔和担土》（一作《崔和檐生》）、《风月害夫人》、《太祖夜斩石守信》3种。贾仲明〔双调〕《凌波仙·吊赵子祥》："一时人物出元贞，击壤讴歌贺太平，传奇乐府时新令。锦排场，起玉京。《害夫人》、《崔和檐生》。白仁甫，关汉卿。《丽情集》，天下流行。"据此，则赵子祥又似与白朴、关汉卿为同时人。

## 公元 1335 年　（顺帝至元元年　乙亥）

### 正月

**龙仁夫卒。**刘岳申有《祭龙麟州文》，文云："元统三年春正月，陕西提学麟州龙公卒于齐安之寓舍。"（《申斋集》卷十二）龙仁夫，字观复，庐陵（一作永新）人。与刘诜、刘岳申齐名。有司荐为湖广（或作江浙、陕西、甘肃）儒学提举，晚居黄州。学者称麟洲先生。卒，葬黄州府城南逻华山。著有《读书台集》、《周易集传》十八卷（存八卷）。

**二十九日，王克修授秘书监著作佐郎。**《秘书监志》卷十："王克修，字进之，高唐人。元统三年正月二十八日，以将仕郎上。至元后元年正月二十九日，复仕。"黄清老所撰《诗法》一篇，即为答王克修之尺牍。《诗法》，收入《傅与砺诗法》、王用章《诗法源流》及朱权《西江诗法》等集中。

### 七月

**十一日，铁柱、智熙善出使安南，傅若金辅其行。**傅若金有《七月十一日赴安南》（《傅与砺诗集》卷五）诗，黄潜有《送傅汝砺之安南》（《文献集》卷一）诗。《元史》卷三十八《顺帝本纪》系其事于元统二年正月。揭傒斯《送傅与砺广州儒学教授序》："元统三年秋七月，诏假群玉内司丞铁柱吏部尚书、丞相掾智熙善礼部郎中使安南，以临江傅若金为辅行。若金字与砺，为学有本末，为文章有规矩，至于歌诗，盖无入而不自得焉，其高出魏晋，下犹不失于唐。"（《傅与砺诗文集》附录）苏天爵《元故广州路儒学教授傅君墓志铭》："会今天子即位，诏遣使者颁正朔于安南，以君才学为之参佐，受命即行，至真定驿，启制书观之，上有王号。君曰：'安南自陈日烜已绝王封，累朝赐书皆称世子，今无故自王之，何也?'使者疑未决，君独请行。至都堂白其事，宰相大喜，立奏改之。安南之人往往以中国使者不习其国风土，多设谲诈以绐使者，至是君一一用言折之，彼遂詟伏，不敢相侮。或郊迎张宴劳众，或盛饰侍姬侑酒，君皆却之，曰：'圣天子遣使者来，所以宣布德意，不当重扰远民。'至日，世

306

子出郭迎诏，帅国中之人共拜听焉。"（《滋溪文稿》卷十三）与砺之使安南，作有《南征稿》。傅若金《南征稿序》："元统三年，诏遣吏部尚书铁柱、礼部郎中智熙善使安南，而以若金为辅行。其年秋七月，辞京师。明年夏，还至阙下。往返万六千馀里，道途所经，山川城郭、宫室墟墓、草木禽虫百物之状，风雨寒暑、昼夜明晦之气，古今之变，上下之宜，风土人物之异，凡所以感于心、郁于情、宣于声而成诗歌者，积百馀篇。内弟孙宗玉见而录之，其意若将惧其零落，而欲久其存者。嗟夫！古之《皇华》遣使，《杕杜》劳还，《采薇》歌戍役之苦，《黍离》闵宗周之旧，斯皆原情所生，而诗由作也。今人之情，岂异于古哉？余惟不能禁余之情而达诸辞耳，恶能保其必存以久也。自古之诗，零落亦多矣，矧后之人所作乎？余独有感于行迹之远，而悯夫宗玉之志之勤，于是叙而存之。"（《傅与砺文集》卷四）

## 八月

**鲁贞中乡贡进士。**雍正《浙江通志》卷一七七："鲁贞。《明一统志》：开化人，著有《春秋案断》、《中庸解》、《易注》，余阙荐之不起。弘治《衢州府志》：贞字起元，元统二年举人。""二年"当系"三年"之误。鲁贞，字起元，号桐山老农，衢州开化人。绝意仕进，以吟咏自适。著有《桐山老农文集》四卷。四库提要卷一六八："《桐山老农文集》四卷，元鲁贞撰。贞字起元，自号桐山老农，开化人。集中《万青轩记》自称曲阜人，盖曲阜其祖贯也。是集凡文三卷，诗一卷。凡元代所作，皆题至正年号。其入明以后，惟题甲子，殆亦栗里之遗意。诗不出元末之格，且间有累句，殊非所长。其文亦闻见颇狭，或失考正，如《武安王庙记》迎神词中有'兰佩下兮桂旗扬，乘赤兔兮从周仓'句。考周仓之名不见史传，是直以委巷俚语镌刻金石，殊乖大雅。然人品既高，胸怀夷旷，一切尘容俗状，无由入其笔端。故称臆而谈，自饶清韵。譬诸深山幽谷，老柏苍松，虽不中绳规，而天然有出尘之意，其故正不在语言文字间矣。"

## 十一月

**二十三日，下诏改元，以元统三年为重纪至元元年。**见《元史》卷三十八《顺帝本纪》。

**诏罢科举。**《元史》卷三十八《顺帝本纪》署其事于本月庚辰（初二）、甲申（初六）间。《元史》卷一四二彻里帖木儿本传："至元元年，〔彻里帖木儿〕拜中书平章政事。首议罢科举，又欲损太庙四祭为一祭。监察御史吕思诚等列其罪状劾之，帝不允，诏彻里帖木儿仍出署事。时罢科举诏已书而未用宝，参政许有壬入争之。太师伯颜怒曰：'汝风台臣言彻里帖木儿邪？'有壬曰：'太师以彻里帖木儿宣力之故，擢置中书。御史三十人不畏太师而听有壬，岂有壬权重于太师耶？'伯颜意解。有壬乃曰：'科举若罢，天下人才觖望。'伯颜曰：'举子多以赃败，又有假蒙古、色目名者。'有壬曰：'科举未行之先，台中赃罚无算，岂尽出于举子？举子不可谓无过，较之于彼则少矣。'伯颜因曰：'举子中可任用者唯参政耳。'有壬曰：'若张梦臣、马伯庸、丁文

307

苑辈皆可任大事。又如欧阳元功之文章，岂易及邪?'伯颜曰:'科举虽罢，士之欲求美衣美食者，皆能自向学，岂有不至大官者邪?'有壬曰:'所谓士者，初不以衣食为事，其事在治国平天下耳。'伯颜又曰:'今科举取人，实妨选法。'有壬曰:'古人有言，立贤无方。科举取士，岂不愈于通事、知印等出身者。今通事等天下凡三千三百二十五名，岁馀四百五十六人。玉典赤、太医、控鹤，皆入流品。又路吏及任子其途非一。今岁自四月至九月，白身补官受宣者七十二人，而科举一岁仅三十馀人。太师试思之，科举于选法果相妨邪?'伯颜心然其言，然其议已定，不可中辍，乃为温言慰解之，且谓有壬为能言。有壬闻之曰:'能言何益于事。'彻里帖木儿时在座，曰:'参政坐，无多言也。'有壬曰:'太师谓我风人劾平章，可共坐邪?'彻里帖木儿笑曰:'吾固未尝信此语也。'有壬曰:'宜平章之不信也，设有壬果风人言平章，则言之必中矣，岂止如此而已。'众皆笑而罢。翌日，崇天门宣诏，特令有壬为班首以折辱之。有壬惧及祸，勉从之。治书侍御史普化诮有壬曰:'参政可谓过河拆桥者矣。'有壬以为大耻，遂移疾不出。初，彻里帖木儿之在江浙也，会行科举，驿请考官，供张甚盛，心颇不平，故其入中书，以罢科举为第一事。先论学校贡士庄田租可给怯薛衣粮，动当国者以发其机，至是遂论罢之。"

## 十二月

三十日，立蒙古国子监。见《元史》卷三十八《顺帝本纪》。

## 本年

上年至本年，吴师道集婺州七邑先贤遗文逸事成《敬乡录》。吴师道《郑北山墓志铭跋》:"甲戌、乙亥间，某杜门深居，日无所为，则取家所藏乡先生遗文逸事裒集之，名《敬乡录》。"(《礼部集》卷十七)据宋濂所作吴师道墓志铭，其所作《敬乡录》为二十三卷，今所存《四库全书》本仅十四卷。吴师道有《敬乡前录序》和《敬乡后录序》，并见《礼部集》卷十五，今所存《四库》本亦无前后录之分也。胡应麟《题吴礼部敬乡录诗话杂记后》:"吾邑自范浚先生始用著述显，金吉父氏系兴于经典，发擿无遗力，而他固未遑也。礼部吴公师道，生视吉父稍后，而于著述尤殚心，补注《战国策》大行于时，考核之精深，辩析之窾当，尝鼎一脔，足例其馀。其全集余尝得其钞本，诗歌盖多佳句，余摘录《诗薮》中。至《敬乡》二录及诗话等编，举郡邑凡有闻者，缉其制作履历，粲若指掌，下逮畸流逸客，片语只词，亦博采旁证，竟其隐伏，耳目所及，点缀弗遗。噫，其为力至勤，而用意良独厚矣。今去吴公仅二百载，而文献之详，遂邈弗得而睹，而南渡而上，人才篇什，史乘轶而未收者，尚倚藉诸编，稍获综其崖略。盖吴先生功于是为烈，而余于礼部固异世子云也。因笔余怀于末简，以俟异世之为余子云者诹之。"(《少室山房集》卷一〇六)四库提要卷五十八:"《敬乡录》十四卷，元吴师道撰。……是编以宋婺守洪遵《东阳志》所记人物尚有遗漏，因搜录旧闻，以补其阙。始自梁朝，迄于宋末。每人先次其行略，而附录其所著诗文，亦有止著其目者，或已散佚，或从删汰也。明正德间，金华守赵鹤有《金华文统》十三卷，盖以是录为蓝本。然鹤所编次，往往重复舛漏。如此录载潘良贵《矫斋记》、《静胜斋记》、《答雷公达书》、《君子有三戒说》四篇，而《文统》止载《矫斋记》及《雷公达书》二篇，删汰漫无义例，殊不及师道本书。又如宋方符所编宗忠简遗集，师道谓不及见，故集中封事诸篇，此录不载。然此录有《赠鸡山陈七四秀才》五言一首，方符所编转未之及。则零篇散什，藉以存者不少矣。至所编辑宋人小传，犹在《宋史》未成以前，故记载多有异同。若谓梅执礼密与诸将谋夺万胜门，夜入金营，劫二帝归。范琼以为无益，独吴革与赵子方结军民得众数万，王时雍、徐秉哲闻之惧，使琼泄谋于金师。《宋史》及《东都事略》本传俱不载，仅略见《三朝北盟会编》中，惟此书言之颇悉。又若《宋史》载嘉定十四年三月丁亥金师破黄州，知州事何大节弃城遁死；己亥金师陷蕲州，知州事李诚之死之。是录载李诚之死事与《宋史》合，而于何大节之遁则引刘克庄《答傅谏议伯成书》，辨大节初护齐安官吏士民过武昌，复自还齐安固守，半月，城破，金师拥入，大节死于赤壁矶下。则大节实未尝遁。此事与史颇异，亦可以资考证。元好问《中州集》以诗存史，为世所重。师道此书，殆与相埒。以其因人物以存文章，非因文章以存人物。与好问体例略殊，故隶之于传记类焉。"

**欧阳玄奉旨撰许衡神道碑。**碑见《圭斋文集》卷九。平仲之卒，虽在世祖至元中，然御赐之碑，实于此时方撰。其时曼硕、道园等人尚位列翰苑，然独以其文属之原功，于此一端，亦可见原功之地位矣。《至正直记》卷一："溧阳教授天台林梦正，尝为僧数十年而复还俗，颇能诗文，游京师二十年，始得是职。一日，出示许鲁斋神道碑版本，乃欧阳玄奉敕撰者。梦正时在京，闻奉旨翰林有德行者为文，近臣以虞、揭诸公奏，再奉旨特以欧阳玄文不妄作，有德行，且明经学，当笔。于是，传旨命玄撰。可见欧阳公为人，得遇圣恩所眷，亦平昔公议如此。虽延祐诸贤及天历名士，未能为之，直待欧阳公了此，可拟前宋文忠公也。"又："朝廷议立东宫，奉特旨命近臣召欧阳玄，以老疾不至。天子特以御罗亲书墨敕召之，略云：即日朝廷有大事商议，卿可勉为一行。后不书名，但呼元功而已。圣眷之重，亘古莫有。玄即赴京，就以御札装潢成轴以荣之。既至，特旨乘舆赴殿墀下。其宠其荣，国朝百年以来一人而已，后以司徒封之。"

**许谦作《秋夜杂兴》诗十二首，以寄吴师道。**吴师道《许益之秋夜杂兴诗》："右古诗十二首，白云先生许君益之之所作也。乙亥之夏，某病目甚剧，至秋稍平，则以文字承教于君，君劝以损读省思，毋为此无益也。一日，忽寄是诗来，且以诗言之曰：'吾欲子之见之尔，慎毋和也。'盖君平时罕作诗，以为不发于兴趣之真，不关于义理之微，不病而呻吟者，皆非也。然则此岂苟作哉！观其文貌音节，上泝晋魏，而寄兴高远，旨味渊泳，则有得于紫阳夫子《感兴》之遗者也。"（《礼部集》卷十八）陈旅《跋许益之古诗序》："右国子博士吴正传氏所藏金华许先生古诗十三首。先生不喜矜露，人罕见其辞章。今写此以遗正传，岂非以相知之深、相好之笃而然欤？旅尝病夫近世有儒者、诗人之分也，深于讲学而风雅之趣浅，厚于赋咏而道德之味薄，要非其至焉者。其至焉者，无儒与诗人之分也。先生沉潜载籍，大而圣贤心学之蕴，细而名物度数文字句读音义之详，靡不究极。……此诗冲澹酝藉，音节跌宕而兴致高远，乃若专久于为诗者，是岂可以向所谓儒者目之哉？"（《安雅堂集》卷十三）宋濂《题许

先生古诗后》："文懿先生许公尝赋《秋夜感兴》诗一十二首，录寄其友吴公正传。……他日阅箧衍，又得先生《遣兴》诗十首，吴公手钞缀于前卷，复与众仲各有论识。众仲之言，病夫世之论诗有儒者、诗人之分，而谓先生独能兼之。可谓知言，而无复遗憾者已。……今先生之诗，其音节则仿二子（陈子昂、李白）而绝仙佛之诞，其旨趣则本文公（朱熹）而写性情之真。虽言无统例，与朱子少殊，而其寄咏之深，隐忧之切，实有出夫二子之外，其于传世固无疑者。"

**朱思本有上京之行，沿途所作，成《北行稿》一集。**许有壬为之序，见《至正集》卷三十二，言思本身著道服而不忘于世情。

**唐桂芳赴乡试，郑玉作序送之。**郑玉《送唐仲实赴乡试序》："唐仲实将随举试艺于有司，以其尊府君之领教分水也，先期而行，枉道省觐，临行，从予征言为别。予谓科举之设久矣，唐宋之盛，名公巨卿，胥此焉出。我国家延祐初诏行科举，今二十年。马伯庸为御史中丞，许可用为中书参政，欧阳原功为翰林学士，张梦臣为奎章学士，科举之士，台省馆阁，往往有之，不为不盛矣。其取士之法，经疑、经义以观其学之底蕴，古赋、诏诰、章表以著其文章之华藻，复策之以经史时务以考其用世之才，亦既严且详矣。然朝廷不以是为难也，必曰乡党称其孝弟，朋友服其信义，然后得与是选焉。岂非以德行为本，文义为末乎？予与分水君为忘年之友，辱爱最深，知仲实之才超于人人，而学出乎等夷也。今将试艺于有司，又必先过其亲躬省觐之礼，尽孝弟之实，可谓知所先后矣。其言其行，必有合乎今之良有司，以无愧乎科举之盛也，故序而送之。"（《师山集》卷三）

**徐贲生。**据张习《北郭集后录》（《北郭集》卷首）。徐贲（1335—1393），字幼文，其先蜀人，徙常州，再徙平江。工诗，善画山水。张士诚辟为属，已谢去。吴平，谪徙临濠。洪武七年，被荐至京。九年春，奉使晋、冀，有所廉访。暨还，检其囊，惟纪行诗数首，太祖悦，授给事中。改御史，巡按广东。又改刑部主事，迁广西参议。以政绩卓异，擢河南左布政使。大军征洮、岷，道其境，坐犒劳不时，下狱瘐死，年五十九。与高启、张羽、杨基号"四杰"。著有《北郭集》六卷。生平据《明史》卷二八五《文苑传》。

**丁鹤年生。**丁鹤年（1335—1424），以字行，一字永庚，西域人，家武昌。至正十二年兵兴，奉母走镇江。又避地四明。方国珍据浙东，最忌色目人，鹤年转徙逃匿。明初，牒请还武昌，而生母已道阻前死，瘗东村废宅中，鹤年恸哭行求，母告以梦，乃啮血沁骨，敛而葬焉。乌斯道为作《丁孝子传》。鹤年自以家世仕元，不忘故国，顺帝北遁后，饮泣赋诗，情词凄恻。晚学浮屠法，庐居父墓。永乐十二年卒，年九十。著有《丁鹤年诗集》四卷。《元诗选》选其诗109首。生平据乌斯道《丁孝子传》、《两浙名贤录》卷五十四、《明史》卷二八五《文苑传》。

**姚广孝生。**姚广孝（1335—1418），幼名天禧，长洲人。年十四为僧，名道衍，字斯道。洪武中，诏通儒书僧试礼部。不受官，赐僧服还。建文元年，从成祖起兵。成祖即帝位，授道衍僧录司左善世。永乐二年四月，拜资善大夫、太子少师，复其姓，赐名广孝。重修《太祖实录》，广孝为监修，又与解缙等纂修《永乐大典》。十六年卒，年八十四。著有《逃虚子集》十一卷、《类稿补遗》八卷。生平据《明史》卷一四五本传。

　　**郭畀卒，年五十六。**俞希鲁《郭天锡文集序》："其祖母祷于神而得君，故其名畀，而字以天锡也。晚年号退思，以自抑其兼人之过。方其教授吴江，辟掾丞相府，人谓骎骎要途，将自此升，而竟弗克寿，年才五十六耳。"（转引自《元代画家史料》）倪瓒《题郭天锡画序》："天锡掾郎与予交最久，死别忽忽二十馀载，念之怅恨，如何可言。……至正二十三年岁在癸卯，十二月十日夜，笠泽蜗牛庐中。"（《清闷阁集》卷三）〔按，《历代名人年谱》以其生年为大德五年（1301），卒年为至正十五年（1355）。陈高华《元代画家史料》："生于元世祖至元十七年（1280），死于元顺帝后至元元年（1335），年五十六。"陈高华以为其所记之误，系缘于误读资料所致。参看《文物》1965 年第 8 期宗典《辨郭畀非郭祐之及其伪画》一文。〕郭畀（1280—1335），字天锡，晚号退思，镇江人。历任饶州路鄱江书院山长、处州青田县腊源巡检。调平江路吴江州儒学教授，未上，江浙行省辟充掾吏。著有《客杭日记》一卷、《云山日记》二卷（《横山草堂丛书》本）、《快雪斋集》一卷（《横山草堂丛书》本）。俞希鲁《郭天锡文集序》："吾友郭君天锡之子启，一日捧□□□门而告余曰：'此启先君子文集也。惟不幸弃诸孤时，启方孩提未有知，今二十馀年矣。平生著述诗文，散失之馀，搜罗箱箧，残编断简，仅得若干首，厘为若干卷，缮写成帙。而碑阴先友，惟先生在。傥赐观览，而叙冠其端，俾得以传世，则先君子为不朽也。'……君少于余一岁，童卯相从，意气已相得。然惟以学问相濯磨，戏言狎态未始一形于声音笑貌也。……君身长八尺馀，美须颐，善论辩，通国语，倜傥略边幅，堂堂然伟丈夫也。王公大人见之，莫不竦然起敬。且长于书画，吴兴赵公子昂，渔阳鲜于公伯机，蓟丘李公仲宾，房山高公彦敬，曹南商公德符，皆相与颉颃。碌碌馀子，视之若无人。而喜与方外之士游，谈空核玄，往往挫其机锋，抉其微妙，山林清馈，踵接于门，一时名声藉甚。……至正十五年八月既望，儒林郎、松江府判官致仕俞希鲁谨识。"

# 公元 1336 年 　（顺帝至元二年　丙子）

`正月`

　　**二十九日，王结卒，年六十二。**《元史》作二十八日。马祖常作《吊王仪伯左丞》，宋褧作《祭中书左丞王仪伯文》。苏天爵《元故资政大夫中书左丞知经筵事王公行状》："至元元年春，命公知经筵事。夏，疾作。九月，去位。诏公复入翰林，养疾不能应诏。中外方倚公为重，日冀其再用，以福元元，不幸疾竟不起。二年春正月廿九日，薨于中山私第，春秋六十有二。"（《滋溪文稿》卷二十三）王结（1275—1336），字仪伯，易州定兴人，徙家中山。卒谥文忠。著有《王文忠公文集》十五卷。今存《四库全书》本《王文忠集》六卷，系从《永乐大典》中辑出。生平见苏天爵《元故资政大夫中书左丞知经筵事王公行状》、《元史》卷一七八王结传。陈旅《王文忠公文集序》："公天资高朗，又质直温厚。……文辞典实丰畅，兴致本乎风雅，言论迪乎德义，和平之音，正大之气，蔼然见于编帙之间，读之可以使人息浮靡浇凉之风，此其道之著于文辞者也。"（《安雅堂集》卷六）《元史》卷一七八王结传："结生而聪颖，读书数行俱下，终身不忘。尝从太史董朴受经，深于性命道德之蕴，故其措之事业，见之文章，皆悉有所本。"四库提要卷一六七："《王文忠集》六卷，元王结撰。……结为元代名臣，张珪称其'非圣贤之书不读，非仁义之言不谈'。今观是集，殆非虚语。诗多古体，大抵春容和平，无钩棘之态。文亦明白畅达，不涉雕华。其中《上宰相论八事书》，乃结年二十馀游京师时所作，平生识力，已具见于是。《问答五条》皆与吴澄往复之语，或阐儒理，或明经义，可略见其学问之根柢。《善俗要义》乃结为顺德路总管时所作，以化导闾里。凡教养之法，纤悉必备，虽琐事常谈，而委曲剀切。谋画周密，如慈父兄之训子弟，循吏仁爱之意，蔼然具见于言表，尤足以见其政事之大凡。统观所作，所谓词必轨于正理，学必切于实用者也，固不与文章之士争词采之工拙矣。"

## 八月

初八，虞集为傅习、孙存吾所编《元风雅》撰题词。见本集卷首。傅习字说卿，清江人。孙存吾字如山，庐陵人，尝为儒学正。《元风雅》前集六卷，始于刘因，收元代诗人114家，为傅习采集，孙存吾编次；后集六卷，始于邓文原，收元代诗人166家，为孙存吾编辑。《补元史艺文志》卷四、《补辽金元艺文志》、《善本书室藏书志》卷三十八、《藏园订补郘亭知见传本书目》卷十六、《中国善本书提要》均作前、后集各六卷，今存《四部丛刊》本。《四库全书》本作前、后集各十二卷。谢升孙《元风雅序》："诗者，斯人性情之所发，自《击壤》来有是矣。然体制随世道升降，音节因风土变迁，以近代言，唐诗不与宋诗同，晚唐难与盛唐匹。我朝混一海宇，方科举未兴时，天下能言之士，一寄其情性于诗，虽曰家藏人诵，而未有能集中州四裔文人才子之句，汇为一编以传世行后者。庐陵孙君存吾有意编类雕刻，以为一代成书，其志亦可尚已。吾尝以为，中土之诗，沉深浑厚，不为绮丽语，南人诗尚兴趣，求工于景意间，此固关乎风气之殊，而语其到处，则不可以优劣分也。编诗者当以是求，读者亦以是观，则得之矣。子其遍历风骚之国而搜访焉，庶乎是集可无遗憾。若夫可否去取，自有当今宗匠在。至元二年丙子三月晦日，旴江南窗谢升孙子顺父叙。"四库提要卷一八八："《元风雅》前集十二卷、后集十二卷。前集十二卷，元傅习所采集，孙存吾为之编次。后集十二卷，则存吾所续辑也。……前集首刘因，凡一百十四家。后集首邓文原，凡一百六十六家。间载作者爵里，俱不甚详。所录江西人诗最多，盖里闬之间，易于撷拾。惟一时随所见闻，旋得旋录，故首尾颇无伦序，或有一人而两见者，殊乖体例。然元时总集传于今者不数家，此集虽不甚赅备，而零章断什不载于他书者颇多。世不习见之人，与不经见之诗，赖以得存者亦不少矣。又案范氏天一阁所藏，有《元朝野诗集》二册，亦题曰《元风雅》，不知何人所编。其体例与此迥殊，又传写多讹，参差失序，几至不可句读。盖断烂不全之本，无足甄录。以二书同出元代，名又相淆，姑附著其异同于此，以祛来者之疑焉。"《四库全书总目提要补正》卷五十七："《元风雅》前集十二卷、后集十二卷。丁氏《藏书志》有影元钞本前、后集各六卷，然则此当后来所析。瞿氏《目录》有元刊本《皇元风雅》三十卷，云：'元蒋易编，并序，又黄清老、虞集序。此书惟见焦氏《经籍志》、《文渊阁书目》，天一阁藏本只存二册。是本始刘梦吉，终陈梓卿，凡一百五十五家，独为完善，刻于至元三年。'"

## 秋

宋无自序所撰《翠寒集》。末署"至元丙子秋，吴病叟宋无子虚志于翠寒山隐居"，当是作于本年。据子虚自序，邓光荐序又似为《翠寒集》而作。《翠寒集》，诸家书目所记卷数各异。《国史经籍志》卷五：宋无集十五卷；《澹生堂藏书目》卷十三：宋逸士《翠寒集》一册，六卷，宋无；《千顷堂书目》卷二十九：宋无《翠寒集》八卷。《藏园订补郘亭知见传本书目》卷十四："《翠寒集》一卷，元宋无撰。汲古阁刊本，附《啽呓集》一卷，入《四库》存目。《敏求记》此书六卷，云张习所分。附：元刊本，附《啽呓集》一卷。（邵氏）补：影写元刊本。失名人朱笔校。明末毛氏汲古阁《元人十种诗》本。补：《翠寒集》三卷，元宋无撰。明刊本。……前有至元丙子自序，邓光荐序，元贞乙未赵孟頫序，延祐庚申冯子振序。……又补邓光荐序一首。然邓序实为《啽呓集》而撰，非此集所应有者也。此书又有六卷本，明成化张习所刊；又有八卷本，见《千顷堂书目》。近代收藏家著录及《四库》所收均作一卷，颇疑仅分卷不同，篇章无大异也。"赵孟頫《翠寒集序》："辛卯秋客燕，子虚与予游甚稔，每话具区山水之胜，出所为诗，风流蕴藉，脍炙可喜，皆不经人道。子虚年未艾，有能诗声，且通史。"毛晋《跋翠寒集》："司空图叙生平警句，如'人家寒食月，花影午时天'，又如'得剑乍如添健仆，忘书久似忆良朋'云云，即令郊、岛操觚，恐不免断数须而下一字。既读冯海粟子虚诗序，拈出若干联，新琢惊人，不让表圣。亟觅《翠寒》全集读之，语语如锻岁炼年者，然出之甚易，质之白家老妪，应亦解颐，直前无唐人矣，元人不足言也。"四库提要卷一六七："《翠寒集》一卷，元宋无撰。……子振序仿李中《碧云集序》例，摘录其佳句甚悉，所举如《古研歌》之'神娲蹋云去补天，留下一团焦黑烟'，殆粗犷不复成语；又如'杨柳昏黄晚西月，梨花明白夜东风'之句，亦欠自然。然其他品题，大抵精当。统观其集，七言古体纯学李贺、温庭筠，时有隽语；乐府短章，往往欲出新意，而反失之纤；五言律诗、五言长律最为擅长，七言绝句次之，七言律诗又次之。五言古诗集中惟《建业怀古》一首，亦仅如拗体律诗，句句对偶，特平仄不谐耳。盖才所不近，避而不作也，亦可谓善用其短矣。"

## 本年

伯颜当国，禁戏文、杂剧、评话等。《农田馀话》卷上："后至元丙子，丞相伯颜当国，禁江南农家用铁禾叉，犯者杖一百七十，以防南人造反之意。民间止用木叉挑取禾稻。古人所谓食肉者，其智如此。又禁戏文、杂剧、评话等。"汪大年《然否》卷十二引其文，并云："私谓戏文、杂剧，称最于元，而元禁，岂以其时有讥评耶？衰伏于盛，自是定理。"（转引自《元明清三代禁毁小说戏曲史料》）

陆文圭卒，年八十五。王逢有《避乱绮山谒子方先生陆公墓》（《梧溪集》卷四）诗。《元史》卷一九〇《儒学传》："陆文圭，字子方，江阴人。幼而颖悟，读书过目成诵，终身不忘。博通经史百家，及天文、地理、律历、医药、算数之学。……文圭为文，融会经传，纵横变化，莫测其涯际，东南学者，皆宗师之。"《全闽诗话》卷六："国初邓布衣定《题昭君出猎图》云：'传呼莫射南飞雁，欲寄平安到汉家。'一时传咏，以为绝唱。然元陆子方《昭君词》云：'劝君莫射南飞雁，欲寄思乡万里书。'已先道之矣。按子方诗又云：'谁知塞外风尘貌，不似昭阳殿里人。'则东方虬诗'单于浪惊喜，无复旧时容'已先之矣。信哉！诗不蹈袭之为难也。（《小草斋诗话》）"四库提要卷一六六："《墙东类稿》二十卷，元陆文圭撰。……史称文圭之文融会经传，纵横变化，莫测其涯涘，东南学者，皆宗师之。今核所作，史言不谬。史又称其邃于地理，考核甚详。今检集中，惟存《辨毛颖传中山》一条，馀悉不载，殆散佚不可考矣。是集本二十卷，世久无传。今从《永乐大典》中搜采遗佚，共得文三百馀篇，诗词六百馀篇，仍依原目厘为二十卷。虽割裂之馀，重为辑缀，亡失者已多，而据所存者观之，固元初一作者也。"

**黄景昌卒，年七十六。**黄景昌（1260—1336），字清远，一字明远，浦阳灵泉人。四岁入小学，十二岁能属文，长从方凤、吴思齐、谢翱游，益通五经诸子诗赋百家之言，尤笃意于《春秋》，学之四十年不倦。后至元二年卒，年七十六。《浦阳人物记》卷下："景昌以古人论诗主于声，今人论诗主于辞，声则动合律吕，可以被之金石管弦，辞则文而已矣。乃集汉魏以来诸诗，各论其时代而甄别之，作《古诗考》。景昌善持论，出入经史，衮衮不穷，如议法之吏，反复推鞫，其人辞不服不止。故其所言，皆绰有理致。他著述尚多，不能备陈。"

**蒲道源卒，年七十七。**［按，蒲道源生卒年，据王德毅《元人传记资料索引》。索引中所列文献，其中有《闲居丛稿》附录之蒲机《顺斋先生墓志文》一篇，及蒲道诠《顺斋先生蒲公诔》，笔者未尝得见，故据其所录系于本年。］黄溍《顺斋文集序》："故赠秘书少监顺斋蒲公既殁，仲子御史君机哀辑遗文曰《闲居丛稿》者为二十有六卷，以授某俾序之。孟子曰：诵其诗，读其书，不知其人可乎？是以论其世也。按公行状：公生而嶷岐，卯岁就学，强记过人，未成童，已通经大义。弱冠，文声藉甚，诸老多折行辈与之交。逮乎立年，复以濂洛诸儒之说，倡于汉中，而汉中之士知有道德性命之学。盖公之求端用力，务自博以入约，由体以达用，真知实践，不事矫饰，而于名物度数，下至阴阳医学，无不究其精微。教人具有师法，大抵以行检为先，而穷经则使之存心静定，而参透于言语文字之外。郡县长吏，或有所取正，亦必引以当道，而使之行其所无事。临终却药弗御，饮酒赋诗，夷然而逝。由是观之，则公之为人可知也。粤自国家统一宇内，治化休明，士俗醇美，一时鸿生硕儒，为文皆雄深浑厚，而无靡丽之习。承平滋久，流风未坠。皇庆、延祐间，公入通朝，籍以性理之学，施于台阁之文，而其文益粹。譬如良金美玉，不俟锻炼雕琢，而光辉发越，自有不可掩者矣。时上新即位，方向用儒术，设科目以网罗四方之贤俊，而御史君以公在班列之日，策名于昕陛，士大夫尤以为荣，论其世则太平极盛之际也。"（《文献集》卷六）四库提要卷一六七："《闲居丛稿》二十六卷，元蒲道源撰。……迹其生平，恬于仕宦，大抵闲居之日为多。故其子机哀辑遗文，题曰《闲居丛稿》，凡诗赋八卷，杂文乐府十八卷。诗文俱平实显易，不尚华藻。黄溍为之序，称国家统一海宇，士俗醇美，一时鸿生硕儒所为文，皆雄深浑厚，而无靡丽之习。承平滋久，风流未坠。皇庆、延祐间，公以性理之学，施于台阁之文，譬如良金美玉，不假锻炼雕琢，而光耀自不可掩云云。亦言其文之真朴也。盖元大德以后，亦如明宣德、正统以后，其文大抵雍容不迫，浅显不支，虽流弊所滋，庸沓在所不免，而不谓之盛时则不可。顾嗣立《元诗选》引潘此文，谓当时风尚如此，可以观世运焉。斯言允矣。"

**高启生。**高启（1336—1374），字季迪，号青丘子，长洲人。至正十六年，张士诚开府平江，承制以淮南行省参政饶介为咨议参军事。有以荐之于介，不愿仕，隐吴松江之青丘。洪武二年，诏修《元史》，以荐召入，授翰林院国史编修。三年，擢户部右侍郎，固辞。还归里居，与知府魏观交密。魏观获罪，遂以尝为观作《上梁文》，连坐腰斩于市，年三十九。著有《缶鸣集》、《吹台集》、《凤台集》、《槎轩集》、《扣玄集》、《凫藻集》等，后人合编为《高太史大全集》。生平据《列朝诗集小传》甲集、《明史》二八五《文苑传》、吕勉《高启传》、李志光《高启传》。

## 公元 1337 年 （顺帝至元三年 丁丑）

### 正月

初二，广州增城县民朱光卿反，石昆山、钟大明率众从之，国号大金国，改元赤符。见《元史》卷三十九《顺帝本纪》。《七修类稿》卷八："至正初，伯颜变乱旧章，遂有江西朱光卿、广东罗天麟、陈积万、湖广吴天保、浙东方国珍，相继煽动。又贾鲁开河，生民嗷嗷，石人之事兴，则韩林儿、徐寿辉、芝麻李三枝起而蔓延天下。若福建陈友定、怀庆周全、临川邓忠、安陆俞君正、浙西张士诚、陕西金花娘子、江西欧道人、襄阳莽张、岳州泼张、安庆双刀赵、濠州孙德崖，纷纷不一，皆东南之贼也。长淮以北，则山东又有王信、陕西李思齐、陇西李思道、太原王保保、汴梁元太子，此多元之将臣，亦各据地，互相杀戮。"朱光卿之乱虽很快得以平息，然元末之兵乱，实肇端于此。

### 三月

初七，李黼、黄清老等有同年之会，与会者均为泰定四年进士。黄清老《丁丑三月七日会同年于城南，子期工部、仲礼省郎、世文编修、文远照磨、学升县尹、子威主事、克成秘书、至能照磨、子通编修凡十人二首》其一："曾记城南尺五天，重来携手宴同年。春风远塞蒲萄酒，明月佳人玳瑁筵。苔上药阑红染露，莺啼柳径碧生烟。琼林十载多离别，欲拂金徽思渺然。"其二："川凫浴日金粼粼，垂杨马嘶三月春。游蜂舞蝶总爱客，飞絮落花时近人。东风吹水入银瓮，芳草为我铺绿茵。更催朝露染魏紫，舞袖一拂南山尘。"（《元诗选》二集己集）子期，宛丘人赵期颐，赵天锡子，至顺三年以礼部郎中出使安南，历官至河南行省参知政事，以书名世。至能，唐古氏观音努，历官户部主事、归德知府、都水监官。子威，李黼字。

### 四月

315

初三，禁汉人、南人、高丽人不得执持军器，凡有马者拘入官。见《元史》卷三十九《顺帝本纪》。

诏省、院、台、部、宣慰司、廉访司及郡府幕官之长，并用蒙古人、色目人，禁汉人、南人不得习学蒙古、色目文字。见《元史》卷三十九《顺帝本纪》。

## 五月

初二，许有壬扈从上京，沿途往返，作《文过集》，凡诗一百二十首。集有有壬自序，见《至正集》卷三十五。又欧阳玄、谢端等人均为之序（《中州名贤文表》卷二十二）。揭傒斯《文过集序》："去年之夏，扈从上京，凡志有所不得施，言有所不得行，愁忧感愤，壹寓于酬唱。积所为诗，多至百馀篇，遂名之曰《文过集》。过非可文也，非其过而饰之文也。惟许公其学富，其位尊，故其气雄；其才大，其忧深，故其说长。"吴全节《中书参知政事许公文过集序》："公天资高爽，豁达有气义，著为文章有光焰，溜溜乎高屋建瓴水，于世教且深有关焉。……一日谒公，公出示巨帙一百馀篇观之，信乎传者之不诬。体物记事，寄赠题品，各极其妙，层澜峻峰，大音雅操，沛然自得，皆六艺中流出。自颜之曰《文过集》。呜呼，公可谓知所本者矣。"王沂《文过集序》："乃今中书大参许公上京诸诗，婉丽而清深，峻洁而春容。斯大雅君子，言符其德者也，'文过'云乎哉！"

## 八月

初五，滕用亨生。滕用亨（1337—1409），字用衡，累世家姑苏。年甫弱冠，事从父思勉宦游南北，涉历山川，晚归居乡里。永乐三年，有以名闻，授官翰林待诏，阶将仕佐郎，预修《永乐大典》。三年考绩，转阶登仕佐郎。永乐七年卒，年七十三。生平据王汝玉《故翰林待诏滕公墓志》（《珊瑚木难》卷七）。

十五日，萨都剌作《溪行中秋玩月》诗。序云："余乃萨氏子，家无田，囊无储。始以进士入官，为京口录事长，南行台辟为掾，继而御史台奏为燕南架阁官。岁馀，迁闽海廉访知事。又岁馀，诏进河北廉访经历。皆奉其母而行，以禄养也。后至元三年八月望，舟泊延平津。是夕星河灿然，天无翳云，月如白日，溪声潺湲若奏乐，四山环抱，如拱如立，如侍左右奔走执事者。萨氏子奉母坐船上，与其妇具酒肴盘馔，奉觞上寿。"（《雁门集》卷十）诗又见于卢琦所撰《圭峰集》中，略有改窜，《四库全书总目》已辨其非卢琦所作。四库提要卷一六七："《雁门集》三卷、集外诗一卷，元萨都拉（案，萨都拉，原作萨都剌，今改正）撰。萨都拉，字天锡，号直斋。其祖曰萨拉布哈（案萨拉布哈，原作思兰不花，今改正），父曰傲拉齐（案傲拉齐，原作阿鲁赤，今改正），以世勋镇云、代，居于雁门，故世称雁门萨都拉，实蒙古人也。旧本有干文传序，称萨都拉者，译言济善也。（案，萨都拉，蒙古语结亲也。此云济善，疑文传以不谙译语致误。今姑仍原文，而附订于此。）则本以蒙古之语连三字为名，而集中《溪行中秋玩月》诗，乃自称为萨氏子，殊不可解。又孔齐《至正直记》载萨都拉本朱姓，非傲拉齐所生。其说不知何据。岂本非蒙古之人，故不谙蒙古之语，竟误执名为姓耶？疑以传疑，阙所不知可矣。据所自序，称始以进士入官，为京口录事长。南行台辟为掾，继而御史台奏为燕南架阁官，迁闽海廉访知事，进河北廉访经历。干文传序则称其登泰定丁卯第，应奉翰林文字，除燕南经历，升侍御史，于南台以弹劾权贵，左迁镇江录事宣差，后陟官闽宪幕，与自序稍有不同，然自序当得其实也。"

## 十月

**二十三日，许谦卒，年六十八。** 黄溍《白云许先生墓志铭》："〔重纪至元〕三年冬十月，疾复作，谓其子元曰：'伯兄以是月二十三日卒，我死殆与之同日乎？'及是日，正衣冠而坐，戒元以孝于母、友于弟。元复请所欲言，先生曰：'吾平日训尔多矣，至此复何言？'门人朱震亨进曰：'先生视稍偏矣。'先生更肃容端视。顷之，视微瞑，遂卒，享年六十有八。"（《文献集》卷八下）吴师道有《祭许征君益之文》（《吴正传文集》卷二十），柳贯有《闻许益之讣至恸馀有作五首》（《待制集》卷四）、《祭许益之文》（卷二十），吴莱有《白云先生许君哀颂辞》（《渊颖集》卷七），胡助有《挽许益之》诗二首，郑玉有《许益之先生挽诗》（《师山遗文》卷五）。黄溍《白云许先生墓志铭》："文主于理，诗尤得风人之旨。"（《文献集》卷八下）李伸《许白云先生文集序》："今观其文，究极夫六经，出入乎子史，浸淫于群书，其规模固不出乎韩氏、柳氏之文。然不乐声利，则非退之溺于功名之可拟；操持节概，则非宗元党比势要之可侔。修身体道，佩仁服义，故其发之于言辞也，深厚而雄博，至诚而谆悉。故曰根之茂者其实遂，膏之沃者其光晔，仁义之人，其言蔼如也。"（《许白云先生文集》卷首）《元儒考略》卷三："谦不矜露，所为诗文，非扶翼经义，张维世教，则未尝轻笔之书。吴澄谓其议论正大，援据精博，俨然新安尸祝。黄溍谓程子之道，得朱子而复明，朱子之大，至许公而益尊。"《元诗选》初集己集："其所传《白云集》四卷，亦多扶翼经义，张维世教之言。徒以词章论之，浅矣。"《宋元诗会》卷七十三："由何基、王柏、金履祥至谦，而道益著。故推原统系者，目谦为考亭之嫡嗣焉。诗调平常端人正士之言，正不必求诸新异也。"四库提要卷一六六："《白云集》四卷，元许谦撰。……谦初从金履祥游，讲明朱子之学，不甚留意于词藻。然其诗理趣之中颇含兴象，五言古体尤谐雅音，非《击壤集》一派惟涉理路者比。文亦醇古，无宋人语录之气，犹讲学家之兼擅文章者也。惟其《与王申伯》一诗，宗旨入于庄、老，非儒者所宜言。《求补儒吏》一书，代人干乞，亦可不必编置集中，为有道之累。"

**虞集序危素所撰《云林集》。** 序见于本集卷首。《云林集》二卷，今存《四库全书》本。危素所著，另有《说学斋稿》、《危太朴续集》等集，今皆存。

## 本年

**中书右丞相伯颜请杀张、王、刘、李、赵五姓汉人，顺帝不从。** 见《元史》卷三十九《顺帝本纪》。《南村辍耕录》卷二："中书右丞相伯颜，所署官衔，计二百四十六字，曰：元德上辅广忠宣义正节振武佐运功臣、太师、开府仪同三司、秦王、答剌罕、中书右丞相、上柱国、录军国重事、监修国史、兼徽政院侍正、昭功万户府都总使、虎符威武阿速卫亲军都指挥使司达鲁花赤、忠翊侍卫亲军都指挥使、奎章阁大学士领学士院、知经筵事、太史院、宣政院事、也可千户哈必陈千户达鲁花赤、宣忠斡罗思扈卫亲军都指挥使司达鲁花赤、提调回回汉人司天监、群牧监、广惠司、内史府、左都威卫使司事、钦察亲军都指挥使司事、宫相都总管府、领太禧宗禋院兼都典制神御殿事、中政院事、宣镇侍卫亲军都指挥使司达鲁花赤、提调宗人蒙古侍卫亲军都指挥使司事、提调哈剌赤也不干察儿、领隆祥使司事。当其擅政之日，前后左右，无非阴邪小辈，惟恐献谄进佞之不至，孰能告以忠君爱民之事。有一王爵者译奏云：'薛禅二字，人皆可以为名，自世祖皇帝庙号之后，遂不敢用。今太师伯颜功高德重，可以薛禅名字与之。'时御史大夫帖木儿不花，亦其心腹，每阴嗾省臣奏允其请。文定王沙剌班时为学士，从容言于上曰：'万一曲从所请，关系非轻。'遂命学士欧阳玄、监丞揭傒斯会议，以元德上辅四字代之，加于功臣之上。又典瑞院都事某建言，凡省官提调军马者必佩虎符，今太师伯颜难与它人同，宜锡龙凤牌以宠异之。制可。遂制龙凤牌一面，其三珠各函径寸真珠一枚，而饰以红剌鸦忽宝石，牌身脱钑元德上辅功臣号字，仍用白玉嵌造。牌成，计直数万锭。既被贬黜，毁其牌，就以珠宝给还物主，盖督勒有司和买原价尚未酬也。又京畿都运纳速剌上言：太师伯颜，功勋盖世，所授宣命，难与百官一体，合用泥金书词以尊荣之。省台院官议不可行。宛转禀白，止金书上天眷命皇帝圣旨八字，馀仍墨笔云。"陶宗仪所录伯颜所署官衔，亦见于杨瑀所撰《山居新语》，于此足见其时伯颜之势盛。

**班惟志在常熟知州任上**。正德《姑苏志·职官》："班惟志，字彦功。至元三年，任常熟知州。"班惟志，字彦功，号恕斋，大梁人。从学于邓文原，尝从邓文原往京师以泥金写《大藏经》。后以邓文原荐，授浮梁州学教授，旋晋州判。除秘书监典簿，历仕至集贤待制、江浙儒学提举。

## 公元1338年 （顺帝至元四年 戊寅）

### 正月

**初六，张丁生**。宋濂《张孟兼字辞序》："国子录张君生于岁戊寅正月六日。以历推之，是月九日始入春，则中气犹居丁丑年之冬，其王父府君因以丁命名张君。"（《銮坡前集》卷九）又见苏伯衡《书张孟兼字说后》（《苏平仲文集》卷十）。张丁（1338—1377），字孟兼，以字行，浙江浦江人。洪武初，征为国子监学录，与修《元史》顺帝事迹。授国子学录，历礼部主事、太常司丞。尝坐累谪输作，已而复官。未几，用为山西佥事。以事诬弃市卒，年四十。著有《白石山房稿》五卷。生平据《明史》卷二八五《文苑传》。

**十八日，李裕卒，年四十五**。宋濂《故承务郎道州路总管府推官李府君墓志铭》："初识府君于婺城之南，容仪秀洁，如玉树临风，皭然美丈夫也。及读府君之诗曰《中行斋稿》者，姿态闲婉，复类其为人。"（《文宪集》卷二十一）《元诗选》三集戊集："公饶诗篇秀丽，尤工七言乐府，出入二李之间。"

## 二月

**字术鲁翀卒，年六十。**苏天爵《元故中奉大夫江浙行中书省参知政事追封南阳郡公谥文靖字术鲁公神道碑铭并序》："以至元四年二月某甲子，薨于顺阳味经堂，享年六十。讣闻，制赠通奉大夫、陕西行省参知政事、护军，追封南阳郡公，谥文靖。"（《滋溪文稿》卷八）［按，中华书局本作三月。］王沂作《祭鲁子翚参政文》（《伊滨集》卷二十四）。苏天爵《元故中奉大夫江浙行中书省参知政事追封南阳郡公谥文靖字术鲁公神道碑铭并序》："公为文章严重质实，不为浮靡，其词悉本诸经，如米粟布帛，皆有补于世教。"《至正直记》卷四："萧㪍先生名㪍，字维斗，讲学一本于朱子。尝闲居，夜梦一大鸟飞集于屋上，晨起戒仆厮：'凡有客至，当报我。'及将暮，无人。先生步出门外，遥望一人颀然而癯，昂藏如瘦鹤，荷一高肩担，至门则弛担，通谒刺姓名曰字述鲁翀。先生一见即喜，意谓梦中所验也。遂进而语，甚聪敏。问：'尝读小学书不？'曰：'未也。'时已年二十馀矣。先生曰：'我以朱子教人之法而授诸生，必先由小学始，子虽读他书多，愿相从者必当如是。'翀曰：'百里相从，惟先生言是听。'自讲学三年，皆经学务本之道。有司闻其学行，又出于萧公之门，遂荐为南阳县儒学教谕。廉介刚毅，为时所称，御史台即就教谕选用，拜监察御史。时与同官劾某官不法，直达于文宗御览，因问：'两御史何一人无散官？'近臣曰：'无前资也。'文宗曰：'既无前资，何为御史？'近臣曰：'有御史之才，刚正不畏强御，选用人才，难拘此也。'帝乃以御笔填写将仕佐郎于其衔上。时人以为荣且称也。既又劾元复初先生，先生文章固为一代之宗，而贪污泛交，为清德之累。翀尝师问之，即劾而又见复初先生。先生曰：'何劾我而又来见我乎？'翀曰：'劾者，御史之职也；见者，师生之礼也。且先生以不美之名非止于此，某恐先生日堕于扫地，故以轻者言之，使先生退而修晚节也。'复初时为参知政事矣。翀后为祭酒，国子监书册无不遍阅。凡某句在某册第几行，无不博记，诸生皆叹服之。官礼部时，却胡僧帝师之礼，时人以为难。一日，侍文宗言事，俄而虞伯生学士至，帝引伯生入便殿。翀不得入，久立阶上，闻伯生称道帝曰：'陛下尧、舜之君，神明之主。'翀在外厉声曰：'这个江西蛮子阿附圣君，未尝闻以二帝三王之道规谏也，论法当以罪之。'文宗笑曰：'子翚醉也，可退，明日来奏事。'帝虽爱其忠直，又恐中伤于伯生也。文宗爱伯生如手足，然是时伯生竦惧，月馀不敢见子翚也。其严恪刚正如此。"《元史》卷一八三字术鲁翀传："其为学一本于性命道德，而记问宏博，异言僻语，无不淹贯。文章简奥典雅，深合古法。"《元诗选》二集乙集："姚牧庵谓子翚谈论锋出，文章不待师传而能，后进无是伦比。元初文章雄鸣一时者，首推牧庵，而亦推服子翚如此，宜后人以'鲁姚'并称云。"

## 三月

**十一日，马祖常卒，年六十。**胡助作《挽马伯庸中丞二首》，余阙作《马伯庸中丞哀诗》，贡师泰作《挽马伯庸中丞》。许有壬《敕赐故资德大夫御史中丞赠摅忠宣宪协正功臣河南行省右丞上护军魏郡马文贞公神道碑铭并序》："公先世已事华学，至公始大以肆，为文精核，务去陈言，师先秦两汉，尤致力于诗，凌轹古作，大篇短章，无不可传者。……且其为学，初不为贡举也，以挺特之资，丁文明之会，哀为举首，驯至达官，威重足以镇薄俗，文章足以追古作，议论足以正风俗，设科得士，不得不以延祐之初为盛也。"（《至正集》卷四十六）陈旅《石田文集序》："浚仪马公伯庸，褒然以古文擢上第，声光煜如。清河元文敏公谓其所作可以被管弦、荐郊庙，《天马》、《宝鼎》诸作，殆未之能优也。公早岁吐辞，即不类近世人语言，古诗似汉魏，律句入盛唐，散语得西汉之体。尝谓人：'学诗文固贵有师授，至于高古奇妙，要必有得于天。吾未尝有所授而为之计，所尝师者，往往为近世人语言，吾故自知吾之所为者，非由有所授而然也。'盖公以英特之资，而涵毓于熙洽之世，自决科以来，践扬清华，至为御史中丞，其所际者盛矣。则其文章，又岂由有所授而然哉。"（《石田文集》卷首）王守诚《石田文集序》："公志气修洁，而笔力尤精诣，务刮除近代南北文士习气，追慕古作者，与姚文公燧、元文敏公明善，实相继后先。故其文词简而有法，丽而有章，卓然成家。"（《石田文集》卷首）苏天爵《御史中丞马公文集序》："公少嗜学，非三代、两晋之书不观。文则富丽而有法，新奇而不凿；诗则接武隋、唐，上追汉、魏。后生争慕效之，文章为之一变。"（《滋溪文稿》卷五）苏天爵《元故资德大夫御史中丞赠摅忠宣宪协正功臣魏郡马文贞公墓志铭》："公自少至老，好学弥笃，虽在扈从，手亦未尝释卷。喜为歌诗，每叹魏、晋以降，文气卑弱，故修辞立言，追古作者。其为训诰，富丽典雅。既出词林，迁他官，而勋阀贵胄褒赠父祖，犹请公为之辞。文宗最喜公文，尝拟稿进，上曰：'孰谓中原无硕儒乎！'"（《滋溪文稿》卷九）刘昌《跋马文贞公集》"马中丞文雄健典则，虽其天分之高有足过人，而当时师友之间，如姚文公、元文敏公、虞文靖公、袁文清公，所以相辅而资取者，不可诬也。君子之名世，道德、功业、文章三者，中丞公盖兼有之。夫既博资于人，而其得于天者，又清粹而颖敏，以是而厉志于所向，夫孰得而御之哉！读中丞文，为之俯首三叹。"（《中州名贤文表》卷十九）《石洲诗话》卷五："马伯庸诗，亦极展才气，然较之袁伯长，觉边幅稍有单窘矣。"四库提要卷一六七："《石田集》十五卷，元马祖常撰。……其文精赡鸿丽，一洗柔曼卑冗之习。其诗才力富健，如《都门》、《壮游》诸作，长篇巨制，回薄奔腾，具有不受羁靮之气。……盖大德、延祐以后，为元文之极盛，而主持风气，则祖常等数人为之巨擘云。"

二十六日，诏命中书平章政事阿吉剌监修《至正条格》。见《元史》卷三十九《顺帝本纪》。

## 四月

初八，虞集序释大訢所撰《蒲室集》。序见本集卷首。《蒲室集》十五卷，今存《四库全书》本、清抄本。练子宁《跋笑隐遗墨》："笑隐禅师文章节行，卓立方外，余家有所赠张清夫诗一幅，笔力词气，甚有苏文忠公遗风。"（《中丞集》卷下）四库提要卷一六七："《蒲室集》十五卷，元释大訢撰。……是集诗六卷，文九卷。前有虞集序，谓其：'如洞庭之野，众乐并作，铿宏轩昂，蛟龙起跃，物怪屏走，沉冥发兴。至于名教节义，则感厉奋激，老于文学者不能过。'虽称之少溢其量，然其五言古诗，实足揖让于士大夫间。馀体亦不舍蔬笋之气，在僧诗中犹属雅音。……集中多与赵孟頫、柯九思、萨都拉（原作萨都剌，今改正）、高彦敬、虞集、马臻、张翥、李孝光往来之作。而第九卷中《杭州路金刚显教院记》，第十二卷《金陵天禧讲寺佛光大师德公塔铭》，并注曰代赵魏公作，则孟頫亦尝假手于大訢，知非俗僧矣。"

**二十四日，汪炎昶卒，年七十八。**赵汸《汪古逸先生行状》："至正戊寅夏四月，先生寝疾。……晏然而逝，是月二十四日也，得年七十八岁。"至正无戊寅，当是至元之误。宋濂《汪先生墓铭》即作"重纪至元戊寅"。汪炎昶（1261—1338），字懋远（一作茂远），自号古逸民，学者称古逸先生，徽州府婺源人。著有《古逸民先生集》三卷。生平见赵汸《汪古逸先生行状》、宋濂《汪先生墓铭》。胡炳文《与古逸汪先生书》："盖以年来老成凋谢，时文愈盛，而古学浸衰，能如执事沉浸酝郁于文公之学者，百无一二。其欲一见以剖胸中之积疑，以发言外之妙趣，事不可得。"（《云峰集》卷一）汪泽民《题汪古逸诗集后》："歙有清吟士，篇题古逸民。云沙方自贵，珠玉不言贫。桂树歌招隐，桃源乱避秦。山川以形胜，名姓岂沉沦。"（《新安文献志》卷五十三）赵汸《汪古逸先生行状》："先生幼有奇志，然短于记诵，常以坚苦自励，至忘餐寐。遂于书无所不读，钩深探赜，洞极渊奥，虽素号博学者，蔑能加也。其学渊源六经，得程、朱性理之要于言意之表，取朱子《论语》、《孟子》、《大学》、《中庸》四书，采择群书，发挥微旨，每有得则疏之，不汲汲于成书。长身修髯，衣冠甚伟，动静语默进退之间，超然不随流俗，巧利鄙诈之士，闻其风而意消，见之者莫不悦然如有所失。……所注《四书集疏》未脱稿，诗文多散佚不存，淮琛尝刻诗五卷于家。同郡方公万里见先生所为诗，辄叹曰：'不意吾州复有此人。'巴西邓公善之与孙公有世契，宪江东日，行部休宁，求孙公，已捐馆，因得先生所作赋一篇及他文，曰：'此柳子厚之笔也。'又有传先生诗数十篇至江西者，蜀郡虞公伯生见而叹曰：'此豪杰之士也，山林中乃有名作若是者乎！'其为名流所称如此。新安自朱子后，儒学之盛称天下，号东南邹鲁。宋亡，老儒犹数十人，其学一以朱子为宗，其论议风旨，皆足以师表后来，其文采词华，皆足以焜煌一世。国初，汸祖长卿贰令星源，自许公而次，如胡公济鼎、吴公遁翁者，无不得而友之，而滕公山癯方为主簿，故家承平时所藏诸公文翰最多，汸尝抚卷慨然，以生晚不见前辈为恨。及从先生游，然后知先进之士所以不可及者，其立身行己，流风馀韵，莫不皆有所自云。"（《东山存稿》卷七）四库未收书提要："《古逸民先生集》三卷，宋汪炎昶撰。……其门人东山赵汸为之状，而金华宋濂为之铭，皆极力推重。此本诗一卷、文一卷、附录一卷，为近时藏书家所罕觏，惟黄虞稷《千顷堂书目》有之，作五卷，盖与赵汸所作行状相合。此则系后人所编辑，非当时原本。然诗文简净古穆，具有法度，非明人叫嚣者所及。元代文章遒上，实源于此，则犹有宋季学者之风也。"（《宛委别藏》本卷首）

**傅若金以佐使安南有功，授广州儒学教授。**欧阳玄《送傅与砺之广州儒学序》："元统改元之使事，清江傅君与砺实相其行，闻其辞命之际，傅君之助尤多。次年，南交来朝贡，其人往往称傅君之能，于是庙堂特以粤郡文学旌之。向傅君在京师，好学能文章，尤长于诗，缙绅间每诵其佳句。《语》曰：'诵《诗》三百，授之以政，不达，使于四方，不能专对，虽多亦奚以为？'诗本人情，通物理，其言温厚和平，长于风谕，故能诗者，必达于政而善于言，其或不能，则口耳于诗者也。今傅君以能诗名中国，以能使名远夷，不亦宜乎？……至元戊寅四月初吉，翰林侍讲学士、中奉大夫、知制诰、同修国史兼国子祭酒冀郡欧阳玄序。"（《傅与砺诗文集》附录）揭傒斯亦作有送行序，黄溍、王沂、王守诚、杨士弘等皆赋诗以壮其行。

## 五月

**十二日，项诇卒，年六十一。**黄溍《项可立墓志铭》："君生于前至元戊寅某月某甲子，卒于后至元戊寅五月丙午，享年六十有一。"（《金华黄先生文集》卷三十四）钱惟善有《闻项可立先生讣》（《江月松风集》卷七）诗。项诇（1278—1338），或作项炯，字可立，台州府临海人。屡就科试不第，遂弃之，与张翥、黄溍善。尝与顾瑛相唱和，《草堂雅集》卷八录其诗20首。著有《春秋纂义》二十卷、诗文若干卷。《元诗选》三集戊集录诗22首。黄溍《项可立墓志铭》："尝为诗，持以谒天游陈先生孚，一见称其善学李长吉。君盖未之学，特暗与之合耳。"《元诗选》三集戊集《吴宫怨》诗后按语："铁雅评曰：十字憎过牛鬼，髑髅无泪尤胜无语。"《元诗选》三集戊集《公莫舞》诗后按语："铁雅评曰：锦囊子有奇语，无此奇气。"《元诗选》三集戊集："其古乐府如《吴宫怨》、《公莫舞》、《空井辞》、《江南弄》等篇，酷似李长吉，惜其诗不多传云。"谢启昆《论元诗绝句七十首》第六十六："处士古风登乐府，一腔奇气锦囊来。髑髅无泪秋生感，新息功名亦可哀。"

## 六月

**十七日，袁州民周子旺反，僭称周王，改年号。**见《元史》卷三十九《顺帝本纪》。

## 本年

**危素游于京师，寓居迎阳里说学斋。**张以宁《苦学斋记》："今中书参知政事临川危先生之始游于京师也，寓迎阳之里，名斋居之室曰说学，而学士揭文安公记之，时岁行至元之戊寅。今廿又五年矣，更以苦学为之名，且命晋安张以宁为之记。"（《翠屏集》卷四）《草木子》卷四下："元末有危素太朴，江西人，游京师，专以倡鸣科举无人才为说，以耸动观听，人多信之。彼固以文章德行自居也。及夷考之，至正辛卯天下之乱，能死节者，惟彭城张桓、安庆余阙、江州李黻（黼）、燕京陈子山，皆举人也。危是时已累位至参政，独首鼠叛降。上以其失节，屡辱之，决以夏楚，安置滁州而死。呜呼，科目虽非古，果不足以得人耶？岂尽如或人之言也？时人监此，则可以省已。"危素所著《说学斋稿》，即以其斋名。

**曹复亨刊其父曹伯启《汉泉曹文贞公诗集》十卷并《后录》一卷。**苏天爵《汉泉漫稿序》："《汉泉漫稿》者，故御史中丞曹文贞公所作之诗也。公薨，诸子南行台御史复亨、西台掾履亨采录汇次，将板行焉。天爵伏读，而叹前修老成之不及多见也。"（《滋溪文稿》卷五）虞集《曹士开汉泉漫稿序》："曹君复亨以其先中丞文贞公诗文刻

本所谓《汉泉漫稿》并《续稿》见示，鲁无君子，斯焉取？斯能无百世之感乎？近者
又使其客危观以书相示曰：'是稿也，御史府请诸朝廷而刻诸学宫者也，民间未易多
得，请约其篇目，小为字而刻诸家塾，以遗子孙而传诸同志。'……至正元年辛巳四月
十五日虞某叙。"（《道园学古录》卷三十三）释大訢《曹文贞公续集序》："至正四年
御史台文下，刻公诸集于诸路府学，示所以褒崇元老，劝励来者，而使有矜式
焉。……公之季南台管勾君，又得于公之宾从僚佐、门生故吏之所称道传写，凡诗与
文若干编，汇为《续集》若干卷增刻之，可谓善继述者矣。若公遍历台省，建言论事，
杂著书间不止此，藏于砀山家塾。"（《蒲室集》卷八）《曹文贞诗集》十卷、《后录》
一卷，今存《四库全书》本。《藏园订补邵亭知见传本书目》卷十四："《曹文贞诗集》
十卷、《后录》一卷，元曹伯启撰。有刊本作《汉泉漫稿》，浚仪胡益本作《汉泉曹文
贞公诗集》。附：元曹复亨家塾本。元学宫本。补：《汉泉曹文贞公诗集》十卷，元曹
伯启撰。《后录》一卷，元后至元四年曹复亨刊本。……有后至元三年张起岩序，后至
元五年苏天爵序，后至元四年吕思诚序，至元后戊寅吴全节序，本书题'文林郎江南
诸道行御史台管勾男复亨类集，国子生浚仪胡益编录'。"

## 公元 1339 年　（顺帝至元五年　己卯）

### 四月

二十一日，复申禁汉人、南人、高丽人不得执军器、弓矢。见《元史》卷四十
《顺帝本纪》。

### 七月

初三，虞集序蒋易所编《元风雅》。序见本集卷首。又有黄清老所作序。蒋易，字
师文，从学于杜本。《元风雅》三十卷，蒋易编，录诗人 155 人，今存元张氏梅溪书院
刻本、《宛委别藏》本、《元人选元诗五种》本。此外，题《元风雅》的元代诗歌总
集，尚有傅习、孙存吾所辑之《元风雅》前后集十二卷，天一阁所藏之《元朝野诗集》
亦名《元风雅》，丁鹤年所辑之《元风雅》（戴良《皇元风雅序》，《九灵山房集》卷二
十九）。蒋易《元风雅集引》："易尝辑录当代之诗，见者往往传写，盖亦疲矣。咸愿锓
梓，与同志共之。因稍加铨次，择其温柔敦厚、雄深典丽足以歌咏太平之盛，或意思
闲适、辞旨冲澹足以消融贪鄙之心，或风刺怨诽而不过于谲，或清新俊逸而不流于靡，
可以兴、可以戒者，然后存之。盖一约之于义理之中，而不失性情之正，庶乎观风俗、
考政治者或有取焉。是集上自公卿大夫，下逮山林闾巷布韦之士，言之善者，靡所不
录，故题之曰《皇元风雅》。"四库未收书提要："《元风雅》三十卷，元蒋易撰。……
书首取刘因，与傅选合，而压卷亦取《黄金台》一篇。宜乎后世汲古之家，或疑与傅
选同科而略其传述欤！今计刘因以下至二十七卷止，凡八十五家，人不逮傅、孙两家
之半，而甄录之诗几倍之。故傅、孙于诸大家所录寥寥，此则选择古体较为详审。即
同录一人一题之诗，题目字句各不相侔。如胡汲仲《题女直骢马图》，孙本字下多崔
录事三字。虞集《李伯时九歌图》，傅本无李伯时三字；《送星上人归湘中》，傅本无归

323

湘中三字。柳贯《和袁集贤上都杂诗》，傅本和字上有同杨仲弘应举六字。诸如此类，不可胜举。其馀字句如揭傒斯《送淳直子朝发扶桑国》，傅改扶桑作梁宋。吴师道《黄金台》'千里风尘驰骏马'，孙改风尘作强燕；《铜雀台》'汉家当时一片土'，孙改当时作如膏。盖当日随抄所得，而又出于各人点窜，不可拘于一律。至于每人篇尾，各著事实，此则较傅、孙两家为胜，存之足以资考证之助。末三卷分杂编，亦与彼选体例略同。钱大昕著《元史艺文志》，既载易著，而复载《元风雅》八卷，注云：无撰人名，或云宋裒。至于傅、孙两家所撰，别为元诗前后集，不知何所据也。"《四库未收书目提要补正》卷二："《元风雅》三十卷。张氏《藏书志》有元刊本，云：'始刘梦吉，终陈梓卿，凡一百五十五家。中如熊勿轩系宋人，元遗山系金人，列之元代，未免不伦。若文文山、谢叠山，则誓死不屈，大义凛然，乃亦一体编入，更为失于限断。然元人无专集者，藉此得略见梗概，未可以其体例不善而废之也。'瞿氏《目录》亦云：'始刘梦吉，终陈梓卿，凡一百五十五家。'玉缙案：张、瞿盖并杂编三卷计之。"

## 八月

**沈梦麟举乡贡进士。**彭韶《花溪集原序》："先生精《易》学，举后至元己卯乡荐，授婺源州学正，迁武康令。"然《吴兴备志》卷十八云："沈梦麟，字元昭，元癸巳以《易经》中乙科。"癸巳为至正十三年（1353），其时梦麟年已四十七。宋雷（？—1550）《西吴里语》卷三亦以为沈梦麟于至正十三年以《易经》中乙科。本年因科举于后至元初废，是否开乡试，尚待考。姑据彭韶序，系于此。四库提要卷一六八："《花溪集》三卷，元沈梦麟撰。梦麟字原昭，吴兴人。举后至元己卯乡荐，授婺源州学正，迁武康令。至正中，解官归隐。明初以贤良征，辞不起，应聘入浙、闽校文者三，为会试同考者再，太祖称之曰'老试官'。然知其志不可屈，亦不强以仕。年垂九十而卒。梦麟以前朝遗老，不能销声灭迹，自遁于云山烟水之间，乃出预新朝贡举之事。此与杨维桢等之修《元史》，胡行简等之修《礼书》，其踪迹相类，以较丁鹤年诸人，当降一格。然身经征辟，卒不受官，较改节希荣者，终加一等。仍系诸元，曲谅其本志也。是集为其玄孙江西按察司金事清所编，凡诗文四百二十四篇。梦麟与赵孟頫为姻家，传其诗法。七言律体最工，时称沈八句。刘基早与之游，尝寄赠曰：'杜陵老去诗千首，陶令归来酒一罇。'其文其人，具见于是矣。"

## 九月

**陈柏卒，年六十馀。**陈柏，字新甫，号云峤，泗州人。历官礼部侍仪舍人、太常院太祝。后至元五年，授馀姚州同知，因病求医于杭。是年九月卒。《元诗选》二集己集选其诗8首。《山居新话》卷一："陈云峤柏，泗州人，陈平章之孙也。倜傥不羁，人以为陈颠称之。后至元五年，为馀姚州同知，因病求医于杭。稍愈，值重阳日，遂邀张伯雨及余同登高。是时云峤寓赤山李叔固丞相先茔，余二人往焉。乃扶杖游水乐洞，憩石屋寺前，露坐闲谈。云峤因自言曰：'我前生僧也，泗州塔寺有住持者，皆名之为老佛。斋戒精严。一日呼侍者，令作血脏羹，欲食之。侍者曰：老佛一世持斋，何故有此想？乃不从。遂怒之，拂袖而去。见陈平章曰：我特来索血脏羹吃。平章亦以斋戒为答。佛曰：原来你也是不了事汉。平章遂作此羹噉之。即归寺，乃别大众，而作偈曰：撞开平屋三层土，踏破长淮一片冰。遂趺坐而逝。茶毗之日，舁其龛至淮河岸，冰合已久，举火之次，忽大响一声，则河冰自裂。时平章在府中，见老佛入于堂，问之，则后堂报生一子，即某也。'言毕，回饮于寓所而散。明日伯雨送登高诗，而颈联有'百年身付黄花酒，万壑松如赤脚冰'之句。余和韵云：'方外弟兄存晚节，人间富贵似春冰。'云峤曰：'我无冰字，且只以长淮一片冰答之。'不数日，云峤告殂。岂非说破话头而致然也。"《青楼集》："王巧儿，歌舞颜色，称于京师。陈云峤与之狎，王欲嫁之。其母密遣其流辈开喻曰：'陈公之妻，乃铁太师女，妒悍不可言，尔若归其家，必遭凌辱矣。'王曰：'巧儿一贱倡，蒙陈公厚眷，得侍巾栉，虽死无憾。'母知其志不可夺，潜挈家僻所，陈不知也。旬日后，王密遣人谓陈曰：'母氏设计，置我某所。有富商约某日来，君当图之，不然恐无及矣。'至期，商果至，王辞以疾，悲啼宛转。饮至夜分，商欲就寝，王掐其肌肤皆损，遂不及乱。既五鼓，陈宿构忽刺罕赤闼，缚商欲赴刑部处置。商大惧，告陈公曰：'某初不知，幸寝其事，愿献钱二百缗，以助财礼之费。'陈笑曰：'不须也。'遂厚遗其母，携王归江南。陈卒，王与正室铁，皆能守其家业，人多所称述云。"《南村辍耕录》卷二十四："陈云峤柏，泗州人，性豪宕结客。其祖平章，故宋制置，即龙麟洲题琵琶亭以讥之者。凡积金七屋，不数年散尽。尝为侍仪舍人，馆阁诸老，朝省名公，莫不折辈行与交，咸称之曰公子。其妻，铁太保女也。恃富贵近戚，偶以一言骄之，遂终身不见。尝被命监铸祭器于杭，无锡倪元镇慕其名，来见之，张燕湖山间，罗设甚至，酒终为别，以一帖馈米百石。云峤命从者移置近所，举巨觥，引妓乐驺从者而前，悉分散之。顾倪曰：'吾在京时，即熟尔名，云南士之清者，它无与比。其所以章章者，盖以米沾之也。请从今日绝交。'且骂诸尝誉之者。时张伯雨在坐，不胜跼踏。其豪气类如此。尝雪中骑牛拜米南宫墓，诗云：'少年不解事，买骏轻千金。何如小黄犊，踏雪空山深。小小双牧童，吹笛穿松林。醉拜南宫墓，地下有知音。'言世上无知音也。平日喜居钱唐，好古有馀，而治才不足，又不乐小官，怒骂宰相，年逾六十，不得志而死。其毕命时，作偈云：'前身本是泗州僧。'"

**吴存卒，年八十三。**《鄱阳五家集》卷四《元吴存乐庵遗稿》："先生生于宋宝祐五年丁巳二月，讳存，仲退其字也。……至元五年己卯九月终于家，年八十有三。"危素有《吴仲退先生墓表》（《危学士全集》卷十二）。吴存（1257—1339），字仲退，号乐庵，又号月湾渔者，鄱阳人。延祐元年，领乡荐，下第，恩授饶州路儒学正。泰定二年，调宁国路儒学教授，以鄱阳县主簿致仕。后至元五年卒，年八十三。著有《乐庵遗稿》二卷，收入《鄱阳五家集》。

## 本年

**苏天爵序于钦所撰《齐乘》。**序见本集卷首，又见于《滋溪文稿》卷五。其子于潜至正十一年尝作后序。四库提要卷六十八："《齐乘》六卷，元于钦撰。……是书专记三齐舆地,凡分八类:曰沿革,曰分野,曰山川,曰郡邑,曰古迹,曰亭馆,曰风土,曰人物。叙述简核而淹贯,在元代地志之中最有古法。其中间有舛误者。如宋建隆三年改潍州置北海军,以昌邑县隶之,乾德三年复升潍州,又增昌乐隶之,均见宋《地理志》,而是书独遗。又寿光为古纪国,亦不详及。其他如以华不注为靡笄山,以台城为在济南东北十三里,顾炎武《山东考古录》皆尝辨之。然钦本齐人,援据经史,考证见闻,较他地志之但据舆图、凭空言以论断者,所得究多,故向来推为善本。卷首有至元五年苏天爵序,亦推挹甚至,盖非溢美矣。"《四库全书总目提要补正》卷二十二:"《齐乘》六卷。陆氏《藏书志》有明嘉靖刊本,附《释音》一卷,题'罗濬述'。玉缙案:乾隆间,周嘉猷父子附考证本最善,并正《释音》之误。"

**江北淮东道肃政廉访司奉旨刊马祖常《御史中丞马公文集》于扬州路儒学。**苏天爵《御史中丞马公文集序》:"公既没,其从弟察院掾易朔出公诗文若干篇,合天爵所藏,共若干卷,请于中台,刊诸维扬郡学。……至元己卯冬十一月朔,赵郡苏天爵序。"(《滋溪文稿》卷五)《马石田文集》卷首牒文:"拟合照依左丞王结例钞录遗文,于淮东路学刊板传布。"又:"如准廉使苏嘉议所言,刊板印行,诚可范模其后生,又能裨益于世教。申覆御史台照详去,后至元五年九月二十九日,承奉宪劄付仰依上施行。承此。中丞马资德其家见居光州,宪司合行故牒,可照验差人钞录本官文集,委白总管不花中议,不妨本职,提调刊印。"明弘治六年,山西按察使熊翀重刊《马石田文集》十五卷。李东阳《马石田文集序》:"元之入主中国,盖有气化以来所未见。八九十年,涵养生息,以旃裘为冠履,以干楯为铅椠,以诗书为吟诵,制为文章,播为歌咏,鸣一代而传四方者,亦不诬。盖不独生中原,出南国,代传而世习者,然后为能也。于以见人之良能,无有不具,而文章功业之在天下者,无所不可教而入也。马文贞公出西裔,居光州,所著有《石田集》若干卷,公没之后,淮东廉访使苏伯修请于朝,刻梓以传。元季散佚,不行于世久矣。今山西按察使熊君腾霄,光人也。尝为监察御史,出按甘肃,有乡先生以录本属之,谓已阙漏,无所质,闻公有裔孙在肃,请往访之。君遍历诸郡,久乃得马铁牛者,遣人询之,果于壁上得公所撰母夫人墓铭石刻一纸,他无所得也。既为按察久,政事之暇,手自编校,重刻以传,而伯修及陈编修众仲之旧序皆在焉。"(《明文海》卷二三五)《居易录》卷二:"元马祖常伯庸《石田文集》十五卷,至元五年江北淮东道肃政廉访司奉旨刊行,弘治中都御史熊翀重刊本。翀与祖常,皆光州人也。……康熙己巳冬,抄于竹垞寓斋,得觏此本,留旬日而归之。集首有肃政廉访司牒、赵郡苏天爵、太原王守诚、闽陈旅三序,李东阳、熊翀二序。"《石田文集》十五卷,今存后至元五年扬州路儒学刊本、弘治六年熊翀刊本、《四库全书》本、清钞本。

**姚桐寿在馀干州学教授任上。**姚桐寿,字乐年,桐庐人。后至元五年,官馀干州学教授。解官归里,自号桐江钓叟。至正中,流寓海盐。著有《乐郊私语》一卷。[按,姚桐寿生年,当在大德四年(1300)后。据杨维桢所撰《姚处士墓志铭》(《东维子集》卷二十六),其兄椿寿生于大德四年。]

**方澜卒,年七十七。**方澜(1263—1339),字叔渊,莆阳人,隐居吴中。闭门读书,训徒自给。以布衣终身。著有《方叔渊遗稿》一卷。《元诗选》初集己集选其诗

15 首。《元诗选》初集己集:"平生喜吟咏,然不苟作。友人樊士宽子厚录其五言诗若干首,其诗句如《咏乐天》云:'以诗为佛事,随地学山居。'《临平道中》云:'暖容时借酒,寒力晓欺绵。'《梅花》云:'香能占夜月,春不弃茅檐。'《夜雨》云:'万绪集双鬓,百年堪几愁。'皆从苦吟得之。朱泽民曰:'壮年厌世纷,岁暮少知己。'即其人亦可知也。"

## 公元 1340 年　（顺帝至元六年　庚辰）

### 二月

**十六日,罢中书大丞相伯颜为河南行省左丞相。**《元史》卷四十《顺帝本纪》:"诏曰:'朕践位以来,命伯颜为太师、秦王、中书大丞相,而伯颜不能安分,专权自恣,欺朕年幼,轻视太皇太后及朕弟燕帖古思,变乱祖宗成宪,虐害天下。加以极刑,允合舆论。朕念先朝之故,尚存悯恤,今命伯颜出为河南行省左丞相。所有元领诸卫亲军并怯薛丹人等,诏书到时,即许散还。'"《草木子》卷四上:"后至元间,太师秦王伯颜专权变法,谋为不轨,贬岭南,道江西,死于荐福寺,遂殡于是。有人以诗吊之曰:'人臣位极更封王,欲逞聪明乱旧章。一死有谁为孝子,九泉无面见先王。辅秦应已如商鞅,辞汉终难及子房。虎视南人如草芥,天教遗臭在南荒。'盖其在生,出令北人殴打南人,不许还报,刷马欲又刷子女,天下骚动。"

### 三月

**二十四日,揭傒斯由翰林直学士擢为奎章阁供奉学士。**见《元史》卷四十《顺帝本纪》。

### 四月

**初九,吴莱卒,年四十四。**宋濂《渊颖先生碑》:"重纪至元六年,先生年四十四,栖迟衽席,愈不自振。……夏四月九日,竟卒于家。"[按,戴良作《吴先生哀颂辞》,序云:"先生婺浦江人,讳莱,字立夫,集贤大学士、荣禄大夫吴公子也。至正元年十月某甲子,以疾卒于家,得年四十有一。尝一试于礼部,不中。二子谔、谧葬先生于某原。葬后一年,命良为辞以哀之。良虽不敏,然尝承学于先生,谊不得辞。"(《九灵山房集》卷七)与宋濂所记不同,不详何故。]胡助《浦阳渊颖吴先生文集序》:"浦阳仙华诸峰,苍翠万仞,其崭绝峻拔之形,瑰诡雄峙之状,金华北山不能过也。故其气之清淑灵秀,蜿蟺磅礴,而钟为名世文儒者,固宜有之。若存雅先生方公、翰林待制柳公,则其人也。最后深褭先生吴君立夫出焉。立夫气禀尤异,负绝伦之才,其少时读书,日记数千百言,下笔为文,如云兴水涌,二先生所深畏爱者也。故方公以孙女妻之,而且尽传其学焉。凡天文、地理、井田、兵术、礼乐、刑政、阴阳、律历,下至氏族、方技、释老、异端之书,靡不穷考,含其英,咀其华,于经史之学,益研精究其指归。故发为议论文章,滔滔汩汩,一泻千里,如长川大山之宗夫海岳也,如千兵万马之衔枚疾驰而不闻其声也。呜呼，壮哉！他人恒苦其浅陋，立夫独患其宏博者也。庸讵非仙华神秀之所钟而能若是耶！"（《纯白斋类稿》卷二十）宋濂《渊颖先生碑》："浦阳江之上有大儒曰渊颖先生吴公，以精深玄懿之学，发沉雄奇绝之文，阖阴辟阳，出神入鬼，纵横变化，其妙难名。生虽弗克显融以伸其志，既没而言立，浩浩穰穰，其书满家，信一代之伟人，足以播芳猷于弗朽者也。……鉴裁精绝，人以古诗文试之，先生察其辞气，即知其为某代某人所作。当其赋咏，捷如雨风。一日，于故人家见几上堆剡纸数十番，戏为长歌，顷刻而尽。属对严巧，文采缛丽，观者惊以为神，谓非人所能及。……夫自文气日卑，士无真识，往往倚人之论以为低昂。其推古之作者，则曰：'雄浑赡富，唯有汉之文为然；淳质雅奥，亦唯有汉之文为然。今之从事艺文者，如之何可及也？'呜呼，岂其然哉！苟以先生诸作实之司马迁、相如、刘向、王褒之间，吾知其未必有愧也。"（《文宪集》卷十六）胡翰《渊颖集序》："先生析辞指事，援笔顷刻数百言，驰骋上下，要不失乎正。"《元史》卷一八一《黄溍传》附："莱尤喜论文，尝云：'作文如用兵，兵法有正、有奇，正是法度，要部伍分明，奇是不为法度所缚，举眼之顷，千变万化，坐作进退击刺，一时俱起，及其欲止，什伍各还其队，元不曾乱。'闻者服之。〔柳〕贯平生极慎许与，每称莱为绝世之才。〔黄〕溍晚年谓人曰：'莱之文，崭绝雄深，类秦、汉间人所作，实非今世之士也。吾纵操觚一世，又安敢及之哉！'其为前辈所推许如此。"刘基《渊颖先生集序》："及今年，宋君以其师吴先生之遗文若干卷示予。予一读而骇，再读而敬，三读而不知神与之接，融融澹澹，不知其旨之乐之、咏之叹之也。于是乎乃知宋君之所以过人者，有自来也。"《徐氏笔精》卷四："元胡（吴）渊颖《题赵大年林塘秋晚图》云：'老景青黄笔底收，晴凫冷雁共汀洲。王孙画学空花竹，不到铜驼陌上秋。'讥刺之意，微而婉矣。"《带经堂诗话》卷四："元诗靡弱，自虞伯生而外，唯吴立夫长句瑰玮有奇气，虽疏宕或逊前人，视杨廉夫之学飞卿、长吉，区以别矣。《渊颖集》，宋文宪公所编，愚幼而好之。"《元诗选》初集己集："东阳胡助谓其如千兵万马衔枚疾驰而不闻其声，他人恒苦其浅陋，而立夫独患其宏博。黄侍讲尝谓人曰：立夫文崭绝宏深，类秦、汉间人所作。皆确论也。"《石洲诗话》卷五："吴渊颖《泰山高》，仿欧公《庐山高》也，奇气似欲驾出其上。韩文公云：'横空盘硬语，妥帖力排奡。'此评孟东野，却不甚肖；若以评吴渊颖，却肖也。渊颖诗奇情异彩，都从生硬斫出，又以自己胸中镕经铸史之气，而驱使一时才俊之字句，卓然豪宕，凌厉无前，视黄、柳诸公，不啻倍蓰过之。但细按之，未免出于有意耳。"又："吴正传才藻凡弱，不能与黄、柳相抗，又勿论立夫也。"四库提要卷一六七："《渊颖集》十二卷，元吴莱撰。……莱与黄溍、柳贯并受业于宋方凤，再传而为宋濂，遂开明代文章之派。故年不登中寿，身未试一官，而在元人中屹然负词宗之目，与溍、贯相埒。……张纶《林泉随笔》曰：'吴立夫《谕倭书》，盖其十八岁所作，规模仿司马相如《谕蜀文》，其末所述谕其王之言，虽古之辩士，莫能过也。其他《大游》、《观日》两赋，与夫《形释》、《泰誓论》、《补牛尾歌》等篇，皆雄深卓绝，真先秦两汉间作者。'黄溍亦称其文'崭绝雄深，类秦汉间人'。皆未免溢量。胡助谓'他人患浅陋，而莱独患其宏博'，斯为笃论矣。王士禛《论诗绝句》有曰：'铁崖乐府气淋漓，渊颖歌行格尽奇。耳食纷纷说开宝，几人眼见宋元诗。'

实举以配杨维桢。其所选七言古诗，乃录莱而不录维桢。盖维桢为词人之诗，莱则诗人之诗，恃气纵横，与覃思冶炼门户固殊。士祯《论诗绝句》作于任扬州推官时，而《古诗选》一书，则其后来所定，所见尤深也。"《昭昧詹言》卷十二："惜抱先生曰：按道园诗近缓弱，立夫似胜之，然气不遒，转语多粗硬，时有伧气，不及道园得诗人韵格。阮亭极取之，谬矣。往时海峰先生论诗，言立夫七古在伯生上，今乃知此评不公。而海峰没矣，无从证之，深为慨息。又曰：立夫虽有卷轴，而苦于意为词窒。"又："立夫伧俗，乃开袁简斋、赵瓯北、钱箨石等派，不可令流毒后人。固是才气纵宕为主，而不知古人用笔法，用意不能深诣，一往便成。此种粗才，惊俗眼而已。求其以古人深韵，不复可见。观李、杜、韩、苏便悟。"又："大家用事，若不知其用事者，此其妙也。立夫用事，全见瘢痕，然视不典而不足于用者为贤。"

## 七月

二十七日，诏命翰林学士承旨腆哈、奎章阁学士嵝嵝等删修《大元通制》。见《元史》卷四十《顺帝本纪》。

## 十月

苏天爵由吏部尚书擢西台治书侍御史，一时士大夫如吴师道、虞集、雅琥、胡助、许有壬、宋褧等人均有诗赋其行。陈旅《送苏伯修治书西台诗序》："至元又六年之冬十月，吏部尚书苏公伯修，拜西行台治书侍御史。荐绅先生暨诸能诗者，相与托物命题，分而赋之，以寓比兴于饮饯之日，而属余书其右简。古之人以王命而之四方也，则朝之公卿大夫士赋诗以送之，所以导至意、咏美德而讽勉之也。"（《安雅堂集》卷五）

## 十二月

复科举取士制。国子监积分生员，三年一次，依科举例入会试，中者取一十八名。见《元史》卷四十《顺帝本纪》。《元史》卷一四三嵝嵝本传："时科举既辍，嵝嵝从容为帝言：'古昔取人材以济世用，必有科举，何可废也。'帝采其论，寻复旧制。"周伯琦有《是年复科举取士制，承中书檄，以八月十九日至上京，即国子监，为试院考试乡贡进士纪事》（《近光集》卷一）诗，诗作于至正元年（1341）。

## 本年

刘岳申序张翥所撰诗文集。序云："张翥仲举，北方学者。始来江东，江东才俊皆称之。余始相见豫章，爱其疏荡有奇气，磊落多豪举，急义如饮食男女，闻上有贤者，辄以身下之，常恐其人不先己而早达。……馀事为诗赋之章，极才情所至，无不输写倾竭其意欲者，使人望而知其为非仲举不能，而仲举未尝以自多。至顺壬申，余再见之江浙校艺后，仲举亦且老矣。其气充然，其才情沛然，其中心诚好义愈益汲汲然。

余方恨主文而竟失士，愧见仲举，而仲举如未尝试者，岂徒不知有得失。日与余买船下湖，长歌痛饮，尽兴而后别。今又八年矣。书来庐陵，留滞维扬，犹江浙也。独求余序其集端。夫余何足以论文哉！田光先生有言：徒识光盛壮时，感仲举行谊至高，殆非今世人，故为私论其人品大概。若其诗文，固不待余而传，顾仲举自有必传者，东坡所谓非斯文亦莫之传也。"（《申斋集》卷二）至顺壬申为1332年，后八年即作于本年。张翥所撰诗集，今存《蜕庵集》五卷，有《四库全书》、《四部丛刊初编》本。又有《蜕岩词》二卷，今存《丛书集成初编》本。

**张复序严毅所编《增修诗学集成押韵渊海》。**四库提要卷一三七："《增修诗学集成押韵渊海》二十卷，元严毅撰。毅字子仁，建安人，其始末未详。惟卷首有后至元庚辰张复序，知为元人尔。其书体例与《韵府群玉》相近，而更为简略。每字之下，首列活套，次为体字。体字者，如东字下列'青位震方'四字，童字列'儿曹'二字，即宋人所谓换字也。次为事类，次为诗料，则多采五言、七言诗句，而不著其姓名。所载惟有上下平声，而无仄声，盖专为近体设。又止二十九部，其三江一部，因韵窄字少，删之不载。其猥陋可想见也。"

**宋无撰《吴逸士宋无自志》，时年八十一。其卒或在本年后不久。**《升庵诗话》卷五："宋子虚咏史凡三百馀首，其佳者如《咏甘罗》云：'函谷关中富列侯，黄童亦僭上卿谋。当年园绮犹年少，甘隐商山到白头。'《咏绿珠》云：'红粉捐躯为主家，明珠一斛委泥沙。年年金谷园中燕，衔取香泥葬落花。'《咏张果》云：'沧溟几度见扬尘，曾醉尧家丙子春。近日喜无天使至，蹇驴留得载闲身。'《徐佐卿化鹤》云：'化作辽东羽翼回，适逢沙苑猎弦开。宁知万里青城客，直待他年箭主来。'《咏陆贽》云：'诏下山东感泣来，谪归门巷锁苍苔。奉天以后谁持笔，不用当时陆九才。'《咏宋宫人王婉容》云：'贞烈那堪黜虏求，玉颜甘没塞垣秋。孤坟若是邻青冢，地下昭君见亦羞。'王婉容随徽、钦北去，粘罕见之，求为子妇，婉容自刎车中，虏人葬之道旁，可谓英烈矣。"王鏊《姑苏志》卷五十四："宋无，字子虚，吴人，生宋景定间。尝习举子业，科举废，遂专工为诗。比对精切，造语新奇，有隐居之趣。"《元诗选》初集戊集："子虚诗雅秀绝伦，宜为当时名辈所推重也。他如《啽呓集》一卷，杂咏古人轶事，于《文山》、《叠山》、《陆君实》、《韩氏》诸作，尤有馀悲焉。邓中父所谓议论讽刺，探赜阐幽，又不当徒以诗论之矣。"《石洲诗话》卷五："宋子虚七言乐府诸篇，冯海粟所极赏者。藻力虽极横逸，然不无矫强处，非萨雁门天然清丽可比，似未可概以古锦囊中语目之。"又""宋子虚《李翰林墓》诗：'承恩金马诏，失意玉环词。'虽太白复生，亦当激赏。"又："子虚《春别》云：'杨柳昏黄晚西月，梨花明白夜东风。'可谓清新未经人道。《西湖酒家壁画枯木》云：'拗怒风雷龙虎气，盘摺造化乾坤力。'造化乾坤，复见句中，可乎？"又："宋子虚《西湖》诗云：'恋著销金锅子暖，龙沙忘了两宫寒。'语虽直致，可当宋诗史。"

**刘基辞官归里。**重纪至元五年，刘基转为江西行省职官掾史，因与幕官议事不合，投劾去，隐居力学。见黄伯生《故诚意伯刘公行状》（《诚意伯文集》卷二十）。

**王元恭授庆元路总管。**据《明一统志》卷四十六。《千顷堂书目》卷八则以其授官时间为至正二年。王元恭，字居敬，真定人。其官庆元路总管期间，尝编《至正四明续志》。《至正四明续志》十二卷，今存《宋元方志丛刊》本、《宋元四明丛书》本。

**曹德本年后复入京师。**《南村辍耕录》卷八："太师伯颜擅权之日，剡王彻彻都、高昌王帖木儿不花，皆以无罪杀。山东宪吏曹明善，时在都下，作《岷江绿》二曲以风之，大书揭于五门之上。伯颜怒，令左右暗察得实，肖形捕之，明善出避吴中一僧舍。居数年，伯颜事败，方再入京。其曲曰：'长门柳丝千万缕，总是伤心处。行人折柔条，燕子衔芳絮，都不由凤城春做主。''长门柳丝千万结，风起花如雪。离别重离别，攀折复攀折，苦无多旧时枝叶也。'此曲又名《清江引》，俗曰《江儿水》。"其称太师伯颜，知为顺帝间之伯颜。曹德，字明善，衢州人。顺帝初，以山东宪吏至京师，见伯颜擅权，赋曲讽之，揭于五门之上。伯颜怒，欲逮之，遂避居吴中僧舍。及伯颜败，方再入京。贾仲明〔双调〕《凌波仙·吊曹明善》："公曹路吏任衢州，夺立文章第一筹，神京独赋《长门柳》。士林中，逞俊流，万人内，占了鳌头。风连月，花伴酒，肥马轻裘。"

## 公元 1341 年 （顺帝至正元年　辛巳）

**初一，下诏改元，以至元七年为至正元年。**见《元史》卷四十《顺帝本纪》。

**二十日，周伯琦由翰林修撰擢为宣文阁授经郎。**周伯琦《近光集自序》："今天子在位之八年，当至元庚辰之岁，斥大奸，进群才，一新治化。时伯琦由国史院编修官选擢翰林修撰、同知制诰，扈从大驾上京，两视草大廷，遂以非才简知主上。既而诏奉香酒，以仲秋上丁代祀曲阜宣圣庙。还，上命篆追上明宗皇帝尊号玉宝书祝版，陪礼太室，三赐衣币。是年十有一月三日，建宣文阁，又诏篆题阁榜及阁宝。明年改元至正，正月廿日，特命为授经郎，复置经筵，又命兼经筵译文官。"（《近光集》卷首）又见宋濂所撰墓铭。

**汪泽民、张师愚同编历代宛陵诗人之作，成《宛陵群英集》二十八卷。**今存《四库全书》本凡十二卷，系从《永乐大典》中辑出。汪、张二人序见本集卷首，序末均署本月丙子。四库提要卷一八八："《宛陵群英集》十二卷，元汪泽民、张师愚同编。……是编盖泽民晚居宣城时所辑。上自宋初，下迄元代，得诗一千三百九十三首，分古今体，订为二十八卷。同里施璇为镂版以行。其后久佚不传，故宁国、宣城二志载籍门内均不著其目。今核《永乐大典》各韵内所录此集之诗，共得七百四十六首，作者一百二十九人，视原本犹存十之五六。中如王圭等七十馀人，载于宣城旧志《文苑传》者，其遗篇往往藉此以见。又如梅鼎祚《宛雅》所录诸家佚句以为原诗散亡者，今其全什亦多见集中。宋元著作放失者多，此集虽仅一乡之歌咏，亦可云文献之征矣。谨裒集校定，厘为十二卷。凡其人之爵里事迹有可考者，俱补注于姓名之下，不可考者阙之。其《永乐大典》原本失载人名、无可参补者，则仍分类附录于后，以待审订焉。"

十四日，孔学诗卒，年八十二。孔学诗（1260—1341），字文卿，溧阳人。生平见黄溍《溧阳孔君墓志铭》。[按，《录鬼簿》卷上："孔文卿，平阳人。《东窗事犯》（二本，杨驹儿按。何宗立勾西山行者，地藏王证东窗事犯）。"孙楷第《元曲家考略》甲稿以为黄溍为作墓志者即曲家孔文卿其人。然考贾仲明所作吊词，有"以子称、得谥文"句，黄溍所作《墓志》则无此记述。《全元戏曲》卷三《孔文卿小传》言其说不可从，似有理。今姑系于此，以俟考。]贾仲明〔双调〕《凌波仙·吊孔文卿》："先生准拟圣门孙，析住平易一叶分，好学不耻高人问。以子称、得谥文。论纲常、有道弘仁。捻《东窗事犯》，是西湖旧本。明善恶，劝化浊民。"卢前《秦太师东窗事犯跋》："孔文卿，平阳人，所作《东窗事犯》，见《杂剧三十种》。杭州金仁杰亦有剧与此同名，究未知是孔作抑金作也。姑认出文卿手，以待考订可尔。"[按，王季思主编《全元戏曲》剧前提要以为，现存《东窗事犯》元刊本正名与《录鬼簿》卷上所录孔文卿《东窗事犯》正名完全相同，且现存本为"末本"，而孟称舜本《录鬼簿》注金仁杰《东窗事犯》为"旦本"。据此，则今存《东窗事犯》当系孔文卿所作。]

## 三月

二十九日，欧阳玄序宋褧所撰《燕石集》。序见本集卷首。《燕石集》十五卷，今存《四库全书》本、清钞本。《居易录》卷三："元翰林直学士谥文清宋褧《燕石集》，至正八年，圣旨下都省，移江浙省，于各路有钱粮学校内刊行，中书省御史台据御史段弼、杨忠、王思顺、苏宁等奏请也。"四库提要卷一六七："《燕石集》十五卷，元宋褧撰。……褧集为其侄太常奉礼郎矿所编，凡诗十卷，文五卷。首载至正八年御史台咨浙江行中书省刊行咨呈一道，欧阳玄、苏天爵、许有壬、吕思诚、危素五序，末附谥议、墓志、祭文、挽诗。又有洪武中何之权、吕燚（濮）二跋，盖犹旧本。"

## 春

罗如篪刻刘诜诗十四卷。罗如篪《桂隐诗集跋》："先生平生诗文，流落过半。少年所作，多经诸老评泊，以为高逼古人，今皆不复序于前者，谓其不待序也，观者必自能识之。文见陆续刊行，今先梓其诗十四卷。至正元年春仲日，进士门人罗如篪宗仲谨识。"《桂隐诗集》四卷，今存《四库全书》本。刘诜（1268—1350），字桂翁，号桂隐，吉安庐陵人。门人私谥文敏。著有《桂隐诗集》四卷、《桂隐文集》四卷。《元诗选》二集已集录其诗 321 首。生平见欧阳玄《元故隐士庐陵刘桂隐先生墓碑铭》、夏以忠《元故隐士庐陵刘桂隐先生行状》、《元史》卷一九〇《儒学传》。

唐桂芳游于金陵，南行台御史聘其为儒学训导。唐桂芳《吕君景武哀辞》："辛巳春，予游金陵，辱南台御史聘为升庠训导。诸生冠带三百人，景武厕诸生中。"（《白云集》卷七）唐桂芳《题江湖寓稿序》："程生出予《江湖寓稿》二帙，犹记己卯夏，郡牧邑长以茂异举。明年，例阁不报。遂买舟下严濑，泛浙淄，吊虎丘，摩金山，宿留建业。御史复荐以教官。需次密安，以故醉采石，溯扬子江，登大小两孤山，窥番阳湖，又憩武夷三山，直泊南海，凡欢欣悲戚，郁郁不平，必于诗文焉发之。呜呼！天下承平，警急不闻，鸡犬万里，不事糇粮，若家居然。壬辰以来，在在烽火，流离转徙，出门有碍。欲如曩时留连光景，模写物状，何可得哉？诗文自己卯迄于己丑，具存编录。壬辰、己亥七八载，不复收拾。予于诗文非所好，亦非所能也。特以白头衰老，而学识之无成也，并书以识其愧。"（《白云集》卷五）

## 五月

**初七，韩性卒，年七十六。**黄溍《安阳韩先生墓志铭》："先生素康强，垂殁之际，初无所疾苦，诸生列侍左右，以文字就正者累数十百篇。日晏少休，俄得上气疾，进诸子，戒之曰：'我且死，若等其善自持。'言已，瞳子上下瞭然。顷之，气息奄奄，夷然而逝。先生之卒，以至正元年五月七日，享年七十有六。"（《文献集》卷八下）韩性（1266—1341），字明善，其先相州安阳人，后徙家会稽。弱冠，博综群籍，自经史至诸子百家，靡不极其津涯，究其根柢。与永康胡之纲、之纯、长孺为内兄弟，与王应麟、俞浙、戴表元为忘年交，与同里唐珏、王易简、吕同老、王英孙等善。人以韩先生称之。延祐中，完颜公贞举为慈湖书院山长，谢不就。天历中，赵世延以其名闻于上。后十馀年，门人李齐以进士第一为南台监察御史，举其行义，而性已卒。赐谥庄节先生。著有《礼记说》四卷、《书辨疑》一卷、《诗释音》一卷、《续郡志》八卷、《五云漫稿》十二卷。《元诗选》二集已集选其诗 23 首。黄溍《安阳韩先生墓志铭》："先生之文，博达隽伟而变化不测，人第见其如奇葩珍木，不择地而发，鱼龙出没，隐显后先，以为可喜可愕，而莫知夫山之所以高，海之所以深也。"（《文献集》卷八下）《元诗选》二集已集："虞学士集曰：君为文优游不迫而陈义甚高，汪洋不穷而立论甚要。"

## 八月

**钱惟善以《罗刹江赋》领浙省乡荐，明年上春官不第。**宋褧作《送钱思复下第还杭州分得秋字》（《燕石集》卷七），吴师道作《送钱师（思）复下第归杭分得屈字》（《礼部集》卷三）。钱惟善，字思复，号曲江居士，又号心白道人，钱塘人。至正元年，中乡试，历官永嘉书院山长、江浙儒学副提举。张士诚据吴，退隐吴江，后徙居华亭。卒于洪武十二年后。著有《江月松风集》十二卷。《元诗选》初集辛集选其诗 70 首。都穆《南濠诗话》："元钱思复惟善尝赴江浙省乡试，时出《浙江潮赋》，三千人中皆不知钱塘江为曲江，思复独用之。盖出枚乘《七发》。考官得其卷，大喜，置于前列。思复归，乃构曲江草堂，暮年自称曰曲江老人。"《西湖游览志馀》卷十二："钱思复惟善，钱唐人，博学能文章，以《浙潮赋》起名。其首句云：'维罗刹之巨江兮，实发源于太末。'试官嘉之，遂中选。盖其时满场无知罗刹为浙江者。后作《西湖竹枝词》十首，有云'阿姊住近段家桥'。瞿元范戏之云：'此段家桥创见，却与罗刹江不同也。'瞿宗吉尝尽和之，云：'昨夜相逢第一桥，自将罗带系郎腰。愿郎得似长江水，日日如期两度潮。'又云：'里湖外湖波渺茫，两岸人家多种桑。采桑不怕雾露湿，惟愿朝朝逢着郎。'大为思复奖许。张氏据吴，遂不仕。退居吴江筒川，与杨廉夫倡和，有句云：'笠泽水寒鱼尾赤，洞庭霜落树头红。'又云：'汉史丁公那及齿，陶诗甲子不书元。'盖感时事也。"《南村辍耕录》卷五："武林钱思复先生惟善尝言，年十六七时，以诗见息斋李公于州桥寓居。既拜公，公答拜，命坐，辞之再。公曰：'仲尼之席，童子隅坐。'因不敢辞。"

**屠性中乡贡进士。**屠性，一作申屠性，字彦德，诸暨人。至正元年，领乡荐，明年会试下第，恩授歙县教谕，迁婺州月泉书院山长。

## 十一月

**斡克庄征虞集文稿以刻诸梓，李本等遂编其诗文为《道园学古录》五十卷。**虞集《闽宪克庄以故旧托文公五世孙明仲远征鄙文。老退遗弃散逸，荷伯宗、用昭、止善、浩渊、子昂、至善，及余表侄孙陈谊，予兄子丰，仲弟之婿贾熙，用昭之从子大年等十馀人，寒冬连旬日夜录之，得五十卷，亦已劳矣。赋此为谢》："老去斯文付寂寥，寒枝枯甲一遗蜩。虚言自叹真何补，好友相求不惮遥。败箧尘埃烦数子，破窗灯火每连宵。书成明日寻梅去，共看春风转斗杓。"（《道园学古录》卷二十九）《道园学古录》五十卷，今存《四库全书》本、《四部丛刊初编》本。李本《道园学古录跋》："至正元年十有一月，闽宪斡公使文公之五世孙炘来求记屏山书院，并征先生文稿以刻诸梓。本与先生之幼子翁归及同门之友编缉之，得《在朝稿》二十卷、《应制录》六卷、《归田稿》一十八卷、《方外稿》六卷。盖先生在朝时为文多不存稿，固已十遗六七。……是年十有二月门人李本谨识。"（《道园学古录》卷首）赵汸《邵庵先生虞公行状》："尝题其稿曰《道园学古录》，门人类而辑之，得《应制稿》十二卷、《在朝稿》二十四卷、《归田稿》三十六卷、《方外稿》八卷，馀散逸者尚多，存其可得而编次者为拾遗若干卷。"（《东山存稿》卷六）欧阳玄《元故奎章阁侍书学士翰林侍讲学士通奉大夫虞雍公神道碑》："其存稿自题曰《道园学古录》，门人汇而锓之，得《应制》十二卷、《在朝》二十四卷、《归田》三十六卷、《方外》八卷，其散逸尚多。"（《圭斋文集》卷九）四库提要卷一六七："《道园学古录》五十卷，元虞集撰。……此集凡分四编，曰《在朝稿》，曰《应制稿》，曰《归田稿》，曰《方外稿》，其中诗稿又别名《芝亭永言》。据金华黄溍序，以是集为集手自编定，然其《天藻诗序》云：'友人临川李本伯宗辑旧诗，谓之《芝亭永言》。'又赋《谢李伯宗》，题云：'至元庚辰冬，临川李伯宗、黄仲律来访山中，拾残稿二百馀篇录之。'而李序又云：'至正元年十有一月，闽宪韩（斡）公征先生文稿，本与先生幼子翁归及同门之友编辑之，得《在朝稿》二十卷、《应制稿》六卷、《归田稿》一十八卷、《方外稿》六卷。'所言与今本正相合。又考《道园遗稿》前有至正己亥眉山杨椿序，以为集季子翁归及其门人所编，与李本序合。盖集母杨氏为衡阳守杨文中之女，杨椿即其外家后人，其言自当无误，亦可证黄溍所云之不足据。是编为李所定无疑也。自元暨明，屡经刊雕，然皆从建本翻刻，亦间有参错不合。盖多出后人窜改，要当以元本为正矣。"

## 本年

李显卿以荫父职钱谷官，由台州经庆元，与钟嗣成会。《录鬼簿》卷下："显卿，东平人，以父为浙省掾，因居杭焉。自幼粗涉书史，酷嗜隐语，遂通词章，作赚煞成□□篇，总而计之四百，乐章称是。至正辛巳，以荫父职钱谷官，由台州经庆元会余，别后遂无闻，久之不禄矣。"然《录鬼簿》以之入"已死才人不相知"之列，不详何故。

# 公元 1342 年　　（顺帝至正二年　壬午）

### 正月

　　杨维桢自序所撰《丽则遗音》。序见本集卷首。《丽则遗音》四卷，今存元刊本、毛氏汲古阁刻本、《四库全书》本。胡助《丽则遗音跋》："'丽则'之名，其殆伤今之赋之不古乎？观其《三良》以下，追逐屈、宋，殆如铁崖之崭绝峭刻，人固未易于攀缘也。然而叶律铿锵，立格古雅，而陈意正大，诚有可则者。场屋之士，果能仿佛其步趋，吾知斯文之复古矣。"陈存礼《丽则遗音跋》："先生酒酣时，尝自歌《三良》、《八阵》、《延陵》、《望诸》、《露桦》、《铁箭》等作，且训诸生：'为赋不难于填布事实，而难于豁达气韵也。'故先生之赋多英气，实得于天宝，而充之以问学，蔚为词宗，诚非一时侪辈之所可及也。"四库提要卷一六八："《丽则遗音》四卷，元杨维桢撰。维桢《东维子集》不载所作古赋，《铁崖文集》中亦仅有《土圭》、《莲花漏》、《记里鼓车》三作，而他赋概未之及。是集为赋三十有二首，皆其应举时私拟程试之作，乃维桢门人陈有礼所编而刊板于钱塘者。至正二年，维桢自为之序，其后渐佚不传。《明史·艺文志》中备录维桢著述书目，亦无是集之名。明末常熟毛晋偶得元乙亥科湖广乡试《荆山璞赋》一册，而是集实附卷末，始为重刻以行。其《荆山璞赋》五首，并缀录于后，以存其旧。元代设科，例用古赋。行之既久，亦复剿窃相仍，末年尤甚。如刘基《龙虎台赋》，以场屋之作为世传诵者，百中不一二也。维桢才力富健，回飙驰霆激之气，以就有司之绳尺，格律不更，而神采迥异，遽拟诸诗人之赋，虽未易言，然在科举之文，亦可云卷舒风云、吐纳珠玉者矣。"

### 二月

　　十九日，黄溍序陈镒所撰《午溪集》。序见本集卷首。陈镒，字伯铢，周权女婿，丽水人。陈镒有《哭外舅此山先生》诗，诗云："才名奕奕冠当今，投老林泉乐意深。太华黄河曾识面，玉堂金马有知心。寿杯未及希年贺，诗卷空添近日吟。慨想音容尚如此，西风吹泪满衣襟。"（《午溪集》卷六）周权之卒，当在至顺、后至元年间。

### 三月

　　初七，顺帝亲试进士七十八人，赐拜住、陈祖仁及第，其馀出身有差。见《元史》卷四十《顺帝本纪》。许有壬《至正壬午二月复科，知贡举，有感而作》："文运如日月，阴翳容有时。长风倏扫荡，光彩曾何亏。又如泉始达，有物或窒之。一朝混混出，万古流不衰。圣皇复文治，硕辅登皋夔。今年适大比，充赋来无遗。南宫举百废，部署严诸司。主文号具眼，妍媸析毫厘。小臣亲奉诏，肩赪力难支。回思三十年，试艺实在兹。窃禄愧未报，鬓发嗟已丝。作者七人矣，碌碌予何为。但期歌有台，太平此其基。他年至公堂，万一征予诗。"（《至正集》卷五）《元史》卷八十一《选举志》："〔元统元年〕，后三年，其制遂罢。又七年而复兴，遂稍变程式，减蒙古、色目人明经二条，增本经义；易汉、南人第一场《四书》疑一道为本经疑，增第二场古赋外，于诏诰、章表内又科一道。"周伯琦为廷试读卷官。周伯琦有《三月七日廷试进士读卷作》（《近光集》卷一）诗。

**卢琦登进士第**。卢琦有《寄同年状元拜珠善御史》（《圭峰集》卷上）诗，又有《客武林寄马元臣山之英二同年》、《山之英寓所观壬午进士题名记》诗。吴鉴《故前村居士卢公墓志铭》："盖惠安卢琦登至正二年进士第，授将士郎、台州录事。归自京师之五月，丁父忧。明年七月，来福州，以善状乞铭于吴鉴。"（《圭峰集》附录）林以顺《永春平贼记》："卢琦，字希韩，惠安人，登至正二年进士第。十二年，稍迁至永春县尹。"（《圭峰集》附录）卢琦（1300前后—1362），字希韩，号立斋，泉州路惠安人。登至正二年进士第，授将士郎、台州录事。调延平郡幕职，凡三年。十年，校文江浙行省。十二年，迁永春县尹。十四年，安溪寇袭永春，琦率民破之，获贼颇多，一县遂安。十六年，改调宁德县尹。十九年，除福建等处都转运盐使司提举。二十二年，以近臣荐，除平阳知州，命下而已卒于海口寓所。著有《圭峰集》七卷，陈中立编，《皕宋楼藏书志》卷一〇四著录有洪武刊本影写本，《四库全书》本《圭峰集》作二卷。《元诗选》初集庚集选其诗45首。生平据《元史》卷一九二《良吏传》。〔按，据吴鉴所作《故前村居士卢公墓志铭》，卢琦父庆龙生于景炎元年（1276），卒于至正三年（1343），卢琦为卢庆龙次子。又据卢琦子卢果等撰《恭人陈氏圹志》，知其妻陈懿生于至大二年（1309），年二十八归卢琦。〕《圭峰集》中，多羼入萨都剌等人之诗。《皕宋楼藏书志》著录之洪武刊本影写本未见，不详其所录是否均为琦作。四库提要卷一六七："《圭峰集》二卷，元卢琦撰。……此本为元陈诚中所编。明万历初，邑人朱一龙、福州董应举序而刻之，在庄本之前，然已多窜入他作。如五言古诗《春日思远游》，则在陈旅集中。又五言律诗中《过岭至崇安》、《送吴甫至扬州》、《题焦山方丈壁》、《秋日池上》、《度闽关》、《宿台山寺绝顶》、《早发黄河》等篇，七言古诗中《有事居庸关》、《走笔赠孟礼》、《乐陵台望月》、《夜泊钓台》、《江南乐》、《江南怨》、《雪山辞》、《崔镇阻风》、《游吴山驰峰》、《紫阳庵》、《江上闻笛别友》、《寒夜闻笛》、《黯淡滩歌》、《清湖曲》、《海棠曲》、《儒有萨氏子》等篇，七言律诗中《高邮城楼晚望》、《燕将军出猎》、《寄鹤林长老》、《和王维（继）学海南还韵》、《三衢守索题烂柯石桥》、《登镇阳龙兴寺阁》、《寄参政许可用》、《送金宪王君实》、《金陵道中》、《再过钟山万寿寺》等篇，共三十二首，皆在萨都拉集中。至于萨都拉《溪行中秋玩月》一篇，自序称余乃萨氏子云云，班班可考，此集乃改题曰《儒有萨氏子》，序末又删其'至元丁丑仲秋书'一句，尤为显然作伪，不得谓之误收。盖编缉之时，务盈卷帙以夸搜采之富，故真赝溷淆如此也。琦官虽不高，而列名良吏，可不藉诗而传。即以诗论，其清词雅韵，亦不在陈旅、萨都拉下。编录者移甲为乙，亦非无因矣。集又载赋三篇、记六篇、志铭二篇、祭文一篇、启三篇、杂著九篇，则确出琦作，非由假借。今删其诗之妄录者，并其文录之，以存琦之真焉。"

**胡行简登进士第**。胡行简《许承旨同声诗序》："宾兴之二年，某充赋春官，随两榜之士，以门生礼拜安阳先生于私第。"（《樗隐集》卷四）胡行简，字居敬，新喻人。至正二年进士，授从仕郎、国子监助教。历翰林修撰，除江南道御史，迁江西廉访司经历。世乱乞归，以经学教授乡里。洪武二年，诏修礼书。著有《樗隐集》六卷。

**孔旸登进士第**。苏伯衡《故元温州路同知平阳州事孔公墓志铭》："公自幼笃志于学，警悟强记绝人，而诸经史百家之书，罔不该贯。取元统乙亥乡荐，温之士以《春秋》贡者自公始。方上春官而科举废，南归，以衍圣公思晦举，署永嘉书院山长。未上，而科诏复下。至正元年，再荐于乡，登二年进士第，推衢州路录事，阶将仕郎。"（《苏平仲文集》卷十三）孔旸（1304—1382），字子升，号洁庵，温州平阳人。著有《洁庵集》十二卷，其子源属与直所编，苏伯衡尝为之序（《苏平仲文集》卷五）。

**傅若金卒，年四十**。苏天爵《元故广州路儒学教授傅君墓志铭》："未几，遇暴疾卒，至正二年三月某日也。"（《滋溪文稿》卷十三）范梈《与虞伯生书》："近来武昌，与乡友傅汝砺会，其人妙年力学，所为诗赋，警拔可爱，其为人静慎，又可尚论。"揭傒斯《傅与砺诗集序》："德机没后，又得其乡傅与砺焉。德机盛矣。余每读与砺诗，风格不殊，神情俱诣，如复见德机也。然德机七言歌行胜，与砺五言古律胜，馀亦在伯仲之间。而德机得盛名时，年已过与砺，使与砺及德机之年，不知又当何如也。……傅君初字汝砺，余以天下同其姓字者众也，而易之曰与砺，且以'与'与'汝'声相近而便于改称也。"（《傅与砺诗文集》卷首）苏天爵《元故广州路儒学教授傅君墓志铭》："君学长于《毛诗》，尤喜汉魏、盛唐诸作。其诗数百篇，多可传诵。及使远方，果能以专对之才称。宜有铭。铭曰：士之穷经，本以致用。《诗》三百篇，有谕有风。达于从政，专对四方。其或不能，空言奚望。傅君言诗，上本风雅。汉魏盛唐，作者之亚。持节侃侃，佐使南交。言谕远人，玉帛以朝。我述铭章，纳于君墓。后生学诗，勿溺章句。"梁寅《傅与砺文集叙》："其为文春容而雅畅，质不失之俚，赡不失之浮，固宜与诗歌并传，无愧于古之兼美者。"杨士奇《跋傅与砺诗一集》："傅诗工致，而古体出《选》，近体往往出盛唐，故可传也。"（《东里续集》卷十九）《谰言长语》："元傅与砺素贫，初学织席，坐于地。一家用裁缝裁衣，逐出之，傅遂学裁缝。又一家延客，令裁缝出外，傅愧之，乃读书。今傅之诗文具在，脍炙人口，人可以不自励耶！"《居易录》卷一："元傅汝砺若金诗集八卷，有范德机、揭曼硕序，洪武壬戌刊本。歌行颇得子美一鳞片甲，七律亦有格调，视南宋俚俗之体相去远甚。"《石洲诗话》卷五："傅汝砺诗有格调，其用'小谢体'诗，神貌俱似。《剑门图》一首，直用杜韵，却无出路。"又："虞公极赏傅若金《古松图歌》，由是名动京师。然末句仍回到首句之意，未免味薄。虽多一韵，以唱叹出之，然此句似不必叠韵也。《浑沌石行》，赋武侯八阵碛中小石也。其诗仿少陵《古柏行》，此固不为化境，然与李景文一辈不同。至于《题刘伯希古木》、《双剑图歌》之类，则真得杜意，宜乎渔洋谓其歌行得子美一鳞片甲也。《送邓朝阳归赴分宁州杉市巡检》诗末句云：'我有家君欲寄将。'此上三下四句法，自韩公以后，人罕为之。然与砺笔虽清劲，而与韩派法自殊，似未叶合。"又："傅与砺歌行之学杜，自后山、简斋不及也，然尚恨未能出脱变化。此亦边幅之隘，难以相强者也。"又："元时如傅与砺之似杜，李溉之之似李，皆有格调而无变化，未免出于有意耳。"四库提要卷一六七："《傅与砺诗文集》二十卷，元傅若金撰。……揭傒斯称'每读与砺诗，如复见范德机。德机七言歌行胜，与砺五言古律胜，馀亦相伯仲'。王士禛《居易录》则称其'歌行得老杜一鳞片甲，七律亦有格调'。与傒斯论小异，当以士禛之说为然。古文盖其馀事，然亦和平雅正，无棘吻螫舌之音，虽不能凌跨诸家，要亦一时之俊才矣。"《养一斋诗话》卷三："人以'杏花城郭青旗雨，燕子楼台玉笛风'，'翡翠飞来春雨歇，麝香眠处落花多'，'万点愁心飞絮影，五更残梦卖花声'为元诗之佳者，而元诗信不足重矣。不知'霜气隔篷才数尺，斗杓插地已三更'，'天连阁道晨留辇，星散周庐夜属橐'，'松杉绕屋清宵响，雷雨悬崖白昼阴'亦元诗也。道园、与砺，可以晚唐概之乎？人若常常摹《学古录》，可安步而入老杜之门矣。与砺诸体清苍，长律亦杜之正传，羽翼道园，颇无愧色。"

## 七月

**十八日，拂郎国贡天马，朝中文臣多有题咏。**意大利人圣方济各会会士马黎诺里一行，于后至元四年，奉罗马教皇本笃十二世之命，前来中国，于本年七月抵达上都，谒见元顺帝，并进献骏马一匹，轰动一时。马黎诺里一行，留居大都约三年。许有壬作《应制天马歌》（《至正集》卷十）。揭傒斯作《天马赞》，其序云："皇帝御极之十年七月十八日，拂郎国献天马。身长丈一尺三寸有奇，高六尺四寸有奇，昂高八尺有二寸。廿有一日，敕臣周朗貌以为图。廿有三日，诏臣揭傒斯为之赞。"欧阳玄《天马颂自序》："至正二年壬午七月十八日丁亥，皇帝御慈仁殿，拂郎国进天马。二十一日庚寅，自龙光殿敕周郎貌以为图。二十三日壬辰，以图进。翰林学士承旨库库传旨，命傒斯为之赞。臣惟汉武帝发兵二十万，仅得大宛马数匹，今不烦一兵而天马至，皆皇上文治之化所及。"（《圭斋文集》卷一）吴师道《天马赞序》："至正二年秋七月，上在滦京，拂郎国来献马，长丈一尺有三寸，高六尺四寸，昂首复增三之一焉。身纯黑，后二蹄白，食刍粟倍常，间以肉潼，奇伟骁骏，真神物也。拂郎在西海之西，去京师数万里，凡七渡巨洋，历四年乃至。"（《礼部集》卷十一）周伯琦《天马行应制作序》："至正二年岁壬午，七月十有八日，西域拂郎国遣使献马一匹，高八尺三寸，修如其数而加半，色漆黑，后二蹄白，曲项昂首，神俊超越，视他西域马可称者皆在髃下。金辔重勒，驭者其国人，黄须碧眼，服二色窄衣，言语不可通，以意谕之，凡七度海洋始达中国。是日天朗气清，相臣奏进，上御慈仁殿，临观称叹。遂命育于天闲，饲以肉粟酒潼，仍敕翰林学士承旨臣巙巙命工画者图之，而直学士臣揭傒斯赞之。盖自有国以来，未尝见也，殆古所谓天马者邪？承诏赋诗，题所画图。"（《近光集》卷二）《石洲诗话》卷五："周伯温《天马行》，咏至正二年壬午七月西域拂郎国献马，诗语颇得应制之体。（陆河南仁亦有歌，极为杨铁崖所称。然平板无生气，较伯温作，逊之远矣。）"

## 九月

初一，李好文自序所撰《长安志图》。序见本集卷首。据自序，盖初官陕西行台治书侍御史时所作。吴师道为题其后，以详且精推之（《礼部集卷》十八）。清人朱彝尊亦尝为之序，以为好文是书作，神皋京辇、城郭市井、沟渠屈曲之面势，乃可一一指识（《曝书亭集》卷三十五）。四库提要卷七十："《长安志图》三卷，元李好文撰。……此书结衔称陕西行台御史。考本传称好文至正元年除国子祭酒，改陕西行台治书侍御史，寻迁河东道廉访使。又称至正四年仍除陕西行台治书侍御史，六年始除侍讲学士。此书盖再任陕西时作也。自序称图旧有碑刻，元丰三年吕大防为之跋，谓之《长安故图》，盖即陈振孙所称《长安图记》，大防知永兴军时所订者。好文因其旧本，芟除讹驳，更为补订。又以汉之三辅及元奉元所属者附入。凡汉、唐宫阙陵寝及渠泾沿革制度皆在焉。总为图二十有二。其中渠泾图说详备明晰，尤有裨于民事，非但考古迹、资博闻也。本传载所著有《端本堂经训要义》十一卷，《历代帝王故事》一百六篇，又有《大宝录》、《大宝龟鉴》二书，而不及此图。《元史》疏漏，此亦一端矣。此本乃明西安府知府李经所锓，列于宋敏求《长安志》之首，合为一编。然好文是书，本不因敏求而作。强合为一，世次紊越。既乖编录之体，且图与志两不相应，尤失古人著书之意。今仍分为二书，各著于录。《千顷堂书目》载此编作《长安图记》，于本书为合。此本题曰《长安志图》，疑李经与《长安志》合刊，改题此名。然今未见好文原刻，而《千顷堂书目》传写多讹，不尽可据。故今仍以《长安志图》著录，而附载其异同于此，备考核焉。"

## 十一月

初九，柳贯卒，年七十三。据宋濂《元故翰林待制承务郎兼国史院编修官柳先生行状》、黄溍《元故翰林待制柳公墓表》。宋濂《元故翰林待制承务郎兼国史院编修官柳先生行状》："读书博览强记，自礼乐、兵刑、阴阳、律历、田乘、地志、字学、族谱及老佛家书，莫不通贯，国朝故实，名臣世次，言之尤为精详。善楷法，工篆籀，京兆杜公本谓其妙处不减李阳冰。为文章有奇气，春容纡徐，如老将统百万兵，虽旗帜鲜明，戈甲焜煌，不见有喑呜叱咤之声。若先生者，庶几有德有言，为一代之儒宗者矣。"（《待制集》附录）黄溍《元故翰林待制柳公墓表》："公气韵沉默，局量坚凝，平居未尝见其疾言遽色，虽有桀骜者，亦皆望之而意销。孝友本乎天性，弟实出后外家俞氏，遇之恩意弥笃。读书博览强记，自经史百氏，至于国家之典章故实、兵刑律历、数术方技、异教外书，靡所不通。故其文洒肆演迤，春容纡馀，才完而气充，事详而词核，蔚然成一家言。老不废诗，视少作尤古硕奇逸，而意味渊永，后学之士争传诵之。工篆籀楷法，善鉴定古彝器书画，而别其真赝。晚益沉潜于理学，以为归宿之地焉。"（《待制集》附录）余阙《待制集序》："盖先生早从仁山金先生学，其讲之有原，而淬砺之有素。故其为文缜而不繁，工而不镂，粹然粉米之章，而无少山林不则之态。"危素《待制集序》："先生少历游前代遗老之门，该综百氏，根极壶奥，故其文雄浑严整，长于论议，而无一语袭陈蹈故，盖杰然于当时者也。"杨士奇《柳待制文跋》：“道传初受学金仁山，而为文古雅辨博。”《六研斋二笔》卷二：“元柳道传贯行书《虎丘》诗一卷，纵横遒逸，亦鲜于之亚也。诗语宏丽。”《石洲诗话》卷五：“柳道传《观赵使君所藏书画古器物》诗，太平，直无节族变化。试以梅都官《三馆书画》诗比之，则优劣见矣。”又：“柳道传诗有矩矱，亦未能含蓄变化，声调亦不能开拓，大抵黄晋卿伯仲间耳。”四库提要卷一六七：“《待制集》二十卷、附录一卷，元柳贯撰。……贯虽受经于金履祥，其文章轨度则出于方凤、谢翱、吴思齐、方回、龚开、仇远、戴表元、胡长孺。其史学及掌故旧闻，则出于牟应龙。具见宋濂所作行状中。学问渊源，悉有所受，故其文章原本经术，精湛闳肆，与金华黄溍相上下。”

## 本年

**王士点、商企翁同编《秘书监志》。**卷首有本年五月秘书监准监丞王道奉议关文。朱彝尊《经义考》卷二九四：“《元秘书志》，至正二年五月簿录在库。书先次送库，经六部，一百一十三册。后次发下经书二百四十四部，二千一百四十五册。续发下经一百六十六部，一千九百四十六册。按《元秘书志》十一卷，至正二年著作郎王士点、著作佐郎商企翁同编。统计经类四百一十六部，四千三百四册，而史子集不与焉。元之储藏富矣，惜不分著其目。而洪武初修《元史》，命吕复、欧阳佑等采书北平。当时若一关取，则诸书具在，以撰艺文志无难，顾《元史》阙焉，不能不致憾于宋、王诸公也。”《秘书监志》十一卷，有《四库全书》本、浙江古籍出版社校点本等本。朱彝尊《书元秘书监志后》：“《元秘书监志》十一卷，著作郎东平王士点继志、著作佐郎曹州商企翁继伯同撰。所载诏旨公移，多用国书文，以是流传者罕，然一代之典故存焉。卷中题名有张应珍，以至元三十年十二月，由从事郎历秘书监丞，大德八年六月，迁秘书少监，九年十月，乃更姓名曰吴鹏。而《吉安府志》称鹏永新人，宋末兵乱避仇，转徙山西，元驸马都尉高唐郡王库哩济斯尝从之质疑，刊其书于平阳路，志遂附之宋遗民之列，不知其仕于元。革命之初，士之出处殊途，不可以紊。有是编，足以证《府志》之误矣。”（《曝书亭集》卷四十四）四库提要卷七十九：“《秘书监志》十一卷，元王士点、商企翁同撰。……其书成于顺帝至正中，凡至元以来建置迁除、典章故事，无不具载，司天监亦附录焉。盖元制司天监隶秘书省，犹汉制以太史令兼职天官之义也。后列职官题名，与《南宋馆阁录》例同。其兼及直长令史，皆纤悉详录。则以金源以后，以掾吏为士人登进之阶，往往由此起家，洊至卿相，其职重于前代耳。其所纪录，多可以资考核。朱彝尊尝据以辨吴鹏即张应珍，以大德九年改名，历仕秘书少监，非宋遗民，证《吉安府志》之误。则于史学亦多所裨矣。”《四库全书总目提要补正》卷二十四：“《秘书监志》十一卷。《拜经楼藏书题跋记》云：‘先君子书目录前云：此志既用国书，语多鄙俚，而每卷立题，尤荒谬不通，恐并非王、商手笔，或后人妄撰此目未可知？惜竹垞、竹汀诸公均未论及。’”

**王士熙由南台侍御史升南台中丞，未几卒。**王士熙，王构长子，字继学，东平人。至治初，除翰林待制。泰定四年，累迁中书参议。文宗立，流远州，明年放还。顺帝即位，起为江东廉访使。后至元二年，擢拜南台侍御史。至正二年，迁南台中丞。未几卒。生平见《元史》卷一六四本传。《石洲诗话》卷五："王继学《题兰亭定武本》五古，以周成顾命垂戈为比，其意竟以定武为昭陵玉匣之本上石者矣。诗不佳。"又："继学《行路难》二首，调谐词达。"又："继学《竹枝》本溧阳所作，山川风景，虽与南国异，而《竹枝》之声，则无不同。铁崖《西湖竹枝词序》云尔。"四库提要卷一七四："《王鲁公诗钞》一卷，元王士熙撰。士熙字继学，东平人，翰林学士承旨构之子。以文学世其家，历官中书省参知政事。在馆阁日，与虞集、袁桷等唱和，论者比之唐岑、贾，宋杨、刘，为有元盛世之音。此本不知何人所钞，与顾嗣立《元诗选》所载士熙《江亭集》八十馀首一一相同，惟次第小异。疑即书贾从《元诗选》钞出，伪为旧本射利耳。"

**董伦生。**董伦（1342—1421），字安常，顺天宛平人。生平见《明史》卷一五二本传。

## 公元 1343 年　（顺帝至正三年　癸未）

### 正月

**胡助再游京师，与钱良右会于吴下，以所作《大拙先生传》相示。**钱良右《跋大拙先生传》："癸未初春，古愚父再游京师，道经吴下，江村民既往见，即忻然示所作《大拙先生传》。读数行，未省其人，而曰：'先生出处大略，皆子所曾道者。'至终篇，乃相示大笑，因语之曰：'此古愚自信可从吾言而为先生传耶？使古愚拙于文词，则先生之拙将不能信于世矣，又曷能致馆阁群公信其可信，各尽其拙之论哉？'"《大拙先生传》为胡助自拟，盛传一时。胡助《纯白先生自传》："尝著《大拙先生小传》，寓言以自况。"王沂《题胡古愚大拙先生传》："大拙先生扁舟江湖，而不远世以遁形；曳裾王城，而不饰智以徼名。以为仕耶，则操行欲蝉蜕乎流俗；以为隐耶，则文华可藻饰乎太平。所谓寓巧于拙，而物卒莫与之争。若夫氏族与字，则君其问诸轩辕弥明。"（《伊滨集》卷二十一）吴师道《题胡古愚所作大拙先生传后》："柳柳州赋《愚溪》，以愚自命，而又言虽不合于俗，颇以文墨自慰，漱涤万物，牢笼百态，而无所避之，盖不甘于愚也。他日寓词乞巧，抱拙终身，人或以为未然。东易胡君古愚为大拙先生陈信作传，大概言其淡泊迂滞，不利进取，至称其能文章，喜诗善书，则又有不拙者存，殆亦《愚溪》之意。夫胡君既自比于古之愚者矣，而见大拙，则又喜为之书。流传京师，诸公从而赞述之，以古愚之言不妄故也。柳州不能使人信其拙，而先生得胡君而信其真拙者欤？"（《礼部集》卷十八）欧阳玄《题大拙小拙传后》："大拙先生何许陈，镜中人是面前人。晚藏名字非逃世，闲作文章自写真。派系虽宗虞阙父，性情浑似葛天民。食才盈器攻诗瘦，家本千金受禄贫。诟怨谋疏多误事，每夸任达渐通神。耽书不辨饥和饱，中圣那分醨与醇。元令为歌偏合调，叔孙楚制辄生嗔。怜鸠少智容巢近，爱鹿无魂托友训。不识舂陵周茂叔，感渠一赋便相亲。"揭傒斯《题大拙先生传后》："胡先生作传，最善形容，至若'双目炯然如方外士，稠人中有所注视，或疑其善风鉴'，非极相亲不能道此。"

## 二月

**费著自序所编《成都志》。**序见周复俊所编《全蜀艺文志》卷三十。其时著为重庆府总管，其撰《岁华记丽谱》、《笺纸谱》、《蜀锦谱》等，或亦在任总管时。四库提要卷七十："《岁华记丽谱》一卷、附《笺纸谱》一卷、《蜀锦谱》一卷，元费著撰。……成都自唐代号为繁庶，甲于西南。其时为之帅者，大抵以宰臣出镇。富贵优闲，岁时燕集，浸相沿习。故张周封作《华阳风俗录》，卢求作《成都记》，以夸述其胜。遨头行乐之说，今尚传之。迫及宋初，其风未息。前后太守，如张咏之刚方，赵抃之清介，亦皆因其土俗，不废娱游。其侈丽繁华，虽不可训，而民物殷阜，歌咏风流，亦往往传为佳话，为世所艳称。南宋季年，蜀中兵燹，井闾凋敝，乃无复旧观。著因追述旧事，集为此书。自元旦迄冬至，无不备载。其体颇近《荆楚岁时记》。而盛衰俯仰，追溯陈迹，亦不无《东京梦华》之思焉。唐韩鄂有《岁华纪丽》，为类事之书。此谱盖偶同其名，实则地志也。末附《笺纸》、《蜀锦》二谱，盖汉、唐以来，二物为蜀中所擅，而未有专述其源委者。著因风欲而及土产，稽求名品，胪列颇详，是亦足资考证者矣。"

## 三月

**二十八日，诏修辽、金、宋三史。**以中书右丞相脱脱为都总裁官，中书平章政事铁木儿塔识、中书右丞太平、御史中丞张起岩、翰林学士欧阳玄、侍御史吕思诚、翰林侍讲学士揭傒斯为总裁官。见《元史》卷四十一《顺帝本纪》。初，元世祖立国史院，命王鹗修辽、金二史。宋亡后，又命史臣通修三史。仁宗延祐末年，国史院编修官袁桷尝购求辽、金、宋三朝遗事。然出于诸多原因，至于此年始诏定修三史。

**张翥序陈镒所撰《午溪集》。**序见本集卷首。张翥为官金陵之时，陈镒尝从学于张翥。孙炎《午溪集序》："在燕二十馀年，乃今得见伯铢于括。伯铢与余，实同出张先生之门，未相识也。及相识，而白发种种，亦如诸先生游石头城时。惜余幼不力学，长无所树立，而空老矣，犹幸及见伯铢。伯铢有《午溪集》二卷，诗多类张先生云。伯铢姓陈氏，丽水人。"（《午溪集》卷首）

## 四月

**陈绎曾以将仕佐郎、翰林国史院编修官与修《辽史》。**脱脱《进辽史表》："中书遴选儒臣崇文太监今兵部尚书臣廉惠山海牙、翰林直学士臣王沂、秘书著作佐郎臣徐昺、国史院编修官臣陈绎曾分撰《辽史》。起至正三年四月，迄四年三月。"（《辽史》卷末附录）许有壬《荐吴炳、陈绎曾》："窃见处士汴梁吴炳，业专圣学，文造古人，特立不渝，真积力久，忘情轩冕，守道衡茅，势利不足以动其心，贫屡不足以累其志。又江南陈绎曾，博学能文，怀材抱艺，挺身自拔乎流俗，立志尚友乎古人，放志山林，富贵浮云，但人既不自鬻，恐后日或有遗贤。如于文翰之职内，不次征用，不惟摅其素蕴，抑亦可以砥砺流俗。"（《至正集》卷七十五）胡炳文《题徐芝石赋陈伯孚飞白》："如尘缕游丝，如秋蝉春蝶，芝石所云，可以形容伯孚之字。如美玉在山，如悬石万仞，伯孚所云，亦可以形容芝石之赋。词如其翰，翰如其词，一旦得睹，此二妙岂非大奇事。然吾闻二君所学，自有词翰之外者。即今至前，梅开先天枝上，吾三人者，安得相与共探无极之真邪。"（《云峰集》卷四）

## 七月

陈旅卒，年五十六。吴师道作《监学祭陈众仲监丞文》（《礼部集》卷二十）。《元史》卷一九〇《儒学传》："至正元年，迁国子监丞，阶文林郎。又二年卒，年五十有六。"吴师道《陈监丞安雅堂集序》："至正二年七月□日，国子监丞陈君旅众仲卒于京师。……君之于文，用心甚苦，功甚深，藻缋组织，不极其工不止，而予不能也。"（《礼部集》卷十五）〔按，《元史》中传主生平，多直录墓志、行状。陈旅卒年取《元史》，盖疑吴师道集序"二年"乃"三年"之误。〕张翥《安雅堂集序》："方天历、至顺间，学士蜀郡虞公以其文擅四方，学者仰之。其许与君特厚，君亦得与相薰濡，而法度加密焉。故其所铺张，若揖让坛坫，色庄气肃，而辞不泛也。其所援据，若检校书府，理详事核，而序不紊也。其思绵丽藻拔，而杼机内综也；其势飞骞盼睐，而精神外溢也。此君之所自得，而予常以是观之。"林泉生《安雅堂集序》："予尝谓众仲学博而通，识高而敏，使之裁繁理剧，有兼人之能，或者处危制变，有济时之智。惜夫用弗克究，而人所知者，众仲之文也。况称其文者，又未原其学欤。贯综该洽，人见其富也；精采振发，人见其丽也。天机之敏，人以为巧；法度之周，人以为密。乃若众仲之学，则封殖深厚，发无不茂，有本者如是也，君已极雄古。皇庆、延祐以来，益以醇正典雅相尚，蔼乎治世之音，非近代所能及也。且诸名家班班继继，视昔加多，又何盛欤！故国子监丞陈君众仲，亦以文擅世者也。"《元史》卷一九〇《儒学传》："旅于文，自先秦以来，至唐、宋诸大家，无所不究，故其文典雅峻洁，必求合于古作者，不徒以徇世好而已。有文集十四卷。"杨士奇《跋安雅堂文》："元之时，闽人以古文名者，众仲其巨擘也。余尝爱闽之善文者二人，唐欧阳詹及众仲，同出于莆田。……然詹之文切深，众仲之文优柔敦厚，此其所异也。"（《东里文集》卷十）王羽《柘轩集序》："昔宋南渡，侨寓钱唐五十年间，诗书流泽，逮元元统、至元，可谓极矣。莆田陈众仲提举浙路儒政，以明洁精深之文鸣于东南，程以文声誉与之伯仲。"四库提要卷一六七："《安雅堂集》十三卷，元陈旅撰。……史称其文典雅峻洁，必求合于古作者，不徒以徇世好。又称虞集见所作，有'我老将休，付子斯文'之语。张翥序亦称：'天历、至顺间，学士虞公以文章擅四方，其许与君特厚，君亦得相与薰濡，而法度加密。'盖纪实也。苏天爵辑《元文类》，其时作者林立，而不以序属诸他人，独以属旅。殆亦知其文之足以传信矣。"

## 八月

吴会举乡荐第一。吴会，号书山，别号独足翁。其所著诗文，今存《吴书山先生遗集》二十卷，有乾隆三十四年刻本，聂位中为之序。其集本名《独足雅言》，乾隆间其十四世裔孙廷相同男尚绸为之重编，遂为改今名。集有洪武十四年会所作自序及《雅言解》，述其名《雅言》之意。另有《明潭宗藩制独足雅言序》，潭王梓，明太祖第八子。又有重编凡例、像赞及吴直所作《书山先生本传》、《独足雅言后集序》。四库提要卷一七四："《书山遗集》二十卷，元吴会撰。……以一足病废，自称独足先生。所作诗文，即名《独足雅言》，凡二十卷。李梦阳《怀麓堂诗话》尚引其《挽张性》诗，证《杜律注》非虞集作，则正德间尚存，近世已久无传本。是集为其裔孙尚绸所搜辑，以已非原本，故改题曰《书山遗集》，而仍编为二十卷，以存其旧。原刻《独足雅言解》一篇，仍冠于首。会自序云：'和乐畅易，清平时所著，为最先。愁促感激，辟地时所著，其次也。超逸迈放，学仙时所著，为最后也。'今观其诗，雕缋有馀而兴寄颇浅，在元末明初尚未能独立一帜。卷首载明初潭王梓一序，文理俚谬。又称会卒之后，见梦于梓而求作，其事荒怪不经，殆不足辨，或好事者为之也。"

## 本年

杜本以右丞相脱脱荐，召为翰林待制、奉议大夫兼国史院编修官。行至杭州，称疾固辞不行。《南村辍耕录》卷二十八："杜清碧先生本应召次钱唐，诸儒者争趋其门。燕孟初作诗嘲之，有'紫藤帽子高丽靴，处士门前当怯薛'之句，闻者传以为笑。用紫色□藤缚帽，而制靴作高丽国样，皆一时所尚。怯薛，则内府执役者之译语也。"

柯九思卒，年五十四。《稗史集传》："至正癸未冬十月壬寅，夜梦有炳义公招之者，且请予筮其吉凶。……丙午，过灵岩，遂次天平，拜文正祠，宿留六日始归，盖欲厌其梦也。辛亥丙夜，暴得风疾。越六日丁巳，卒，年五十四。"倪瓒《三月六日，同李征士游禅悦僧舍。礼上人出柯博士所赋诗以示仆，而博士君殁已二年。展诵为之凄断，因次其韵于后》："佛生七佛后，乃知青出蓝。寒月留孤光，世人徒指谈。嗟余堕狙网，朝暮逐四三。悲叹明镜尘，何由息禅龛。"（《清閟阁全集》卷二）〔按，《元诗选》三集戊集记柯九思生平曰："九思，字敬仲，仙居人。以父谦荫补华亭尉，不就。在太学时，遇元文宗于潜邸。……未几，文宗崩，因流寓江南。至正乙巳，得暴疾卒，年五十四。"至正乙巳，为1365年。考郑元祐《遂昌杂录》云："江浙儒学提举柯山斋讳自牧，尝过访胡穆仲先生。……柯之子字敬仲，讳九思，际遇文庙，官至儒林郎、奎章阁鉴书博士，卒于吴。"郑元祐卒于至正二十四（1364）年，则敬仲之卒必早于此年，《元诗选》误矣。又《珊瑚网》卷三十三有柯九思《题黄大痴缥缈仙居图》，其跋云："至正己亥三月十五日，过张外史山居，观此图，遂题一绝。丹丘柯九思。"然张雨已于至正十年卒，不可能复有观图之事。〕柯九思卒，朱德润有《祭柯敬仲博士文》（《存复斋文集》卷七），观其辞，似卒于至正初，且以病卒。据《山居新话》所载，当是服丹药中毒而亡。《西湖竹枝集》："宫词追王建，墨竹法文湖州，名重当时云。"《书史会要》卷七："能诗文，善鉴古器物书画，亦善书。"《石洲诗话》卷五："元人多尚风调，宫词一体，推雁门为最。若柯敬仲之作，亦尔时雅正者矣。"又："柯敬仲诗本不深，而绵邈处时有酝酿，殆从画家清境托来，非可以书生章句求也。较之王元章则有极浅处，较之倪元镇则有极深处。想尔时入侍奎章，与虞伯生接近，笔札自当别有所得耳。"曹元忠《集本丹邱生集跋》:"博士文采风流，照耀元季，当与鄱阳周伯琦相辉映。"柯逢时《丹邱生集跋》:"其文性情深厚，得诗人悱恻之遗。"

**贾仲明生。**贾仲明《书录鬼簿后》，末署"永乐二十年壬寅中秋，淄川八十云水翁贾仲明书于怡和养素轩"。永乐二十年为 1422 年，上推七十九年，即生于本年。贾仲明，或作贾仲名，自号云水散人。山东淄川人，后徙家兰陵。著有《云水遗音》等集并杂剧 16 种，今存者有《荆楚臣重对玉梳记》、《萧淑兰情寄菩萨蛮》、《李素兰风月玉壶春》、《铁拐李度金童玉女》、《吕洞宾桃柳升仙梦》等 5 种。

**梁兰生。**梁兰(1343—1410)，梁潜父，字庭秀，又字不移，号畦乐，泰和人。著有《畦乐诗集》一卷。生平见杨士奇《梁先生墓志铭》(《东里续集》卷三十九)。

**杨刚中卒于本年前后，年七十四。**钱惟善有《杨志行挽词》(《江月松风集》卷七)，唐元作《金陵祭杨待制文》(《筠轩集》卷十三)。杨刚中，杨翮父，字志行，建康人。从学于导江张达善。以荐辟主江宁县学，升郡学录，转徽州路儒学教授。丁外艰，服阕，除平江路教授。未赴，擢福建闽海道肃政廉访司管勾承发架阁库兼照磨。科举行，与吴澄同主江西行省文衡。迁江东廉访司照磨，秩满，授卫辉路录事，不赴，改文林郎、江浙等处儒学提举。至顺间，以丞相脱欢荐，召为翰林待制、承务郎，兼编修官。赴官月馀，谢病去。晚自宣城挈家还居建康，悠游乡里。年七十四卒。著有《易通微》、《说诗讲义》等书。生平见《至大金陵新志》卷十三。

## 公元 1344 年　　(顺帝至正四年　甲申)

### 三月

**《辽史》成。**脱脱有《进辽史表》(《辽史》卷首)。[按，此表又见于欧阳玄《圭斋文集》卷十三，文字略有不同，记《辽史》之修撰，起至正三年四月，迄四年二月。]《南村辍耕录》卷三:"至正二年壬午春三月十有四日，上御咸宁殿，中书右丞相脱脱等奏命史臣纂修宋、辽、金三史，制曰可。越二年甲申春三月，进《辽史》本纪三十卷、志三十一卷、表八卷、列传四十六卷。冬十一月，进《金史》本纪一十九卷、志三十九卷、表四卷、列传七十三卷。又明年乙酉冬十一月，进《宋史》本纪四十七卷、志一百六十二卷、表三十二卷、列传世家二百五十五卷。"《纯乡赘笔》卷下:"元癸未至正三年二月，命欧阳玄、揭傒斯等修辽、金、宋三史，甲申四年春告成，仅一年耳。书成，具鼓吹导从，自史馆进至宣文阁，庚申，帝具礼服接之。见《庚申外史》。"《四库全书总目提要补正》卷十四:"《辽史》一百十六卷。至正三年四月，诏儒臣分撰。案:宋、辽、金三史，皆于是年诏修。天历二年，赵世延所作陆游《南唐书序》云:'余前忝史馆，朝廷尝议修宋、辽、金三史而未暇。'据此，则修史之举，盖已迟至十馀年矣。陆氏《仪顾堂续跋》元椠本跋云:'首行小题在上，大题在下，次行题"都总裁臣脱脱奉敕修"。前有至正三年三月十四日、二十八日圣旨二道及脱脱进表，及修史官都总裁脱脱、总裁官、纂修官、提调官等衔名云云。……据脱脱进表，是书为廉惠山海牙、王沂、徐昺、陈绎曾所分纂。案:海牙字公亮，希宪从孙，延祐进士，官至翰林学士、知制诰，《元史》有传。陈绎曾字伯敷，乌程人，诸经注疏皆能

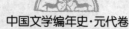

成诵，为文汪洋浩博，其气浩如，官至国子监助教，《元史》附《陈旅传》。王沂字思鲁，真定人，延祐进士，官至翰林直学士、知制诰，著有《伊滨集》。惟徐昺无考。史虽言海牙预修三史，未必有秉笔之才，徐昺亦素无文名，是《辽史》之成，当出王、陈二人之手。'"

## 四月

初一，索元岱序张铉所编《金陵新志》。序见本集卷首。张铉，字用鼎，号浮光居士，陕西人，尝为奉元路学古书院山长。《金陵新志》十五卷，元至正四年刊本题作《至正金陵新志》。四库提要卷六十八："《至大金陵新志》十五卷，元张铉撰。……至正初，江南诸道行御史台诸臣将重刊宋周应合所撰《建康志》，而其书终于景定中，嗣后七八十年，纪载阙略。虽郡人戚光于至顺间尝修有《集庆续志》，而任意改窜，多变旧例，未为详审。复议增辑，以继景定志之后。因聘铉主其事，凡六阅月而书成。首为图考，次通纪，次世表、年表，次志谱、列传，而以摭遗、论辨终焉。令本路儒学雕本印行。至明嘉靖中，黄佐修《南雍志》，尚载有此书版一千一百六十四面。是今所流传印本，犹出自原刻也。其书略依周志凡例，而元代故实则本之戚光《续志》及路州司县报呈事迹。其间如官属姓名已入前志者，不复具录。而世谱、列传则前志所有者仍捃载无遗。体例殊自相矛盾。又其凡例中以戚志删去地图，不合古义，讥之良是。至于世表、年表则地志事殊国史，原不必仿旁行斜上之法，转使泛滥无稽。戚志删除，深合体例。铉乃一概訾之，亦为失当。然其学问博雅，故荟萃损益，本末灿然，无后来地志家附会丛杂之病。其古迹门中所载梁始兴忠武王、安成康王二碑，朱彝尊皆尝为之跋，而不引是书为证，岂其偶未见欤？"《四库全书总目提要补正》卷二十二："《至大金陵新志》十五卷。钱大昕《养新录》云：'前载文移，称浮光张铉，则光州人也。此书于江南行御史台建置本末及御史大夫以下题名，最详备。'玉缙案：索元岱序，亦称浮光士张君铉。其书一为地理十八图，二通纪，三年表，四疆域，五山川，六官守，七田赋，八民俗，九学校，十兵防，十一祠祀，十二古迹，十三人物，十四摭遗，十五论辨。陆氏《仪顾堂续跋》：'卷三世、年表分上中下三卷，十三人物志分上上下三卷，分卷殊未允当。体例多本景定志，而删留都、文籍两门。改儒学为学校，武备为兵防，风土为风俗，城阙为古迹，尚无关于出入，惟书既不名续志，官守志宋以前职官题名，不应改为游宦，别为世谱。卷二所载数条，疆域志、历代沿革足以该之，不应别为通纪。卷十三世谱一门，分郡姓、封爵、游宦三类，有乖纪述之体，耆旧增入秦桧，尤失是非之公。是皆体例之可议者。铉本北人，素无文名，不及景定志远矣。惟考元代金陵事迹者，舍是无所资耳。"

## 五月

黄河泛滥，曹、濮、济、兖等地皆被灾。见《元史》卷四十一《顺帝本纪》。

初八，钱良右卒，年六十七。钱良右（1278—1344），一作钱良祐，字翼之，自号江村氏人，学者称江村先生，平江人。从龚璛、戴表元、牟应龙、胡长孺、鲜于枢等游，赵孟頫、邓文原甚称之。至大中，行中书省辟为吴县儒学教谕。代去，遂闲居于家，几三十年。至正四年卒，年六十七。《元诗选》三集己集选其诗 10 首。黄溍《钱翼之墓志铭》："翼之有诗文杂著若干卷，奎章阁侍书学士虞公已为之序，以故弗论。翼之于古篆、隶、真行、小草，无不精绝，豪家贵人往往传藏以为珍玩，或有所挟而强使为之，虽奉以百金弗顾也。人多以是敬服之，而罕有论其出处之大致者。"

**二十四日，释大訢卒。** 据黄溍《龙翔集庆寺笑隐禅师塔铭》（《金华黄先生文集》卷四十二）。丁复《挽訢笑隐》："亲对先皇讲法筵，人间独住十三年。将同鸣凤瑞下世，恰道飞龙招上天。长立宝阶瞻宝树，亦知金像捧金莲。梵王此日生欢喜，黑雨翻空浴九泉。"（《桧亭集》卷八）据黄溍所作《觉隐文集序》（《金华黄先生文集》卷十九），元人高士明尝集圆至、大訢、本诚三人之作为《三隐集》，后人遂有"三隐"、"诗禅三隐"之目。本诚，初名文诚，字道原（一作道元），号觉隐（或作字觉隐），号辅成山人、大同山翁、凝始子，嘉兴人。从胡长孺学。至正十七年仍在世。著有《觉隐文集》，久不传。《元诗选》三集壬集选其诗 10 首。生平见《宋元学案》卷六十五。《六研斋三笔》卷一："诚道元号觉隐，乃元僧四隐之一，品局高洁，能书画，托称蜀時竚翁笔而已，特题之，然实其自笔也。有题语云：竚仙必觉隐题而后着笔题就，则竚仙亦至矣。乃有一奇特，觉隐吃饭，竚仙不举箸，只静坐，觉隐放箸，竚仙亦饱。有时竚仙饭，觉隐亦饱。每拈此，人皆不解，盖禅宗所云有一人终日吃饭，未曾咬着一粒米之谓也。山水学巨然，翎毛竹石，俱有洒脱之韵，是有得于道而簸弄精光于笔墨间者。"三隐中，以觉隐之名最为不显。姚广孝《筼溪牧潜集序》："至于元，善鸣者盛称三隐，曰天隐，曰笑隐，曰觉隐。虽三隐并名，而居最者天隐耳。天隐之文，虽未见如长江大河，浩汗无际，波涛汹涌，鱼龙腾跃，骇胆慄魄之势，然其规矩准绳，精密简古，削去陈言为可爱尔。使欧阳子见之，亦必点首再称道之也。余少好于文，得天隐之文读之，耽玩不舍，至有忘其餐寝者。每下笔欲少效之，驽钝蹇劣，虽竭其力而弗能及，未尝不置笔而叹也。"

## 六月

**初一，陈深卒，年八十五。** 陈植《先人圹志》："先人生于宋景定元年八月乙巳，终于至正四年六月戊午。"（《吴下冢墓遗文》卷二）。陈深（1260—1344），字子微，号清全，又号宁极，吴县人，学者称宁极先生。著有《读春秋编》十二卷、《宁极斋稿》一卷。《元诗选》初集甲集选其诗 29 首。陈植为深之子。四库提要卷一六五："《宁极斋稿》一卷，附《慎独叟遗稿》一卷，宋陈深撰。深所著有《读易编》、《读诗编》、《读春秋编》，今惟《读春秋编》有刻本，已别著录，其《易》、《诗》二编，未见传本。其诗则仅存此本而已。卷首有顾嗣立名字二印，盖即《元百家诗选》之所据。卷末有题识曰：'陈清全先生诗稿，藏于荻溪王宁远氏。泰昌改元八月十日，张丑敬观。'丑以赏鉴书画称，而不以收藏图籍著，详其语意，殆从真迹录出欤？后附诗一卷，别题曰《宁极斋遗稿》。考《元诗选》，深诗之后，附刻其子植诗五首，核之皆在此卷中。嗣立称其遗稿若干首，出于祝希哲手钞，并录郑元祐所作墓铭于后，必当日亲见墨迹，故有是言。但《元诗选》题曰慎独叟陈植，而此本乃题《宁极斋遗稿》，似乎深之外集殊为淆混。今仍题曰《慎独叟遗稿》，以相区别。深父子诗，并春容闲雅，不失古风，然核其体裁，如出一手。且深诗中多酬应仕宦之作，与郑元祐所作植墓志称其文行学术，结知于士林，时方承平，巨室大家将私淑其子弟，必厚币延致者，大概相符，而与深之闭户著书者，颇不相合。疑或皆为植诗，而传写讹异，误以为深欤？然如挽褚伯秀诗，又似乎其时植年尚少，未必即能作诗。别无显证，姑存疑焉可矣。"《四库全书总目提要补正》卷五十："《宁极斋稿》一卷、附《慎独叟遗稿》一卷。陆氏《藏书志》有钞本《宁极斋稿》一卷，附《慎独叟诗集》一卷，题吴郡陈深子微父著，《慎独叟诗集》，陈植撰。然则《提要》题《慎独叟遗稿》，尚未得其真相也。"

## 七月

**十一日，揭傒斯卒，年七十一。** 欧阳玄作《翰林国史院祭揭侍讲文》，胡助有挽诗二首。欧阳玄《元翰林侍讲学士中奉大夫知制诰同修国史同知经筵事豫章揭公墓志铭》："至正四年七月壬辰，翰林侍讲学士揭公曼硕以总裁宿史馆，得寒疾，归寓舍，戊戌薨。"（《圭斋文集》卷十）黄溍《翰林侍讲学士中奉大夫知制诰同修国史同知经筵事追封豫章郡公谥文揭公神道碑》："公薨于至正四年秋七月戊戌，享年七十有一。以六年秋九月甲子，葬富州富城乡富陂之原，制赠护军，追封豫章郡公，谥文安。"（《文献集》卷十上）程钜夫《揭曼硕诗引》："临川以二谢故为诗乡，往或为余言东溪甘君者善鸣。丰城壤与抚接，多师甘君。予识其言久。今年坐暑黄鹄山，有示予诗一编曰：丰城揭曼硕作也。予闻为丰城人，因忆前语，为停箧读数解，清风与俱。喜曰：人言盖不妄。夫一技一能，虽甚鄙且贱，亦皆有所本，亦必疲精力、涉岁月乃能精，而况古者列六经之文乎？未可以一技一能小之，然或专志于是而忘其身，或务以骄人，至丧心自败，则又一技一能之不若。揭君其慎之哉！非予喜，弗及此言，其戒之哉！或曰：揭故广昌徙也，予又喜。"（《雪楼集》卷十四）程钜夫《跋揭曼硕文稿》："余识揭曼硕不四三年，初识，出其诗文，知于兹事，必收汗马之功。自时厥后，屡见屡期，若王良、造父之御，骎骎然益远而益未止，何曼硕之敏且巧若此乎？柳子有言，吾之俯也滋甚。"（《雪楼集》卷二十四）袁桷《题揭曼硕诗卷》："深湛妙思笔锋收，的的冥鸿楚岸秋。直以紫芝招绮夏，拟将白羽定曹刘。松涛夜涨惊金谷，花雨春浓烂锦洲。此意徊徨人未识，期君玩月上南楼。"（《清容居士集》卷十）黄溍《翰林侍讲学士中奉大夫知制诰同修国史同知经筵事追封豫章郡公谥文安揭公神道碑》："公为文叙事严整而精核，持论一主于理，语简而洁。诗长于古乐府、《选》体，清婉丽密，而不失乎情性之正，律诗伟然有盛唐风。善楷书，而尤工于行草。"（《文献集》卷十上）欧阳玄《元翰林侍讲学士中奉大夫知制诰同修国史同知经筵事豫章揭公墓志铭》："公文章在诸贤中，正大简洁，体制严整。作诗长于古乐府、《选》体，律诗长句，伟然有盛唐风。楷法精健闲雅，行书尤工。"（《圭斋文集》卷十）杨士奇《录揭文安公文四集跋》："揭文安公笃学清操，为文章义正辞洁，矩矱森严，一代之望也。"（《东里续集》卷十八）《元诗选》初集丁集："曼硕在诸贤中，叙事严整，语简而当。一时朝廷典册，及元勋茂德当得铭辞者，必以命焉。殊方绝域，共慕其名，得其文者，莫不以为荣。善楷法，尤工行草。诗长于古乐府、《选》体，而律诗长句伟然有唐人风。所著曰《秋宜集》。虞学士评其诗，谓'如三日新妇'，又谓'如美女簪花'，殆即史所称清婉丽密者欤！"《石洲诗话》卷五："揭曼硕《晓出顺承门有怀太虚》五言四句，全袭古诗，只改'东门'为'南门'，其馀不易一字。此真不可解也。"四库提要卷一六七："《文安集》十四卷，元揭傒斯撰。……傒斯与虞集、范梈、杨载齐名。其文章叙事严整，语简而当，凡朝廷大典册及碑版之文，多出其手，一时推为巨制。独于诗则清丽婉转，别饶风韵，与其文如出二手。然神骨秀削，寄托自深，要非嫣红姹紫、徒矜姿媚者所可比也。虞集尝目其诗'如三日新妇'，而自目所作'如汉庭老吏'。傒斯颇不平，故作《忆昨》诗，有'学士诗成每自夸'句。集见之，答以诗曰：'故人不肯宿山家，夜半驱车踏月华。寄语旁人休大笑，诗成端的向谁夸？'且题其后曰：'今日新妇老矣。'是二人虽契好最深，而甲乙间乃两不相下。考杨维桢《竹枝词序》曰：'揭曼硕文章居虞之次，如欧之有苏、曾。'其殆定论乎？"《元明八大家古文》卷三："吾乡文献代不乏人，元百年间，虞倡之，揭和之，如黄钟大吕，互相铿锵。……其文风格高古，独类《左》、《国》，语简气奥，骨重神秀，其足不朽，不让于虞。"

**杨维桢序杨谭所撰《昆山郡志》。**序见本集卷首。杨谭，字履祥，号东溪老人，与杨维桢弟子袁华善。四库未收书提要："《昆山郡志》六卷，元杨谭撰。……前有至正四年杨维桢序，云与谭同出文公，则谭乃闽人流寓于玉峰者。昆山本县治，元成宗元贞二年升为州，故此书有郡志之名。延祐中，移州治于太仓，故志中有新治、旧治之别。书法简要得体，可与玉峰志并传。惟铁崖序称二十二卷，今据书止六卷，首尾完具，岂成书之后重为删定耶？"《四库未收书目提要补正》卷二："《昆山郡志》六卷。钱大昕《潜研堂集》有跋云：'昆山本县也，元成宗元贞二年，升县为州，故此书有郡志之名。……铁崖序称二十二卷，今止六卷，首尾完具，岂铁崖所见乃别本耶？'黄廷鉴《第六弦溪文钞》有跋云：'铁崖叙二十二卷，今止风俗起至异事止十六门，共六卷，盖不全本也。竹汀跋云：首尾完具，疑铁崖所见为别本。其说非也。地志首重建置、沿革、舆图、城池、乡都、桥梁、水利、户口、赋役、学校、官署、坛庙、祠宇诸大目，今皆缺而不载。且杨序中明言昆山自县升州，户版地利日增，赋税甲天下，州县庸田水道利害所在，而志中绝不及之，其非完帙可知。此第全书之后六卷，幸科第、名宦、人物、杂记诸卷尚存，足备宋元来是邦之掌故，不以残缺忽之可耳。'"

## 八月

**初一，杨士弘自序所编《唐音》。**序见本集卷首，又有虞集所作序。据宋讷《唐音缉释序》（《西隐集》卷六），知丹阳颜润卿尝为之释，经六载而成《唐音缉释》一书，有序作于至正甲午（1354）六月。后高棅辑录《唐诗品汇》，于其书多所参考。又明成化、弘治间，旌德汪谅尝为重刻，陆深为之序（《俨山集》卷三十八）。《唐音》十四卷，今存《四库全书》本。杨士弘，字伯谦，襄城人，寓居清江。尝官涟水教官。著有《鉴池春草集》。苏伯衡《古诗选唐序》："昔襄城杨伯谦选唐诗为《唐音录》，蜀郡虞文靖公序之。慨夫声文之成，系于世道之升降，而终之以一言曰：'吾于伯谦之录，安得不叹夫知言之难也。'盖不能无憾焉。无他，文之日降，譬如水之日下，有莫之能御者。故唐不汉，汉不秦，秦不战国，战国不春秋，春秋不三代，三代不唐、虞；自李唐一代之诗观之，晚不及中，中不及盛。伯谦以盛唐、中唐、晚唐别之，其岂不以此乎？然而盛时之诗，不谓之正音而谓之始音；衰世之诗，不谓之变音而谓之正音；又以盛唐、中唐、晚唐并谓之遗响。是以体裁论，而不以世变论也。其亦异乎大小雅、十三国风之所以为正、为变者矣。诗与乐固一道也，不审音不足以知乐，不审音则何以知诗。伯谦之于音如此，则其于诗也可见矣。此文靖之所以不能无憾也欤！"（《苏平仲文集》卷四）杨士奇《唐音跋》："余读《唐音》，间取须溪所评王、孟、韦诸家之说附之，此编所选，可谓精矣。近闻仲熙行俭在北京，录唐诗，甚富用之。读之快意，而颇致憾此编，以为太略。其所录余未及见，然余意苟有志学唐者，能专意于此，足以资益，又何必多也。"杨士奇《录杨伯谦乐府跋》："杨伯谦名士弘，其先襄城人，后官临江，遂家焉。父兄皆武职，伯谦始读书为儒。工于诗，又工乐府，尝选《唐音》。前此选唐者，皆不及也。虞道园为之序。而所与交游讲论诗学者，傅若金、辛敬万、石旷达、练高、周祯、刘永之之徒，皆有诗名。伯谦尝为涟水教官，有诗集刻焉。余昔得之，以遗本之。此乐府四十九首，吾友吴中杨仲举手录，而近得之曹冀成也。"（《东里续集》卷十九）《麓堂诗话》："选诗诚难，必识足以兼诸家者，乃能选诸家；识足以兼一代者，乃能选一代。一代不数人，一人不数篇，而欲以一人选之，不亦难乎？选唐诗者，惟杨士弘《唐音》为庶几。次则周伯弜《三体》，但其分体于细研讨会，而二书皆有不必选者。赵章泉绝句虽少而精。若《鼓吹》则多以晚唐卑陋者为入格，吾无取焉耳矣。"

**朱升中乡贡进士。**朱同《朱学士传》："朱升，字允升，休宁人，后徙居歙县。幼师乡贡进士陈栎，剖击问难，多所发明，栎深器之。至正癸未，闻资中黄楚望讲道溢浦，偕赵汸子常往从游。明年春，归讲学郡城紫阳祠，始作《书旁注》。是年秋，登乡进士第，丁内艰。"（《新安文献志》卷七十六）朱同，升子，字大同，自号紫阳山樵，休宁人。著有《覆瓿集》七卷。生平附见《明史》卷一三六《朱升传》。

**江浙行省乡试揭晓，好事者撰为《非程文》一文，盛传一时。观其文，于斯时之士习可见一斑。**《南村辍耕录》卷二十八："各行省乡试，则有人取发解进士姓名，一如登科记，锓梓印行，以图少利。至正四年甲申，江浙揭晓后，乃有四六长篇，题曰非程文语，与抄白省榜同时版行。不知何人所造，而路府州县盛传之。语曰：设科取士，深感圣世之恩。倚公挟私，无奈吏胥之弊。岂期江浙之大省，坏于禹畴之小刘（名锡，眉山人，当该掾史）。斯文孔艰，衷情痛愤。待士无礼，呼名散饼于路傍；怀璧有谋，打号贴图于墙上。厨传用猾吏，内外之消息可通；试官取贪夫，上下之机关不泄。阳揭题驾言无弊，实自生奸宄之心；觅厚赂力举还魂，特欲箝是非之口。五服之亲不避，故违国朝之典章；杂犯之卷俱抄，恐失手本之名字。应才（杭州）鼓勇于终场之日，局长之信已通；刘环（即环翁，杭州）知名于未榜之前，代笔之钱尽去。万户侯之关节可验，丈人峰之气力何勤。吕将（铅山万户吕天泽）监门，进乐平之八子（许援、董彝、徐复、邹成、操琬、汪绰、许道傅、戴用）；海郎（吴县主簿海鲁丁）受卷，通括苍之二林（松庆、彬祖）。本生之地增辉，同列之情不薄。黄璋（松江）称幹首，二三月已买试官；鲍恂（嘉兴）在榜中，十四名全赖妻父（建德知事俞镇）。藉开元真人之力，叶氏（叶瓒，信州）礼经；依永嘉县尹（林泉生）之门，江郎兄弟（辉、晃，建宁）。刘大（希贤，庆元）在列，赖为省郎之师；沈小（惟时，杭州）登科，谁知运吏之婿。黄岩赵蔺（友蔺），得家兄（宁海丞由钦）为帘外之官；瑞安高明，托馆主有堂上之友。纷纷在眼，历历难言。许瑷（饶州）作魁，三百定卖几千株之木；邹成（饶州）驼榜，十八日纳七万户（吕天泽）之钱。左者如斯，右其可见。尺牍先来于柏府，仕宦势高；稿文潜出于棘闱，师生情密。递手帖全凭巡绰，写怀挟不避军人。四子入场，代笔有此刘之手；一家在榜，瞒人起各路之文。所谋不臧，其忠何在。王贺（绍兴，备榜）省中典史，不读书亦解成名；李思（思齐）婺山村童，未知礼焉宜中选。错春秋之年分，临海梦龙（姓赵，备榜）；乱周易之阴阳，平江俞鼎。耳目之所及者如此，心术之潜运者难知。姑舍举人，更陈坐主。俞镇（建德知事）夤缘考试，这番丰卒岁之赍；吴暾（峡州知事）买题登科，方得证旧时之本。麟经错乱因赂取，林泉之生生何如（永嘉尹林泉生）；易义驳杂以名寻，夏日之孜孜安用（会稽尹夏日孜）。其馀泛泛，不必叨叨。分经考卷，得便私情，自开科曾无此例；出院改文，以欺公论，虽刊版乃是讹传。历观解据之非，益见文衡之缪。指实告官者反罹其罪，怀才抱艺者虚费其劳。赵俶、蒋堂，空仰天而叹息；江孚、沈幹，徒踏地以咨嗟。潘伯修、蔡馀庆，两举奚为；闻梦吉、陆居仁，再来告免。呜呼，文运已矣，吾道安之。何等主司，污滥坏今年之选举；既生圣世，进修冀异日之公明。此非一口之经陈，实乃众贤之愿告。有人心者，念天理焉。"据此，知鲍恂举乡试在本年，而非重纪至元元年。俞镇，字伯贞，崇德人。以建德知事主江浙乡试。所著《学易斋笔录》一卷，有《丛书集成初编》本。四库提要卷一二七："《学易斋笔录》一卷，元俞镇撰。……其书共四十九条，多杂举经史成语及前哲格言，又颇斥佛老之妄。其旨颇正，而词意庸腐，终不免乡塾学究习气也。"高明亦于本年中举，明年登进士第。其时林泉生以永嘉县尹主其试。

**十七日，吴师道卒，年六十二。**张枢《元故礼部郎中吴君墓表》："〔至正〕四年甲申岁，江浙行中书大比取士。夏五月，遣币聘致君，议欲以主文。君以疾辞，使者以丞相意坚，遂委币而去。秋八月，疾有加，乃反币且上休致之请，远近闻之，莫不失望。十七日癸酉，遂以疾卒。"宋濂《吴先生碑》："至正三年，先生以内艰归。明年，江浙行中书省当大比，聘先生取士，疾作不能行，上书请致其仕。八月十七日卒于家，寿六十二。既卒，命书下，以奉议大夫、礼部郎中致仕。五年九月十七日，葬铜山乡中徐之原。"（《礼部集》附录）黄溍《吴正传文集序》："正传自羁丱知学，即善记览，工辞章，才思涌溢，霏霏不已，时出为歌诗，尤清俊丽逸，人多诵称之。……正传既以道自任，晚益邃于文，剖悉之精，援据之博，议论之公，视古人可无愧。其所推明者，无非紫阳朱子之学，其好己之道胜，则昌黎韩子之志也。"（《文献集》卷六）张枢《元故礼部郎中吴君墓表》："君于书无不观，亦无所不通。为文章清劲，善持论，晚益踔绝，有史汉风。经说明辨剖绎，补其所未备，启其所未喻，非苟为同异事考守而已。《战国策》一匡高、鲍之讹，而长短之说，遂为成书。《园池记》暇豫

**351**

所属，亦足以正名物，事淹该。《敬乡录》质而不俚，详而不秽，去先贤耆旧传远甚。"（《礼部集》附录）《诗薮》外编卷六："正传五言古，清新峭拔，一洗议论纤靡之习，第字句间有离去者，较之当行，不甚合耳。七言古最长，《十台怀古》诗，气骨铮铮，时咸脍炙。其他句如《大水》云：'三月云愁百里阴，太湖浪激三州白。'《观潮》云：'浙江亭远乱帆飞，西兴渡暝千花湿。'《秋山图》云：'千年绝艺洪谷子，身在太行秋色里。万里云飞木落时，遥写兰干半空起。'《红玉杯》云：'小槽新压真珠滴，擎向碧桃花下吸。惟馀赤日并光辉，未许妖姬比颜色。'长篇如《南城纪游》、《修河道中》等作，老笔纵横，殊得工部叙事体。五言律如'长天孤鸟没，落日大江深'，'水夹徐邳去，河兼汴泗来'，'一扫苛秦法，重恢大汉风'，'飞云浮画栋，旭日丽高牙'，'悬空飞万瀑，拔地立千峰'，'落花萦剑佩，高柳映帆樯'，皆整丽有格，惜全首完善者稀。"《香祖笔记》卷四："元吴师道《礼部集》二十卷，诗九卷，杂文十一卷。师道，金华兰溪人，与许白云讲明金仁山之学，而与黄晋卿潽、柳道传贯为友。故其学问文章，远有统绪，时称其为文清劲，善持论。友人朱简讨竹垞常称之。"四库提要卷一六七："《礼部集》二十卷、附录一卷，元吴师道撰。……师道少与许谦同师金履祥。……又与黄潽、柳贯、吴莱相与往来倡和，故诗文具有法度。其文多阐明义理，排斥释老，能笃守师传。其诗则风骨遒上，意境亦深，褒然升作者之堂，非复仁山集中格律矣。盖其早年本留心记览，刻意词章，弱冠以后，始研究真德秀书，故其所作，与讲学家以馀力及之者，迥不同耳。"

## 十一月

《金史》成。阿鲁图有《进金史表》。其表又见欧阳玄《圭斋文集》卷十三。《四库全书总目提要补正》卷十四："《金史》一百三十五卷。李慈铭《荀学斋日记》云：'《金史》文辞鄙俚而支蔓，虽多本之元遗山野史亭稿本，而纂修时又有欧阳原功诸人，乃绝不见史裁佳处，至多不成句读。盖当日记载，皆俚俗之词，无能为之润色也。'又云：'《后妃传》及《忠义》、《文艺》、《孝友》诸传颇有法，叙赞亦皆简洁。《文艺传》大抵本遗山也，其他传亦间有佳者。'"

## 十二月

十七日，李孝光、郭翼等七人集于卢昭元真馆，分韵赋诗。李孝光《元真馆小集诗序》："至正四年十二月十七日，予从客过如林，还谒元真馆卢伯融，为酒食来饷会六七人，醉而以'山意冲寒欲放梅'分韵，予得冲字。七人者，李孝光季和、释德庄蒙泉、郭翼义仲、瞿智惠夫、陆仁良贵、吕诚敬夫也。"（《珊瑚木难》卷七）《草堂雅集》卷九："吕诚，字敬夫，吴之东沧人。幼聪敏，喜读书，尤长于唐三宗师楷法。时东沧之俗尚靡，独能去豪习，事文雅，故名士咸与之交。家有来鹤亭、梅雪斋，日与郭义仲、陆良贵倡和其间。诗意清新，不为腐语，东沧之人多诵之。"此七人均尝往玉山草堂与顾瑛以诗唱和，小传见《草堂雅集》。

## 本年

**观音宝、潘惟梓等刊同恕《榘庵集》于江淮郡学。**苏天爵《太子赞善同公文集序》："至正四年春……会御史观音宝、潘惟梓以文贞遗文来上，请刊布于江淮郡学。"四库提要卷一六七："《榘庵集》十五卷，元同恕撰。……所著《榘庵集》，本三十卷。至正初，陕西行台御史观音保、潘惟梓等始刊布于江淮，赵郡苏天爵为之序。《文渊阁书目》亦载有《榘庵文集》一部八册。焦竑《经籍志》乃作二十卷，疑传写误也。自明以来，久佚不传，故叶氏《菉竹堂书目》、晁氏《宝文堂书目》并不载其名。惟《永乐大典》中颇散见其诗文，谨钞撮编集，分类排比，厘为文十卷、诗五卷，视原本尚得半焉。"《元史》卷一八九《儒学传》言同恕著有《榘庵集》二十卷，《国史经籍志》卷五据以著录。《文渊阁书目》卷九："同恕《榘庵文集》一部八册，完全。"《榘庵集》十五卷，今存《四库全书》本。

**杨维桢上《正统辨》，凡二千六百馀言。**《南村辍耕录》卷三："初，会稽杨维桢尝进《正统辨》，可谓一洗天下纷纭之论，公万世而为心者也。惜三史已成，其言终不见用。后之秉史笔而续《通鉴纲目》者，必以是为本矣。维桢字廉夫，号铁崖，人咸称之曰铁史先生。泰定丁卯李黼榜相甲及第，以文章名当世。表曰：至正三年五月日，伏睹皇帝诏旨，起大梁张□、京兆杜本等爵某官职，专修宋、辽、金三史。越明年，史有成书，而正统未有所归。臣维桢谨撰《三史正统辨》，凡二千六百馀言，谨表以上者右。"

**班惟志在江浙儒学提举任上。**黄溍《杭州路儒学兴造记》："至正二年夏，细人之家，不戒于火，飞燎及殿檐而止，持正、宾贤、崇礼、致道四斋与庙垣外比屋而居者数十家，尽毁弗存。……四年夏，儒学提举班公惟志方俾之度木简材。……讫役于七年夏四月。"（《金华黄先生文集》卷十）

**丁复卒于本年之后，至正十年之前，年六十馀。**李桓《桧亭稿序》："余识君于二十年之前，当是时，君之诗酷类太白，杂而置之集中，见者不复能辨。今其体稍变，将自为一家，惜乎介之不早登其门而尽录也。至元五年岁次己卯，季冬廿有八日，中山李桓书。"李孝光《桧亭集序》："予顷家居，有持《瀛海篇》视我，显畅明白，反复读之，令人欲飞。余曰：'必临海之产也。'果然。后至建业，见仲容，仲容已五十馀。观其诗，皆已绝去生狞，操蹙精悍，犹之宛马，不踶不啮不踶而日行千里，众马虽十驾不能超也。仲容拓落不偶，莫为知己，独鸣之声诗，以自陶写其菀结之气，夷睨世之学士后生，蹴踏翰墨之场，缩手袖间而去之。时时危坐而饮酒，沃涞愁思，吐咳新语，数少出其奇，不复修治，一读而弃地。其子婿饶介颇为藏弆，浸以成什。他日请曰：'乡闻长老先生用位卑诗弗传，徒令世惋惜，介且为刻之，愿一论次。'"危素《桧亭集序》："天台丁君仲容父，少负逸才，去游京师，荐者以君与杨仲弘、范德机皆可为太史氏。当此之时，天下宁谧，休息兵革，而仁宗方尊尚儒学，化成风俗，本朝极盛之时。然当国者思阴废楚产之士，君察其机，不俟报可，翩然去之。乃绝黄河，憩梁楚，过云梦，窥沅湘，陟庐阜，浮大江而下，遂家金陵，于是三十年。君之文雄而趣高，可以制作诰命，宣天子仁惠元元之意于四方万里，而乃使淹回羁旅，浮湛里巷，骎骎乎老矣，兹其可惜也。"杨翮《桧亭集序》："桧亭先生丁君仲容父，生平有隐君子之德，而以诗著名。晚岁盘桓于冶城龙河之间，灌园自乐，四方之士，日载酒从之游，而求其为诗，故诗必因酒而作。引觞挥毫，若不经意，而语率高绝。饮至半酣，诗愈益奇，一饮或诗累数章，诗成而先生亦颓然醉矣。"丁复往寓金陵，当在天历、至顺年间，留居金陵几三十年，诗名日著。李谨之、孙炎、杨翮等人均尝从之游。饶介为丁复婿。杨翮《李谨之诗稿序》："吾邦古称江左文物都会，往时荐绅士大夫，经术才艺，恒彬彬焉。乡党间学古之士欲成其业者，咸翕然有所宗向。比年来，故老凋谢略尽。于是天台丁先生仲容甫，适居吾邦，以诗歌为学者倡，隐然名动江左，凡一时之秀俊苟于诗有好焉者，皆趋丁氏矣。"（《佩玉斋类稿》卷八）宋濂《孙伯融诗集序》："诗道之倡，其有师友渊源乎！非师不足尽传授之秘，非友不足成相观之善，无是二者，不可以言诗也。当元之季，有丁仲容先生者，自天台来客建业，以能诗鸣。方其岸帻谈笑，有持卷来求者，辄索酒，饮数觚，操觚如飞，风雨疾而龙蛇蟠，语意浑涵，绝无斸削之迹，读之者皆惊以为仙才。"（《文宪集》卷六）张以宁《与赵德明谈丁仲容作此寄之》："江左诗人丁叟在，淮南木落看青山。寻僧野寺秋风去，送客溪船夜月还。八口艰难新歉后，廿年落魄醉吟闲。城南郭泰能携酒，得伴先生杖履间。"（《翠屏集》卷二）

## 公元1345年　（顺帝至正五年　乙酉）

### 二月

**乔吉卒**。唐珪璋《全金元词》小传以其寿年为六十六。乔吉（约1280—1345），一作乔吉甫，字梦符，一作孟符，号笙鹤翁，又号惺惺道人。原籍山西太原，流寓杭州。美容仪，能词章。以威严自饬，人敬畏之。居杭州太乙宫前，有《题西湖梧叶儿》百篇，名公为之序。汗漫江湖间四十年，欲刊所作，竟无成事者。至正五年二月，病卒于家。有《天风》、《环佩》、《抚掌》三集。所作杂剧凡11种，今存《杜牧之诗酒扬州梦》、《唐明皇御断金钱记》、《玉箫女两世姻缘》3种；《怨风月娇云认玉钗》、《燕乐毅黄金台》、《死生交托妻寄子》、《马光祖勘风尘》、《荆公遣妾》、《节妇碑》、《九龙庙》、《贤孝妇》等8种均已佚。散曲见于《太平乐府》、《乐府群玉》等集中，李开先辑录其小令一卷，《全元散曲》录其小令209首、套数11套。钟嗣成〔双调〕《凌波仙·吊乔梦符》："平生湖海少知音，几曲宫商大用心，百年光景还争甚？空赢得，雪鬓侵，跨仙禽，路绕云深。欲挂坟前剑，重听膝上琴，漫携琴，载酒相寻。"《南村辍耕录》卷八："乔孟符吉，博学多能，以乐府称。尝云：'作乐府亦有法，曰凤头、猪肚、豹尾六字是也。大概起要美丽，中要浩荡，结要响亮，尤贵在首尾贯穿，意思清新。苟能若是，斯可以言乐府矣。'此所谓乐府，乃今乐府，如《折桂令》、《水仙子》之类。"贾仲明〔双调〕《凌波仙·吊乔梦符》："《天风》、《环珮》玉敲金，《抚掌》文集花应锦，太平歌吹珠璀渗。《金钱记》，《扬州梦》，振士林。《荆公遣妾》意特深。《认玉钗》，珊瑚沁，《黄金台》，翡翠林。《两世姻缘》，赏奇协音。"李开先《乔梦符小令序》："元以词名代，而乔梦符其翘楚也。梦符名吉，号笙鹤翁，又号惺惺道人。以词擅场于至正间，然以字行，无问远近，识不识，皆知有太原乔梦符云。梦符不但长于小令，而八杂剧、数十散套，可高出一世。予特取其小令刻之，与小山为偶。元之张、乔，其犹唐之李、杜乎？"《词谑》词套三十四："《杜牧之诗酒扬州梦》，是亦有名目词也，已刻扬州故地。出自梦符手笔，四折皆妙。今取首折。"又三十七："梦符《扬州梦》，四出皆当刻，实则以次序分优劣。今再及第二，其三、四割爱舍之。"《雨村曲话》卷上："乔梦符《金钱记》：'王孙乘骏马，金鞭拂柳花。游人问酒家，青旗插杏花。'四句用隔句对法，句句用韵，却不伤气。又：'名利酒吞蛇，富贵梦迷蝶。'亦炼。"《词坛丛话》："易安词'寻寻觅觅，冷冷清清，凄凄惨惨戚戚'，乔梦符效之，作《天净沙》词云：'莺莺燕燕春春，花花柳柳真真。事事风风韵韵，娇娇嫩嫩，停停当当人人。'叠字又增其半，然不若易安之自然。盖古人杰出之作，后人学之，鲜有能并美者。"《白雨斋词话》卷七："'寻寻觅觅，冷冷清清，凄凄惨惨戚戚'，易安隽句也（并非高调）。'莺莺燕燕春春，花花柳柳真真，事事风风韵韵，娇娇嫩嫩（四字尤不堪），停停当当人人。'乔梦符效之，丑态百出矣。然如双卿'凤凰台上忆吹箫'一阕，叠至四五十字，而运以变化，不见痕迹。长袖善舞，谁谓今人不逮古人。"

## 三月

初七，顺帝亲试进士七十八人，赐普颜不花、张士坚进士及第，其馀赐出身有差。见《元史》卷四十一《顺帝本纪》。苏天爵《国子生试贡题名记》："至正五年春二月，大比进士。知贡举翰林学士欧阳玄，同知贡举礼部尚书王沂，考试官崇文太监杨宗端、国子司业王思诚、翰林修撰余阙、太常博士李齐，监试御史宝哥、赵时敏。于是国子积分生试者百二十人，中选者十有八人，将登名于石。"（《滋溪文稿》卷三）苏天爵《跋延祐二年廷对拟进贴黄后》："乙酉之春，承诏与治书侍御史臣李好文、翰林学士臣宋褧、工部侍郎臣斡玉伦徒充读卷官。"《至正直记》卷四："乙酉科取士不公，士人揭文以谤之云：'设科取士，深感圣朝之恩；倚公行私，无奈吏胥之弊。岂期江浙之大省，叵耐禹畴之小刘'云云。其间亦言开元王弥叟嘱托之过者不一。虽是不得第者之言，亦因取士不公之消也。后云一样五千本印行。"

高明登进士第，授处州录事。张绅《题元贤翰札疏》："高明，字则诚，乙酉进士。"（《珊瑚网》卷十二）《玉山草堂雅集》卷八："高明，字则诚，永嘉平阳人。至正五年张士坚榜中第，授处州录事。长才硕学，为时名流。往来予草堂，具鸡黍，谈笑贞素，相与濡如也。"《明史》卷二八五《文苑传》："高明，字则诚，永嘉人。至正五年进士，授处州录事，辟行省掾。"《千顷堂书目》卷十七："高明……字则诚，永嘉人。元至正乙酉举人。累官福建行省都事，为处州录事。"

## 春

薛玄曦卒，年五十七。张雨作《琼林薛真人诔文》，其跋云："至正乙酉暮春之初，句曲外史造，首为章心远书一通。予将屡书之，以识四海之公论如此，非张雨昵之而私之也。"（《珊瑚木难》卷七）又有《长吟一首悼琼林真人薛外史》，跋云："至正四年之秋，江东龙虎山左右诸峰洪水一时发，漂屋庐数里，间大小龙以百数，悉挐云而去，其蛟蜃不能去者，死山石下，若腐木然。呼，亦异矣。明年，玄卿化去。筱岭在贵溪县中道，玄卿辟路建馆其上，以憩行者，虞道园作记。"（《赵氏铁网珊瑚》卷六）《元诗选》二集壬集："〔至正〕五年卒，年五十七，自号上清外史。"李存《薛玄卿诗序》："上清外史薛君玄卿，林下之秀敏卓荦者也。早工于诗，四方传诵，有集，学士揭公曼石为之序，黄公晋卿复序之，仆亦尝以数语题其后。君之居山也，名人胜士来游者，未有不与之尊俎倾倒，且以翰墨相欢而去。他日，忽手足左痹，不用仆候，谓之曰：夫造物者，其欲废我耶？吾从而废之，若我何苟不肯废其所废，是独欲迕天者也。迕天者谓之病，病既而聋。其以风日清美，时辄肩舆造邻室，遇酒必醉，遇饭必饱，且赋诗为行草书。因喜曰：其无乃能自造于安顺之域也乎，吾奚疾哉？吾固瘳矣。又他日，痛饮而逝。其言行，其先世，其州里，其卒葬，其锡命于朝而主名山川之祀事，自宜有缙绅先生之素者书焉，而其郡人张率孟循复赋诗以哀惜之，而同赋者若干人，余因得以叙其卷之首。"（《俟庵集》卷二十）末注云："至正乙酉"。李存《题薛外史诗集》："余读薛外史玄卿诗，叹曰：皆光辉盛大之气，发而为丰腴和厚之音也。由其以妙年高才，居京师久，其有得于当时名缙绅者多。既而诸公往往捐馆舍，而外史亦留山几二十年，作见心亭，筑琼林台，且营尘湖之侧以老。方欲日相从徜徉清泉白石间，当更有超然之兴，非人间烟火语者，而忽以风痹亡矣。悲夫！其门人赵伯容锓诸梓以行之，使天下后世诵其诗而知其人，然则外史果真亡乎？"（《俟庵集》卷二十六）《元诗选》二集壬集："玄卿负才气，倜傥不羁，善为文，而尤长于诗。揭曼硕留琼林月馀，斋三日乃为作序，称其老劲深稳如霜松雪桧，百折莫能挠；清拔孤峻如豪鹰俊鹘，千呼不肯下；萧条闲远如空山流泉，深林孤芳，自形自色，不与物竞。人以为知言。玄卿书札极丽逸，片楮出，人争欲得之，有闻风而未之见者，或使图其像以去。"

**唐棣授承务郎、休宁县尹。** 杨翮《唐县尹生祠记》："余佐休宁之明年，五城镇有著姓曰黄正叟及其宗党之人，既作邑大夫唐侯生祠，为唐侯报，则因邑士余镛子韶，请予为记。……按侯名棣，字子华，吴兴人，以茂才异等起家，既而天下闻其名。至正五年春，以承务郎居今官。其容貌恂恂儒者，而能坚执有为侗焉。"（《佩玉斋类稿》卷二）杨翮《送李检校入京诗序》："江浙行省检校官李君允谦，与休宁令尹唐君子华，有故旧之雅。至正八年春，检校君以秩满将上京师。于是令尹自休宁歌诗以送之，且尽率吾党能诗之士，赓和成什，合为一卷，而属翮序其首。"（《佩玉斋类稿》卷四）

## 六月

十二日，程端礼卒。[按，程端礼生卒年，据黄溍《将仕佐郎台州路儒学教授致仕程先生墓志铭》："目已暝，而头微偏。门人乐良进曰：先生头容稍偏矣。复张目端坐而逝。至正五年夏六月甲子也，享年七十有五。"然检《四库全书》本《畏斋集》，中有《江浙进士乡会小录序》一篇云："至正十一年春，天下乡贡进士云会于京师，群试于礼部。"当是四库馆臣自《永乐大典》辑其集时所误收。] 程端礼（1271—1345），端学兄，字敬叔，号畏斋。其先自鄱阳徙家于鄞，故为庆元路鄞县人。著有《畏斋集》六卷。黄溍《将仕佐郎台州路儒学教授致仕程先生墓志铭》："四明之学，祖陆氏而宗杨、袁，其言朱子之学者，自黄氏震、史氏蒙卿始。朱子之传，则晏氏渊、大阳先生某、小阳先生某，以至于史氏，而先生承之。黄氏主于躬行，而史氏务明体以达用。先生素有志于当世，惜其仕不大显，故平生蕴蓄，未克究于设施，而私淑诸人者，不为无功于名教也。故礼部郎中韩公居仁，尝学于小阳先生，其仕于先生之乡，与先生论议，无不吻合。行省屡聘先生较文乡闱，先生以为国朝设科初意，专取朱子《贡举私议》，今多违之，吾往宜不合，力辞不往。其源流本末可概见也。先生色庄而气夷，善诱学者，使之日改月化，而仲氏太史公端学克谨师法，学者尤严惮之，人以比河南程氏两夫子云。"（《文献集》卷九下）四库提要卷一六六："《畏斋集》六卷，元程端礼撰。……其学以朱子为宗，故作《孙叔会诗集序》云：'诗至七言而衰，律而坏，词而绝。自朱子出，而古诗遗意复见。盖朱子之学不在乎诗，故其作有自然之妙，讽咏劝惩之实。'又《送牟景阳序》云：'蜀文再变于魏了翁，了翁学程朱学，故未尝有意为文人之文，而文自妙。'其全集宗旨，不出于是。夫朱子为讲学之宗，诚无异议，至于文章一道，则源流正变，其说甚长。必以晦庵一集律天下万世，而诗如李、杜，文如韩、欧，均斥之以衰且坏。此一家之私言，非千古之通论也。然端礼所作，尚皆明白淳实，不骫于正，而其持论，亦足以矫淫哇艳冶之弊，于文章尚不为无功。"

## 九月

**二十四日，周伯琦自序所撰《近光集》。**序见本集卷首，其时周伯琦官朝散大夫、金海北广东道肃政廉访司事。《近光集》三卷，今存清钞本、知不足斋写本、《四库全书》本。虞集《近光集序》："集在延祐间，与故集贤学士鄱阳周公有同朝之好，道义相激昂，忠厚相敦尚，非一日之契也。今观其嗣子伯温《近光集》，备述至元至正所以蒙被恩遇之盛，司宪南海，录以为书。万里之外，一食不敢忘君。於戏，盛哉！"《水东日记》卷三十五："往年在京师，读周伯温《近光集》，颇知胜国时北出道里风土之详。"四库提要卷一六七："《近光集》三卷、《扈从诗》一卷，元周伯琦撰。……《近光集》中述朝廷典制为多，可以备掌故。《扈从诗》中记边塞闻见为详，可以考风土。而伯琦文章淹雅，亦足以摹写而叙述之。溯元季之遗闻者，此二集与杨允孚《滦京百咏》，亦略具其梗概矣。"

## 十月

**二十一日，《宋史》成，右丞相阿鲁图进之。**见《元史》卷四十一《顺帝本纪》。阿鲁图有《进宋史表》。三史中，《宋史》最后成。陆深《俨山外集》卷三十："《进宋史表》，或云欧阳玄所为，最警策者，是声容盛而武备衰，论建多而成效少，不若议论多而成功少，差为浑成。至齐亡而访王蠋，乃存秉节之臣；楚灭而谕鲁公，堪矜守礼之国。温厚典雅之旨，尤为蔼然。一时史官若张翥、吴当，号称博洽，而危素亦与焉。"《四库全书总目提要补正》卷十四："《宋史》四百九十六卷。案：世家本在列传内，总目所题，并非遗漏，《提要》未细考。王士禛《分甘馀话》二云：'虞山钱先生跋《东都事略》，述归熙甫、汤若士、王损仲三家删《宋史》始末甚详，云："熙甫未有成书，止别集有《宋史论赞》一卷。若士阅《宋史》，朱墨涂乙，某传宜删，某传宜补，某人宜合某传，某某宜附某传，皆注目录之下，州次部居，厘然可观。天启中，损仲起废籍为寺丞，过余邸舍，必商《宋史》。时李九如少卿藏《宋宰辅编年录》及王秘阁偁《东都事略》三百卷，损仲从臾余传写，并约购宋李焘《续通鉴长编》以藏此书。今损仲草稿及临川《宋史》旧本，皆在吴兴潘昭度家"云云。余昔在京师所见，即临川手笔，所谓朱墨涂乙者是也，余曾钞其目录。祥符草稿，则不可得而见矣。'瞿氏《目录》有明刊本，云：'此书虽成于元，而藏诸内府，未列学官，海内稀有其本。明成化间，广督桂阳朱英，得钞本于漳浦陈布政，为序而刊之，经始于成化辛卯十月，刻成于庚子四月。'玉缙案：辽、金二史皆有元刊本，瞿氏此语，盖谓刊本藏在内府耳。陆氏《仪顾堂续跋》元椠本跋云：'至正六年，中书省行浙江行省刊版，是书初刊祖本也。《孝宗纪》"四川制置使应"下，比成化朱英刊本、万历南北监本多"黎州边事随宜措置"云云三百八十字。盖成化本即以元刻翻雕，进表咨文、总裁官、修史官、提调官、行省提调、校勘衔名皆全，惟所据本卷三十五缺第八页，以第九页为第八页，复出卷三十三之第十一页"措置营砦检视沿江守备"至"九月己酉杨存中"之存字止四百字，为第九页。南北监本即据成化本付梓，而去其进表咨文及总裁、修史、提调、校勘诸人衔名。行款既改，以卷三十五复出之页"杨存"二字，与下文不属，改"杨存"为"地震"以泯其迹，致缺文复出之处，形迹更难推求，若非此本仅存，则文义终不可通，疑团终不可释矣。'玉缙案：今官本不缺不复，惟诸衔名皆削去。"

## 十一月

十四日，《至正条格》成，诏于明年四月颁行天下。见《元史》卷四十一《顺帝本纪》。书有欧阳玄序，见《圭斋文集》卷七。四库提要卷八十四："《至正条格》二十三卷，元顺帝时官撰。凡分目二十七：曰祭祀、曰户令、曰学令、曰选举、曰宫卫、曰军防、曰仪制、曰衣服、曰公式、曰禄令、曰仓库、曰厩牧、曰田令、曰赋役、曰关市、曰捕亡、曰赏令、曰医药、曰假宁、曰狱官、曰杂令、曰僧道、曰营缮、曰河防、曰服制、曰站赤、曰权货。案《元史·刑法志》，载元初平宋，简除繁苛，始定新律。至元二十一年，中书省咨各衙门，将元降圣旨条律，颁之有司，号曰《至元新格》。仁宗时，又以格例条画，类集成书，号曰《风宪宏纲》。英宗时复加损益，书成，号曰《大元通制》。其书之大纲有三：一曰诏制、二曰条格、三曰断制。自仁宗以后，率遵用之，而不及此书。据欧阳玄序，则此书乃顺帝至元四年中书省言，《大元通制》纂集于延祐乙卯，颁行于至治之癸亥，距今二十馀年。朝廷续降诏条，法司续议格例，简牍滋繁，因革靡常。前后衡决，有司无所质正。往复稽留，吏或舞文。请择老成耆旧、文学法理之臣，重新删定。上乃敕中书专官，典治其事。遴选枢府、宪台、太宗正、翰林、集贤等官，编阅新旧条格，参酌增损。书成，为制诏百有五十条，格千有七百，断例千五十有九。至正五年书成，丞相阿鲁图等入奏，请赐名曰《至正条格》。

其编纂始末，厘然可考。《元史》遗之，亦疏漏之一证矣。原本卷数不可考。今载于《永乐大典》者，凡二十三卷。"

十四日，杨维桢序韦珪所撰《梅花百咏》。又有干文传序。《梅花百咏》一卷，今存《宛委别藏》本。韦珪《书梅花百咏卷首》："至正二年冬十一月，覃怀梅庭李仲山公，持西州宪节，按治姑苏。公馀，命赋梅廿六绝，因摭遗题，不缀百咏，得非貂不足而续之犹不自足者耶？诗成，辱李公印可，仍征诸寿道干公考订而误为加点，逮夫啽坛诸老，未始不予进而相与评焉。"四库未收书提要："《梅花百咏》一卷，元韦珪撰。珪字德珪，山阴人。案《四库全书》所收《梅花百咏》，乃元冯子振、释明本倡和之诗。德珪此作，始以李仲山之命，成咏梅二十六首，继又摭拾见闻，更成百首。复以梅花未入《楚词》，作《补骚》一章以附于后。又尝自署其读书处曰梅雪窝，盖其平生有嗜梅之癖矣。首有杨维桢手书序文，此从元刻摹写者。"

## 十二月

十五日，黄玠自序所撰《弁山小隐吟录》。序见本集卷首，自称弁山隐民。《弁山小隐吟录》，《四库全书总目》卷一六七、《补元史艺文志》卷四、《善本书室藏书志》卷三十三、《适园藏书志》卷十三、《皕宋楼藏书志》卷九十九、《补辽金元艺文志》、《藏园订补郘亭知见传本书目》卷十四等均作二卷，《千顷堂书目》卷二十九著录黄玠《弁山诗集》五卷、《蜡屐集》一卷。《弁山小隐吟录》二卷，今存《四库全书》本。

三十日，董寿民卒。董寿民，字松间，号懒翁。生于宋咸淳二年（1266）八月十四日。著有《懒翁诗集》二卷，存嘉庆二十五年活字印本。

## 本年

张雨自书所作杂诗五十五首为墨迹一卷，为昆山袁华持去，一时胜流如杨维桢、倪瓒、袁华、王行、谢徽、高启、张绅、张羽、张适、道衍、吴文泰、张肯等多有题署。题跋今存于《赵氏铁网珊瑚》卷六。张雨《书所作杂诗后》："乙酉岁自春徂夏，霖雨之时多。五月来，董一日见天，处涧阿幽篁中，未有裹饭过子桑者。闲弄笔研，写缪诗盈册，以自料理耳。诗凡五十五首，子英遇之持去，勿示不知我者。雨告。"（《赵氏铁网珊瑚》卷六）《香祖笔记》卷五："《句曲外史杂诗》一卷，元张雨伯雨著。诗多拗体，予最喜其绝句，如：'凌波仙子尘生袜，空谷佳人玉炼容。不奈天寒风露早，日高犹傍锦熏笼。'（《三香图》）'弁山南下幽人宅，万个长松水一瓢。月到三层楼上梦，鲤鱼风起驾春潮。'（《万壑松涛》）'鸡犬茅茨接暝烟，平林如荠远连天。急披奇句无人赏，已近飞鸿灭没边。'（《黄子久画》）颇有坡、谷遗风。"

酒贤有京师之游，沿途所经，访古河朔，成《河朔访古记》。刘仁本《题马易之远游卷》："南阳马君易之，以至正六年游京师，朋侪不忍其离别，作为歌诗，赠言以张之。至有托物寓意，成图画联篇巨轴，真诸行李间。自浙江而溯淮经洛，访古河朔，感慨中原之墟，盘桓两京之地，极游览以快于心目，有所得辄形赋咏，且获当世名公品题珠玉什袭以归，则江淮之难作矣。余观卷中姓名，多声闻相接，其间有拜显官位台鼎者，有沉郁下僚者，有得休致者，有物故者，有遁依岩谷者，有尚羁旅者，有忠义死节凛乎若生者，有陷身逆贼终不免者。何十数年之间，荣悴得失有若是之不齐耶？第其文章翰墨，则皆为时所重。春兰秋芷，各具芳馨，炳然可掬，此余所以谛观而一喜一悲也。"（《羽庭集》卷六）《河朔访古记》，刘仁本序（《羽庭集》卷五）作十六卷，王祎序（《王忠文集》卷五）则言二卷，不详孰是。《四库全书总目》作二卷，今存《四库全书》本实为三卷，系由《永乐大典》辑出。四库提要卷七十一："《河朔访古记》二卷，不著撰人名氏。明焦竑《国史经籍志》著录，亦不云谁作。考元刘仁本《羽庭集》有是书序曰：'今翰林国史院编修官郭啰洛氏纳新（案，郭啰洛原作葛逻禄，纳新原作迺贤，今改正）易之，自其先世徙居鄞。至正五年，挈行李，出浙渡淮，溯大河而济。历齐、鲁、陈、蔡、晋、魏、燕、赵之墟，吊古山川城郭，丘陵宫室，王霸人物，衣冠文献，陈迹故事，暨近代金、宋战争疆场更变者。或得于图经地志，或闻诸故老旧家，流风遗俗，一皆考订。夜还旅邸，笔之于书。又以其感触兴怀，慷慨激烈，成诗歌者继之，总而名曰《河朔访古记》，凡一十六卷'云云。则此书实为纳新作，焦氏考之未审。序称十六卷，焦氏作十二卷，亦误也。纳新族出西北郭啰洛，因以为氏。郭啰洛者，以《钦定西域图志》考之，即今塔尔巴哈台也。元时色目诸人，散处天下，故纳新寓居南阳，后移于鄞县。初辟为浙东东湖书院山长，以荐授翰林编修官，出参桑戢实哩（原作桑前失里，今改正）军事，卒于军。所著《金台集》，尚有刊本，惟此书久轶。今散见《永乐大典》中者，惟一百三十四条，所纪皆在真定、河南境内，而其馀不存。又仁本所称继以诗歌者，亦不复可见。然据今所存诸条，其山川古迹，多向来地志所未详，而金石遗文，言之尤悉，皆可以为考证之助。谨汇而编之，核其道里疆界，各以类从，真定路为一卷，河南路为一卷，仍录刘仁本原序冠之。虽残阙之馀，十存一二，而崖略宛在，条理可寻，讲舆地之学者，犹可多所取资焉。"

**胡助以承信郎、太常博士致仕归。**据《纯白斋类稿》卷十六《庚寅元旦》诗，胡助本年六十八岁。胡助之卒，在至正十八年之前。会其卒，戴表元作《吴中追哭胡古愚博士》（《九灵山房集》卷八）。贡师泰《题朱教授送行诗卷》："至正十八年冬，余自省府退归西湖之上。郡博士朱君斗瑞来谒，出示京师送行诗一卷。读之，则揭学士、嵘嵘承旨、吴大宗师、王尚书沂、潘司业迪、陈监丞旅、胡应奉助、刘博士闻、冯助教三奇凡九人，去今才二十年，皆已凋谢无存者。"（《玩斋集》卷四）四库提要卷一六七："《纯白斋类稿》二十卷、附录二卷，元胡助撰。……是集乃助所自编，本三十卷，历年既久，残阙失次。明正德中，其六世孙淮掇拾散佚，重编此本，仅存赋一卷，诗十六卷，杂文三卷，又附录当时投赠诗文二卷，仍以《纯白斋类稿》为名，而卷帙已减三之一，非其旧本。虞集尝跋其《上京纪行集》，称其龙门以后诗尤佳，今已散入集中。邓文原、吴澄尝跋其《銮坡小录》及《升学祭器文》，此本不载，则当在亡佚十卷中也。助诗文皆平易近人，无深湛奇警之思，而亦无支离破碎之病，要不失为中声。吴澄称其诗如春兰苗芽，夏竹含箨，露滋雨洗之馀，濯濯幽媚，娟娟静好。则形容过当，反不肖其品格矣。"

**朱凯谜语集《包罗天地》成于本年二月前。**《七修类稿》卷五"谜序文"条引无名氏《千文虎序》云："夫谜，隐语也。……元至正间浙省掾朱士凯编集万类，分为十二门，何以为类？引《孟子》曰：'麒麟之于走兽，凤凰之于飞鸟，泰山之于丘垤，河海之于行潦，类也。'摘选天文、地理、人物、花木等门四般一同者，故为之类也。号曰'揆叙万类'。四明张小山、太原乔吉、古汴钟嗣成、钱塘王日华、徐景祥，莘莘诸公，分类品题，作诗包类，凡若干卷，名曰《包罗天地》。惜乎兵燹之馀，板集皆已沦没，无一字可存。"乔吉卒于本年二月，故知其书之成当在此之前。

## 公元 1346 年　（顺帝至正六年　丙戌）

### 二月

刘伯温辑刻虞集所撰文集，欧阳玄为之序。序见《珊瑚木难》卷二。此刘伯温，为西域人什喇卜，见王沂《送刘伯温序》（《伊滨集》卷十四）。欧阳玄《与刘伯温书》："玄顿首再拜伯温监司相公仁契。玄去岁数四附书，宪府邃严，未审一一达几下否？春和，远惟履候胜常，殊慰，瞻溯书来，知刻虞先生文，足见高谊。作序当求名笔，乃称雅意谆切，不敢力辞。因便辄脱稿去，刻成，千万见惠一本，为感贱迹，遂丐闲之请。乡里距贵治稍近，专容修简牍之敬。春中惟顺序善葆，不具备。辱契欧阳玄顿首再拜，二月十一日谨空。"（《珊瑚木难》卷二）

### 三月

十五日，宋褧卒，年五十三。余阙有《宋显夫学士挽诗》（《青阳集》卷一），迺贤有《宋显夫内翰挽诗》（《金台集》卷一），张翥、李黼、张起岩、王守诚、李好文、林希元等有哀辞挽之。苏天爵《元故翰林直学士赠国子祭酒范阳郡侯谥文清宋公墓志铭并序》："公享年五十有三，卒以至正六年三月甲午，葬以是月庚子。赠中大夫、国子祭酒、轻车都尉、范阳郡侯，谥文清。"（《滋溪文稿》卷十三）苏天爵《宋翰林文集序》："初，显夫兄弟从亲宦游于江汉之间，日益贫窭，衣食时或不充。故其为学，精深坚苦，下至稗官传记，亦无不览。诗尤清新飘逸，间出奇古，若卢仝、李贺之流，盖喜其词，以模拟之。……显夫家本京师，故题其集曰《燕石》云。"（《滋溪文稿》卷六）许有壬《宋显夫文集序》："显夫登甲子科，考其作，未有贡举前已汩汩矣。视诱利禄而重得失、忽于播而急于获者，不有间乎？人知其才，而不究其积储造诣之有素也。"苏天爵《元故翰林直学士赠国子祭酒范阳郡侯谥文清宋公墓志铭》："公学务博，尤喜为诗，自少敏悟，出语惊人。尝曰：'造语引事，皆当出唐以前，不然则非唐矣。'"《居易录》卷三："文清诗温润清丽，济南数篇偶录于此。《渡济河初见近城诸山》云：'华山高耸鹊山东，一带烟霏翠扫空。安石从来多雅兴，却如新妇闭车中。'《中秋与吕仲实清话忆李溉之内翰》云：'大明湖上水涵天，月色偏宜李谪仙。应笑吾曹煞风景，碧梧窗下灯眠。'兄本官国子祭酒，谥正献，工于古文，时号'二宋'。"《石洲诗话》卷五："宋显夫褧，才力在诚夫之下。"四库提要卷一六七："《燕石集》十五卷，元宋褧撰。……欧阳玄序称其诗务去陈言，燕人凌云不羁之气、慷慨赴节之音，一转而为清新秀伟。苏天爵序称其诗清新飘逸，间出奇古，若卢仝、李贺。危素序则称其精深幽丽，而长于讽谕。核其所说，亦约略近之。至其词藻焕发，时患才多，

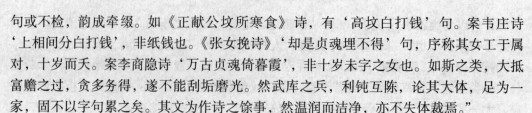

句或不检，韵成牵缀。如《正献公坟所寒食》诗，有'高坟白打钱'句。案韦庄诗'上相间分白打钱'，非纸钱也。《张女挽诗》'却是贞魂埋不得'句，序称其女工于属对，十岁而夭。案李商隐诗'万古贞魂倚暮霞'，非十岁未字之女也。如斯之类，大抵富赡之过，贪多务得，遂不能刮垢磨光。然武库之兵，利钝互陈，论其大体，足为一家，固不以字句累之矣。其文为作诗之馀事，然温润而洁净，亦不失体裁焉。"

　　**吴复编杨维桢所作古杂诗为《铁崖先生古乐府》。**复为之序，见本集卷首。又有本年十月张雨序。吴复为铁崖弟子，所编《铁崖先生古乐府》为十卷。后铁崖另一弟子章琬，复辑六卷，增为十六卷。《铁崖先生古乐府》十卷、《乐府补》六卷，今存元至正末刊本、明成化五年刘傲刻本、毛氏汲古阁刻本、《四库全书》本、《四部丛刊》本。章懋《新刊杨铁崖咏史古乐府序》："然其时众作悉备，惟古乐府未有继者。于是会稽杨铁崖先生与五峰李季和始相倡和，为汉魏乐府辞，崛强自许，直欲度越齐梁而上薄骚雅，伟乎其志哉！至如咏史，则季和每推服铁崖为上手，铁崖亦自谓：'余用三体咏史，用七言绝句体者三百首，古乐府体者二百首，古乐府小绝句体者四十首。绝句人易到，古乐府不易到，至小乐府则他人不能，惟吾能之。'若此编所录者，特其一体耳。"（《枫山集》卷四）周瑛《读杨铁崖古乐府》："乐府始于汉，惟二侯章其词壮浪，馀皆意气和平渊永。想当时被之管弦，必雍容和美，令人心醉。铁崖生当叔世，才俊气逸，外感内愤，渐入于戾。此词可谓工矣，然施之乐府，不几于北鄙之声乎？铁崖囿气化中，不自知也。当时顾亮、张宪、李费辈皆在门下，使稍知风雅馀韵，必不更求崛奇以胜之矣。"（《翠渠摘稿》卷四）四库提要卷一六八："《铁崖古乐府》十卷、《乐府补》六卷，元杨维桢撰，其门人吴复所编。维桢以乐府擅名，此其全帙也。乐府始于汉武，后遂以官署之名为文章之名。其初郊祀等歌，依律制诗；横吹诸曲，采诗协律。与古诗原不甚分。后乃声调迥殊，与诗异格，或拟旧谱，或制新题，辗转日增，体裁百出。大抵奇矫始于鲍照，变化极于李白，幽艳奇诡、别出蹊径歧于李贺。元之季年，多效温庭筠体，柔媚旖旎，全类小词。维桢以横绝一世之才，乘其弊而力矫之，根柢于青莲、昌谷，纵横排奡，自辟町畦。其高者或突过古人，其下者亦多堕入魔趣，故文采照映一时，而弹射者亦复四起。然其中如《拟白头吟》一篇曰：'买妾千黄金，许身不许心。使君自有妇，夜夜白头吟。'与《三百篇》风人之旨亦复何异？特其才务驰骋，意务新异，不免滋末流之弊，是其一短耳。去其甚则可，欲竟废之，则究不可磨灭也。惟维桢于明初被召，不肯受官，赋《老客妇谣》以自况，其志操颇有可取。而《乐府补》内有所作《大明铙歌鼓吹曲》，乃多非刺故国，颂美新朝，判然若出两手。据危素跋，盖聘至金陵时所作。或者惧明祖之羁留，故以逊词脱祸欤？然核以大义，不止于白璧之微瑕矣。"

## 春

　　**杨翮官休宁主簿。**杨翮《主簿题名记》："休宁在新安，为县，其地赋广衺，寡多几与歙亢。……至正六年春，予始备员主簿。"（《佩玉斋类稿》卷二）杨翮，杨刚中子，字文举，上元人。初为江浙行省掾。至正六年，官休宁主簿，历江浙儒学提举，迁太常博士。洪武初，征至金陵。卒，杨基为诗悼之。著有《佩玉斋类稿》十卷。《元诗选》二集辛集选其诗 15 首。杨翮生活年代，由两则材料可见一斑。陶安《代孙某述母圹志》："先姚恭人姓吴氏，讳某，庐江人。……先姚内政雍肃，有警戒相成之道。先考同知归州事，敕封恭人，品在第六。先考调集庆路府判，卒于官。先姚哀毁，至正六年八月十三日，终于当涂正寝，距先考之卒甫八阅月。呜呼痛哉！先姚生于至元□年九月二十三日，享年六十有九。子男二人，女三人，长适休宁主簿上元杨翮，次适当涂儒家李寿孙，次适吴思佐。"（《陶学士集》卷十九）又：谢肃《密庵集》卷二有《既至潍州，寄同考礼者胶西张绅士行、上元杨翮文举、吴郡钱逵伯行、郑元长卿、嘉陵杨基孟载、吴兴牟鲁仲望、燕山翟汾文中、东嘉余尧唐臣、诸暨姜渐羽仪、余上虞谢肃，凡十人，皆自浙西而望至南京者也》诗，是明初尝征修礼书。

## 七月

**杨维桢序王晔所编《优戏录》。**序见《东维子集》卷十一。王晔，字日华，一作日新，号南斋，杭州人。体丰肥，而善滑稽，能词章乐府。临风对月之际，所制工巧。与朱凯善，二人共题《双渐小卿问答》，人多称赏。先钟嗣成而卒。所著有杂剧 3 种：《卧龙岗》、《双卖华》、《破阴阳八卦桃花女》，仅存《桃花女》。又曾编《优语录》，已佚。《全元散曲》录其小令 16 首，套数 1 套。贾仲明〔双调〕《凌波仙·吊王日华》："诗词华藻语言佳，独有西湖处士家，滑稽性格身肥大。金斗遗事厮问答，与朱凯士，来往登达。珠玑梨绣，日精月华。免不得，命掩黄沙。"

## 九月

**唐元以后至元己卯（1339）至本年所作诗文都为一集。元自为之序，时年七十八。**唐元所撰，今存《筠轩集》十三卷，有《四库全书》本。又明程敏政编《唐氏三先生集》二十八卷，所录唐元集亦为十三卷，诗八卷，文五卷。

## 十月

**初七，吴全节卒，年七十八。**胡助有《挽吴大宗师》诗三首（《珊瑚木难》卷三），张雨有《吴大宗师挽诗》（《句曲外史诗集》卷四）。〔按，吴全节生年，据虞集《河图仙坛之碑》云："故宋咸淳己巳，有泉出东楹之础，润液之脉理，直如贯绳上升梁间，达乎西楹，乃生灵芝，光彩映日，久而不坏。是岁十一月七日公生，丹光盈室。"（《道园学古录》卷二十五）又许有壬《敕赐吴宗师画像赞》云："特进上卿、玄教大宗师臣全节，生至元六年己巳，越后至元四年戊寅，年实七十。"（《至正集》卷六十七）其卒年，据许有壬所作《特进大宗师闲闲吴公挽诗》，其序云："至正六年十月七日，特进上卿、玄教大宗师闲闲吴公，薨于大都崇真万寿宫承庆堂。"（《至正集》卷三十五）《元史》卷二〇二《释老传》、《元诗选》小传均误其寿年为八十二。〕虞集《河图仙坛之碑》："至于学问典故，从容裨补，有人所不能知，而外庭之君子，巍冠褒衣，以论唐虞之治无南比，皆主于公矣。若何公荣祖、张公思立、王公毅、高公昉、贾公钧、郝公景文、李公孟、赵公世延、曹公鼎新、敬公俨、王公约、王公士熙、韩公从益，诸执政多所谘访。阎公复、姚公燧、卢公挚、王公构、陈公俨、刘公敏中、高公克恭、程公钜夫、赵公孟頫、张公伯纯（淳）、郭公贯、元公明善、袁公桷、邓公文原、张公养浩、李公道源（源道）、商公碛、曹公元彬、王公都中诸君子，雅相友善，交游之贤，盖不得尽纪也。"（《道园学古录》卷二十五）全节交游之广，元代道流中，仅张雨一人堪与之匹敌。刘将孙《题吴闲闲诗卷》："东坡尝赋诗，羡无为子以王事而得山水之乐。今闲闲真人阁批皂降香，为山中赋咏，写成卷以付葆光张省吾，又非无为子可得而几也。笔光墨润，飞动毫楮，诗辞秀丽潇洒，兼有天人之福。文章技道，有本有原，所以教省吾者，无不可以三隅反也。把玩爽然。"（《养吾斋集》卷二十五）袁桷《吴闲闲真赞》："德不形，礼为翼。熙熙冲静之神，侃侃孝友之色。笼古络今，其词如云。佐理以无为，智渊而若存。朝承衮龙，暮抚松鹤。心彻九九，坐石盘礴。是所谓养其尺宅，守玄以生白者耶！"（《清容居士集》卷十七）任士林《闲闲说》："吕道士自阳明洞天北还京国，里人任士林遇于钱唐之开元，因道其友吴君闲闲之贤而问其说。洞天下之物理者，形色不能移；究天下之事情者，耳目不能役。是以无营无求，嗜欲净也；不将不迎，天宇宁也。……庄子曰：大知闲闲，此之谓也。虽然，吴君老子徒也，洒然熊豹之姿，充充然日与猿鹤相俛仰。方将枕藉白雪，吞吐元气，则其清净空寂之学，顾何往而非闲闲之境乎？然炼形气者劳其神，歌洞章者诎其息。鞭鸾笞凤之御远，上界官府之事具，虽谓不闲可也。非神交庄周之论于千载之上者，其孰能与？于此作《闲闲说》。"（《松乡集》卷五）李孝光《题宗师吴闲闲诗卷》："簇仗神官踏绿烟，玙琪华静白麟眠。梦骑黄鹄飞绕日，手弄紫云行补天。歌咏太平追雅颂，扶持圣主属神仙。宫中应受长生诀，珠笈琼章映御筵。"（《五峰集》卷十）

**左克明自序所编《古乐府》。**序见本集卷首。左克明，字德昭，豫章铁柱观道士，与刘崧善。编有《古乐府》十卷，今存明嘉靖二十六年新安汪尚磨校刊本、万历壬寅永兴何氏芹香馆校刊本、《四库全书》本。杨士奇《古乐府跋》："《古乐府》，元南昌铁柱观道士左克明德昭编。起唐、虞，讫陈、隋，按曲分类为十卷，其缘起具见题下虞文靖公为之序。刻板今在南昌。余家二册，得于太常寺丞谢靖贞。"（《东里续集》卷十九）《升庵诗话》卷十二："陕西近刻左克明《乐府》本，节郭茂倩《乐府诗集》，误字尤多。"《江城名迹》卷三："左克明，豫章道士也，寓铁柱宫。所辑《古乐府》，自三代至陈、隋，溯流穷源，妙契作者之旨。太和刘冢宰崧有《寄铁柱宫左炼师》诗：'紫霞楼上左仙翁，不在南塘在玉隆。虚阁飞凫云影外，乱山骑虎月明中。铜驼荆棘秋风落，铁柱波涛海气通。别后玉箫浑少听，令人长忆万年宫。'"

## 本年

刘岳申作《送徐子谦赴湖北宪副序》（《申斋集》卷二），时年八十七。此为集中编年较晚之作，后此事迹不甚可知。其卒或去本年不远。〔按，刘岳申生平，不见于碑传,《元史》卷一九〇《儒学传》附于刘诜传后,所记甚略。其生年,据所作《赠谈命熊景仁》,其文云:"余生宋五庚申,为景定初元,天朝中统之初也。年十七,而德祐为至矣。"(《申斋集》卷二)]李祁《刘申斋先生文集序》:"庐陵文章,诗书之邹鲁也。断自欧阳公而下,春容大雅、鸣琚佩玉者有之,刻削峭厉、鬼眼颒耳者有之。琳琅炳焕,磊砢奇杰,或同时竞秀,或殊世俪美。在有元国初时,犹闻有相颉颃以甲乙数者。近至四五十年之间,则唯申斋刘先生,昂然独步一时,无所与让,当时在朝诸老,如草庐吴公,相知最先且厚,虞、揭诸老亦相与推敬,恨不及相挽入直馆阁。四方赢粮执贽而来请者,足相蹑于庭,由是而先生之文日益富矣。先生学问根据切实,故其文思深远。阅涉积久,故其文气老成。好持论,论古今事变、人品高下,确然不可易。故其文辞简而尽,约而明,峻洁修整,而和易畅达,决不肯厕一冗语、赘一冗字以自同众人。与人文,至有一言而足以得其终身者。此先生之文之大略也。先生之文,多至千馀篇,遭世乱,荡失过半,其门人萧润德瑜日夜捃摭编校,将以刻诸梓,而无其材。于是吉水郡侯番易费君振达慨然领之,期以梓成,当寘诸郡庠,使四方之闻者见者,知庐陵文章一派,其统系在此。"(《云阳集》卷三)杨士奇《跋刘申斋文》:"刘申斋先生名岳申,字高仲,吾庐陵人,《元史》有传。与先待制友善。考家集,先祖兄弟皆出其门。此集一册,余录于胡学士光大。闻今吉水一士人家藏先生亲笔文稿甚富,欲求一见,无由得造也。盖非独其文高古,于吾郡故家文献多可考也。"(《东里续集》卷十八)四库提要卷一六七:"《申斋集》十五卷,元刘岳申撰。……岳申文宗法韩、苏,故其气骨遒上,无南宋卑冗之习。《豫章人物志》称所作简约峻洁,殆非虚语。至集中碑志之作居什之四五,尤可据以考证史事。如《文天祥传》,比《宋史》所载为详。夏贵墓志,称其出奇计立战功甚悉,而贵之失节偷生,绝不为讳,且深致婉惜之词,亦非曲笔谀墓者可比。观其不妄许与,其文品之矜贵可知也。"

**官刊萧㪺《勤斋集》于淮东。**李黼作于至正丙戌春之序曰:"至正五年,走以事留扬。其年冬,京兆同州王君仲方由枢府判持宪东淮,因出今集贤学士、国子祭酒苏公伯修前侍御西行台时所哀先生文稿十五卷,刻之郡庠,属黼序之。……文八十篇,诗二百六十首,乐府二十八篇。"是集为苏天爵官西台时所哀辑。张冲《勤斋集序》:"今年春,〔苏天爵〕以侍御史官西台,采辑诸老行为师法者,得文贞全集,喜而为序,移文锓梓以广其传。"张序作于至正四年(1344)。《勤斋集》今存八卷,有《四库全书》等本。

**黄泽卒,年八十七。**赵汸《黄楚望先生行状》:"先生卒于至正六年丙戌□月□日,得年八十有七,以郡人王仪甫所归棺殡九江。"(《东山存稿》卷七)黄泽(1260—1346),字楚望,蜀之资州人,家于九江。生有异资,以明经学道为志。元贞、大德间,行省起为江州景星书院山长,转豫章东湖书院山长。年四十五,以秩满不复仕,居家授徒。至正六年卒,年八十七。朱升、赵汸均尝从其学。著有《易学滥觞》一卷,又有《六经补注》。赵汸撰《春秋师说》三卷,述其学甚详。生平据赵汸《黄楚望先生行状》(《东山存稿》卷七)、《元史》卷一八九《儒学传》。

公元 1347 年 （顺帝至正七年 丁亥）

## 三月

初三，杨维桢序吕诚所撰诗集。序见本集卷首。序称敬夫与袁子英为昆山诗人之
魁出者，甚为推许。又有至正戊子郑东序，以其与郭羲仲、陆良贵、袁子英等并称。
据顾嗣立《元诗选》三集，吕诚所撰诗集，有《来鹤草堂稿》、《既白轩稿》、《竹洲
稿》、《归田稿》、《敬夫稿》，今存《来鹤亭集》八卷、补遗一卷，有《四库全书》本。
四库提要卷一六八："《来鹤亭诗》八卷、补遗一卷，元吕诚撰。诚字敬夫，昆山人。
工于吟咏，诗格清丽，与同里郭翼、陆仁、袁华相唱和。尝于园林蓄一鹤，后有鹤自
来为伍，因筑来鹤亭，并以名其诗集。考集中第一卷多岭南诗。二卷有《洪武辛亥南
归重渡梅关》诗云：'去年窜逐下南溟，万里归来鬓已星。'辛亥为洪武四年，是明初
尝谪迁广东，已而赦归，其缘何事获谴，则不可考。第八卷诗内有洪武癸酉纪年，癸
酉为洪武二十六年，而杨维桢前序作于至正七年丁亥，至是已四十七年，计其时诚亦
耄矣。诸书皆称吕处士，无言其尝仕于明者，则仍元遗老也。集不知何人所编，维桢
序称尝和其《古乐府》自《上京》至《江南谣弄》若干首，今集中皆无之。则原序虽
存，诗已多所散佚，非其原本。又顾嗣立《元人百家诗选》称其尚有《既白轩》、《竹
洲》、《归田》诸稿，今所见者惟此集，或维桢所言，在其他集之内欤？"

## 七月

十四日，李孝光以隐逸征为秘书监著作郎。《元史》卷四十一《顺帝本纪》："〔至
正七年〕秋七月甲寅，召隐士完者图、执礼哈琅为翰林待制，张枢、董立为翰林修撰，
李孝光为著作郎。张枢不至。"《元史》卷一九〇《儒学传》："至正七年，诏征隐士，
以秘书监著作郎召，与完者图、执礼哈琅、董立同应诏赴京师，见帝于宣文阁，进
《孝经图说》，帝大悦，赐上尊。"《元史》卷一四〇太平本传："〔至正〕七年，迁中书
平章政事，班同列上。国王朵而知为左丞相，请于帝曰：'臣藉先臣之荫，早袭位国
王，昧于国家之理，今备位宰相，非得太平不足与共事。'十一月，拜太平左丞相，朵
而知为右丞相，太平辞，帝不允，仍诏示天下。明年正月，诏修后妃、功臣传，特命
太平同监修国史，盖异数也。太平请僧道有妻子者勒为民以减蠹耗，给校官俸以防虚
冒，请赐经筵讲官坐以崇圣学，立行都水监以治黄河。举隐士完者笃、执礼哈郎、董
立、张枢、李孝光。"〔按，陈德永《李五峰行状》以为其事在至正四年（1344）四
月。〕李孝光，字季和，号五峰狂客，温州乐清人。少博学，笃志复古，隐居雁荡山五
峰下。四方之士，远来受学，名誉日闻，泰不华以师事之。至正七年，诏征隐士，以
秘书监著作郎召。明年，升文林郎、秘书监丞。卒于官。与杨维桢、张雨、萨都剌、
郭翼等人唱和，著有《五峰集》十卷。《元诗选》二集戊集选其诗 356 首。生平据
《元史》卷一九〇《儒学传》。

十四日，瞿佑生。瞿佑（1347—1433），字宗吉，号存斋，又号乐全，钱塘人。著
有《存斋诗集》、《乐府遗音》、《剪灯新话》、《归田诗话》等。今人徐朔方撰有《瞿佑
年谱》。

**欧阳玄序刘诜所撰文集**。序见本集卷首。《桂隐文集》四卷，今存《四库全书》本，与《桂隐诗集》合刻。虞集《庐陵刘桂隐存稿序》："往年集承乏禁林，陪诸公奉诏读进士之策，于南士得刘性粹衷而奏之，尝与论及此事。后十年而遇集于云峰下，又尝及之，而思见乎有以相发者。又后二年，以书来告曰：我乡先生刘桂隐氏，有学有行，文章追古作者，而年亦七十有四矣。屹然山林，其书满家，而远方无尽知之者，因以得先生之书焉。集执而叹曰：余知之旧矣，而未获与之游也。先生之言曰：弱冠时，犹及接故宋之遗老，既内附，犹用力于已废不用之赋论，视侪辈无已及者。国家以进士取人，未能忘情于斯世，乃益究乎名物度数之节、注笺训释之辞，以从当时之所为，而志大言高，不为有司察识。又十年，乃为古学，而用意于欧阳子焉。四方之求文者，随而应之，不知其沛然而无穷也。此虽先生之谦辞，要其大概，不我欺也。"（《桂隐文集》卷首）罗洪先《刘桂隐文集序》："吉水中危〔素〕所甚慕，而又推其心事，尤异于当时诸公，称许其父子祖孙皆守节义，则莫有过于桂隐刘公。当元初时，废科举，抱所长无所于泄，于是尚行谊，盛文墨，自任斯文之重，与宋遗老上下徜徉。屡为文集贤升、郑尚书鹏南、萧御史泰登力荐，不屈，既卒，赐谥文敏。"（《念庵文集》卷十一）刘同升《桂隐存稿序》："先生文章警策类南丰，诗篇简峻似临川。负用世之才，卒能藏其无用之用，抑又难矣。"

## 八月

**陶凯中乡贡进士**。陶凯，字中立，临海人。至正七年，领乡荐。除永丰教谕，不就。洪武初，诏修《元史》，书成，授翰林应奉。三年七月，与崔亮并为礼部尚书。明年会试，充主考官，取吴伯宗等一百二十人。六年，出为湖广参政致仕。八年，起为国子祭酒。明年，改晋王府左相。寻以参政致仕，自称耐久道人，为太祖所恶，坐罪论死。著有《辜君政绩书》二卷、《陶尚书集》。生平据《明史》卷一三六本传。

## 十月

**祝蕃卒，年六十二**。〔按，危素《上饶祝先生行录》（《危太朴文续集》卷七）以为卒于上一年。〕余阙作《祝蕃远经历挽诗》（《青阳集》卷一）。李存《祝蕃远墓志铭》："既而授将仕郎、浔州路总管府经历。先是，属司报猺贼数百入境，同知布通勒兵迎敌。及境，贼已去，他界平民一人被掠脱身，走卒遇官军，窜草中。布通执而贼之，曰：我本他郡农，与兄弟来耕某氏田，居近郊，非盗也。榜掠死狱中，布通因伪辞连系其兄弟亲戚七人以绝言者，公至疑不署。牍闻帅府，移南容州推问，布通赂，不就辨，四人又死狱中。适朝廷遣使巡行天下，尚书巴克实历广东西，闻其冤，命更择廉明。由是静江路同知巴延布哈、庆远府安抚司知事李刚会梧州推问，事白，曹吏二人伏罪，未死三人者拘于外。布通复不就辨，且教曹吏家人诉帅府，复移藤州。会赦皆免。公竟死藤州客舍，时至正丁亥十月也。生至元丙戌，春秋六十有二。"（《俟庵集》卷二十五）祝蕃（1286—1347），字蕃远，贵溪人。

**张可久自跋所撰《小山乐府》**。末署"至正丁亥良月"。

## 本年

彭致中辑唐至元代道士所作词曲为《鸣鹤馀音》九卷。其书见于《道藏·太玄部》。收入《函海》者为一卷，仅录冯尊师《苏武慢词》及虞集和词。虞集《鸣鹤馀音跋》："全真冯尊师本燕赵书生，游汴，遇异人，得仙学，所赋歌曲，高洁雄畅，最传者《苏武慢》二十篇，前十篇道遗世之乐，后十篇论修仙之事。会稽费无隐独善歌之，闻者有凌云之思，无复流连光景者矣。予登山，每登高望远，则与无隐歌而和之。无隐曰：公当为我更作十篇。居两年，得两篇半，殊未快意也。昭阳协洽之年，嘉平之月，长儿之官罗浮，予与客清江赵伯友、临川黄观我、陈可立、游东叔、吴文明、平阳李平、幼子翁归泛舟送之。水涸，转鄱阳湖，上豫章，遇风雪，十五六日不能达三百里。清夜秉烛，危坐高唱，二三夕间，得七篇半。每一篇成，无隐即歌之，冯尊师天外有闻，能乘风为我一来听耶。明春，舟中又得二篇，并《无俗念》一首。后三年，仙游山彭致中取而刊之，与瓢笠高明共一笑之乐也。道园道人虞集伯生记。"（《道园遗稿》卷六）金天瑞《题鸣鹤馀音后》："右《苏武慢》三十二首、《无俗念》一首，全真冯尊师、道园虞先生所共作也。天瑞昔刊《道园遗稿》，而先生所作已附于编。然其所谓冯尊师者最传者二十篇，世莫全睹。今复并类编次，以刻诸梓，庶方外高人便于通览。惟先生道学文章，传著天下，冯尊师仙证异论，超迥卓绝，其自有《洞源集》行于世，可考见云。时至正二十四年岁次甲辰，秋八月二日癸巳，渤海金天瑞谨识。"凌云翰《鸣鹤遗音·苏武慢序》："世传全真冯尊师《苏武慢》廿篇，前十篇道遗世之情，后十篇论学仙之事。道园先生谓费无隐独善歌之，则能知者亦罕矣。及观先生所作，非惟足以追配尊师，而使世之汩没尘埃、流连光景者闻之，而有遗世独立、羽化登仙之想，则是篇于世其可少乎？"（《柘轩集》卷五）唐文凤《跋杨彦华书虞文靖公苏武慢词后》："余尝读虞文靖公《道园集》，观其高文大策，醇辞雅论，知公所学，博洽淹贯，而究极本原，研精探微，心解神会。故经纬弥纶之妙，臻古作者之域，真一代大手笔也。推其绪馀，字画之伟，歌词之丽，亦皆超诣而不凡。今按调寄《苏武慢》词十二阕，盖和冯尊师所作。其自序经阅累岁而成，飘飘然有出尘想，如在九霄之上，下视世纷胶扰，曾不足以入其灵台丹府，所谓不吃烟火食，所道乃神仙中人语也。史称南狱真人降生，岂其然乎？"（《梧冈集》卷七）朱存理《跋鸣鹤馀音后》："右《鸣鹤馀音》一卷，所刻冯尊师、虞学士《苏武慢》二家词也。学士从孙字胜伯者，居吴中，有文称于时，里人金伯祥与其子镠从游，胜伯尝刻学士《道园遗稿》，复刊此词，皆镠手书也。镠字南仲，别有巾箱小板之刻，与此无异。胜伯装嵌成册，手书跋后。成化间，予从其家得之，求题于匏庵吴公。公出示项秋官所作，喜为书一过于此册后。他日，又得凌云翰之作附书之。吾友沈润卿购藏金氏刻板，今并二家以寄润卿，俾续刻之。云翰与秋官生虽先后，同为杭人，盖此词和者甚寡，项亦将因云翰而唱和之者乎？伯祥名天瑞，与弟析居，十年复合。庭生瑞竹，有杨廉夫、郑明德一时名作美之。别号安素，其平生乐善尚义，著闻乡邦，实吴之名士也。浸浸百馀年间，遂将泯没之矣。故特于斯附见，弗为赘也。然润卿富而好礼，少年嗜学，盖与伯祥今古同心也。"

（《楼居杂著》）《六研斋笔记》卷一："虞道园叠《苏武慢》词十二首，张伯雨闻而和之。余见其手录稿，作细行楷，词翰俱入清玩。"《雨村词话》卷四："虞伯生集词，一洗铅华，有《鸣鹤馀音》一卷，余已校刊矣。尚记其《南乡一剪梅》词招熊少府云：'南皋小亭台。薄有山花取次开。寄与多情熊少府，晴也须来。雨也须来。随意且衔杯。莫惜春衣坐绿苔。若待明朝风雨过，人在天涯。春在天涯。'"《词则·别调集》卷三："道园词骨颇高，似出仲举之右。惜规模未定，不能接武南宋诸家也。道园老子胸襟，此词约略可见。"

**高耻传自序所编《群书钩玄》。**《千顷堂书目》卷十五著录其书。四库提要卷一三七："《群书钩玄》十二卷，元高耻传撰。耻传，临邛人。是书杂采古事古语，以字数为标目次第，自一字起至七字止。其不能限以数者，别为脍炙句二卷。其一字类不能成句，则以古文奇字当之。庞杂殊甚。后附删节《通鉴》一卷，题曰《建置沿革》。又附陈骙《文则》一卷，更无伦理。前有至正七年耻传自序，乃盛自夸饰，过矣。"

**王沂卒于本年前后。**刘基《王师鲁尚书文集序》："尚书王公师鲁文集二十有八卷。公卒之四年，浙西廉访司佥事王君宗礼、经历王公威可访而辑之，版行于世。浙江行省参政赵郡苏公命刘基为之序。序曰：……宋之文盛于元丰、元祐，时天下犹未分也。南渡以来，朱、胡数公，以理学倡群士，其气之所钟，乃在草野，而不能不见排于朝廷。其他萎弱纤靡，与晋宋齐梁无大相远，观其文，可以知其气之衰矣。有元世祖皇帝至元之初，天下犹未一也，时则有许、刘诸公，以黄钟大吕之音振而起之。天将昌其运，其气必先至焉，理固然矣。混一以来七十馀年，际天所覆，罔不同风，中和之气，流动无间，得之而发为言，安得而不雄且伟哉！公生至元间，自幼好学为文。仁宗皇帝首开科举，公即以其年登第。其涵濡渐渍，非一日矣。故其为文，有中和正大之音，无纤巧萎靡之习，春容而纡馀，衍迤而宏肆，不极于理不止，粹乎其为言也。后之览者，得以考其时焉。公之历官行事，自见国史，故不著。"（《覆瓿集》卷六）四库提要卷一六七："《伊滨集》二十四卷，元王沂撰。……沂历跻馆阁，多居文字之职，庙堂著作，多出其手。与傅若金、许有壬、周伯琦、陈旅等俱相唱和，故所作诗文春容和雅，犹有先正轨度。惜其名不甚著，集亦绝鲜流传，选录元诗者并不能举其名氏。今从《永乐大典》中裒掇编次，厘为二十四卷，庶梗概尚具，不至遂就湮没焉。"

## 公元 1348 年 （顺帝至正八年 戊子）

正月

诏翰林国史院纂修后妃、功臣列传，学士承旨张起岩、学士杨宗瑞、侍讲学士黄溍为总裁官，左丞相太平、左丞吕思诚领其事。见《元史》卷四十一《顺帝本纪》。

杨维桢作《玉山佳处记》。见《东维子集》卷十八，末署"至正八年春正月既望之三日记"。此记又见于《玉山名胜集》卷二，末署"至正八年八月初吉，会稽杨维桢书于玉山之读书舍"。杨维桢另有《碧梧翠竹堂记》、《小桃源记》、《书画舫记》等文，述顾氏园池之盛。顾氏玉山佳处，为元末东南文人聚会之所，一时胜流，鲜有不至其

地者，往还酬唱，为其时文坛之胜事。其楼阁园池之所，时之名流逸士多有题咏，后辑成《玉山名胜集》八卷，有《四库全书》等本。《四库全书总目提要补正》卷五十七："《玉山名胜集》八卷、外集一卷。瞿氏《书目》有旧钞本二卷。……又载何焯跋，有'此集朱野航性甫先生故物，而余妻太原孺人之曾祖雄蚩先生所藏也。及出守岭外，俾罗浮张萱孟奇开雕，然流传甚寡。张又不学，谬分为八卷，颇易置其诗文次第，讹字亦屡见'等语。……陆氏《仪顾堂续跋》影元钞本跋云：'《玉山名胜集》，明天启中徐韶翁刊于广东，张萱为之校勘，即今《四库》著录九卷本也。此本不分卷，自玉山草堂起至寒翠所止，二十八题，每题各为起讫，与张月霄藏本同，与九卷本颇有不同。……然天启本寒翠所上脱一叶，绿波亭题咏中缺僧法坚、陆仁、释至奂诗三首，文质诗一首，而割裂他诗孱入，且讹误甚多，不如此本之善。'玉缙案：《四库》本即张本，止九卷，瞿说误，陆本又与瞿本不同，可谓纠纷矣，然足广异闻，录之。"

## 二月

十九日，杨维桢、姚文奂、于立、郯韶等人集于顾瑛玉山草堂，以"爱汝玉山草堂静"分题赋诗，诗成者于立、姚文奂、郯韶、顾晋、顾瑛等五人。见杨维桢《玉山佳处雅集志》（《玉山名胜集》卷二）。顾氏玉山佳处宴集赋诗，为当时东南之盛事，一时胜流，鲜有不与其会者。《列朝诗集小传》甲前集录"玉山草堂饯别寄赠诸诗人"，凡37人：柯九思、张翥、黄公望、倪瓒、熊梦祥、杨维桢、顾瑛、于立、张天英、张田、刘西村、郯韶、张简、沈明远、俞明德、周砥、瞿荣智、殷奎、卢昭、金翼、陈聚、陈基、张师贤、顾敬、郭翼、秦约、陆仁、王巽、卫仁近、吕恒、吴克恭、文质、聂镛、张渥、李廷臣、袁华、释良琦。释良琦《玉山佳处题咏诗序》："至正戊子二月十九日，杨侯铁崖宴于顾君玉山，赋咏叠笔，淮海张渥为图，传者无不叹羡。余后半月与吴兴郯九成至玉山，顾君张乐置酒，清歌雅论，人言不减杨侯雅集时。既酣畅，顾君征予赋诗，然予于声乐诗咏何有哉。适其所遇，而不违耳。呜呼，人谁非寓，故作诗以道其事，卒反乎正云耳。"姚文奂，字子章，自号娄东生，人称姚野航，昆山人。至正间，以荐授浙东帅府掾。著有《野航亭稿》。《元诗选》二集庚集选其诗33首。秦约（1316—?），字文仲，太仓人。著有《樵海集》。生平见《吴下冢墓遗文》卷三约所撰《自志》。

## 三月

初七，顺帝亲试进士七十八人，赐阿鲁辉帖木儿、王宗哲进士及第，其馀出身有差。见《元史》卷四十一《顺帝本纪》。

**王宗哲登状元第。**《山居新话》卷三："皇朝开科举以来，唯至正戊子举王宗哲元举，乡试、省试、殿试皆中第一，称之曰三元。宋自仁宗庆历复明经科，称三元者王岩叟一人而已。"《南村辍耕录》卷十五："平江一驿舟中，有题吊四状元诗者，不知谁所作。诗曰：'四榜状元逢此日，他年公论定难逃。空令太守提三尺，不见元戎用六韬。元举何如兼善死，公平争似子威高。世间多少偷生者，黄甲由来出俊髦。'元举，王宗哲字也，至正戊子科三元进士，时为湖广宪佥。兼善，泰不华字也，时为台州路达鲁花赤。公平，李齐字也，时为高邮府知府。子威，李黼字也，时为江州路总管。此四公者，或大亏臣节，或尽忠王事，或遇难而亡，故云。若论其优劣，则江州第一，台州次之，高邮又次之，宪佥不足道矣。"

**葛元喆登进士第**。张绅《题元贤翰剳疏》："葛元喆，字元喆，戊子进士，翰林编修官。"（《珊瑚网》卷十二）葛元喆，一作葛元哲。赵汸《别葛廷哲序》："汸昔游临川，闻进士葛君元哲之贤，心窃识之。未几，君复以乡贡第一人擢第，授官闽中，辟行中书掾。"（《东山存稿》卷二）

**林弼就试礼部下第**。《四库全书总目》等均以林弼登本年进士第，王廉所撰墓志亦言本年登第。林弼《送实达道之官兴化序》："至正戊子春，予试艺京师，实与西原马君原德同上春官，原德尝与予言实君达道之贤。是年原德成进士，予下第南归，适达道来监漳参司，相见即定文字交。"（《林登州集》卷八）据此，则弼本年实未尝得中也。林弼《题胡敏中哀唁诗序》："至正十年庚寅，唐臣将试艺有司。行至莆枫亭驿，闻先母陈疾且殆，仓皇狼狈，兼程走归。二日，母竟见背。"（《林登州集》卷十四）

**初十，顾瑛、杨维桢、张雨等人游石湖，各赋《花游曲》一首**。顾瑛《花游曲序》："至正戊子春三月十日，偕杨廉夫、张伯雨烟雨中游石湖诸山。伯雨为妓琼英赋《点绛唇》。已而午霁，登湖上山，歇香积寺。琼英折碧桃花，廉夫为赋《花游曲》，因为次韵。"本年，顾瑛构玉山佳处初成，故其与杨维桢、张雨等人游处甚盛。《六研斋笔记》卷四："至正戊子三月十日，会稽杨维桢同贞居张伯雨诸人游石湖，有侑者琼英与坐，各为《花游曲》一章，词情美丽，实一时之盛。"《石洲诗话》卷五："玉山诸客，一时多为铁崖和《花游》之曲，然独玉山一篇为佳。盖诸公和作，与铁崖原唱，纵极妍丽，皆不免伧俗气耳。"

## 四月

**初九，倪士毅卒，年四十六**。据赵汸《倪仲弘先生改葬志》（《东山存稿》卷七）。倪士毅，字仲弘，休宁人。著有《重订四书辑释》二十卷、《作义要诀》一卷。四库提要卷一九六："《作义要诀》一卷，元倪士毅撰。……是编皆当时经义之体例。自宋神宗熙宁四年，始以经义试士。元太宗从耶律楚材之请，以三科选举，经义亦居其一。至仁宗皇庆二年，酌议科举条制，乃定蒙古、色目人第一场经问五条，汉人、南人第一场经疑二问，限三百字以上，不拘格律。元统以后，蒙古、色目人亦增经义一道。明以来科举之文，实因是而引伸者也。是书所论，虽规模浅狭，未究文章之本源，然如云第一要识得道理透彻，第二要识得经文本旨分晓，第三要识得古今治乱安危之大体。又云：长而转换新意，不害其为长；短而曲折意尽，不害其为短。务高则多涉乎僻，欲新则类入乎怪。下字恶乎俗，而造作太过则语涩；立意恶乎同，而搜索太甚则理背。皆后来制艺之龟鉴也。国家设科取士，仍以经义为先。我皇上圣训谆谆，厘正文体，操觚之士，皆知以先正为步趋。是书又在明前，法虽小异，而理则相通。录而存之，或亦先河后海之义欤！原序称兼采谢氏、张氏之说，《永乐大典》注其说已载

《举业筌蹄》卷中，故不复录。今是卷适佚，姑仍旧本阙之，然大旨则已具于此矣。"

## 五月

二十三日，虞集卒，年七十七。据欧阳玄《元故奎章阁侍书学士翰林侍讲学士通奉大夫虞雍公神道碑》（《圭斋文集》卷九）。赵汸《邵庵先生虞公行状》："其于为文，主之以理，成之以学，即规矩准绳之则，以尽方圆平直之体，不因险以见奇也；因丝麻谷粟之用，以达经纬弥纶之妙，不临深以为高也。陶镕粹精，充极渊奥，时至而化，虽若无意于作为，而体制自成，音节自合，有莫知其所以然者。比登禁林，遂擅天下，学者风动从之，由是国朝一代之文，蔼然先王之遗烈矣。"欧阳玄《元故奎章阁侍书学士翰林侍讲学士通奉大夫虞雍公神道碑》："其为文，自其外而观之，汪洋澹泊，不见涯涘；刻乎其中，深靓简洁，廉刿俱泯，造乎混成。与四明袁公伯长、清河元公复初友厚，二人有著作，必即公论之。玄初谓公文无雷霆之震惊、鬼神之灵异，将何以称于世。公谢曰：诚不能也。晚乃大服其言。至大、延祐以来，诏告册文，四方碑板，多出乎手，其撰次论建，与其陶冶性情、黼藻庶品之作，杂之古名贤之编，卓然自成一家言。"《元史》卷一八一虞集传："集学虽博洽，而究极本原，研精探微，心解神契，其经纬弥纶之妙，一寓诸文，蔼然庆、历、乾、淳风烈。"《归田诗话》卷下："邵庵《退朝口号》云：'雨浥轻尘道未干，朝回随处借花看。墙东千树垂杨柳，飞絮来时近马鞍。''日出风生太液波，画桥影里采船过。桥头柳色深如许，应是偏承雨露多。'少日在四明从王叔载先生学诗，先生举此诗数首云：'细读而详味之，如醉后厌饫珍羞，而食宣州雪梨相似，爽口可爱也。'又云：'元朝诸人诗，虽以范杨虞揭并称，然光芒变化，诸体咸备，当推道园，如宋朝之有坡公也。'予谨识之，久而益信。"《麓堂诗话》："胡文穆《澹庵集》载虞伯生《滕王阁》三诗，其曰：'天寒高阁立苍茫，百尺阑干送夕阳。'曰：'灯火夜归湖上雨，隔篱呼酒说干将。'信非伯生不能作也。今《道园遗稿》如此诗者绝少，岂《学古录》所集，固其所自选耶？然亦有不能尽者，何也？"《石洲诗话》卷五："有宋南渡以后，程学行于南，苏学行于北。其一时才人俊笔，或未能深入古人膝理。而一二老师宿儒之传，精义微言，专在讲学，又与文家之妙，非可同条而语。至如南宋诸公之学，尤在精于考证，如郑渔仲、马贵与以逮王深宁，源远流长，百年间亦须有所付受。入元之代，虽硕儒辈出，而菁华酝酿，合美为难。虞文靖公承故相之世家，本草庐之理学，习朝廷之故事，择文章之雅言。盖自北宋欧、苏以后，老于文学者，定推此一人，不特与一时文士争长也。"又："道园兼有六朝人酝藉，而全于含味不露中出之，所以其境高不可及。（尝有'少陵爱何逊，太白似阴铿'之句，实亦自道。）"又："虞伯生七律精深，自王荆公以后，无其匹敌。"又："虞伯生《竹枝歌》，不减刘梦得。"又："伯生七古，高妙深浑，所不待言。至其五古，于含蓄中吐藻韵，乃王龙标、杜牧之以后所未见也。"又："文靖有一笔可当人数十笔处，而又于风流酝藉得之，并不枯直。"四库提要卷一六七："《道园学古录》五十卷，元虞集撰。……文章至南宋之末，道学一派，侈谈心性，江湖一派，矫语山林，庸沓猥琐，古法荡然，理极数穷，无往不复。有元一代，作者云兴，大德、延祐以还，尤为极盛，而词坛宿老，要必以集为大宗。此录所收，虽不足尽集之著作，然菁华荟粹，已见大凡。迹其陶铸群材，不减庐陵之在北宋。明人夸诞动云元无文者，其殆未之详检乎。"《词坛丛话》："道园自是作手，其诗如汉廷老吏断狱，卓绝一时。词亦精警团聚，脱尽前人窠臼。惜所传寥寥，未免令人遗憾。"《白雨斋词话》卷三："虞道园词笔颇健，似出仲举之右。然所作寥寥，规模未定，不能接武南宋诸家。惟'报道先生归也，杏花春雨江南'二语，却有自然风韵。"

## 六月

二十四日，杨维桢、高智、于立、张师贤、袁华、陆仁宴集于浣花馆，联句赋诗。诗见《玉山名胜集》卷六。张师贤，字希颜，昆山人。于立，字彦成，号虚白子，南康人。学道会稽山中，又号龙江山人，与顾德辉友善。袁华，字子英，昆山人。陆仁，字良贵，号樵雪生，又号乾乾居士，河南人，寓居昆山。《石洲诗话》卷五："陆河南仁骚体诗，句调不尽叶于音节。"又："陆河南《夫子去鲁图》一篇，可谓用意烹炼，末句周旋天下，尤其用意炼笔处也。然'津则有舟'四句，尚是帮衬。帮衬固不碍，而人之材力厚薄见焉矣。如昌黎《龟山》、《猗兰》诸操，是何等魄力！"

王思明刻潘昂霄所编《金石例》于鄱阳。《金石例》十卷，今存《四库全书》本，杨本、傅贵全、柳贯等人均尝为其书作序。《四库全书总目提要补正》卷五十九："《金石例》十卷。杨氏《楹书隅录》有元本十卷，附钞本附录一卷，云：'是书凡三刻：一济南本，文僖之子诩刊定；一鄱阳本，王思明校正；一为龙宗武摹泰和杨寅弼钞本而刻者。卢雅雨所镌《金石三例》，谓从鄱阳本录出，故有思明序，即此本也。案思明序称："至正丁亥，余忝教鄱阳，公之子敏中为理官，尝属郡士杨本端如缉其次第，既已刻于家而公诸人。学之宾师景阳吴君旭、子谦吴君以牧，谓此书将归中州，则邦之人焉能一一见之，乃复加校正而寿诸梓。"署款"明年戊子夏六月"。盖诩本虽校于鄱阳，而实刻于济南。故思明复雕此本，列之鄱阳学宫以垂永久。诩跋书至正五年者，当是谋始于乙酉耳。《四库总目》即据诩本著录，乃谓至正五年刊于鄱阳，似尚未之审也。焦氏《经籍志》作杨本撰，误尤甚矣。末有钞叶十馀纸，首列伯常先生《金石八例》，次题"《文章精义》，国子助教临川李淦耆卿述"，而标题曰"别卷附录"，自是从他书写入。'"

## 七月

杨维桢汇编同题集咏之《西湖竹枝词》为《西湖竹枝集》。集有维桢自序，又有明人和维、冯梦祯所作序。《西湖竹枝集》一卷，今存天一阁钞本、明末刊本。其时与和者凡数百人，仅编入《西湖竹枝集》者，即达 120 人，一时名士，鲜有不和其作者。朱彝尊《静志居诗话》卷三"张翼"条，亦尝举其与友人共评《西湖竹枝集》之盛事。《归田诗话》卷下："《西湖竹枝词》，杨廉夫为倡，和者甚众，皆咏湖山之胜，人物之美，而寓情于中，大率一律。惟二人诗云：'春晖堂上挽郎衣，别郎问郎何日归？黄金台高倘回首，南高峰顶白云飞。''官河绕湖湖绕城，河水不如湖水清。不用千金酬一笑，郎恩才重妾身轻。'用意稍别，惜不记其人姓名。"《词品》卷二："元杨廉夫《竹枝词》，一时和者五十馀人，诗百十馀首。予独爱徐延徽一首云：'尽说卢家好莫愁，不知天上有牵牛。剩抛万斛燕脂水，写向银河一色秋。'"《西湖游览志馀》卷十一："《西湖竹枝词》，杨铁崖倡之，和之者数百家。大率咏湖山之胜，人物之美，而情寓于中，比比一律。惟李介石守道词云：'春晖堂上挽郎衣，别郎问郎何日归？黄金台高倘回首，南高峰顶白云飞。'吴复见心词云：'官河绕湖湖绕城，河水不如湖水清。不用千金酬一笑，郎恩才重妾身轻。'用意稍别。"曹学佺《题西湖竹枝词后》："右杨廉夫《竹枝词》，不在《全集》内，而此本为冯开之司成得自徐茂吴司李斋中。有天顺三年和维序，云：'铁崖晚岁寓居西湖，日与郯韶辈留连诗酒，乃舍泛语，更为清唱，首赋《西湖竹枝词》若干首，一时从而和者数百家，虽妇人女子之作，亦为收录。集成，铁崖既加评点，仍于诸家姓字之下，注其平昔去处之详。板行海内，久之湮灭'云。按今得词一百八十五首，计一百二十人。予社徐兴公又选其精者二十九首，余因附录于铁崖集之后。"（《石仓历代诗选》卷二六二）《石洲诗话》卷五："《竹枝》本近鄙俚。杜公虽无《竹枝》，而《夔州歌》之类，即开其端。然其吞吐之大，则非但语《竹枝》者所敢望也。刘梦得风力远不能跻杜、韩，而惟《竹枝》最工，可见其另属一调矣。虞伯生竟以清遒得之，杨廉夫乃以浮艳得之，非可以一概与杜论也。"又："编录《竹枝》，竟须以刘、虞、杨三家为主。"

**与杨维桢唱和者，有钱塘士女曹妙清、张妙净。**曹妙清，字比玉，号雪斋，又号春月女史。著有《弦歌集》。张妙净，字惠莲，号自然道人。《西湖游览志馀》卷十一："元时，钱唐士女曹妙清，字比玉，号雪斋。张妙净，字惠莲，号自然道人。皆工诗章。曹又善鼓琴，行草皆有法度，事母孝谨，三十不嫁，而风操可尚。张晓音律，情逸而才飘，晚居姑苏之春梦楼。皆一时之淑媛也，与杨廉夫为文字友。曹尝和其竹枝词云：'美人绝似董娇娆，家住南山第一桥。不肯随人过湖去，月明夜夜自吹箫。'张词云：'忆把明珠买妾时，妾起梳头郎画眉。郎今何处妾独在，怕见花间双蝶飞。'观此，二人之风致可想矣。廉夫又尝答妙清绝句云：'红牙管箔紫狸毫，雪水初融玉带袍。写得薛涛萱草帖，西湖纸价顿能高。'玉带袍者，曹氏名砚，其云萱草帖者，状其孝也。"《蟫精隽》卷十五："元时钱唐士女曹妙清，字比玉，号雪齐，善鼓琴，工诗章，三十不嫁，而有风操可尚。铁崖杨廉夫谓观其所赋《竹枝词》，可以识其人焉。行书草划，皆有法度，其事母尤孝谨。其《竹枝诗》云：'美人绝似董娇娆，家住南山第一桥。不肯随人过湖去，月明夜夜自吹箫。'铁崖尝有诗答之云：'红牙莞席紫狸毫，雪水初融玉带袍。写得薛涛萱草帖，西湖纸价顿能高。'玉带袍，盖其家砚名也。又张妙净，字惠莲，善诗晓音律，晚居姑苏之春梦楼，号自然道人。有《竹枝词》云：'忆把明珠买妾时，妾起梳头郎画眉。郎今何处妾独在，怕见花间双蝶飞。'以诗观之，其操守固相径庭矣。而曹终乃处子之言，公羊氏所谓犹有童心之谓也。张则拳拳旧主，执心不二，其操亦可尚焉。"

## 八月

二十六日，黄清老卒，年五十九。黄镇成有《湖广提举黄子肃挽诗》（《秋声集》卷三）。张以宁《黄子肃诗集序》："逮于我朝盛际，若樵水黄先生，噫，其志于悟之妙者乎。盖先生之于诗，天禀卓而涵之于静，师授高而益之以超，由李氏而入，变为一家，其论具《答王著作书》及哀严氏诗法，其自得之髓，则必欲蜕出垢氛，融去查滓，玲珑莹彻，缥缈飞动，如水之月、镜之花，如羚羊之挂角，不可以成象见，不可以定迹求，非是莫取也。噫！何其悟之至于是哉！"（《翠屏集》卷三）苏天爵《元故奉训大夫湖广等处儒学提举黄公墓碑铭并序》："公风度凝重，廉静缜密，一室萧然，图书自乐。居京师，不妄造谒，世以是重其学守。文字雅驯，诗飘逸有盛唐风。"《蟫精隽》卷十一："元黄清老《蒲剑》诗，极工于摹写，终于规讽。近世谢宗可工于咏物，此篇迨不多让也。"《历代诗话》卷六十六："《诗话类编》曰：黄子肃为翰林供奉，人有以'且耕亭'求诗者，黄赠诗云：'万里扶摇鹤未回，荷锄聊复此徘徊。闲云照水自舒卷，幽鸟爱山时往来。琴榻松风寒带雨，砚池花露碧生苔。且耕亭上春如锦，想见斑衣戏老莱。'盖其人有亲在堂，乃远游奔竞，旷其家园，故诗寓意云尔。吴旦生曰：子肃深于德机之学，故其含辞托旨，要有古诗之义。如《送王君冕》云：'君子希道德，永言结同心。'《呈贡侍御》云：'寄语东家儿，红妆莫轻嫁。'殷勤嘱付，河梁何让焉。《古乐府》二首，尤可爱玩。一云：'君好锦绣段，妾好明月珠。锦绣可为服，服美令人愚。不如珠夜光，可以照读书。'又云：'君好春芍药，妾好夏池莲。芍药多艳色，春风迷少年。不如莲有实，可以寿君筵。'"《石洲诗话》卷五："黄清老《送海东之》杂言古诗，竟是邪魔外道。"

二十六日，吴复卒，年不及五十。杨维桢《吴君见心墓铭》："予读书大桐山时，君长通书，愿与弟子列。及余寓居钱唐、太湖间，遂舍妻子从予游，学古文、歌诗。始，君持所作诗来，自夸秒同列诗，屏弃如弃涕唾。余览诗笑曰：'子欲辈季唐技，亦至高，欲追古，必焚灭旧语。'君变色不敢言，徐取楷笔录余《琴操》及《春侠辞》二十余首去。越一月复来，谢曰：'先生诗法得矣，吾旧诗亦焚矣。第出语犹吾前日诗也，奈何？'余曰：'姑歇汝哦事，静读古风雅骚及古乐府几耳。'又退而阅三月来，出所作曰：'余旧语忘，新语出矣。赖先生教，幸而或驯致于古。'遂编次余古诗凡十卷，加以评注，能道余所欲言。余诗有逸者，君辄能补之，观者谓可乱余真。自后下笔，必出人意表。尝雪夜与余游东西洞庭，徒步登七十二弁之峰，其语益崖拔，皆奇气所钟，世人莫之识也。去年，约余游庐山观瀑布，驯至岳阳访铁笛亭，未行而以病告，病三月而逝矣。临终，告其友陈伦曰：'天乎死我矣，使加我数年，吾诗不后二李，吾文不逊吾师。'"（《东维子集》卷二十五）吴复，字见心，著有《云槎集》十卷，张雨为之序。杨维桢作《吴复诗录序》（《东维子集》卷七），其称其诗。

## 十一月

方国珍举兵起事，聚众于海上。见《元史》卷四十一《顺帝本纪》、《元史类编》卷十三。方国珍（1319—1374），一名谷珍，台州黄岩人。生平见宋濂《故资善大夫广西等处行中书省左丞方公神道碑铭》（《宋文宪公全集》卷十九）。《草木子》卷三上：

**375**

以乐府四言诗为一卷，五七言古诗为一卷，五言律诗为一卷，七言律诗为一卷，绝句为一卷，杂文为一卷。卷首别有逸文目四篇，曰《南村草堂记》，曰《郭翼迁善斋记》，曰《姚文焕书声斋集记》，曰《孝善坊记》，皆有录无书，盖传写复佚，今亦阙之。元诗绮靡者多，孝光独风骨遒上，力欲排突古人。乐府古体皆刻意奋厉，不作庸音。近体五言疏秀有唐调，七言颇出入江西派中，而俊伟之气自不可遏。中间如《赠潘九霞》绝句所云：'道士自称潘九霞，身骑黄鹤大如车。借我北窗眠一夜，酒醒共吃白丹砂。'失之粗犷者亦间有之，然不害其风格也。杂文凡二十首，皆矫矫无凡语。杨维桢作陈樵集序，举元代作者四人，以孝光与姚燧、吴澄、虞集并称，亦不虚矣。末附《题朱泽民画》一首，盖古乐府之末章，误编于文集，今仍移附乐府末云。"

**李德富卒**。民国《连城县志》卷二十一："字润元。生而颖异，强记洽闻，工词曲。……乡试获售，争缉艺文。或觇之方静，阅大小戴记，点注周官。谓曰：'子不欲售耶？'曰：'乃所以售也。'会试果成进士，授馆职，除集贤学士，拜翰林学士承旨，掌国史局。与权贵不合，告致归。元统元年复召，辞不赴。至正八年秋仲，夜将半，见天柱自天而下，惊曰：'运其终乎！'未几遂卒。（《采访册》）"（转引自赵景深、张增元编《方志著录元明清曲家传略》）

**刘琏生**。刘琏（1348—1379），刘基长子，字孟藻，青田人。著有《自怡集》一卷。生平附见《明史》卷一二八《刘基传》。

# 公元1349年 （顺帝至正九年 己丑）

## 春

**袁凯与杨维桢遇于华亭，杨维桢为作《改过斋记》**。其文云："至正九年春，予游淞之明日，邢台张叔温携数客来见，中一人昂然长癯，然清言议，风发可畏，问为谁，则曰袁景文氏也。明日，景文来请曰：'凯先世由锦城桥兹之先子可潜翁，以诗鸣淞中。先子早世而凯尚幼，力自树立，颇知读书属文。既长，益有志于学。然偏质刚愎，不能龊龊与里间浮沉，且又不能隐人善恶，时时立物论，为臧否，于是与俗寡谐，人亦以此相诋，若有所不容者。今年岁已强矣，欲改是过，故自颜其燕居之所曰改过，而日自省焉。敢求先生一言以戒吾过，引吾不及以底于圣人之道。'"（《东维子集》卷十九）袁凯，字景文，号海叟，松江府华亭人。元末为府吏，博学有才辨，议论飙发，往往屈坐人。洪武三年，荐授御史。惧罪佯狂，免告归，久之以寿终。以《白燕》诗知名于时，人遂以袁白燕称之。卒葬华亭县东门外贤游泾上。著有《海叟集》四卷。生平据《明史》卷二八五《文苑传》。

## 四月

**唐元卒，年八十一**。杜本《徽州路儒学教授唐公墓志铭》："龙集丁卯，予游吴庠，识唐长孺。时长孺司纠录，英誉籍甚，恨未知其细。后十有七年乙酉，辞召江浙，归武夷山中。长孺子仲设教崇安，不特识其父，抑知其子之贤远于人。噫，单居块处，悠悠尔思，安得与而父子接哉？仲寅书币偕善状一通而告曰：先君不幸于己丑夏四月卒于正寝。临永诀，把笔作淡墨字命孤不肖，葬而不得杜先生铭，如不葬也。……其死也，中书参议乌古孙公良贞、礼部尚书汪公泽民、监察御史张公止、秘书监丞彭公炳，赗赠千里以致其哀，春秋八十有一。"(《新安文献志》卷九十五下)。然唐桂芳作《题先人序李氏族谱后》，记其父卒于本年六月。文云："岁在壬寅月食之黎明，有客颧高而须黑，手持族谱一编曰：'宗义于仲父忝骨肉亲，离乱之馀，跋涉道路，得载拜于庭下，宗义之愿也。'桂芳曰：'汝祖深谷先生与先人兄弟行，桂芳与汝父焕章又为兄弟焉。汝祖父尚无恙否?'宗义曰：'己丑之岁，不幸先祖、先父相继长往。'桂芳详其故，自叹曰：'生而庆不讲，死而吊不知。我先君薨于己丑六月十有三日，汝祖仅相望畴昔尔。神灵感召，若相追逐，得非亲于骨肉而有是耶?'……桂芳今年五十有五，宗义四十有六，未有子。桂芳有子四人，曰文虎，文凤，颇力学，工于诗。或者许绍祖宗之传，未可知也。先人弃诸孤十有四霜，敬睹遗文，如获拱璧，故书其概以归宗义云。"(《白云集》卷七)姑两存之，俟考。四库提要卷一六七："《筠轩集》十三卷，元唐元撰。……始终皆当元盛时，故所作多和平温厚之音。"

## 五月

**十二日，杨维桢序顾瑛所编《草堂雅集》。**序见《东维子集》卷七，又见本集卷首。《草堂雅集》十三卷，今存《四库全书》等本。《四库全书总目提要补正》卷五十七："《草堂雅集》十三卷。陆氏《藏书志》有宋宾王手钞本十六卷，并载至正九年杨维桢序云：'集自予而次凡七十馀家，诗凡二千馀首。'又载宾王手跋云：'向晤莲泾王先生云：此集首柯敬仲九思，余得石门钞本首陈基者，共一十三卷，中阙三、六、九等卷。今春，桐乡金元功得洞庭翁氏本，亦首陈基者，借之较对，以补石门之阙，暇则并钞之。夏，谒王莲泾，求假其所藏本观之，凡一十六卷，其第一有前后卷，实一十七卷，七十九人，诗篇二千四百一十七。较初补，脱柯九思、陈旅、李孝先、束氏昆季、徐达左、缪嵩、汤成、僧自恢九人。时寓桃花坞，校梅宛陵、胡仲子诸集，弗暇，因检九人诗寄归补阙，谓得其全。及归，翻阅王藏，与翁本乃人同诗异，再阅铁崖先生所为序云："兹集自予而次凡五十馀家，诗凡七百馀首。"于人、诗不符外，又疑铁崖诗冠首，岂只作序耶? 遂目录而两存之，俟真本定焉。'……张氏《藏书志》有元刊本十三卷，云：'始柯九思，终释自恢，凡七十四人。'瞿氏《目录》有影钞元本十三卷，云：'无序跋，始柯九思，终释自恢，凡七十六人。'其书与阁钞本始陈基终自恢者编次具异。又有钞本十三卷，云：'是本与元刊本卷数同，而编次略异。元本始柯九思，此本则始陈基，终释自恢，凡七十五人，较元本仅少束宗庚一人。'盖皆非《提要》所据本。又此书尚有遗漏，详《玉山璞稿》下。陆氏《仪顾堂集·足本草堂雅集书后》云：'右影元钞《草堂雅集》十三卷，玉山顾瑛类编，每叶二十四行，行二十二字。凡柯九思、陈旅、李孝先、张翥、杨维桢、黄溍、张天英、郑元祐、吴克恭、陈方、张雨、陆德源、张舜咨、熊祥、赵奕、倪瓒、潘纯、郑东、李元珪、张渥、李瓒、唐棣、丁复、项炯、高明、赵涣、宋汭、郭翼、吕诚、姚文奂、郯韶、陆友、王蒙、昂吉、王祎（禕）、郑守仁、卫仁近、于立、陈基、胡助、卞思义、屠性、陈秀民、王鉴、王冕、余曰强、李廷臣、宗本先、陆仁、袁华、秦约、彭宋、徐颖、马麐、卢照、翟荣智、张逊、李简、袁泰、唐元、文质、张简、顾盟、黄文德、周砥、束宗廉、释徐泽、那希颜、宝月、祖柏、良琦、文信、子贤、来复、自恢，计七十五家。较浙抚采进本，多柯九思、陈旅、李孝先、张翥各家，陈基列卷十一而非卷一，彭宋以下十五家，列卷十二而非卷十一，其他多所异同。考顾嗣立《元诗选》小传有云："向来藏书家，奉《草堂雅集》为秘宝，兵燹之馀，独缺首卷，近者朱竹垞太史从琴川毛氏得《草堂雅集》钞本一册，阅之，乃首卷敬仲诗也。"由是言之，则《雅集》首卷，国初已不可见，作伪者既以卷十一之陈基诗为首卷，又割卷十二之彭宋以下为十一卷以充完本，当时亦莫辨其伪也。此本首尾完具，不但远胜浙本，以视顾氏所见首卷仅有敬仲诗者，亦迥不侔矣。'"

## 闰七月

**十五日，黄溍序朱德润所撰《存复斋集》。** 序见《存复斋文集》附录。卷首又有至正九年合沙俞焯序。《存复斋文集》十卷，今存明成化十一年项璁刻本、《涵芬楼秘笈》本、《四部丛刊续编》本。《四库全书总目提要补正》卷五十五："《存复斋集》十卷。姚元之《竹叶亭杂记》四云：'德润移疾归，至正十二年，起为江浙行中书省照磨官参军事，摄守长兴。集题征东儒学提举。案集中文止于至正十一年，是集盖成于未起官以前也。'"

## 八月

**干文传序萨都剌所撰《雁门集》。** 序见本集卷首，末署"至正丁丑秋八月望，嘉议大夫、礼部尚书兼集贤待制、史局总裁官吴郡干文传书"。至正间无以"丁丑"纪年者，据清人萨龙光考证，"丁丑"当是"己丑"之误。亦有以为其序作于后至元丁丑（1337）、至正丁亥（1347）及至正丁酉（1357）者。至正丁酉之误，近人陈垣《萨都剌的疑年》已辨其误。今姑据萨氏所考，系于本年。萨都剌之卒年，或以为在至正十三年（1353）后，然均无确证。《诗薮》外编卷六："萨天锡俊逸清新，歌行近体，时有佳处，而才力浅绵，格调卑杂。如'山村猿索饭，竹坞鹤听棋'，晚唐语也；'浙江潮似雪，闽上腊如春'，晚宋语也。"《诗源辩体》后集纂要卷一："萨天锡五七言古正体虽多，才力断不及裕之。五七言律亦无僻调。"《石洲诗话》卷五："萨天锡《白翎雀》一首，学虞伯生作，可谓点金成铁。"又："萨雁门《京城春暮》七律，太像小杜，雁门诗多如此者。然似此转非善学小杜，不过大致似之耳。"又："天锡《雀镇阻风》云：'南人北人俱上冢，桃花杏花开满城。'此是自然风致。"又："天锡七律，故不深入，然其才情有馀，则亦有词到而气格俱到者矣。"又："雁门自有才情，然句法有太似前人者，则以其中未尝深入故耳。"又："雁门风流跌宕，可谓才人之笔。使其生许浑、赵嘏间，与之联镳并驰，有过之无不及也。"又："萨天锡诗，宫词、绝句第一，五律次之，七古、七律又次之，五古又次之。再加含蓄深厚，杜牧之不是过也。"四库提要卷一六七："《雁门集》三卷、集外诗一卷，元萨都拉撰。……虞集作傅若金诗序，称进士萨天锡最长于情，流丽清婉。今读其集，信然。杨瑀《山居新语》尝辨其《宫词》中'紫衣小队'诸语及《京城春日》诗中'饮马御沟'之语为不谙国制，其说良是。然《骊山》诗内误用荔枝，亦何伤杜牧之诗格乎！集本八卷，世罕流传。毛晋得别本刊之，并为三卷，后得荻匾王氏旧本，乃以此本未载者别为集外诗一卷，而其集复完。其中《城东观杏花》一诗，今载《道园学古录》中，显为误入，则编类亦未甚确。然八卷之本，今不可得，故姑仍以此本著录。晋跋又称尚有巧题七言八句百首，别为一集，惜其未见。今距晋又百馀载，其存佚益不可知矣。"

## 十月

**苏天爵由江浙行省参知政事转为大都路总管。**高明有《送苏伯修参政之京兆尹任》诗三首（《元诗选三集》）。赵汸《送江浙参政苏公赴大都路总管序》："至正九年冬十月，江浙行中书省参知政事赵郡苏公，除大都路总管。"（《东山存稿》卷二）

**苏天爵任职期间，沙可学、高明、葛元哲辟为江浙行省掾。**杨维桢《送沙可学序》："我国家混一天下，地大民众，既内立中书以总其纲，外复设行省十以分其治，而方面之重，土贡之多，江浙实居最省。故厘其地者，其人为难耳。某年，某官来总行省事，求从事掾之贤能者，首得一人焉，曰沙可学氏；又得一人焉，曰高则诚氏；又得一人焉，曰葛元哲氏。三人者用而浙称治。盖三人者，天府登其乡书，大廷崇其高等，而拜进士出身，赐任州理佐理之职者也。……今某官之求贤能掾于三人者，始能罗而致之以礼，三人者又能终不负其所求，而相与以有成也。则三人者，岂果利于年劳而私便其身图者耶？"（《东维子集》卷五）赵汸《送高则诚归永嘉序》："高君则诚，学博而深，文高而赡，自为举子，已为学者所归，及登进士第，调官括苍郡录事。学道爱人，治教具修，郡守前宪副徐公深敬异之。比满，不忍听其去，即学宫设绛帐，身率子弟迎君而请业焉。行中书闻其名，辟丞相掾。儒生称其才华，法吏推其练达，而君亦雅以名节自励，公卿大夫咸器君行能。每他掾有故，辄以兼其事。君稽典册，定是非，酬应如流，意所不可，辄上政事堂，慷慨求去。时东南乂安，藩府无事，参政赵郡苏公方以文治作兴其人，君与临川葛元哲俱见称誉，日承言议，声闻益隆矣。"（《东山存稿》卷二）

## 本年

**陆行直跋汉钟繇《荐季直表》，时年七十五，后此行迹不甚可考。**跋云："右汉钟繇《荐季直表》真迹，高古纯朴，超妙入神，无晋唐插花美女之态。上有河东薛绍彭印章，真无上太古法书，为天下第一。予于至元甲午以厚资购得于方外友存此山，后因飘泊散失，经廿六年，不知所存，忽于至正九年六月一日复得之。恍然如隔世事，以得失岁月考之，历五十六载。嗟，人生之几何，遇合有如此者。后之子孙，宜宝藏之。吴郡陆行直题于壶中，时年七十有五。（《赵氏铁网珊瑚》卷一）陆行直（1275—1349后），字辅之，又字季道，号壶天、壶中天。大德中，授翰林典籍，皇庆间致仕归，年方四十。所撰《词旨》一卷，有《说郛》本、《学海类编》本、《宛委别藏》

本、《词话丛编》本。清光绪间，胡元仪作为《词旨畅》二卷，发其旨意。陆辅之《词旨自序》："夫词亦难言矣，正取近雅，而又不远俗。予从乐笑翁游，深达奥旨，制度所法，因从其言，命韶暂作《词旨》。语近而明，法简而要，俾初学易于入室云。陆辅之识。"（《说郛》卷八十四下）四库提要卷二〇〇："《词旨》一卷，元陆辅之撰。……是编陈继儒《续秘笈》中以为《乐府指迷》之下卷，此本载曹溶《学海类编》中，则题曰《词旨》，莫详孰为本名，孰为改名。明自万历以后，诈伪繁兴，所纂丛书，往往改头换面，不可究诘。曹溶生于明末，故尚沿积习，以侈储藏之富也。其目一曰词说，二曰属对，三曰乐笑翁奇对，四曰警句，五曰乐笑翁警句，六曰词眼，七曰单字集虚，词不可解，似有残缺，八曰两字，则有录无书矣。其言皆无甚高论，佚不足惜。"《蕙风词话》卷二："词衰于元，当时名人词论，即亦未臻上乘。如陆辅之《词旨》所谓警句，往往抉择不精，适足启晚近纤妍之习。宋宗室名汝茪者，词笔清丽，格调本不甚高。《词旨》取其《恋绣衾》句：'怪别来、胭脂慵傅，被东风、偷在杏梢。'此等句不过新巧而已。余喜其《汉宫春》云：'故人老大，好襟怀消减全无。漫赢得、秋声两耳，冷泉亭下骑驴。'以清丽之笔作淡语，便似冰壶濯魄，玉骨横秋，绮纨粉黛，回眸无色。但此等佳处，犹为自词中出者，未为其至。如欲超轶王（碧山）、周（草窗），伯仲姜（白石）、吴（梦窗），而上企苏、辛，其必由性情学问中出乎。"

**王守诚卒**。王守诚（1296—1349），字君实，太原阳曲人。泰定元年，登进士第，授秘书郎，转太常博士、艺林库使，与修《经世大典》。出为西御史台御史。迁奎章阁鉴书博士，历官监察御史、山东金宪、礼部尚书。至正三年，与修三史，擢中书参议，出为燕南廉访使。至正五年，除河南参政，奉诏宣抚四川，擢拜河南行省左丞，未上，丁忧归。至正九年卒，年五十四。谥文昭。生平见《元史》卷一八三字术鲁翀传。

**宋濂入仙华山为道士**。本年，危素等以国史院编修官荐宋濂，濂固辞不就，遂入仙华山。戴良有《送宋景濂入仙华山为道士序》（《九灵山房集》卷六），刘基亦有《送龙门子入仙华山序》（《潜溪录》卷五）。

**王汝玉生**。王汝玉（1349—1415），本名璲，以字行，号青城山人，长洲人。著有《青城山人集》。生平见王璲所撰墓表。

## 公元1350年 （顺帝至正十年　庚寅）

### 三月

**初一，郑玉自序所撰《馀力稿》**。序见《师山集》卷首。郑玉所撰，有《师山文集》十一卷，有元至正刻明修本，藏北京图书馆，存九卷：一至四、六至七、九至十一。又有《师山文集》八卷、《遗文》五卷，今存明嘉靖十四年郑氏家塾刊本、《四库全书》本。程文《师山先生文集序》："郑君子美初至京师，或传其文数篇于奎章阁下。授经郎揭公读之，惊曰：'是盖工于古文者，严而有法。'侍书学士虞公扬于坐曰：'郑子之文，异日必负大名于天下。'艺文少监欧阳公曰：'使少加丰润，足追古作者。'宋状元、陈助教皆称其能，且奇其人。将谋荐之，郑君竟奉亲南，不屑留矣。余时以笔札事诸公，亲闻其言，欲一读其文以自快而未之暇。归江南数年，与郑君益相亲，始得博观其前后之文累百馀篇。盖其制行之高，见道之明，故卓然能自为一家之言如此。"四库提要卷一六八："《师山文集》八卷、《遗文》五卷、附录一卷，元郑玉撰。……是编《文集》八卷，前有至正丁亥程文序，又有至正庚寅玉自序，盖即玉所自编。惟序称：'名曰《馀力稿》，以见吾学之不专于文词。'则集名似后人追改。然王祎（祎）序及杨士奇跋，已皆称《师山集》，则初刻时已改名矣。《遗文》五卷，不知何人所编。程敏政跋玉《钓台诗卷》，称其裔孙虬装潢成册，张骏和敏政诗跋，亦称玉裔孙鲸、虬皆能诗，其或出虬等之手欤？附录一卷，则当时酬赠诗文及后人题咏也。"

初三，韩奕有吴兴之游，杨维桢作序送之。序见《东维子集》卷八。韩奕（？—1406），字公望（一作公达），平江人。从学于杨维桢。明初，与长洲王宾、昆山王履称吴中三高士。永乐四年卒，年七十馀。著有《易牙遗意》二卷、《韩山人集》九卷、续集八卷。〔按，据胡翰所撰《韩复阳墓碣》（《胡仲子集》卷九），其父生于延祐五年（1318），卒于洪武四年（1371），寿年五十四。其卒年，据姚广孝《韩山人诗集序》。〕四库提要卷一七四："《韩山人集》无卷数，元韩奕撰。……其诗古体伤于浅率。近体如《新秋次韵》云：'丰年稻熟村如画，南国莼生水亦香。'《送县学教谕》云：'官清便似居高品，任久长如在故乡。'《东湖放舟》云：'树影不随流水去，荷香常带远风来。'《晚晴》云：'西风飒飒林间叶，乍听犹疑是雨声。'一知半解，尚稍得宋人格律，其瓣香当在剑南。然如《桃源小隐》云：'山回水转疑无路，树密花深别有香。'则全袭陆游旧句，不免生吞活剥矣。"

## 春

余阙以浙东廉访使按部浦江，戴良以赵谦斋荐，见知于阙。戴良《书天机流动轩卷后》（见天顺间家乘）："良盛年时，识豳国余忠宣公于浦江官舍。公方持使者节行县，欲执弟子礼，莫可也。后游郡城，遂因论诗，获质所疑于公，公为书此四篆以遗，盖良所居轩匾也。携归山中，乡友宋君景濂首为赞一通，且贻书东阳陈君君采记之，而金华胡君仲伸、乌伤王君子充、麟溪郑君仲舒，皆先后为文以寄，即尝命工刻置轩壁矣。亡何，天下大乱，在在兵起，乃一切委弃，避地海隅。及以垂暮之年，归视故居，轩虽苟完，而壁间旧刻无复存者，急探行囊，仅得公所书亲迹及四君记文搨本而已。景濂之赞，亦竟不可追踪。卷中跋语，则后所追为者也。"（《九灵山房集》补编下）胡翰《天机流动轩记》："至正十年春，武威余公廷心持宪节按部至浦江，问邑之士于谦斋赵侯，侯以戴叔能进，公嘉奖之，隶书署其轩曰天机流动。"（《胡仲子集》卷六）陈樵、王祎亦尝为之作记。

## 五月

十一日，黄公望跋曹知白所绘《群峰雪霁图》，图为阿里西瑛作。《石渠宝笈》卷十七："元曹知白《群峰雪霁图》一轴（上等署一），宋笺本墨画。右方上署'群峰雪霁'四字，下有素轩一印，右方下自识云：'洼盈轩为懒云窝作。'下有云西、玩世之馀二印。左方上黄公望跋云：'云翁为西瑛作此，时年七十有九，而目力瞭然，笔意古淡，有摩诘之遗韵，仆之点染，不敢企也。至正庚寅五月十一日，大痴学人识。'"阿里西瑛，学士阿里耀卿子。所居曰懒云窝，尝自为《殿前欢》曲咏之，一时名士如贯云石、乔吉、卫立中、吴西逸皆有和曲。善吹筚篥，贯云石尝为作《筚篥乐为西瑛公子》诗，释惟则为作《筚篥引》诗。《全元散曲》录其小令 4 首。孙楷第《元曲家考略》以为《南村辍耕录》卷十一"金锭刺肉"条之木八剌字西瑛者，与曲家阿里西瑛为同一人。

## 夏

曹文晦作《新山别馆十景》诗十首。诗见《元诗选》二集庚集。曹文晦，字辉伯，天台人。从兄曹文炳学。与刘基等以诗往还唱和。著有《新山稿》。《元诗选》二集庚集选其诗 100 首。《元诗选》二集庚集："颖悟多识，而雅尚萧散。好吟咏，大有情致。鄞邑令许广大聘为儒学教谕，辞不赴。筑室读书，自号新山道人。元季台人能诗者，以辉伯为首称云。"《元诗选》二集庚集《咏十器》诗后按语："辉伯《咏十器》诗，如《龟壳冠》云：'刳肠难脱豫且网，留骨堪为子夏冠。'《猪豪笔》云：'鼠须过晋今无用，兔颖封秦亦不如。'《雉尾帚》云：'当时照眩水中影，今日扫空堂上尘。'《鹳子杯》云：'小槽酒滴清光透，老瓦盆空饮兴多。'《虎头枕》云：'顾家曾识将军号，华岳堪供处士眠。'句亦刻画肖题，而全首殊欠雅驯，故集中仅录其半焉。"

## 七月

十六日，周伯琦序许有壬等所作《圭塘欸乃集》。序见本集卷首。《圭塘欸乃集》二卷，今存《四库全书》本、《丛书集成初编》本。马熙《圭塘补和序》："《欸乃》既歌之明年，熙如京师，可行泊桢日侍安阳公，觞咏圭塘，更唱迭和，诗辞凡二百四十有九。又明年，桢来京师，熙始得伏读全集。大篇云行，短章泉流，无非乐日用之常，而忧国忧民之实，亦未尝不默寓其间也。桢闻诗趋庭，日有新益，而熙乃以抗尘走俗，不得与于斯文，愧可胜言耶。然可行序引，有张本同声之说，固欲援之人社。今虽末至，未必峻拒之也。于是忘其芜陋，勉强补和，得诗七十八、词八，录次左方，惟二先生进而教之。"（《圭塘欸乃集》卷下）段天祐《圭塘欸乃集跋》："御史中丞安阳许公，以经术起身，致位尊显，卓为一代名臣。晚归相城，视听不衰，辟园作室，引流种树，日置酒赋诗为娱乐，清风雅致，照映后先。……若夫公制作之妙，天下人人知所矜式，旧矣。是集又若老将用兵，百战百胜，而从横变合，无不如意，顾区区者何足以窥其营垒也哉。"王翰《圭塘欸乃集跋》："右中执法安阳许公《欸乃集》一帙。观其所载园池之胜，游赏之乐，无非所以形容太平之风致。至于更唱迭和，金石相奏而律吕相宣，乃与其弟太常君泊子桢供奉，出于一门昆季之贤，并群从之才俊，有非他人之所与。明时国家人才之众多，教化之隆洽，因是而可以概观焉。"四库提要卷一八八："《圭塘欸乃集》二卷，元许有壬及其弟有孚、子桢倡和之诗也。……是集乃至正八年有壬既致仕归，乃以赐金得康氏废园于相城之西。凿池其中，形如桓圭，因以圭塘为名。日携宾客子弟，觞咏其间，积成巨帙，共诗二百一十九首，乐府六十六首，中惟《乐府十解》为其客马熙所作，馀皆有壬、有孚及桢之作。既而桢如京师，以其本示马熙，熙复取而尽和之，凡诗七十八首、词八首，别题曰《圭塘补和》，附之于后。其诗虽多一时适兴之什，不必尽刻意求工，而一门之中，父子兄弟，自相师友，其风流文雅之盛，犹有可以想见者焉。"

**张雨卒，年六十八。**张翥有《挽张伯雨宗契》（《蜕庵集》卷三）诗。黄溍《师友集序》："伯雨负其超迈卓绝之材，不徒有闻于家庭，而脱落绮纨之习，遂能遗世独立，周览六合，必欲尽大观而无憾。其高风雅志，固可概见也。"（《文献集》卷六）《草堂雅集》卷五："张雨，字伯雨，钱塘人。博览群书，故其诗清旷俊逸，时辈不能及。"《书史会要》卷七："博闻多识，善谈名理，作诗自成一家，字画亦清逸。"王达《听雨楼诸贤记》："先生诗法黄太史，清新高迈，不流于众。虽元氏翰林诸公，亦自以为不逮也。"徐达左《句曲外史集序》："后七百馀年，当元盛时，贞居以儒者抽簪入道，自钱塘来句曲。负逸才英气，以诗著名，格调清丽，句语新奇，可谓诗家之杰出者。当是时，以诗文鸣世者，若赵松雪、虞道园、范德机、杨仲弘诸君子，以英伟之才，凌跨一代，谐鸣于馆阁之上，而流风馀韵，播诸丘壑之间。贞居以豪迈之气，超然自得，独鸣于丘壑之间，而清声雅调，闻诸馆阁之上，诸君子亦尝与其唱酬往还。虽出处不同，而同为词章之宗匠，辟如轩轾，讵知其孰先而孰后耶？"《四友斋丛说》卷二十五："余于元人中，独取张外史、倪云林二人之诗。外史寓迹于黄冠，住杭州开元宫登善院，又往来华阳洞曲林馆中，盖葛稚川、陶贞白之流也。昔人谓其善谈名理。尝见其古诗数首，大率似阮嗣宗《咏怀》，其趣溢出于言句之外，其即所谓名理者耶？"又："张贞居《独酌》一首，乃陈谷阳手书者。诗曰：'静极忽不惬，掩书曝前轩。荣木樊四维，时禽托孤园。群物方趋功，吾衰恒晏然。本乏超世才，偶脱区中缘。妙理寄浊醪，嘉名爱灵仙。从吾所好耳，富贵须何年。'此诗若置之陶、韦集中，当无愧色。"《诗薮》外编卷六："元方外鲜能诗者，道则句曲张雨，释则来复见心。张以雅游，故声称藉藉，其诗实不如复，然复入本朝矣。"厉鹗《贞居词跋》："外史词翰高绝，即作乐章，气韵亦自不凡。"四库提要卷一六八："《句曲外史集》三卷、补遗三卷、集外诗一卷，元张雨撰。……雨诗文豪迈洒落，体格遒上。早年及识赵孟𫖯，晚年犹及见倪瓒、顾阿瑛、杨维桢，中间如虞集、范梈、袁桷、黄溍诸人，皆以方外之交，深相投契。故耳擩目染，具有典型。虽托迹黄冠，而谈艺之家位置于文士之列，不复以异教视之，厥有由矣。"

## 八月

**宋禧中乡贡进士。**宋禧，初名玄禧，字无逸，号庸庵，馀姚人。至正十年，举乡荐，补繁昌教谕，寻弃归。明初，召修《元史》。书成，不受职而归。著有《庸庵集》十四卷。生平见《明史》卷二八五《文苑传》。

**十六日，杜本卒，年七十五。**危素《元故征君杜公伯原父墓碑》："至正十年八月丙戌，征君杜公伯原父卒于武夷山中，十月乙酉，葬诸崇安县南郭。后一纪，广信舒彬浮海抵京师，门人建安蓝智等以其同郡易状来请书墓上之碑。……公生至元十三年十二月，卒时年七十有五。"（《清江碧嶂集》卷首）《遂昌杂录》："江右杜君讳本，字原父，号清碧先生。苦志于学，经史多手写成集，沉默寡言笑。尝一再游京师，王公贵人多乐与之交。已得武夷詹君景仁由三公掾授浙东宪府照磨，延先生南入武夷，且买房置田为久远计。已而朝廷修三史，蒙古、色目、汉人、南人各举一处士，君以南人处士征，授翰林待制、奉训大夫，出至钱塘，以病归。其殁于至正十年秋八月，道远不能吊，令人感念云。"胡俨《思绍堂诗序》："余尝闻诸乡先生言，有元临江杜清碧先生，博学多闻，深探皇极经世之旨。然余生后，不及见先生，莫知其底里。及得其《怀友轩》文读之，信乎博洽之君子也。后又得其与乡先生讲论，有曰：以万事合为一理，以千载合为一日，以天下合为一心，以四海合为一家，则可制礼作乐，而跻三五之盛。信乎有得于皇极经世者矣。"（《颐庵文选》卷上）毛晋《清江碧嶂集跋》："余喜《谷音集》深得楚骚遗意，辄慨想伯原之为人，堪与画兰不画地郑思肖并称。"《元诗选》初集已集："伯原为人湛静，无疾言遽色，笃于行义。……今集中所载，应酬俚率，殊不称其名。又安知伯原之不欲存稿者，非自为藏拙地耶？"

**十九日，张翥代祀海上还归姑苏，与郑元祐、于立、郯韶等会于玉山草堂。**张翥《玉山佳处分韵小引》："至正十年苍龙庚寅之岁，秋仲十九日，予以代祀归至姑苏，顾君仲瑛延于玉山。时郑君明德、李君廷璧、于君彦成、郯君九成、华君伯翔、草堂主人、方外友本元、元璞二公，酒半欢甚，即席以玉山亭馆分题者九人，予以过宾属为小引，未知昔贤梓泽、兰亭如今之会也耶。"（《玉山名胜集》卷二）又有《钓月轩诗》（《玉山名胜集》卷八）。

**二十日，徐显自序所撰《稗史集传》。**序见本集卷首。《稗史集传》一卷，今存明刻本、《丛书集成初编》本。四库提要卷六十一："《稗传》一卷，元徐显撰。显，仕履无可考。观其称王艮为乡里，又称居平江东城，则当为绍兴人，而寓于姑苏者也。是编纪元末王艮、柯九思、陈谦、葛乾孙、潘纯、陆友、王冕、王渐、杨椿、王德元、徐文中事，后载沈烈妇等十三人，叙述颇为详备。中多及丙申二月平江城陷事，指张士诚军为外兵，而载己亥绍兴被兵事，于明人则直斥为寇。疑作此书时，张氏尚存，故其词如此。其叙柯九思之卒在至正癸亥。案：至正纪年无癸亥，而九思之卒实在乙巳，盖此书传写误也。"

**宋濂撰《浦阳人物记》成。**其时濂以本年三月迁居浦江感德乡之青萝山。是集所作，乃以监县廉阿年八哈所请。书有至正十年欧阳玄、郑涛、戴良等人序。《浦阳人物记》二卷，分为忠义、孝友、政事、文学、贞节等五类，所记共二十九人，今存《知不足斋丛书》本、《四库全书》本、《金华丛书》本。四库提要卷五十八："《浦阳人物记》二卷，明宋濂撰。……是书凡五目：曰忠义、曰孝友、曰政事、曰文学、曰贞节，所纪共二十有九人，而以《进士题名》一篇附于后。欧阳玄序称其至公甚当，不以私意为予夺。盖濂本以文章名世，故所作皆具有史法。其书本成于元时，后人编辑濂集者，止采录其论赞，而全书则仍别行。此本为明弘治中历阳王珍所重刻。卷末有濂自跋，称：'始立稿，而廉侯景渊遽取刊布，抵牾者多。今补定五十馀处，视旧行为小胜。'末题至正十三年。此跋濂集亦未收，盖濂元时所作，集多失载。今所传未刻稿皆至正时之遗文，可以互证也。"

## 九月

**十三日，刘诜卒，年八十三。**欧阳玄《元故隐士庐陵刘桂隐先生墓碑铭》："先生生以宋咸淳戊辰八月二十六日，卒以大元至正十年九月十三日，年八十又三，葬以是年十二月二十五日，墓在州之仁寿乡东槎滩。"（《圭斋文集》卷十）欧阳玄《元故隐士庐陵刘桂隐先生墓碑铭》："至其为文，根柢六经，属餍子史，蹴辚百家，淳滀演迤，资深取宏，矩矱哲匠，达于宗工，液古融今，自执其辅，应虑不获，靡施弗宜。虽未尝露其俊杰廉悍、踔厉风发之状，韫玉在椟，气如白虹，不可掩抑。四方求文，裼属于门，有古文若干卷，诸体诗若干卷，骈俪书劄若干卷，总题曰《桂隐集》。蜀郡虞先生、豫章揭先生及玄皆尝叙之，各以所见，极其形容咏叹之盛。然以先生之文，微吾三人言，有不行世者乎？"（《圭斋文集》卷十）《元诗选》二集己集："桂隐律诗多佳句，五言如'山作登楼色，天留隔巷口（思）'，'云分潭际树，帆上驿边洲'，'落日湖阴笛，凉风水郭秋'，'一灯遗老鬓，四海后元春'，'树悬山雨白，门掩佛灯红'，'村烟茅屋午，篱蜨棘花晴'；七言如'燕子楼台人影瘦，海棠池馆月痕孤'，'桃花浪起春风阔，燕子寒生社雨多'，'鸟断空山孤树悄，马嘶小驿一灯昏'，'江湖宦客孤舟夜，城郭诗翁白发春'，'燕子池塘诗句好，蒲花帘幕酒杯深'，'君如硎刃千牛解，我似车轮四角方'，'刺绣帘栊莺语倦，读书院落絮飞忙'，'草意欲供新得句，桃花犹记旧来人'。当时诸老宿评其诗，以为高逼古人云。"《元诗选》二集己集《挽文文溪宣慰》诗后按语："桂隐五言近体，多哀挽之作，于宋之遗老，尤三致意焉。如《挽杨节父》云：'关西犹有族，江右欲无人。'《挽萧吉甫》云：'宾客清时酒，台池故相园。'《挽高志翔》云：'生无百年半，天忌一官多。'《挽罗见大》云：'柳家从有子，王令竟无年。'皆警句也。"《石洲诗话》卷五："刘诜《桂隐集》，用韵亦多随手牵就，盖元人不甚精研韵学也。"四库提要卷一六六："《桂隐文集》四卷、《诗集》四卷，元刘诜撰。……本传称其文根柢六经，蹴踩诸子百家，融液今古，而不露其踔厉风发之状。考集中有《与揭曼硕书》，称文章期于古而不期于袭，期于善而不期于同，期于理之达，神之超，变化起伏之妙，而不尽期于为收敛平缓之势。若以委怯为和平，迂挠为春容，如学西施者仅得其矉，学孙叔敖者仅得其衣冠谈笑，非善学者也。盖其文章宗旨，主于自出机轴，而不以摹拟字句为古。欧阳玄序亦称其文温柔敦厚似欧，明辨雄隽似苏。至论其妙，非相师，非不相师。盖深得诜之用意。玄又称其尤长于诗，诗又长于五言古体短篇。所论亦允。顾嗣立《元诗选》则称其律诗多佳句。案集中近体，格力颇遒，实不仅以佳句见。且嗣立所摘诸联，如'燕子楼台人影瘦，海棠池馆月痕孤'，乃近小词，'君如硎刃千牛解，我似车轮四角方'，亦江湖习调，殊不足尽诜所长也。"

## 本年

**薛超吾本年在衢州路总管任上。**危素作《望番禺赋》，言"得今衢州路总管薛超吾为江西行中书省令史时所赋诗"(《说学斋集》卷一)。赋作于至正庚寅十年。[按,胡翰《王子智墓志铭》云:"龙游,衢属邑。衢守马昂夫召诸邑令议均赋役,而龙游之役,独署典史莅之。寻感疾卒。"(《胡仲子集》卷九)马昂夫,即薛昂夫。王子智,即时任龙游县典史的王临,卒于元统二年(1334),则薛昂夫元统年间亦尝官衢州。]薛超吾,或以为作马薛超吾,字昂夫,回鹘人。赵孟頫《薛昂夫诗集序》:"嗟夫!吾观昂夫之诗,信乎学问之可以变化气质也。昂夫西戎贵种,服旃裘,食湩酪,居逐水草,驰骋猎射,饱肉勇决,其风俗固然也。而昂夫乃事笔砚,读书属文,学为儒生,发而为诗、乐府,皆激越慷慨,流丽闲婉,或累世为儒者有所不及,斯亦奇矣。盖昂夫尝执弟子礼于须溪先生之门,其有得于须溪者,当不止于是,而余所见者词章耳。夫词章之于世,不为无所益,今之诗,犹古之诗也,苟为无补,则圣人何取焉?由是可以观民风,可以观世道,可以知人,可以多识草木鸟兽之名,其博如此。嗟乎,吾读昂夫之诗,知问学之变化气质为不诬矣。他日昂夫为学日深,德日进,道义之味,渊乎见于词章之间,则余爱之敬之,又岂止于是哉!"(《松雪斋集》卷六)薛昂夫所撰诗集,王德渊(《天下同文集》卷十五)、刘将孙(《养吾斋集》卷十)亦尝为之作序,颇以能文称之。

**南行台监察御史张惟远刊丁复《桧亭集》。**谕(喻)〔立〕敬《桧亭集跋》:"右《桧亭集》,天台丁先生诗也。先生名复,字仲容,壮游京师,公卿荐之馆阁,不就而去。放情诗酒,终老江湖之上。今所类诸体诗凡三百一十五首,分为九卷,合为一帙。《前集》则其婿饶介之所录,《续集》则其门人李谨之所搜辑也。南台监察御史张君惟远见而爱之,惜不大传于时,移文有司锓梓,集庆学官教授查信卿实董其事。惟先生之才,足以追配古作而鸣国家之盛,乃弗见诸用以没。观其命词,托兴高远闲适,复然无尘俗意。(原阙)能尽识,则是编之行,岂不有补于风教乎?至正十年冬,友生江夏谕敬志。"《桧亭集》九卷,今存至正十年集庆学官刊本、清钞本、《四库全书》本。朱右《桧亭后集序》:"至元重纪戊寅之岁,予如金陵,游从缙绅名人间,考德而问业。时丁先生仲容父以同里闬,往还既数,情好益深,故予与先生所著诗歌及他所见,必手钞而心识之,积若干卷,藏之箧笥,将俟知者以传不朽。后十四年,当至正辛卯,客有携《桧亭稿》来示予于钱塘,始知御史张公维远命刊升学,乃李君谨之所编,视饶君介之旧本为增多矣。予喜而不寐,读尽日夜,惜其间如《琼花》、《瑞竹》、《送常宪史》、《题长江万里图》等作,皆脍炙人口,而不能尽传。因类摭未刊之诗,以补续其所未备,得一百四十七首,名曰《后集》。"(《白云稿》卷四)四库提要卷一六七:"《桧亭集》九卷,元丁复撰。……复诗不事雕琢,而意趣超忽,自然俊逸,其才气横溢,魏文帝所谓'笔墨之性,殆不可胜'者,几乎近之。偶桓《乾坤清气集》多录其诗,如《饯赵公子》、《送王伯庸》、《郭生生子》诸诗,字句或有小异,殆由传本各殊。又《兰堂上人之金陵因寄宪府张使君》诸诗,此集不载,则遗稿散落人间,饶介之等偶然未见者矣。"《石洲诗话》卷五:"丁仲容复《题画马》一篇,周旋'韩幹画肉',从'服辕病瘦'说来,虽是寄托,而无意味。"

**高棅生。**高棅(1350—1423),仕名廷礼,字彦恢,号漫士,福建长乐人。生平见林志《漫士高先生墓铭》(《明文衡》卷八十九)。

唐之淳生。唐之淳（1350—1401），名愚士，以字行，唐肃子，浙江山阴人。

## 公元 1351 年　（顺帝至正十一年　辛卯）

### 正月

宋濂、戴良编柳贯诗文为《柳待制文集》二十卷。《柳待制文集》二十卷，今存《四库全书》本、《四部丛刊》本、《续金华丛书》本。宋濂《待制集后记》："右浦江柳先生文集二十卷，卷中所录古今诗五百六十有七首，杂文二百九十有四首。初，先生为文多不存稿，年四十馀北游燕，始集为书，名之曰《北游稿》。及官成均，转奉常，则又以职司名之曰《西雝稿》，曰《容台稿》。出提举江西，则又以地名之曰《钟陵稿》。自江西退而家居，则又以所居斋名之曰《静俭斋稿》。间尝西游吴中，则又以游名之曰《西游稿》。游而归休，日对乌蜀山，啸咏自娱，则又以山名之曰《蜀山稿》。未几，召还禁林，述作日益富，尚未名稿而先生没，遂为人乘间持去。今所存惟七稿，濂与同门友戴君良，定其尤可传者，序次如右。以先生官至翰林待制也，通名之曰《柳待制文集》云。……是集既成，廉访使者余公阙，命廉侯额能布哈刻寘浦江学官。尚馀古今诗九百有七首，杂文二百四十有八首，未加铨次，濂复同戴君分类誊为二十卷，题曰《别集》，授先生之子卣藏之，俾世世谨其传焉。至正十一年辛卯岁春正月甲子，门人金华宋濂谨记。"（《待制集》附录）《澹生堂藏书目》卷十三："《柳文肃公文集》四册，三十卷，柳贯。"《千顷堂书目》卷二十九："柳贯文集四十卷，又集三十卷，又《待制文集》二十卷，又《别集》二十卷。"

### 三月

初七，顺帝亲策进士八十三人，赐朵烈图、文允中进士及第，其馀赐出身有差。见《元史》卷四十二《顺帝本纪》。周伯琦有《至正十一年岁辛卯二月一日，天下贡士及国子生会试京师，凡三百七十三人。中书承诏校文，取合格者百人，充廷对进士。先二日，锁院凡三试，每试间一日，十有二日揭榜。时参政韩公伯高知贡举，尚书赵君伯器同知贡举，予与左司李君孟闓考试，博士杨君士杰、修撰张君仲举同考试，收掌试卷则典籍毛君文在也。诸公皆翰苑旧游，诚盛会也。纪事四首奉呈》（《近光集》卷三）诗。

钱宰登进士第。据雍正《浙江通志》卷一二九。钱宰，字子予，一字伯均，会稽人。至正十一年进士，教授于乡。明初，征修礼乐书。洪武六年，与贝琼、赵俶等同征为国子助教。以忤旨遣归，优游乡里。著有《临安集》六卷。生平见《明史》卷一三七《赵俶传》附。

### 春

邓子晋序杨朝英所编《朝野新声太平乐府》。序见本集卷首。《朝野新声太平乐府》，《千顷堂书目》卷二著录九卷，而《钦定续文献通考·经籍考》则言八卷，有文学古籍刊行社排印本。

## 五月

初三，刘福通起事，以红巾为号，陷颍州。《元史》卷四十二《顺帝本纪》："初，栾城人韩山童祖父，以白莲会烧香惑众，谪徙广平永年县。至山童，倡言天下大乱，弥勒佛下生，河南及江淮愚民皆翕然信之。福通与杜遵道、罗文素、盛文郁、王显忠、韩咬儿复鼓妖言，谓山童实宋徽宗八世孙，当为中国主。福通等杀白马、黑牛，誓告天地，欲同起兵为乱，事觉，县官捕之急，福通遂反。山童就擒，其妻杨氏，其子韩林儿，逃之武安。"《草木子》卷三上："徐州盗韩山童叛。先是至正庚寅间，参议贾鲁以当承平之时，无所垂名，欲立事功于世。首劝脱脱丞相开河北水田，务民屯种，脱从之。先于大都开田以试之，前后所费凡十数万锭。及开西山水闸灌田，山水迅暴，几坏都城，遂止。又劝其造至正交钞，楮币窳恶，用未久，辄腐烂不堪倒换，遂与至元宝钞俱涩滞不行，物价腾贵。及河决南行，又劝脱相求夏禹故道，开使北流，身专其任，濒河起集丁夫二十六万馀人。朝廷所降食钱，官吏多不尽给，河夫多怨。韩山童等因挟诈阴凿石人，止开一眼，镌其背曰：莫道石人一只眼，此物一出天下反。预当开河道埋之。掘者得之，遂相为惊诧而谋乱。是时天下承平已久，法度宽纵，人物贫富不均，多乐从乱。曾不旬月，从之者殆数万人，以赵宋为名，韩山童诈称徽宗九世孙。伪诏略曰：蕴玉玺于海东，取精兵于日本。贫极江南，富称塞北。盖以宋广王走崖山，丞相陈宜中走倭，托此说以动摇天下，当时贫者从乱如归。朝廷发师诛之，虽即擒获，而乱阶成矣。反既定，下诏降徐州路为武安州。后其党毛会、田丰、杜遵道等复奉其子为主，寇掠汴、汝、淮、泗之间，死者成积，中原丘墟。"

## 夏

吴清容等人结江村诗会。唐桂芳《江村诗会跋》："晓清吴先生客授江村，滋久康强，年逾八十。诸公念之，不忍休也，舆致私塾。至正辛卯夏，建诗会。凡会之日，先生居上座，诸公俯伏帖帖，尽师生礼。诗成，果一笾，酒三行，命苍头击缶歌之，且相忘次第甲乙。间庶以美周睦之义，息争竞之风，其诗不成，罚酒以佐欢。呜呼！古道日颓，士风不振，贵富之宗，乘坚策良，歌舞是耽，孰知江氏一门，搜奇抉怪，嵬目颂耳，父兄子姓，有若程督之而不敢废者？于是见先生之教，过人远矣。会予访仲弘氏宅，幽势阻绿，阴满窗户，出示此篇，读之琅然，恨相知之晚也。先生既为之叙，予附其说以还之。"（《白云集》卷七）其人名虽不著，然元末诗坛会社之盛，于此亦可见一斑。

## 八月

初十，萧县李二及老彭、赵均用等聚众起事，陷徐州。明年九月，脱脱克复，李二遁死。见《元史》卷四十二《顺帝本纪》。《七修类稿》卷八："李二，号芝麻李，

390

萧县人。至正十一年，与赵均用、彭早住亦烧香聚众反，攻陷徐州，赵称永义王，彭称鲁淮王。十二年，朝命脱脱讨之，攻破徐州，李二遁，后卒。赵、彭二人奔濠州。先是，定远郭子兴见汝、颍兵起，与孙德崖亦聚众拔濠州，自称元帅。二人既至，郭、孙反屈己事之，继而彭死，均用遂专任。郭不堪与下，自往取滁州，而均用寻往济南，假与宋将毛贵合，袭杀毛贵，进据益都。其党续继祖自辽阳入益，又杀均用。后与所部互相仇杀，俱灭。"

**十六日，廼贤、危素等七人同游中都，各赋诗十六首以纪其事。**廼贤《南城咏古十六首诗序》："至正十一年秋八月既望，太史宇文公、太常危公偕燕人梁处士九思、临川黄君殿士、四明道士王虚斋、新进士朱梦炎与余凡七人，联辔出游燕城，览故宫之遗迹。凡其城中塔庙楼观、台榭园亭，莫不裴徊瞻眺，拭其残碑断柱，为之一读，指其废兴而论之。予七人者，以为人生出处聚散不可常也，解后一日之乐，有足惜者，岂独感慨陈迹而已哉！各赋诗十有六首以纪其事，庶来者有所征焉。"（《金台集》卷二）《石渠宝笈》卷五："《元廼贤咏古诗帖》一卷（上等洪一），宋笺本楷书。五言律诗十六首，卷首署'南城咏古'四字。自序云：……。卷后又识云：'是月廿日，辱梦炎进士再访余于金台寓舍，索书前咏，为书之。贤记。'卷前有衣园藏、真雪墅、教忠堂藏三印，又世道半印、弼字半印，卷后有依竹轩、清渚渔郎、王与稽、吴门小隐、子孙保之、芙蓉山房诸印，又一印不可识，卷高七寸五分，广四尺九寸三分。"

**徐寿辉与邹普胜等举兵起事，亦以红巾为号。**见《元史》卷四十二《顺帝本纪》。徐寿辉，一名贞一，罗田人。贩布为业。至正十一年，举兵起事，国号天完，都蕲州。二十年，为陈友谅所杀。《草木子》卷三上："蕲州盗徐贞一叛。先是，浏阳有彭和尚，能为偈颂，劝人念弥勒佛号。遇夜，燃火炬名香，念偈拜礼，愚民信之，其徒遂众。徐本湖南人，姿状庞厚，无他长，生平以贩布为业，往来蕲、黄间。及妖彭众欲为乱，思得其主。一日，徐于盐塘水中浴，众见其身上毫光起，众皆惊异，遂立为帝，反于蕲春，天下响应，东南遂大乱。湖广、江西、江浙三省城池多陷没，开莲台省于蕲春。然资性宽纵，权在群下，徒存空名尔。后其臣伪汉主陈友谅下兵攻台，谋篡位，乃勒死于采石。"《七修类稿》卷八："徐寿辉，又名贞一，蕲州罗田人，生平以贩布为业。至正十一年，天下已乱，有浏阳彭和尚，能为偈颂，集众念佛，心欲为乱。一日，徐浴于盐塘，身起光芒，众乃惊异，遂与麻城邹普胜等倡为妖术，立徐为主，举兵以红巾为号。据蕲水，陷黄州，称国天完，改元治平，近远响应。于是遣徐明远、丁普朗等，尽陷湖广之什七，复遣项普等略徽、饶诸州，遂犯昱岭，入杭、湖，为董抟霄所败。十三年，诏平章卜颜帖木儿等合兵讨寿辉于蕲，寿辉遁去，擒其伪将四百人。十九年，其将陈友谅迎寿辉于江州。二十年，为陈弑之。然徐死矣，其下友谅等大乱，东南尤为盛也。"

## 十月

**徐寿辉据蕲水为都，称皇帝号，国号天完，改元治平。**见《元史》卷四十二《顺帝本纪》。

## 十一月

二十五日，赵汸序苏天爵所撰《滋溪文稿》。序见本集卷首。其集为天爵官江浙行中书省参知政事时，属掾高明、葛元哲所编。元末曾刻印，今存元刊本仅六卷。《滋溪文稿》三十卷，今存明钞本、《四库全书》本、《适园丛书》本、《元代珍本文集汇刊》本，今人陈高华、孟繁清尝据以整理。

## 十二月

二十二日，杨维桢序郭翼所撰诗集。序见《东维子集》卷七。维桢于羲仲甚加推赏，以其与虞集、郑东、李孝光等人并称。郭翼所撰诗文，今存《林外野言》二卷，有知不足斋钞本、《四库全书》本、民国十二年赵诒琛辑刻《又满楼丛书》本。四库提要卷一六八："《林外野言》二卷，元郭翼撰。……翼学问博洽，既老不得志，偃蹇学官，惟刻意于诗古文。尝自号东郭生，又称野翁，而名所著集曰《林外野言》，今所传本凡二卷，附《与顾阿瑛书》一篇。考《玉山名胜》及《乾坤清气》诸集所录翼诗，不见此集者尚多。又如《题刘龙洲墓》、《道（送）道士游武当》诸诗，又皆别见吕诚集，疑或后人重编，故多所舛漏，未必即翼手定之稿也。"

## 冬

王祎与赵汸相见于钱塘，赵汸为祎作《华川书舍记》。赵汸《华川书舍记》（因宋君论文而详叙其本）："婺州义乌县有泽曰华川，王君子充书舍在其上，同门友宋君景濂历叙上世以来为文者之得失，而卒归于圣人，以为记。辨博精诣，殆不可加矣。至正十一年冬，汸与子充相见于钱塘，子充又俾汸伸其说。"（《东山存稿》卷四）华川书舍，王祎学文读书之所。宋濂所作《华川书舍记》，今存于《潜溪前集》卷五。

## 本年

危素序逎贤所撰《金台后稿》。序见《说学斋稿》卷四，题作《果啰罗易之金台后稿序》，下注云"辛卯"，当是作于本年。一时馆阁名流如欧阳玄、李好文、程文、黄溍、揭傒斯、贡师泰等均为其集作序。所作《金台前稿》、《金台后稿》，刊刻时汇为《金台集》二卷，今存民国董康诵芬室影刻元刊本、汲古阁《元人集十种》本、《四库全书》本。杨彝《金台集跋》："右《金台稿》若干卷，果啰罗君易之之所制也。……取一二篇以读，则慷慨悲歌，而燕赵之风声气习，犹可想见。及观承旨欧阳公、祭酒李公、侍讲黄公、故侍书虞公、侍讲揭文安公所为序引，深评远论，唯恐其不传也。其有得于此，可谓难矣。且诗自汉魏而下，至唐为盛，而其间独推杜甫氏，以为不失风人之旨。然其时先后若陈子昂、高适、韦应物、刘禹锡辈，亦各名家。盖诗由人情生也，情非有古今者，特有至有不至尔。是故越人之曲，《敕勒》之歌，其托兴写物，非素工于辞者，而操觚之士有不逮也，何则？情之所至而语至焉，则不求工而自工也。故余谓易之之诗，如《颍州老翁》、《西曹郎》、《巢湖》、《新乡媪》、《新堤》等篇，抚事感怀，若不经意，而尽所欲言，有得于风人之旨者，当不谢于古人，况其所工者复不下是，兹固可信其必传也。虽然，易之年未五十，平生故人多列官于朝，而当急贤之时，其能久于穷乎？"张以宁《马易之金台集序》："葛罗鲁氏马君易之，以诗闻今世。予得其《金台集》而读之，五言短篇，流丽而妥适；七言长句，充畅而条达；近体五七言，精缜而华润，皆欲追大历、贞元诸子之为者。而《颖川（颖州）老翁》、《新乡媪》、《芒山》、《巢湖》、《新堤谣》诸篇，又以白傅之丰赡，而寓之张籍之质古，不浅而易，不深而僻，盖学诸唐人而有自得其得焉者矣。予识易之于京师，逾十五年。及观君之游两都，历邓郑而归吴越，其之官，绝巨海而北上，其出使，凌长河而南迈，其游览壮而练习多，予知其诗雄伟而浑涵，沉郁而顿挫，言若尽而意有馀，盖将进于杜氏也乎。君以予在词林，而征予序。夫善为诗者，固实甚难，而果识其诗为某家某家者，亦良不易。予多君之颖出于其国人，而我朝诗道，将复盛于唐也。作而为之序。"（《翠屏集》卷三）《石洲诗话》卷五："易之《金台集》，风格翘秀，多有关风化之言，不苟为炳炳烺烺者也。"

**陈肃授行军司马参将。** 《录鬼簿续编》："陈伯将，无锡人。元进士，累官至河南参政，迁中书参知政事。至正十一年，受行军司马参将。文章政事，一代典刑；和曲填词，乃其馀事；打球蹴鞠，举世服之。卒于军前营中，将士无不恸哭。"陈伯将，名肃，无锡人。举博学宏才，为兰溪州判官，累官至河南行省参知政事。至正末，没于兵。著有杂剧《晋刘阮误入桃源》。《元诗选》三集庚集选其诗 16 首。

**赵扐谦生。** 赵扐谦（1351—1395），名谦，以字行，初名古则，馀姚人。生平见《明史》卷二八五《文苑传》、朱彝尊《赵扐谦传》（《曝书亭集》卷六十四）。

**释宗衍卒，年四十三。** 〔按，宗衍生卒年，据释妙声所作《衍道原送行诗后序》，序言"余长道原一岁"。妙声生于至大元年（1308）。〕宗衍（1309—1351），字道原，中吴人。工诗。至正初，住石湖楞伽寺，与游者多当时名士，甚为危素、觉隐禅师本诚所推许。后主嘉禾德藏寺。至正十一年卒，年四十三。著有《碧山堂集》。《元诗选》二集壬集选其诗 44 首。释妙声作《衍道原送行诗后序》（《东皋录》卷中），以"清丽幽茂"称其诗。今观所存，亦庶几近之。《元诗选》二集壬集："道原为诗，博采汉魏以降，而以少陵为宗，取喻托兴，得风人之旨。所著曰《碧山堂集》。初，太朴与道原相知，而未尝相见。及洪武革命，太朴归江南，而道原之殁久矣，特为之序其首云。"

**刘时中〔正宫〕《端正好·上高监司》作于本年之后。** 其中《耍孩儿十三煞》曲云："已自六十秋楮币行，则这两三年法度沮。""忽青天开眼觑，这红巾合命殂。"红巾军起事，在本年五月，姑系于此。刘时中，古洪人。作有套数 4 套。另有名致字时中者，非其人。或以为今存小令、套数署之刘时中者，为一人所作。见门岿《元曲家刘时中待制及其作品考》（《津门文学论丛》1984 年第 1 期）。

## 公元 1352 年 （顺帝至正十二年 壬辰）

**二月**

十一日，徐寿辉兵破江州，总管李黼死之，年五十六。见《元史》卷四十二《顺帝本纪》。周霆震《李浔阳死节歌》："蜀川会汉投匡庐，浔阳之厄江西枢。李侯仗节忠贯日，存没誓与城池俱。夫何郡将弛练卒，世禄忍负私其躯。寇来谈笑启关遁，坐使邑井成丘墟。侯时力疾短兵奋，臣首当血心当刳。魂归谒帝恸伏阙，涂地肝脑民何辜。臣衷愿沥付渠答，臣首欲飞宜仙姑。誓坚洪壁歼众丑，却扫淮蔡匡全吴。黄尘四低黑风淡，赤豹腾驾苍虬呼。山川几劫铸英气，上溯古昔谁其徒。平原汗马河北重，江淮按堵睢阳孤。颜张凛凛心未死，迥立千载诚相孚。况闻有子殊激烈，义在从父轻头颅。石头之衰姑孰下，两间忠孝何时无。纷纷卖降与弃甲，仰视汗喘呀长吁。推公盖自元气立，顾盼所取皆诗书。当年射策首多士，已分一念舍无渝。朂哉谋国慎所托，古今大勇惟真儒。"（《石初集》卷二）

**郭子兴举兵于濠州。**《明史》卷一《太祖本纪》："十二年春二月，定远人郭子兴与其党孙德崖等起兵濠州。"《七修类稿》卷九："至正壬辰，汝、颍兵起，定远郭子兴拔濠梁据之。时太祖潜民间，为讹言所逼，惧祸将及，遂挺身入濠梁。抵其城，为门者所执，将欲加害，人以告子兴，子兴亲驰活之，抚之麾下，间召与语，异之，取为亲兵。居数月，子兴谓曰：'汝单居，当为汝婚。'子兴暮归，与夫人饮食，语及斯事。次日，夫人忽见惋惜，谓曰：'方今兵乱，正当收召豪杰，是子举止异常，君不抚于家，使为他人之亲，是失智矣。'子兴悟，遂以女妻之，孝慈皇后是也。后子兴南至河阳薨，归葬滁州，洪武初追封滁阳王，立庙于滁祀之。又以其女为妃，生蜀王、豫王、如意王。洪武十六年十一月七日，上亲稿子兴事实，召太常丞张来仪谕使为文，刻于庙石。文载《中都志》。"

## 三月

**初九，中书省臣请行纳粟补官令："凡各处士庶，果能为国宣力，自备粮米供给军储者，照依定拟地方实授常选流官，依例升转、封荫；及已除茶盐钱谷官有能再备钱粮供给军储者，验见授品级，改授常流。"帝从其请，施行纳粟补官。又诏："南人有才学者，依世祖旧制，中书省、枢密院、御史台皆用之。"**见《元史》卷四十二《顺帝本纪》。

**台州路达鲁花赤泰不华与方国珍战于澄江黄岩港，死之，年四十九。**见《元史》卷四十二《顺帝本纪》。泰不华，或作泰不花。

## 闰三月

**初一，朱元璋往濠州依郭子兴。**见《明史》卷一《太祖本纪》。《七修类稿》卷七："太祖在皇觉寺时，天下兵乱，寺僧散避，太祖祝伽蓝，以珓卜吉凶曰：'若容吾出境避难，则以阳报；守旧，则以一阴一阳报。'祝毕，以珓投地，则双阴也，如此者三。复祝曰：'出不许，入不许，神何报我？天乃欲我从雄而后昌乎？则珓如前祝。'投珓如前。神既许之，因抵濠城，依滁阳王，实至正十二年闰三月一日也。"

## 四月

初八，陈高等人集于张思诚之近山轩。陈高《近山轩燕集诗序》："至正十二年夏四月八日，会于张思诚之近山轩。时孔君正夫方自吴回。曾伯大、陈德华、徐德显、金士名、吕敬中、卢文威、郑子敬咸在，而高亦与焉，皆能文之士。酒酣，正夫言曰：兹集也，不可以无记，乃命赋诗分韵，取陶渊明'孟夏草木长，绕屋树扶疏'之句，凡为诗十首。呜呼！朋友会合而欢晏咏歌，亦古人所重也。然平居无事，时而接杯觞、弄笔墨，此特文人才士之常耳。当兹海内用武之日，而吾与诸君居左邑下州，得以恬然安处，相与饮酒赋诗为乐，岂非幸欤？夫乐而不知其乐者，众人之情也。乐焉而不以文者，荒于乐者也。今也乐其乐而必以文，亦可谓不失其正矣。"（《不系舟渔集》卷三）

二十二日，欧阳玄以湖广行省右丞致仕。见《元史》卷四十二《顺帝本纪》。

二十六日，周伯琦以中台监察御史扈从上京，途中往返，多有赋咏，成《扈从集》一卷。王逢有《览周左丞伯温壬辰岁拜御史扈从集感旧伤今敬题五十韵》诗。周伯琦《扈从集前序》："至正十二年岁次壬辰四月，予由翰林直学士、兵部侍郎拜监察御史。视事之第三日，实四月二十六日，大驾北巡上京，例当扈从，是日启行。……所至赋诗以纪风物，得二十四首。惜笔力拙弱，不能尽述也。虽然，观此亦大略可知矣。"周伯琦《扈从集后序》："车驾既幸上都，以是年六月十四日，大宴宗亲、世臣、环卫官于西内棂殿，凡三日。七月九日，望祭园陵。竣事，属车辕皆南向，彝典也。遂以二十二日，发上都而南。……遂以八月十三日至京师，凡历巴纳二十有四，为里一千九十又五，此辇路西还之所经也。北自上都至白海，南自居庸至大口，已见前序，故得而略，独详其所未经者耳。国制凡官署之幕职掾曹，当扈从者，东西出还，甲乙番次，多不能兼，惟监察御史扈从，与国人世臣环卫者同。东西之行，得兼历而悉览焉。……既赋五言古诗十首以纪其实，复为后序以著其概。不惟使观者得以扩闻见，抑以志吾生之多幸也欤！"《扈从集》一卷，今存清抄本、知不足斋写本、《四库全书》本。欧阳玄《扈从集跋》："于时鄱阳周君伯温，褒然炎虚之秀，膺是崇台之除，乘鸾羽之洁清，从翠华之密勿，身历乎山川之美，固目睹乎星月之推迁。进而载驰载驱，退而爰咨爰度，抒思辄形清咏，回辕遂积多篇。"贾祥麟《扈从集跋》："右《扈从诗》并前后序二通，今左丞鄱阳周公为监察御史时所作也。国朝混一以来，中台南士之选，惟公居首。公践历华要，绩孚名禄，垂四十年。深感遭际，形之著述，一以赞规摹之大，一以彰声教之隆。居安虑危，见于言外。既而澄清蕃，宣东南，是赖短章大篇，奚翅千百，未遑诠次。预以是集锓梓传播，以备史氏纂一代之雅颂职方为全书者有所稽焉。"

## 五月

十一日，戴良起乡兵克复建昌路。见《元史》卷四十二《顺帝本纪》。

## 九月

二十一日，右丞相脱脱领兵复徐州，屠其城，芝麻李等遁走。脱脱以功加封为太师。见《元史》卷四十二《顺帝本纪》。

## 秋

**释清珙卒。**清珙，俗姓温，字石屋，常熟人。嗣法于及庵信禅师，主当湖福源寺。至正间，朝廷赐以金襕衣。著有《石屋诗》。《元诗选》初集壬集选其诗34首。《元诗选》初集壬集："其自叙曰：'余山林多暇，瞌睡之馀，偶成偈语，纸墨少便，不复记录。云衲禅人请书之，盖欲知我山中趣向耳。于是随意走笔，不觉盈帙，掩而归之，慎勿以此为歌咏之助，当须参究其意，则有激焉。'其诗有云：'天湖水湛琉璃碧，霞雾山围锦帐红。触目本来成现事，何须叉手问禅翁。'及庵尝语众曰：'此子乃法海中透网金鳞也。'"

## 本年

**本年前，郏经出为平江路儒学录。**同治《苏州府志》卷五十四《职官三》："郏经，至正初任。"据徐一夔《送朱仲谊就养序》所言，郏经任学官在天下兵兴前，姑系于此。郏经，或作朱经，字仲谊，一作仲义，号观梦道士，又号西清居士。陇右人，以祖贯扬州路海陵，又称扬州人。后寓居杭州，客苏、淞间。与邵亨贞、钱霖、凌云翰、徐一夔等人以诗词往还唱和。洪武间，尝与凌云翰同为浙江省考试官。卒于洪武十一年后。著有杂剧《西湖三塔记》、《胭脂女子鬼推门》、《死葬鸳鸯冢》3种，仅后一种存残曲。徐一夔《送朱仲谊就养序》："吾友朱仲谊，旷达人也。自其少时，学明经，举进士，尝有志于世用矣。然仅小试，出坐学官末座。而天下有事纷争，一时未遇之士，悉变其所学，不鬻孙吴之书，则掉仪、秦之舌，以干时取宠，仲谊薄此不为也。独务博览强记，以涵蓄其胸中。及天下已定，国家大收材峻而用之，而仲谊年日以老。自度无以尽其力，乃尝所涵蓄者，发为歌诗，缘情指事，引物连类，多或千言，少或百字，云行水流，金鸣石应，有风人之体裁。当其秉笔运思，牢笼万汇，摩荡九霄，傲睨乎宇宙之内，千驷万钟不知其为富也，崇资厚级不知其为贵也。然亦坐是，蹈近世所谓诗穷者。人见其酷嗜吟事，或劝之曰：此致穷具也，何自苦如此。则应之曰：吾道然也，毋预公事。"（《始丰稿》卷八）。《录鬼簿续编》："郏仲谊，名经，陇人，号观梦道士，又号西清居士。以儒业起为浙江省考试官，权衡允当，士林称之。侨居吴山之下，因而家焉。丰神潇洒，文质彬彬，为文章未尝停思。八分书极高，善琴操，德隐语。交余甚深，日相游览湖光山色于苏堤、林墓间，吟咏不辍于口。有《观梦》等集行于世，名重一时。所作乐府，特其馀事云。"

**苏天爵卒，**年五十九。《元史》卷一八三苏天爵传："十二年，妖寇自淮右蔓延及江东，诏仍江浙行省参知政事，总兵于饶、信，所克复者，一路六县。其方略之密，节制之严，虽老帅宿将不能过之。然以忧深病积，遂卒于军中。年五十九。"王祎《上苏大参书》："求之方今，以宏材硕学膺一代文献之任者，执事而已。自袆袆幼时读《国朝文类》，即有以知执事之志之所存。何者？《文类》之书，非徒文也，人物之言行功业，制度之本末后先，皆于是乎载。以及执事他所为文，莫不皆然。故知执事之文，志于纪事者也。言足以综难遗之迹，迹足以备难明之状，状足以发难显之情，情足以著难隐之理者也。其言简而该，精而核，深而易，通直而不肆，典实平易而无浮华，艰险而又具大体，纯正而明备者也。故论者谓国朝之文，惟柳城姚公、清河元公、蜀郡虞公、金华黄公以及执事，皆自成其家，而袆（祎）窃谓执事之于纪事实过之。是则执事之文，固海内学者士大夫所取法，况袆（祎）之有志于斯，汲汲焉早夜疚心，欲求教于文献之所在者。"（《王忠文集》卷十六）《元史》卷一八三本传："其为文，长于序事，平易温厚，成一家言，而诗尤得古法，有诗稿七卷、文稿三十卷。于是中原前辈，凋谢殆尽，天爵独身任一代文献之寄，讨论讲辩，虽老不倦。"《元诗选》二集庚集："伯修多知辽、金故事。为文长于序事，而诗尤得古法。新安赵汸称其明洁而粹温，谨严而敷畅，若珠璧之为辉，菽粟之为味。……晚岁复以释经为己任，学者因其所居称之为滋溪先生。于时中原前辈凋谢殆尽，伯修独身任一代文献之寄。故自成均诸生以至历官翰苑，凡前言往行与当世之所可述者，无不笔之于简册。国子助教陈旅称其学博而识正，非虚誉也。"四库提要卷一六七："《滋溪文稿》三十卷，元苏天爵撰。……天爵少从学于安熙，然熙诗文粗野不入格，天爵乃词华淹雅，根柢深厚，蔚然称元代作者。其波澜意度，往往出入于欧、苏，突过其师远甚。至其序事之作，详明典核，尤有法度。集中碑版几至百有馀篇，于元代制度人物，史传阙略者，多可藉以考见。《元史》本传称其身任一代文献之寄，亦非溢美。虞集《赋苏伯修滋溪书堂》诗有曰：'积学抱沉默，时至有攸行。抽简鲁史存，采诗商颂并。'盖其文章原本，由沉潜典籍、研究掌故而来，不尽受之熙也。"

**高得旸生。**高得旸（1352—1420），字孟升，号节庵，钱塘人。著有《节庵集》八卷。生平见邹济《颐庵文集》卷九墓志铭。

**本年前后，孙蕡、王佐、李德、黄哲、赵介等于广州结南园诗社。**孙蕡《琪林夜宿联句一百韵》诗序有"因思年十八、九时"（《西庵集》卷八）等语。孙蕡生于元顺帝元统二年（1334），则其与王佐等人以诗文相唱和，当在本年前后。孙蕡有《南园》（《西庵集》卷一）、《南园歌赠王给事彦举》（卷三）等诗即其时所作。同与唱和者，尚有黄楚金、王希贡、黄希文、蔡养晦、赵安中、赵澄、赵讷、蒲子文、黄原善等人。

**本年以后，甘复等从张翥游于云锦山中。**甘复，字克敬，馀干人。至正之乱，张翥侨居云锦山中，甘复与甘彦初、张可立往从之游。洪武初，以前元遗才为士林推重。著有《山窗馀稿》一卷。《元诗选》二集辛集选其诗 10 首。四库提要卷一六八："《山窗馀稿》一卷，元甘复撰。……其诗源出于张翥，虽不及翥之才富健，诸体兼备，而风怀澄澹，意境脩然。五言古体，绰有韦、柳之遗，其格韵乃似在翥上。盖才有所偏长，诣有所独至也。元亡之后，遁迹以终，著作散佚，仅存手墨于同里赵石蒲家，凡文数十篇，诗十馀首。明成化中，石蒲之孙琥始为缮录开雕，复见于世。虽零篇断简，所剩无多，而诗格文笔，一一高洁，疑复当日自择其最得意者，手录此帙，故篇篇率有可观。转胜于珠砾杂陈，务盈卷帙，徒供覆瓿者矣。顾嗣立《元诗选》称琥刻是编，刘宪为序。此本仅有琥跋，不载宪序，盖刊版散失之后，辗转传钞佚之矣。然复集自足传，亦不以序之有无为轻重也。”

胡天游卒于本年之后。胡天游，名乘龙，以字行，号松竹主人，又号傲轩，平江人。元季隐居不仕。元末卒。著有《傲轩吟稿》一卷。《元诗选》初集庚集选其诗54首。《元诗选》初集庚集：“邑人艾科晋卿为之传曰：天游有俊逸才，七岁短吟，具作者风力。名藉藉一世，视伯生、子昂不输一筹也。负高气，孤立峻视，曾不一起取斗禄自污。扼腕当时，俯仰太古，鸣之歌什，有沉湘蹈海之风。今其集中《荆轲馆》与《醉歌》等篇可想见也。壬辰夏，萑苻蜂起，所过皆墟。独天游室岿然煨烬中，因自号曰傲轩氏。性少许可，独雅善余牧山。每泛航清溪，弄月佳夜，放歌岸帻，谲声如雷，各持盛气不下。牧山赠云：‘能酒能诗只两翁。’晚岁益自矜，其徘徊乱世以缅想太平之心，卒泯然不白也。因作《述志赋》以寓长饮之恨云。兵燹之馀，篇什散落，存者仅什之三四，曰《傲轩吟稿》。明弘治间，其七世裔孙荣昌令湘刻之。嘉靖初，八世孙大器复编次重刻。豫章罗懔谓傲轩诗豪迈卓绝，与虞、赵诸公相出入，而出处大节过之。胡氏文献世家，宜其能保守若是。然则诗文之传世与否，岂真有幸不幸哉！”四库提要卷一六八：“《傲轩吟稿》一卷，元胡天游撰。……传称其七岁能诗，已具作者风力，名籍籍一时，视伯生、子昂，不输一筹。今观所作，大都悲壮激烈，而颇病粗豪，非惟未足抗虞集，亦未足敌赵孟𫖯，传所称者殊过。然长歌慷慨之中，能发乎情，止乎礼义，身处末季，惓惓然想见太平，犹有诗人忠厚之遗。其在元季，要亦不失为作者也。集中《陌上花》诗小序，误以钱镠为梁元帝，颇为乖舛。盖兴酣落笔，记忆偶疏。庾信‘桂华’之语，误读《汉书》；王维‘垂杨’之句，讹解《庄子》。取其大端，则小疵可略，论古人者，正不在寻章摘句间矣。

本年以后，吴志淳徙家豫章。吴志淳，字主一，以字行，号渔隐，无为州人。以父荫历官靖安、都昌二县主簿。兵兴，徙居豫章，后徙家鄞县。奏除翰林待制，为权幸所阻，入明遂不仕。主一工于古隶，虞集尝为作《好古斋铭》。著有《吴主一诗草》。《元诗选》二集辛集二集辛集选其诗14首。揭傒斯《赠吴主一并序》：“曹南吴主一妙年力学，能文章，尤工隶书。近自豫章以职事至京师，过予剧谈，竟日忘去。忽以别告，令人惘然，诗以奉送。国朝分隶谁最长，赵虞姚萧范与杨。赵公温温蔡中郎，虞公格格由钟梁。姚萧二公撼中邦，岂以笔法窥汉唐。萧守高尚姚文章，范公清遒不敢当。纵横石经兀老苍，杨侯起家自洛阳。华山之碑早擅场，旁出捷人无留藏。曹南吴氏俊且良，古意飒飒浮匡箱。商盘周鼎俨作行，刲圭削锐伏景光。宜伸而缩圆使方，外若椎鲁中坚强。趋新骛巧纷披猖，欲辨辄止心孔伤。金陵皇象剑戟张，中山夏丞鼎独扛。二碑分法古所藏，隶多分少须精详。君方妙年进莫量，更入二篆君无双。近者吾甥有陈冈，昔师杨氏今颉顽，见之为道安毋忘。”（《元诗选》初集丁集）《书史会要》卷七：“吴志淳，字主一，曹南人。古隶学孙叔敖碑。”《元诗选》二集辛集：“主一工古隶，学孙叔敖碑，诗宗唐人。如：‘晚凉浴罢闲无事，水阁东头看月生。’瞿存斋极叹赏，以为主一得意之句也。”

与吴志淳齐名者，有乐清人朱希晦、萧台赵彦铭。当元末，三人游咏于雁山，时称“雁山三老”。朱希晦，乐清人。以诗名于时，隐居瑶川。至正兵兴，流徙辗转，洪武初始归瑶川。有司荐于朝，不及领命而卒。著有《云松巢集》三卷。《元诗选》二集辛集选其诗 28 首。《元诗选》二集辛集："所居曰云松巢，集因以名焉。嘉靖间，七世孙玄谏选辑行世。集中佳句如《春日》云：'日阴团碧树，风暖韵黄鹂。'《写怀》云：'水满鱼儿出，泥香燕子来。'《夏日书怀》云：'白发生涯人已老，绿阴时节雨偏多。'《次竹隐二弟韵》云：'两袖秋风停野骑，半篙秋水漾渔舠。'《幽居》云：'竹吹绿雾沾书帙，花发红云映药栏。' 所谓清丽简亮，可振唐人遗响也。"四库提要卷一六八："《云松巢集》三卷，元朱希晦撰。希晦，乐清人，至正末，隐居瑶州，与四明吴主一、萧台赵彦铭游咏雁山之中，称雁山三老。明初有荐于朝者，朝命未至而卒。是集乃其子幽所编，天台鲍原宏为之序。正统中，其玄孙元谏刊版，章陬又为之序。原宏序称其飘逸放旷宗于李，典雅雄壮宗于杜。陬序称其思致精深，词意丰赡，滔滔汩汩，如惊涛怒澜，蛟鼍出没，而可骇可愕。今观其诗，五言诗气格颇清，而边幅少狭，兴象未深，数首以外，词旨略同。七言稍为振拔，古体又胜于近体。溯其宗派，盖瓣香于《剑南》一集。原序所称，未为笃论也。"

## 公元 1353 年　（顺帝至正十三年　癸巳）

### 正月

初七，方国珍复降元。见《元史》卷四十三《顺帝本纪》。

### 五月

二十九日，泰州人张士诚及其弟士德、士信举兵起事，陷泰州及兴化县。见《元史》卷四十三《顺帝本纪》。张士诚（1321—1367），小字九四，泰州人。以操舟运盐为业。至正十三年，聚众陷高邮，自称诚王，号大周。十六年，陷平江路，都之。又连下湖州、松江、常州、杭州等地。后以朱元璋势大，降元，授太尉。二十七年，平江破，执至金陵，自缢而卒，年四十七。《草木子》卷三上："至正癸巳春三月，月食太白。是时江淮群寇起，张九四据高邮，韩山童男据临濠，徐贞一、倪蛮子、陈友谅乱汉、沔。丞相脱脱统大师四十万出征，声势赫然，始攻高邮城。未下，庚申君入丞相亚麻之谗，谓天下怨脱脱，贬之，可不烦兵而定。遂诏散其兵而窜之，师遂大溃，而为盗有。天下之事，遂不可复为矣。后亚麻虑脱脱再入相，矫诏酖杀之。后一年，东南州郡多陷，其言不验，始杖而贬死。"又："高邮盗张九四叛。至正壬辰年，朝廷命脱脱丞相征之。中散其兵，兵遂溃，张乃陷平江路。先是，中原上马贼剽掠淮、汴间，朝齐暮赵，朝廷不能制。张为盐场网司牙侩，以公盐夹带私盐，并缘为奸利。然资性轻财好施，甚得其下之心。当时盐丁苦于官役，遂推其为主作乱。朝廷命脱脱讨之，王师号百万，声势甚盛，众谓其平在晷刻。及抵其城下，毛葫芦军已有登其城者矣。疾其功者曰：不得总兵官命令，如何辄自先登。召其还。及再攻之，不下。未几，下诏贬脱脱，师遂溃叛。乙未，张泛海以数千人陷平江路，海运遂绝。后朝廷力不能制，以诏招之，累官至司徒，自号成王，据有平江、嘉兴、杭州、绍兴五路之地。"

郯韶辟试漕府掾。陈基《送剡（郯）九成诗序》："至正十三年夏五月，海漕发吴门，漕府史吴兴剡（郯）君九成实赞幕府，吴士大夫金赋诗以饯其行。且曰：去年春，海寇犯昆山，袭恽穰，凭陵作气势以抗逆官军，淮右狂孽浸延，江浙羽书征发，驿骚道路无虚日，人心汹汹久矣。赖天子神圣，贤相忠良，命廉能果毅之臣总漕事，分遣将帅，出师四讨。蚊蚋蝼蚁，蠢动无知，以次歼荡，海寇闻风，率丑逊匿，苍皇蹙缩，愿宥罪自新，用是人心之忧，更释然以喜。九成博古通今，器局宏远，论议慷慨，为诗章居然作者，乃今职文书，赞海漕，进无金革矢石之虞，退无父兄妻子之虑。……所谓诗章，九成之所长者，将与中朝能言之士，嗟叹不足而咏歌之，以极陈所遭之美。异日南还，解行李，出所有，吾党好事者将争先睹之为快。九成无以谦让，未遑为辞也。"（《夷白斋稿》卷十六）郯韶，字九成，吴兴人，自号云台散吏，又号苕溪渔者。日往来于玉山，与顾瑛、杨维桢等人往还唱和。著有《云台集》。《元诗选》二集辛集选其诗 159 首。陈基《佩韦斋记》："吴兴剡（郯）九成氏，以瑰玮博雅游公卿间，而其为诗清峻粹密，有作者之遗音焉。尝自以狷峭，思所以惩艾，而绎夫书绅之义者，其要莫如缓，乃即所居辟斋名曰佩韦，盖尚志西门氏范莱芜之所以乘休千古者也。"（《夷白斋稿》卷二十四）

## 九月

**初五，干文传卒，年七十八。** 干文传（1276—1353），字寿道，号仁里，晚号止斋，吴县人。著有《仁里漫稿》。《元诗选》三集已集选其诗 5 首。生平见黄溍《嘉议大夫礼部尚书致仕干公神道碑》（《金华黄先生文集》卷二十七）、《元史》卷一八五本传。

## 本年

**吕思诚作《蒲台山灵赡王庙碑》。** 其文云："四月四日□享庙上。前期一日迎神，六村之众具仪仗，引导幢幡宝盖、旌旗金鼓与散乐社火，层见叠出，名曰起神。明日，牲牢酒醴香纸，既丰且腆，则吹箫击鼓，优伶奏技。而各社各有社火，或骑或步，或为仙佛，或为鬼神，鱼龙虎豹，喧呼歌叫，如蜡祭之狂。"（《山右石刻丛编》卷三十八，转引自冯俊杰编《山西戏曲碑刻辑考》卷三）所谓"吹箫击鼓，优伶奏技"，当与演剧之事有关。

**张起岩卒，年六十九。** 张起岩（1285—1353），字梦臣，号华峰，历城人。延祐二年左榜进士第一，授集贤修撰，累迁至监察御史。至顺间，拜礼部尚书。转中书参议，除翰林侍讲。后至元三年，出为南御史台侍御史。入中台，转燕南廉访使。至正元年，擢为南台中丞。入为翰林承旨，与修三史。九年，致仕归。十三年卒，年六十九。谥文穆。著有《金陵集》、《华峰漫稿》、《华峰类稿》。《元诗选》三集 15 首。生平见《元史》卷一八二本传。

**汪泽民题谢宗可所撰《咏物诗》。**《四库全书总目提要补正》卷五十二："《咏物诗》一卷。陆氏《藏书志》有旧钞本，并载至正癸巳汪泽民题云：'本朝金陵谢宗可，为咏物诗数百篇，予居宣城，或见之，呕以念诵，记而后已。窃为之评曰：晋谢朓云云，观公之于诗，又能兼之。'绎其语意，似同为顺帝时人。"谢宗可，金陵人（一作临川人）。著有《咏物诗》一卷。《元诗选》初集戊集选其诗 40 首。《西湖游览志馀》卷二十一："咏物之作，拘于题则黏皮带骨，远于题则捉影捕风。谢宗可、瞿宗吉各有咏物诗百首，其可取者亦鲜矣。宗可《睡燕》诗：'补巢衔得落花泥，困倚东风倦翅低。金屋昼闲随蝶化，玉堂春静怕莺啼。魂飞汉殿人应远，梦入乌衣路欲迷。却被卷帘人唤醒，小桥流水夕阳西。'《走马灯》诗：'飙轮拥骑驾炎精，飞绕人间不夜城。风鬣追星低弄影，霜蹄逐电去无声。秦军夜溃咸阳火，吴骑宵驰赤壁兵。更忆雕鞍年少客，章台踏碎月华明。'"《元诗选》初集戊集："有咏物诗百篇传于世。汪泽民题其卷，以为绮靡而不伤于华，平淡而不流于俗。大抵元人咏物，颇尚纤巧，而宗可尤以见长。今择其雅练者录之。其他句法，多可存者。如咏《纸衾》云：'松床夜暖云生席，蕙帐香融雪满身。'《梅梦》云：'暖入罗浮春困早，香迷姑射晓醒迟。'《笔阵》云：'怒卷龙蛇云雾泣，长驱风雨鬼神惊。'《莺梭》云：'柳堤暗卷丝千尺，花坞横抛锦万机。'《鹭羽扇》云：'暑退沙头千点雪，凉生顶上几丝风。'《螳螂簪》云：'鬓雪冷侵霜斧落，发云寒压翠裳空。'《螺壳酒杯》云：'尊中绿照珠光润，掌上春擎海气多。'《网巾》云：'筛影细分云缕滑，棋文斜界雪丝干。'《琉璃帘》云：'净练悬风晴未落，明河接地晓难收。'《水灯》云：'珠浮赤水光犹湿，火浴丹池夜未干。'《霜花》云：'有艳淡妆宫瓦晓，无香寒压板桥秋。'《纸鸢》云：'半纸飞腾元在己，一丝高下岂随人。'《蟠梅》云：'风霜气势从千折，铁石心肠亦九回。'《砚冰》云：'一泓晓色玄霜重，半夜天风黑水干。'《尘世》云：'微步缓随罗袜起，清歌飞绕画梁空。'《醒酒石》云：'苍骨冷侵酣枕梦，苔痕清逼醉乡春。'《梅杖》云：'江路策云香在手，溪桥挑月影随人。'《雪煎茶》云：'月团影落银河水，云脚香融玉树春。'《问梅》云：'钟残角断愁多少，月落参横梦有无。'《纯线》云：'冰縠冷缠青缕滑，翠钿细缀玉丝香。'类皆婉秀有思致也。"四库提要卷一六八："《咏物诗》一卷，元谢宗可撰。宗可自称金陵人，其始末无考。相传为元人，故顾嗣立《元百家诗选》录是编于戊集之末，亦不知其当何代也。昔屈原颂橘，荀况赋蚕，咏物之作，萌芽于是，然特赋家流耳。汉武之《天马》，班固之《白雉》、《宝鼎》，亦皆因事抒文，非主于刻画一物。其托物寄怀，见于诗篇者，蔡邕咏庭前石榴，其始见也。沿及六朝，此风渐盛。王融、谢朓，至以唱和相高，而大致多主于隶事。唐宋两朝，则作者蔚起，不可以屈指计矣。其特出者，杜甫之比兴深微，苏轼、黄庭坚之譬喻奇巧，皆挺出众流。其馀则唐尚形容，宋参议论，而寄情寓讽，旁见侧出于其中，其大较也。中间如雍鹭鸶、崔鸳鸯、郑鹧鸪，各以摹写之工，得名当世，而宋代谢蝴蝶等，遂一题衍至百首，但以得句相夸，不必缘情而作。于是别岐为诗家小品，而咏物之变极矣。宗可此编，凡一百六首，皆七言律诗，如不咏燕、蝶而咏睡燕、睡蝶，不咏雁、莺而咏雁字、莺梭，其标题亦皆纤仄，盖沿雍陶诸人之波，而弥趋新巧。瞿宗吉《归田诗话》曰：'谢宗可百咏诗，世多传诵。除《走马灯》、《莲叶舟》、《混堂》、《睡燕》数篇，难得全首佳者。'其说信然。然四诗亦非高作，顾嗣立录其四十首，又摘其警句二十联，其中如《笔阵》之'怒卷龙蛇云雾泣，长驱风雨鬼神惊'，则伤于粗豪；《螳螂簪》之'鬓雪冷侵霜斧落，发云低压翠裳空'，则伤于凑砌。特以格调虽卑，才思尚艳，诗教广大，宜无所不有，元人旧帙，姑存之备一体耳。《归田诗话》又曰：曩见邱彦能诵宗可《卖花声》诗一首，《百咏》中不载。盖性既喜此一格，则随事成吟，非作此一集而绝笔。彦能所诵，殆出于此集既成之后欤？"

## 公元1354年 （顺帝至正十四年 甲午）

### 正月

十五日，宋濂序黄溍所撰《日损斋笔记》。序见本集卷首。又有刘刚所作后序。其集乃黄溍以读书所得，随所录而成。《日损斋笔记》一卷，今存《四库全书》本。四库提要卷一一九："《日损斋笔记》一卷，元黄溍撰。……是书《续通考》作一卷，危素行状亦称一卷，与今本合。书中皆考证经史子集异同得失。其《辨史》十六则，尤精于辨经。如引《史记》'沛公左司马得泗州守壮杀之'之文，证颜师古《汉书注》之误；又引宋实录李继迁赐姓名不在真宗时，证僧文莹《湘山野录》之误。引据尤极明确，非束书不观而空谈臆断者也。"《四库全书总目提要补正》卷三十六："《日损斋笔记》一卷。《金华丛书》本胡序云：'其书初无诠次，公里人刘氏刚依类重编，析为三门，首辨经六则，次辨史十六则，又次杂辨十三则，共三十五则，而以公神道碑及定谥等文附焉。'又《日损斋笔记考证跋》云：'是编陈雪木先生所考证，曩余刻丛书，以未刻陈本《考证》为憾。……先生与文献公生同里，归田后手注是书，极称博洽，其间牵引经史，旁参以诸子百家之说，条分缕析，有以佐文献之所不逮。'"

### 三月

初七，廷试进士六十二人，赐薛朝晤、牛继志进士及第，馀授官出身有差。见《元史》卷四十三《顺帝本纪》。

陈高登进士第。陈高《与张仲举祭酒书》："四月廿一日，门生陈高顿首百拜奉书于祭酒先生阁下。甲午岁，先生主文衡，辱不以高之愚不肖，举而措诸进士之列。……高性直而谋疏，学肤而才拙，不能与世俯仰。往者备员四明，絜身奉职，惟恐获戾于民以玷名教，而无以报阁下甄录期望之意。遭时多故，众醉独醒，弃官归田，今五十矣。或徜徉乎山谷之间，或浮游乎江湖之上，任情自适，无所系留。当道者虽欲牵挽而不能羁縻，因自号为不系舟渔。初非敢为高也，揣己之无能，处俗之不偶，故以是而托其名焉耳。"（《不系舟渔集》卷十五）李士瞻《题不系舟渔者卷序》："平阳陈君子上，登甲午进士第。秉志刚介，独立不阿。初授庆元录事，在任未竟，值浙东西盗贼蜂起，郡邑无大小皆陷于贼。士大夫苟得脱于难者，往往去依方镇，不顾道义，夤缘苟禄以养生，宁舍朝廷弗顾。若是者，奚啻肩相摩、足相轧哉！子上独不可，曰：'始予承圣天子策士时，幸以子大夫遇我，我何忍一旦悖此，狐媚以求活耶？'乃即日解官还家，而庆元亦寻见陷，其见几明、立志勇如此，遂号之曰不系舟渔者，盖卑以自牧、谦以自励也。呜呼，舟惟不自系，然后得往来江海间以自适；人惟不自系，则彼之所谓富贵者，又乌得而诱我、浼我、系而缚之若犬羊然哉？"（《经济文集》卷六）揭汯《陈子上先生墓志铭》："擢至正十四年进士第，授庆元路录事。"（《不系舟渔集》

附录）

**曾坚登进士第。**曾坚，字子白，金溪人。至正十四年进士，历官国子助教、翰林修撰。十八年，选为江西行省员外郎。寻入为国子监丞，升司业。改翰林直学士。入明，授礼部员外郎，以疾辞。明年，感符玺事，遂作《义象歌》，被诛。著有《诗疑大鸣录》一卷、《曾学士文集》。

**李贯道登进士第。**李贯道，李裕子，字师曾，东阳人。至正十四年进士，辟为詹事院掾史。十七年卒。《元诗选》三集戊集选其诗 1 首。

**钱用壬登南人进士第一。**苏伯衡《跋陈子上书》："钱用壬、傅子敬、赵时泰、唐元嘉，皆子上同年进士也。"（《苏平仲文集》卷十）钱用壬，字成夫，广德人。元南人榜进士第一，授翰林国史院编修官。二十二年，出为江浙行省左右司员外郎。既而参张士信军事于淮安，升参政。明兵下淮、扬，归朱元璋，授按察副使。累官御史台经历，预定律令。寻与陶安等博议郊庙、社稷诸仪。洪武元年，分建六部官，拜礼部尚书。十二月，请告归，赐居湖州。生平见《明史》卷一三六《陶安传》附。

## 四月

**刘基与王沦、吴溥、王俨、唐虞民等集于黄本家，赋诗唱和。**刘基《竹林宴集诗序》："基既从左丞公至越而辞戎事，始得与越士大夫游。乃四月丁巳，与嘉兴王纶、赵郡吴溥、会稽王俨、华亭唐虞民会于黄本之舍。主人出酒肴劳客，乐甚，徙席于竹林之下。主人奉觞酌客而言曰：昔司马氏之臣，有饮于竹林而以贤称者七人，今日之会亦七人，其乐同与？彼七人者，湎淫以自放，袒裸以为达，浮诞以为高，悖礼伤教，以导天下于纵肆，君子疾之。吾党以此为鉴。虽然，今日之会，文会也，必有事以为欢。孔子曰：作者七人矣。或者以鲁论，所载仪封人、晨门、荷蒉、接舆、长沮、桀溺、荷莜丈人充之，虽不必是，而七人者皆士也，孔子录之未有弃焉。盍各引其意以为歌辞，以畅予怀，不亦可乎！众应曰：诺。词成，击竹而咏之，有金玉之声，听之泠然，飘飘乎有遗世之志，浩乎不知其所如也。于是比而书之，俾基为之序。夫七人，东周之隐者也，使天下而多隐者，则其为世也可知矣。巢父、许由，其说不经，使实有之，亦妄人耳，乌足以为道。傅说、吕尚，得时而兴，为隐不卒。伯夷、叔齐，以一身纲纪万世。仲雍自绝以成父志，柳下惠直道见黜，皆不得已，非固欲隐以远人而忘世也。见世之不可为，而决意以隐者，其惟七人乎？仪封人愿见孔子，其志固异，既见而以木铎喻之，可谓善观圣人而有所感发矣。居下位而终不用也，悲夫晨门、荷蒉、接舆、沮、溺、丈人之徒，能知世之不可，而不能识圣人之意。故梏而不解，宜其是己而非夫子也，狂狷之士，或可与有为也。下车与言则走以避，问津则不答，度其不返则逃之，何其矫耶？呜呼，六子非圣人之伦也，磨不磷、涅不缁者，天下一人而已，六子者岂不自知也哉？与其出而瘝于人，孰若处而安其心；与其进而觚于时，孰若退而全其身。隐者之志也，我知之矣。余今与子之生于斯也，处耶？出耶？不可得而必也，其遇也，岂有期其合也。非有谋咏歌言怀，遇适其逢，亦聊以解吾忧也。彼放浪沉湎之流，固非吾之所屑，而至于遗人群以自泯，则亦岂吾心之所欲哉？至正

403

十四年岁在甲午，夏四月，括苍刘基序。"（《珊瑚木难》卷五）观此序，可明于刘基出处之略。

## 七月

**李存卒，年七十三。**危素《元故番易李先生墓志铭》："至正十四年七月，番易李先生仲公甫卒于抚之临川县大山寓舍。"涂几《俟庵先生文集序》："鄱阳先生李仲公，早岁闻道，其学得圣人传心之精微，与祝蕃远、舒元易、吴尊光三君子游，并生其时，志同而行合，人号江东四先生云。先生之道，吾不得而知也，浑浑乎千古之在吾前也，浩浩乎万古之存吾后也，而先生以一心贯之。吴文正所谓陆子之学如青天白日，皦然不可昧者，至先生而验乎！予尝谒先生，先生年几七十，耳目聪明，神气以完，真有道者也。见予方徽缠训诂，为解乾坤易简，予因是有省。先生之道，其大者既如此。其于文辞，凿凿乎菽粟布帛之可服啖乎生人，温醇若经，辈视韩、欧，无意于工而不能不工尔。时之作者，言谈性命而不知文字之体，或循蹈规矩而忽忘义理之实，兼是二者，千百无一二焉。独先生之文，精深而切近，高古而浑全，天球古圭不足象其温且□也，奔泉流水不足为其峻且清也。譬诸造化生物之蕴蓄，有未易识其端倪者欤？先生尝诲人曰：六经三代之文，汉唐可以无作；汉唐之文，后世可以无言。呜呼，知言哉！"（《鄱阳仲公李先生文集》卷首）四库提要卷一六七："《俟庵集》三十卷，元李存撰。……其论学以省察本心为主，其论文谓唐虞所有之言，三代可以不言；三代所有之言，汉唐可以不言。未有六经，此理无隐，前古圣贤，直形容之而已，恶能有所增损。皆陆氏义也。然存所学笃实，非金谿流派堕于玄渺，并失陆氏本旨者比。故其诗文皆平正醇雅，不露圭角，粹然有儒者之意。是集为其子卓所编，凡诗十一卷、文十九卷，前有永乐乙酉邹济序及危素所作墓志，末附虞集书一首。案《道园学古录》有《送李彦方闽宪诗序》曰：……云云。其言褊躁，与陆氏学派若不戴天，而与存书乃深相推挹，岂非以其人重之欤？亦足见元儒敦朴，无门户之成见也。"

**胡仲彬据众作乱，为叔告发，伏诛。**胡仲彬与其妹，均为元末说书家之流。《南村辍耕录》卷二十七："胡仲彬，乃杭城勾阑中演说野史者，其妹亦能之。时登省官之门，因得夤缘注授巡检。至正十四年七月内，招募游食无藉之徒，文其背曰'赤心护国，誓杀红巾'八字为号，将遂作乱。为乃叔首告，搜其书名簿，得三册，才以一册到官，馀火之。亦诛三百六十馀人。"

## 九月

**初五，叶颙自序所撰《樵云独唱》。**序见本集卷首，末署云颙天民，为颙自号。《樵云独唱》六卷，有明刻本、清钞本、《四库全书》本、《续金华丛书》本。《藏园订补郘亭知见传本书目》卷十四言有元至正庚子刊本。史敏《樵云独唱集序》："余得而观之，诵其辞，铿锵振发，动合乎古人之音节；玩其味，含蓄深远，非尝肆力问学而几于道者不足以语此，信可传也。"袁凯《樵云独唱集序》："今先生之诗，直而不绞，质而不俚，豪而不诞，奇而不怪，博而不滥。少进其步，则古作者之域不难至矣。虽然，先生岂专于诗者哉？由乎时之不遇，故托此以自见耳。"四库提要卷一六八："《樵云独唱》六卷，元叶容（颙）撰。……是集乃其孙雍所编。前有自序，谓薪桂老而云山高寒，音调古而岩谷绝响，故名曰《樵云独唱》。序凡二篇，皆题至正甲午，而集中多载入明诗，且《后篇》乃明兴后语，疑原本《后篇》未著年月，传写者误以《前篇》年月补入也。……其诗写闲适之怀，颇有流于颓唐者，而胸次超然，殊有自得之趣，天机所到，固不必以绳削求矣。"

## 十月

二十五日，黄公望卒，年八十六。光绪《青浦县志》卷二十二以其寿年为八十一。道光《琴川三志补》卷八："公望生宋德祐己巳八月十五日，卒于至正甲午十月二十五日，年八十六。（姚宗仪志、《吴中人物志》）"（转引自赵景深、张增元编《方志著录元明清曲家传略》）"德祐"当系"咸淳"之误。〔按，陈高华《元代画家史料》以为黄公望卒于至正十五年（1355）前后，盖以较早之资料均未曾涉及其卒岁与寿年故也。〕黄公望（1269—1354），字子久，号一峰，易姓名为苦行，号净墅（一作净竖），又号大痴道人，平江常熟（又作松江、莆田、富春）人。本陆氏子，出继永嘉黄氏。至元末，浙西廉访使徐琰辟为书吏。后在京，为权豪所中，遂卜术闲居。著有《写山水诀》一卷、《大痴道人集》一卷。《元诗选》二集戊集选其诗 61 首。《全元散曲》录其小令 1 首。《录鬼簿》卷下："公之学问，不在人下，天下之事，无所不知，薄技小艺亦不弃。善丹青，长词，落笔即成，人皆师事之。"贾仲明〔双调〕《凌波仙·吊黄子久》："浙西宪史性廉直，经理钱粮获罪归。号一峰，□卜术，将人间弃。易姓名，为净墅，号大痴。天下事无不周知，学问深，不加文饰。一家丹青妙笔，与人为宗主时习。"《元诗选》二集戊集："子久博极群籍，尤通音律图纬之学，画山水师董巨源，而晚变其法，自成一家。其峰峦多矾石，笔墨高雅，人莫能及，所著《写山水诀》，世皆宗之。尝终日在荒山乱石丛木深筱中坐，意态忽忽，每往泖中通海处，看激流轰浪，虽风雨骤至、水怪悲咤不顾。杨铁崖谓子久诗宗晚唐，画独追关仝，其据梧隐几，若忘身世，盖游方之外，非世俗所能知也。"

## 十一月

十一日，王毅卒。胡翰《王刚叔墓志铭》："未几，贵溪寇起邑中，刚叔再议举兵，众寡不敌而被执，颜色自若，从容遇害矣。享年五十有二，至正十四年甲午十一月十一也。"王毅，字刚叔，龙泉人。著有《木讷斋文集》五卷，存乾隆二十八年苏遇龙刻本。

## 十二月

初十，诏以中书右丞相脱脱劳师费财，已逾三月，坐视寇盗，遂削其官爵，安置于淮安路。见《元史》卷四十三《顺帝本纪》。脱脱以太师、中书右丞相总制军马征高邮，在本年九月庚申（初二）。

## 本年

**虞堪集其叔祖虞集编外诗为《道园遗稿》六卷，金伯祥锓梓以传。**黄溍《虞先生诗序》："自昔文章家著述之盛，其集有内、外、前、后、续、别之分。盖由其体制有同异，岁月有早莫，故其编纂汇次之法，各有所存，然其文之可传者，片言半简，皆不得而弃置，又复有所谓拾遗者焉。国朝一代文章家，莫盛于阁学蜀郡虞公。公之诗文曰《道园学古录》者，其类目皆公手所编定。天下学者既以家传而户诵之矣，然其散逸遗落者犹不可胜计也。其从孙堪乃为博加讨访，积累之久，得古律诗七百三十七篇，而吴郡金君伯祥为锓诸梓。是编之传，其殆所谓拾遗者乎？予尝获执笔从公之后，而窃诵公之诗，以为国朝之宗工硕士，后先其于诗尤长者，如公及临江范公，盖不可一二数也。学者读乎是编，则知其残膏剩馥，所以沾丐后人者多矣。今公已不可复作，予是以三复是编而为之永慨也。抑公平生所为文无虑万馀篇，今《道园录》中所载，不翅十之三四而已，然则并加讨访而使之尽传焉，岂非堪之志而予之所深望者乎？是故昌黎之集成于门人，河东之集托于朋友，惟庐陵欧阳公之集，其嗣人能致其力焉。若堪之汲汲于此，其亦可谓无愧于欧阳氏矣。堪字克用，好学有文，能世其家，而公之行能官代，已具于欧阳内翰所为碑铭，兹不著。至正十五年正月十五日，金华黄溍序。"［按，此序据朱存理编《珊瑚木难》卷二。《四库全书》本《道园遗稿》前所录黄溍序，末署"至正二十年正月十日"。考黄溍卒年，在至正十七年，当不可能复有二十年序《道园遗稿》之事。］虞堪《道园遗稿题识》："先叔祖学士虞公诗文有《道园学古录》、《翰林珠玉》等编，已行于世。然窃读之，每虑其有所遗落，凡南北士夫间，辄为搜猎求之，累年始得诗章七百馀首，皆章章在人耳目，及得之亲笔者。盖惧其以伪乱真，故不敢不为之审择也。惟先叔祖鸿文巨笔，著在天下，家传人诵，其大篇大什诸编，盖已得其八九，此盖拾遗补缺，庶免有湮没之叹。方类聚成编，以便观览，而吾友金伯祥乃必用寿诸梓以广其传，命其子镠书以入刻。伯祥之施，不其永耶？外有杂文诸赋，尚有俟于他日云。至正十四年五月甲子，从孙堪百拜谨识。"（《道园遗稿》卷首）四库提要卷一六七："《道园遗稿》六卷，元虞集撰，其从孙堪编。盖以补《道园学古录》之遗也。凡古律诗七百四十一篇，附以乐府，刻于至正十四年。考裒录集之遗文者，别有《道园类稿》，以校此编，《类稿》所已载者仅百馀篇，《类稿》所未载者尚五百馀篇。集著作虽富，而散佚亦多。当李本编《学古录》时，已有泰山一豪芒之叹，则云烟变灭者不知凡几。堪续加搜访，辑缀成编，纵未能片楮不遗，要其名篇隽制，挂漏者亦已少矣。集中《题花鸟图》一首，《元诗体要》作揭傒斯诗，今观其格意，于揭为近，或堪一时误收，亦未可知。然《元音》及《乾坤清气集》均载是诗，又题集作。此当从互见之例，疑以传疑，不足以为是书病也。"

**吴镇卒，年七十五。**《元诗选》二集戌集："按仲圭生于前至元十七年庚辰，卒于至正十四年甲午，有墓碑可考。"［按，吴镇生年，又据《梅花道人遗墨》卷下《题竹》一篇，末署"时年七十一，至正十年庚寅岁夏五月十三日竹醉日也"。又据嘉庆

《嘉兴县志》卷三十四所录"吴镇书画自跋"。]吴镇（1280—1354），字仲圭，号梅花道人，嘉兴人。隐居不仕。以画名，与黄公望、倪瓒、王蒙号"元末四大家"。《元诗选》二集戊集选其诗142首。《图绘宝鉴》卷五："吴镇，字仲圭，号梅花道人，嘉兴魏塘镇人。画山水师巨然，其临模与合作者绝佳，而往往传于世者，皆不专志，故极率略。亦能墨竹、墨花。"孙作《墨竹记》："嘉禾吴镇仲圭，善画山水竹木，臻极妙品，其高不下许道宁、文与可。与可以竹掩其画，仲圭以画掩其竹。近世画出吴中，赵文敏父子外，仲圭其流亚也。仲圭于画，世无贬议，惟论墨竹，或訾其有酸馅气。仲圭为人抗简孤洁，高自标表，号梅花道人。从其取画，虽势力不能夺，惟以佳纸笔投之案格，需其自至欣然就几，随所欲为乃可得也，故仲圭于绢素画绝少。……余观仲圭，隐者也。其趣适常在山岩林薄之下，故其笔类有幽远闲放之情，殊乏贵游子弟之气。议者少之，其以此乎？且世赖笔墨以传者非一物，而竹之可传，岂以声色臭味为足嗜与？若是，则幽远闲放，自其竹之性耳。今使人指其画曰：是有山僧道人之气。则仲圭于竹，宜得其天者，顾欲以是非之，可乎？"（《沧螺集》卷三）四库提要卷一六八："《梅花道人遗墨》二卷，元吴镇撰。……镇以画传，初不以文章见重，而抗怀孤往，穷饿不移，胸次既高，吐属自能拔俗。旧无专集，此本题曰遗墨，乃其乡人钱棻掇拾题画之作，荟粹成编。其中如《题竹》诗'阴凉生砚池，叶叶秋可数。东华客梦醒，一片江南雨'一篇，考镇杜门高隐，终于魏塘，足迹未至京师，不应有东华客梦之句，核以高士奇《江村销夏录》，乃知为鲜于枢诗，镇偶书之，非其自作，棻盖未之详审。又镇画深自矜重，不肯轻为人作，后来假名求售，赝迹颇多，亦往往有庸俗画贾伪为题识。如题画骷髅之《沁园春》词，无论历代画家，从无画及骷髅之事，即词中'漏泄元阳，爹娘搬贩，至今未休'诸句，鄙俚荒谬，亦决非镇之所为。又如《嘉禾八景》之《酒泉子》词，词既舛陋，其序末乃称'梅花道人镇顿首'，偶自作画，为谁顿首耶？即题竹佚句之'我亦有亭深竹里，也思归去听秋声'，亦字、也字重叠而用，镇亦不应昧于字义如此。凡斯之类，棻皆一例编载，未免失于决择。然伪本虽多，真迹亦在，披沙简金，往往见宝，要未可以糅杂之故一例废斥之矣。"谢启昆《论元诗绝句七十首》第六十："翛翛陋室擅风流，题遍云烟万轴收。卖卜春波人未识，梅花长护墓门秋。"

**周是修生。**周是修（1354—1402），名德，以字行，江西泰和人。著有《刍荛集》、《进思集》。生平见解缙所撰墓志铭、王直《王文端公文集》卷三十五墓表及《明史》卷一四三本传。

## 公元1355年 （顺帝至正十五年 乙未）

正月

初一，许有壬由河南行省左丞擢为集贤大学士。见《元史》卷四十四《顺帝本纪》。

二月

初二，刘福通等自砀山夹河迎立韩林儿为帝，号小明王，建都亳州，国号宋，改元龙凤。见《元史》卷四十四《顺帝本纪》。《草木子》卷三上："汝宁盗韩山童男陷汴梁，僭称帝，改韩为姓，国号宋，改元龙凤。分兵攻掠。其下有刘太保者，每陷一城，以人为粮食，人既尽，复陷一处。故其所过，赤地千里，大抵山东、河北、山西、两淮悉为残破。毛会等兵已犯阙，王师极力战守，始退败。"《七修类稿》卷九："韩林儿世里起兵，已载前卷。闻当时传乃瀛国公次子，为韩内侍所养，山童得以为子，自称徽宗九世孙也，国号宋，汝、颍刘福通等各尊为小明王，晋、冀、河南大半为其所有。故太祖龙湾之捷，诸将亦欲奉之为帝，惟刘基以为彼牧竖尔，不肯拜。又《龙飞纪略》以太祖行移，则称其为皇帝圣旨，自称吴王令旨，直至林儿死，方建号称年。然予据朱氏世德碑言，果承其正朔，称龙凤年号，受其官爵，称吴国公等语。若是，必惑于当时讹传之事矣。《纪略》又比之更始刘盆子，此已非；或谓迟不建号，比周文王以服事殷，此则尤非也。想国初臣下，多一时武将，太祖既与之合，又以先入之言为主，未暇细询。至二十七年，元既亡，而林随以死，天之显示可知矣。"

初五，吴景奎卒，年六十四。黄溍《故处士吴君墓志铭并序》："临终语其子曰：'我病在肾，两耳俱聋，肾气绝矣。幸失德之事，吾平生未尝为，死固无所憾。汝等惟笃于孝友，以承先业，吾目其瞑矣。'言讫，奄然而逝。实至正十五年二月五日，享年六十有四。"（《药房樵唱》附录）苏伯衡《吴文可哀辞》："作诗骎骎盛唐人风致，然贫贱终其身，人不能无感焉。"叶仪《吴文可哀辞》："发为咏歌，词句清丽，有唐人之风。"宋濂《药房樵唱序》："盖公以雄逸之资，济通明之识，著于篇翰，规仿风雅。鼓动江山之气，发挥造化之微。味玄酒于周廷，袭悬黎于梁苑。雕龙彩凤，不足为之丽；冲飙激浪，不足为之豪。其凄惋也，则孤猿夜号，松露初滴；其雅驯也，则冠冕佩玉，俨趋廊庙。由其才无不兼，所以体无不备。世之读者，如入玄圃，而揽明月木难之珍；如登昆丘，而睹天禾肉芝之贵，诚可谓擅名制作之林、竞爽艺文之场者已。……顾念畴昔，获陪杖屦。濯缨双溪之侧，漱齿灵源之上。攀萝月以夷犹，抚樨云而舒啸。公时吞吐群机，陶镕庶汇，珠玉随风，冰雪在口。"（《药房樵唱》卷首）四库提要卷一六七："《药房樵唱》三卷、附录一卷，元吴景奎撰。……是集乃其子履与其门人黄琪所编。中间五言古体，皆源出白居易；七言古体，间似李贺；近体亦音节宏敞，豪放自喜。宋濂为作集序，亦极相推挹。特编次时失于简汰，如《偶成》诗云：'挟才胜德世所薄，宁我负人天可欺。士之言行苟如此，圣经贤传将奚为。'殆刘克庄所谓有韵语录，殊不入格。其它应俗之作，亦多榛楛勿剪，是则履等辑录之过。然其菁华自在，亦不以此相掩也。"

## 三月

**郭子兴卒**。见《明太祖实录》卷二、《明史稿·太祖纪》。

**夏庭芝自序所撰《青楼集》**。夏庭芝，字伯和，一作百和，号雪蓑，别署雪蓑钓隐，一作雪蓑渔隐，松江府华亭人。尝从杨维桢学，其所居斋名自怡悦斋。与张择、朱凯、郏经、钟嗣成、陶宗仪等人相往还。夏庭芝《青楼集志》："我朝混一区宇，殆将百年，天下歌舞之妓，何啻亿万，而色艺表表在人耳目者，固不多也。仆闻青楼于方名艳字，有见而知之者，有闻而知之者，虽详其人，未暇纪录，乃今风尘颍洞，群（郡）邑萧条，追念旧游，慌然梦境，于心盖有感焉；因集成编，题曰《青楼集》。遗忘颇多，铨类无次，幸赏音之士，有所增益，庶使后来者知承平之日，虽女伶亦有其人，可谓盛矣！至若末泥，则又序诸别录云。至正己未春三月望日录此，异日荣观，以发一笑云。"傅增湘《藏园群书经眼录》卷四著录旧写本《青楼集》，云："前至正庚子四月雪蓑钓隐自序"。又引周季贶跋云："《青楼集》，雪蓑钓隐夏伯和辑，至正邾经、朱武、张铎（择）、张肯四序，自序作于至正庚子。叙院本杂剧本事极详，合之周草窗、吴自牧、沈德符诸记，则宋金元明四朝剧曲源流瞭如矣。所记始于元初，相去已远，意有未及目□□（案二字应作'见之'），故曰'有闻而知之者'也，又曰'今风尘颍洞，郡邑萧条，追念昔游，恍然梦境'，则亦《东京梦华》之类也。盖伯和当张九四据吴之日，家居吴淞，追记旧事而为此也。"所谓至正庚子自序，实即《说集》本之《青楼集志》。或以为《志》所署年月不同，盖因前一年编，后一年修订之故。二本之差异，亦由此致。至正无"己未"，当是"乙未"之误。然《说集》本卷首尚有至正二十六年（1366）张择所作序文，言《青楼集》成于张士诚据姑苏之后，则或又有所增订。此外，尚有至正二十四年（1364）邾经所作之序文与至正二十六年（1366）夏邦彦所作跋语，另有朱武所作后序。[按，王永宽、王钢《中国戏曲史编年》（元明卷）据张择序言《青楼集》系至正十六年张士诚据姑苏之后，夏庭芝"追忆曩时诸伶姓氏而集焉"，推断"己未"非"乙未"之误，而当作"己亥"。]《青楼集》一卷，今存《说郛》本、《续百川学海》本、《丛书集成初编》本、《香艳丛书》本、《绿窗女史》本、《古今学海》本、《双楳景闇丛书》本、《说集》本、清钞本等。[按，《说郛》本、《香艳丛书》本将著者误作黄雪蓑。陶宗仪与夏庭芝乃相熟之友，《南村诗集》卷二有《正月二十有六日，余与邵青溪、张林泉会胡万山、夏雪蓑、俞山月、高彦武、张宾旸于畲北，逾岭而南访陈孟刚，席上分韵得船字》诗，《辍耕录》亦多引夏雪蓑之语。则"黄雪蓑"之名，或系后人刊刻时误读邾经序言"商颜黄公之裔孙曰雪蓑者"所致。]《青楼集》所收"女伶"，多为演唱元曲之演员，凡一百二十馀人。朱经《青楼集序》："商颜黄公之裔孙曰雪蓑者，携《青楼集》示余，且征序引。其志言读之，盖已详矣，余奚庸赘。窃维雪蓑在承平时，尝蒙富贵馀泽，岂若杜樊川赢得薄幸之名乎？……今雪蓑之为是集也，殆亦梦之觉也。不然，历历青楼歌舞之妓，而成一代之艳史传之也。雪蓑于行，不下时俊，顾屑为此。余恐世以青楼而疑雪蓑，且不白其志也，故并樊川而论之。噫！优伶则贱艺，乐则靡焉。文墨之间，每传好事，其湮没无闻者，亦已多矣。黄四娘托老杜而名存，独何幸也！览是集者，尚感士之不遇。时至正甲辰六月既望，观梦道人陇右朱经谨序。"张择《青楼集叙》："《青楼集》者，纪南北诸伶之姓氏也。名以青楼者何？盖取秦少游之语也。记以诸伶者谁？吴淞夏君之集也。……夏君百和……方妙岁时……。厥一纪，东南并扰，君值其厄，资产荡然。……无何，张氏据姑苏，军需征赋百出，昔之吝财豪户，破家剥床，目不堪睹。……我圣元世皇御极，肇兴龙朔，混一文轨，乐典章，焕乎唐尧，若名臣方躅，具载信史。兹记诸伶姓氏，一以见盛世芬华，元元同乐，再以见庸夫溺浊流之弊，遂有今日之大乱，厥志渊矣哉。《史》列伶官之传，侍儿有集，义倡司书，稗官小说，君子取焉。伯和记其贱末者，后犹匪企及，况其硕氏巨贤乎？当察夫集外之意，不当求诸集中之名也。伯和拜手曰：先生知予哉！至正丙午春，顽老子张择鸣善谨叙。"

## 七月

**马治序其与周砥往还唱和之作《荆南倡和诗集》。** 马治序见本集卷首，又有周砥所作序。据马治序，其集为上年至本年间，二人馆于荆南周氏家，居游唱和之作。四库提要所言，盖以未尝详审之故。郑元祐所作《荆南倡和集序》，见《侨吴集》卷八。四库提要卷一八八："《荆南倡和集一》卷，元周砥、马治同撰。砥字履道，无锡人。治字孝常，宜兴人。《明史·文苑传》并附载《陶宗仪传》末。至正癸巳、甲午、乙未三年，砥遭乱，客治家，治馆砥于宜兴荆溪之南，随事倡和，积诗一卷，录成二帙，各怀其一。同时遂昌郑元祐为之序，二人亦自有序。后砥从张士诚死于兵。而治入明为内邱县知县，迁建昌府知府，与高启友善，遂以此集手录本付启，启复以与吕敏。有启后序及徐贲题志。敏后仍归诸马氏。成化间，乡人李廷芝携至京师，俾李应祯、张弼校正付梓。集后附录数首，皆砥在荆南前后之作，及治赋砥哀词与其追和之诗。砥以吟咏擅长，与顾阿瑛往来，玉山《雅集》、《纪游》诸篇中，多载所作，格调皆极谐婉。其撰是集，正元末丧乱之际，感时伤事，尤情致缠绵。治诗稍逊于砥，而隽句络绎，工力亦差能相敌。以视《松陵倡和》、《汉上题襟》，虽未必遽追配作者，而两人皆无全集行世，存之亦足见其一斑焉。"

## 八月

**二十五日，汪泽民卒。** 汪泽民之生卒年，据宋濂《元故嘉议大夫礼部尚书致仕赠资善大夫江浙等处行中书左丞上护军追封谯国郡公谥文节汪先生神道碑铭》。《元史》以其卒于至正十六年，寿年七十，所记与宋濂所撰神道碑铭颇有出入。然宋濂作《汪先生神道碑铭》云："濂奉敕总修《元史》，凡忠义循吏之事，天下郡县悉上史官，而宛陵汪先生独阙。既而先生族子克宽来与纂修，始以其门人汪文炳所摭事状相示，濂既命史官删削立传。克宽以为史乃一代成书，其法当略，墓文乃私家所撰，其纪宜详。复致其孙德垕之言，请濂揭铭于隧上。"观此，则宋碑与《元史》所本实同，然不详二者何以相异如斯。汪克宽有《汪文节公简帖后跋》，其文云："宗叔礼部尚书巢深先生，其生也，长克宽三十有一年。延佑（祐）戊戌，登进士第。……发第一、第二帖时，先生年已七十有五。而第十帖在癸巳、甲午之间，字画遒劲，精采焕发，老成典刑，乡里情谊，粲然辞意之表。明年八月，先生骂贼被害。"（《环谷集》卷七）据此，则《元史》所记或误。又汪叡《七哀辞·汪尚书》云："至正十六年乙未八月丁丑，长枪叛将索诺木巴勒陷宣城，前嘉议大夫、礼部尚书汪公死之。"（《新安文献志》卷四十九）至正十六年为丙申，乙未则为至正十五年。王逢作《故赠江西省左丞谥文节汪公挽词》，其序云："公讳泽民，字叔志，号堪老真逸。以《春秋》登戊午进士第，累官致仕礼部尚书，归宣城。淮人阑境，公倡乡子弟保里闬，会城陷，遂遇害。越七年，诏赠江西省左丞，谥文节。"（《梧溪集》卷三）挽词曰："至正乙未间，星狗光孛然。首倡捍乡井，淮人竟扼咽。侯伯窜草间，丁壮死墓边。执公义不屈，子侄尚控拳。謇言今颜杲，劲气昔郑畋。臣素奏我皇，褒赠著史编。"据此，则汪泽民之卒，在至正十五年无疑。宋濂《元故嘉议大夫礼部尚书致仕赠资善大夫江浙等处行中书左丞上护军追封谯国郡公谥文节汪先生神道碑铭》："先生为文，不事缔章绘句，而义理自足。诗亦清婉有魏晋风，尤以善书名家，单纸片牍，人咸藏弄为荣。所著书有《巢深》、《燕山》、《宛陵》三稿，传之于学者。"《元诗选》三集庚集："所著有《春秋纂疏》行世，文节诗有《巢深》、《燕山》、《宛陵》三稿，今已散亡，存者仅见于《宛陵群英集》、《宛雅》二书。佳句如《送谷仲皋》云：'天开墨嶂孤云白，海涌春潮夜雪明。'《次顾仁甫》云：'花雨翻晴催社燕，柳烟笼晓待春莺。'《挽师炳仲》云：'初说衔觞蛇作祟，忽闻占谶鹏为妖。'《□王敬叔》云：'摩诘平生诗可画，无功晚节醉为乡。'造语俱极工稳，惜全篇不传。"

## 十月

十六日，贡师泰序黄溍所撰文集。序见本集卷首，其时师泰官朝散大夫、福建闽海道肃政廉访使。《金华黄先生文集》四十三卷，凡《初稿》三卷，登第前所作，危素所编；《续稿》四十卷，登第后所作，门人王祎、宋濂所编，今存《四部丛刊初编》本。《四库全书》本题作《文献集》，凡十卷，非完本。四库提要卷一六七："《黄文献集》十卷，元黄溍撰。……其文原本经术，应绳引墨，动中法度。学者承其指授，多所成就。宋濂、王祎（祎）皆尝受业焉。濂序称所著《日损斋稿》二十五卷，溍殁后县尹胡惟信锓梓以传。又有危素所编本，为二十三卷。今皆未见。此本乃止十卷，前有嘉靖辛卯张俭序，称'旧本颇阙失，且兼载其一时泛应异端之求者，恐非公意也。索世家得善本，及公所为《笔记》一编，稍加删定，付建瓯尹沈璧、陈珪重梓以传'云云。则俭已有所刊削，非濂所序之本。卷首题'虞守愚、张俭同校'一行，又题'温陵张维枢重选，会稽王廷曾补订'一行，则二人又有所窜易，并非俭所刻之本。卷数不同，有自来矣。明人诞妄，凡古书经一刊刻，必遭一涂改。数变之后，遂失其真，盖往往如此。然有所私损，未必有所私益，虽残阙不完，尚可见溍之崖略也。"

## 本年

上年至本年间，顾瑛所撰诗词后集为《玉山璞稿》二卷。《宛委别藏》本《玉山璞稿》，上卷题下署"至正甲午"，下卷题下署"至正乙未"。其中所作诗文，多有详细日月，盖均作于此两年间。四库未收书提要："《玉山璞稿》二卷，元顾瑛撰。……《玉山璞稿》，《四库全书》已著录一卷。是编乃至正壬辰、乙未间所作，凡古今体诗二百七十五首、词一首。书中送董参政铙歌十章，如《克淮西》、《入昌化》、《定安吉》诸题，足补史所未备。《元史》惟称秋七月饶、徽贼犯昱岭关及杭州路。案是时董抟霄率兵复之，所云参政及《送周天蟠》诗中大参董侯皆其人。卷末有云：水战甚难，盖舟楫有迟速，风水有逆顺，故不能齐其队伍。然则瑛于舟师之法，亦略窥其一二，非仅以词语流丽见长也。"《四库全书总目提要补正》卷五十二:"《玉山璞稿》一卷。瞿氏《目录》有钞本二卷,云:'皆至正甲午、乙未两年所作,卷分上下。汲古毛氏所刻《玉山草堂集》,皆撼拾《玉山名胜集》中仲瑛诗刻之,故与此本不同。'"《石洲诗话》卷五:"顾仲瑛《玉山璞稿》,虽皆一时飞觞按拍,豪兴吐属,然自具清奇之气。其一段遐情逸韵,飘飘欲仙,乃有杨铁崖所不能到者。"

**吕思诚与魏观以诗往还唱和。**吕思诚以上年十二月抵武昌为湖广行省左丞,本年闰十月入京为中书左丞。其时魏观隐居武昌蒲山下。魏观,字杞山,蒲圻人。著有《蒲山牧唱》。生平见《明史》卷一四〇本传。高启《跋吕忠肃与魏太常唱和诗后》:"右二诗,江夏魏公在元至正间赠吕忠肃公而作,忠肃答章所谓'诵君与我诗'者是也。方先生以愚尝为录忠肃之诗于卷,而公诗则未见焉。览者或未知所自,公间以示启,遂请书附于左,以见有唱斯和之义。夫古者兴运之佐,多伏于衰季之世,得硕望之士,器遇以为知己者,固非一人。然未有如二公之相赠以言,流于篇咏者也。公于忠肃,则期之重而无苟悦干名之辞;忠肃于公,则知之深而有乐天感时之意。录而传之,亦可以见前辈风谊之厚也夫。"(《凫藻集》卷四)王彝《蒲山牧唱序》:"公昔山居时,元吕忠肃公得其诗,以拟杜子美氏。今求之集中,信然。"(《王常宗集》卷二)

**熊太古自序所撰《冀越集记》。**序见本集卷首。《冀越集记》一卷、后集一卷,今存清乾隆四十七年吴翌凤钞本。四库提要卷一四三:"《冀越集记》二卷,元熊太古撰。……此书自序题乙未岁,为至正十五年,犹在元代所作也。太古生平足迹半天下,北涉滦河,西泛洞庭,东游浙右,南至交、广,故举南北所至,以冀越名其集。杂记见闻,亦颇赅博,明李时珍辈撰《本草纲目》颇援据之。然记载每不甚确,如《元史·天文志》言郭守敬为太史,四海测景之所凡二十有七,太古乃云奏遣使者十四辈,分隶十四处。殊未详考。又河源之说,据翰林学士潘昂霄、道士朱思本所记,谓张骞所言乃葱岭支川。以今核之,亦多妄传失实也。"

**岑安卿卒,年七十。**宋濂《题栲栳山人诗集后》:"馀姚岑公静能,志节之士也。其居乡也,人皆敬而惮之,是何也?其出言可为世则,其制行可为世范,所以名阀之家,虽至凋瘁,多藉之以自立。崛起寒微之辈,纵富埒公侯,亦不为凌躐之事。设有之,往往私相谓曰:'岑先生莫知之乎?'复退缩不敢吐气。或者不知,徒谓公为诗人。呜呼,公果诗人也哉。广西部使者虞泰鲁瞻,其乡中子也,力请予题,聊纪公之贤行,以示读公诗者。"(《芝园后集》卷三)《徐氏笔精》卷四:"至正中,馀姚岑安卿字静能,号栲栳山人,有集一卷。平淡不类元习,如'蛩鸣深巷静,月昃半楼明','山高不碍梦,日落易生愁',清新有味,亦胡元瑞所未睹也。"《元诗选》初集己集:"尝作《三哀诗》吊宋遗民之在里中者,寄托深远,有俯仰今昔之思焉。岑氏昆季多以科名显者,而静能独沦落不偶。其《简王子英》诗云:'平生耕稼心,愧此老病躯。'又云:'老成愧苟得,童稚羞无官。'又《会资敬庵》诗云:'我穷不出门,颇觉天地窄。'何其坎壈抑郁之甚也。"四库提要卷一六七:"《栲栳山人集》三卷,元岑安卿撰。……是集为安卿邑人宋禧编辑。禧初名玄禧,洪武间召修《元史》,曾为安卿题像,述其生平,今亦附载于集中。其诗戛戛孤往,如其为人。惟七言古诗,时杂李贺、温庭筠之体,盖有元一代风气如斯。然气骨本清,究亦不同纤媚稊冶之格。"《养一斋诗话》卷三：“元人争尚工丽，然亦有质朴与道园相近者，岑安卿静能是也。略录其数首于此。'田园日芜秽，衰迈不自治。童仆肆疏懒，子孙习娱嬉。良苗杂稂莠，瓜瓞缠蒺藜。草深狐兔聚，水积蛙蚓滋。念兹每独往，邈焉起遐思。世事亦如此，重令我心悲。''石燕拂云杪，河鱼落檐前。天公半月雨，下土舒忧湎。槁壤蚓发唱，素壁蜗留涎。禾蔬郁嘉秀，乐彼田与园。既无沟壑虞，体受期归全。插架有遗轴，足以消馀年。'……静能隐居乐道，人品甚高，故其诗质而无饰如此。虽未逮道园之浑健，亦元人之特立者。静能又有句云：'为言立仗马，何似忘机鸥。'抗志不出之故，观此而明，其时势亦可知矣。”

**潘音卒，年八十六。**《元诗选》初集庚集：“至正三年，诏征天下遗逸，廉访使檄赞之行，固辞。尝叹曰：'泉石膏肓，非其时，莫可疗也。'乙未岁卒，年八十有六。”潘音（1270—1355），字声甫，天台人。绝意仕进，力学以终。有《待清轩遗稿》二卷，嘉靖间七世孙日升所辑刻。《元诗选》初集庚集：“居闲感愤，或形之咏歌，以泄其悲思慷慨之志。读书有得，往往笔之壁牖间。”四库提要卷一七四：“《待清遗稿》二卷，宋潘音撰。……其集旧无传本。明嘉靖间，其后人从败篚中得遗稿，属徐云卿校定而序之。词气颇涉粗率，未知果音之手迹否也。”

## 公元 1356 年　（顺帝至正十六年　丙申）

### 正月

**徐寿辉将倪文俊据汉阳，建都以迎寿辉。**见《元史》卷四十四《顺帝本纪》。

### 二月

**初一，张士诚陷平江路，据之，改平江路为隆平府。**见《元史》卷四十四《顺帝本纪》。《至正直记》卷三：“'平江'二字，谶者云'淫'字也。……张九四陷平江，僭改隆平府。谶者云：'隆平'二字，远观似'降卒'，不久当归正。果然。”

### 三月

**朱元璋克金陵，遂改集庆路为应天府，辟夏煜、孙炎、杨宪等十馀人。**见《明史》卷一《太祖本纪》。孙炎（1330—1362），字伯融，句容人。面铁色，跛一足。谈辨风生，雅负经济。与丁复、夏煜游，有诗名。朱元璋下集庆，召见，请招贤豪成大业。时方建行中书省，用为首掾。从征浙东，授池州同知，进华阳知府，擢行省都事。克处州，授总制。会降军反，被执不屈死，年三十三。后二年，赠征仕郎。洪武元年，追赠丹阳县男。建像再成祠，谥忠愍。著有《左司集》。生平据宋濂《故江南等处行省都事追封丹阳县男孙君墓铭》、方孝孺《孙伯融传》、陆深《拟孙炎列传》、项笃寿《今献备遗》卷四、《明史》卷二八九《忠义传》。

**初九，刘基以江浙行省儒学副提举有事于处州。**上年冬，石抹宜孙以浙东道宣慰使司同知副都元帅分镇处州。刘基居处州两年馀，两人往还唱和，所作凡三百馀篇，后集为《少微倡和集》。今存刘基《覆瓿集》中，尚颇多与石抹宜孙唱和之作。刘基《处州分元帅府同知副都元帅舒穆噜公德政碑颂》："至正十六年季春月九日，予自杭归至处，处父老率其子弟遮道，言分元帅府同知副都元帅舒穆噜（石抹）公德政曰：往微公，吾聚已为墟。今微公，吾属已为菹。生我者天，而活我者公，君其知乎？"（《覆瓿集》卷十）石抹宜孙，字申之，其先契丹人。至正二十年，以兵败战死，谥忠愍。《元史》卷一八八有传。刘基《唱和集序》："予至正十六年，以承省檄与元帅石末公谋括寇，因为诗相往来，凡有所感，辄形诸篇。虽不得达诸大廷以讹君子之心，而亦岂敢以疏远自外而忘君臣之情义也哉。昔者屈原去楚，《离骚》乃作，千载之下，诵其辞而不恻然者，人不知其忠也。览者幸无诮焉。万一得附瞽师之口以感上听，则亦岂为无补哉。"（《覆瓿集》卷十）王祎《少微倡和集序》："至正乙未冬，沿海万户柳城石末公，持阃帅之节，来镇是州，亦既除去奸宄而抚其善良，复其疆土而振其弛坏。明年春，江浙提学青田刘公，奉行中书之命，实来相与辑绥之。又明年秋，政通人和，州以无事。先是，诏建枢密行院于江浙行中书，丞相兼领院事。至是，丞相乃承制以石末公为判官，刘公为经历，即是州分院莅治焉。于是石末公以元勋世臣，文武两全，夙负重望，而刘公起家进士，雄文直节，冠冕士林。及诸僚佐宾属，皆鸿生畯夫，极一时之选，东南人物，于斯为盛矣。惟其志同而道合，故其虽当多事之际，发号施令，日不暇给，而揽事触物，辄为诗歌，更唱迭和，殆无虚日。长句短韵，众制并作，蔼乎律吕之相应，粲乎经纬之相比，情之所至，肆笔成章，譬犹天机自动，天籁自鸣，有不可遏者。两年之间，总之凡三百馀篇，名曰《少微倡和集》。诗作于是州，州以星名，故亦因星以名集也。祎（祎）得而读之，窃叹其爱君忧国，伤世闵俗之情，见于言辞者，何其惓惓哉！昔之论者有谓，非能言之为贵，而不能不言之为贵。《少微》诸诗，其不能不言而言之者乎？夫其宏音丽采，荡山川而贲草木。题咏所及，烨有荣耀，诚可谓是州之遭，而百年之盛事，与韩愈氏荆潭之什，曾子固氏齐州之作，后先配美，人之所知也。若其微意奥旨之所存，有以系人心，关政理，明王化，而为世道劝者，忧深思远，有古风人之义，则固非夫人之所知，而君子必能审之矣。序而传之，将不有慨然而兴感者哉！"（《王忠文集》卷七）其时与石抹宜孙唱和者，尚有括苍陈镒等人。今存《午溪集》有《奉和元帅石末公元宵二首》、《次林县尹韵上元帅石末公》、《奉和元帅石末公春晴漫兴诗韵》（卷七）等诗。

**张士诚改至正十六年为天祐三年，国号大周，开弘文馆。元末文士，多聚于士诚弘文馆中。**《南村辍耕录》卷二十九："张士诚弟兄四，淮南泰州白驹场人。泰州地滨海，海上盐场三十有六，隶两淮运盐使司。士诚与弟士义、士德、士信，并驾运盐纲船。兼业私贩，初无异于人。……初，王克柔者，亦泰州人，家富好施，多结游侠，将为不轨，高邮知府李齐收捕于狱。李华甫与赵张四，素感克柔恩，谋聚众劫狱。齐以克柔解发扬州，后招安华甫为泰州判，四为千夫长。十三年五月，士诚又与华甫同谋起事。未几，士诚党与十有八人，共杀华甫，遂并其众，焚掠村落，驱民为盗，陷通、泰、高邮，自号诚王，改元天祐，设官分职，把截要冲，南北梗塞。立淮南中书省于扬州，以扼其势。既而亦招安之，立义兵元帅府以官其党。然狙诈百出，卒不就降，杀知府李齐。十五年五月，攻破扬州路，杀淮南行省参政赵琏。士义被获，伏诛。

既而退还高邮。至九月二十五日，又攻破扬州，适湖广行省右丞阿鲁恢引苗军来。十月初一日，复退。丞相脱脱亲总大军以擒之，众号百万，旌旗辎重，首尾千里，以为高邮刻日可平。然脱脱与弟御史大夫也先帖木儿，专权日久，及出师，遂有议其后者。诏脱脱安置淮安路，也先帖木儿安置宁夏路，别选相臣统其兵。诏未下时，部将董抟霄每对脱脱言，天兵南下，势如破竹，今老师费财，何面目归报天子，不若先攻其易。脱脱从其言，分兵破天长、六合，贼皆溃散，所杀者悉良民。及攻高邮，堕其外城，城中震恐，自分亡在旦夕。忽闻诏解其权，勇气百倍，出城拒敌，诸卫铁甲军抱不平者，尽皆散去，或相聚山林为盗，高邮不可得而复矣。江阴群寇，互相吞啖，江宗三、朱英，分党戕杀。宗三将入城杀英，时英就招安为判官，州之僚佐无如之何，遂申白江浙行省云朱英谋反，省差元帅观孙压境。观孙利其货赂，逗遛不进，英因乘间挈家逸去，过江求救于士诚，仍质妻子，借兵复雠。士诚初亦疑惑，弗听。英盛陈江南土地之广，钱粮之多，子女玉帛之富，以动其中。于是先遣士德，率高邮贼众，击横坍、渡福山。十六年正月朔，攻破常熟州。……士诚贼众才三四千人，长驱而前，直造北门，弓不发矢，剑不接刃，明旦，缘城而上，遂据有平江路，二月壬子朔也。……既而昆山、嘉定、崇明州人，相继来降。维扬苏昌龄，比先避乱居吴门，士德用为参谋，称曰苏学士。毁承天寺佛像为王宫，易平江路为隆平郡，立省院六部百司。凡有寺观庵院，豪门巨室，将士争夺分占而居，了无虚者。……三月癸巳，士诚来自高邮，服御器用，皆假乘舆。改至正十六年为天祐三年，国号大周，历曰明时。设学士员，开弘文馆。以阴阳术人李行素为丞相。弟士德为平章，提调各郡兵马。蒋辉为右丞，居内省，理庶务。潘元明为左丞，镇吴兴。史文炳为枢密院同知，镇松江。……自后长兴陷，常州又陷，士德战败被擒，俘致集庆。俾其作书劝士诚归附，士德以身徇之，终无降意。士诚势穷力迫，愿就丞相招安，使者往返，讫莫成就仁。亲诣江浙省堂，具陈自愿休兵息民之意，议始定，时十八年秋八月也。朝廷诏赦其罪。后授士诚太尉，开府平江。士诚以下，授爵有差，立江淮分省江浙分枢密院于平江，以设其官属。"

## 五月

**王良与集张仲深所撰诗集，刻梓行世。**张仲深，字子渊，鄞县人。与酒贤、危素等善。所著《子渊诗集》六卷，今存《四库全书》本，系由《永乐大典》辑出。其集有杨彝、单玄、危素、郑奕夫等为之序，甚为其人所重。四库提要卷一六七："《子渊诗集》六卷。案：《子渊诗集》散见《永乐大典》中，但题曰元人。《文渊阁书目》载之，亦不著撰人名氏。考集中有《岁尽》诗云：'照我乡关梦，相随到鄮城。'鄮故城在鄞县东，唐时析鄮置鄞、慈、奉、镇四邑，隶明州，元为庆元路。纳新《金台集》有《怀明州张子渊》七律一首，又有《依韵奉答子渊》七律二首，今倡和诗俱在集中，韵亦相符，则当为庆元路人。又《铁釜中莲》诗题下自注，叙同时并赋诸人，有'暨仲深'之语，则其名当为仲深。又有《怀兄子益在横浦》诗，以其兄字推之，则子渊当为其字矣。集久不传，兹分体缀辑，得诗六卷，多与纳新、杨维桢、张雨、危素、袁华、周焕文、韩性、乌本良、斯道兄弟唱和之作，而纳新为尤夥。古诗冲澹，颇具

415

陶、韦风格，律诗虽颇涉江湖末派，格意未高。然五言如'晓市鱼鰕集，秋田笋蕨多'，'驿路随江尽，湖云类海宽'，'地通江栈阔，天入海门低'，'明月孤城柝，秋风弱客心'，'枯萑晴似雪，独鹤夜如人'；七言如'江村夜迥传金鼓，池馆秋深老芰荷'，'满面炎尘依客帽，一川离思属荷花'，'家童解事故携酒，野鸟避人低度墙'，'北风吹沙弓力劲，落日照海旌旗寒'，'林荒乏酿茶为酒，鱼熟难赊米当钱'，'西江返照连虹影，南镇残山入雁行'。亦皆楚楚有致。其见重于当时名辈，亦有以也。"

## 七月

初一，朱元璋称吴国公。见《明史》卷一《太祖本纪》。

## 八月

刘崧中乡贡进士。尹直《司业刘公言行录》："至正丙申，应乡试，报捷者至，公适自田中摘粟归。怅然泣下曰：'始二亲笃于训子，奈何今不及见。'时天下大乱，州城陷，家荡覆，避地累岁，无以为生。"刘崧（1321—1381），字子高，江西泰和人。至正十六年，领乡荐。洪武三年，举经明，授兵部职方司郎中，奉命征粮镇江。迁北平按察司副使。为胡惟庸所恶，坐事谪输作，寻放归。十三年春，惟庸诛，征拜礼部侍郎。四月，擢吏部尚书。寻致仕，明年三月，征拜为司业，四月得疾卒，年六十一。著有《北平八府志》三十卷、《北平事迹》一卷、《槎翁诗集》八卷、《槎翁文集》八卷。生平据陈谟《题刘崧官诰后》（《海桑集》卷九）、尹直《司业刘公言行录》、《明史》卷一三七本传。

## 十月

宋濂《潜溪集》刊于郑氏家塾。其集为郑涛所编。郑涣《潜溪集题识》："《潜溪集》一编，总六万有馀字，皆金华宋先生所著之文也。先生自以为文章乃无用空言，凡所酬应，鲜存其稿，出于涣兄仲舒编者，仅若是。仲父都事公取以锓梓，涣谨以先生近作益之，复用故国子监丞陈公昔所为序冠于篇端。其文多系杂著，弗复分类。诗赋别见《萝山稿》，不在集中。群公所述记传赞辞及尺牍之属，有系于先生者，摘为二卷，附于其末。惟先生奥学雄文，有非区区小子所敢知，姑用识其刊刻本末于此。嗣是而有所作者，当为后集以传。至正十六年岁次丙申冬十月十三日，浦阳郑涣谨识。"（《潜溪录》卷四）《潜溪集》十卷、附录二卷，有至正十六年郑氏书塾刊本、嘉靖徐嵩刊本。陈旅《宋景濂文集序》："予方歆艳二公（即柳贯、黄溍），以为不可几及。客有授予文一编者读之，见其辞韵沉郁类柳公，体裁严简又绝似黄公。惊而问焉，乃二公之乡弟子宋君濂之为也。因作而曰：大哉文乎，不可无渊源乎！西京而下，唯唐宋为盛，宋姑不论。以吴兴姚铉所集《唐文粹》观之，奚啻三百馀姓，虽张、苏、萧、李、常、杨之流，气逸辞雄，各自名家，终不能逮于古。何哉？无所宗也。独韩愈氏吐词持论，一本之六经，然后斯文焕然可观。故凡经其指授者，往往以文知名于一世。

夫浑涵弥纶之道，淳庞冲雅之音，欲藉是以宣扬之。使其文字各从职而不紊，苟不传之于师，奚可哉？我国家混一以来，光岳之气不分，大音斯完。中统、至元间，豪杰之士，布列词垣，难以一二数。天历以来，海内之所宗者，唯雍虞公伯生、豫章揭公曼硕二公而已。二公之所指授，其必有异于庸常哉！设以韩愈氏方之二公，则濂当在李翱、皇甫湜之列也。予虽不能文，不可谓无意于斯，譬犹候虫而时一鸣也，其视二公黄钟大吕之音果何如也？窃喜金华山川之秀，代不乏人，而二公之学有所传，故因序濂之文，而敢志其私焉。"（《安雅堂集》卷五）其集又有王祎、欧阳玄序。玄以一代文宗，对宋濂颇为推赏，至谓海内如濂文者鲜有其人，则濂之文名，元末时实已甚藉。

## 十二月

**十五日，刘基序陈镒所撰《午溪集》。** 刘基《午溪集序》："丽水陈君伯铢，有《午溪集》一卷。观其所著诗三百有馀篇，则皆典雅有思致，发乎情而不恣乎义，可传于世而不必其多者也。余故喜而为之序焉。至正丙申十有二月望日，从仕郎、前江浙等处儒学提举刘基序。"（《午溪集》卷首）又有温州孔旸序。《午溪集》，今存《四库全书》本，凡十卷。四库提要卷一六七："《午溪集》十卷，元陈镒撰。……卷首题前进士曲阜孔旸编选，前进士青田刘基校正。有黄溍、张翥、孙炎及旸、基五人序。翥序称其学于外舅周衡〔之〕，炎序又称其学于翥。故其诗才地虽觉稍弱，而吐言清脱，不失风调。盖渊源有所自来。前又载基、旸手柬各一通。基柬称其体制皆佳，而近日应酬之作去其一二则纯矣。旸柬则称其篇篇合律而中吕，字字铿金而锵玉。今观其集，基言为是。基序称《午溪集》一卷，炎序称二卷，旸序则称四百馀篇。此本十卷，岂基所欲去者，旸仍为存之乎？"刘基序称三百馀篇，旸序所称不过四百馀篇，则其去取亦仅在百馀之数，何来有九卷之多。提要所论，盖妄测也。

## 冬

**邵亨贞作《氐州第一·丙申初冬次钱素庵韵》词。** 见《蚁术词选》卷二。邵亨贞集中与钱霖唱和之作甚多，如作于至正二年之《拟古十首》等。钱素庵，即钱霖。钱霖，字子云，世居松江南城。天历、至顺间，弃俗为道士，更名抱素，号素庵。有二斋号封云、可月，一时名公如邵亨贞、钱惟善多有诗咏之。后迁湖州，晚居嘉兴，筑室鸳湖之上，名其居曰藏六窝，自号泰窝道人，杨维桢为其志。卒，邵亨贞以诗挽之。著有《渔樵谱》、《醉边馀兴》等，又尝类诸公所作为《江湖清思集》。《录鬼簿》卷下："其自作乐府有《醉边馀兴》，词语极工巧。"杨维桢《渔樵谱序》："嘉禾素庵老人过予云间邸次，出古锦朴一帙曰《渔樵谱》者凡若干阕，虽出乎倚声制辞，而异乎今乐府之靡者也。吾尝求今辞于白石、梦窗之后，斤斤得寄闲父子焉。遗山、天籁之风骨，《花间》、《镜上》之情致，殆兼而有之。盖风骨过遒，则邻于文人诗；情致过媟，则沦于诨官语也。其得体裁，亦不易易嗣馀响于寄闲父子后者，今又得素庵云。夫谱之云者，音调可录节族可被于弦歌者也。《诗》三百曷无一不可被于弦歌，吾不知亦先有谱后有声邪？先有声后有辞耶？寄闲分谱于依永之殊，其腔有可度不可度者，则何如敢于素庵乎质焉？素庵卷然而笑曰：嘻！吾忘律吕于渔樵欸乃中，乌知所谓声依永、律和声许事哉？虽然，击辕之歌，野人之雅也，吾谱殆亦自当楚雅乎？素庵名抱素，字子云，裔出吴越王。有起进士第号竹乡翁，家置万卷堂者，其曾王父云。"（《东维子集》卷一）《南村辍耕录》卷十七："某人以善经纪，积赀至巨万计，而既鄙且啬，不欲书其姓名。其尊行钱素庵者抱素，逸士也，多游名公卿间，善诗曲，有集行于世。某尝以贵富骄之，故作今乐府一阕讥警焉。……乐府中押逐、赎、菊字韵者，盖中州之音轻，与尤字韵相近故也。此曲虽曰为某而作，然亦可以为世劝。"

## 本年

陈谦卒，年六十七。陈谦（1290—1356），字子平，吴人。与萨都剌、张雨、郑元祐、杨维桢等以诗文唱和。生平见陈基《陈隐君墓志铭》（《夷白斋类稿》卷三十三）。王祎《缶鸣集序》："予尝论中吴之士，唐有陆鲁望，宋有范至能。夫鲁望之诗，寄兴幽远，而其音响则骎骎已迫于晚唐；至能之诗，措辞温缛，然其格调特宋焉耳。在胜国时，余适吴，则陈子平诗。其为言平实而流丽，揆之陆、范，吾不知其孰先孰后也。吴之诗在元惟子平，而知者益鲜。"（《吴都文粹续集》卷五十五）《元诗选》三集庚集："子平为文章，驰骋上下，尤善古赋及古今体诗。诡丽春容，词辩锋出不少让。黄晋卿见其文，必咨嗟以为不易逮。尝悼时流文气不古，手编《西汉文类》若干卷。生平著述甚富，兵火后，仅存《周易解诂》二卷，别为《河图说》一卷、《占法》一卷，古今杂体诗二十四首，得之灰烬中。"

郑允端卒，年三十。郑允端（1327—1356），宋丞相郑清五世孙女，字正淑，平江人。归同郡施伯仁。卒谥贞懿。著有《肃雝集》一卷。《元诗选》初集壬集选其诗42首。《元诗选》初集壬集："所著有《肃雝集》，其自题曰：'尝怪近世妇人女子作诗，无感发惩创之义，率皆嘲咏风月，纤艳委靡，流连光景而已。余故划除旧习，脱弃凡近。作为歌诗，缄诸箧笥，以俟宗工斤正。今抱病弥年，垂亡有日，惧湮没而无闻，用写别楮，藏于家塾，以示子孙。'伯仁哀之，为诠次成帙，一时名辈如钱塘钱惟善、青城杜寅为之前后序云。"四库提要卷一七四："《肃雝集》一卷，旧本题元女子郑允端撰。……集首有叙传，纪其始末。集为允端没后伯仁哀其遗稿而成，钱塘钱惟善、青城杜寅为作前后序。明嘉靖中，其五世孙仁始刻之。其诗词意浅弱，失粘落韵者，不一而足。钱惟善等皆一代胜流，不应滥许至是。考集中《桃花集句》所谓'从教一簇开无主，终不留题崔护诗'者，杨循吉《吴中往哲记》以为苏州李氏女子所作。或正德间是集未刻，循吉偶尔传讹。至于《碧筒》一首作于王夫人席上者，结有'可笑狂生杨铁遂，风流何用饮鞋杯'句。铁遂，杨维桢号也，与允端虽同时人，然瞿宗吉《归田诗话》称维桢过宗吉叔祖士衡家，以《香奁八题》见示，依其体作八诗以呈，维桢称赏。因以'鞋杯'命题，宗吉作《沁园春》云云。宗吉虽不著年月，而铁崖《复古诗》中《香奁八咏》有维桢自序，称至正丙午春三月。宗吉先和诗而后咏'鞋杯'，又必在丙午之后。以允端小传考之，是时已没十年矣，安得闻'鞋杯'之事！此殆允端原有诗集，岁久散佚，而其后人赝撰刊行，但知维桢'鞋杯'事在元末，而不知有年月可考也。又有万历丁酉江盈科序，称改题其名曰《姑苏郑姬诗》，尤为妄作。如以姬为郑姓，则其事太古，汉、唐以下无此例。如以姬为女子之美称，则见与蔡京等矣。今仍以原名《肃雝集》存其目焉。"

## 公元 1357 年 （顺帝至正十七年 丁酉）

### 正月

**初一，宋濂撰《龙门子凝道记》成。** 宋濂《题龙门子凝道记后》："濂于至正十六年丙申冬十月四日庚戌，入小龙门山著书。十七年丁酉春正月一日丙子，书成。夏四月五日己酉，俾仲子璲重录成编，厘为上、中、下三卷。"《龙门子凝道记》三卷，今存《金华丛书》本。四库提要卷一四七："《龙门子凝道记》二卷，明宋濂撰。……是书乃元至正间濂入小龙门山所著。有四符、八枢、十二微，总二十有四篇，盖道家言也。旧载《潜溪集》中，嘉靖丙辰与刘基《郁离子》合刻于开封，李濂为之序。"

### 二月

**十五日，杨维桢序宋濂所撰《潜溪后集》。** 序见《潜溪录》卷四，又有孔克仁、赵汸、张以宁、刘基、张兑、李嵩、郑渊等人序。《潜溪后集》凡十卷，皆至正十六年后所作。

### 三月

**朱元璋克常州，继而取宁国等路及徽州、扬州、常熟等地。** 见《明史》卷一《太祖本纪》。

**李继本登进士第，授太常奉礼兼翰林检讨。** 李继本，李士瞻长子，原名守成，改名延兴，以字行，东安人，占籍北平。卒于洪武二十七年（1394）以后。著有《一山文集》九卷，有《四库全书》本、《湖北先正遗书》本。陈祖仁《翰林承旨楚国李公行状》："公讳士瞻，字彦闻，南阳之新野人，后徙汉上。曾祖讳之敬，累赠荆湖北道宣慰使，追封楚郡伯，配马氏。〔祖讳文亮，〕累赠中奉大夫、太常礼仪院使，追封楚郡公，配张氏，累赠楚郡夫人。父讳寿椿，字春伯，累赠荣禄大夫、河南省平章政事，追封楚国公，配郑氏，累赠楚国夫人。……配何氏，累封楚国夫人。子男四人：长守成，后名延兴，登丁酉王宗嗣榜第三甲进士。"（《经济文集》卷六附录）

**十七日，吕思诚卒，年六十五。**《元史》卷一八五吕思诚传："俄得疾，以至正十七年三月十七日卒，年六十有五。"宋濂《题吕仲实诗后》作"十一日"。宋濂《题吕仲实诗后》："右吕忠肃公诗一章，为蒲圻魏君观作。初，公为集贤大学士，因为议钱币事，与丞相脱脱不合，翻然东归，盖至正庚寅十月二十日也。后四年甲午二月，起公为湖广行省左丞。会天下兵乱，道涩不能前，至十二月八日始抵治所，是时已有中书左丞之命。明年乙未正月二十九日，使者至。闰月十三日，即上道，故诗中有'左丞两月馀’及‘今又入中书’之句。又二年，丁酉三月十一日，而公薨矣。惟公早师萧贞敏公，传道德性命之学，真知实践，故其立朝大节，极有可法。篇章散落于四方者，固宜宝之如鲁敦周彝，传之于子若孙也。”（《文宪集》卷十二）

## 五月

程嗣祖集杜本诗为《清江碧嶂集》一卷，介蒋易为序。蒋易《清江碧嶂集序》："《清江碧嶂集》者，程君芳远所集清碧先生之诗也。先生平日未尝存稿，故芳远所得仅如此。易先君晦父尝与先生论诗，先生时时诵一二，或书以示之。先君请曰：‘先生何不存稿以惠后人。’先生笑曰：‘亦尝念之，然观艺文志载古人文集，何翅千百，今其存者，百无一二，又有幸不幸者焉。故不必存也。’易事先生武夷山中，请学为诗。先生言：‘今代诗人，雄浑有气无若蒲城杨仲弘。仲弘诗法得于句章任叔植士林，其后叔植之诗乃不及仲弘，可谓青出于蓝矣。仲弘尝谓取材于汉魏，而音节以唐人为宗。此吾诗法也，小子识之。’易始知先生诗法得于句章、浦城者为多，故其赋咏在任、杨之间，而高者逼仲弘，绝句则又过之，新巧雕镂之语一不出诸其口。是以当时不惟好之者亦希矣。……呜呼，知先生诗法，则可以读先生之诗矣。至正十有七年五月初吉，诸生建阳蒋易拜手谨序。”（《清江碧嶂集》卷首）《清江碧嶂集》一卷，今存清钞汲古阁刊本，题"门人程嗣祖芳远编集，黄谟仲言校正"。毛晋《清江碧嶂集跋》："恨未多见其诗，吴门顾禹功携《清江碧嶂集》见视，乃朱尧民家藏本。诸体具备，凡一百四十首。"四库提要卷一七四："《清江碧嶂集》一卷，元杜本撰。……尝辑宋遗民诗为《谷音》一卷，鉴别极精，而所自作诗乃粗浅不入格。顾嗣立《元百家诗选》讥其多应酬俚近之作，非苛论也。"

## 八月

张士诚请降，江浙行省左丞相达识帖睦迩承制令参知政事周伯琦等至平江抚谕，授张士诚太尉，张士德为淮南行省平章政事。见《元史》卷四十五《顺帝本纪》。

二十三日，以淮南行省参知政事余阙为淮南行省左丞。见《元史》卷四十五《顺帝本纪》。刘炳闻其贤，往依之。今存余阙《青阳集》卷五中，有《与刘彦昺书》一篇。刘炳，一作镏炳，字彦昺，以字行，鄱阳人。至正中，从军于浙，以献书于朱元璋言事，用为中书典签。洪武初，从事大都督府，出为知县，以病告归。精于鉴赏书法，著有《刘彦昺集》九卷。生平据《明史》卷二八五《文苑传》。

## 闰九月

初五，黄溍卒，年八十一。王袆与金涓、宋濂、傅亨等人共祭之，作《祭黄侍讲先生》。危素《大元故翰林侍讲学士中奉大夫知制诰同修国史同知经筵事赠中奉大夫江西等处行中书省参知政事护军追封江夏郡公谥文献黄公神道碑》："至正十七年闰月丙午，翰林侍讲学士、中奉大夫、知制诰、同修国史、同知经筵事金华黄公年八十有一，

薨于家。是月己未，其孤梓与门人刘涓、王祎、朱世濂、傅藻等葬于所居义乌县东北
之里崇德乡东塾之原。"(《日损斋笔记》附录)宋濂《故翰林侍讲学士中奉大夫知制
诰同修国史同知经筵事金华黄先生行状》："先生之学，博极天下之书而归于至精，有
问经史疑难、古今因革与夫制度名物之属，旁引曲证，语蝉联不能休，至于剖析异同，
谳决是非，多先儒之所未发。见诸论著，一本乎六艺，而以羽翼圣道为先务，然其为
体，布置谨严，援据精切，俯仰雍容，不大声色。譬之澄湖不波，一碧万顷，鱼鳖蛟
龙，潜伏而不动，渊然之色，自不可犯。中统、至元以来，如先生者二三人而已。故
凡国家典册、诏令及勋贤当得铭者，必命先生为之。海内之士与浮屠老子之流以文为
请者，日集于庭，力麾之而弗去。一篇之出，家传人诵，虽绝徼殊邦，亦皆知所宝爱。
雅善真草书，人有得其片幅者，必藏弄以为荣。世之评议者，谓先生为人高介，类陈
履常；文辞温醇，类欧阳永叔；笔札峻逸，类薛嗣通，识与不识金无间言。"(《文宪
集》卷二十五)宋濂《文献集序》："近代自宝庆之后，文弊滋极，唯陈腐之言是袭，
前人未发者，则不能启一喙。精魄沦亡，气局荒靡，渐焉如弱卉之泛绪风，文果何在
乎？逮入国朝，群工叠出，刬华而践朴，革纂以趋真，烂然五色之文照耀于天下，沿
至先生，号为极盛。先生之所学，离其本根，则师群经；扬其波澜，则友迁、固。沉
浸之久，超然有会于心。尝自诵曰：文辞各载夫学术者也，吾敢为苟同乎？无悖先圣
人，斯可已。故其形诸撰述，委蛇曲折，必罄所欲言。出用于时，则由进士第教成均、
典儒台、直禁林、侍讲经帏，以文字为职业者殆三十年，精明俊朗，雄盖一世，可谓
大雅弗群者矣。今之论者，徒知先生之文清圆切密，动中法度，如孙吴用兵，神出鬼
没，而部伍整然不乱。至先生之独得者，又焉能察其端倪哉！"宋濂《书刘生铙歌后》：
"近代以文章名天下者，蜀郡虞文靖公、豫章揭文安公、先师黄文献公及庐陵欧阳文公
为最著。然四公之中，或才高而过于肆，或辞醇而过于窘，或气昌而过于繁，故效之
者皆不能无弊。惟先师之文，和平渊洁，不大声色，而从容于法度。是以宗而师之者，
虽有高下浅深之殊，然皆守矩蹈规，不敢流于诡僻迂怪者，先师之教使然也。"《元诗
选》初集丁集："与临川虞集、豫章揭傒斯、同郡柳贯齐名，号儒林四杰。合而观之，
待制之才雄肆，而侍讲之思峻洁，一时才士如王祎(祎)、宋濂辈，并出黄、柳之门，
而汇为一代文章之盛，殆亦气运使然者矣。"《石洲诗话》卷五："黄文献为有元制作大
手，其诗亦具风骨，而人之不深，放之不大。若比杨仲弘，则固胜之远矣。此究是读
书人诗也，只不能超然脱化耳。以诗笔论之，黄文献应在袁、马之次。"

黄溍弟子金涓，本姓刘，字德原(一作道原)，义乌人。受经于许谦，学文于黄
溍。虞集、柳贯荐之于朝，不起。隐居教授青村。著有《青村遗稿》一卷。《元诗选》
二集辛集选其诗 68 首。姑系于黄溍之后，以见其人学问之渊源。宋濂《题金德原和王
子充诗后》："右德原金先生所和子充王君诗，凡一百九十韵。时子充在金陵，因黄主
簿之官乌伤，作诗饯之，遂于乡中旧游深致意焉。诗止一百二韵，凡增多八十有八者，
乃先生引而伸之也。濂尝力疾起读，非惟波澜浩渺，不可涯涘，而其念乡学之美，思
官政之治，实有得古人风劝之义，视彼摭华摘艳，取合于一时者，不翅天渊之悬隔矣。
昔者柳柳州同刘宾客述旧言怀，寄澧阳张使君五十二韵之作，因其韵增至八十，通赠
二君。今其诗尚存，要不过流连光景、叹悼无寥者之辞耳。虽其触类尽意，不厌其多，

与先生略同。至于有关世教，足以增夫彝伦之重，则识者当谓先生之诗为不徒作也。先生气雄而言腴，发为文章，尤雅健有奇气，又不但长于诗而已。先生为己之功深，不自表暴，惟濂知之为独至。故题诸诗后，以志慕艳之私云。"《元诗选》二集辛集："王子充尝赠诗云：'惜哉承平世，遗此磊落姿。'宋景濂谓青村气雄而言腴，发为文章，尤雅健有奇气，不但长于诗而已。青村与王、宋同里而为同门生，相知最深，而推许如此，知非溢美也。"四库提要卷一六八："《青村遗稿》一卷，元金涓撰。……所著有《湖西》、《青村》二集，共四十卷，兵燹不存。嘉靖中，其六世孙魁始掇拾散亡，编为此本。魁子汪始刊版印行，以所存无几，非涓手定之原集，故题曰遗稿。涓于宋濂、王祎（祎）为同学。祎（祎）赠涓诗有'惜哉承平世，遗此磊落姿'句，颇嗟其沉晦。而涓《送李子威之金陵》诗云：'若见潜溪宋夫子，勿云江汉有扁舟。'乃深虑其荐达，志趣颇高。然其诗则不出江湖旧派，摹写山林，篇篇一律，殊未为超诣。观集中有《钱塘行在》一篇，以元统、至正间人，何至指钱塘为行在。知由耽玩宋末诸集，以习熟而误沿旧语矣。特以托意萧闲，不待矫语清高，自无俗韵，又恬于仕宦，疏散寡营，亦无所怨尤，故品格终在江湖诗上耳。诗道关乎性情，此亦一证矣。"

## 十月

初九，郑潜序黄镇成所撰《秋声集》。序见本集卷首。《秋声集》，有九卷本，今存明洪武十一年黄钧刻本，藏北京图书馆；十卷本，有明嘉靖十二年王锦刻本，并附录一卷；四卷本，有明何望海刊本、《四库全书》本；八卷本，题作十卷，实诗六卷、文二卷，有明洪武十一年刊本、《元人文集珍本丛刊》本。黄镇成《秋声集自序》："夫秋之为气也，寥阒而清，寂寞而虚。清与虚相薄，或能有声，或能无声，不能必其有无，然则秋声亦天地间不能无者也。余少学喑不能无声，大之不能为雷霆风雨，次之不能为语言律吕，时禽候虫又有所不屑为者，故托而自附于秋声焉。秋声可有可无，余言亦可有无，故录之以为《秋声集》，庶童子能听之否乎？秋声子自序。"（《秋声集》卷首）

## 十二月

徐寿辉将明玉珍据重庆路。见《明史》卷一《太祖本纪》。

二十九日，欧阳玄卒，年七十五。《元史》卷一八二本传误其寿年为八十五。危素《大元故翰林学士承旨光禄大夫知制诰兼修国史圭斋先生欧阳公行状》："公生于至元二十年五月。……十七年春，乞致仕。……十二月戊戌，薨于崇教里寓舍。"宋濂《欧阳公文集序》："君子评公之文，意雄而辞赡，如黑云四兴，雷电恍惚，而雨雹飒然交下，可怖可愕，及其云散雨止，长空万里，一碧如洗，可谓奇伟不凡者矣。非见道笃而择理精，其能致然乎？呜呼！自宋迄元三四百年之间，文忠公以斯道倡之于其先，天下学士翕然而宗之。今我文公复倡之于其后，天下学士复翕然而宗之。双璧相望，照耀两间，何欧阳氏一宗之多贤也，不亦盛哉！"《石洲诗话》卷五："欧阳原功诗所传虽不甚多，而精神亦少，又在黄、柳之次。盖学有本原，词自规矩，初非必专精于诗也。"

四库提要卷一六七：“《圭斋集》十五卷、附录一卷，元欧阳玄撰。……孔齐《至正直记》曰：‘欧阳玄作文，必询其实事而书，未尝代世俗夸诞。时人谓文法不及虞集、揭傒斯、黄溍，而事实不妄则过之。’然宋濂称其文‘如雷电恍惚，雨雹交下，可怖可愕，及乎云散雨止，长空万里，一碧如洗’，实亦未减于三人也。虞集《道园学古录》有《送玄谒告还浏阳》诗曰：‘忆昔先君早识贤，手封制作动成编。交游有道真三益，翰墨同朝又十年。’盖集父教授于潭州，见玄文大惊，手封一帙寄集曰：‘他日当与汝并驾齐驱。’故集诗云然。然则玄发轫之初，声价已与集相亚矣。”夏之蓉《欧阳文公集序》：“乃圭斋先生独能峨冠博带，朝夕于承明之庐，手定三史，未知于《五代史》为何如。而所典制诰，绰乎有《内制》、《外制》两集之遗风。其它碑铭序记之作，沾溉外夷而照耀奕世，遂使百年舛陋之习，廓然一洗，讵不谓之伟然者哉？”《四库全书总目提要补正》卷五十一：“《圭斋集》十五卷、附录一卷。沈涛《十经斋文集》有是集跋云：‘原功于揭公为同朝后进，公不应以先生称之。且原功三仕成均，两为祭酒，六入翰林，三拜承旨，凡朝廷高文典册多出其手，而序云：“惜弃在草野，不得与典谟训诰之述作以黼黻皇猷，然文关世教，斯可传矣，不系其人之隐显。”则所谓欧阳先生者，直隐居不仕，初不在承明侍从之列。又原功与揭公交甚密，集中揭公墓碑铭，言尝共修典宪，又共史事，今序云：“独恨不登先生之堂，从诸先生之后。”则公与欧阳先生并未识面，不过因其门人之请，为序以塞其求。其别为一人可知。盖铭、镛辈皆非文人，见《文安集》中有《欧阳先生集序》，以为必是序其先世之文，因弁诸卷首，可斋又误从而述之，亦可见明人之不学矣。……’玉缙案：揭序与本集不相谋，沈辨极细，《提要》亦未加以考核，丁氏《藏书志》袭其说。据此，则《诗流》诸目，知非《圭斋集》所有矣。……李慈铭《荀学斋日记》癸集下三四云：‘圭斋负元季文章重望，一时诏册碑传大著作多出其手，而集久散佚，此所存仅十之一。为赋一卷，附颂一首，诗三卷，记二卷，序二卷，碑铭二卷，阡表、哀词、传一卷（各止一首），经疑、书义、策问一卷，诏表、册文、铭、说等一卷，题跋一卷，赞、疏、简启、祝文、祭文一卷，附录一卷。诗赋虽清雅，而浅弱易尽，文亦多落庸近。惟碑铭尚有气势，而自张齐郡公、赵国忠靖公（马合马沙）、许文正公、赵文敏公、虞雍公、贯酸斋、揭文安公数篇外，亦鲜有关文献，然一代盛名，其文终可传也。’”

### 本年

明兵取建德路，判官兼义兵万户吴讷败走，寻自刎死，年二十七。吴讷，字克敏，休宁人。至正兵兴，以郑玉、杨维桢荐，授建德路判官，兼义兵万户。十七年，兵败，自刎死，年二十七。著有《吴万户诗集》五卷。《元诗选》三集庚集选其诗 10 首。生平据朱同《吴万户传》（《新安文献志》卷九十七）。《元诗选》三集庚集：“克敏诗豪迈，为铁崖所称。尝曰：克敏谒予七者寮，出所为诗，予奇其人，适垣府相臣招致名士，讲及三关之事，克敏慨然有击楫中流之志。无几，遂统士会诸军于昱关，予闻而益奇之。其才勇忠义，实得诸于天性，则知向所为诗，皆笔楗之馀耳。”

梁寅归江西，抵临江，假寓天宁寺，与吴皋游，其时皋为郡学教授。梁寅《吾吾类稿序》："强圉作噩（丁酉）之祀，余还江右，抵临江，假寓天宁寺。寺密迩郡庠，因与教授吾吾吴先生舜举游。"吴皋，字舜举，号吾吾，临川人。其年与梁寅相若，同学于豫章郡庠为弟子员。至正初，授鳌溪书院山长。秩满，转临江路学教授。至正末卒，年六十馀。著有《吾吾类稿》三卷。

**宋濂《潜溪续集》于本年刊行。**集凡十卷，有王晋、陈秉彝、陈纲等人序。《千顷堂书目》录宋濂《潜溪》前、后、别集各十卷，注云"皆前元时所作"。又有郑泳所序《潜溪别集》十卷，亦作于元未亡之前。今《四库全书》所收《宋景濂未刻集》二卷，大抵皆作于元朝。宋濂作于元代诸书，均为麟溪郑氏所刊。

**方孝孺生。**方孝孺（1357—1402），方克勤子，字希直、希古。从学于宋濂，人称正学先生。著有《逊志斋集》二十四卷。生平见《明史》卷一四一本传。

## 公元 1358 年　　（顺帝至正十八年　戊戌）

正月

**陈友谅陷安庆，守将余阙死之，年五十六。**李士瞻有《题安庆余阙廷心左丞死节说》（《经济文集》卷四），周霆震有《古今城谣并序》（《石初集》卷一），并颂其死节之事。《元史》卷四十五《顺帝本纪》："〔十八年正月〕丙午，太阴犯昴宿。陈友谅陷安庆路，守将余阙死之。"《草木子》卷四上："浙东金宪余阙，字廷心，按吾郡时，中秋夜望月，尝作一诗，题于分司官舍。其诗曰：'玄武夕始正，华月升秋旻。徘徊出西陆，照耀此瓯闽。金波何穆穆，绿枝满中轮。馀波洞轩房，紫兰含微津。皇天降丰岁，王政亦已陈。乐哉一杯酒，允矣同庶人。'此诗清婉，蔼然有与民同乐之意。后为淮西宣慰，守安庆孤城六年，上下援绝，淮寇益炽，城遂陷。府前有一大池，自刎死于池，妻子亦同死。赠淮南行省右丞，进平章政事，谥文贞公。其先河西人，伊吾儿氏。"李祁《青阳先生文集序》："廷心诗尚古雅，其文温厚有典则，出入经传疏义，援引百家，旨趣精深而论议闳达，固可使家传而人诵之，凿凿乎其不可易也。"（《云阳集》卷三）戴良《余阆公手帖后题》："初，公佥浙东廉访时，良获进拜双溪之上而师焉，而问焉。于是知公学问该博，汪洋无涯，其证据今古，出入经史百子，矗矗若珠比鳞列。为文章操纸笔立书，未尝起草，然放恣横从，无不如意。至古诗词，尤不妄许可，其视近代诸名公蔑如也。他如篆隶真行诸字画，亦往往深到，有汉晋作者之遗风。"（《九灵山房集》卷二十二）宋濂《余左丞传》："阙为人刚简有智，无职不宜为，为即有赫赫名。所至荐贤旌孝，义如恐后。每解政，开门授徒，萧然如寒士。五经悉为之传注，多新意。诗文篆隶，皆精致可传。"（《文宪集》卷十一）宋濂《题余廷心篆书后》："公文与诗，皆超逸绝伦。书亦清劲，与人相类。"（《文宪集》卷十二）《元史》卷一四三余阙传："阙留意经术，五经皆有传注。为文有气魄，能达其所欲言。诗体尚江左，高视鲍、谢，徐、庾以下不论也。篆隶亦古雅可传。"《诗薮》外编卷六："元人制作，大概诸家如一。惟余廷心古诗近体，咸规仿六朝，清新明丽，颇自足赏。"黄道明《余忠宣公集后序》："公故以诗文名。诗文降元，且难乎宋矣，超乘而上，岂不类逐日父？而公不溺于元习。元工乐府，工以宣淫赋艳，而公独喜为古《选》，取裁建安，近体不落天宝后也。文则体直议正，湔涤色泽，上者骎骎乎西京，次亦不失东京故步。”《石洲诗话》卷五：“余忠宣五言，卓有风骨，非同时诸家所可及。此与陈龙泉泰七言，并当拔萃者也。”四库提要卷一六七：“《青阳集》四卷，元余阙撰。……其诗以汉魏为宗，优柔沉涵，于元人中别为一格。胡俨《杂说》曰：‘初，危太朴以文学征起，士君子皆想望其风采。或问虞文靖公曰：“太朴事业当何如？”曰：“太朴入京之后，其词多夸，事业非所敢知。必求其人，其余阙乎？”问何以知之，曰：“集于阙文字见之。”后阙竟以忠义显。乃知前辈观人，自有定鉴’云云。然则文章虽阙之馀事，而心声所发，识度自殊，亦有足觇其生平者矣。”

## 五月

刘福通陷汴梁，自安丰迎韩林儿，以为都。《元史》卷四十五《顺帝本纪》记其事于本月壬寅、甲辰间。

## 八月

初一，郑玉卒，年六十一。汪克宽《师山先生郑公行状》：“〔至正〕十八年，淳安、建德相继亦破，先生间道归隐休宁山中。七月朔旦初度，晨起熏沐，东向再拜，不自胜，语弟璡曰：‘夜来达旦不寐，何也？’明日，闻郡中大小人言于主帅，欲罗致之，先生曰：‘吾知死期至矣。二雉飞入吾室，此其兆也。’弟璡惧伤先生，奋身往，主帅拘之不得还，令以书招先生亟出。先生曰：‘吾荷国厚恩，偷生苟容，何面目立于天地间耶？’欲亟死，而吏卒猝至，急如星火，逼迫至郡。主帅引见，命左右拽之跪拜，先生不为礼。问：‘尔何不出？’先生曰：‘昔元朝授以隆赐，命之显秩，尚辞不出，今何出耶？’又问：‘尔隐山中，曷不为用？’先生曰：‘我前日不仕，今复仕耶？’抗辞愈厉。主帅命左右拽之出，羁留郡城。先生闭户高卧，不食七日，犹赋诗为文，从容若平时。手为书喻诸生曰：‘人言食人之食，则死其事，未食其食，奚死？然揆之吾心，未获所安。先哲论殷三仁，胥获本心。士临事恶可不尽其本心哉？吾初欲忼慨杀身以敦风化，既不获遂志，今将从容就死以全节义耳。’复为书，戒弟璡屈志以存宗祀，戒子逢辰与从子拱辰义居以缵孝友之风。夫人闻之，使语之曰：‘君苟死，吾其相从地下矣。’八月一日，沐浴更衣，北乡（向）再拜，入寓馆自经而死。”（《师山遗文》附录）王祎《书郑子美文集后》：“郑子美先生所为文，予十年前尝得其汉唐诸论，颇病其辞不皆精纯，而其体制往往或戾于法度，心未之好也。今年秋，复获其《师山集》尽读之，观其操议持论，务辨道理，谈名义，盖汲汲焉以扶植世教自见，心叹服。于是乃愧向之知先生之不能深也。”（《王忠文集》卷十七）汪克宽《师山先生郑公行状》：“其为文以正大刚直之气，发为雄浑警拔之辞，感慨顿挫，简洁纯粹。然纪事朴实，不为雕镂锻炼、跌宕怪神之作，出入马迁、班固而根之以六经之至理。大抵主于明正道，扶世教，语子以孝，语臣以忠。初入京师，或传数篇于奎章阁下。侍书学士虞公集、授经郎揭公侯斯、艺文少监欧阳公玄惊以相视曰：‘是盖工于古文，严而有法。’晚与平章余公阙、吏部侍郎危公素、南台监察御史程君文最相知，而公之文名大振于朝野间矣。”四库提要卷一六八：“《师山文集》八卷、《遗文》五卷、附录一卷，元郑玉撰。……玉自序谓：‘韩、柳、欧、苏涂天下之耳目，置斯民于无闻见之地。道之不明，文章障之；道之不行，文章尼之。’其《与洪君实书》，又力诋唐皇甫湜。其言殊妄。汪克宽作玉《行状》，称其文……。其推尊亦太过。然玉学术本醇，克宽所谓‘大抵主于明正道，扶世教’者，其论不诬。其文皆雅洁不支，欧阳玄所谓‘严而有法’者，亦为不愧。”

**杨完者兵败自杀，江浙行枢密院判官张昱遂寓杭不仕。**《南村辍耕录》卷八：“杨完者，字彦英，武冈绥宁之赤水人。为人阴鸷酷烈，嗜斩杀。……至正十六年春二月朔，淮人陷平江。时江浙行中书省丞相塔失帖木儿，有旨得便宜从事，嘉兴北连平江，南去杭州无二百里，为藩镇喉舌，有司告援急星火，驿使交道中不绝，丞相兵少，策无所出，以完者来守之。完者取道自杭，以兵劫丞相，升本省参知政事，填募民入粟空名告身予之，即拜添设左丞。……是月，丞相又以王与敬摄元帅事，守松江。与敬据郡应平江，完者遣部将萧亮员成来，与敬奔。苗有松江，火一月不绝，城邑殆无噍类。……越五十日，平江兵破溦湖栅，苗夜遁去。秋，平江兵入杭，苗将吴大旺败，完者自嘉兴来，驻兵城中菜市桥外。……时左丞李伯升、行枢密同知史文炳、行枢密同金吕珍等，皆先魁淮旅而降顺者，丞相以其众攻杀之。既受围，遣吏致牲酒于文炳，为可怜之意曰：‘愿少须臾毋死，得以底里上露。’报不可。完者乘躁力战，败，尽杀所有妇女，自经以死。独平章庆童女，以先往在富阳得免。平章女已尝许嫁亲王，为完者强委禽焉。至是，未及三月，故数其罪者此居首。诸军开门纳款，惟恐弗先。文炳解衣裹尸瘗之，祭哭尽哀，十八年秋八月也。”张昱，字光弼，号一笑居士，又号可闲老人，庐陵人。学诗于虞集，为张翥所知。杨完者镇江浙，用才略参谋军府事，迁左右司员外郎，行枢密院判官。杨完者死，弃官不出。张士诚礼致之，不就。与周伯琦、杨维桢善。明初，征至京师，太祖悯其老，厚赐遣还。徜徉于西湖山水间。洪武末卒，年八十三。著有《可闲老人集》四卷。《元诗选》初集辛集选其诗195首。杨维桢为作《一笑轩记》（《东维子集》卷十三），刘仁本为作《一笑居士传》（《羽庭集》卷六）。

## 十二月

二十日，朱元璋取婺州，改为宁越府，以王宗显为知府，辟范祖幹、叶仪、许元等十三人，以叶仪、宋濂为五经师，以戴良为学正，吴沉、徐原为训导。徐原，或作徐源，又有作徐厚者。见《明史》卷一《太祖本纪》，又见《元史》卷四十五《顺帝本纪》。先是，胡大海攻婺州，久不下，朱元璋亲率兵往援。道徽州，召儒士唐桂芳咨时务。又闻朱升名，征参帷幄。

## 冬

**高启出游吴越。**漫游期间，作《青丘子歌》、《甫里即事》、《送张贡士会试》、《谒甫里祠》、《次韵春日漫兴》、《为外舅题画》、《吴越纪游》等诗。高启自戊戌至庚子，尝游吴越,因有《纪游》诗十五首,其馀凡在越州、钱塘、橶李作者皆在此三年。高启《吴越纪游诗序》:"至正戊戌、庚子间,余尝游东南诸郡,顾览山川,所赋甚夥,久而散失。暇日理箧中,得数纸,而坏烂破阙,多非完章,因择其可存者,追赋当日之意以足成之,凡一十五首。"序从朱绍刻《三先生诗》引录。

## 本年

**本年或下一年,刘基辞官里居。**《郁离子》著于本年至至正二十年(1360)间。黄伯生《故诚意伯刘公行状》:"行省复以都事起公,招安山寇吴成七等,使自募义兵,贼拒命不服者辄擒诛之,略定其地。复以为行枢密院经历,与行院判舒穆噜伊逊(石抹宜孙)守处州。安集本郡,后授行省郎中。经略使李谷(国)凤巡抚江南诸道,采守臣功绩奏于朝,时执政者皆右方氏,遂置公军功不录,由儒学副提举格授公处州路总管府判。诸将闻是命下,率皆解体。敕书至,公于中庭设香案拜曰:'臣不敢负世祖皇帝,今朝廷以此见授,无所宣力矣。'乃弃官归田里。时义从者俱畏方氏残虐,遂从公居青田山中。公乃著《郁离子》。"(《明文衡》卷六十二)据《元史》卷一九六《忠义传》及《元史类编》卷十五,李国凤为江南经略使,在至正十八年九月。《郁离子》十卷,徐一夔、王祎均尝为之序。吴从善《郁离子序》:"阐天地之隐,发物理之微,究人事之变,喻焉而当,辨焉而彰,简而严,博而切,反复以尽乎古今,恳到以中乎要会,不袭履陈腐,而于圣贤之道若合符节,无一不可宜于行,近世以来,未有如《郁离子》之善者也。夫郁,郁文也,明两离也。郁离者,文明之谓也。"

## 公元 1359 年 (顺帝至正十九年 己亥)

### 正月

**王冕卒。**徐显《稗史集传》:"至正戊子,南归。过吴中,谓予曰:'黄河将北流,天下且大乱。吾亦南栖以遂志,子其勉之。'于是择会稽山九里,买山一顷许,筑草堂,读书其中。服古衣冠,或乘小舟,扁曰浮萍轩,自放于鉴湖之曲,好事者多载酒从之。岁己亥,君方昼卧,适外寇入。君大呼曰:'我王元章也。'寇大惊,重其名,与君至天章寺。其大帅置君上坐,再拜请事,君曰:'今海内鼎沸,尔不能进安生民,乃肆虏掠,灭亡无日矣。汝能为义,谁敢不服!汝为不义,谁则非敌。越人秉义,不可以犯。吾宁教汝与吾父兄子弟相杀贼乎?汝宁听吾,即改过以从善;不能听,即速杀我,我不与若更言也。'大帅复再拜,终愿受教。明日,君疾,遂不起,数日以卒。众为之具棺服敛之,葬山阴兰亭之侧,署曰王先生墓云。"宋濂《王冕传》:"皇帝取婺州,将攻越,物色得冕,寘幕府,授以谘议参军。一夕,以病死。冕状貌魁伟,美须髯,磊落有大志,不得少试以死,君子惜之。"(《芝园集》卷十)《明太祖实录》卷七:"〔己亥,至正十九年〕上在宁越时,儒士许瑗、王冕来见。上问以时务,各应对称旨,乃留瑗等置幕府,以冕为谘议参军。冕,绍兴人,慷慨有大志,通术数之学。元末乱时,尝走京师,阴与人言乱且作,人以为狂。又尝仿《周礼》著书一编,曰:'吾未即死,持此以献明主,可致太平。'乃为谘议参军,自以为得行其志,未几,发

427

病卒。"《保越录》："至正十九年四月癸亥，总管焦德昭于稷山置水陆寨以遏大军冲突，招抚居民前后烧毁大军伧塘等大寨，大军于城东江岸放决杜浦、小金蛏浦诸坝，义兵随筑之。……郡人王冕，字元章，负气倔强，居九里山中。大兵至，民皆避兵入城，冕独不入。大军执而欲杀之，自言善能韬略兵书，得不死。大军将谢金等资之，偕行至婺州，领见太祖高皇帝于军门，请定官额，陈设攻取方略。上大悦，即命授以重任，命军前督众攻取绍兴。复治攻城器具，又定决水之策，画图本以示诸将。辛未，常禧门外大战，大军首将王隆科临阵，万户杨仕全策马迎之，刺伤隆科。隆科乃大军中勇将，是日几被获。大军欲往昌安门绝我粮道，乃用王冕计，自绕门山潜逾官河至右堰，结寨太常山石佛寺，一旦而成，公命元帅包玉总管倪昶急攻之，火筒炮石之声，昼夜不绝。……大军自右堰之败，人马散亡甚众，颇咎王冕，由此疏之。"刘基《竹斋集序》："予在杭时，闻会稽王元章善为诗，士大夫之工诗者多称道之，恨不能识也。至正甲午，盗起瓯括间，予避地至会稽，始得尽观元章所为诗。盖直而不绞，质而不俚，豪而不诞，奇而不怪，博而不滥，有忠君爱民之情，去恶拔邪之志，恳恳悃悃，见于词意之表，非徒作也。因大敬焉。"宋濂《王冕传》："当风日佳时，操觚赋诗，千百不休，皆鹏骞海怒，读者毛发为耸。"魏骥《书竹斋先生诗集后》："其大篇短章，豪雄俊伟，汪洋浩瀚，酷似其为人。故诚意伯刘公尝序其集曰：'其言有忠君爱民之情，去恶拔邪之志，恳恳悃悃，见于词意之表。'诚得先生之心者也。"《国雅品·士品一》："王参军元章。才赡思新，善绘梅竹，得意处辄题，往往奇拔。尤长于七言，如：'云合紫驼开虎帐，天连春草入龙沙。''海气或生山背雨，江潮不到石头城。''千峰回影陷落日，万壑欲尽松风声。'抽思虽奇，摛词未秀。"朱彝尊《王冕传》："吾尝诵其文，有诡气，今睹其人举止，亦然。"（《曝书亭集》卷六十四）四库提要卷一六九："《竹斋集》三卷、《续集》一卷、附录一卷，明王冕撰。……冕天才纵逸，其诗多排奡遒劲之气，不可拘以常格。然高视阔步，落落独行，无杨维桢等诡俊纤仄之习，在元明之间，要为作者。"提要以其人入明，《明史》亦收录其人，则均是以冕尝仕于朱元璋视之矣。

与王冕齐名者，有宣城人**贡性之**，字友初（一作有初），贡师泰族子。元末，贡性之以胄子除簿尉，后补闽理问官。入明不仕，改名悦，隐居绍兴，人称南湖先生。卒，门人私谥贞晦。著有《南湖集》七卷，有《四库全书》本。《元诗选》二集辛集选其诗134首。《元诗选》二集辛集："弘治间，六世孙吏部员外郎钦出示李少师东阳，少师称其诗清新可传，为删去什之一，付钦刊刻行世。钱唐田参议汝成谓友初诗才清丽，但纤秾乏骨。其《湖上春归》、《吴山游女》、《送戴伯贞还广西》诸诗，叙事委曲而感慨系之，出诸作之上。今其集中如'游鱼出没不多个，白鸟往来时一双。''洞箫吹彻声如缕，钓艇归来小似梭。''叱拨稳驮夷女醉，猩红新染氍袍深。''云将雨意惊秋早，雁带边声入座遥。''苍梧山暝云连树，青草湖春水拍天。''乌藤拄杖扶来瘦，绛色轻袍制得方。''晴云接地深遮屋，春水穿船直到门。'亦多杰出之句也。"

**谢肃从贡师泰游。**贡师泰《送谢元功东归序》："至正十九年春正月，予自政府退坐吴山之仰高亭。客有竹冠芒屦，衣不掩骭，直前长揖而问曰：'游先生之门者，亦尝有瑰伟倜傥拔出之士乎？'予愕未答，而心固已奇之矣。既坐，意气轩轩然愈若自得，问之，则上虞人，谢姓，肃名，而字元功也。居亡何，予奉诏漕闽、广粟，当泛舟入瀛海。予笑语元功：'尚能从吾游乎？'曰：'大丈夫触蛟龙，犯风涛，如行衽席上，况南飙踔顺，一息万里哉？'遂同载至海昌。属海上多警，因留居州之北郊，且六阅月矣。"（《玩斋集》卷六）师泰于元末以馆阁重臣执文盟，其时与游者甚众，肃亦其中之佼佼者也。谢肃，字原功，号密庵，上虞人。少与唐肃齐名，人称"会稽二肃"。至正末，从学于贡师泰。洪武十六年，举明经，历官福建按察司佥事，坐事卒于狱中，年五十三。著有《密庵集》十卷。

## 二月

贡师泰迁居海宁，朱镳、谢肃、刘中等人从其游学。朱镳《礼部尚书贡公玩斋先生年谱》："至正十九年己亥。正月，除户部尚书，奉诏漕闽粟，皇太子书务本二字赐之。赴闽道梗。二月，迁居海宁之北郭，时镳得列弟子员后。"（《玩斋集》附录）朱镳《礼部尚书贡公玩斋先生纪年录》："十九年正月，朝廷除户部尚书，奉诏漕闽、广粟。海上有警，留居海宁，与诸生谢肃、刘中、朱镳等讲明道义。露晨月夕，时援琴赋诗，以释忧愤。八月，自海宁航海达闽，转漕京师。"

## 三月

二十四日，方国珍以温州、台州、庆元降于朱元璋。见《明史》卷一《太祖本纪》。据《元史》卷四十五《顺帝本纪》，本年十月，元廷以方国珍为江浙行省平章政事。

二十九日，诏定科举流寓人名额，蒙古、色目、南人各十五名，汉人二十名。见《元史》卷四十五《顺帝本纪》。

## 五月

自二月至本月，胡大海攻绍兴，不下而去，徐勉之撰《保越录》一卷以记其事。徐勉之，鄱阳人。两领乡荐，为慈湖书院山长，迁海宁州儒学教授。著有《保越录》一卷，并编有《科名总录》等。《保越录》一卷，今存《四库全书》本、《丛书集成初编》本。四库提要卷五十八："《保越录》一卷，不著撰人名氏。载元顺帝至正十九年明师攻绍兴事。是时明将为胡大海，御之者张士诚将吕珍也。凡攻三月，卒不能下，乃还。是录称士诚兵曰我军，称珍曰公，殆士诚未亡时绍兴人所纪。其中称明为大军，及太祖高皇帝字，则疑士诚亡后，明人传钞所改耳。绍兴自是以后，犹保守八年。及至正二十六年，始归于明。珍亦至是年湖州之败，乃降于徐达。虽初事非主，晚节不终，而在绍兴则不为无功矣。大海攻绍兴挫衄，及其纵兵淫掠，发宋陵墓诸恶迹，《明史》皆不载。所录张正蒙妻韩氏、女池奴、冯道二妻抗节事，《明史》亦皆不书，尤足补史传之遗。"《四库提要辨证》卷六："《保越录》一卷。嘉锡案：此书陆心源刻入《十万卷楼丛书》，题作元徐勉之著。后有同治丁卯大兴傅以礼跋云：'是书余所见有二本。一为杭州吴氏瓶花斋旧钞，不著撰人名氏，卷首并佚。其序中称明兵为大军及太祖皇帝字样。今著录《四库》者，即祖是本。一为明代越中椠本，并《武备志》附《古越书》后，题曰元徐勉之撰。前有自序，结衔为乡贡进士、杭州路海宁州儒学教授。中以明兵为敌军，明祖为敌主，间有寇贼之称。近时袖珍坊刻，即祖是本。顾越中旧椠，世不多见。自明以来，辗转传钞，各名家著录，姓名各异。《千顷堂书目》但云张士诚幕客作。《山阴志》则属之山阴郭钰。惟王士禛《居易录》、许尚质《酿川集》悉合，则是书出勉之手无疑。'（此跋亦见华延年室题跋卷上）其所考据甚核。谈迁《枣林杂俎》智集云：'张士信《保越录》，盖守绍兴拒官兵全城事，出越人笔。词多指斥，云红寇。山阴祁彪佳有其书。常熟钱谦益录之，改帝号，非复旧本。'以谈氏之言，合之傅氏所考，疑祁彪佳所藏者即明代越中椠本。而《四库》之所著录及近代之所传刊，则皆出于钱谦益改订之本耳。"

## 十一月

**初一**，杨维桢序王逢所撰《梧溪集》。王逢所作诗，维桢以"诗史"称之。今观其集，于元末诸人行迹多有考证。序见《东维子集》卷七。《梧溪集》七卷，今存《四库全书》、《丛书集成初编》本。

**十三日**，胡大海克处州，石抹宜孙遁。见《明史》卷一《太祖本纪》。《元史》卷四十五《顺帝本纪》记其事于本月癸卯（十四日）。

## 本年

**高启作《听教坊旧妓郭芳卿弟子陈氏歌》**。题下注云："时至正己亥岁作。"（《高太史大全集》卷八）以诗中所云"回头乐事浮云改，瘗玉埋香今几载"度之，知其时顺时秀卒已数载。陈氏者，即顺时秀弟子宜时秀。杨基有《听老京妓宜时秀歌慢曲》诗，另《眉庵集》卷十一有《赠京妓宜时秀》七绝一首，似均作于此时。《青楼集》："顺时秀，姓郭氏，字顺卿，行第二，人称之曰郭二姐。姿态闲雅。杂剧为闺怨最高，驾头诸旦本亦得体，刘时中待制尝以'金簧玉管，凤吟鸾鸣'拟其声韵。平生与王元鼎密。偶疾，思得马板肠，王即杀所骑骏马以啖之。阿鲁温参政在中书，欲属意于郭，一日戏曰：'我何如王元鼎？'郭曰：'参政宰臣也，元鼎文士也。经纶朝政，致君泽民，则元鼎不及参政；嘲风弄月，惜玉怜香，则参政不敢望元鼎。'阿鲁温一笑而罢。"张昱《辇下曲》："教坊女乐顺时秀，岂独歌传天下名。意态由来看不足，揭帘半面已倾城。"（《可闲老人集》卷二）《南村辍耕录》卷四："虞邵庵先生集在翰苑时，宴散散学士家，歌儿郭氏顺时秀者，唱今乐府，其《折桂令》起句云：'博山铜细袅香风。'一句而两韵，名曰短柱，极不易作。先生爱其新奇，席上偶谈蜀汉事，因命纸笔，亦赋一曲曰：'鸾舆三顾茅庐，汉祚难扶。日暮桑榆，深渡南泸，长驱西蜀。力拒东吴，美乎周瑜妙术，悲夫关羽云殂。天数盈虚，造物乘除，问汝何如，早赋归与！'盖两字一韵，比之一句两韵者为尤难。先生之学问该博，虽一时娱戏，亦过人远矣。《折桂令》一名《广寒秋》，一名《天香第一枝》，一名《蟾宫引》。今中州之韵，入声似平声，又可作去声，所以蜀、术等字，皆与鱼、虞相近。"其时又有名荆坚坚者，善唱，工于花旦杂剧，人以"小顺时秀"呼之。据《录鬼簿续编》，元末曲家金文石亦尝从顺时秀学唱。贾仲明尝作杂剧《燕山梦》，演顺时秀事。明郑若庸《绣襦记》郑元和杀骏马奉妓人李亚仙事，亦用元翰林学士王文鼎与顺时秀故事。

**贡师泰为徐一夔作《知学斋记》。**贡师泰《知学斋记》："天台徐大章，以知学名斋，间过予海昌寓舍，愿闻一言以发其归趣。"（《玩斋集》卷七）贡师泰本年奉诏漕闽，以海上多警，寓居海昌。

**高明卒。**余尧臣《题晨起诗卷》："放翁手书《晨起》诗一首，感时自惜，忠义蔼然。永嘉高公则诚题其卷端，以为爱君忧时如杜少陵，且表其平生所志不在事功，岂以《南园》一记为放翁病，直欲挽回唐虞气象于三千载之上，又安肯自附权臣以求进。斯言也，非特尽夫放翁心事，而高公之抱负从可见矣。是卷题于至正十三年夏，越六年而高公亦以不屈权势病卒四明。言行相顾而不背者，予于高公见之。永嘉余尧臣敬书。"（《吴越所见书画录》卷一，转引自湛之《高明的卒年》，《文史》第一辑）或以为卒于下一年，以为卒于入明以后。然尧臣与高明同时，其所叙或为可信。嘉靖《瑞安县志》："高明，字则诚，居崇儒里，性聪敏，自少以博学称。一日叹曰：'人不专一经取第，虽博奚为？'乃自奋读《春秋》，识圣人大义，属文操笔立就，一时名公卿皆慕与交。登至正乙酉第，授处州录事，有能声。时监郡马僧家奴贪暴，明委曲调护，民赖以安。既去，民立去思碑，郡人刘基为文记之。辟江浙省掾史，从参政樊执敬覆实平江圩田，得蠲租米无征者四十万石。改调浙东阃幕四明都事，凡狱囚无验者，悉讯遣之，操纵允当，囹圄一空，郡称为神。转江南行台掾，数忤权贵，谢病去。除福建行省都事，道经庆元，方氏窃据，强留幕下，力辞不从，又以礼延教子弟，亦不就。卧病卒。所著有《柔克斋集》二十卷。今所传《琵琶记》，关系风化，实为词曲之祖，盛行于世。弟诚，字则明，亦有文名，时号高氏两难。见旧志。"嘉靖《宁波府志》卷三十九："高明，字则诚，温州瑞安人。少以博学称。尝言：'人不明一经取第，虽博奚为？'乃以《春秋》登至正乙酉第，授处州录事，有能声。后改调浙东阃幕都事，四明狱囚多冤，明平反允当，人称神明。转江南行台掾，数忤权势。又转福建行省都事，道经庆元，方国珍强留幕下，不从。旅寓鄞之栎社沈氏，以词曲自娱。因感刘后村'死后是非谁管得，满村争唱蔡中郎'之句，乃作《琵琶记》传于世。太祖御极，闻其名，召之，以疾辞。使者以《琵琶记》上，上览毕，曰：'《五经》、《四书》在民间，譬之五谷不可无；此记乃珍羞之属，俎豆间亦不可少也。'后抱病还乡，卒于海宁。时陆德旸有诗哭之云。"《草堂雅集》卷八："高明，字则诚，永嘉平阳人。至正五年张士坚榜中第，授处州录事。长才硕学，为时名流。往来予草堂，具鸡黍，谈笑贞素，相与淡如也。"《南村辍耕录》卷十三："余幼时尝见胡石塘先生《玄宝传》，今不能记其全篇。有人出永嘉高则诚明《乌宝传》相示，虽曰以文为戏，要亦有关于世教。"《琵琶记》，通常以为系高明所撰。《四友斋丛说》卷三十七："《拜月亭》是元人施君美所撰，《太和正音谱·乐府群英姓氏》亦载此人。余谓其高出于《琵琶记》远甚，盖其才藻虽不及高，然终是当行。"又："高则诚才藻富丽，如《琵琶记》'长空万里'是一篇好赋，岂词曲能尽之？然既谓之曲，须要有蒜酪，而此曲全无，正如王公大人之席，驼峰熊掌，肥腯盈前，而无蔬笋蚬蛤，所欠者风味耳。"《南词叙录》："《闵子骞单衣记》，高则诚作。永嘉高经历明，避乱四明之栎社，惜伯喈之被谤，乃作《琵琶记》雪之。用清丽之词，一洗作者之陋，于是村坊小技，进与古法部相参，卓乎不可及已。相传则诚坐卧一小楼，三年而后成，其足按拍处，板皆为穿。尝夜坐自歌，二烛忽合而一，交辉久之乃解。好事者以其妙感鬼神，为创瑞光楼旌之。我高皇帝即位，闻其名，使使征之，则诚佯狂不出，高皇不复强。亡何，卒。"魏良辅《曲律》："《琵琶记》乃高则诚所作，虽出于《拜月亭》之后，然自为曲祖。词意高古，音韵精绝，诸词之纲领，不宜取便苟且，须从头至尾，字字句句，须要透彻唱理，方为国工。"《艺苑卮言》附录一："谓则成元本止'书馆相逢'，又谓'赏月'、'扫松'二阕为朱教谕所补，亦好奇之谈，非实录也。"又："则成所以冠绝诸剧者，不唯其琢句之工，使事之美而已。其体贴人情委曲必尽，描写物态仿佛如生，问答之际了不见扭造，所以佳耳。至于腔调微有未谐，譬如见钟、王迹，不得其合处，当精思以求谐，不当执末以议本也。"又："《琵琶记》之下，《拜月亭》是元人施君美撰，亦佳，元朗谓胜《琵琶》，则大谬矣。"李贽《杂说》："《拜月》、《西厢》，化工也；《琵琶》，画工也。夫所谓画工者，以其能夺天地之化工，而其孰知天地之无工乎？"吕天成《曲品》卷上："永嘉高则诚，能作为圣，莫知乃神。特创调名，功同仓颉之造字；细编曲拍，才如后夔之典音。志在笔先，片言宛然代舌；情从境转，一段真堪断肠。化工之肖物无心，大冶之铸金有式。关风教特其粗耳，讽友人夫岂信然？勿亚于北剧之《西厢》，且压乎南声之《拜月》。"又卷下："《琵琶》蔡邕之托名无论已。其词之高绝处，在布景写情，真有运斤成风之妙。串插甚合局段，苦乐相错，具见体裁，可师、可法而不可及也。词隐先生尝谓予曰：'东嘉妙处，全在调中平、上、去声字用得变化，唱来和协。至于调之不伦，韵之太杂，则彼已自言，不必寻数矣。'万物共褒，允宜首列高则诚所作。"《庄岳委谈》卷下："高诗律尚散见元人峡中，如《题岳坟》、《采莲曲》等篇，虽格不甚超，要非传奇中语。文则《乌宝》一传，见《辍耕录》。小词若《琵琶》诸引，亦多近宋，盖胜国才士涉学者。"（《少室山房笔丛》卷四十一）陈栋《北泾草堂曲论》："自化工、画工之论出，而《西厢》、《琵琶》之品始定。然《琵琶》究不及《西厢》。实甫香艳豪迈，无所不可；东嘉一作典贵语，便筋努面赤。"

　　**程文卒，年七十一。**贡师泰有《祭程以文》（《玩斋集》卷八）。程文（1289—1359），字以文，号黔南。著有《程礼部文集》三十八卷。集为门人张吴所辑，至正二十二年陈基为之序（《夷白斋稿》卷二十二）。

　　**郑潜在福建闽海道廉访司佥事任上。**贡师泰作《勉斋书院记》（《玩斋集》卷七），言郑潜以佥事董其事。书院始修于至正十九年冬十月，成于明年八月。又作《道山亭祷雨记》（《玩斋集》卷七），言郑潜尝以天不雨与纳琳等往求雨，其时赡思丁为廉访使。记作于至正二十年。是郑潜由福建行省员外郎迁闽海道佥事，当在本年或前一年。又吴海作《郑公渡记》，言至正二十五年，郑潜已官海北廉访副使。郑潜，字彦昭，号樗庵，歙县人。累迁监察御史，历官福建行省员外郎、福建闽海道廉访司佥事、海北廉访副使，以泉州路总管致仕。洪武初，起为宝应县主簿，迁潞州同知。十一年致仕，明年卒。著有《樗庵类稿》二卷。

**刘福通将李喜喜自秦入蜀，王士点战败被擒，不食死。**王士点，王构子，王士熙弟，字继志，东平人。至顺元年，授侍仪通事舍人，旋拜翰林修撰。至正二年，迁秘书监管勾，出为淮西佥宪，擢四川行省郎中、廉访副使。至正十九年，战败，不食死。编有《禁扁》五卷、《秘书监志》十一卷。生平见《元史》卷一六四《王构传》附。

## 公元 1360 年　（顺帝至正二十年　庚子）

### 正月

二十七日，会试举人，知贡举平章政事八都麻失里，同知贡举翰林学士承旨李好文、礼部尚书许从宗，考试官国子祭酒张翥，同考官太常博士傅亨。会试中者三十五人。见《元史》卷四十五《顺帝本纪》。

### 三月

初一，征刘基、章溢、叶琛、宋濂至金陵。见《明史》卷一《太祖本纪》。宋濂《故诗人徐方舟墓志铭》："庚子之夏，皇帝遣使者奉书币，起濂于金华山中。时则有若青田刘君基、丽水叶君琛、龙泉章君溢同赴召，遂出双溪，买舟溯桐江而西。"（《文宪集》卷十九）章溢（1314—1369），字三益，处州龙泉人。生平见宋濂《明故资善大夫御史中丞兼太子赞善大夫章公神道碑铭》（《文宪集》卷十七）。叶琛，字景渊，丽水人。元末，从石抹宜孙守处州，授行省元帅。明兵下处州，以荐征至应天，授营田司佥事。寻迁洪都知府，佐邓愈镇守。祝宗、康泰叛，愈脱走，琛被执，不屈死。生平见《明史》卷一二八本传。

初一，刘仁本会文士于馀姚龙泉山雩咏亭，修禊赋诗，以为续兰亭之会。刘仁本《续兰亭会补参军刘密诗序》："庚子春，仁本治师会稽之馀姚，乃相龙泉之左麓州署之后山，得神禹秘图之处。水出岩罅，潴为方沼，疏为流泉，卉木丛茂，行列紫薇，间以竹篁，仿佛乎兰亭景状。因作雩咏亭以表之，合瓯越来会之士得四十二人，同修禊事，取晋人《兰亭会图》诗缺不足者，各占其次，补四五言各一首，因曰续兰亭会云。"（《御选元诗》卷二十二）诗尚存者有刘仁本、谢理、赵俶、朱右、王霖、诸纲、徐昭文、郑彝、张溥及释自悦、如阜、福报等人。朱右《上巳燕集补兰亭诗序》："事有旷古今而相符者，其趋同也，故君子视其所遭，而适其所趋焉尔。晋王右军当永和中，以暮春修禊事于会稽山阴之兰亭，仪观风度，千载而下，尚可想见。独未有能继其躅而补其遗者，何哉？人物之殊科，风习之异尚，不可必其同也。至正二十年春，江浙行省郎中刘君德玄督戍馀姚。暇日，常以文事从容尊俎，慨流光之易迈，思往古之不可复。乃三月初吉，会文武士四十二人于秘图湖上，衣冠毕集，羽觞流波，觳觫惟旅，谈笑有容，追王、谢之风流，想浴沂之咏叹，充然若有得也。遂取前人诗，考其阙四言者十有二，阙五言者三，而全不就者十有六。偕坐客次第补之，刻诸坚石。吁，顾兹多艰，所遭若彼，所适若此，何其默契有如是耶？秘图湖在州治北百步，旧志为禹藏图经之地，岩石坡陁，其上多嘉木美竹，下注成坻，泉水自石出，盘旋回折，因芟辟修，治甃为曲渠，覆以轩亭，而景益称。是举也，发神禹之秘踪，续兰亭之盛集，补昔人之遗典，上下二三千年，使故迹不泯而复显，诚可纪也，作后序。"（《白云稿》卷五）《静志居诗话》卷二十四"刘仁本"条："左司结续兰亭会，与者四十二人，今名氏未能悉考。诗仅存者，左司而外，都事谢理补晋侍郎谢瑰，乡贡进士赵俶补参军孔盛，萧山主簿朱右补馀杭令谢滕，帅府都事王霖补王献之，萧山教谕诸纲补府曹劳夷，平江儒学正徐昭文补府主簿后绵，秘图隐者郑彝补山阴令虞国，嘉兴路经历张溥补镇国大将军橡卞迪，天台僧自悦补任城吕系，四明僧如阜补任城令吕本，东山僧福报补彭城曹谭。诗皆醇雅，绝类晋人。特事在至正庚子，后九年始建元洪武，诸君惟俶及右仕明，故其诗不悉录。"

**初七**，廷试进士三十五人，赐买住、魏元礼进士及第，其馀出身有差。见《元史》卷四十五《顺帝本纪》。

**十五日**，孔齐作《杂记直笔》。其时孔齐由上虞移居鄞县之东湖上水方两年。据《至正直记》卷三"议肉味"条，知其由上虞移居鄞县，在至正十七、十八年间。《直笔》者，乃孔齐为己所撰之《至正直记》所作小序。《至正直记》之撰，非一时所为。如《至正直记》卷一"罗太无高节"，为至正丁酉（1357）所记，其时孔齐尚寓居上虞。又卷二"寓鄞东湖"条云："予以至正春二月，寓鄞之东湖上水。……今又为他人所夺，意何时而已耶。己巳闰十月二十五日记。"按：元顺帝至正无以"己巳"纪年者，以其"闰十月"考之，当为"乙巳"之误。则《至正直记》之撰，前后凡十馀年。孔齐《杂记直笔》："杂记者，记其事也。凡所见闻可以感发人心者，或里巷方言可为后世之戒者，一事一物可为传闻多识之助者，随所记而笔之，以备观省，未暇定为次第也。至正庚子春三月壬寅记，时寓鄞之东湖上水居袁氏祠之旁。"孔齐，字行素，号静斋，别号阙里外史。山东曲阜人，随父迁居溧阳。生于大德、至大间。早年出赘钱塘吴氏，后归家。元末兵兴，避居上虞，后又徙居鄞县。著有《至正直记》四卷，今存《粤雅堂丛书》本。归有光《静斋类稿引》："余恬于世味，雅好流览，一日过别业，得是编于乡塾学究家。按其书盖至正间旧物，历世绵远，已不免有模糊脱漏之患。因携归就而读之，乃知是公本洙泗苗裔而流寓平陵，家世奕叶簪缨，非编甿白屋之比。顾其时丁胜国末造，兵燹猥兴，人无宁宇，于崎岖避地之际，备得人情物态之详，笔诸简牍，久而成编。虽其文未雅驯，而持己处家之方，贻谋燕翼之训，亹亹乎有当乎道，诚举而体诸身心，见诸行事，即进而亚于古人不难。余故喜而手录焉，且为订其舛讹，以俟付之剞劂，以广其传。嗟乎！鸿谟宝训，非不足诱人于善，而感悟之速，不若目前近效为有征；金科玉条，非不足禁人于恶，而警惧之深，不若世人报应为可信。《诗》曰：'杨园之道，猗于亩邱。'兹固余欲梓行之心，盖亦静斋氏垂示之心也。不揣芜陋，敬揭其大指于简端，不识知道者以为然否？时嘉靖三十八年六月甲子，归有光跋。"四库提要卷一四三："《至正直记》四卷，一曰《静斋类稿》，元孔齐撰。齐字行素，号静斋，曲阜人。其父退之，为建康书掾，因家溧阳。元末，又避兵居四明。其仕履则未详也。是书亦陶宗仪《辍耕录》之类，所记颇多猥琐。中一条记元文宗皇后事，已伤国体。至其称：'年老多蓄婢妾，最为人之不幸，辱身丧家，陷害子弟，靡不有之。吾家先人，晚年亦坐此患。'则并播家丑矣。所谓直记，亦证父攘羊之直欤？别一本题曰《静斋直记》，其文并同，惟分四卷为五卷，而削去各条目录，盖曹溶《学海类编》所改窜也。今附著于此，不更存其目焉。"

十六日，杨瑀自序所撰《山居新话》。序见本集卷末，署"至正三月庚子既望"。据杨维桢所作序，"三月庚子"当作"庚子三月"。其时瑀官中奉大夫、浙东道宣慰使。《山居新话》一卷，今存《知不足斋丛书》本、《笔记小说大观》本。四库提要题作《山居新语》，而《四库全书》本所收，实作《山居新话》，凡四卷。又有《说郛》本、《武林往哲遗书》本、《八千卷楼丛刊》本，亦为一卷。四库提要卷一四一："《山居新语》四卷，元杨瑀撰。……其书皆记所见闻，多参以神怪之事，盖小说家言。然如记处州砂糖竹箭，记至元六年增枲官米，记高克恭弛火禁，记托克托（即脱脱）开旧河，则有关于民事；记敕令格式四者之别，记八府宰相职掌，记奎章阁始末，记仪凤司教坊司班次，则有资于典故；记朱夫人、陈才人之殉节，记高丽女之守义，记樊时中之死事，则有裨于风教。其他嘉言懿行，可资劝戒者颇多。至于辨正萨都剌《元宫词》，谓宫车无夜出之例，不得云'深夜宫车出建章'；擎执宫人紫衣，大朝贺则于侍仪司法物库关用，平日则无有，不得云'紫衣小队两三行'；北地无芙蓉，宫中无石栏，不得云'石栏杆畔银灯过，照见芙蓉叶上霜'。又辨其《京城春日》诗，谓元制御沟不得洗手、饮马，留守司差人巡视，犯者有罪，不得云'御沟饮马不回首，贪看柳花飞过墙'。则亦颇有助于考证。虽亦《辍耕录》之流，而视陶宗仪所记之猥杂，则胜之远矣。"

## 五月

陈友谅杀徐寿辉，自称帝，国号大汉，改元大义。见《元史》卷四十五《顺帝本纪》。《草木子》卷三上："庚子岁，伪汉王陈友谅杀其君徐贞一，称帝于采石五圣庙。先是，徐虽为君，权皆在倪蛮子，友谅其所部也。倪为丞相，颇骄恣，待其下无恩，陈因与其党袭杀之。其党复谋杀之，事泄见杀，于是大权悉归于陈，封伪汉王。欲举兵攻台，兵至采石，谋称帝而后下兵，遂遣其党杀徐，僭号曰汉，改元大义。引兵攻台，大败而归，营江州为都。友谅原沔阳人，承平为县贴书，及从为盗，弟兄四五人专兵为卫。既杀倪、杀徐，遂谋为帝。既败于建康，复弃江州而遁回武昌，于是洪、虔、吉、赣、袁、瑞、抚、饶皆归建康。壤地益蹙，竭力制舟师，谋图报复。合兵攻隆兴，久不下。台兵至，合战鄱阳，前后相持者八十馀日，大战者五六，死者六七万人。兵既不支，欲退出至湖口，为流矢所中而卒。其下复立其子为帝，袭位居武昌，改元德寿。台兵攻围一年不拔，泼张以潭岳兵赴援，兵败见执，遂俱降，国亡。"

## 闰五月

十二日，朱元璋置儒学提举司，以宋濂为提举，元璋子朱标从之受经学。见《明史》卷一《太祖本纪》。

## 六月

朱元璋将耿再成败石抹宜孙于庆元，石抹宜孙战死。见《明史》卷一《太祖本纪》。

## 七月

初九，陶宗仪与夏庭芝会于松江夏氏之居。《南村辍耕录》卷二十八："至正庚子秋七月九日，饮松江泗滨夏氏清樾堂上。酒半，折正开荷花，置小金卮于其中，命歌姬捧以行酒。客就姬取花，左手执枝，右手分开花瓣，以口就饮，其风致又过碧筩远甚。余因名为解语杯，坐客咸曰然。"陶宗仪元末寓居松江，常与夏庭芝过从，其所著《南村辍耕录》，多有得之于夏氏者，如卷二十二"猴盗"条，即明言得于庭芝。

## 八月

十五日，谢徽序郑元祐所撰《侨吴集》。序见《吴都文粹续集补遗》卷下。《侨吴集》十二卷，今存明弘治九年张习刊本、清钞本、《四库全书》本。张习《刊侨吴集录》："遂昌郑明德先生，为吴中硕儒，致声前元。其著述甚富，有《遂昌山人集》二十卷，仅分诗与文，而无类聚，皆漫稿也。又有《侨吴集》者，编次固当，然多繁芜重出。生通录之，得其诗文之精纯者，并为一十二卷，仍名《侨吴集》，用梓以传。"（《侨吴集》附录）四库提要卷一六八："《侨吴集》十二卷，元郑元祐撰。……集本其晚年所定以授谢徽。今此本后有弘治丙辰张习跋，乃称元祐本有《遂昌山人集》与《侨吴集》，多繁芜重出，因通录之，得诗文之精纯者，并为十二卷，仍名《侨吴集》，用梓以传。则此本为习所重订，非元祐手编之本矣。凡文六卷，诗六卷。"谢徽，字玄懿，一作云逸长洲人。明初与修《元史》。与弟谢恭均以能诗名。著有《兰庭集》六卷。生平见《明史》卷二八五《文苑传》。

许有壬自辑其诗文为《圭塘小稿》，其弟许有孚录而序之。序见《中州名贤文表》卷二十二。《圭塘小稿》十三卷，今存影钞明成化己丑许氏南康刊本、雍正二年蒋继轼家抄本、《四库全书》本、民国十二年河南官书局刊《三怡堂丛书》本。许有孚《圭塘小稿引》："行橐中止存昔者应酬诸人所谓《圭塘小稿》而有孚为序之本，幸无失坠。力疾编类，得赋四，古诗二十五，歌行十二，律诗四十四，绝句三十五，序十八，记十六，碑志十一，赞五，铭二，辞一，题跋六，文一，长短句六十三，总二百四十三，为一十三卷。酬赠及见寄有孚诗文、赞议、跋铭、传记、长短句共八十五，为《别集》上。缑献可出其先世所收《文过集》，并林虑记游诗文共九十三，为《别集》下。而其残编断简，得于倚尖野人家者，为《外集》一卷，继《小稿》后，并目录共一十六卷，以示子孙，所谓存十百于一二也。……屠维作噩春二月既望，弟有孚引。"四库提要卷一六七："《圭塘小稿》十三卷、《别集》二卷、《续集》一卷、附录一卷，元许有壬撰。其《小稿》为有壬所自辑。至正庚子，其弟有孚录而序之，所谓即《至正集》所不具录者也。迨有壬既殁，集本散亡，而有孚所携此本独存。因重加编次，得诗文二百四十三首，厘为十三卷，又辑尝寄有孚诗文八十五篇，缑献可所收《文过集》及林虑记游诗文九十三篇，为《别集》二卷。其残编断简，得于倚尖野人家者，为《外集》

一卷。有孚复为之序，题屠维作噩二月，乃洪武二年己酉，在元亡之后矣。子孙世藏其书。宣德间，复失其《外集》。成化己丑，其五世孙南康知府容始校正刊行，而以家乘载志文、祭文及有孚等倡和之作，编为《续集》一卷，附之于末。"今存《四库》本《圭塘小稿》中所录诗文，多所见于有壬所撰《至正集》中，然文字间有出入，提要以为其本较《至正集》中所录为精详。

## 十一月

**十五日，刘仁本序朱右所撰《白云稿》。**序见本集卷首。据刘仁本序所言，朱右所撰《白云稿》累数十卷，今存《四库全书》本仅五卷。其书又有李孝光、张天英、危素、杨翮、倪中、宋濂等人序，所署岁月相去甚远，知其集非成于一时。四库提要卷一六九："《白云稿》五卷，明朱右撰。……所著《白云稿》本十卷，今世所传仅存五卷，杂文之后仅有琴操而无诗。检勘诸本并同，无可校补。朱彝尊《静志居诗话》谓后五卷尝得内阁本一过眼，恨未钞成足本。则彝尊家所藏，亦非完帙也。右为文不矫语秦汉，惟以唐宋为宗。尝选韩、柳、欧阳、曾、王、三苏为《八先生文集》。八家之目，实权舆于此。其格律渊源，悉出于是。故所作类多修洁自好，不为支蔓之词，亦不为艰深之语。虽谨守规程，罕能变化，未免意言并尽，而较诸野调芜词、驰骋自喜、终不知先民矩矱为何物者，有上下床之别矣。"

## 本年

**高启与周砥相识于吴，往返唱和。高启、徐贲、杨基、张羽等人结社唱和，或亦在此数年间。**高启《荆南倡和诗集后序》："《荆南倡和诗》若干首，句吴吴（周）履道、毗陵马孝常所共作者也。二君常客阳羡荆溪之南，故以名编。庚子春，余始识履道于吴门，相与论诗甚契，因以一帙示余曰：'此野人之辞也，恐世之嗜好者少，故未敢出，子今为我评之。'予读之，爱其清粹雅淡，有古作者之意，因乞而藏于家。自是履道与予游集，未尝不道荆南之乐，且曰：恨子不识孝常。后予卜馆云岩之西冈，履道每乘舟访予，至则留连累日。予与之缘崖溯涧，搜览无厌。一日，雨霁鸟鸣，乔木荫翳，予邀履道坐盘石，命诸生行觞鼓琴。酒酣，履道起歌其诗数章，既而叹曰：'自吾别孝常，去荆南，谓山林燕咏之乐，不可复得矣。今乃与吾子相羊于此，岂偶然哉？'又曰：'吾衰矣，恐无以称列于后，苟得片词之传，使吾名因而自见，亦可以少无憾矣。'予当时甚怪其言之悲也。越二年，履道客会稽，竟卒于兵。予亦遭乱奔走，不遑启处。今避地江浒，暇日理箧，中家乘尽失，独《荆南集》在焉。因抚而叹曰：'此诗不亡，天欲成履道之志乎？'"徐贲《书荆南倡和诗集后》："予往年在荆溪时，闻有周履道、马孝常者，南山周氏馆二人，情相得，习相同，才气相下上，其闲情雅韵，固非流辈相及。有《荆南倡和诗》一卷，为时所称。后识履道于显亲寺之听秋轩，彼时独不得与孝常见。及予东还，与高季迪以诗倡和于吴，履道亦避地来居，故予三人交结又最密。每燕语间，未尝不叹荆溪之胜，诵孝常之诗之美。无何，季迪东游越，予卜居吴兴之蜀山，履道亦从军去，遂没于兵。呜呼，今已十又五年矣。此帙乃履道

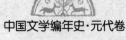

之亲笔，季迪所藏者，后季迪序而属其乡人吕志学收之。志学常持此过予山中求题，时洪武四年七月一日也。于时季迪尚无恙，今季迪亦逝去几四载。"《石洲诗话》卷五："周履道与高季迪、徐幼文结社，其诗清迥有逸气，非一时徒事长吉调者可比。"北郭十友，各家所记名姓不一。高启《送唐处敬序》所言凡六人：王行、徐贲、高逊志、唐肃、余尧臣、张羽。而所作《春日怀十友诗》之十友为：余尧臣、张羽、杨基、王行、吕敏、宋克、徐贲、陈则、僧道衍、王彝。朱彝尊《曝书亭集》卷三十六《徐贲传》、陈田《明诗纪事》甲签卷八"余尧臣"条均采此说。陈衍《石遗室诗话》卷十八则去王彝，并高启为十友之数。《明史》卷二八五《文苑传·王行》则云："初，高启家北郭，与行比邻，徐贲、高逊志、唐肃、宋克、余尧臣、张羽、吕敏、陈则皆卜居相近，号北郭十友，又称十才子。"据高启《送唐处敬序》所言，诸人除王行而外，皆由他处寓居北郭，且所至前后有相隔数年者，所谓"十馀年，徐君幼文自毗陵，高君士敏自河南，唐君处敬自会稽，余君唐卿自永嘉，张君来仪自浔阳，各以故来居吴，而卜第适皆与余邻，于是北郭之人物遂盛矣"，即其指也。而观之所作《春日怀十友诗》，则有不尽于北郭唱和者。知"北郭十友"之说，乃后人以高启之名重，而以其所往来之友附会而成也。

**上年与本年，缪思恭与徐一夔、姚桐寿、江汉、周棐、金绹、鲍恂、释克新等往返唱和，成《庚辛唱和诗》一卷。**周伯琦尝为之序，又有郁遵跋。见《槜李诗系》卷六。本年之集，在八月望日。缪思恭（1321—1364），字德谦，号菊坡，吴县人。历官嘉兴路同知、淮安路总管。周棐，字致尧，四明人。尝为宣公书院山长。姚桐寿，字乐年，桐庐人。著有《乐郊私语》。江汉，字朝宗，会稽人。洪武初，以文学征授翰林编修。金绹，字子尚，嘉兴人。元末举乡试，洪武中历官苏州太守。鲍恂，字仲孚，崇德人，徙嘉兴。举乡试第一，授郑山书院山长。至正中，荐授温州路学正。洪武十五年，征至京师，授文华殿大学士，以老辞归。著有《学易举隅》三卷。释克新，字仲铭，号雪庐，又号江左外史，鄱阳人。著有《雪庐稿》一卷。雍正《浙江通志》卷二五二："《至正庚子倡和诗》。《列朝诗集》：缪思恭、高巽志、徐一夔、姚桐寿、释克新、江汉、陈世昌、鲍恂、乐善、金绹、潘泽民、殷从先、朱德辉、郁遵等十四人。"又："《至正辛丑倡和诗》。《列朝诗集》：吕安坦、鲍恂、牛谅、释智宽、常真、丘民、张翼、王纶、来志道、闻人麟、曹睿、徐一夔、尤存、周棐等十四人。"四库提要卷一九一："《庚辛唱和诗》一卷，元缪思恭等撰。乃至正庚子、辛丑间，思恭等分韵唱和之作。庚子为张士信乱后，辛丑则游景德寺作也。先后共诗二十八首。重见者二人，共二十六人。明郁嘉庆因考其爵里，为《考世编》附于后。其《名公手翰》二十二条，则嘉庆以意附编，非原书所有。后朱彝尊亦尝编订是书，于每诗之前，人各为传，所述与《考世编》相出入。其跋云：'旧本姓名之下概无爵里事迹，特一一考而补之。'盖未见嘉庆本也。中有王纶，字昌言，槜李人，为嘉兴教授，见刘基集及邵复孺《怀友诗》注，而嘉庆与彝尊皆未之及，信乎考证之难矣。又鲍恂字仲孚，彝尊作字仲子，以其名推之，盖彝尊笔误云。"

**周闻孙卒，年五十四。**解缙《元乡贡进士周君墓表》："季大父之没以至正庚子，周公没亦以是岁，距今永乐丙戌，春秋四十有七。……寻擢袁州教授，未及赴而乱已极。行中书省大参全公领兵数万来吉，公为画取袁城策，手写数言，策甚备，不能用。公隐于新淦之石洞，其后全公果败，而公亦寻卒矣，年才五十四。"周闻孙（1307—1360），字以立，吉水人。至正元年，举乡贡进士，明年会试得乙榜，荐入史馆，以论不合众意而归。授鳌溪书院山长，丁父忧。服除，起为贞文书院山长。至正十六年，除白鹭洲诸书院山长。寻授袁州教授，未及上而乱已极，避居新淦。至正二十年卒，年五十四。著有《鳌溪文集》二卷。四库提要卷一七四："《鳌溪文集》二卷，元周闻孙撰。……所著书凡二十卷，无复存者。此本乃明正统壬戌其曾孙翰林院侍读叙所辑，仅诗文各一卷而已。文末附奏修三史以宋为正统论一篇，全文已佚，仅载其略。邹缉序所论《宋史》不合者，此也。自晋以来，南、北史并传。朱子作《纲目》，亦南北朝分注。闻孙必尊宋比蜀汉，而抑辽、金不得比北魏。不知辽、金各自立国，与曹氏、孙氏以汉之臣子乘时篡窃不同。闻孙所执，殊为偏驳。以此去官，未见其有当也。"

**王绅生。**王绅（1360—1400），王祎子，字仲缙。著有《继志斋集》。生平见王汝玉撰墓表。

## 公元 1361 年 （顺帝至正二十一年 辛丑）

### 正月

**二十六日，贡师泰、廉惠山海牙等五人集于玄沙寺，赋诗唱和。**贡师泰《春日玄沙寺小集序》："至正二十一年春正月廿六日，宣政院使廉公公亮崇酒载肴，同治书李公景仪、翰林经历答禄君道夫、行军司马海君清溪游玄沙，且邀予于城西之香严寺。是日也，气和景舒，生物鬯遂，花明草缛，禽鸟下上。予因缓辔田间，转入林坞，裴回吟咏，不忍遽行。及至，则四君子已坐久饮酬，移席于见山之堂矣。既见，则皆执酒欢迎，互相酬酢。廉公数起舞，放浪谐谑。李公援笔赋诗，佳句捷出，时亦有盘薄推敲之状。道夫设险语，操越音，问禅于藏石师，师拱默，卒无所答。清溪虽庄重自持，闻道夫言，辄大笑。予素不善饮，至此亦不觉倾敧傲兀，为之抵掌顿足焉。日莫将散，乃执盏敛容而相告曰：'方今宽诏屡下，四方凶顽，犹未率服，且七闽之境，警报时至，而吾辈数人，果何暇于杯勺间哉？'盖或召或迁，或以使毕将归，治法征谋，无所事事，故得从容以相追逐，以遣其羁旅怫郁之怀。然而谢太傅之于东山，王右军之于兰亭，非真欲纵情丘壑泉石而已也。夫示闲暇于抢攘之际，寓逸豫于艰难之时，其于人心世道，亦岂无潜孚而默感者乎？他日当有以解吾人之意者矣。乃相率以杜工部'心清闻妙香'之句分韵，各赋五言诗一首，而予为之序。"（《玩斋集》卷六）吴海《思凤台诗并序》："至正间，尚书玩斋贡公来闽，寓城西香严寺荒茀中。得凸地为台，构亭其上，以时燕息，与其徒讲学，题曰鸣凤，且自为文记之，亦一时盛事也。"（《闻过斋集》卷二）贡师泰官闽中时，著有《闽南集》，吴海尝为题其后（《闻过斋集》卷八）。赵赞《闽南集序》："门人豫章涂颍、会稽何升尝为辑录成编，列卷数十，侍讲金华黄公、宣慰武威余公、御史临川危公皆为之序。……呜呼！诗道至宋之季，高风雅调，沦亡泯灭，殆无复遗。国朝大德中，始渐还于古，然终莫能方驾前代者，何哉？大率模拟之迹尚多，而自得之趣恒少。间尝观诸二三大家之作，犹时或病之，况其他乎！先生之诗，雄浑而峻拔，精致而典则，不屑屑于师古而动中乎轨度，不矫矫于违俗而自远于尘滓。才情周备，声律谐和，斯盖所谓自成一家之言者也，胡可掩哉！"钱用壬《闽南集序》："其学该博而闳衍，其识高明而超卓，其才瑰奇而雄伟，其气刚大而振发。故其于诗也，得乎性情之正，止乎礼义之中，博而不冗，约而不啬，直而不倨，切而不泥，舒而不缓，奇而不险，深而不晦，优柔而不迫，和平而不躁，雄放杰出而不荡以肆。如江河荡潏，而莫测其涯也；如风霆变化，而莫见其迹也；如云霞卷舒，出没晻霭，千态万状而莫可名言也。诚所谓一代文章之宗匠者欤！"

　　**郭奎与赵汸遇于星源**。后郭奎卒，赵汸为序其集。赵汸《郭子章望云集序》："岁辛丑正月初，与古皖郭公子章遇于星源。子章尝游余公之门者也。因论公平居崇尚《选》学，于后来变体一无取焉。而五七言近体，每欲弃绝不为。公大节既立，而诗文皆散逸罕存矣，闻者相与太息。于是乃得子章所赋曰《望云集》者，与一二朋友共吟咏焉。古五言远宗魏晋，得其高风远韵，不杂后人一语。近体亦质厚微婉，足以达其志气所存，信乎渊源之有自也。又可见余公居常教人，悉本朱子，至其斧藻盛时，陶写幽抱，独与虞公相表里，而不必他人之己同。斯其所以为合作者，与以子章之才能，守师法而不变，亦可谓贤矣。"（《东山存稿》卷三）郭奎，字子章，巢县人。从余阙学。元末，入朱元璋幕府，选为大都督朱文正参谋。至正二十五年，朱文正以罪免官，奎坐诛。著有《望云集》五卷。生平据《明史》卷二八五《文苑传》。《望云集》五卷，今存《四库全书》等本。

## 二月

　　**十六日，谢肃序刘履所编《风雅翼》**。序见明初叶刊黑口本卷首。又有至正二十三年戴良序。《四库全书总目提要补正》卷五十七："《风雅翼》十四卷。丁氏《藏书志》有嘉靖刊本《选诗补注》八卷、补遗二卷、续编四卷。云：'《四库》著录，名《风雅翼》。《天一阁书目》载其书，有至正二十一年谢肃序例云："诗自孔子删后，殆未易言，然今人欲知汉魏以下诸作，颇赖昭明选诗之存。兹重加订选，得二百十有二首。又常恨陶靖节诗在《文选》者甚少，今就其本集增取二十九首。又于《后汉书》得郦炎诗二首，于《文章正宗》得曹子建《怨歌行》一首，于阮嗣宗集得《咏怀》二首，皆《文选》所遗者，总二百四十六首，厘为八卷。"此本重刻，谢序已佚，惟存太原王穉登序。补遗二卷，履自序云云；续编四卷，履自序云云。'玉缙案：《提要》于补遗、续编各言首数，而《补注》不言首数，殊未一律。所据本，殆亦无谢序。详谢序，似《补注》之选诗，为谢删补，刘特从而补注，因复为补遗、为续编也。此意从无人言及，俟再考。"按：据谢肃所撰《草泽先生行状》，知《风雅翼》确为刘履所编。《风雅翼》十四卷，分《选诗补注》八卷、《选诗补遗》二卷、《选诗续编》四卷，今存明初刊黑口本、《四库全书》本。四库提要卷一八八："《风雅翼》十四卷，元刘履编。……是编首为《选诗补注》八卷，取《文选》各诗删补训释，大抵本之五臣旧注、曾原演义，而各断以己意；次为《选诗补遗》二卷，取古歌谣词之散见于传记诸子及乐府诗集者，选录四十二首，以补《文选》之阙；次为《选诗续编》四卷，取唐宋以来诸家诗词之近古者一百五十九首，以为《文选》嗣音。其去取大旨，本于真德秀《文章正宗》。其诠释体例，则悉以朱子《诗集传》为准。其论杜甫'三吏'、'三别'太迫切而乏简远之度，以视建安乐府，如《典谟》之后别有《盘诰》，足见风气变移。不知讽谕之语，必含蓄乃见优柔；叙述之词，必真切乃能感动。王粲《七哀诗》曰：'出门无所见，白骨蔽平原。路有饥妇人，抱子弃草间。顾闻号泣声，挥涕独不还。未知身死处，何能两相完。'此何尝非建安诗，与'三吏'、'三别'何异？又如《孤儿行》、《病妇行》、《上留田》、《东、西门行》以及《焦仲卿妻》诗之类，何尝非乐府诗，与'三吏'、'三别'又何异？此不明文章之正变，而谬为大言也。又论《塘上行》后六句，以为魏文帝从军，而甄后志之。不知古者采诗以入乐，声尽而词不尽，则删节其词，词尽而声不尽，则撼他诗数句以足之。皆但论声律，不论文义。《乐府诗集》班班可考，《塘上行》末六句忽及从军，盖由于此。履牵合魏文帝之西征，此不明文章之体裁，而横生曲解也。至于以汉魏篇章强分比、兴，尤未免刻舟求剑，附合支离。朱子以是注《楚词》，尚有异议，况又效西子之颦乎？以其大旨不失于正，而亦不至全流于胶固，又所笺释评论，亦颇详赡，尚非枵腹之空谈，较陈仁子书犹在其上，固不妨存备参考焉。又案叶盛《水东日记》，称祭酒安成李先生，于刘履《风雅翼》尝别加注释，视刘益精。安成李先生者，李时勉也。其书今未之见。然时勉以学问醇正、人品端方为天下所重，诗歌非其所长，考证亦非其所长，计与履之原书亦不过伯仲之间矣。"

**二十六日，曹庆孙卒**。据邵亨贞《元故建德路淳安县儒学教谕曹公行状》（《野处集》卷三）。曹庆孙（1286—1361），一名绍，字继善，号瀼东漫士，华亭人。历吴县、淳安两县教谕。年四十，不复仕，家居读书，人称安雅先生。至正二十一年卒，年七十六。著有《安雅堂觚律》一卷，收入《说郛》。

## 七月

**十八日，杨瑀卒**。杨维桢《元故中奉大夫浙东尉杨公神道碑》："公生于至正乙酉四月某日，殁于至正辛丑七月十八日。（《东维子集》卷二十四）"至正乙酉"当系"至元乙酉"之误。

**杨维桢序赖良所编《大雅集》**。序见本集卷首。又有至正壬寅春吴兴钱鼐序，及王逢后序。《大雅集》八卷，今存《四库全书》本。赖良《大雅集题识》："《昭明文选》初集至一千馀卷，后去取不能十一，今所存者三十卷耳。三十卷中，尚有可汰者，选之难精也如此。良选诗至二千馀首，铁雅先生所留者仅存三百。古人以诗名世，或一联一句，不为少也。而有擅场雄作，则大篇长什，又不厌其多也。故今所刊者，或一人一诗，或一人数十诗，盖不以多寡较也。"朱彝尊《赖良大雅集跋》："《大雅集》十卷，天台赖良采择凡二千馀篇，杨廉夫点定存三百首，既为作序，而江阴王逢、吴兴钱鼐亦序之。集中所收皆元人，其后间有仕于明者。第六卷载林洵《送顾谨中入太学》诗，则洪武中从而补缀者也。良字善卿，《赤城续志》不书其姓氏，出处显晦，不可得而知。绎席帽山人序，盖曾教授松江云。倪元镇赠良诗云：'陈诗昔在周盛日，删诗又是衰周馀。'二语得其概矣。"(《曝书亭集》卷五十二)四库提要卷一八八:"《大雅集》八卷,元赖良编。良字善卿,天台人。是集皆录元末之诗,分古体四卷、近体四卷。前有至正辛丑杨维桢序,又有至正壬寅钱鼐(鼎)序。末有王逢序,不署年月。维桢序称其所采皆吴越人之隐而不传者。序末良自识云:'良选诗至二千馀首,铁崖先生所留者仅存三百。'铁崖道人即维桢别号,是兹集乃良所裒辑,而维桢所删定,故每卷前署维桢评点字也。然观集中止首卷前数篇有维桢评语,七言律诗中顾瑛和维桢唐《宫词》十首,亦列评语于其下,馀无维桢一语。或传写不完,或但经维桢点定,中间偶评数首,良重其名,遂以评点归维桢欤?顾嗣立选元诗三百家,众作略备。然大抵有集者登选,虽称零篇佚什,各入癸集,而癸集实阙而未辑。此集所录多嗣立之所未收,其去取亦颇精审。盖维桢工于篇什,故鉴别终为不苟。又每人之下,皆略注字号里贯。元末诗人无集行世者,亦颇赖以考见,固不失为善本矣。"

## 十月

**十九日,林泉生卒。** 吴海《故翰林直学士奉议大夫知制诰同修国史林公行状》:"至正二十一年冬十月丙申,以疾终,年六十有三。"(《闻过斋集》卷五)李孝光《赠林泉生兄弟诗序》:"林少年有才情,能为时文,闻其父颇种德,是二子者食其报者也。然二子之瑰奇敦雅,非长者正其身欤!泉生字清源,同生字清流,一字亦流。"(《五峰集》卷五)吴海《觉是先生文集叙》:"国朝自程、吴诸公以来,凡十馀人,相继擅为文章,或号简古,或推富赡,或称温雅,或宏肆浩汗,或魁垒多奇,或敷腴清润,或恬淡渊永,莫不各得其趣,自成一家。若公之文,宏健雅肆,其叙事明洁类太史公,其运意精深类柳子厚,其遣辞不滞类苏子瞻,其视国朝诸公,固不多让,或与并驾而争进也。昔公尝与予论古今人文章上下,予试问曰:'公乃自比何人?'公笑曰:'能为东坡乎?'是虽一时戏笑之言,亦其内有所信而人不知者。晚岁养疾山中,屡言囊驱驰州县,时有所应酬,多不出本意,欲删去旧稿,而索不可得。公前后所作文,辄录以贻予,蓄之殆二百首,遭乱失去。今公家所存仅若干首,间以公意删其一二。诗凡三百馀篇,皆豪宕遒逸,其四言益浑厚近古。公才气英迈,不易出人下,其见诸政事已然,而其文亦然。然喜与人议论,闻善则服,则人不及也。公名泉生,字清源,觉是其自号云。"(《闻过斋集》卷二)《元诗选》三集己集:"清源以志略自负,不能下人,后稍自晦抑,号谦牧斋。晚益折节,更号觉是轩。为文宏健雅肆,诗豪宕遒逸。"

## 本年

**吴当卒,年六十五。** 吴当(1297—1361),字伯尚,吴澄孙,抚州崇仁人。幼承祖训,长精通经史百家言,侍其祖至京,补国子生。至正初,以父文荫,授万亿四库照磨,未上,用荐者改国子助教。会诏修辽、金、宋三史,当预编纂。书成,除翰林修撰。七年,迁国子博士。明年,升监丞。十年,升司业。明年,迁翰林待制。又明年,改礼部员外郎。十三年,擢监察御史,寻复为国子司业。明年,迁礼部郎中。又明年,除翰林直学士。寻授江西肃政廉访使,招捕江西诸郡。十六年,调检校章迪率本部兵,与黄昭夹攻抚州，剿杀首寇胡志学，进兵复崇仁、宜黄，定建、抚两郡。寻以诬罢。十八年，复诏拜中奉大夫、江西行省参知政事。命未下，而陈友谅已陷江西诸郡。遂戴黄冠，著道士服，杜门不出，日以著书为事。友谅遣人辟之，当卧床不食，以死自誓，乃舁床载之舟，送江州，拘留一年，终不为屈。遂隐居庐陵吉水之谷坪。逾年，以疾卒，年六十五。著有《周礼纂言》、《学言稿》六卷。《元诗选》初集乙集选其诗 4 首。生平据《元史》卷一八七本传。四库提要卷一六八："《学言诗稿》六卷，元吴当撰。……其诗风格遒健，忠义之气，凛凛如生，亦元季之翘楚。顾嗣立《元百家诗》仅撷其《浔阳舟中》诗三首，《送樊秀才》诗一首，附澄《草庐集》末。其殆未见此本欤？"

　　**黄镇成卒，年七十五。**［按，镇成卒年，据今人杨镰所著《元诗史》，有危素所撰碑铭（嘉靖十二年刻本《秋声集》附录）。笔者未见其本，姑从录于此。］黄镇成（1287—1361），字元镇，号存斋，福建邵武人。自幼为志力学，以隐逸终其身。至正二十一年卒，谥贞文处士。著有《周易通义》十卷、《尚书通考》十卷、《中庸章旨》二卷、《性理发蒙》四卷、《秋声集》八卷。《元诗选》初集庚集选其诗 74 首。《徐氏笔精》卷四："元季词人辈出，而邵武有黄镇成，诗多奇警。《秋声集》十卷，佳句叠出，如：'王孙不归怨芳草，山鬼欲啼牵女萝。''铁橛召雷秋雨足，瑶坛谒帝夜云高。''游山采药辞家早，扫石看云出洞迟。''青山尽处海门阔，红日上来天宇低。''花竹一家巢绝顶，烟尘九点认齐州。''潮来估客船归市，月上人家水浸空。'惜梨枣朽腐，鲜有睹其全篇者。"《居易录》卷十六："元黄镇成元镇《秋声集》四卷。予爱其《秋风》诗云：'秋风浙浙生庭柯，萧萧木落洞庭波。红树夕阳蝉噪急，白蘋秋水雁来多。王孙不归怨芳草，山鬼欲啼牵女萝。蒹葭苍苍白露下，望美人兮将奈何。'又《李仲明秋山小景》云：'家住夕阳三峡口，人行秋雨二崦间。不知何处真堪画，移得柴门对楚山。'《五曲精庐》云：'歌棹曾穷九曲源，精庐迢递隐屏前。闲寻五曲樵溪上，三十六峰秋满船。'甚有风调。"四库提要卷一六七："《秋声集》四卷，元黄镇成撰。……今观其集，大抵边幅稍狭，气味稍薄，盖限于才弱之故。然近体出以雅洁，古体出以清省，亦复善用其短。故格韵楚楚，颇得钱、郎遗意，较元代纤秾之体，固超然尘堨之外也。《闽书》称镇成至正中筑室城南，号南田耕舍，部使者屡荐之，不就。似乎高隐之士。郑潜序则称其有所激而鸣其不平。今考集中《南田耕舍诗序》言：'赋者率拟之于老农，人各有志，同床而不相察。'其第二首云：'种田南山下，土薄良苗稀。稊稗日以长，荼蓼塞中畦。路逢荷莤人，相顾徒嗟咨。我欲芟其芜，但念筋力微。终焉鲜嘉谷，何以奉年饥。谁令恶草根，亦蒙雨露滋。岂无力耕士，悠悠兴我思。'则镇成盖遭逢乱世，有匡时之志而不能，乃有托而逃，故诗多忧时感事之语。潜序未知其心，徒以为恬退之士，未足罄所抱矣。"

　　**胡俨生。**胡俨（1361—1443），字若思，南昌人。著有《颐庵文选》二卷。生平见《元史》卷一四七本传。

　　**袁士元卒于本年之后。**见《式古堂书画汇考》卷十。袁士元，袁珙父，字彦章，自号菊村，庆元鄞县人。年近四十，御史奥林以茂才荐，授县学教谕，调鄞山书院山长。危素荐为平江路学教授，擢翰林国史院检阅官，不赴。著有《书林外集》七卷，

有正统间刻本。《元诗选》初集己集选其诗 38 首。王直《题袁彦章布衣歌后》:"予观
四明袁彦章先生《布衣歌》,而知其为有志者矣。先生元人,有宏才奥学而未用,故作
此歌以见志,其后累为教官,被荐为翰林检阅,命既下而卒。虽其道终不行,而志则
可见,使其得用功名事业,岂少哉?"(《抑庵文后集》卷三十六)《元诗选》初集己
集:"所著《书林外集》七卷,太朴为之序。称其诗清丽可喜,往往自放于山巅水涯之
间,与山僧逸人相与为倡酬,何其兴致之高远也。子琪、孙忠彻,皆以相术知名。"四
库提要卷一七四:"《书林外集》七卷,元袁士元撰。……其诗危素序之,称其清丽可
喜。然往往粗浅多累句,如《寿吕瀛海》诗云:'我方而立足先弱,公到古稀鬓未苍。'
又其甚者也。"

## 公元 1362 年 (顺帝至正二十二年 壬寅)

### 二月

　　**孙炎卒,年三十三。**宋濂《故江南等处行省都事追封丹阳县男孙君墓铭》:"壬寅
二月,苗将贺甲、李乙叛,袭君,而所练卒亦应之。君无援被擒,幽空室中,列卒环
守,胁君降,君绐之曰:'若生吾,吾能成若事。'贺、李知非其本心,恐留自遗患,
遇夜,以㷭雁斗酒馈君曰:'以此与公诀。'君拔佩刀割雁,举卮酹酒,仰天叹曰:'嗟
乎,丈夫乃为鼠辈擒,然我死,死义尔;贼死肉臭,狗且不尔食。'卒怒,持剑嗔目拟
之,君饮酒自如。食竟,叱其解衣,君骂曰:'此紫绮裘乃上赐吾者,贼勿解吾,当服
以死。'引枕而卧,贼俟其睡,乃害之。时某日也,年三十又□。事闻,上嗟悼久之。
是年某月日,以其丧归葬金陵南门外聚宝山之阳。"(《朝京稿》卷一)方孝孺《孙伯
融传》:"壬寅二月,贼将李某、贺某叛,袭炎,炎被禽,幽空屋中,列卒守之,胁炎。
炎始绐以生吾,能为若用,贺、李知非其本情,恐留自遗患,以㷭雁斗酒噉炎曰:'以
此与公诀。'炎拔剑割雁,举卮酒曰:'嗟乎,我乃为鼠辈所陷,尔死,犬豕且不尔
食。'贼持刀视,炎饮酒自如。贼叱其解衣,炎骂曰:'此紫绮衣主上赐者,吾当服以
死,勿解。'引枕而卧,贼不忍,伺其睡,乃害之。时某日也,年四十。事闻,上嗟
悼。以某年月日,葬于金陵南门外聚宝山。"(《逊志斋集》卷二十一)陆深《拟孙炎
列传》:"壬寅二月,苗将贺仁德、李祐之叛,袭炎。炎坐无援,被幽空室中,列卒环
守,胁炎降。炎绐之曰:'若纵吾,吾能成若事。'叛将益疑之。遇夜,以炙雁斗酒馈
曰:'以此与公诀。'炎引佩刀割雁,举卮酹酒,仰天叹曰:'嗟夫,丈夫死尔,死义
尔;贼死,肉臭狗且不尔食。'卒怒,持剑瞋目拟之,炎饮酒自若。食竟,叱其解衣,
炎骂曰:'此紫绮裘吾上所赐,谁当解者。'乃引枕而卧,贼乘其睡中害之,年三十。"
(《俨山集》卷六十一)〔按,《明文衡》卷八十三收录宋濂所撰孙炎墓铭,于其寿年
"年三十又□"作"年三十又几";《明文海》卷四六〇亦收录此篇,题作《孙炎墓
铭》,"年三十又□"作"年三十又三"。《明史》卷二八九《忠义传》以其卒年为四
十,当是据方孝孺所作传。〕陈镒《挽孙伯融都事》:"半生湖海不相逢,乱罢苍山始识
公。暂领一州兼节度,更分数屯总元戎。风流翰墨文多熘,垒块胸襟酒屡中。偶堕奸
谋身竟死,千秋万古恨无穷。"(《午溪集》卷八)宋濂《孙伯融诗集序》:"诗道之倡,

其有师友渊源乎？非师不足尽传授之秘，非友不足成相观之善。无是二者，不可以言诗也。当元之季，有丁仲容先生者，自天台来客建业，以能诗鸣。……当是时，夏煜允中为先生入室弟子，其气韵酷类，而横逸滂沛过之。伯融进受指画于先生，退交允中。日取唐诸家诗而绅绎之，稽其声律，求其指趣，察其端倪，已而学大进，士大夫称之曰：是肖乎允中者也。或曰：非也。脱凡近而游高明，鼓侠气而超氛埃，其仿佛乎先生者邪？予来南京，而先生墓木已拱。独允中共吟啸于风月寂寥之乡，舂容乎大篇，铿锵乎短韵，无日无之。允中间持伯融之诗，相与讽咏。予谓允中曰：自科举之习胜，学者绝不知诗，纵能成章，往往如嚼枯蜡，较之金头大鹅芳腴满口者有间矣。如伯融者，何处可得邪？允中深以予言为然。时伯融总戎于括，予不及见。未几，伯融死于难。后三年，允中亦殁。予今耄矣，私窃以谓先生之诗，已镂板传世。每念允中之名泯泯，访其遗稿三十馀首，录藏青萝山房。颇恨伯融之什，未有所托。金陵蒋行简，伯融之弟子也，乃搜辑遗失，厘为若干卷，介翰林典籍蔡宗默求予序其首。……伯融讳炎，姓孙氏，句容人。元季落魄不仕，及皇上定鼎建业，出为江南行省掾，同知池阳府，已而升知府事，迁本省都事，总制处州军马。苗寇贺甲、李乙叛，遂遇害。朝廷以其不屈志辱国，赠征事郎，封丹阳县男。为人磊落有俊气，藐然白面书生，而其胸中藏百万兵，使其赋命之厚，勋业可立致。今但以诗名于世，惜哉？虽然，伯融藉此，亦足为不朽矣。"（《文宪集》卷六）《明诗综》卷四："徐子元云：左司词气豪迈，类其为人，渥洼神驹，一蹴千里。王元美云：孙伯融如新就衔马，步骤未熟，时见轻快。"《静志居诗话》卷二："伯融至正中与天台丁复、同郡夏煜皆以诗名。下笔百纸立尽，谲处似李长吉，质处似元次山。在处时，明祖命招致伯温，伯温坚不肯出，以宝剑遗伯融。伯融作诗，以为剑当献天子，封还之。伯温无以答，乃逡巡就见。而李时远《诗统》谓此剑左司家藏，作歌以赠刘者，误也。"

## 五月

**二十七日，明玉珍据成都，自称陇蜀王。**见《元史》卷四十六《顺帝本纪》。

## 七月

**卢琦卒。**孙伯延《立斋卢先生文集后语》："己亥秋，福建大比多士，公适任盐司提举，督课于莆，不与考试，予复预选。明年，公还署，予谒见。公笑曰：'君再捷科场，吾向者之谤可以白矣。'壬寅之春，予又与同郡尤英举于乡。公时寓海口，闻之，喜曰：'尤英又中矣。'尤英尝与予偕学于公者也，论者亦信夫公之有所传矣。是年秋七月，公以疾终于所寓，归葬惠安。于时赛甫丁构难，官军讨之，道阻，予与尤英不得奔讣会葬，惟南望抱哀而已。"（《圭峰集》附录）《徐氏笔精》卷四："泉州惠安卢圭斋名琦，字希韩，登元至正进士，令永春，改宁德。所著有《圭斋诗集》，岁久弗传，近惠安庄户部征甫搜而梓之，误入雁门萨天锡诗六十馀首。萨诗世有传本，较者一时未之考耳，亟当厘正。不然，恐后世以圭斋为齐丘之盗《化书》也。卢诗自佳，如'岚气满林晴亦雨，溪声近驿夜如秋'，'潮生远浦孤帆小，雨过苍崖古木寒'，'小桥跨涧村春急，老树吹花野店香'，'暮云松径僧归寺，夜雨篷窗客在船'，'门掩落花春去后，梦回残月酒醒时'，'梧叶几番深夜雨，梅花一树短篱霜'，清典可咏。元诗多纤弱，若圭斋者，实有唐调者也。"《元诗选》初集庚集："今观其诗，大半见萨天锡集中，亦间有陈众仲、同宽甫诸作。兵燹之余，收拾采掇，不无传钞之误。天锡宦游闽海，遗稿流传，如《中秋玩月》一篇，自叙历历可考，而后人漫不简点，使《圭峰》一集，真赝杂陈，可慨也。若其《寄同年拜住善御史》及《重游蓬壶》等诗，为希韩所作无疑。兹特芟其重见他集者，采而录之。良吏高风，情词婉约，蔼然自见于言外，是则《圭峰》之真而已矣。"

## 八月

**二日，王行序徐达左所编《金兰集》。**集又有释道衍等序。《金兰集》四卷，为徐氏耕渔轩唱和之诗集。

**唐肃中乡贡进士。**《南村辍耕录》卷二十八："至二十二年壬寅，复有作弹文云：文运重开，多士欢腾于此日；科场作弊，丑声莫甚于今年。启奸人侥幸之门，负贤相宾兴之意。事既如此，人其奈何。切惟考试官实文章之司命，讵宜伪定于临期；员外郎执科举之权衡，安可公然而受赂。憸谋既遂，清议难容。闻人枢肤浅之学，翰林怀宾主之旧情；啜霭山游狭之徒，座主念梓桑之宿好。只因厚契，便擢科名。尸位宪宾，进乡闾之十子；居丧台掾，升里闬之三王。沈庭珪错破书经，混死生于同列；战惟肃不明诗意，强今古于已然。朱舜民乃濒海之强梁，喻宜之实许门之童子。新昌庭瑞，输彩缎之几缣；雪水莫孜，奉白金之一锭。张谊罔知象象，皆徐中造就之私；杨明不辨春秋，拜周溥作成之赐。施省宪贴书之手段，坏乡闾整肃之纲常。唐肃以词赋而见收，明经安在；柯理以梯媒而得中，对策何长。舍弟致谋，甚矣有心之唐溥；家兄代笔，嗟哉无学之郑沂。靖而思之，良可丑也。白头钱宰，感绨袍恋恋之情；碧眼倪中，发仓廪陈陈之粟。俞潜、徐鼎，三月初早买试官；丘民、韩明，五日前预知题目。元孚乃泉南之大贾，挥金不啻于泥沙；许徵实云间之富家，纳粟犹同于瓦砾。拔颖之于陋巷，馀波有自于杨明；超宋祀于穷途，主意必资于张谊。既正榜之若此，则备选之可知。姑舍前言，更陈馀意。屈仲孚于受卷，易经可谓失人；进公甫于考文，麟史大孤众望。不分报赛，叔通岂可与言诗；缪讲进修，孺子乌足以论易。重载连樯之白粲，始谐校艺于青藜。逯信止素乏文才，嗟老夫之已耄；孟天暐每称好嘴，奈举业之久疏。大坏士风，难逃舆论。呜呼，天之将丧斯文，实系兴衰之运。士欲致用于国，岂期贡举之私。此非一口之诬谋，实乃众情之公论。用书既往，以警将来。"文中所言孟天暐者，即西夏人孟昉，其时官翰林待制，主文于浙。文云"唐肃以词赋而见收，明经安在"，虽为讥弹之文，然肃以诗文名而不甚通于经，则或可信也。

**苏伯衡中乡贡进士。**见雍正《浙江通志》卷一二九。苏伯衡，字平仲，金华人。受业许谦。官萧山令、行省都事。明师下浙东，坐长子仕闽，谪徙滁州。李善长奏官之，力辞归。明太祖置礼贤馆，伯衡与焉。至正二十六年，用为国子学录，迁学正。被荐召见，擢翰林编修，力辞归。洪武十年，以征召入见，复以疾辞。二十一年，聘主会试。事竣，复辞还，寻为处州教授，坐表笺误诛。著有《空同子瞽说》一卷、《苏平仲集》十六卷。生平据《明史》卷二八五《文苑传》。

## 十月

初十，贡师泰卒，年六十五。王逢有《故秘书卿宣城贡公挽辞》（《梧溪集》卷四）。朱镳《礼部尚书贡公玩斋先生年谱》：“至正二十二年壬寅，公年六十五。七月七日，自闽中归旧寓，命其地曰小桃源。冬十月十日，殁于寓所。”（《玩斋集》附录）黄溍《贡礼部玩斋集后序》：“故其蕴蓄之素，施于诏令，则务深醇谨重，以导宣德意而孚众听；施于史传，则务详赡精核，以推叙功伐而尊国势；施于论奏，则务坦易质直，以别白是非邪正、利病得失，而不过为矫激。他歌诗、杂著、颂赞、碑铭、纪叙之属，非有其实，不苟饰空言以曲徇时人之求。至于宦辙所经，名区胜地，大山长溪，穷林邃壑，峰岚泉石，幽雅奇绝之概，有以动其逸兴而形于赋咏，与畸人静者互为倡酬，则皆清虚简远可喜，亦非穷乡下士、草野寒生危苦之词可同日而语也。盖其为文，初不胶于一定之体，安知其孰为台阁、孰为山林也耶？”李士瞻《贡泰甫诗跋》：“今观先生《晨起》、《夜坐》二诗，若庾信所谓珠玉在侧，觉我形秽，丑妇效毛嫱、西子之颦，殆难取媚矣。”（《经济文集》卷四）杨维桢《玩斋集序》：“我朝古文殊未迈韩、柳、欧、曾、苏、王，而诗则过之。郝、元初变，未拔于宋；范、杨再变，未几于唐。至延祐、泰定之际，虞、揭、马、宋诸公者作，然后极其所挚，下顾大历与元祐，上逾六朝而薄风雅。吁，亦盛矣。继马、宋而起者，世惟称陈、李、二张，而宛陵贡公则又驰骋虞、揭、马、宋诸公之间，未知孰轩而孰轻也。公以余为通家弟兄，每令评其所著，如‘东南有佳人，嶰谷有美竹’，深得比兴；‘日入柳风息，芙蓉生绿水’，远诣《选》体。厚伦理如《风树》、《春晖》，树风操如《葛烈女》、《段节妇》、《李贞母》、《陈尧妻》，感古如《苍梧》、《滕阁》，纪变如《河决》、《苏台》，论人物如《耕莘》、《蹈海》，游方之外如《子虚道人》。《杨白花》、《吴中曲》，有古乐府遗音；《国子》、《黄河》，可补本朝缺制。其他所作，固未可一二数。此岂效世之畸人穷士专攻精治而后得哉！盖自其先公文靖侯，以古文鼓吹延祐间，公由胄学出入省台，其风仪色泽，雍容暇豫，不异古之公卿大夫游于盛明。故其诗也，得于自然，有不待雕琢而大工出焉者此也。……编是集者，为其高弟子谢肃、刘中及朱镳也。”《石洲诗话》卷五：“贡玩斋《黄河行》七古，中间及结处，忽然叠下骚句，又插以四言，似于音节太硬。昔阮亭尝以杂言长句为英雄欺人，然亦看上下音节何如耳。”又：“玩斋《题韩滉移居图》诗，清匀有节。元人七古，多浓铺金粉，似此者正不可多得。”又：“玩斋《学圃吟》七言长篇中‘水菘山芥菠薐苤’云云，一连排蔬果名目，至十句之多，亦前人所未有也。”又：“玩斋力清劲而韵深秀，又非横逸才气者可比。”又：“玩斋《题苏子瞻像》诗甚奇。其题渊明小像云：‘呼童检点门前柳，莫放飞花过石头。’则细意之作也。（一作袁敬所诗，恐误。盖敬所尝书此诗耳）”又：“玩斋《西湖竹枝》亦工。”四库提要卷一六八：“《玩斋集》十卷、《拾遗》一卷，元贡师泰撰。……师泰本以政事传，而少承其父奎家学，又从吴澄受业，复与虞集、揭傒斯游，故文章亦具有源本。其在元末，足以凌厉一时。诗格尤为高雅，虞、杨、范、揭之后，可谓挺然晚秀矣。"

## 十一月

**初五，陈植卒。**郑元祐《慎独陈君墓志铭》："吴有隐君子曰陈君叔方，自其上世皆以读书绩学，服膺儒行，然皆隐约终其身。至于叔方父，三世于兹矣。……其为文动以经为准，贯穿诸别史百氏，哀其精华以立言。其为诗尤刻苦精练，本之于杜，而参之以唐诸名家，在宋则尤喜陈、黄。至于画思之盘礴郁积，山林泉石，幽篁怪木，各尽其变态，然贵富以挟而求之者，虽百金不与一笔。兼之襟度洒落，其割三牲以奉客，亦肴膳丰洁。与人交，重然诺。至正壬寅辜月五日卒，享年七十。……君讳植，自号慎独叟。朋旧私谥曰慎独处士。"（《侨吴集》卷十二）陈植（1293—1362），陈深子，字叔方，号慎独叟，吴县人。著有《慎独叟遗稿》一卷。《元诗选》初集甲集选其诗5首。

## 十二月

**二十四日，陈基序孟昉所撰文集。**序见《夷白斋稿》卷二十二，末署"至正十二年十二月乙未"。考以干支纪次，至正十二年十二月无"乙未"。据《元人传记资料索引》，陈基所作序后系年当作至正二十二年。《六艺之一录》卷一一一有孟昉所撰《杭州路重建庙学记》，文作于至正二十四年，署衔为"翰林待制、奉政大夫兼国史院编修官"。姑系于本年。傅若金亦尝为作《孟天伟文稿序》，见《傅与砺文集》卷四。宋褧《跋孟天昞拟古卷后》："河东孟君天昞，延祐间为胄监生，明敏英妙，质美而行懿。由乡举得解，从事臬司宪部，掾枢府，进中书西曹，及今典国子监簿。二十年间，读书不废，亦贤矣哉。尝拟先秦西汉诸作，摹仿工致，大夫士皆与之，然游戏翰墨，殆若作剧者，其志则子云也。"（《燕石集》卷十五）苏天爵《题孟天昞拟古文后》："太原孟天昞，学博而识敏，气清而文奇。观所拟先秦、西汉诸篇，步趋之卓，言语之工，盖欲杰出一世，其志不亦伟乎？昔欧阳公谓韩子为樊宗师墓铭，即类樊文，其始出于司马子长。子长为长卿传，如其文。惟其过之，故能兼之。夫文章务趋一时所尚固不可也，然欲求合于古，又岂易言哉？故韩子曰：'为文宜师古圣贤人，师其意不师其辞。'欧阳公亦曰：'为文勿用造语，模拟前人，取其自然耳。'三代以下，文之古者，莫韩、欧若也，而其言如此，当与天昞评之。"（《滋溪文稿》卷三十）余阙《题孟天昞拟古文后》："孟君天昞，喜模仿先秦文章，多能似之。"（《青阳集》卷六）

## 冬

**杨维桢过访姚桐寿于海上。**姚桐寿《乐郊私语》："杨廉夫寓云间，及余到海上，时一过余。岁壬寅冬，杨从三泖来宿余斋头，适携李贝廷臣以书币为萧山令尹本中乞吴越《两山亭志》，并选诸词人题咏。于时杨尹已移官嘉禾矣。杨即为命笔，稿将就，夜已过半。余方从别室候之，俄门外有剥啄声，启扉视之，则皆嘉禾能诗者也。余从壁间窥之，率人人执金缯乞杨留选其诗。杨笑曰：'生平于三尺法，亦有时以情少借。若诗文，则心欲借眼，眼不从心，未尝敢欺当世之士。'遂运笔批选，止取鲍恂、张翼、顾文晔、金炯四首。杨谓诸人曰：'四诗犹为彼善于此，诸什尚须更托胎耳。'然被选者无一人在，诸人相目惊骇，固乞宽假，得与姓名，至有涕泣长跪者。杨挥出门外，闭关灭烛，骂曰：'风雅扫地矣。'"廉夫之时名，于此可见一斑。

## 本年

**高启寓居娄江（江苏吴县东），撰《娄江吟稿》。** 集有高启自序。其《迁娄江寓馆》诗云："我生甫三九，东西宜未阑。"时高启年二十七。又作有《游天平山记》及《游天平山》、《别城中故居》等诗。

**王绂生。** 王绂（1362—1416），字孟端，号友石生，又号九龙山人，江苏无锡人。官至翰林中书舍人。著有《王舍人诗集》五卷。生平见《明史》卷二八六《文苑传》。

## 公元 1363 年 　（顺帝至正二十三年　癸卯）

### 正月

**初一，明玉珍称帝于成都，建国号夏，纪元天统。** 见《元史》卷四十六《顺帝本纪》。《明史》卷一《太祖本纪》系之于上一年三月己酉。《草木子》卷三上："重庆盗旻眼子，僭号称帝，国号大夏，改元。旻先沔阳人，瞎一目，为巡司弓兵牌子头，随倪蛮子为盗，分兵攻四川，陷成都。杀戮既尽，退居重庆。陈矫徐命，使会兵建康。既而愤陈之杀逆，竟引兵归，曰：'汝能为帝，我岂不能帝耶？'据有全蜀之地，绝不与陈通。居位六年，后为其弟所杀。其妻复图杀其弟，立其子为帝，袭位，以其党戴牌为冢宰，事皆专之，小旻主拥虚名而已。辛亥，台兵攻之。七月，四川破，遂同其母俱降。其后母召入宫，以海舟送小旻主同德寿陈少主去高丽，飘然入于海矣。"《七修类稿》卷八："明玉珍，随州人，长八尺，重瞳，弓兵之首也。为飞矢损右目，时号明眼子。至正十五年，倪文俊陷沔阳，遂为其将，攻陷成都等府，遂分兵守之。后文俊谋杀其主徐寿辉不果，继而寿辉伪将陈友谅袭刺倪，自为平章，复矫徐命，使玉珍会兵建康。明愤陈之逆杀，怒曰：'汝能为帝，我不能耶？'遂据全蜀，不与陈通。二十一年，陷嘉定路，为李思齐败之。又明年，陷云南省治，屯金马山，使其将杨尚书守重庆。又为帖木儿所败，退居于蜀，自称蜀国王，号大夏，改元天统。居位六年，为弟所杀，妻复图杀其弟，立其子为小明主。二十七年，诏李思齐讨之，不果。洪武初，天兵破蜀，母子俱降。母召入宫，明主与陈理命海舟发高丽，飘飘然入于海矣。"

### 二月

**张士诚将吕珍破安丰，刘福通败死。** 见《明史》卷一《太祖本纪》。《七修类稿》卷八："刘福通，颍州妖人也。至正十一年，与杜遵道、罗文素、盛文郁、王显忠共鼓妖言，立韩山童为帝，红巾为号，众至十万。陷汝宁等府，以遵道为相，己为平章。

后恶遵道专权，挝杀之，称汴为京，自称太保。性极残忍，所过以人为粮，山东、河北，多为残害，林儿徒寄空名于上也。又分兵二道，关先生、破顶潘、冯长舅、沙刘二、王士诚寇晋、冀，一路转掠塞外，攻陷上都，焚燃宫阙。白不信、大刀敖、李喜喜直趋关中，陷兴元、凤翔等府，毛贵等陷山东，皆十八年以后事也。时福通为察罕帖木儿发诸道兵讨之，力不敌，奉伪主遁安丰，因是三道各自据地，寻俱败死。后福通又复犯汴，杀其守将竹贞，出入淮、汴。至正二十三年，为张士诚将吕珍入安丰袭杀之。"

## 三月

初七，顺帝亲试进士六十二人，赐宝宝、杨辄进士及第，其馀出身有差。见《元史》卷四十六《顺帝本纪》。复于六月甲寅，诏授江南下第及后期举人为路、府、州儒学教授。

姚桐寿自序所撰《乐郊私语》。序见《盐邑志林》本卷首。《乐郊私语》一卷，《千顷堂书目》、《海盐县图经》均有著录，今存《四库全书》本、《盐邑志林》本。四库提要卷一四一："《乐郊私语》一卷，元姚桐寿撰。桐寿字乐年，睦州人。顺帝后至元中，尝为馀干教授，解官归里，自号桐江钓叟。至正中，流寓海盐。时江南扰乱，惟海盐未被兵火，尚得以闭户安居，从容论述，故以《乐郊私语》为名。虽若幸之，实则伤乱之词也。所记轶闻琐事，多近小说家言。然其中如杨额哲（即杨完者）武陵之捷，张士诚杉青之败，颇足与史传相参。所辨六里山天册碑、秦桧像赞、鲁訔注杜甫诗诸条，亦足资考证。"

## 八月

二十六日，朱元璋败陈友谅于泾江，陈友谅中流矢卒。友谅子陈理自立，据武昌为都，改元德寿。明年，为朱元璋所灭。见《明史》卷一《太祖本纪》，又见《元史》卷四十六《顺帝本纪》。《七修类稿》卷八述其本末甚详。

## 九月

张士诚自称吴王。见《元史》卷四十六《顺帝本纪》，又见《明史》卷一《太祖本纪》。

## 本年

刘仁本自序所撰《羽庭集》。序见本集卷首。《羽庭集》六卷，诗四卷、文二卷，今存《四库全书》本，系由《永乐大典》辑出；又有民国八年《台州丛书》本，凡十卷，诗集四卷、文集四卷，补遗诗文各一卷。贡师泰《羽庭诗集序》："今年冬，以使过姚江，则德玄适来治兵江上，一见握手欢甚，始尽示其所为稿。诵数过，为之叹曰：'信乎德玄之可与言诗也。'夫学诗如学仙，仙不遇不能成仙，诗不悟不足论诗。蝉蜕污浊之中，神游太空之表，非超然真悟者能之乎？德玄不忘乎委羽之山、羽人之庭，其真有得哉。虽然，铅汞之燔，支为玉树，黄金出鼎，轻若浮尘，其得于仙者岂无大小耶？得有小大，则悟于诗者又岂无浅深耶？不明于徵，不入于道，何足以语此。或曰：李白诗之仙，贺诗之鬼，然则果有小大浅深矣。他日相见于天台流水间，尚当与德玄论之。"（《玩斋集》卷六）朱右《羽庭稿序》："今年来，获观刘君德玄所著《羽庭稿》若干卷，读之而有感焉。其性情所发，指意所归，皆有唐人法律。长诗宗韩，短律师杜，乐府歌曲有李风度，而四言诗又当不在魏晋下，等而上之，则《三百篇》风雅颂之遗音，将无所失。其有不传也哉？刘君世以儒显，少习经术，尝以进士业中乙科，宪府举其材，试吏于闽，所至佐上官，有政迹，今为浙江省左右司郎中。公退之暇，手不释卷，旁及诸史百氏，阴阳、卜技、名法，靡不研通，而尤工于诗歌，积而成编，其徒将镂梓以传。以予知最久，嘱弁其篇端，因次第其说为序引。"（《白云稿》卷四）宋禧《羽庭集序》："天台之山下尽东海者曰黄岩，其别峰走旷原，而秀者曰委羽。委羽山之人有曰刘德玄者，顾然而清，黝然而玄，飘然有遗世之念。自壮时爱读扬子书，所为文往往有类而或过之，后涉艰棘，履险厄，而作又益进。其雄篇也，浩浩焉不可端倪；其小章也，幽幽焉又不可破裂。噫，非玄微之理存于心，其所发者能如是欤？"四库提要卷一六八："《羽庭集》六卷，元刘仁本撰。……仁本学问淹雅，工于吟咏，多与赵俶、谢理、朱右等唱和。尝治兵馀姚，作雩咏亭于龙泉左麓，仿佛兰亭景物，集一时文士，修禊赋诗，自为之序。其文虽不见于集中，而石刻今日犹存，文采风流，可以想见。故所作皆清隽绝俗，不染尘氛。其序记诸篇，述方国珍与察罕通使及岁漕大都诸事，多记传所不载，亦可补史阙。"

迺贤赴翰林国史院编修官任。易之以是官征，乃在上年三月，因道路僻阻，本年方由海路抵京。朱右《送郭啰洛易之赴国史编修序》："至正二十二年三月七日，中书省臣上奏以处士布达（普达）等四人为翰林国史院编修官，郭啰洛氏纳新易之实在第三。命既下，唯纳新远居大江以南，僻阻淮襄。越明年，治装告行于尝所交友。"（《白云稿》卷五）乌斯道《送马易之编修北上序》："和啰罗氏易之父以编修官征赴京师，余饯之曰：易之居城郭中，萧然一室，不色忧。在位贵人恒造其门，与谈笑，则言不谄而礼不倨，人有赂之以干贵人者，辄谢去。或贵人与之钱，则受不辞曰：'赂不可黩，周之可受也。'接朋友宾客，惟论古今典故，未尝道及官府事，此皆易之通事理、适时宜而得以从容于斯世也。"（《春草斋集》卷三）其师郑觉民亦作序以送之（《四明文献集》卷二十一）。明年，迺贤代祀海岳，作《枫亭女》等诗。林弼《马翰林易之使归序》："今易之君不惟采民谣以观风，又能述民风以为诗，盖将以备清问之对，国史之录。如《枫亭女》等篇，使人痛哭流涕者也。"（《林登州集》卷九）林弼《书马翰林易之枫亭女篇后》："风人之诗，谲谏以示戒，犹足以感乎上，矧使者之所采而陈者乎？予读《枫亭女》篇，其辞苦如《石壕吏》，其心仁如《舂陵行》，读之令人掩涕。昔白居易作乐府以规讽时事，流闻禁中，得为翰林学士。今君职翰林，持使节行复圣天子之命，又岂特流闻而已？予既为南民幸，又嘉君之善于使也。故为书此于篇后。"（《林登州集》卷二十三）

杨维桢为袁华删定《可传集》一卷。《可传集》一卷，今存《四库全书》本。四库提要卷一六九："《可传集》一卷，明袁华撰。其本为至正癸卯杨维桢所删定。华，维桢弟子也。前有维桢序，称：'吾铁门称能诗者，南北凡百馀人，求如张宪、袁华者不能十人。'其集名亦维桢所题，盖推奖之甚至。而维桢与李五峰论诗，又称：'梅一于酸，盐一于咸，食盐梅而味常得咸酸之外。若华之作，仅一于咸酸而已。'其说自相刺谬。今观其诗，大都典雅有法，一扫元季纤秾之习，而开明初舂容之派。维桢所论，盖标举司空图说以'味外之味'务为高论耳。其实一于咸酸，不犹愈于洪熙、宣德以后所谓台阁体者，并无咸酸之可味乎！未可遽以是薄华也。华《耕学斋稿》卷帙较富，世多行之。此集《明史·艺文志》亦不著录。《千顷堂书目》虽著录而不载卷数，盖黄虞稷亦未见之。今以其为杨维桢所手定，去取颇严，故一取其备，一取其精，与全集并著于录焉。"

## 公元 1364 年 （顺帝至正二十四年　甲辰）

### 正月

朱元璋自称吴王。《明史》卷一《太祖本纪》："二十四年春正月丙寅朔，李善长等率群臣劝进，不允。固请，乃即吴王位。建百官。以善长为右相国，徐达为左相国，常遇春、俞通海为平章政事，谕之曰：'立国之初，当先正纪纲。元氏暗弱，威福下移，驯至于乱，今宜鉴之。'立子标为世子。"

### 三月

初三，朱元璋置起居注。见《明史》卷一《太祖本纪》。

### 五月

初一，戴良序陈基所撰《夷白斋稿》。序见《九灵山房集》补编下，又见于《九灵山房集》卷十二、《吴都文粹续编》卷五十五，略有不同。尤义《陈基传》（《吴都文粹续集》卷四十五）言基所著有《夷白斋集》二十卷。《夷白斋稿》三十五卷、《外集》一卷，今存《四库全书》本。四库提要卷一六八："《夷白斋稿》三十五卷、《外集》一卷，元陈基撰。……基寓舍有夷白斋，故以名其稿。凡内集诗十一卷，文二十四卷，外集诗文合一卷，大抵皆元世所作也。朱存理《楼居杂著》有《跋夷白斋稿》一篇，称得钞本于王东郭家，临写一部，计二百九十六番，装为五册，而不言其卷数。又有《跋夷白斋拾遗》一篇，称'尚宝李公前修郡乘时，先得海虞人家本一册，复有遗文三十五篇，予悉录之。今得王氏本相校异同，于海虞本录出为拾遗一卷。吴中尤氏有遗墨数纸，内有《陈基传》、谢徽诗，并存拾遗后'云云。据其所言，颇与今本相近。然存理但云拾遗为遗文，而此本外集有诗，或后人又有所更定欤？"

### 七月

二十三日，郭翼卒，年六十。卢熊《元故迁善先生郭君墓志铭》："病且革，知州高昌偰侯率州人士治其葬事，以至正二十四年七月廿三日卒，年六十。以是月某日窆于马鞍山北之中峰，因题曰迁善先生郭君之墓。"（《名迹录》卷四）《西湖竹枝词》："〔郭翼〕博文史，不为举子业，专资以为诗。其诗精悍者在李商隐间，风流姿媚者不在《玉台》下也。余以《湖上竹枝》索羲仲，而羲仲以吴之《柳枝》答。"卢熊《元故迁善先生郭君墓志铭》："先生为文词必追古作者，讽诵思绎，虽一字不苟省也。其于一时文人少所许予，独称永嘉李君孝光及天台丁公复所为诗。李公亦谓先生之诗佳处与人不同调，会稽杨公维桢每以其言为韪。"《居易录》卷十七："《林外野言》二卷，元昆山郭翼所著诗。翼字熙仲，与杨廉夫、顾阿瑛倡和，风气亦颇相类。"《元诗选》二集庚集《拟杜陵秋兴八首》诗后按语："铁雅曰：人呼老郭为'五十六'，以其长于七言八句也。"《石洲诗话》卷五："郭羲仲《欸乃歌词》，颇有风调。其序，亦援杜之《夔州歌》、刘梦得之《竹枝》。盖《竹枝》、《欸乃》，音节相同也。"又："铁崖曰：'人呼老郭为五十六，以其长于七言八句也。'然其《拟杜秋兴八首》，肌理颇粗。盖感事述怀，作此八诗，自无不可，而不当以《拟杜秋兴》为名耳。看其第一首起句，犹似沿老铁所论杜诗性情之说，未为知杜者也。"四库提要一二二："《雪履斋笔记》一卷，元郭翼撰。……是编乃江行舟中所纪，随手杂录，漫无铨次，然议论多有可采。如解《商书》'兼弱'、'攻昧'二句，取张九成说；解《论语》'犬马有养'，取何晏《集解》说。驳张九龄《金鉴录》之伪；辨蔡氏'三仁'之论。皆为有见。其论'谢师直语'一条，'论诗'一条，亦具有义理。惟解《论语》'怪力乱神'一条，'为力不同科'一条，过信古注，未免好奇耳。其书久无刊本，曹溶尝收入《学海类编》，然中有近时袁了凡之语。袁黄万历时人，翼在元末，何由得见。殆明人有所窜乱，非其旧本矣。"四库提要卷一六八："《林外野言》二卷，元郭翼撰。……翼从杨维桢游，诗颇近其流派，其间如《望夫石》、《精卫词》诸篇，皆用铁崖乐府体，尤为酷似。要其笔力挺劲，绝无懦响，在元季诗人中，可谓矫然特出者矣。"

## 九月

**二十一日，许有壬卒，年七十八。**《元史》卷一八二许有壬传："二十四年九月二十一日卒，年七十八。"陈旅《神仙行稿序》："诗则或坐或行，于纸于壁，或口授诸生，凡四十一首。初不经意，而天机所至，警拔精丽，有覃思所不及者。"张翥《圭塘小稿序》："本朝自至元、大德以迄于今，诸公辈出，文体一变，扫除俪偶迂腐之语，不复置舌端，作者非简古不措笔，学者非简古不取法，读者非简古不属目。此其风声气习，岂特起前代之衰，而国纪世教，维持悠久，以化成天下者，实有系乎此也。集贤大学士兼太子左谕德安阳许公，自进士高等，接武而上，历侍从，膺藩宣，典内制，佐政府，出入中外四十有馀年。其牢笼万象，漱涤芳润，总揽山川之胜，与夫推之经济当世者，何莫非学。其所取数多，其用物弘，故其所发笔力，有莫窥其倪，而逦迤曲折，且不它蹈。则夫冠冕佩玉之气象，信得而征之矣。"朱禩《题许左丞圭塘小稿后》："公之文雄放豪迈，若联峰叠嶂，萦青缭白，亹亹而不断。"四库提要卷一六七："《至正集》八十一卷，元许有壬撰。……有壬立朝五十年，三入政府，于国家大事，侃侃不阿，多有可纪。文章亦雄浑闳肆，餍切事理，不为空言，称元代馆阁巨手。"《蕙风词话》卷三："许文忠《圭塘乐府》，元词中上驷也。"

**二十八日，章琬序所编杨维桢《铁崖先生复古诗集》。**序见本集卷首。《复古诗集》六卷，今存《四库全书》本、《四部丛刊》本。杨士奇《复古诗集跋》："余在京知经筵事时，闻先生长者说杨铁崖为有道之士。后数年始读所为文章，得见其道德之蕴，诚为一代人表。……余又见其《复古诗集》，读其琴操，不让退之；其宫词，不让王建；其古乐府，不让二李。其《漫兴》、《冶春》、《游仙》等题，即景成韵，使老杜复生，不过是也。而《香奁》诸作，尤娟丽俊逸，真天仙语。读此而其他所能，概可见矣。"四库提要卷一六八："《复古诗集》六卷，元杨维桢撰。所载皆琴操、宫词、冶春、游仙、香奁等作，而古乐府亦杂厕其间，乃其门人章琬所编。以其体皆时俗所置而不为，故以复古为名。琬序称辑前后所制者二百首，连吴复所编又三百首，而今止一百五十二首，数不相符，或后人已有所删削，非完本欤？其中《香奁》诸诗，为他本所不载；古乐府诸篇，则与《铁崖乐府》相复者数十首，而稍有异同。如《石妇操》'山夫折山花'句上，《乐府》本尚有'羲羲孤竹冈，上有石鲁鲁'二句；'山头朝石妇'句，《乐府》本作'岁岁山头歌石妇'；又《烽燧曲》一首，《乐府》本以上二句作下二句，其文互有颠倒。又《乐府》本所载诗题，与此本异者，如《北郭词》之作《屈妇词》，《秦宫曲》之作《桑阴曲》，《合欢词》之作《生合欢》，《空桑曲》之作《高楼曲》。此类不一而足。盖吴复编《铁崖乐府》在至正六年，琬编此集在至正二十四年，相距几二十载。殆维桢于旧稿又有所改定，故琬据而录之。此当从其定本，不当泥其初稿者矣。"

## 十月

**二十日，刘鹗卒，年七十五。**刘玉汝《元故中顺大夫海北广东道肃政廉访副使刘公墓志铭》："〔至正〕二十四年甲辰九月，诏洞獠作乱，公分兵讨之，而赣寇乘间猝至。公自将乘城，命军将李如璋率兵力战一月馀，竟以兵少无援而城陷。公被执，拘囚至赣，贼将义公所为，幽于慈云寺，惟仲子述侍侧。公曰：'吾平生志在忠孝，不幸遇执，不能报国，死不瞑目。'公书曰：生为元朝臣，死作元朝鬼。忠节既无惭，清风自千古。公不食六日而卒，时十月二十日庚戌也。……公生至元庚寅七月六日，享年七十有五。学者崇之，称为浮云先生。"（《惟实集》附录）揭傒斯《浮云道院记》："其学以六经为主，其文以义理为本，其诗近陶、柳之间。"（《揭傒斯全集·文集》卷五）欧阳玄《惟实集序》："湖广儒学副提举刘君楚奇有诗一集，乃祖桂林翁年一百一岁为之序，曰：'诗道贵实，惟实乃有佳处可传。'……及观楚奇作，辞气深妥，境趣一真，所谓佳处可传者。"揭傒斯《惟实集序》："诗原诸性情，非漫然而作也。性发乎情，是言出乎天真，情止乎义礼，则事事有关名教。……故吾论楚奇之作，高处在陶、阮之间，非拘拘于文辞者，以性情言之也。"许有壬《刘楚奇惟实集序》："庐陵刘楚奇仕京，予始爱其诗，未识其人，识其人，观其气，又过其诗，不但标格而已也。楚奇永丰世家，祖桂林翁，学行冠冕乡里，得寿百有三岁。其百一岁时，尝序楚奇诗曰：

'得道贵实。'楚奇服膺斯言，名所为诗曰《惟实集》。请余序。文章以理为主，理以实为主，天地之间，照临错布于其上，流峙森植于其下，君臣父子夫妇之秩，谷粟桑麻水火之用，参于其中者，皆实理也。一或虚空冥漠，则无以为世矣，翁其有得于此乎。且实之义非一，对虚而言者，实之反也；对华而言者，实之弃也；对名而言者，实之宾也。至于笃实、充实，又皆是理之极致。推而行之，隆古淳厚之治，不外是也，况诗乎？楚奇气盛，放其言辞而切于理，其有得于实矣乎？"（《至正集》卷三十四）四库提要卷一六七："《惟实集》四卷、《外集》一卷，元刘鹗撰。……鹗尝官翰林修撰，与虞集、欧阳玄、揭傒斯等游，所居浮云书院，诸人皆有题咏。玄为序其文集，称其诗六体皆善。傒斯序亦谓其高处在陶、阮之间。虽友朋推挹之词，例必稍过其量，然今观其集，大都落落不群，无米盐龌龊之气，可以想见其生平，二人所许，亦不尽出标榜也。且鹗身捍封疆，慷慨殉国，千秋万世，精贯三光。即其文稍不入格，亦当以其人重之，况体裁高秀，风骨清遒，实有卓然可传者乎。《外集》二卷，皆前人序记、挽诗，乃其裔孙于廷等所重辑。"

## 十一月

二十九日，郑元祐卒，年七十三。王逢有《故遂昌先生郑提学挽词》（《梧溪集》卷四）。苏大年《遂昌先生郑君墓志铭》："君生于至元二十九年壬辰闰六月六日午时，卒于至正二十四年甲辰十一月二十九日未时，寿七十有三。"（《侨吴集》附录）《草堂雅集》卷三："郑元祐，字明德，遂昌人。书无不读，肆意诗文，前不让古，虽在隐德，与馆阁虞、马并称。"谢徽《侨吴集序》："遂昌郑明德先生，天资明敏，高出伦辈。其生于杭，于书无不读，作为文章，抑扬顿挫，反覆开辟，一主乎理，而气以摅之，若长江大河，流衍旁沛，汩汩数千百里，而终归之溟渤，绰有古作者风。……徽窃闻先生尝以文师承于金华石塘胡公、四明剡源戴公，此二公，学群圣贤之道者也。其所以授于先生，洎先生所自得，有苏、曾诸氏之文，而不失程、朱数贤之道。"（《吴都文粹续集补遗》卷下）苏大年《遂昌先生郑君墓志铭》："年十五，辄弄笔墨，作诗赋，往往出奇语惊人。石门君笃意教君，树楼聚书，恣其披阅，君不出户庭者十年，于书无所不读，作为文章，滂沛豪宕，有古作者风。……君之学淹贯而博洽，君之行纯诚而笃实，君之见高明而正大，君之文雄深而雅健，君之诗清峻而苍古，君之书严劲而端丽。其见诸绪馀，如清谈雅韵，依稀晋人。如君者，盖一代不数人也。"《元诗选》初集庚集："为文章滂沛豪宕，有古作者风，诗亦清峻苍古。时玉山主人草堂文酒之会，名辈毕集，记序之作，多推属焉。东吴碑碣，有不贵馆阁而贵其所著者。"四库提要卷一四一："《遂昌杂录》一卷，元郑元祐撰。……元祐以至正二十四年卒，年七十一，则当生于前至元二十九年。故书中所列人名，上犹及见宋诸遗老，下及见泰哈布哈、倪瓒、杜本，并见杜本之卒。多记宋末轶闻，及元代高士名臣轶事，而遭逢世乱，亦间有忧世之言。其言皆笃厚质实，非《辍耕录》诸书捃拾冗杂者可比。其记葬高、孝二陵遗骨事，作林景熙，与《辍耕录》异，盖各据所闻。其称南宋和议由高宗，不由于秦桧。宋既亡矣，可不必更为高宗讳，亦诛心之论也。"四库提要卷一六八：

455

"《侨吴集》十二卷，元郑元祐撰。……其文颇疏宕有气，诗亦苍古。盖元祐生于至元之末，犹及见咸淳遗老。中间又得见虞集诸人，得其绪论。末年所与游者，亦皆顾阿瑛、倪瓒、张雨之流。互相熏染，其气韵不同，固亦有自来矣。"

## 本年

**赵雍卒于本年之前。**王逢《赵待制画为邵台掾题诗序》："丁酉仲夏，予自梁鸿山复辟地青龙镇，遇风恬月霁，或木脱水落，辄命童挈小舟延缘黄浦淞泖间，无以形容身闲心乐也。……及己亥秋，游杭，户部贡公泰甫以予久屏城府之迹，夙狙泉石之好，乃一日邀集贤赵公仲穆，宴予湖山真馆。……自后有以萧山令荐予者，予还寓隐。既边报急，闻赵亦归雪上以卒。今年甲辰，彦文邂逅吴江，示赵所画，绰有棹歌景。予语以此，彦文俾历叙诗左云。"（《梧溪集》卷三）〔按，郭味蕖《宋元明清书画家年表》以赵雍之生年为至元二十六年（1289），所据乃《元史》卷一七二赵孟頫传所附赵雍传。然揆之《元史》，赵孟頫传后实未尝附录雍传。〕赵雍，赵孟頫仲子，字仲穆，吴兴人。以父荫入仕，守昌国、海宁二州，历官集贤待制、同知湖州路总管府事。所著今存《赵待制遗稿》一卷，有《四库全书》本、《知不足斋丛书》本。《元诗选》初集丙集于赵孟頫后附选其诗15首。《草木子》卷四上："赵仲穆者，子昂学士之子，宋秀王之后也，能作兰木竹石。有道士张伯雨，题其墨兰，诗曰：'滋兰九畹空多种，何似墨池三两花。近日国香零落尽，王孙芳草遍天涯。'仲穆见而愧之，遂不作兰。"文徵明《跋仲穆诗词卷》："赵待制风流习尚，不减魏公，而诗文不传。间见于卷轴间，不过单词数言而止，未有若此卷之富者。楷行间作，转益妍美，后云书寄德琏姊丈，盖魏公长倩王国器也。国器长于今乐府，杨铁崖亟称之。故此卷所书，乐府为多，岂亦因其所好邪！"（《元诗选》初集丙集《即事》诗附）四库提要卷一七四："《赵仲穆遗稿》一卷，旧本题元赵雍撰。……是集凡诗十七首，词十七首，卷末题'延祐元年春正月，寄呈德琏姊丈'。后有文徵明跋，称此卷行楷兼作，转益妍美，从乌程王天羽借观，因题其后。盖从墨迹钞出者。诗词皆浅弱，如所谓'坐对荷花三两朵，红衣落尽秋风生'者，殊不多得。徵明跋又云：'德琏，赵〔孟〕頫婿王国器也，长于乐府，杨铁崖亟称之'云云。疑好事者依托雍作，并假借国器名也。顾嗣立《元诗选》已附录其父孟頫诗末，今姑存其目焉。"

**张士诚起饶介为咨议参军事。**高启《代送饶参政还省序》："太尉镇吴之七年，政化内洽，仁声旁流，不烦一兵，强远自格，天人咸和，岁用屡登，厥德茂矣。然犹不自满，而图治弥厉，尚惧听览之尚阙，而思僚佐之相裨也。乃承制以淮南参政临川饶公领咨议参军事。公辞以非材，即躬临其家，谕之至意。公感激，遂起视事。呜呼盛哉，此岂偶然也耶？"（《凫藻集》卷三）王鏊《姑苏志》卷五十七："饶介，字介之，临川人。以翰林应奉出佥江浙廉访司事，累升淮南行省参政，分守吴中。介爽畅博学，尤嗜吟咏，精行草，日延儒绅谈弄篇翰。时四方初俶扰，郡城犹晏然。至正十六年三月九日，张士诚寇齐门，事起仓遽，介卒无所御。士诚既入据，一城鼎沸，介无如之何，闭门高卧而已。士诚累使咨访以事，强起之。介往，士诚委以兵政，然操纵不由介。介固辞，士诚命仍送回理省事，介劝士诚岁输粟于大都。二十七年，天兵执士诚，并俘介归京师，遂死。"饶介镇吴期间，张简、高启、王彝、杨基等人均尝延至其府。张简，字仲简，号云丘道人，又号白羊山樵，吴郡人。初师张雨为道士，后返儒服。王彝（？—1374），字常宗，嘉定人。著有《王常宗集》四卷、补遗一卷、续补遗一卷。《石洲诗话》卷五："元季淮南行省参知政事临川饶介之，分守吴中，自号醉樵。求诸作已，设宴酬款，以诗工拙是坐。仲简之歌最协意，居首席，酬黄金十两；次高青丘，白金三斤；次张羽来仪，止一镒，盖诗有讽，略不满快也。张羽《静居集》述其事云尔。然云丘此歌，不过就醉樵词头打合主人耳，是应酬习气，无甚可取。"

**明兵下武昌，詹同为朱元璋所征，还京，授国子博士。**詹同，字同文，新安人。为虞集所赏，遂妻以其弟之女。举茂才异等，为郴州路儒学正。遇乱，家于黄州，陈友谅以为翰林学士承旨，兼御史。至正二十四年，明兵下武昌，征授国子博士。迁考功郎，历起居注、翰林待制。洪武元年，转直学士。二年，迁侍读学士。四年，升吏部尚书。六年，为学士承旨，兼吏部尚书。七年致仕。生平见《明史》卷一三六本传、王景《詹承旨传》。

**黄玠卒，年八十。**《四库全书总目》卷一六七："《弁山小隐吟录》二卷，元黄玠撰。……其诗不为近体，视宋末江湖诸人惟从事五七言律者，志趣殊高。中多劝戒之词，其上者有元结遗意，次者亦近乎白居易。虽宏阔深厚不能及二人，要于俗音嘈囋之中，读之如听古钟磬矣。前有自序，称'蔑有令德，不敢谓隐，独以所得于天者薄，故将退藏以终其身'。又引《文中子》之说，称'愿上之人正身修德，使时和岁丰，已受其赐'。尤粹然有德之言，胜矫语高蹈者万万也。"张寿镛《弁山小隐吟录序》："说者为其诗之上者有元结遗意，次亦近乎白居易。今观其《感怀诗》，大抵皆伤时感事之意，其九章之七八言，殆心所向往者也。十章所咏尤沉痛，以与《读唐史》诸章比观之，则作者之心已隐约可见。更细审其篇中所载，无虑皆此类也。"

**罗贯中与《录鬼簿续编》作者于别后多年复得重会。**《录鬼簿续编》，或以为即贾仲明所作。《录鬼簿续编》："罗贯中，太原人，号湖海散人。与人寡合。乐府、隐语，极为清新。与余为忘年交，遭时多故，各天一方。至正甲辰复会，别来又六十馀年，竟不知其所终。"并录其戏曲作品三部：《风云会》（《赵太祖龙虎风云会》）、《连环谏》（《忠正孝子连环谏》）、《蜚虎子》（《三平章死哭蜚虎子》）。或以为著《三国演义》之作者罗本贯中即其人。将大器《三国志通俗演义序》："若东原罗贯中，以平阳陈寿《传》，考诸国史，自汉灵帝中平元年，终于晋太康元年之事，留心损益，目之曰《三国志通俗演义》。"或以为罗贯中尝与著《水浒传》。王道生《施耐庵墓志》言罗贯中为施耐庵门人，施作《水浒传》，"得力于罗贯中者为尤多"。故《百川书志》卷六著录《忠义水浒传》一百卷，题"钱塘施耐庵的本，罗贯中编次"；天都外臣叙本与袁无涯刊本《水浒传》并署施耐庵、罗贯中之名；《七修类稿》及后来的诸多《水浒传》刻本均题罗贯中"编辑"或"纂修"。《稗史汇编》卷一〇三"院本"条："文至院本、说书，其变极矣。然非绝世轶材，自不妄作。如宗秀罗贯中，国初葛可久，皆有志图王者，乃遇真主。而葛寄神医工，罗传神稗史。今读《水浒传》，从空中放出许多罡煞，又从梦里收拾一场怪诞，其与王实甫《西厢记》始以蒲东遇会，终以草桥扬灵，是二梦话，殆同机局。总之，惟虚故活耳。第入调笑辄紧处着慢，多多俞善；才征筹绝处逢生，种种易穷。岂直不堪晪（犄）角中原，较是更输扶馀一着，而志西湖者遂曰罗后三世患哑，谓其导人以贼云。噫，无人非贼，惟贼有人，吾儒中顾安得有是贼子哉！此《水浒》之所为作也。"罗贯中，又作罗贯。《续文献通考》卷一七七："《水浒传》，罗贯著，贯字本中。"罗贯中，明人或以其为南宋时人。赤心子《绣谷春容选锲骚坛摭粹嚼麝谭苑数集》："钱塘罗贯，南宋时人，编撰《水浒传》。"《西湖游览志馀》卷二十五："钱塘罗贯中本者，编撰小说数十种，而《水浒传》叙宋江等事，奸盗脱骗，机械甚详。然变诈百端，坏人心术。其子孙三代皆哑，天道好还之报如此。"高儒《百川书志》卷六著录《三国志通俗演义》，注云："明罗贯中编次。"《书影》卷一："《水浒传》，相传为洪武初越人罗贯中作。"其说纷纭，莫详孰是。今人亦丛说杂呈，然多以其人系之元末明初。《七修类稿》卷二十三："《三国》、《宋江》二书，乃杭人罗本贯中所编。予意旧必有本，故曰编。《宋江》又曰钱塘施耐庵的本。昨于旧书肆中得抄本《录鬼簿》，乃元大梁钟继先作，载元、宋传记之名，而于二书之事尤多。据此，尤见原亦有迹，因而增益编成之耳。"

**唐棣卒，年六十九。**据张羽《子华唐君墓碣》（《吴兴艺文补》）。唐棣（1296—1364），字子华，吴兴人。以茂才荐，历任彬州教授、处州路青田县柔远乡巡检。天历二年，调任江阴州教授。至顺四年，入京师。除嘉兴路提控案牍兼照磨。至正五年，转休宁县尹，阶承务郎。迁兰溪州知州、吴江州知州。至正二十四年卒，年六十九。著有《唐子华诗集》、《休宁稿》、《味外味稿》，均已佚。牟巘《唐棣诗序》："予卧蓬庐中，忽唐棣者袖诗来见。名甚异，貌甚癯，词甚敏。问其年，甫弱冠，问其师，则心居子陈泰（寿）初也。泰（寿）初名家宿儒，何幸亲熏炙之，教之读书作诗以磨砻其气质，而唐棣锐有立志，不肯碌碌随俗，用力甚勤，亦可喜者。又闻作诗之暇，舐笔和墨，留意于画。尝作二图，可丈馀，幅尺殊广，而岩崖草树，心目俱到，有非年少初学所能办。予益喜之，但颇疑诗与画二者难并进。或者曰：'诗乃有声画，画乃无声诗，不必差殊观。要当养其精神，老其岁月，多读好诗则诗自好，多阅好画则画自好，其进未可量也。'予曰：'然。'因书以勉之。"（《陵阳集》卷十三）黄溍《唐子华诗集序》："荀卿子曰：'艺之至者不两能。'言人之学力有限，术业贵乎专攻也。……子华弱冠时，以善画际遇先朝，尝登于乙览而列于东壁图书之府矣。散落人间者，好事之家，莫不袭藏，用为珍玩。其驰名四方，已三十年，固未始规规然若穷阎下士，雕章刻句，薪以诗颉门名家，而为诗之工如此。盖其诗即画，画即诗，同一自得之妙也。荀卿子所谓不两能者，特指夫艺而言之耳，讵为知道者发哉！……窃恐时人有爱子华之画而未知爱其诗者，是用表而出之，以为序云。"（《金华黄先生文集》卷十八）

**苏大年卒。**杨维桢《苏先生挽者辞叙》："公讳大年，字昌龄，西涧其自号也，世家广陵。性开爽亢直，有硕学奇材，不受公卿辟举。丰姿音吐，文辞翰墨，权谋智术，皆绝出时辈。至正癸巳，兵兴，走徐州，上大将策，策（编者注：疑衍字）天子闻而想见其人，赏官编修。明年，广陵陷，涉江隐吴市门。……癸卯秋，予登天平石壁，入城见公大堂，公出妻子（原阙）事，按梨园旧部东，为予留十日别。明年，托抱棨山君贻余文二百十言，奇谲甚，律诸古，未知魁绝公者何如耳？定约游大小雷七十二弁，约未赴而公逝。濒终，自著墓志文，告其子曰：'吾年近七十，无憾，憾者缺灵武觐镇锵龙山约乔宜中死誓耳。'呜呼，公梦矣，九京不可作矣。死之后若干日，与公约游成某、陶某、周某，相承祭于淞之干将山杪，各赋挽者辞。"（《东维子集》卷二十六）《疑年录三续》卷五以其寿年为六十九，当是从"年近七十"一语得之。〔按，《侨吴集》附录苏大年所撰《遂昌先生郑君墓志铭》，记郑元祐"卒于至正二十四年甲辰十一月二十九日未时"，则其卒在本年十二月。〕苏大年，字昌龄（一作昌令），号西涧，又号西坡、林屋洞主。河北真定人，寓居扬州。

## 公元 1365 年 （顺帝至正二十五年 乙巳）

### 正月

**十五日，戴良序卢镇所编《重修琴川志》。**序见本集卷首。《重修琴川志》十五卷，今存《宛委别藏》本。四库未收书提要："《重修琴川志》十五卷，元卢镇撰。……按：琴川，常熟别名，齐以南沙为常熟县，升县为州，始于元元贞二年，明洪武三年，复改为县。旧志创始于宋庆元间县令孙应时，至淳祐辛丑，鲍廉更加饰焉，旁搜博采，列为十门，而书乃详。其后时久人殊，卷帙散佚，百馀年间，未有取而续之者。元至正时，镇宰是地，乃属耆老顾德昭等搜求孙、鲍旧本，复参考异同，重付诸梓，凡所未载，并附卷末。书中云晋案者，惜佚其姓，疑德昭名也。其于城池之形势，山水之崇深，与夫兵赋之多寡，文献之昭垂，罔不记载，详明了无馀蕴，是可与施宿《嘉泰会稽志》、梁克家《淳熙三山志》抗衡，非明人全用己说者可比。镇后序所云其续志则始于有元，今阙佚已久，无从补录。是册从汲古阁毛子晋旧校本影写，著录家惟见于黄虞稷《千顷堂书目》，亦不详其姓氏。崇祯间，邑人龚立本跋此书云：邑中邵兵部麟武得于兴福寺，仅半部，后归许文学彀美，彀美复于南都书肆购其所佚之半，始成全帙。则此书在前明已称难得，今复二百馀年，宜倍珍惜也。"《四库未收书目提要补正》卷一："《重修琴川志》十五卷。陆氏《藏书志》有旧钞本，题为宋鲍廉撰，元卢镇修。其案语云：'鲍廉，龙泉人，淳祐十二年四月，以宣教郎知常熟县。卢镇，字子安，淮南人，至正中知常熟州。琴川，常熟别名。其书创自庆元丙辰县令孙应时。淳祐辛丑，鲍廉与邑士钟秀实、胡淳衷辑增益而始备。卷一、卷二叙县，卷三叙官，卷四叙山，卷五叙水，卷六叙赋，卷七叙兵，卷八叙人，卷九叙产，卷十叙祠，卷十一至十三叙文，卷十四题咏，卷十五拾遗。至正乙巳，镇知州事重刊。曰重修者，自序所谓"旧所未载，附之卷末"，并非改修也。'玉缙案：陆题较阮为允，但自序有'仍曰《重修琴川志》'语，盖鲍修孙本，先有是名，而卢仍之耳。"

### 二月

**十六日，贝琼序杨维桢所撰《大全集》。**贝琼《铁崖先生大全集序》："《铁崖先生大全集》，《春秋大意》若干卷，《史钺》若干卷，《君子议》若干卷，《丽则遗音》若干卷，志、序、碑、铭、赞、引、箴、颂、古乐府、近体五七言诗总若干卷。……至正二十有五年春二月既望，门生贝琼序。"（《清江文集》卷七）贝琼所谓大全集者，今多以单集行。至本年，贝琼登杨维桢门已二十五年。

## 四月

**李祁序王礼所撰文集**。序见本集卷首。王礼所撰诗文集，今存《麟原前集》十二卷、《麟原后集》十二卷，有《四库全书》本。前集撰于元代，后集则为入明以后所作。

## 六月

十七日，朱德润卒，年七十二。周伯琦《有元儒学提举朱府君墓志铭》："其后浙省两试乡贡士，皆尝聘君，不起。至正十五年岁次乙巳，六月十七日，微疾，终于正寝，享年七十有二。"（《存复斋文集》附录）〔按，至正乙巳为二十五年，而至正十五年为乙未。考伯琦所撰《墓志铭》，言其延祐末年廿五，则至正十五年不当有年七十二之数。又：明朱存理《珊瑚木难》卷一、赵琦美《赵氏铁网珊瑚》卷十五，有朱德润至正二十四年（1364）所作《秀野轩记》，自言七十一，上推七十年，其生当在至元三十一年（1294）。以其寿年七十二考之，则其卒在至正二十五年（1365），知《墓志》所言至正十五年乃至正二十五年之误。顾嗣立《元诗选》初集已集以其卒于至正十五年，年七十三，则又沿《墓志》之误而复误其寿年矣。〕虞集《题存复斋稿》："泽民文章典雅，而理致甚明，独惜以画事掩其名，然识者不厌其多能也。自兹以往，泽民当丰于文而啬于画可也。"冯子振《赠朱泽民序》："睢阳朱泽民，青年甫二十，而俊气溢发，一以古人为师，诗师谪仙，笔札师逸少，画则规矩出入李昭道父子之间。"《元诗选》初集己集："合沙俞焯称其理到而词不凡，非诩诩以求售于人者。蜀郡虞伯生尝曰：'泽民文章典雅，惜以画事掩其名。自兹以往，泽民其丰于文而啬于画可也。'盖讽之云。"《石洲诗话》卷五："朱德润《德政碑》、《无禄员》诸诗，亦香山《秦中吟》之遗意，而语益切至，使闻者足以戒，此皆有用之文也。"四库提要卷一七四："《存复斋集》十卷，元朱德润撰。……是集有虞集题词、黄溍序，皆见微词。惟合沙俞焯序称其文理到而辞不凡，差得其实。诗则肤浅少深致，益非其所长矣。"

## 七月

**初八，夏文彦自序所撰《图绘宝鉴》五卷**。末署"至正乙巳秋七月甲子，吴兴夏文彦士良书于宝墨斋"。又有杨维桢序（《图绘宝鉴》卷首、《东维子集》卷十一）。今存《四库全书》本、《丛书集成初编》本。后明人韩昂益以明初至正德间画者，成续编一卷。夏文彦，字士良，号兰渚生，华亭人。历官馀姚州同知。著有《图绘宝鉴》五卷。〔按，据贡师泰所撰《元故处士夏君墓志铭》（《玩斋集》卷十），其父夏溍生于至元三十年（1293），卒于至正十五年（1355）。又据陶宗仪所作《哭马平主簿夏原威》（《南村诗集》卷二）诗，知其子卒于洪武二十年（1387）。据此，则文彦之生活年代可概知矣。〕《四库全书总目提要补正》卷三十三："《图绘宝鉴》五卷、《续编》一卷。

吴氏《拜经楼藏书题跋记》有元刻本五卷，并载黄丕烈跋云：'夏文彦《图绘宝鉴》五卷，载于《读书敏求记》者为得其真，他如《津逮》所刻，已合明钦天监玉泉韩昂续纂者而并为六卷，又何论近刻之八卷者乎？此刻虽漫漶，然五卷原书具在，后附补遗，与他本附补遗于六卷后者面目已改，岂不可宝。士良搜罗画人姓氏可谓极详。嘉熙时有宋伯仁《梅花喜神谱》二卷，潜溪先生详画梅之原，五代有滕胜华，宋有赵士雷、邱庆馀、徐熙、仲仁师、杨补之，今《宝鉴》所列一一不爽，独遗伯仁一人，则士良之书，殆有未尽耶？'又载陈鳣跋云：'是本犹是元版而明印者，远胜今本之窜乱混淆。卷首抱遗老人序，草书极佳，盖系铁崖手书付梓。序称云间义门夏氏，则文彦又为云间人。'据此两跋，是并非文彦之旧也。惟云间系流寓，陈语稍泥。瞿氏《目录》、丁氏《藏书志》，并有元刊本五卷，补遗一卷。"

**二十六日，朱元璋置太史监，以刘基为太史令。**见《明史》卷一《太祖本纪》、黄伯生撰刘基行状。

## 九月

**初一，朱元璋建国子学，以元之集庆路学为之。**见《明史》卷一《太祖本纪》。

## 十月

**初一，揭汯序戴良所撰《九灵山房集》。**序见《九灵山房集》卷首，其时揭汯官中顺大夫、秘书少监。良入明十六年方卒，其集当亦有增益，揭汯此年序即称《九灵山房集》。《九灵山房集》三十卷、补编二卷，今存《四库全书》本。四库提要卷一六八："《九灵山房集》三十卷、补编二卷，元戴良撰。……其集曰《山居稿》，曰《吴游稿》，曰《鄞游稿》，曰《越游稿》。后跋又云：集外有《和陶诗》一卷。今检集中，《越游稿》内已有《和陶诗》一卷，而其门人赵友同所作墓志，亦云《和陶诗》一卷、《九灵集》三十卷，不在集目之内。或本别有《和陶诗》一卷，而为后人合并于集中者，未可知也。"

**二十四日，陈樵卒，年八十八。**宋濂《元隐君子东阳陈公先生鹿皮子墓志铭》："寓子婿王为家，留六年之久。遭微疾，默坐于一室，不食饮者逾月。县令遣医来视疾，君子麾去曰：'吾年八十又八，其死宜矣，何药之为？'未几，翛然而逝，实至正乙巳十月戊申也。"（《文宪集》卷二十二）陈樵（1278—1365），字君采，号鹿皮子，婺州府东阳人。著有《鹿皮子集》四卷，今存正德卢氏刊本、《四库全书》本、清抄本、《金华丛书》本、《丛书集成初编》本。《元诗选》初集戊集选其诗87首。生平据宋濂《元隐君子东阳陈公先生鹿皮子墓志铭》。杨维桢《鹿皮子文集序》："自今观之，孔、孟而下，人乐传其文者，屈原、荀况、董仲舒、司马迁，又其次王通、韩愈、欧阳修、周敦颐、苏洵父子，逮乎我朝，姚公燧、虞公集、吴公澄、李公孝光。凡此十数君子，其言皆高，而当其义皆奥而通也。虞、李之次，复有鹿皮子者焉，著书凡二百馀卷。予始读其诗，曰：李长吉之流也。又读其赋，曰：刘禹锡之流也。至读其所著书，而后知其可继李、虞，以达乎欧、韩、王、董，以羽仪乎孔、孟子。盖公生于盛时，不习训诂文，而抱道大山长谷之间。其精神坚完足以立事，其志虑纯一足以穷物，其考览博大足以通乎典故，而其超然所得者，又足以达乎鬼神天地之宜。其文之所就，可必行于人，为传世之器无疑也。……鹿皮子陈氏，名樵，字君采，金华人，居圓谷硐常衣鹿皮，自号鹿皮子云。"（《东维子集》卷六）宋濂《元隐君子东阳陈公先生鹿皮子墓志铭》："君子幼学于家庭，继受《易》、《书》、《诗》、《春秋》大义于李公直方，其于天下之书无不读，读无不解。学成而隐，邈然不与世接，唯痛痒群经，思一洗支离穿凿之陋，形于谈辨，见于文辞，恒恳恳为人道之。文辞于状物写情尤精，然亦自出机轴，不蹈袭古今遗辙。读之者以其新逸超丽，喻为挺立孤松，群葩俯仰下风而莫之敢抗。或就之学，则斥曰：'后世之辞章，乃士之脂泽、时之清玩耳，舍六经弗讲，而事浮辞绮语，何哉？'少作古赋十馀篇，传至成均，生徒竞相誊写，谓绝似魏晋人所撰。"（《文宪集》卷二十二）《徐氏笔精》卷四："元初陈樵，好衣鹿皮，自号鹿皮子。有诗一卷，如'扫叶僧将猿共爨，卖花人与蝶俱还'，殊有巧思。"《居易录》卷一："元陈樵《鹿皮子集》四卷。诗学温、李，《寒食词》一篇，有《麦秀》、《黍离》之痛。古赋颇工。"《元诗选》初集戊集："专意著述，尤长于说经，与同郡黄晋卿辈友善。尝贻书宋景濂，谆谆以文章相勉励云。所著曰《鹿皮子集》。好为古赋，组织绵丽，有魏晋人遗风。其诗于题咏为多，属对精巧，时有奇气，如'山遮春欲归时路，雁入昇飞不尽天'，'僧爨屋头猿挂树，鸟衔窗外雨生鱼'，'春在地中长不死，月行天尽又飞来'，'台虚人在空中立，云静天从水面浮'，'诗无獭髓痕犹在，梦有鸾胶断若何'，'野鹿避人悬树宿，溪鱼乘水上山来'，'天出异香薰宝树，日将五色染游丝'，'絮轻便欲排云去，花好多应换骨来'，即此数语，可以步武西昆诸作。"《元诗选》初集戊集《鹿皮子墓》诗后按语："鹿皮子北山诗咏，多秀健之句，如《五云洞》云：'松花入酿传香碧，贝叶分题写硬黄。'《溪亭》云：'云随白鹤翔千仞，月与青猿共一枝。'《翻经台》云：'枝重有时来白鸟，雨残无处著晴虹。'《东白草堂》云：'卷帘帐下云先去，步月庭前树欲行。'《望月台》云：'松高琥珀无苗出，蟾老丹书满腹生。'《银谷涧空碧亭》云：'水鸟临池青入羽，仙人唾地碧如天。'《少霞室》云：'石壁水花泉涌出，海棠春色鸟衔来。'《少霞洞》云：'龙带雨花临砚滴，僧添槲叶上秋衣。'《北峰》云：'云傍楼台低地碧，天将草树染春青。'《水亭》云：'曲水傍人流白羽，娇花无语答黄莺。'《清凉台》云：'好风入夏传芳信，片雨随龙度月明。'《忘忧阁》云：'天外唾如云样碧，江南春与草俱青。'《南轩》云：'人来此地见山碧，月未冷时如日红。'《云山不碍楼》云：'庭虚只放溪云度，水浅不妨松影长。'《兰池》云：'猿窥涧底风枝动，莺踏花间水影翻。'《壶天》云：'神游八极皆吾土，天入三山不满壶。'又有《萝衣洞》、《醒酒石》、《圓谷涧》、《野芳园》、《山斋》、《山园》等题，共三十八咏。其栖隐之地，可以想见。后以《鹿皮子墓》终之，亦司空表圣'王官谷生圹'之意也。"《石洲诗话》卷五："鹿皮子陈樵《寒食词》：'绵上火攻山鬼哭，霜华夜入桃花粥。重湖烟柳高插天，犹是咸淳赐火烟。'语浓意警。"又："陈居采诗学温、李，而有清奇之气。"

## 十二月

**初六，郑采卒。**据宋濂《故赠奉议大夫磨勘司郑公墓志铭》（《芝园前集》卷九）。郑采，字季亮，号曲全，温州平阳人。与兄郑东，俱有文名。宋濂尝序其兄弟所撰之《郑氏联璧集》十四卷。郑东，字季明，号杲斋，晚寓常熟。《元诗选》三集庚集选采诗 5 首，选东诗 34 首。《石洲诗话》卷五："郑杲斋东《题徽庙马麟梅》一首，《题江贯道平远图》诸绝句，皆佳。元人自柯敬仲、王元章、倪元镇、黄子久、吴仲珪每用小诗自题其画，极多佳制。此外诸家题画绝句之佳者，指不胜屈。盖元人题画，长篇虽多，未免限于李长吉之词句，罕能变转；而绝句境地差小，则清思妙语，层见叠出，易于发露本领。如就元人题画小诗，选其尤者，汇钞一编，以继唐人之后，发扬风人六义之旨，庶有冀乎？"又："郑曲全采，杲斋弟也，其子思先合写为《联璧集》。曲全《题复古秋山对月图》七绝一首，二十八字内，乃用'瑟'字二、'朋'字二、'㟝'字二、'棽'字二、"森"字二、'篠'字二、'蠹'字二、'鱻'字二，亦太好奇。"

## 本年

**刘夏以荐者言，被朱元璋授为尚宾馆副使。**刘夏（1314—1370），字迪简，号商卿，安成人。洪武三年往使交趾，卒于南宁归途。著有《刘尚宾文集》五卷、续集四卷。生年见杨胤《尚宾馆副使刘公墓志铭》（《文集附录》）。

**朱文正以罪免官，安置桐城县，郭奎坐诛。**见《列朝诗集小传》甲前集，又见《资治通鉴后编》卷一八二。宋濂《望云集序》："《望云集》者，郭君子章所作之诗也。子章尝从青阳先生学治经，而性尤嗜诗。自黄初以降诸名家，多嚅哜其芳腴，故剔句镂辞，趣味隽永，而韵度婉微，青阳亟称其能。曾未几何，戈甲抢攘，二亲与弟昆咸亡。子章只影飘零于江湖间，进退无依，遂仗剑从军，艰难险阻，莫不备尝。凡世道之污隆，时序之推移，人事之变更，每触之于目，必有感于心。感久辄悲，悲不能已，乃悉假诗以写之，通名其集曰《望云》。望云，志思亲也。余常取而观之，何其情思之萦纡，音节之激烈哉！譬犹秋风刁骚，霜月凄白，孤臣畸士，恸哭于山泽苍凉之间，而闻者莫不陨涕焉。哀思之切，何其一至此乎？"（《望云集》卷首）四库提要卷一六九："《望云集》五卷，明郭奎撰。……奎当干戈扰攘之际，仗剑从军，备尝险阻，苍凉激楚，一发于诗。五言古体，原本汉魏，颇得遗意。七言古体，时近李白。五言律体，纯为唐调。七言律体，稍杂宋音。绝句则在唐宋之间。元末明初，可云挺出。赵汸、宋濂皆为之序，推崇甚至，良不诬矣。"

**杨士奇生。**杨士奇（1365—1444），名寓，以字行，号东里，泰和人。著有《东里集》九十三卷。生平见《明史》卷一四八本传。

**王蒙过访袁凯，为作《云山图》。**袁凯有《王叔明画云山图歌》诗，诗云："至正乙巳三月初，王郎远来访老夫。升堂饮茶礼未毕，索纸为作《云山图》。初为乱石势已大，橐驼连拳马牛卧。忽焉拔地高入天，欲堕不堕令人怕。其阳倒挂扶桑日，其阴积雪深千尺。日射阴崖雪欲消，百谷春涛怒相激。林下丈人心自闲，被服如在商周间。问之不言唤不返，源花漠漠愁人颜。"（《海叟集》卷二）王蒙，字叔明，号黄鹤山樵，吴兴人，王国器子，赵孟頫外孙。元末画坛四大家之一。据陶宗仪《哭王黄鹤》（《南村诗集》卷二）题注："乙丑九月初十日，卒于秋官狱。"则其卒在洪武十八年（1385）。《草堂雅集》卷十二存其诗十馀首。

## 公元 1366 年　（顺帝至正二十六年　丙午）

### 正月

初九，徐舫卒，年六十八。宋濂《故诗人徐方舟墓铭》："至正丙午正月九日，方舟以疾卒，寿六十八。"徐舫（1299—1366），字方舟，号沧江散人，睦州桐庐人。著有《唐诗通考》、《瑶琳集》、《沧江集》。《元诗选》二集庚集选其诗 15 首。生平据宋濂《故诗人徐方舟墓铭》。赵汸《沧江书舍记》："一意于为诗，远师汉魏，近宗盛唐，视他作以为格卑不足法也。其在新安，每从文学儒者相羊山水间，吟讽终日，殆不知有簿书期会之劳。"（《东山存稿》卷三）郑真《挽徐方舟先生》："睦州诗派继前修，急雪沧浪一钓舟。剩有才华传锦绣，终无姓字彻珠旒。神鱼入穴江云暮，仙鹤抟空海月秋。百岁风流那复见，薤歌声断不胜愁。"（《荥阳外史集》卷九十五）宋濂《故诗人徐方舟墓铭》："即从师受章句为进士业，操觚为文，辄烂然成章。已而又悔曰：'是如蠹书蟫，出入于故纸中，何有终期哉？人生贵适意，曷习古歌诗以吟咏性情，庶几少遂其愿耳。'先是，睦多诗人，唐有皇甫湜、方干、徐凝、李频、施肩吾，宋有高师鲁、滕元秀，世号为睦州诗派。方舟悉取而讽咏之，钵肝刿肾，期起迈之乃已。积之既久，圆熟璀璨，明珠走盘，而玉色交映也。方舟犹以为未足，出游江汉、淮浙间，与名士相摩切，而诗道益昌。"（《文宪集》卷十九）《石洲诗话》卷五："徐舫《白雁》诗，亦在袁海叟、时大本之间，末句有寄托，而五六为佳。"

### 二月

杨维桢作《送朱女士桂英演史序》。序云："钱唐为宋行都，男女痛峭，尚妖媚，号笼袖骄民。当思陵上太皇号，孝宗奉太皇寿，一时御前应制多女流也。若碁待诏为沈姑姑，演史为张氏、宋氏、陈氏，说经为陆妙慧、妙静，小说为史惠英，队戏为李瑞娘，影戏为王润卿，皆中一时慧黠之选也。两宫游幸，聚景玉津内园，各以艺呈，天颜喜动，则赏赉无算。此太平朝野极盛之际。今当此刀鸣镝语时，故家遗老，或与退珰畸孀谈先朝故事，未尝不兴感陨泪也。至正丙午春二月，予荡舟娱春，过濯渡，一姝淡妆素服，貌娴雅，呼长年舣棹，敛衽而前，称朱氏，名桂英，家在钱唐，世为衣冠旧族，善记稗官小说，演史于三国五季。因延致舟中，为予说道君艮岳及秦太师事，座客倾耳听，知其腹笥有文史，无烟（原阙）。予奇之，曰：使英遇思陵太平之朝，如张、宋、陈、陆、史（原阙），入登禁壶，岂久居瓦市间耶！曰忠曰孝，贯穿经史，于稠人广众中，亦可以敦励薄俗，则吾徒号儒丈夫者为不如已。古称卢文进女为女学士，予于桂英亦云。"（《东维子集》卷六）朱桂英其人，系说书家之流。

## 三月

十三日，廷试进士七十二人，赐赫德溥化、张栋进士及第，其馀出身有差。见《元史》卷四十七《顺帝本纪》。杨维桢《送倪进士中会试京师序》："华亭倪中字德中，予在璜溪时，尝从予游，于学有异能解，行修志立，一时行辈推服之。至正壬寅，浙省贡士三十有二人，中名上游。明年会试，以病不行。今年丙午会试于京，优其蹈海而来者，即奉大对伦魁，又不限南士。天子亲以制科策于大夫，询以时政之急，中以极言骨鲠应之，其为汉南第一人必矣。自兵兴来，士气不振将二十年，朝廷贡举，未有卓然辈出，追隆延祐、泰定之盛，授牒以出者，类亡治状。至是缸牒换缛，更晋取逢，呼吸折节，以卖其所自出，若是者，岂徒辱科，其辱国甚矣。自汉举贤良，荣以仲舒，而辱以公孙弘；唐举进士，荣以陆贽、韩愈，而辱于皇甫镈、王涯之流；宋举进士，荣以韩琦、欧阳修，而辱于丁谓、王介甫之辈。於乎，士之出于一日场屋，言辞俯仰之顷，遂为天下后世成败毁誉之系如此。此今天子之厉精发情而亲策于大夫，务得真材之用也。"（《东维子集》卷三）

二十三日，杨维桢作《朱明优戏序》。序云："百戏有鱼龙角觝，高缅凤凰，都卢寻潼，戏车走丸，吞刀吐火，扛鼎象人，怪兽含利，泼寒苏莫等技，而皆不如俳优侏儒之戏。或有关于讽谏，而非徒为一时耳目之玩也。窟碟家起于偃师献穆王之伎，汉户牖侯祖之，以解平城之围。运机关舞埤间，阒支以为生人，后翻为伶者戏具，其引歌舞，亦不过借吻角呶唧声，未有引以人音。至于嬉笑怒骂，备五方之音，演为谐诨咽呕而成剧者也。玉峰朱明氏，世习窟碟家，其大父应俳首驾前，明手益机警，而辨舌歌喉，又悉与手应，一谈一笑，真若出于偶人肝肺间，观者惊之若神。松帅韩侯宴余偃武堂，明供群木偶，为尉迟平寇子卿还于降臣昏辟之际，不无讽谏所系，而诚非苟为一时耳目玩者也。韩侯既赍以金，诸客各赠之诗，而侯又为之乞吾言以重厥技，于是乎书以遗。时至正二十六年三月二十有三日也。"（《东维子集》卷十一）

二十八日，王逢自横泖迁居乌泾。《梧溪集》卷四有《至正丙午三月廿八日，自横泖迁居乌泾宋张骥院故居，有林塘竹石，因扁堂曰俭德，园曰最闲，得诗凡六首》诗。

王宗尧序马玉麟所撰《东皋漫稿》。序见本集卷首，又有周伯琦序。马玉麟，字伯祥，著有《东皋诗集》五卷，有《宛委别藏》本。四库未收书提要："《东皋诗集》五卷，元马玉麟撰。……玉麟当元之末季，仕宦显要，乃能耽工吟咏，时出清言，且又惕事感时，借抒经济。今阅其古今体诗，率皆婉丽畅达，可谓有关于名教、有裨于讽谏者矣。末附录《东皋先生传》一首，系洪武中王逊所作，记其生平行事甚详。"

杨维桢作《香奁八题》。杨维桢《香奁集序》："云间诗社《香奁八题》，无春坊才情者多为题所困，纵有篇什，正如三家村妇学宫妆院体，终带鄙状，可丑也。晚得玉树子八作，众推为甲，而长短句乐府，绝无可拈句者。云庵老先生寄示《踏莎行》八阕，读之惊喜。先生盖松雪翁门倩，今年八十有三矣，而坚强清爽，出语娟丽流便，此殆雪月中神仙人也。谨以付翠儿度腔歌之。又评付龙洲生，附咏八诗后绣梓，以见王孙门中旧时月色，虽阅丧乱，固无恙也。至正丙午春三月初吉，锦窦老人杨维桢序。"（《复古诗集》卷五）龙洲生，章琬号。王德琏、王逢、钱枢、韩致光、贝琼、黄伯旸等均有同题之作。章琬《跋香奁八咏》："《香奁》有二十题，裁剪俗思，信配凡四，先生又有和赵八节使廿咏，尤脍炙于粉黛。"（《珊瑚网》卷十）《归田诗话》卷下："杨廉夫晚年居松江，有四妾：竹枝、柳枝、桃花、杏花，皆能声乐。乘大画舫，恣意所之，豪门巨室，争相迎致。时人有诗云：'竹枝柳枝桃杏花，吹弹歌舞拨琵琶。可怜一解杨夫子，变作江南散乐家。'或过杭，必访予叔祖，宴饮传桂堂，留连累日。尝以《香奁八题》见示，予依其体，作八诗以呈。稿附家集中，忘之久矣。今尚记数联，《花尘春迹》云：'燕尾点波微有晕，凤头踏月悄无声。'《黛眉颦色》云：'恨从张敞毫边起，春向梁鸿案上生。'《金钱卜欢》云：'织锦轩窗闻笑语，采蘋洲渚听愁吁。'《香颊啼痕》云：'斑斑湘竹非因雨，点点杨花不是春。'廉夫加称赏，谓叔祖云：'此君家千里驹也。'"《怀麓堂诗话》："《元诗体要》载杨廉夫《香奁》绝句，有极鄙亵者，乃韩致光诗也。"

## 春

庐陵僧北山大杼禅师编张羽诗为《蜕庵集》，介来复作序。序见本集卷首。《蜕庵集》五卷，今存《四库全书》本。《千顷堂书目》卷二十九："张羽《蜕庵集》四卷，北山释大杼辑。"《居易录》卷四："元张羽《蜕庵集》四卷，衡山释大杼北山编集，洪武三年锡山郎成钞本。"四库提要卷一六七："《蜕庵集》五卷，元张羽撰。……史称羽遗稿不传，传者有律诗、乐府仅三卷。王士禛则称《蜕庵集》四卷，明洪武三年锡山郎成钞本。此本乃朱彝尊所藏，明初释大杼手钞本，前后有来复、宗泐二人序跋。盖大杼与羽为方外交，元末羽没无嗣，大杼取其遗稿归江南，别为选次而录存之。考《元音》、《乾坤清气集》、《玉山雅集》诸书，所录羽诗尚有出此集之外者，则亦非全本也。"

张择作《青楼集序》。张择，字鸣善，或书作明善，号顽老子。其先平阳人，家于湖南，流寓扬州，元亡后寓居吴江。尝官宣慰司令史，与夏庭芝、张羽、成廷珪等人相往还，为苏昌龄、杨维桢所称。著有杂剧《烟花鬼》、《夜月瑶琴怨》、《草园阁》，均已佚。《全元散曲》录其小令13首，套数2套。

## 六月

孙作序陶宗仪所撰《南村辍耕录》。序见本集卷首。《南村辍耕录》三十卷，有《四库全书》本、《津逮秘书》本、《四部丛刊三编》本、《丛书集成初编》本、武进陶氏影元刻本、中华书局排印本。《水东日记》卷六："松江老儒天台陶九成，所著书颇为杨文贞公所不取，盖如所谓《书史会要》是已。使其见《南村辍耕录》，当更不取。录中颇杂淫亵事，可鄙也。近闻《说郛》百卷，尚存其家，有九成涂改去取处，不知如何，其亦未成之书欤？"四库提要卷一四一："《辍耕录》三十卷，明陶宗仪撰。……此书乃杂记闻见琐事，前有至正丙午孙作序。书中称明兵曰集庆军，或曰江南游军，盖丙午为至正二十七（六）年，犹未入明时所作也。郎瑛《七修类稿》谓宗仪多录旧书，如《广客谈》、《通本录》之类，皆攘为己作。今其书未见传本，无由证瑛说之确否。但就此书而论，则于有元一代法令制度，及至正末东南兵乱之事，纪录颇详。所考订书画文艺，亦多足备参证。惟多杂以俚俗戏谑之语，闾里鄙秽之事，颇乖著作之体。叶盛《水东日记》深病其所载猥亵，良非苛论。然其首尾赅贯，要为能留心于掌故，故朱彝尊《静志居诗话》谓宗仪练习旧章。元代朝野旧事，实借此书以存，而许其有裨史学，则虽瑜不掩瑕，固亦论古者所不废矣。"

## 十二月

十二日，乌本良、乌斯道、罗本、高克柔等人致祭于业师赵偕。其时，赵偕友王约、时观亦有文祭之。考《赵宝峰文集》中，有《至正二十三年之春登清辉楼》诗一首，又有《代大章祭周砥道文》。据此，则其卒或即在本年。赵偕，字子永，宋魏王赵廷美之后，居慈溪。隐于大宝山东麓，学者称宝峰先生。著有《赵宝峰先生文集》二卷。集有明嘉靖二十二年赵文华刻本，前有门人乌斯道序及祭文。末附录明人吕柟所撰《世敬堂记》一篇。卷末有嘉靖十一年嗣孙赵继宗所撰后序及裔孙赵文华所作题识。《元诗选》初集己集选其诗 8 首。《元诗选》初集己集："门人乌斯道序其遗文，谓有道之言。六世孙文华重刻。其诗不多，类皆陈腐之语，录其稍蕴藉者存之。"四库提要卷一七四："《宝峰集》二卷，宋赵偕撰。……是集为其外孙顾恭所编，后兵燹散失。明嘉靖中，其裔孙广东佥事继宗得旧本于杨昔济、向纯夫处，重梓行之。今所钞传，即其本也。上卷多与邑令陈文昭所论治县规条。下卷皆古今体诗，亦多陈腐。盖其学以杨简为宗，故不免以语录为文云。"

**韩林儿卒**。见《明史》卷一《太祖本纪》。韩林儿在滁州，朱元璋命廖永忠迎归建康，行至瓜步，遂沉之于江。《七修类稿》卷八："至正十一年，黄河决，参议贾鲁欲建不世之功，首劝脱脱丞相开河，以复大禹故道。山东连荒，复集夫数十万，民恐，已思乱矣。而栾城人韩山童，自祖父以白莲会烧香惑众，至山童，因枣阳有男，周岁暴长四尺，皤腹如世所塑布袋和尚者，遂倡言弥勒下生，天下当乱。又阴凿一眼石人，预埋当开河道，镌其背曰：'莫道石人一只眼，此物一出天下反。'掘者得之，惊诧而倡乱矣。河南、江淮之民，翕然从之，刘福通等共尊山童为主。然为官兵捕急，山童被擒，其妻杨氏与其子林儿，逃之武安，福通等据朱皋。十五年，攻破罗山、舞阳、叶县，又陷汝宁光、息二州。自砀山夹河迎林儿为帝，号小明王，以杜遵道等为丞相，诈称徽宗九世孙，国号宋，改元龙凤。伪诏略曰：'蕴玉玺于海东，取精兵于日本。'盖以宋广王死崖山，丞相陈宜中走倭之故。又陷汴，拆鹿邑太清宫材为殿居之。后朝廷发师诛讨，福通奉伪主遁安丰。然而乱阶既成，其党毛贵、田丰、李武、崔德等，四出攻掠，天下扰扰，寻俱败死。独林儿直至二十七年方死，盖不为天兵所讨故也。"

## 本年

**邹奕序成廷珪所撰《居竹轩诗集》。**序见本集卷首，又有张翥、危素、郯韶等人序。成廷珪，字原常，一字元章，又字礼执，扬州人。与张翥为忘年友，与李坦之、张雨、李黼、王冕、饶介等往还唱和，以吟咏自适。晚居云间，先张翥而卒，年七十馀，王逢有诗哭之。著有《居竹轩诗集》四卷，今存明嘉靖刊本、清得一堂抄本、《四库全书》本。《元诗选》二集戊集选其诗264首。〔按，今人杨镰《元诗史》据其诗《闻中原河决盗起有感》（《居竹轩诗集》卷一），以为成廷珪生于至元二十九年（1292）。据郜肃《居竹轩诗集序》，以其卒年为至正二十三年（1363）。成廷珪《戊戌年避地吴门九日感怀》诗云："行年七十犹为客，何处江湖着老夫。黑发空存数茎在，黄花也笑一钱无。家徒活计如鸠拙，病起形容似鹤癯。独把茱萸仍独酌，酒酣不用阿孙扶。"（《居竹轩诗集》卷二）戊戌为至正十八年（1358），行年七十，则其生年又当在至元二十六年（1289）。然张翥生于至元二十四年（1287），似与郜肃序所称与"仲举张公为忘年友"不甚相符。又王逢有《哭成元章》诗，题下注云："与丁仲容先后日生，李坦之、张仲举咸至交好，有诗倡和。"（《梧溪集》卷三）〕四库提要卷一六八："《居竹轩集》四卷，元成廷珪撰。……此集乃其友郜肃、刘钦搜辑遗稿所刊也。廷珪与河东张翥为忘年交，其诗音律体制，多得法于翥，而声价亦与翥相亚。观诗中所载酬答者，如杨维桢、危素、杨基、李黼、余阙、张雨、倪瓒，皆一代胜流。而黼与阙之忠义，瓒之孤僻，尤非标榜声气之辈。其倾倒于廷珪，必有所以取之矣。刘钦称廷珪五言务自然，不事雕刻，七言律最为工，深合唐人之体。今观其七言古诗，亦颇遒丽，惟五言古诗，竟无一篇，似不应全卷遗佚。或自知此体不擅长，遂不复作，亦如宋无之《翠寒集》欤？"

洪希文卒，年八十五。《元诗选》初集己集《新秋客中》诗后按语："汝质集中警句，如《题灵岩广化寺》云：'佳句不随飞鸟尽，名山可想属僧多。'《守岁》云：'沉香已带寅前气，腊酒初闻子后香。'《水仙花》云：'月明夜色玉连锁，露冷秋茎金屈卮。'《夏政斋权府再举留莆郡镇守》云：'作赋重游前赤壁，题诗一笑再玄都。'《雪髭》云：'功名不建头颅老，日月如驰髀肉生。'《幽居》云：'旧书馀草风搜遍，好树开花月送来。'《官筑城垣起众坟石》云：'凄其死者无归路，羞与仇人共戴天。'皆自成一家机轴，酷肖其父，所谓以似以续是也。"四库提要卷一六七："《续轩渠集》十卷、附录一卷，元洪希文撰。……嘉靖癸巳，其七世族孙绍兴知府珠请山阴蔡宗兖刊定。宗兖序称删去一百三十五首，存四百三十五首，编为十卷、附刻一卷，则原集五百七十首也。王凤灵序则称诗二卷，为七律一百九十二首，古诗九十七首，绝句一百首，为数不同，又皆不及其词与杂文。此本凡诗三百六十九首，词三十三首，杂文十八首，与两序所言皆不符，疑传写者又有所刊削也。宗兖序谓其以山泽之癯出山泽之语，譬诸夏鼎商彝，华采虽若不足，而浑厚朴素之质，使望之者知为古器。凤灵序称其能以质胜，不蔽其情。今观其诗，纯沿宋格，于元末年华缛之风、明中叶堂皇之体，迥焉不同。故二人之论云尔。实则清遒激壮，亦足落落独行也。"《续轩渠集》，有希文自序，元人林以顺、林以扦、卓器之及明人周祚、王灵凤等人序。

夏原吉生。夏原吉（1366—1430），字维哲，其先德兴人，家湘阴。著有《夏忠靖集》六卷。生平见《明史》卷一四九本传。

虞谦生。虞谦（1366—1427），字伯益，金坛人。生平见《明史》卷一五〇本传。

梁潜生。梁潜（1366—1418），字用之，江西泰和人。著有《泊庵集》十六卷。生平见《明史》卷一五二《邹济传》附。

## 公元 1367 年 （顺帝至正二十七年 丁未）

### 正月

朱元璋以吴纪元，本年为吴元年。

### 三月

朱元璋设文武科举取士。《明太祖实录》系其事于本月丁酉，《明史稿》及《明通鉴》则作丁丑。时朱元璋下令取士，分文武科，令云："其应文举者，察之言行以观其德，考之经术以观其业，试之书算骑射以观其能，策以经史时务以观其政事。应武举者，先之以谋略，次之以武艺。俱求实效，不尚虚文。然此二者，必三年有成，有司预为劝谕，民间秀士及智勇之人以时勉学，俟开举之岁，充贡京师。"行乡试于全国，在洪武三年。

### 五月

二十四日，朱元璋置翰林院。见《明史》卷一《太祖本纪》。

### 七月

二十七日，朱元璋置太常司，下设协律郎，负责制定朝仪、祭祀、宴会等所用乐章乐谱。首任协律郎为冷谦。见《明史·乐志》、《明太祖实录》卷二十四吴王元年七月辛丑（二十七日）及八月甲寅（十日）。冷谦，字起敬，嘉兴（一作钱塘）人。生平略见傅维麟《明书》卷一五一《艺术传》；王鏊《震泽长语》亦记其事，然颇多神异色彩。《七修续稿》卷四："冷谦，字启敬，号龙阳子，钱塘人也，善音律、术数之学。世有《蓬莱仙弈图》，谓冷至正六年端阳作送张三丰者。三丰仙人，永乐二年，转送淇国邱国公福，并跋启敬来历。今遗落吴下一家。往往见诸名人集中载事题诗，独都南濠文跋具载跋语，略言二人始末未真，亦不知此图为伪也。尝闻太祖命真人张宇初访求三丰，成祖又命尚书胡公濙天下物色，皆不获见。尝思淇国乃成祖心腹功臣，三丰至而敢匿不言者耶？且跋中止言冷字而无名，谓冷武陵人而不知本钱塘（刘伯温有'在杭识启敬'并志云钱塘人），能言元时之事详而不知为本朝协律郎，知远而不知近，有是理耶？跋云：'观李思训画，遂得其法，勾出神品，以丹青鸣于时。'何刘伯温之诗与他书皆不言之，而独言善音律、术数耶？就使三丰真得冷画，元末已死复生，孑身远游矣，岂复带画，永乐时送人耶？且跋曰：'冷在至正间，已百数岁。'若在洪武，必百数十岁矣，如此老尚为人臣耶？就使为之，可谓奇矣，如太公、伏生，人必言之，何不见于书耶？此必恰人假冷之名、张之跋、淇国之所遗，见其难得之物，货人重价，一时名人不察而纪其异，为之题咏也。予惜未见，特辩之，并考二人。"

李齐贤卒，年八十一。李穑《吉林府院君谥文忠李公墓志铭》："至正二十七年岁在丁未，秋七月□日，推诚亮节同德协义赞化功臣、壁上三韩三重大匡、鸡林府院君、领艺文春秋馆事益斋先生李公以病卒于第,年八十一。"《朝鲜史略》卷十一:"〔恭愍王十六年〕(即至正二十七年),鸡林府院君李齐贤卒,谥文忠。"李穑《李齐贤集序》:"奉使川蜀,从王吴会,往返万馀里,山河之壮,风俗之异,古圣贤之遗迹,凡所谓闳博绝特之观,既已包括而无馀,则其疏荡奇气,殆不在子长下矣。"陶湘《景明弘治高丽晋州本遗山乐府叙录》:"吾东方既与中国语音殊异,其所谓乐府者,不知引声唱曲。……唯益斋入侍忠宣王,与阎、赵诸学士游,备知诗馀众体者,吾东方一人而已。"《蕙风词话》卷三:"益斋词《太常引·暮行》云:'灯火小于萤。人不见、苔扉半扃。'《人月圆·马嵬效吴彦高》云:'小鞺中有,渔阳胡马,惊破《霓裳》。'《菩萨蛮·舟次青神》云:'夜深篷底宿。暗浪鸣琴筑。'《巫山一段云·山市晴岚》云:'隔溪何处鹧鸪鸣。云日瞖还明。'前调《黄桥晚照》云:'夕阳行路却回头。红树五陵秋。'此等句,寘之两宋名家词中,亦庶几无愧色。"

## 八月

十八日,陈高卒,年五十三。揭汯《陈子上先生墓志铭》:"二十六年冬,东西浙陷。明年春,先生走中州。夏,谒河南王、太傅、中书右丞相于怀庆,论江南之虚实,陈天下之安危,当何以弭已至之祸,何以消未来之忧。适关、陕多故,未之用。士大夫闻其至,皆愿与友,丞相亦喜,即欲官之,知其非志,亦不强。数月而疾,以八月十八日卒于邸,以是月二十日葬于怀庆城南。其疾也,丞相留河南,遣医往问。其卒也,遣官致祭,赠赙甚厚。其葬也,中书平章政事锁铸,先生同年也,实经理之,四方之士凡自南而来者,皆会哭。"(《不系舟渔集》附录)陈高《答友人书》:"高之文,非幼少而习之也,非师授而得之也。数年以来,始知读书为学,初而求之古人之言,则但见巍乎其高而已耳,窅乎其深而已耳,渺渺乎其浩荡而已耳,而不知所以高、所以深、所以浩荡也,则虽欲强措一词而不可得也。继而愤悱奋励,虚此之心,逆彼之志,则所以高、所以深、所以浩荡,始若仿佛有以仅见其一二,然而不能尽也。夫然后掺翰染墨,勉强于措辞,而卑浅庸陋,其不见笑于能言之士无几矣。奚可谓之文哉?"(《不系舟渔集》卷十五)揭汯《陈子上先生墓志铭》:"先生为文,上本迁、固,下猎诸子。先生为诗,上溯汉魏,而齐梁以下勿论也。先生为行,洁己而不同于俗,抗节而不屈于物。意所与,惓惓焉不能舍,赴其急,水火不避也。所不与,欲其一语一字不可得,所至合则留,不可则去。"苏伯衡《陈子上存稿序》:"子上陈君既没之十有八年,余过其里,从其子访其遗稿,得诗文总若干首,诗为四言、为五言、为七言、为古、为乐府、为律、为绝,凡若干卷,文为记、为叙、为铭、为赞、为箴、为跋,凡若干首,加诠次焉,厘为若干卷,题曰《陈子上存稿》,俾藏于家。叙曰:夫所贵乎文辞者,非以言之工而贵之也,当理之言斯贵矣。其言当理,虽其人无足取,君子犹不以人废言而使之泯没也,况其人若子上者。抗特操于乱世,临患难死生祸福而不易其志,不污其身,可谓贤矣。而其言也,揆诸往哲而有合,传之来世而无愧,可使泯没而无闻乎?此余于其遗稿所以不能已其情也。六艺、百氏之言,子上无弗学,而以求道为急。凡诗文未尝苟作,要其归,不当于理者盖鲜矣。自为举子时,其所作已为流辈所重。金华胡仲申先生以古学名，尝傲视一世人，于文章靳许可，独敬爱子上，而称之曰能。其擢进士也，朝之名公巨人若翰林欧公、太常张公、礼部贡公、御史吴公、助教程公，金谓子上之文宜用之朝廷、施之典册，相与论荐之。……其友谢复元氏，欲率同志镂板以永其传，力虽不逮，而未尝忘之，其岂不犹余之情欤？豫章揭先生伯防称子上之文上本迁、固，下猎诸子，诗上溯汉魏，而齐梁以下弗论。可谓知言矣。复何所庸吾喙哉。"（《苏平仲文集》卷五）《静居绪言》："陈子上《不系舟渔集》，诗极激昂，非诸粉饰章句者比。五言《感兴》七章及七律《羁思》等作，皆能惩创时事。"四库提要卷一六八："《不系舟渔集》十五卷、附录一卷，元陈高撰。……明洪武初，苏伯衡访其遗集，厘定成编，题曰《子上存稿》。此本题《不系舟渔集》，不知何人所改。文格颇雅洁，诗惟七言古体不擅场，绝句亦不甚经意。其五言古体，源出陶潜，近体律诗，格从杜甫，面目稍别，而神思不远，亦元季之铮铮者矣。元又有嘉定僧祖柏，其诗亦名《不系舟集》，见顾嗣立《元诗选》。集中有《题倪瓒芝秀图》诗，盖与高同时，然其诗不及高远甚。今未见其本，以集名相乱，附著其异于此，庶来者无疑焉。"

## 九月

初八，徐达率兵克平江，张士诚被执，缚至建康，自缢死。见《明史》卷一《太祖本纪》，又见《元史》卷四十七《顺帝本纪》。《七修类稿》卷八述士诚本末甚详。

## 十月

初一，遣起居注吴琳、魏观以币求遗贤于四方。见《明史》卷一《太祖本纪》。

二十一日，朱元璋以徐达为征虏大将军，常遇春为副将军，帅兵二十五万，由淮入河，北征中原。见《明史》卷一《太祖本纪》。

二十六日，朱亮祖克温州，获刘仁本，朱元璋亲数其罪，鞭背溃烂而死。《明史》卷一《太祖本纪》："〔至正二十七年十月〕己巳，朱亮祖克温州。"《明史》卷一二三《方国珍传》附："刘仁本，字德玄，国珍同县人。……朱亮祖之下温州也，获仁本，太祖数其罪，鞭背溃烂死。"刘仁本，字德玄，黄岩人。元至正间进士乙科，历官温州路总管。至正十九年，授江浙行省左右司郎中。方国珍据温州、台州，仁本与张本仁俱入其幕。与迺贤、赵俶、谢理、朱右、金元素、盛熙明等善，往返唱和，以诗称于时。方国珍海运输元，实仁本司其事。至正二十七年，朱亮祖克温州，被执卒。生平据《明史》卷一二三《方国珍传》附。〔按，仁本母王可道，生于至元二十一年（1284），卒于至正十七年（1357），年七十四。仁本为其长子。见贡师泰《赠天台郡君王氏墓志铭》（《玩斋集》卷十）。〕

## 十一月

二十七日，李士瞻卒，年五十五。李守成《元翰林承旨楚国李公圹志》："公生皇

471

庆二年二月一日，至正二十七年十一月二十七日，以疾终于京师明照里第之正寝，春秋五十有五。十二月三日，葬大兴县腊八之原。"（《经济文集》卷六附录）四库提要卷一六七："《经济文集》六卷，元李士瞻撰。……然所载往来简劄至七十馀通，几居全集之半。虽多属一时酬答之作，而当时朝政之姑息，兵事之乖方，藩臣之跋扈，多可藉以考见。其弥缝匡救，委曲周旋，拳拳忧国之忧，亦不在所上时政疏下。《元史》于顺帝时事最称疏略，存此一集，深足为考证之助，正不徒重其文章矣。"

## 十二月

初二，朱元璋颁律令。见《明史》卷一《太祖本纪》。

初五，方国珍归降朱元璋，浙东平。见《明史》卷一《太祖本纪》，又见《元史》卷四十七《顺帝本纪》。

朱元璋置教坊司，掌宴乐。见《明太祖实录》卷二十八吴元年十二月。

吴海以避兵往居黄岩。吴海《游黄岩记》："自予往来三十年，凡方山之胜皆饫览之，惟黄岩仅两至焉。丁未岁杪，避兵来此。"据徐起《闻过斋集序》所言，迄建文三年，吴海卒已逾十五年，则吴海之卒，当在洪武十八年（1385）前后。吴海，字朝宗，号鲁客，学者称闻过先生，闽县人。博学负气节，为贡师泰、林泉生所推重。洪武初，荐之于朝，辞不就。著有《闻过斋集》八卷。《元诗选》二集辛集选其诗 4 首。《元诗选》二集辛集："所著有命本录，其为文严整雅奥而归诸理。"四库提要卷一六八："《闻过斋集》八卷，元吴海撰。……是集为其门人王偁所编。初，海与永福王翰善，元亡之后，海以翰尝仕元，劝以死节，而自抚其遗孤。教之成立，即偁是也。史称其文严整典雅，一归诸理。又载海尝言：'杨、墨、释、老，圣道之贼，管、商、申、韩，治道之贼，稗官、野乘，正史之贼，支词、艳说，文章之贼。上之人宜救通经大臣，会诸儒，定其品目，颁之天下，民间非此不得辄藏，坊肆不得辄鬻'云云。虽持论少狭，非古人兼资博考之义，然其宗旨之正，亦于此可见矣。其题曰闻过斋者，海平生虚怀乐善，有规过者，欣然立改，尝以闻过名其斋，偁因以名其集云。"

## 本年

高启汇戊戌以来诗七百三十二篇为《缶鸣集》。集有高启自序。其时高启年三十二，于乱后复移居江上。见《答余新郑》诗。《缶鸣集》五卷，今存《四库全书》本。谢徽洪武三年序云："季迪取旧所集诸诗，益加删改，汇粹为一，凡九百馀篇，特以今年庚戌冬而止。"则其后又益以明初三年之诗矣。王益《书缶鸣集后》："《缶鸣集》，乃永乐初周公礼始刻诗一千首。至景泰初，徐用理重刻诗二千首，印行久矣。今用礼以板付益藏之，乃增太史公并周君《序》于前，李志光《传》于后。庶知此集权舆于公礼，尽美于用理也。"

刘崧《钟陵》、《五云》、《邓溪》、《双溪》、《凤山》、《瑶峰》、《墨池》、《东门》、《株林》、《龙湾》、《北岩》、《龙门》等稿，作于后至元五年至至正二十七年间。洪武元年、二年所作诗文名《戊己稿》。见刘崧所撰《自序诗集》（《槎翁文集》卷十）。刘崧所撰，今存《槎翁文集》十八卷，有嘉靖元年徐冠刻本。《四库全书》所收，仅槎翁诗集八卷，另有槎翁集八卷入存目。

**周伯琦由平江归居鄱阳，洪武二年六月卒，年七十二。**〔按，王逢《故南台侍御史周公挽辞》题下注云："公讳伯琦，字伯人，号玉雪坡真逸，寿七十一。"（《梧溪集》卷四）宋濂《元故资政大夫江南诸道行御史台侍御史周府君墓铭》则作年七十二卒。〕《七修类稿》卷三十七："周伯琦，元之饶人，工真、草、篆、隶，而篆尤精也，元人无出其右，世行其《六书正讹》、《说文字原》。至正十六年，尝为吾浙参知政事，杭志失收，《元史》作十七年，讹也。寻除江浙行省左丞，然以十七年招谕张士诚，为其留用未拜。后士诚为武宁王缚见太祖，伯琦逮系于后，太祖问谁也，对曰：'元江浙行省参政周某。'（苏志作饶介之，非。）帝曰：'元君寄汝一方重任，乃资贼乱耶？'遂与伪吴司徒吕（李）伯升同弃市。《剪胜旧闻》又云：'醉以三日，酬其功而杀之。'《元史》又谓：'回鄱阳，寻卒。'恐皆非也。夫既为张用之久，张败可以逃耶？又何有功于国朝耶？"郎瑛盖未睹宋濂所撰墓志也。

**朱右自翰林致仕归。**舒頔《石镜诗序》："吴元年丁未，允升朱先生自翰林致事归。明年改元洪武冬十一月，先生以他事过邑，适通判夏侯偕六安郑士恒、邑令欧德渊相与观石镜，时仓卒未暇赋。去宁国，以此诗寄頔，代书之。庚戌十二月，先生以疾不起。"（《贞素斋集》卷二）

**张士诚亡，张宪变姓名走杭州。**张宪，字思廉，号玉笥生，山阴人。学诗于杨维桢。张士诚据吴，辟为枢密院都事。吴亡，隐姓避居杭州报国寺。著有《玉笥集》十卷，戴良尝为之序（《九灵山房集》卷十二）。《元诗选》初集庚集选其诗 144 首。生平见孙作《玉笥生传》（《沧螺集》卷四）、《明史》卷二八五《文苑传》。

**明兵下平江，马玉麟仰药卒。**王逊《东皋先生传》："居无何，大军下平江，先生赋诗见志，有'囊中短疏成遗恨'之句，遂仰药而卧。或掖以见总兵，先生曰：'我疾不能屈膝矣。'寻卒。先生卒后之二十六年，为洪武二十五年，嗣子敬以先生行实授逊速传。"马玉麟，字谷璲，号东皋道人，吴陵樊川人。以荐授赣榆县儒学教谕。未几，以母丧去官，居家授徒。张士诚下平江，辟为掾史，寻升长洲县尹。未几，除江浙行中书省分省员外郎。表为行中书省参知政事，命未下，便宜擢本省郎中，改平江路总管。明兵下平江，遂仰药卒。著有《东皋诗集》五卷。

**饶介卒。**解缙《书学源流详说》："饶介，字介之，号醉翁、华盖山樵、浮丘公，童子亦曰介叟，临川人。游建康，丁仲容婿畜之。后卒于姑苏，时岁丁未。"（《文毅集》卷十五）饶介，字介之，临川人。由翰林应奉出为浙西金宪，累升淮南行省参政。张士诚据吴，杜门不出，自号华盖山樵，又号醉翁。士诚慕其名，强起为参政。张士诚败亡，介之亦被诛。《书史会要》卷七："饶介，字介之，番易人，博学有口才，草书亦飘逸。"杨士奇《跋饶介之诗后》："饶介，字介之，号醉樵，尝仕张士诚。能诗，攻书法，擅名当时。宋仲温、宋昌裔皆出其门。"（《东里续集》卷二十一）

**黄淮生。**黄淮（1367—1449），字宗豫，永嘉人。著有《省愆集》二卷、《黄介庵集》十一卷。生平见《明史》卷一四七本传。

473

## 至正间

至正六年至元亡，朝鲜人编成《朴通事谚解》书中，书中所引，有《西游记平话》一书。

**萧德祥为至正间人**。明写本《录鬼簿》卷下："萧德祥，名天瑞，杭州人，以医为业，号复斋。凡古人俱概括。有南曲，街市盛行。又有南戏文。"著有杂剧《四春园》、《小孙屠》、《王翛断杀狗劝夫》、《四大王歌舞丽春园》、《四大王歌舞丽春园》等。孙楷第《元曲家考略》、叶德均《戏曲小说丛考》均有关于其人之考证，然或籍贯不合，或职业不合。是否其中有曲家萧德祥，尚待考证。其所作杂剧《四大王歌舞丽春园》、《四大王歌舞丽春园》，亦与王实甫、关汉卿所作同名，今存者多以为乃王、关所作。定为萧氏所作者有《杀狗劝夫》一种，《元曲选》本题作《杨氏女杀狗劝夫》。贾仲明〔双调〕《凌波仙·吊萧德祥》："武林书会展雄才，医业传家号复斋，戏文南曲衡方脉。共传奇，乐府谐。治安时，何地无才？人间着（著），《鬼簿》栽（载），共弄玉，同上春台。"

**徐畹为至正间人**。徐畹，字仲由，浙江淳安人。洪武初，征至藩省，辞归。著有《巢松集》。张大复《寒山堂曲谱》、朱彝尊《静志居诗话》、高奕《新传奇品》均以为南戏《杀狗记》为仲由作。南戏《错立身》叙及南戏作品，尝提到《杀狗记》。或以为《杀狗记》为宋人所作。

# 主要参考引用书目

元史　宋濂等撰　中华书局 1976 年版

明史　张廷玉等撰　中华书局 1974 年版

元史类编　胡粹中撰　四库全书本

新元史　柯绍忞撰　中国书店 1988 年版

元名臣事略　苏天爵编　四库全书本

列朝诗集小传　钱谦益撰　上海古籍出版社 1983 年版

四库全书总目　永瑢等撰　中华书局 1965 年版

四库提要辨证　余嘉锡撰　中华书局 1980 年版

四库全书总目提要补正　胡玉缙撰，王欣夫辑　上海书店 1998 年版

研北杂志　陆友撰　四库全书本、说郛本

山居新话　杨瑀撰　四库全书本

遂昌杂录　郑元祐撰　四库全书本

乐郊私语　姚桐寿撰　四库全书本

南村辍耕录　陶宗仪撰　中华书局 1959 年版

书史会要　陶宗仪撰　上海书店 1984 年版

至正直记　孔齐撰，庄敏、顾新点校　上海古籍出版社 1987 年版

草木子　叶子奇撰　中华书局 1959 年版

谰言长语　曹安撰　四库全书本

七修类稿　郎瑛撰　上海书店 2001 年版

西湖游览志馀　田汝成撰　上海古籍出版社 1980 年版

徐氏笔精　徐𤊻撰　四库全书本

蟫精隽　徐伯龄撰　四库全书本

居易录　王士禛撰　四库全书本

池北偶谈　王士禛撰　中华书局 1982 年版

文天祥全集　文天祥撰　中国书店 1985 年版

叠山集　谢枋得撰　四库全书本

本堂集　陈著撰　四库全书本

须溪集　刘辰翁撰　四库全书本

碧梧玩芳集　马廷鸾撰　四库全书本

覆瓿集　赵必豫撰　四库全书本

阆风集　舒岳祥撰　四库全书本

北游集　汪梦斗撰　四库全书本

秋堂集　柴望撰　四库全书本

蛟峰文集　方逢辰撰　四库全书本

秋声集　卫宗武撰　四库全书本

陵阳集　牟巘撰　四库全书本

增订湖山类稿　汪元量撰，孔凡礼辑校　中华书局 1984 年版

晞发集　谢翱撰　四库全书本

晞发遗集　谢翱撰　四库全书本

天地间集　谢翱撰　四库全书本

潜斋文集　何梦桂撰　四库全书本

梅岩文集　胡次焱撰　四库全书本

四如集　黄仲元撰　四库全书本、四部丛刊本

林霁山集　林景熙撰　四库全书本

白石樵唱　林景熙撰　知不足斋丛书本

勿轩集　熊禾撰　四库全书本

佩韦斋文集　俞德邻撰　四库全书本

则堂集　家铉翁撰　四库全书本

百正集　连文凤撰　四库全书本

存雅堂遗稿　方凤撰　四库全书本

吾汶稿　王炎午撰　四库全书本

仁山文集　金履祥撰　四库全书本

伯牙琴　邓牧撰，张岂之、刘厚户标点　中华书局 1959 年版

林屋山人漫稿　俞琰撰　四库全书存目丛书本

赵宝峰先生文集　赵偕撰　四库全书存目丛书本

淮阳集　张弘范撰　四库全书本

归田类稿　张养浩撰　四库全书本

桐江续集　方回撰　四库全书本

剡源文集　戴表元撰　四库全书本

养蒙文集　张伯淳撰　四库全书本

墙东类稿　陆文圭撰　四库全书本

青山集　赵文撰　四库全书本

桂隐文集　刘诜撰　四库全书本

水云村稿　刘埙撰　四库全书本

巴西集　邓文原撰　四库全书本

卢疏斋集辑存　卢挚撰，李修生辑笺　北京师范大学出版社 1984 年版

紫山大全集　胡祗遹撰　四库全书本

松乡集　任士林撰　四库全书本

松雪斋集　赵孟𫖯撰　四库全书本

赵孟𫖯集　赵孟𫖯撰，任道斌校点　浙江古籍出版社 1986 年版

吴文正集　吴澄撰　四库全书本

鲁斋遗书　许衡撰　四库全书本

静修集　刘因撰　四库全书本

静修续集　刘因撰　四库全书本

青崖集　魏初撰　四库全书本

养吾斋集　刘将孙撰　四库全书本

东庵集　滕安上撰　四库全书本

白云集　许谦撰　四库全书本

畏斋集　程端礼撰　四库全书本

默庵集　安熙撰　四库全书本

云峰集　胡炳文撰　四库全书本

秋涧先生大全集　王恽撰　四部丛刊初编本

秋涧集　王恽撰　四库全书本

牧庵集　姚燧撰　四库全书本

雪楼集　程钜夫撰　四库全书本

曹文贞诗集　曹伯启撰　四库全书本

兰轩集　王旭撰　四库全书本

清容居士集　袁桷撰　四库全书本

申斋集　刘岳申撰　四库全书本

霞外诗集　马臻撰　四库全书本

西岩集　张之翰撰　四库全书本

蒲室集　释大訢撰　四库全书本

定宇集　陈栎撰　四库全书本

艮斋诗集　侯克中撰　四库全书本

知非堂稿　何中撰　四库全书本

云林集　贡奎撰　四库全书本

中庵先生刘文简公文集　刘敏中撰　北京图书馆古籍珍本丛刊本

王文忠集　王结撰　四库全书本

静春堂诗集　袁易撰　四库全书本、知不足斋丛书本、丛书集成初编本

惟实集　刘鹗撰　四库全书本

勤斋集　萧𡼖撰　四库全书本

石田文集　马祖常撰　四库全书本

桀庵集　同恕撰　四库全书本
道园学古录　虞集撰　四库全书本、四部丛刊初编本
杨仲弘集　杨载撰　四库全书本
翰林杨仲弘诗集　杨载撰　四部丛刊初编本
范德机诗集　范梈撰　四库全书本
揭傒斯全集　揭傒斯撰，李梦生标校　上海古籍出版社 1985 年版
贞一斋杂著　朱思本撰　适园丛书本
桧亭集　丁复撰　四库全书本
伊滨集　王沂撰　四库全书本
渊颖集　吴莱撰　四库全书本、四部丛刊初编本
文献集　黄溍撰　四库全书本
金华黄先生文集　黄溍撰　四部丛刊初编本
圭斋文集　欧阳玄撰　四库全书本、四部丛刊初编本
待制集　柳贯撰　四库全书本
闲居丛稿　蒲道源撰　四库全书本
至正集　许有壬撰　四库全书本
礼部集　吴师道撰　四库全书本
积斋集　程端学撰　四库全书本
燕石集　宋褧撰　四库全书本
雁门集　萨都拉撰　上海古籍出版社 1982 年版
安雅堂集　陈旅撰　四库全书本
傅与砺诗文集　傅若金撰　四库全书本
筠轩集　唐元撰　四库全书本
存复斋文集　朱德润撰　四部丛刊续编本、四库全书存目丛书本
俟庵集　李存撰　四库全书本
滋溪文稿　苏天爵撰，陈高华、孟繁清点校　中华书局 1997 年版
滋溪文稿　苏天爵撰　四库全书本
青阳集　余阙撰　四库全书本
经济文集　李士瞻撰　四库全书本
纯白斋类稿　胡助撰　四库全书本、丛书集成初编本
蜕庵集　张翥撰　四库全书本
五峰集　李孝光撰　四库全书本
野处集　邵亨贞撰　四库全书本
蚁术词选　邵亨贞撰　宛委别藏本
金台集　迺贤撰　四库全书本
午溪集　陈镒撰　四库全书本
药房樵唱　吴景奎撰　四库全书本
栲栳山人诗集　岑安卿撰　四库全书本

玩斋集　贡师泰撰　四库全书本

羽庭集　刘仁本撰　四库全书本

不系舟渔集　陈高撰　四库全书本

居竹轩诗集　成廷珪撰　四库全书本

句曲外史集、补遗、集外诗　张雨撰　四库全书本

侨吴集　郑元祐撰　四库全书本

鹿皮子集　陈樵撰　四库全书本

林外野言　郭翼撰　四库全书本

师山集、师山遗文　郑玉撰　四库全书本

友石山人遗稿　王翰撰　四库全书本

闻过斋集　吴海撰　四库全书本

学言稿　吴当撰　四库全书本

贞素斋集　舒頔撰　四库全书本

一山文集　李继本撰　四库全书本、湖北先正遗书本

江月松风集　钱惟善撰　四库全书本

高则诚集　高明撰，张宪文、胡雪冈辑校　浙江古籍出版社 1992 年版

龟巢稿　谢应芳撰　四库全书本

石初集　周霆震撰　四库全书本

梧溪集　王逢撰　四库全书本、知不足斋丛书本

樵云独唱　叶颙撰　四库全书本

静思集　郭钰撰　四库全书本

九灵山房集、补编　戴良撰　四库全书本

云阳集　李祁撰　四库全书本

佩玉斋类稿　杨翮撰　四库全书本

清閟阁全集　倪瓒撰　四库全书本

玉山璞稿　顾瑛撰　宛委别藏本

麟原文集　王礼撰　四库全书本

来鹤亭诗　吕诚撰　四库全书本

环谷集　汪克宽撰　四库全书本

栲隐集　胡行简撰　四库全书本

东山存稿　赵汸撰　四库全书本

东维子集　杨维桢撰　四库全书本、四部丛刊初编本

夷白斋稿　陈基撰　四库全书本

庸庵集　宋禧撰　四库全书本

可闲老人集　张昱撰　四库全书本

石门集　梁寅撰　四库全书本

翠屏集　张以宁撰　四库全书本

文宪集　宋濂撰　四库全书本

宋学士全集　宋濂撰　四部丛刊初编本

宋濂全集　宋濂撰，罗月霞主编　浙江古籍出版社1999年版

王忠文公集　王祎撰　四库全书本、四部丛刊初编本

诚意伯文集　刘基撰　四库全书本、四部丛刊初编本

龟巢稿　谢应芳撰　四库全书本、四部丛刊三编本

陶学士集　陶安撰　四库全书本

西隐集　宋讷撰　四库全书本

高青丘集　高启撰，金檀辑　上海古籍出版社1985年版

槎翁文集　刘崧撰　四库全书存目丛书本

说学斋稿　危素撰　四库全书本

危学士全集　危素撰　四库全书存目丛书本

白云集　唐桂芳撰　四库全书本

登州集　林弼撰　四库全书本

清江诗集、清江文集　贝琼撰　四库全书本

密庵文集　谢肃撰　四库全书本

密庵文集　谢肃撰　四部丛刊本

苏平仲集　苏伯衡撰　四库全书本

胡仲子集　胡翰撰　四库全书本

始丰稿　徐一夔撰　四库全书本

东里文集　杨士奇撰　四库全书本

东里续集　杨士奇撰　四库全书本

曝书亭集　朱彝尊撰　四库全书本

草堂雅集　顾瑛编　四库全书本

元诗选初集、二集、三集　顾嗣立编　中华书局1987年版

元诗选癸集　顾嗣立、席臣编，吴申杨点校　中华书局2001年版

元诗选补遗　钱熙彦编　中华书局2002年版

天下同文集　周南瑞编　四库全书本、雪堂丛刻本

元文类　苏天爵编　四库全书本、四部丛刊初编本

新安文献志　程敏政编　四库全书本

中州名贤文表　刘昌编　四库全书本

吴都文粹续编　钱谷编　四库全书本

山中白云词　张炎撰，吴则虞校辑　中华书局1983年版

全金元词　唐圭璋编　中华书局1979年版

历代诗话　何文焕编　中华书局1981年版

历代诗话续编　丁福保编　中华书局1983年版

词话丛编　唐圭璋编　中华书局1986年版

白朴戏曲集校注　白朴撰，王文才校注　人民文学出版社1984年版

郑光祖集　郑光祖撰，冯俊杰校注　山西人民出版社1992年版

录鬼簿（外四种）　钟嗣成等撰　上海古籍出版社1978年版

朝野新声太平乐府　杨朝英编，卢前校　文学古籍刊行社1955年版

新校九卷本阳春白雪　杨朝英编，隋树森校订　中华书局1957年版

全元散曲　隋树森编　中华书局1964年版

全元戏曲　王季思主编　人民文学出版社1990年版

中国古典戏曲序跋汇编　蔡毅编　齐鲁书社1989年版

中国古典戏曲论著集成　中国戏曲研究院编　中国戏剧出版社1959年版

山西戏曲碑刻辑考　冯俊杰等编　中华书局2002年版

中华大典·文学典·宋辽金元文学分典　曾枣庄主编　江苏古籍出版社1999年版

元曲家考略　孙楷第撰　上海古籍出版社1981年版

方志著录元明清曲家传略　赵景深、张增元编　中华书局1987年版

中国戏曲史编年（元明卷）　王永宽、王钢撰　中州古籍出版社1994年版

元人传记资料索引　王德毅主编　中华书局1987年版

元代画家史料　陈高华编　上海人民美术出版社1980年版

# 人名索引

陈 岩 107

陈以仁 197，278

陈义高 106，225

陈绎曾 55，141，283，284，342，345

陈益稷 270

陈 镒 335，342，414，417，444

陈 英 125

陈 植 347，448

陈 著 39，58，90，96，139

成廷珪 466，467，468

程端礼 243，356，357

程端学 94，175，243，280，303

程钜夫 1，3，10，20，39，40，43，46，50，57，69，73，77，81，88，99，106，110，116，119，126，128，133，159，160，172，173，176，181，183，186，187，190，192，197，205，207，212，214，238，271，283，348

仇 远 8，15，16，39，40，42，47，48，49，51，60，79，93，96，111，112，124，135，137，143，177，239，247，252，254，255，265，340

### D

戴表元 34，39，40，44，45，48，65，79，85，99，100，101，102，104，108，109，112，118，121，133，135，137，139，140，142，165，166，202，232，250，255，259，264，283，333，340，346，360

戴 良 123，200，323，327，382，383，386，389，395，424，426，440，452，459，461，473

邓 牧 4，82，86，111，121，137，138，160

邓 剡 7，8，9，80，128

邓文原 20，35，62，99，101，104，105，126，131，137，139，157，168，170，186，190，201，216，218，219，226，234，235，242，245，259，262，263，

265，312，318，347，360

丁 复 297，347，353，354，379，388，413，445

丁鹤年 310，323，324

杜 本 30，133，162，163，178，179，236，252，323，344，353，378，385，420，455

杜仁杰 32，118

段成己 28，115

### F

范居中 148

范 康 227

范 梈 144，176，178，190，235，236，237，241，267，275，276，337，349，385

方逢辰 65，170

方 凤 41，48，56，62，86，93，100，112，116，118，137，143，220，255，265，314，328，340

方 回 13，18，30，35，37，42，48，55，61，67，72，73，75，79，93，99，102，104，109，112，119，133，135，136，142，158，166，174，214，225，255，340

方 澜 326

房 祺 29，115

费君祥 84

费 著 243，342

冯子振 69，122，226，234，247，313，359，460

傅若金 128，153，155，230，263，267，269，273，276，306，307，321，337，338，350，369，380，448

傅 习 312，323

### G

甘 复 397

甘 立 272

甘 泳 64

高克恭 96，98，168，435

高 明 46，76，215，266，351，355，368，379，381，392，431，440，445，455

# 后　记

　　本书在编写过程中，部分吸纳了今人的研究成果。如明初著名文人王祎，今存文献多作王祎。本书在参考了今人的相关研究后，逐一予以订正。冯沅君《古剧说汇》、孙楷第《沧州集》、邓绍基主编《元代文学史》、李修生《元杂剧史》、杨镰《元诗史》等，也是本书编写所参考的研究成果，因篇幅所限，未一一标明，敬希读者谅察。又，本书所引资料一依原文，如"鹏搏九霄"，现代汉语作"鹏抟九霄"，"富瞻"，作"富赡"，为保持引文原貌，均不擅作改动。因作者才识疏浅，书中遗漏错讹在所难免，敬请方家不吝指谬。

余来明

于武汉大学枫园

图书在版编目（CIP）数据

中国文学编年史. 元代卷 / 陈文新主编；余来明分册主编. —长沙：
湖南人民出版社，2006.9
ISBN 7-5438-4555-5

Ⅰ.中... Ⅱ.①陈...②余... Ⅲ.①文学史—编年史—中国—元代 Ⅳ.I209

中国版本图书馆 CIP 数据核字（2006）第 121911 号

## 中国文学编年史·元代卷

责任编辑：李建国　　胡如虹　　曹有鹏
　　　　　聂双武　　张志红　　杨　纯　　邓胜文
主　　编：陈文新
书名题字：卢中南
装帧设计：陈　新
出　　版：湖南人民出版社
地　　址：长沙市营盘东路 3 号
市场营销：0731-2226732
网　　址：http://www.hnppp.com
邮　　编：410005
制　　作：湖南潇湘出版文化传播有限公司
电　　话：0731-2229693　2229692
印　　刷：中华商务联合印刷（广东）有限公司
经　　销：湖南省新华书店
版　　次：2006 年 9 月第 1 版第 1 次印刷
开　　本：787×1094　1/16
印　　张：33
字　　数：730,000
书　　号：ISBN 7-5438-4555-5/I·458
定　　价：246.00 元